ALGÈBRE LINÉAIRE

Consultez nos catalogues sur le web

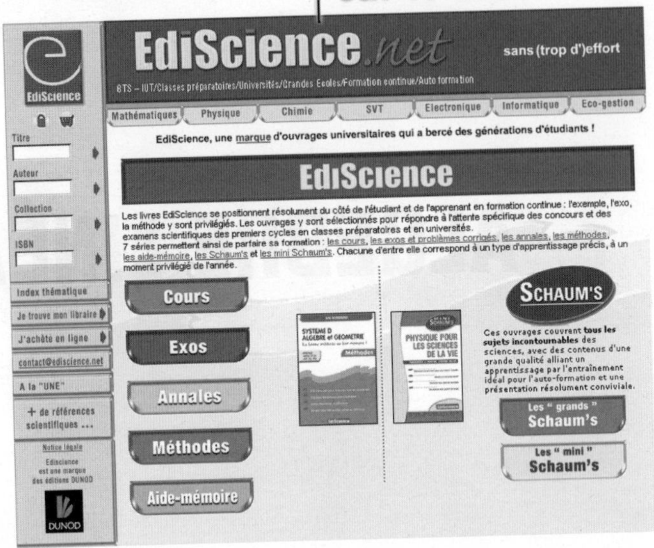

Schaum's

Architecture de l'ordinateur, N. Carter, EdiScience, 2002.
Programmation SQL, R. A. Mata-Toledo, P. K. Cushman, EdiScience, 2003.
Programmer en C++, J. R. Hubbard, 2e édition, EdiScience, 2002.
Structures de données en C++, J. R. Hubbard, EdiScience, 2003.
Structures de données en Java, J. R. Hubbard, EdiScience, 2003.
Systèmes d'exploitation, J. Archer Harris, EdiScience, 2002.
Introduction aux bases de données relationnelles, R. A. Mata-Toledo, P. K. Cushman, EdiScience, 2002.
Réseaux, E. Tittel, EdiScience, 2003.
XML, E. Tittel, EdiScience, 2003.

MiniSchaum's

C++, J. R. Hubbard, EdiScience, 2002.
Programmer en Java, J. R. Hubbard, EdiScience, 2002.
Électricité, M. Gussow, EdiScience, 2002.
Analyse, F. Ayres, E. Mendelson, EdiScience, 2002.
Statistique, M. Spiegel, EdiScience, 2002.
Physique pour les sciences de la vie, F. J. Bueche, E. Hecht, EdiScience, 2002.
Anatomie et physiologie humaines, K. M. Van de Graaff, W. Rhees, EdiScience, 2002.
Génétique, W. Stansfield, EdiScience, 2003.

ALGÈBRE LINÉAIRE

3e édition

S. LIPSCHUTZ

Professeur de mathématiques
à l'université de Temple (Philadelphie)
et à l'institut Polytechnique de Brooklyn

M. L. LIPSON

Professeur de mathématiques
à l'université de Georgie

Traduit de l'américain par Jean-Pierre Gosso

EdiScience

L'édition originale de cet ouvrage est parue sous le titre :

Schaum's Outline Linear Algebra

ISBN : 2-10-006983-7

Sommaire

Avant-propos

Ces dernières années, l'algèbre linéaire est devenue une composante essentielle de la formation d'un mathématicien, d'un enseignant de mathématiques, d'un ingénieur, d'un informaticien, d'un physicien, d'un économiste, d'un statisticien, etc. Ce besoin reflète l'importance et les potentialités immenses du sujet.

Ce livre est destiné à être utilisé comme manuel du cours formel d'algèbre linéaire, ou comme supplément à d'autres ouvrages. Il vise à présenter une introduction à l'algèbre linéaire qui puisse se montrer utile à tout lecteur, quels que soient ses domaines de compétence. La présentation commence à un niveau très élémentaire, adaptée à la plupart des cours initiaux. Ceci a pour objectif de rendre la lecture du livre plus souple, de fournir un livre de référence utile et de stimuler un intérêt accru pour le sujet.

Chaque chapitre débute avec un énoncé clair des définitions, principes et théorèmes pertinents, avec de nombreux exemples et autres illustrations. Sont présentées ensuite des séries graduées de problèmes résolus, puis des problèmes supplémentaires. Les solutions des problèmes illustrent et amplifient la théorie, insistent sur les principes de base, répétition essentielle à un apprentissage efficace. De nombreuses démonstrations, en premier lieu celles des théorèmes principaux, font partie des problèmes et de leurs solutions. Les problèmes supplémentaires permettent une révision complète des notions introduites dans chaque chapitre.

Les trois premiers chapitres traitent, à un niveau élémentaire, des vecteurs dans l'espace euclidien, de l'algèbre matricielle et des systèmes d'équations linéaires. Ils fournissent une introduction et les outils de base nécessaires à l'étude abstraite des espaces vectoriels et des applications linéaires des chapitres suivants. À la suite des exposés sur les espaces euclidiens, l'orthogonalité et les déterminants, on peut trouver une discussion détaillée de la notion de valeurs propres et vecteurs propres, nécessaires à la recherche des conditions permettant la représentation d'un opérateur linéaire par une matrice diagonale. Ceci mène naturellement à l'étude des diverses formes canoniques, notamment la forme triangulaire, la forme canonique de Jordan et la forme canonique rationnelle. Les derniers chapitres couvrent l'étude des formes linéaires et de l'espace dual, puis sont abordées les formes bilinéaires, quadratiques et hermitiennes. Le dernier chapitre traite plus en détails des opérateurs linéaires sur les espaces euclidiens et hermitiens. On trouvera enfin en annexe une rapide introduction aux notions de produit tensoriel et de produit extérieur.

Les principaux changements intervenus dans la troisième édition sont davantage d'ordre pédagogique qu'au niveau du contenu. Plus précisément, la notion abstraite d'application linéaire et de sa représentation matricielle apparaît en premier et sous-tend l'étude des valeurs propres, vecteurs propres, et des techniques de diagonalisation des matrices (par similitude). On y trouve aussi un grand nombre de nouveaux problèmes résolus et supplémentaires.

Enfin, nous tenons à remercier toute l'équipe responsable de la « Série Schaum ».

Seymour Lipschutz
Marc Lars Lipson

Chapitre 1

Vecteurs dans $\mathbb{R}^n$ et $\mathbb{C}^n$

1.1 INTRODUCTION

La notion de vecteur apparaît naturellement dans l'enseignement sous deux aspects différents : une collection de nombres, référencés par une « étiquette », ou un objet de nature géométrique introduit selon les besoins du physicien ; nous allons présenter les deux.

Nous supposons que le lecteur connaît déjà le corps $\mathbb{R}$ des nombres réels, et nous ajouterons quelques considérations sur le corps $\mathbb{C}$ des nombres complexes. Dans le contexte « vectoriel », les nombres sont appelés *scalaires*.

Dans ce chapitre, nous nous intéresserons plus particulièrement aux vecteurs construits à partir de nombres réels ou complexes, mais la plupart des considérations développées s'applique à des scalaires appartenant à un corps quelconque $\mathbb{K}$.

1.1.1 Collection de nombres

Le service médical nous a transmis une liste des poids (exprimés en kilogrammes) de huit étudiants :

$$78\,; \quad 62{,}5\,; \quad 72{,}5\,; \quad 67\,; \quad 89\,; \quad 72{,}5\,; \quad 81\,; \quad 96{,}5$$

Désignons le poids par le symbole p, et indexons les diverses valeurs par un nombre entier, appelé *indice* ; nous obtenons la suite :

$$p_1,\ p_2,\ p_3,\ p_4,\ p_5,\ p_6,\ p_7,\ p_8$$

Chaque indice précise la position du nombre dans la liste : $p_1 = 78$ est le premier poids, $p_3 = 72{,}5$ le troisième, etc. Une telle liste de valeurs :

$$p = (p_1, p_2, \ldots, p_8)$$

est appelée *vecteur*.

1.1.2 Vecteurs en physique

Beaucoup de quantités physiques, comme la température ou l'énergie, ne possèdent qu'une amplitude, et sont bien représentées par des scalaires. En revanche, d'autres grandeurs comme la force ou la vitesse, sont décrits non seulement par leur amplitude, mais aussi par leur direction. Un tel objet est représenté par le physicien sous la forme d'une flèche dans l'espace, avec une longueur et une direction adéquates, et placée au point approprié, appelé *point d'application* : le couple formé par la longueur et la direction de la flèche[(1)] est un vecteur, et nous allons examiner le lien entre ces deux notions, liste de nombres, et flèche.

Le lecteur connaît déjà l'espace $\mathbb{R}^3$ de la géométrie élémentaire, dont les points sont repérés par un ensemble ordonné de trois nombres réels. Munissons cet espace d'une origine O et d'un système de trois axes. En plaçant l'origine de la flèche au point O, celle-ci sera complètement déterminée par les coordonnées de son extrémité, ce qui établit la correspondance entre flèche et liste de trois nombres. Ces trois nombres sont appelés les *composantes* du vecteur.

Le physicien introduit deux opérations fondamentales pour la manipulation des vecteurs, l'addition vectorielle, et la multiplication scalaire :

▶ Addition vectorielle

La *somme*, ou *résultante* $\mathbf{u}+\mathbf{v}$ de deux vecteurs s'obtient par la *règle du parallélogramme*, qui stipule que $\mathbf{u}+\mathbf{v}$ est la diagonale du parallélogramme construit sur les vecteurs $\mathbf{u}$ et $\mathbf{v}$. On en déduit que si les composantes de $\mathbf{u}$ sont (a, b, c) et si celles de $\mathbf{v}$ sont (a', b', c'), celles de $\mathbf{u}+\mathbf{v}$ sont $(a+a',\ b+b',\ c+c')$, comme illustré sur la figure 1.1(a).

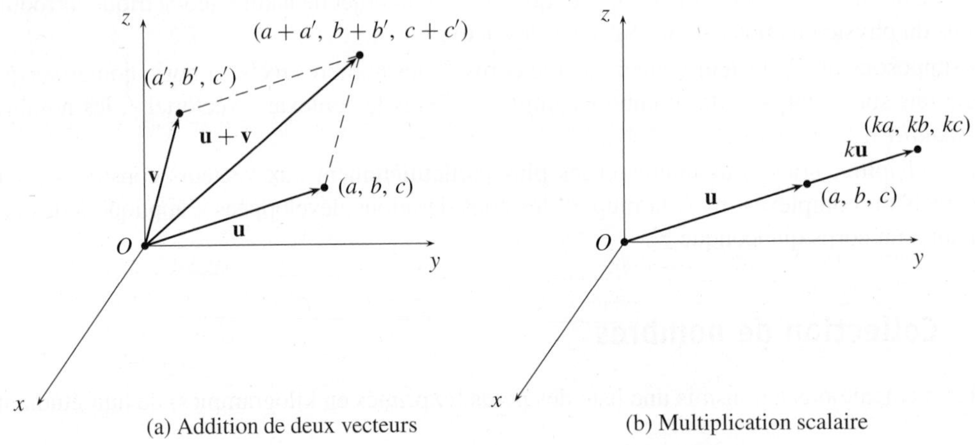

(a) Addition de deux vecteurs (b) Multiplication scalaire

Figure 1.1 Opérations vectorielles

▶ Multiplication scalaire

Le produit $k\mathbf{u}$ d'un vecteur $\mathbf{u}$ par un scalaire k s'obtient en multipliant sa longueur par k, tout en gardant la même direction ; si $k<0$, on prend la direction opposée : on dit alors que l'on garde la même direction, mais que l'on change le *sens*. Si $\mathbf{u}$ a pour composantes (a, b, c), alors $k\mathbf{u}$ a pour composantes (ka, kb, kc) (voir figure 1.1(b)).

1. Nous reviendrons plus loin sur la notion de point d'application, lorsque nous introduirons les espaces *ponctuels*, ou *espaces de points*.

Mathématiquement, on identifie le vecteur **u** avec le triplet formé par ses composantes, soit $\mathbf{u} = (a, b, c)$. De plus, selon le contexte, un triplet ordonné (a, b, c) de nombres réels désigne soit un point P de l'espace, de coordonnées a, b et c, soit un vecteur, comme on vient de l'indiquer.

Généralisons à présent ces considérations à un multiplet ordonné quelconque $(a_1, a_2, \ldots, a_n)$. Nous reviendrons cependant plus loin sur le cas des triplets (§ 1.6), où s'appliquent certaines spécificités.

1.2 VECTEURS DANS $\mathbb{R}^n$

Une liste de n nombres réels, ou *multiplet* d'ordre n, ou de dimension n, est un vecteur d'un espace à n dimensions, noté $\mathbb{R}^n$, soit :

$$u \in \mathbb{R}^n \ : \ u = (a_1, a_2, \ldots, a_n)$$

Comme ci-dessus, les a_i sont les *composantes* du vecteur u, et les nombres sont désignés par *scalaires*.

Deux vecteurs u et v, de composantes respectives (a_i) et (b_i), sont dits *égaux* si les composantes de même indice, ou de même rang, sont égales, soit :

$$u = v \Leftrightarrow \forall i, \ a_i = b_i$$

On notera que deux vecteurs ne peuvent être comparés que s'ils ont le même nombre de composantes. Par exemple, les vecteurs $(1, 2, 3)$ et $(1, 3, 2)$ ont le même nombre de composantes, donc la même dimension, mais ne sont pas égaux, puisque les deuxième et troisième composantes sont différentes.

Le vecteur dont toutes les composantes sont nulles est appelé le *vecteur nul* ; on le note en général simplement 0, et le contexte permet de savoir s'il s'agit du scalaire nul, ou du vecteur nul.

Exemple 1.1

(a) Considérons les vecteurs :

$$(2, -5), \ (7, 9), \ (0, 0, 0), \ (3, 4, 5)$$

Les deux premiers sont des vecteurs de $\mathbb{R}^2$, et les deux derniers appartiennent à $\mathbb{R}^3$; le troisième est le vecteur nul de $\mathbb{R}^3$.

(b) Trouver x, y et z tels que les vecteurs $(x - y, \ x + y, \ z - 1)$ et $(4, 2, 3)$ soient égaux, autrement dit $(x - y, \ x + y, \ z - 1) = (4, 2, 3)$.

Par définition de l'égalité de deux vecteurs, les composantes de même indice doivent être égales :

$$x - y = 4, \quad x + y = 2, \quad z - 1 = 3$$

Il n'est pas difficile de trouver la solution de ce système d'équations :

$$x = 3, \quad y = -1, \quad z = 4$$

1.2.1 Vecteurs colonne

On peut aussi écrire les composantes d'un vecteur en *colonnes*. Nous obtenons ainsi deux représentations équivalentes des vecteurs, les *vecteurs ligne*, comme ci-dessus, et les *vecteurs colonne* :

$$\begin{pmatrix} 1 \\ 2 \end{pmatrix}, \quad \begin{pmatrix} 3 \\ -4 \end{pmatrix}, \quad \begin{pmatrix} 1 \\ 5 \\ -6 \end{pmatrix}, \quad \begin{pmatrix} 1,5 \\ 2/3 \\ -15 \end{pmatrix}$$

Toute opération sur les vecteurs ligne se transpose immédiatement, de manière évidente, pour les vecteurs colonne.

1.3 ADDITION VECTORIELLE ET MULTIPLICATION SCALAIRE

Considérons deux vecteurs de $\mathbb{R}^n$:

$$u = (a_1, a_2, \ldots, a_n) \text{ et } v = (b_1, b_2, \ldots, b_n)$$

On définit l'addition, ou somme, vectorielle[1] de u et v par :

$$u + v = (a_1 + b_1, a_2 + b_2, \ldots, a_n + b_n)$$

et le produit d'un vecteur u par un scalaire k, appelé *multiplication scalaire*, par :

$$ku = k(a_1, a_2, \ldots, a_n) = (ka_1, ka_2, \ldots, ka_n)$$

en généralisant ce qui précède de manière naturelle. On constate que $u + v$ et ku sont encore des vecteurs de $\mathbb{R}^n$. Il est bien entendu impossible de définir la somme de deux vecteurs qui n'auraient pas le même nombre de composantes, c'est-à-dire qui n'appartiendraient pas au même $\mathbb{R}^n$.

On définit l'*opposé* d'un vecteur u par :

$$-u = (-1)u = (-a_1, -a_2, \ldots, -a_n)$$

ce qui permet de donner un sens à la *différence* de deux vecteurs :

$$u - v = u + (-v) = (a_1 - b_1,\ a_2 - b_2,\ \ldots,\ a_n - b_n)$$

Soit m un nombre entier positif : donnons-nous m vecteurs de $\mathbb{R}^n$, et m scalaires. Le vecteur de $\mathbb{R}^n$ défini par :

$$w = k_1u_1 + k_2u_2 + \cdots + k_mu_m$$

est appelé *combinaison linéaire* des m vecteurs.

Exemple 1.2

(a) Soit $u = (2, 4, -5)$ et $v = (1, -6, 9)$; alors :

$$\begin{aligned} u + v &= (2 + 1,\ 4 + (-6),\ -5 + 9) = (3,\ -2,\ 4) \\ 7u &= \big(7 \times 2,\ 7 \times 4,\ 7 \times (-5)\big) = (14,\ 28,\ -35) \\ -v &= (-1)(1, -6, 9) = (-1, 6, -9) \\ 3u - 5v &= (6, 12, -15) + (-5, 30, -45) = (1, 42, -60) \end{aligned}$$

(b) Le vecteur nul $(0, 0, \ldots, 0)$ de $\mathbb{R}^n$ joue dans $\mathbb{R}^n$ le même rôle que le scalaire 0 pour les nombres réels, en ce sens que :

$$u + 0 = (a_1 + 0,\ a_2 + 0,\ \ldots,\ a_n + 0) = (a_1, a_2, \ldots, a_n) = u$$

C'est l'*élément neutre*, ou *unité*, de l'addition vectorielle.

(c) Soit $u = \begin{pmatrix} 2 \\ 3 \\ -4 \end{pmatrix}$ et $v = \begin{pmatrix} 3 \\ -1 \\ -2 \end{pmatrix}$. Alors :

$$2u - 3v = \begin{pmatrix} 4 \\ 6 \\ -8 \end{pmatrix} + \begin{pmatrix} -9 \\ 3 \\ 6 \end{pmatrix} = \begin{pmatrix} -5 \\ 9 \\ -2 \end{pmatrix}$$

1. Le mot *vectorielle* est facultatif.

Les propriétés élémentaires de ces deux opérations, addition vectorielle et multiplication scalaire, sont regroupées et résumées dans le

*** Théorème 1.1 :** Pour des vecteurs u, v, w quelconques de $\mathbb{R}^n$, pour des scalaires quelconques k et k' de $\mathbb{R}$:

(a) $(u+v)+w = u+(v+w)$;
(b) $u+0=u$;
(c) $u+(-u)=0$;
(d) $u+v=v+u$;
(e) $k(u+v)=ku+kv$;
(f) $(k+k')u = ku+k'u$;
(g) $(kk')u = k(k'u)$;
(h) $1u=u$.

La démonstration de ce théorème est reportée au chapitre 2, dans le contexte de l'étude des matrices (problème 2.3, page 52).

Supposons qu'il existe $k \in \mathbb{R}$ tel que les vecteurs u et v de $\mathbb{R}^n$ vérifient $u = kv$. On dit alors que u est *multiple* de v, ou que u est *proportionnel* à v. On peut préciser que si $k > 0$, u a le même sens que v, et si $k < 0$, que u a le sens opposé.

1.4 PRODUIT SCALAIRE

Soient deux vecteurs quelconques de $\mathbb{R}^n$:

$$u = (a_1, a_2, \ldots, a_n) \text{ et } v = (b_1, b_2, \ldots, b_n)$$

On définit le *produit scalaire* de u et v par :

$$u \cdot v = a_1b_1 + a_2b_2 + \cdots + a_nb_n$$

obtenu en multipliant les composantes de même indice entre elles, et en ajoutant tous les produits.

Si le produit scalaire $u \cdot v$ est nul, on dit que les vecteurs u et v sont *orthogonaux*.

Exemple 1.3

(a) Soit dans $\mathbb{R}^3$ les vecteurs $u = (1, -2, 3)$, $v = (4, 5, -1)$ et $w = (2, 7, 4)$; alors :

$$u \cdot v = 1 \times 4 - 2 \times 5 + 3 \times (-1) = 4 - 10 - 3 = -9$$
$$u \cdot w = 2 - 14 + 12 = 0$$
$$v \cdot w = 8 + 35 - 4 = 39$$

On constate que u et w sont orthogonaux.

(b) Soit $u = \begin{pmatrix} 2 \\ 3 \\ -4 \end{pmatrix}$ et $v = \begin{pmatrix} 3 \\ -1 \\ -2 \end{pmatrix}$; alors $u \cdot v = 6 - 3 + 8 = 11$.

(c) On donne $u = (1, 2, 3, 4)$ et $v = (6, k, -8, 2)$; pour quelle valeur de k ces deux vecteurs sont-ils orthogonaux ?

Solution : $u \cdot v = 6 + 2k - 24 + 8 = 2k - 10$. Les vecteurs sont orthogonaux si et seulement si leur produit scalaire est nul, soit $k = 5$.

Voici les propriétés élémentaires du produit scalaire :

✻ Théorème 1.2 : Quels que soient les vecteurs u, v et w de $\mathbb{R}^n$, quel que soit le scalaire $k \in \mathbb{R}$:
(a) $(u+v) \cdot w = u \cdot w + v \cdot w$;
(b) $(ku) \cdot v = k(u \cdot v)$;
(c) $u \cdot v = v \cdot u$;
(d) $u \cdot u \geq 0$ et $u \cdot u = 0 \Leftrightarrow u = 0$.

La démonstration de ce théorème sera exposée dans le problème 1.13 ci-après. On décrit la propriété (b) en disant que l'on peut « sortir » le scalaire k du produit scalaire. À l'aide de la commutativité du produit scalaire (propriété (c)), on déduit :

$$u \cdot (kv) = (kv) \cdot u = k(v \cdot u) = k(u \cdot v)$$

En d'autres termes, on peut sortir un scalaire du produit scalaire, quelle que soit la position à laquelle il se trouve.

Par définition, l'espace $\mathbb{R}^n$ muni des opérations présentées ci-dessus, l'addition vectorielle, la multiplication scalaire, et le produit scalaire, est appelé *espace euclidien* à n dimensions.

1.4.1 Norme d'un vecteur

Nous avons introduit la notion de vecteur de deux manières différentes, liste de composantes, ou longueur et direction. Nous allons voir ici comment s'exprime la longueur d'un vecteur à l'aide de ses composantes :

◆ Définition 1.1 : La *norme*, ou *longueur*, ou encore *module*, d'un vecteur, noté $\|u\|$, est donné par la valeur positive de la racine carrée du produit scalaire[1] $u \cdot u$. Si $u = (a_1, a_2, \ldots, a_n)$, alors :

$$\|u\| = \sqrt{u \cdot u} = \sqrt{a_1^2 + a_2^2 + \cdots + a_n^2}$$

Ceci permet de démontrer la propriété (d) du théorème 1.2. En effet, $\sqrt{u \cdot u} \geq 0$; de plus, cette quantité ne peut être nulle que si toutes les composantes le sont, autrement dit si le vecteur u est le vecteur nul.

Un vecteur u est dit *unitaire* si sa norme vaut 1 ou, de façon équivalente, si $u \cdot u = 1$. On peut construire un vecteur unitaire à partir de n'importe quel vecteur de $\mathbb{R}^n$, en le divisant par sa norme :

$$\hat{v} = \frac{1}{\|v\|} v = \frac{v}{\|v\|}$$

est un vecteur unitaire. Ce processus est appelé *normalisation* du vecteur v.

Exemple 1.4

(a) Soit $u = (1, -2, -4, 5, 3)$; la norme $\|u\|$ s'obtient en calculant le carré scalaire de u :

$$\|u\|^2 = 1^2 + (-2)^2 + (-4)^2 + 5^2 + 3^2 = 1 + 4 + 16 + 25 + 9 = 55$$

puis en prenant la racine carrée : $\|u\| = \sqrt{55}$.

1. La quantité $u \cdot u$ est souvent désignée par *carré scalaire* du vecteur u.

(b) Soit $v = (1, -3, 4, 2)$ et $w = \left(\frac{1}{2}, -\frac{1}{6}, \frac{5}{6}, \frac{1}{6}\right)$; alors :

$$\|v\| = \sqrt{1 + 9 + 16 + 4} = \sqrt{30}$$

$$\|w\| = \sqrt{\frac{1}{4} + \frac{1}{36} + \frac{25}{36} + \frac{1}{36}} = \sqrt{\frac{36}{36}} = 1$$

w est donc un vecteur unitaire, mais pas v ; normalisons-le :

$$\hat{v} = \frac{v}{\|v\|} = \left(\frac{1}{\sqrt{30}}, \frac{-3}{\sqrt{30}}, \frac{4}{\sqrt{30}}, \frac{2}{\sqrt{30}}\right)$$

On note qu'il est unique : $\hat{v}$ est le seul vecteur unitaire de même direction (et de même sens) que v.

La formule suivante, connue sous le nom d'*inégalité de Schwarz*, ou *inégalité de Cauchy-Schwarz*, qui sera démontrée au problème 1.14, est utilisée dans de nombreux domaines des mathématiques et de la physique :

✻ Théorème 1.3 (Cauchy-Schwarz) : Quels que soient les vecteurs u et v de $\mathbb{R}^n$:

$$|u \cdot v| \leq \|u\| \, \|v\|$$

Cette inégalité servira à démontrer la suivante (problème 1.15), connue comme l'*inégalité triangulaire* ou de *Minkovski* :

✻ Théorème 1.4 (Minkovski) : Quels que soient les vecteurs u et v de $\mathbb{R}^n$:

$$\|u + v\| \leq \|u\| + \|v\|$$

Remarque : En géométrie plane élémentaire, cette inégalité signifie que dans un triangle, la longueur d'un côté est inférieure à la somme des longueurs des deux autres.

1.4.2 Distance, angles, projections

◆ Définition 1.2 : On appelle distance entre deux vecteurs u et v de $\mathbb{R}^n$ la quantité :

$$d(u, v) = \|u - v\| = \sqrt{(a_1 - b_1)^2 + (a_2 - b_2)^2 + \cdots + (a_n - b_n)^2}$$

On reconnaît la notion habituelle de distance euclidienne du plan ou de l'espace. On peut également définir l'*angle* θ entre deux vecteurs u et v non nuls de $\mathbb{R}^n$:

$$\cos\theta = \frac{u \cdot v}{\|u\|\,\|v\|}$$

Il résulte en effet de l'inégalité de Schwarz (théorème 1.3) que :

$$-1 \leq \frac{u \cdot v}{\|u\|\,\|v\|} \leq +1$$

Remarque : Si $u \cdot v = 0$, alors $\cos\theta = 0 \Rightarrow \theta = \pi/2$, ce qui justifie le qualificatif d'orthogonaux appliqué à deux vecteurs dont le produit scalaire est nul.

Enfin, la projection d'un vecteur u sur un vecteur non nul v est un vecteur défini par :

$$\text{proj}(u, v) = \frac{u \cdot v}{\|v\|^2}\, v = \frac{u \cdot v}{\|v\|}\,\frac{v}{\|v\|} = \frac{u \cdot v}{\|v\|}\,\hat{v}$$

Nous allons voir que cette notion correspond, comme on s'y attend, à celle de projection orthogonale de la géométrie élémentaire.

Exemple 1.5

(a) Soit $u = (1, -2, 3)$ et $v = (2, 4, 5)$; la distance entre u et v vaut :

$$d(u, v) = \sqrt{(1-2)^2 + (-2-4)^2 + (3-5)^2} = \sqrt{1 + 36 + 4} = \sqrt{41}$$

Pour calculer le cosinus de l'angle qu'ils forment, nous devons déterminer leur produit scalaire, ainsi que la norme de chacun d'entre eux :

$$u \cdot v = 2 - 8 + 15 = 9\ ;\ \|u\|^2 = 1 + 4 + 9 = 14\ ;\ \|v\|^2 = 4 + 16 + 25 = 45$$

On en déduit :

$$\cos\theta = \frac{u \cdot v}{\|u\|\,\|v\|} = \frac{9}{\sqrt{14}\sqrt{45}}$$

On peut aussi calculer la projection de u sur v :

$$\text{proj}(u, v) = \frac{u \cdot v}{\|v\|^2}\, v = \frac{9}{45}(2, 4, 5) = \frac{1}{5}(2, 4, 5) = \left(\frac{2}{5}, \frac{4}{5}, 1\right)$$

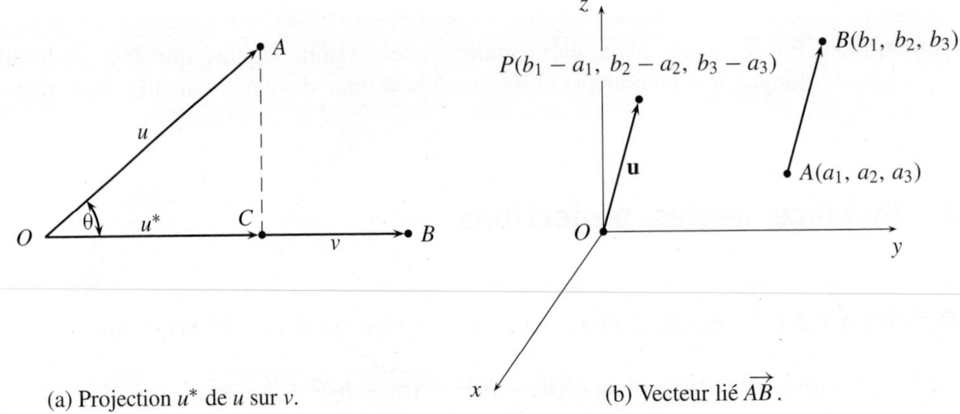

(a) Projection u^* de u sur v. (b) Vecteur lié $\overrightarrow{AB}$.

Figure 1.2 Projection – vecteur lié

(b) Considérons les vecteurs u et v de la figure 1.2(a), page ci-contre, d'extrémités respectives A et B ; la projection orthogonale de u sur v est le vecteur u^* de longueur :

$$\|u^*\| = \|u\| \cos\theta = \|u\| \frac{u \cdot v}{\|u\| \, \|v\|} = \frac{u \cdot v}{\|v\|}$$

Pour obtenir le vecteur u^*, multiplions sa longueur par le vecteur unitaire dans la direction de v :

$$u^* = \|u^*\| \frac{v}{\|v\|} = \frac{u \cdot v}{\|v\|} \frac{v}{\|v\|} = \frac{u \cdot v}{\|v\|^2} v$$

On reconnaît la définition de $\mathrm{proj}(u, v)$.

1.5 VECTEURS LIÉS, HYPERPLANS, DROITES ET COURBES DE $\mathbb{R}^n$

Dans cette section, nous examinons la différence entre un multiplet $P(a_i) \equiv P(a_1, a_2, \ldots, a_n)$, en tant que *point* de $\mathbb{R}^n$, et un multiplet $u = [c_1, c_2, \ldots, c_n]$, en tant que vecteur (flèche) mené depuis l'origine O jusqu'au point $C(c_1, c_2, \ldots, c_n)$.

1.5.1 Vecteurs liés

Toute paire de points $A(a_i)$ et $B(b_i)$ de $\mathbb{R}^n$ définit le *vecteur lié*, ou *segment orienté*[1] de A vers B, noté $\overrightarrow{AB}$. Nous pouvons *identifier* $\overrightarrow{AB}$ avec le vecteur :

$$u = A - B = [b_1 - a_1,\ b_2 - a_2,\ \ldots,\ b_n - a_n]$$

puisqu'ils ont tous deux la même longueur et la même direction. Ceci est illustré sur la figure 1.2(b), page ci-contre, avec les points $A(a_1, a_2, a_3)$ et $B(b_1, b_2, b_3)$ de $\mathbb{R}^3$ et le vecteur $u = B - A$ qui, mené de O a pour extrémité le point $P(b_1 - a_1,\ b_2 - a_2,\ b_3 - a_3)$.

1.5.2 Hyperplans

◆ **Définition 1.3 :** On appelle *hyperplan* H de $\mathbb{R}^n$ l'ensemble des points $(x_1, x_2, \ldots, x_n)$ vérifiant une équation linéaire :

$$a_1x_1 + a_2x_2 + \cdots + a_nx_n = b$$

où le vecteur $u = (a_1, a_2, \ldots, a_n)$ formé par les coefficients n'est pas le vecteur nul.

Ainsi, un hyperplan de $\mathbb{R}^2$ est une droite, et un hyperplan de $\mathbb{R}^3$ est un plan au sens habituel.

Nous allons montrer, comme illustré sur la figure 1.3(a), page suivante, dans $\mathbb{R}^3$, que le vecteur u est perpendiculaire à tout bipoint orienté $\overrightarrow{PQ}$ construit avec des points quelconques $P(p_i)$ et $Q(q_i)$ de H. C'est pourquoi l'on dit que u est *normal* au plan H, ou inversement, que le plan H est *normal* au vecteur u.

1. On l'appelle aussi *bipoint orienté*, ou simplement *bipoint*.

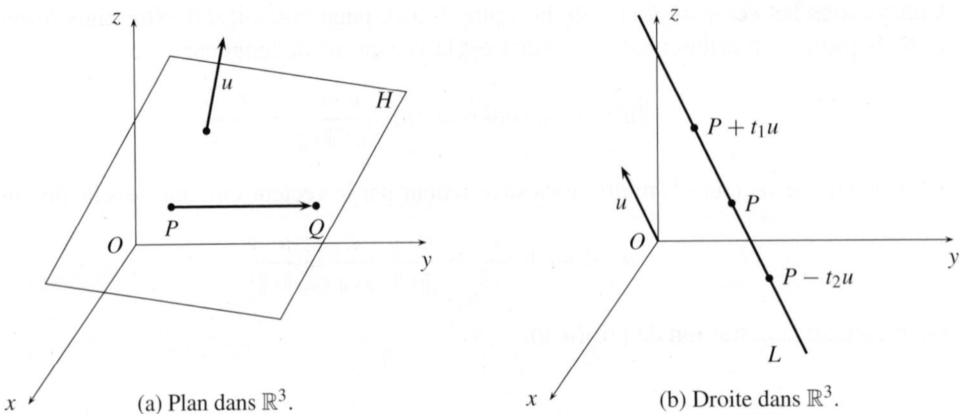

Figure 1.3 Plans et droites

Les points $P(p_i)$ et $Q(q_i)$, appartenant à H, satisfont à l'équation de la définition 1.3, soit :

$$a_1 p_1 + a_2 p_2 + \cdots + a_n p_n = b$$

et

$$a_1 q_1 + a_2 q_2 + \cdots + a_n q_n = b$$

Posons $v = \overrightarrow{PQ} = Q - P = [q_1 - p_1, q_2 - p_2, \ldots, q_n - p_n]$; alors :

$$\begin{aligned} u \cdot v &= a_1(q_1 - p_1) + a_2(q_2 - p_2) + \cdots + a_n(q_n - p_n) \\ &= (a_1 q_1 + a_2 q_2 + \cdots + a_n q_n) - (a_1 p_1 + a_2 p_2 + \cdots + a_n p_n) \\ &= b - b \\ &= 0 \end{aligned}$$

ce qui établit l'orthogonalité cherchée.

1.5.3 Droites de $\mathbb{R}^n$

◆ **Définition 1.4 :** La *droite* passant par le point $P(b_1, b_2, \ldots, b_n)$ de $\mathbb{R}^n$ et ayant la direction du vecteur $u = (a_1, a_2, \ldots, a_n)$ est l'ensemble des points $X(x_1, x_2, \ldots, x_n)$ tels que :

$$X = P + tu \quad \text{ou} \quad \begin{cases} x_1 = a_1 t + b_1 \\ x_2 = a_2 t + b_2 \\ \ldots \\ x_n = a_n t + b_n \end{cases}$$

où le paramètre t parcourt $\mathbb{R}$ tout entier.

Cette construction est illustrée sur la figure 1.3(b). Ce système d'équations est appelé *représentation paramétrique* de la droite L ; elle est aussi notée $L(t) = (a_i t + b_i)$.

Exemple 1.6

(a) Soit H le plan de $\mathbb{R}^3$ donné par l'équation linéaire $2x - 5y + 7z = 4$. On s'assure aisément que les points $P(1, 1, 1)$ et $Q(5, 4, 2)$ en sont solutions, et appartiennent donc à H. Formons le bipoint $\overrightarrow{PQ}$:

$$v = \overrightarrow{PQ} = Q - P = (5 - 1,\ 4 - 1,\ 2 - 1) = (4,\ 3,\ 1)$$

Le vecteur des coefficients est $u = (2, -5, 7)$; calculons le produit scalaire $u \cdot v$:

$$u \cdot v = (2, -5, 7) \cdot (4, 3, 1) = 8 - 15 + 7 = 0$$

Le vecteur u est bien normal à H, comme prévu.

(b) Trouver l'équation de l'hyperplan H de $\mathbb{R}^4$ passant par le point $P(1, 3, -4, 2)$, et normal au vecteur $u = (4, -2, 5, 6)$.

L'équation de l'hyperplan H est de la forme :

$$4x_1 - 2x_2 + 5x_3 + 6x_4 = k$$

Puisque les coordonnées de P doivent y satisfaire, on a :

$$4 \times 1 - 2 \times 3 + 5 \times (-4) + 6 \times 2 = k$$

d'où il vient aisément $k = -10$.

(c) Trouver la représentation paramétrique de la droite L de $\mathbb{R}^4$ passant par le point $P(1, 2, 3, -4)$, et ayant la direction du vecteur $u = (5, 6, -7, 8)$. Déterminer ensuite le point Q de L correspondant à $t = 1$.

La représentation paramétrique de la droite L est :

$$x_1 = 5t + 1, \quad x_2 = 6t + 2, \quad x_3 = -7t + 3, \quad x_4 = 8t - 4$$

ou encore :

$$L(t) = (5t + 1,\ 6t + 2,\ -7t + 3,\ 8t - 4)$$

On remarque que $t = 0$ redonne le point P ; si $t = 1$, on obtient le point Q cherché, qui a pour coordonnées $(6, 8, -4, 4)$.

1.5.4 Courbes de $\mathbb{R}^n$

Soit D un intervalle, fini ou infini, de $\mathbb{R}$. On appelle *courbe* de $\mathbb{R}^n$ toute fonction continue $F : D \to \mathbb{R}^n$. En conséquence, à chaque point $t \in D$ correspond le point $F(t)$ de $\mathbb{R}^n$:

$$F(t) = \big(F_1(t), F_2(t), \ldots, F_n(t)\big)$$

De plus, la dérivée, si elle existe, de $F(t)$ permet de construire le vecteur :

$$V(t) = \frac{dF(t)}{dt} = \left(\frac{dF_1(t)}{dt}, \frac{dF_2(t)}{dt}, \ldots, \frac{dF_n(t)}{dt}\right)$$

tangent à la courbe au point $F(t)$. Si on le normalise, on obtient un vecteur unitaire $\mathbf{T}(t)$:

$$\mathbf{T}(t) = \frac{V(t)}{\|V(t)\|}$$

tangent à la courbe[1].

1. Un tel vecteur, qui joue un rôle fondamental dans la géométrie du problème, est noté en caractères gras.

Exemple 1.7

Soit la courbe $F(t) = (\sin t, \cos t, t)$ dans $\mathbb{R}^3$. Si l'on prend la dérivée de $F(t)$, on obtient le vecteur :

$$V(t) = (\cos t, -\sin t, 1)$$

tangent à la courbe. Pour normaliser $V(t)$, on commence par calculer sa norme :

$$\|V(t)\|^2 = \cos^2 t + \sin^2 t + 1 = 1 + 1 = 2$$

et le vecteur unitaire tangent à la courbe s'écrit :

$$\mathbf{T}(t) = \frac{V(t)}{\|V(t)\|} = \left(\frac{\cos t}{\sqrt{2}}, -\frac{\sin t}{\sqrt{2}}, \frac{1}{\sqrt{2}}\right)$$

1.6 VECTEURS DE $\mathbb{R}^3$ (VECTEURS SPATIAUX) — NOTATION i j k

L'espace $\mathbb{R}^3$, l'espace de la géométrie élémentaire, dont les vecteurs sont appelés « vecteurs d'espace », ou « vecteurs spatiaux », intervient dans beaucoup d'applications, et spécialement en physique ; c'est pourquoi nous y consacrons un paragraphe particulier. On utilise fréquemment la notation suivante :

$\mathbf{i} = (1, 0, 0)$: vecteur unitaire dans la direction x ;
$\mathbf{j} = (0, 1, 0)$: vecteur unitaire dans la direction y ;
$\mathbf{k} = (0, 0, 1)$: vecteur unitaire dans la direction z.

de sorte qu'un vecteur quelconque $u = (a, b, c) \in \mathbb{R}^3$ peut s'écrire d'une manière et d'une seule sous la forme :

$$u = [a, b, c] = a\,\mathbf{i} + b\,\mathbf{j} + c\,\mathbf{k}$$

Les trois vecteurs **i**, **j** et **k** sont manifestement unitaires et orthogonaux entre eux ; leurs produits scalaires s'écrivent :

$$\mathbf{i}\cdot\mathbf{i} = 1,\quad \mathbf{j}\cdot\mathbf{j} = 1,\quad \mathbf{k}\cdot\mathbf{k} = 1,\qquad \text{et}\qquad \mathbf{i}\cdot\mathbf{j} = 0,\quad \mathbf{i}\cdot\mathbf{k} = 0,\quad \mathbf{j}\cdot\mathbf{k} = 0$$

On peut exprimer toutes les opérations vectorielles présentées précédemment avec cette notation ; posons $u = a_1\mathbf{i} + a_2\mathbf{j} + a_3\mathbf{k}$, $v = b_1\mathbf{i} + b_2\mathbf{j} + b_3\mathbf{k}$, et soit c un scalaire :

$$u + v = (a_1 + b_1)\mathbf{i} + (a_2 + b_2)\mathbf{j} + (a_3 + b_3)\mathbf{k} \quad \text{et} \quad c\,u = c\,a_1\mathbf{i} + c\,a_2\mathbf{j} + c\,a_3\mathbf{k}$$

De même pour le produit scalaire et la norme :

$$u \cdot v = a_1b_1 + a_2b_2 + a_3b_3 \quad \text{et} \quad \|u\| = \sqrt{u\cdot u} = \sqrt{a_1^2 + a_2^2 + a_3^2}$$

Exemple 1.8

Posons $u = 3\,\mathbf{i} + 5\,\mathbf{j} - 2\,\mathbf{k}$ et $v = 4\,\mathbf{i} - 8\,\mathbf{j} + 7\mathbf{k}$:

(a) le vecteur $u + v$ s'écrit $u + v = (3 + 4)\mathbf{i} + (5 - 8)\mathbf{j} + (-2 + 7)\mathbf{k} = 7\mathbf{i} - 3\mathbf{j} + 5\mathbf{k}$;

(b) on obtient le vecteur $3u - 2v$ en effectuant d'abord les multiplications scalaires, puis la somme vectorielle :

$$3u - 2v = (9\mathbf{i} + 15\mathbf{j} - 6\mathbf{k}) + (-8\mathbf{i} + 16\mathbf{j} - 14\mathbf{k}) = \mathbf{i} + 31\mathbf{j} - 20\mathbf{k}$$

(c) leur produit scalaire est donné par :

$$u \cdot v = 3 \times 4 + 5 \times (-8) + (-2) \times 7 = -42$$

(d) et enfin la norme de u par $\|u\| = \sqrt{9 + 25 + 4} = \sqrt{38}$.

1.6.1 Produit vectoriel

Il existe dans $\mathbb{R}^3$, et seulement dans $\mathbb{R}^3$, une opération vectorielle particulière, appelée *produit vectoriel*, notée $u \times v$, ou $u \wedge v$, que nous allons étudier à présent. Un moyen mnémotechnique simple de retenir sa formule est d'utiliser le *déterminant* d'ordre 2, et son opposé, définis comme suit :

$$\begin{vmatrix} a & b \\ c & d \end{vmatrix} = ad - bc \text{ et } - \begin{vmatrix} a & b \\ c & d \end{vmatrix} = bc - ad$$

Les éléments a et d sont appelés éléments *diagonaux*, et b et c les éléments *non diagonaux*. Le déterminant est ainsi donné par le produit ad des éléments diagonaux, auquel on soustrait le produit bc des éléments non diagonaux, et *vice-versa* pour son opposé.

Considérons deux vecteurs $u = a_1\mathbf{i} + a_2\mathbf{j} + a_3\mathbf{k}$, et $v = b_1\mathbf{i} + b_2\mathbf{j} + b_3\mathbf{k}$ de $\mathbb{R}^3$. Leur *produit vectoriel* est défini par :

$$\begin{aligned} u \wedge v &= (a_2b_3 - a_3b_2)\,\mathbf{i} + (a_3b_1 - a_1b_3)\,\mathbf{j} + (a_1b_2 - a_2b_1)\,\mathbf{k} \\ &= \begin{vmatrix} a_1 & a_2 & a_3 \\ b_1 & b_2 & b_3 \end{vmatrix}\mathbf{i} - \begin{vmatrix} a_1 & a_2 & a_3 \\ b_1 & b_2 & b_3 \end{vmatrix}\mathbf{j} + \begin{vmatrix} a_1 & a_2 & a_3 \\ b_1 & b_2 & b_3 \end{vmatrix}\mathbf{k} \end{aligned}$$

Autrement dit, les trois composantes du produit vectoriel $u \wedge b$ sont obtenues à partir de la matrice

$$\begin{pmatrix} a_1 & a_2 & a_3 \\ b_1 & b_2 & b_3 \end{pmatrix}$$

construite en disposant en ligne les composantes des vecteurs u et v, dans l'ordre où ils apparaissent dans le produit vectoriel, de la manière suivante :

(a) on raye la première colonne et on calcule le déterminant ;

(b) on raye la seconde colonne et on calcule l'opposé du déterminant ;

(c) on raye la troisième colonne et on calcule le déterminant.

On doit prendre garde au fait qu'un produit vectoriel, bien qu'ayant trois composantes, n'a pas les mêmes propriétés qu'un vecteur de $\mathbb{R}^3$; en particulier, il n'est pas transformé selon les mêmes règles par une symétrie plane. Pour cette raison, un produit vectoriel est désigné par *vecteur axial*, ou *pseudo-vecteur*, pour le distinguer d'un vecteur ordinaire, ou vecteur *polaire*.

Exemple 1.9

Déterminer $u \wedge v$, avec :

(a) $u = 4\mathbf{i} + 3\mathbf{j} + 6\mathbf{k}$ et $v = 2\mathbf{i} + 5\mathbf{j} - 3\mathbf{k}$;

(b) $u = (2, -1, 5)$ et $v = (3, 7, 6)$.

(a) Écrivons la matrice des composantes : $\begin{pmatrix} 4 & 3 & 6 \\ 2 & 5 & -3 \end{pmatrix}$ et appliquons la méthode ci-dessus :

$$\begin{aligned} u \wedge v &= (-9 - 30)\mathbf{i} + (12 + 12)\mathbf{j} + (20 - 6)\mathbf{k} \\ &= -39\mathbf{i} + 24\mathbf{j} + 14\mathbf{k} \end{aligned}$$

(b) On procède de même :

$$\begin{aligned} \begin{pmatrix} 2 & -1 & 5 \\ 3 & 7 & 6 \end{pmatrix} \Rightarrow u \wedge v &= (-6 - 35,\ -12 + 15,\ 14 + 3) \\ &= (-41,\ 3,\ 17) \end{aligned}$$

Remarque : Il est utile de connaître la table des produits vectoriels des vecteurs **i**, **j** et **k** :

$$\mathbf{i} \wedge \mathbf{j} = \mathbf{k} \qquad \mathbf{j} \wedge \mathbf{k} = \mathbf{i} \qquad \mathbf{k} \wedge \mathbf{i} = \mathbf{j}$$

$$\mathbf{j} \wedge \mathbf{i} = -\mathbf{k} \qquad \mathbf{k} \wedge \mathbf{j} = -\mathbf{i} \qquad \mathbf{i} \wedge \mathbf{k} = -\mathbf{j}$$

Il apparaît que dans chaque ligne, chaque terme est obtenu par *permutation circulaire* du précédent : dans le triplet *ordonné* (**i**, **j**, **k**), **i** suit **k**, et le produit vectoriel de deux vecteurs successifs est égal au 3e. En revanche, si l'on inverse l'ordre, le produit vectoriel change de signe.

Voici deux propriétés importantes du produit vectoriel :

✻ Théorème 1.5 : Soient u, v et w trois vecteurs de $\mathbb{R}^3$; alors :

(a) le produit vectoriel $u \wedge v$ est orthogonal à u et à v ;

(b) la valeur absolue du *produit mixte* :

$$u \cdot (v \wedge w)$$

est égal au volume du parallélipipède construit sur les trois vecteurs u, v et w (voir figure 1.4(a)).

Mentionnons enfin que les trois vecteurs, u, v et $u \wedge v$ forment un *trièdre direct*, c'est-à-dire sont dans le même ordre que le triplet ordonné (**i**, **j**, **k**), et que la norme du produit vectoriel est donnée par la formule :

$$\|u \wedge v\| = \|u\| \, \|v\| \, |\sin \theta|$$

où θ est l'angle formé par les vecteurs u et v : cette norme représente l'aire du parallélogramme construit à partir des vecteurs u et v.

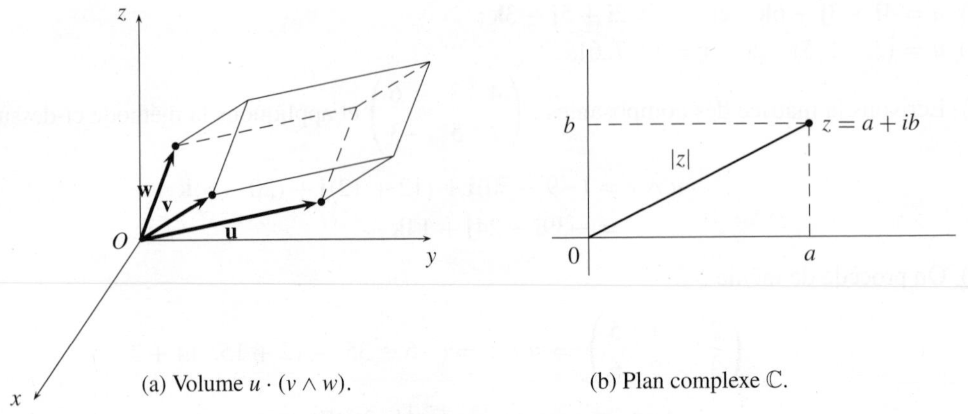

(a) Volume $u \cdot (v \wedge w)$. (b) Plan complexe $\mathbb{C}$.

Figure 1.4 Produit mixte – Plan complexe

1.7 NOMBRES COMPLEXES

Selon l'usage, l'ensemble des nombres complexes est noté $\mathbb{C}$. Par définition, un *nombre complexe* est une paire ordonnée (a, b) de nombres réels ; l'égalité, la somme et le produit de deux nombres complexes est définie formellement comme suit :

$$\begin{aligned}(a, b) &= (c, d) \text{ si et seulement si } a = c \text{ et } b = d \\ (a, b) + (c, d) &= (a + c,\ b + d) \\ (a, b) \times (c, d) &= (ac - bd,\ ad + bc)\end{aligned}$$

Nous *identifions* le nombre réel a avec le nombre complexe $(a, 0)$. Cela est rendu possible par le fait que les opérations usuelles d'addition et de multiplication dans $\mathbb{R}$ sont conservées par la définition ci-dessus ; en effet :

$$(a, 0) + (b, 0) = (a + b, 0) \quad \text{et} \quad (a, 0) \times (b, 0) = (a \times b, 0)$$

Il est ainsi légitime de considérer $\mathbb{R}$ comme un sous-ensemble de $\mathbb{C}$, et nous noterons simplement a le nombre complexe $(a, 0)$. On remarque que les opérations définies ci-dessus permettent de munir $\mathbb{C}$ d'une structure de *corps*, tout comme l'ensemble $\mathbb{R}$ des nombres réels et l'ensemble $\mathbb{Q}$ des nombres rationnels.

Le nombre complexe $(0, 1)$, noté généralement[(1)] i, joue un rôle particulier, car :

$$i^2 = i \times i = (0, 1)(0, 1) = (-1, 0)$$

Autrement dit, $i = \sqrt{-1}$. Ce nombre i permet d'écrire tout nombre complexe $z = (a, b)$ sous la forme :

$$z = (a, b) = (a, 0) + (0, b) = (a, 0) + (0, 1)(b, 0) = a + ib$$

Dans la notation $z = a + ib$, $a \equiv \Re z$ est appelée *partie réelle* du nombre complexe z, et $b \equiv \Im z$ sa *partie imaginaire*. Cette notation s'avère à l'usage plus commode que $z = (a, b)$, car les opérations d'addition et de multiplication découlent naturellement de la règle $i^2 = -1$, et des propriétés de commutativité et de distributivité bien connues dans $\mathbb{R}$; soient $z = a + ib$ et $w = c + id$ deux nombres complexes :

$$\begin{aligned}z + w &= (a + ib) + (c + id) = a + c + ib + id = (a + c) + i(b + d) \\ zw &= (a + ib)(c + id) = ac + ibc + iad + i^2 bd = (ac - bd) + i(bc + ad)\end{aligned}$$

Nous pouvons également définir l'*opposé* d'un nombre complexe et l'opération de soustraction dans $\mathbb{C}$:

$$-z = -1 \times z \quad \text{et} \quad w - z = w + (-z)$$

Attention : On veillera à ne pas confondre le nombre complexe $i = \sqrt{-1}$ et le vecteur $\mathbf{i}$ de $\mathbb{R}^3$ introduit au paragraphe 1.6 !

1.7.1 Complexe conjugué, module d'un nombre complexe

Soit un nombre complexe $z = a + ib$. Le *complexe conjugué*, ou simplement *conjugué*, de z est noté[(2)] $\bar{z}$ et est défini par :

$$\bar{z} = \overline{a + ib} = a - ib$$

1. Certains physiciens, et en particulier les électriciens, préfèrent le noter j.
2. Les physiciens le notent souvent z^*.

On vérifie immédiatement que la quantité $z\bar{z}$ est réelle est positive :

$$z\bar{z} = (a+ib)(a-ib) = a^2 - i^2b^2 = a^2 + b^2$$

Le *module*, ou *valeur absolue*, du nombre z, noté $|z|$, est défini par la racine carrée non négative de cette quantité :

$$|z| = \sqrt{z\bar{z}} = \sqrt{a^2+b^2}$$

On remarque que c'est la norme du vecteur (a, b) de $\mathbb{R}^2$.

Considérons un nombre complexe $z \neq 0$. On peut alors définir l'*inverse* $z^{-1} = 1/z$ de z, et la division par z d'un nombre quelconque $w \in \mathbb{C}$:

$$z^{-1} = \frac{1}{z} = \frac{\bar{z}}{z\bar{z}} = \frac{a}{a^2+b^2} - i\frac{b}{a^2+b^2} \quad \text{et} \quad \frac{w}{z} = wz^{-1} = \frac{w\bar{z}}{z\bar{z}}$$

Exemple 1.10

Prenons les deux nombres complexes $z = 2+3i$ et $w = 5-2i$; alors :

$$\begin{aligned}
z+w &= (2+3i)+(5-2i) = 2+5+3i-2i = 7+i \\
zw &= (2+3i)(5-2i) = 10+15i-4i-6i^2 = 16+11i \\
\bar{z} &= \overline{2+3i} = 2-3i \quad \text{et} \quad \bar{w} = \overline{5-2i} = 5+2i \\
\frac{w}{z} &= \frac{5-2i}{2+3i} = \frac{(5-2i)(2-3i)}{(2+3i)(2-3i)} = \frac{4-19i}{13} = \frac{4}{13} - i\frac{19}{13} \\
|z| &= \sqrt{4+9} = \sqrt{13} \quad \text{et} \quad |w| = \sqrt{25+4} = \sqrt{29}
\end{aligned}$$

1.7.2 Le plan complexe

Comme on le sait, les nombres réels peuvent être représentés par les points d'une ligne droite. De manière analogue, les nombres complexes peuvent être représentés par les points d'un plan. Il y a en effet une correspondance naturelle entre le nombre complexe $z = (a, b)$, et le point $Z(a, b)$ de $\mathbb{R}^2$. Par exemple, comme nous l'avons remarqué plus haut, $|z|$ est la distance de l'origine (le nombre complexe 0) au point $z = a + ib$. Ce plan est appelé le *plan complexe*, de façon tout à fait analogue à « la droite réelle » représentant $\mathbb{R}$.

1.8 VECTEURS DE $\mathbb{C}^n$

L'ensemble des multiplets de n nombres complexes est désigné par $\mathbb{C}^n$. Comme pour le cas réel, les éléments de $\mathbb{C}^n$ sont appelés *vecteurs*, ou *points*, selon le point de vue, et les éléments de $\mathbb{C}$ *scalaires*. L'addition vectorielle et la multiplication scalaire sont définis de manière analogue :

$$\begin{aligned}
(z_1, z_2, \ldots, z_n) + (w_1, w_2, \ldots, w_n) &= (z_1+w_1,\ z_2+w_2,\ \ldots,\ z_n+w_n) \\
z(z_1, z_2, \ldots, z_n) &= (zz_1, zz_2, \ldots, zz_n)
\end{aligned}$$

où toutes les quantités z_i, w_i et z sont complexes.

Exemple 1.11

Soient les vecteurs $u = (2+3i,\ 4-i,\ 3)$ et $v = (3-2i,\ 5i,\ 4-6i)$ de $\mathbb{C}^3$. On peut calculer :

$$\begin{aligned}
u+v &= (2+3i,\ 4-i,\ 3)+(3-2i,\ 5i,\ 4-6i) = (5+i,\ 4+4i,\ 7-6i) \\
(5-2i)u &= \big((2+3i)(5-2i),\ (4-i)(5-2i),\ 3(5-2i)\big) = (16+11i,\ 18-13i,\ 15-6i)
\end{aligned}$$

1.8.1 Produit scalaire de $\mathbb{C}^n$

◆ **Définition 1.5 :** Le produit scalaire $u \cdot v$ de deux vecteurs $u = (z_1, z_2, \ldots, z_n)$ et $v = (w_1, w_2, \ldots, w_n)$ de $\mathbb{C}^n$ est défini par :

$$u \cdot v = z_1\overline{w_1} + z_2\overline{w_2} + \cdots + z_n\overline{w_n}$$

Ce produit scalaire est parfois appelé produit scalaire *hermitien* pour le distinguer du produit scalaire *euclidien* de $\mathbb{R}^n$. On remarque que cette définition se réduit à celle donnée plus haut dans $\mathbb{R}^n$ si toutes les composantes sont réelles. La *norme* d'un vecteur de $\mathbb{C}^n$ s'exprime par :

$$\|u\| = \sqrt{u \cdot u} = \sqrt{z_1\overline{z_1} + z_2\overline{z_2} + \cdots + z_n\overline{z_n}} = \sqrt{|z_1|^2 + |z_2|^2 + \cdots + |z_n|^2}$$

Insistons sur le fait que, comme pour le cas réel, $\|u\| \geq 0$ et $\|u\| = 0$ *ssi* $u = 0$.

Exemple 1.12

Soient les vecteurs $u = (2 + 3i,\ 4 - i,\ 3 + 5i)$ et $v = (3 - 4i,\ 5i,\ 4 - 2i)$ de $\mathbb{C}^3$; alors :

$$\begin{aligned} u \cdot v &= (2 + 3i)(\overline{3 - 4i}) + (4 - i)(\overline{5i}) + (3 + 5i)(\overline{4 - 2i}) \\ &= (2 + 3i)(3 + 4i) + (4 - i)(-5i) + (3 + 5i)(4 + 2i) \\ &= (-6 + 17i) + (-5 - 20i) + (2 + 26i) = -9 + 23i \\ u \cdot u &= |2 + 3i|^2 + |4 - i|^2 + |3 + 5i|^2 = 4 + 9 + 16 + 1 + 9 + 25 = 64 \\ \|u\| &= \sqrt{64} = 8 \end{aligned}$$

L'espace $\mathbb{C}^n$, muni de ces opérations, l'addition vectorielle, la multiplication scalaire, et le produit scalaire, est appelé *espace euclidien complexe*, ou *espace hermitien*. Le théorème 1.2 établi dans le cas réel reste valable, à condition de remplacer l'assertion $u \cdot v = v \cdot u$ par $u \cdot v = \overline{v \cdot u}$.

De plus, les théorèmes 1.3 et 1.4 sont valables *tel que* dans $\mathbb{C}^n$: les inégalités de Schwarz et de Minkovski sont vérifiées dans $\mathbb{C}^n$.

EXERCICES CORRIGÉS

VECTEURS DANS $\mathbb{R}^n$

1.1 Parmi ces vecteurs, lesquels sont égaux ?

$$u_1 = (1, 2, 3)\ ;\ u_2 = (2, 3, 1)\ ;\ u_3 = (1, 3, 2)\ ;\ u_4 = (2, 3, 1)\ ;$$

Solution : deux vecteurs sont égaux si et seulement si les composantes de même indice sont égales ; seuls u_2 et u_4 satisfont à ce critère et sont par conséquent égaux.

1.2 Soient les vecteurs $u = (2, -7, 1)$, $v = (-3, 0, 4)$ et $w = (0, 5, -8)$; déterminer :

(a) $3u - 4v$;

(b) $2u + 3v - 5w$.

Solution : on effectue la multiplication scalaire *puis* l'addition vectorielle :

(a) $3u - 4v = 3(2, -7, 1) - 4(-3, 0, 4) = (6, -21, 3) + (12, 0, -16) = (18, -21, -13)$;

(b) $2u + 3v - 5w = (4, -14, 2) + (-9, 0, 12) + (0, -25, 40) = (-5, -39, 54)$.

1.3 Soit $u = \begin{pmatrix} 5 \\ 3 \\ -4 \end{pmatrix}$; $v = \begin{pmatrix} -1 \\ 5 \\ 2 \end{pmatrix}$; $w = \begin{pmatrix} 3 \\ -1 \\ -2 \end{pmatrix}$. Calculer :

(a) $5u - 2v$; (b) $-2u + 4v - 3w$.

Solution : on utilise la même méthode que dans le problème 1.2 :

(a) $5u - 2v = 5\begin{pmatrix} 5 \\ 3 \\ -4 \end{pmatrix} - 2\begin{pmatrix} -1 \\ 5 \\ 2 \end{pmatrix} = \begin{pmatrix} 25 \\ 15 \\ -20 \end{pmatrix} + \begin{pmatrix} 2 \\ -10 \\ -4 \end{pmatrix} = \begin{pmatrix} 27 \\ 5 \\ -24 \end{pmatrix}$;

(b) $-2u + 4v - 3w = \begin{pmatrix} -10 \\ -6 \\ 8 \end{pmatrix} + \begin{pmatrix} -4 \\ 20 \\ 8 \end{pmatrix} + \begin{pmatrix} -9 \\ 3 \\ 6 \end{pmatrix} = \begin{pmatrix} -23 \\ 17 \\ 22 \end{pmatrix}$.

1.4 Trouver x et y tels que :

(a) $(x, 3) = (2, x + y)$; (b) $(4, y) = x(2, 3)$.

Solution :

(a) les vecteurs étant égaux, on égalise les composantes :

$$x = 2\,; \quad 3 = x + y$$

La solution de ce système de deux équations est évidente : $x = 2$ et $y = 1$;

(b) On effectue tout d'abord la multiplication scalaire, d'où $(4, y) = (2x, 3x)$, l'égalité des composantes aboutissant au système :

$$4 = 2x\,; \quad y = 3x$$

soit $x = 2$ et $y = 6$.

1.5 Écrire le vecteur $v = (1, -2, 5)$ comme combinaison linéaire des vecteurs $u_1 = (1, 1, 1)$, $u_2 = (1, 2, 3)$ et $u_3 = (2, -1, 1)$.

Solution : exprimons v sous la forme $v = xu_1 + yu_2 + zu_3$, où x, y et z sont inconnus ; pour cela, l'utilisation de la représentation en colonne des vecteurs est plus commode :

$$\begin{pmatrix} 1 \\ -2 \\ 5 \end{pmatrix} = x\begin{pmatrix} 1 \\ 1 \\ 1 \end{pmatrix} + y\begin{pmatrix} 1 \\ 2 \\ 3 \end{pmatrix} + z\begin{pmatrix} 2 \\ -1 \\ 1 \end{pmatrix} = \begin{pmatrix} x + y + 2z \\ x + 2y - z \\ x + 3y + z \end{pmatrix}$$

L'égalité composante par composante aboutit au système :

$$\begin{aligned} x + y + 2z &= 1 \\ x + 2y - z &= -2 \\ x + 3y + z &= 5 \end{aligned} \qquad \text{soit} \qquad \begin{aligned} x + y + 2z &= 1 \\ y - 3z &= -3 \\ 2y - z &= 4 \end{aligned}$$

en remplaçant la deuxième ligne par la différence de la première et de la deuxième, et la 3e par la différence de la 3e et de la première. Remplaçons à présent la 3e par la différence de la 3e et de deux fois la seconde :

$$\begin{aligned} x + y + 2z &= 1 \\ y - 3z &= -3 \\ 5z &= 10 \end{aligned}$$

Sous cette dernière forme, on résout aisément : $z = 2$, $y = 3$ et $x = -6$.

1.6 Écrire le vecteur $v = (2, -5, 3)$ comme combinaison linéaire des vecteurs $u_1 = (1, -3, 2)$, $u_2 = (2, -4, -1)$ et $u_3 = (1, -5, 7)$.

Solution : on applique la même méthode :

$$\begin{pmatrix} 2 \\ -5 \\ 3 \end{pmatrix} = x \begin{pmatrix} 1 \\ -3 \\ 2 \end{pmatrix} + y \begin{pmatrix} 2 \\ -4 \\ -1 \end{pmatrix} + z \begin{pmatrix} 1 \\ -5 \\ 7 \end{pmatrix} = \begin{pmatrix} x + 2y + z \\ -3x - 4y - 5z \\ 2x - y + 7z \end{pmatrix}$$

L'égalité composante par composante aboutit au système :

$$\begin{aligned} x + 2y + z &= 2 \\ -3x - 4y - 5z &= -5 \\ 2x - y + 7z &= 3 \end{aligned} \quad \text{soit} \quad \begin{aligned} x + 2y + z &= 2 \\ 2y - 2z &= 1 \\ -5y + 5z &= -1 \end{aligned}$$

en remplaçant la deuxième ligne par la somme de trois fois la première et de la deuxième, et la 3e par la différence de la 3e et de deux fois la première. Remplaçons à présent la 3e par la somme de deux fois la 3e et de cinq fois la seconde :

$$\begin{aligned} x + 2y + z &= 2 \\ 2y - 2z &= 1 \\ 0 &= 3 \end{aligned}$$

La contradiction qui apparaît à la 3e ligne permet de conclure qu'il n'y a pas de solution, et par conséquent v ne peut pas s'écrire comme combinaison linéaire des trois vecteurs donnés.

PRODUIT SCALAIRE, ORTHOGONALITÉ ET NORME

1.7 Calculer $u \cdot v$, avec :

(a) $u = (2, -5, 6)$ et $v = (8, 2, -3)$;

(b) $u = (4, 2, -3, 5, -1)$ et $v = (2, 6, -1, -4, 8)$.

Solution : on multiplie les composantes de même indice entre elles et on ajoute les résultats :

(a) $u \cdot v = 2 \times 8 + (-5) \times 2 + 6 \times (-3) = -12$;

(b) $u \cdot v = 4 \times 2 + 2 \times 6 + (-3) \times (-1) + 5 \times (-4) + (-1) \times 8 = -5$.

1.8 On donne les vecteurs $u = (5, 4, 1)$, $v = (3, -4, 1)$ et $w = (1, -2, 3)$; trouver les paires, s'il y en a, de vecteurs orthogonaux.

Solution : calculons les produits scalaires :

$$u \cdot v = 15 - 16 + 1 = 0, \quad v \cdot w = 3 + 8 + 3 = 14, \quad u \cdot w = 5 - 8 + 3 = 0$$

On voit que les vecteurs u et v d'une part, u et w d'autre part, sont orthogonaux, mais v et w ne le sont pas.

1.9 Trouver k tel que les vecteurs u et v soient orthogonaux, avec :

(a) $u = (1, k, -3)$ et $v = (2, -5, 4)$;

(b) $u = (2, 3k, -4, 1, 5)$ et $v = (6, -1, 3, 7, 2k)$.

Solution : on calcule le produit scalaire , et on résout l'équation $u \cdot v = 0$ en k :

(a) $u \cdot v = 2 - 5k - 12 = -10 - 5k = 0 \Rightarrow k = -2$;

(b) $u \cdot v = 12 - 3k - 12 + 7 + 10k = 7 + 7k = 0 \Rightarrow k = -1$.

1.10 Calculer $\|u\|$, avec :

(a) $u = (3, -12, -4)$;

(b) $u = (2, -3, 8, -7)$.

Solution : on détermine $\|u\|^2 = u \cdot u$, puis on prend la racine carrée :

(a) $\|u\|^2 = 3^2 + (-12)^2 + (-4)^2 = 169 \Rightarrow \|u\| = \sqrt{169} = 13$;

(b) $\|u\|^2 = 2^2 + (-3)^2 + 8^2 + (-7)^2 = 126 \Rightarrow \|u\| = \sqrt{126} = 3\sqrt{14}$.

1.11 On rappelle que *normaliser* un vecteur non nul v consiste à trouver l'unique vecteur $\hat{v}$ de longueur 1 dans la même direction, soit :

$$\hat{v} = \frac{1}{\|v\|}\, v$$

Normaliser :

(a) $u = (3, -4)$;

(b) $v = (4, -2, -3, 8)$;

(c) $w = \left(\frac{1}{2}, \frac{2}{3}, -\frac{1}{4}\right)$.

Solution : on calcule la norme du vecteur, et le vecteur unitaire cherché a pour composantes les composantes du vecteur initial divisé par sa norme :

(a) $\|u\| = \sqrt{9 + 16} = 5$, d'où $\hat{u} = \left(\frac{3}{5}, -\frac{4}{5}\right)$.

(b) $\|v\| = \sqrt{16 + 4 + 9 + 64} = \sqrt{93}$; on obtient donc :

$$\hat{v} = \left(\frac{4}{\sqrt{93}}, \frac{-2}{\sqrt{93}}, \frac{-3}{\sqrt{93}}, \frac{8}{\sqrt{93}}\right).$$

(c) Nous allons nous simplifier la tâche avec la remarque suivante : à tous les vecteurs ayant la même direction que le vecteur donné correspond le même vecteur unitaire ; au lieu de partir de w, nous allons utiliser le vecteur $w' = 12w = (6, 8, -3)$, qui a l'avantage d'avoir des composantes entières (on a réduit l'ensemble des composantes de w au même dénominateur) ; alors $\|w'\| = \sqrt{36 + 64 + 9} = \sqrt{109}$; on trouve ainsi :

$$\hat{w} = \hat{w}' = \left(\frac{6}{\sqrt{109}}, \frac{8}{\sqrt{109}}, \frac{-3}{\sqrt{109}}\right)$$

1.12 Soit $u = (1, -3, 4)$ et $v = (3, 4, 7)$; trouver :

(a) $\cos\theta$, où θ est l'angle entre u et v ;

(b) $\mathrm{proj}(u, v)$, la projection orthogonale de u sur v ;

(c) $d(u, v)$, la distance entre u et v.

Solution : commençons par calculer le produit scalaire $u \cdot v$ et les normes $\|u\|$ et $\|v\|$:

$$u \cdot v = 3 - 12 + 28 = 19, \ \|u\|^2 = 1 + 9 + 16 = 26 \text{ et } \|v\|^2 = 9 + 16 + 49 = 74$$

Alors :

(a) $\cos\theta = \dfrac{u \cdot v}{\|u\|\,\|v\|} = \dfrac{19}{\sqrt{26}\sqrt{74}}$;

(b) $\text{proj}(u, v) = \dfrac{u \cdot v}{\|v\|^2}\, v = \dfrac{19}{74}\,(3, 4, 7) = \left(\dfrac{57}{74}, \dfrac{38}{37}, \dfrac{133}{74}\right)$;

(c) $d(u, v) = \|u - v\| = \|(-2, -7, -3\| = \sqrt{4 + 49 + 9} = \sqrt{62}$.

1.13 Démontrer le théorème 1.2 : quels que soient les vecteurs u, v et w de $\mathbb{R}^n$, quel que soit le scalaire $k \in \mathbb{R}$:

(a) $(u + v) \cdot w = u \cdot w + v \cdot w$;

(b) $(ku) \cdot v = k(u \cdot v)$;

(c) $u \cdot v = v \cdot u$;

(d) $u \cdot u \geq 0$; $u \cdot u = 0 \Leftrightarrow u = 0$.

Solution : posons $u = (u_1, u_2, \ldots, u_n)$, $v = (v_1, v_2, \ldots, v_n)$ et $w = (w_1, w_2, \ldots, w_n)$:

(a) Avec $u + v = (u_1 + v_1,\ u_2 + v_2,\ \ldots,\ u_n + v_n)$, on a :

$$\begin{aligned}(u + v) \cdot w &= (u_1 + v_1)w_1 + (u_2 + v_2)w_2 + \cdots + (u_n + v_n)w_n \\ &= u_1w_1 + v_1w_1 + u_2w_2 + v_2w_2 + \cdots + u_nw_n + v_nw_n \\ &= (u_1w_1 + u_2w_2 + \cdots + u_nw_n) + (v_1w_1 + v_2w_2 + \cdots + v_nw_n) \\ &= u \cdot w + v \cdot w\end{aligned}$$

(b) Puisque $ku = (ku_1, ku_2, \ldots, ku_n)$, on peut écrire :

$$(ku) \cdot v = ku_1v_1 + ku_2v_2 + \cdots + ku_nv_n = k(u_1v_1 + u_2v_2 + \cdots + u_nv_n) = k(u \cdot v)$$

(c) $u \cdot v = u_1v_1 + u_2v_2 + \cdots + u_nv_n = v_1u_1 + v_2u_2 + \cdots + v_nu_n = v \cdot u$

(d) Le carré u_i^2 de chaque composante est un nombre non négatif ; la somme de ces carrés est donc non négative :

$$u \cdot u = u_1^2 + u_2^2 + \cdots + u_n^2 \geq 0$$

De plus, une telle somme ne peut être nulle que si chaque terme est nul, impliquant la nullité du vecteur u.

1.14 Démontrer le théorème 1.3 (inégalité de Cauchy-Schwarz), qui stipule que :

$$\forall u, v \in \mathbb{R}^n,\ |u \cdot v| \leq \|u\|\,\|v\|$$

Solution : $\forall t \in \mathbb{R}$, et selon le théorème 1.2 :

$$0 \leq (tu + v) \cdot (tu + v) = t^2(u \cdot u) + 2t(u \cdot v) + (v \cdot v) = t^2\|u\|^2 + 2t(u \cdot v) + \|v\|^2$$

Ce trinôme du second degré en t ne peut être positif ou nul que s'il n'admet pas de racines réelles distinctes, autrement dit si son discriminant est négatif ou nul :

$$\Delta = 4(u \cdot v)^2 - 4\|u\|^2\,\|v\|^2 \leq 0$$

On en déduit le résultat cherché en divisant par 4 (on aurait pu écrire directement le discriminant réduit $\Delta' = \Delta/4$) et en prenant la racine carrée.

1.15 Démontrer le théorème 1.4, stipulant l'inégalité triangulaire :

$$\|u+v\| \leq \|u\| + \|v\|$$

Solution : on utilise la positivité définie du produit scalaire et l'inégalité de Schwarz :

$$\begin{aligned}\|u+v\|^2 &= (u+v)\cdot(u+v) = (u\cdot u) + 2(u\cdot v) + (v\cdot v)\\ &\leq \|u\|^2 + 2\|u\|\,\|v\| + \|v\|^2 = (\|u\| + \|v\|)^2\end{aligned}$$

On trouve l'inégalité cherchée en prenant la racine carrée.

POINTS, DROITES ET HYPERPLANS DE $\mathbb{R}^n$

Attention à distinguer ici un multiplet $P(a_1, a_2, \ldots, a_n)$ représentant un *point* de $\mathbb{R}^n$, et un multiplet $u = (c_1, c_2, \ldots, c_n)$ représentant un vecteur (une flèche) joignant l'origine O au point $C(c_1, c_2, \ldots, c_n)$.

1.16 Exprimer le vecteur u qui s'identifie au bipoint $\overrightarrow{PQ}$ pour les points :

(a) $P(1, -2, 4)$ et $Q(6, 1, -5)$ de $\mathbb{R}^3$; (b) $P(2, 3, -6, 5)$ et $Q(7, 1, 4, -8)$ de $\mathbb{R}^4$.

Solution :

(a) $u = \overrightarrow{PQ} = Q - P = (6-1,\ 1-(-2),\ -5-4) = (5, 3, -9)$;

(b) $u = \overrightarrow{PQ} = Q - P = (7-2,\ 1-3,\ 4-(-6),\ -8-5) = (5, -2, 10, -13)$.

1.17 Déterminer l'équation de l'hyperplan H de $\mathbb{R}^4$ passant par le point $P(3, -4, 1, -2)$ et normal au vecteur $u = (2, 5, -6, -3)$.

Solution : les coefficients de l'équation de H sont les composantes de u, soit $2x_1 + 5x_2 - 6x_3 - 3x_4 = k$, où les x_i sont les coordonnées des points de H ; on détermine l'inconnue k en exprimant que le point donné P appartient à H : tous calculs faits, on trouve $k = -14$.

1.18 Quelle est l'équation du plan H de $\mathbb{R}^3$ passant par le point $P(1, -3, -4)$ et parallèle au plan H' d'équation $3x - 6y + 5z = 2$?

Solution : rappelons tout d'abord qu'un hyperplan de $\mathbb{R}^3$ se confond avec un plan au sens ordinaire. On sait que deux plans sont parallèles si et seulement si ils ont la même direction normale (au sens près) ; le vecteur normal à H', et donc à H, étant le vecteur $u = (3, -6, 5)$, l'équation de H est de la forme $3x - 6y + 5z = k$. En remplaçant dans cette équation x, y et z par les coordonnées de P, on trouve la valeur de k, soit $k = 1$. On constate que seul le paramètre k diffère pour deux plans parallèles, ce qui est un résultat général.

1.19 Trouver la représentation paramétrique de la droite L de $\mathbb{R}^4$ passant par le point $P(4, -2, 3, 1)$ et ayant la direction de $u = (2, 5, -7, 8)$.

Solution : le système d'équations représentant L s'écrit :

$$x_1 = 2t + 4\,;\ x_2 = 5t - 2\,;\ x_3 = -7t + 3\,;\ x_4 = 8t + 1$$

où $X(x_1, x_2, x_3, x_4)$ est le point courant de L, le paramètre t parcourant $\mathbb{R}$ tout entier. On peut aussi écrire cette représentation sous la forme : $L(t) = (2t + 4,\ 5t - 2,\ -7t + 3,\ 8t + 1)$.

1.20 Soit C la courbe de $\mathbb{R}^4$ d'équation $F(t) = (t^2,\ 3t-2,\ t^3,\ t^2+5)$, avec $t \in [0,4]$.
(a) Quelles sont les coordonnées du point $P \in C$ correspondant à $t = 2$?
(b) Quelles sont les coordonnées de l'origine Q et de l'extrémité Q' de C ?
(c) Exprimer le vecteur unitaire tangent $\mathbf{T}$ à la courbe pour $t = 2$.

Solution :

(a) On a $P = F(2) = (4, 4, 8, 9)$.
(b) Par définition, l'origine de la courbe est le point correspondant à l'origine de l'intervalle auquel appartient le paramètre t, soit ici $t = 0$, et de même, l'extrémité de C correspond à la plus grande valeur de t ; on a donc $Q = F(0) = (0, -2, 0, 5)$ et $Q' = F(4) = (16, 10, 64, 21)$.
(c) Le vecteur $V(t)$ tangent en tout point à la courbe C est donnée par la dérivée $V(t) = dF(t)/dt$, soit $V(t) = [2t, 3, 3t^2, 2t]$. Pour $t = 2$, on écrit $V = V(2) = [4, 3, 12, 4]$. Pour obtenir $\mathbf{T}$, il convient de le normaliser : calculons la norme $\|V\| = \sqrt{16+9+144+16} = \sqrt{185}$, puis divisons :

$$\mathbf{T} = \left[\frac{4}{\sqrt{185}}, \frac{3}{\sqrt{185}}, \frac{12}{\sqrt{185}}, \frac{4}{\sqrt{185}}\right]$$

VECTEURS D'ESPACE ($\mathbb{R}^3$) – NOTATION **i j k** – PRODUIT VECTORIEL

1.21 Soient $u = 2\mathbf{i} - 3\mathbf{j} + 4\mathbf{k}$, $v = 3\mathbf{i} + \mathbf{j} - 2\mathbf{k}$ et $w = \mathbf{i} + 5\mathbf{j} + 3\mathbf{k}$; déterminer :
(a) $u + v$; (b) $2u - 3v + 4w$; (c) $u \cdot v$ et $u \cdot w$; (d) $\|u\|$ et $\|v\|$.

Solution :

(a) On ajoute les composantes : $u + v = 5\mathbf{i} - 2\mathbf{j} + 2\mathbf{k}$.
(b) On effectue les multiplications scalaires, puis l'addition vectorielle :

$$\begin{aligned} 2u - 3v + 4w &= (4\mathbf{i} - 6\mathbf{j} + 8\mathbf{k}) + (-9\mathbf{i} - 3\mathbf{j} + 6\mathbf{k}) + (4\mathbf{i} + 20\mathbf{j} + 12\mathbf{k}) \\ &= -\mathbf{i} + 11\mathbf{j} + 26\mathbf{k} \end{aligned}$$

(c) On ajoute les produits deux à deux des composantes :

$$u \cdot v = 6 - 3 - 8 = -5 \quad \text{et} \quad u \cdot w = 2 - 15 + 12 = -1$$

(d) La norme est donnée par la racine carrée du carré scalaire :

$$\|u\| = \sqrt{4+9+16} = \sqrt{29} \quad \text{et} \quad \|v\| = \sqrt{9+1+4} = \sqrt{14}$$

1.22 Donner l'équation paramétrique de la droite L :
(a) passant par les points $P(1, 3, 2)$ et $Q(2, 5, -6)$;
(b) passant par le point $P(1, -2, 4)$ et perpendiculaire au plan H d'équation $3x + 5y + 7z = 15$.

Solution :

(a) La droite passant par les points P et Q a la direction du vecteur $\overrightarrow{PQ} = Q - P = [1, 2, -8] = \mathbf{i} + 2\mathbf{j} - 8\mathbf{k}$. Alors :

$$L(t) = (t+1,\ 2t+3,\ -8t+2) = (t+1)\mathbf{i} + (2t+3)\mathbf{j} + (-8t+2)\mathbf{k}$$

(b) La droite perpendiculaire au plan H est dans la direction du vecteur normal à ce plan, soit $N = 3\mathbf{i} + 5\mathbf{j} + 7\mathbf{k}$, soit :

$$L(t) = (3t+1,\ 5t-2,\ 7t+4) = (3t+1)\mathbf{i} + (5t-2)\mathbf{j} + (7t+4)\mathbf{k}$$

1.23 Soit S la surface de $\mathbb{R}^3$ définie par l'équation $xy^2 + 2yz = 16$.

(a) Trouver un vecteur normal $\mathbf{N}(x, y, z)$ à la surface S.

(b) Déterminer l'équation du plan tangent H à S au point $P(1, 2, 3)$.

Solution :

(a) Par définition, le vecteur normal à la surface d'équation $F(x, y, z) = 0$ est donné par :

$$\mathbf{N}(x, y, z) = \frac{\partial F}{\partial x}\,\mathbf{i} + \frac{\partial F}{\partial y}\,\mathbf{j} + \frac{\partial F}{\partial z}\,\mathbf{k}$$

Avec l'équation donnée, on trouve :

$$\frac{\partial F}{\partial x} = y^2\,; \qquad \frac{\partial F}{\partial y} = 2xy + 2z\,; \qquad \frac{\partial F}{\partial z} = 2y$$

d'où $\mathbf{N}(x, y, z) = y^2\,\mathbf{i} + (2xy + 2z)\,\mathbf{j} + 2y\,\mathbf{k}$.

(b) Au point P, la normale est $\mathbf{N}(P) = \mathbf{N}(1, 2, 3) = 4\mathbf{i} + 10\mathbf{j} + 4\mathbf{k}$. On peut diviser chaque composante de $\mathbf{N}$ par deux sans changer la direction ; il en résulte que le vecteur $\mathbf{N} = 2\mathbf{i} + 5\mathbf{j} + 2\mathbf{k}$ est également normal à la surface, donc aussi au plan tangent H, qui a par conséquent pour équation $2x + 5y + 2z = c$. En remplaçant x, y et z par les coordonnées de P, on trouve $c = 18$.

1.24 Calculer les déterminants, ou leurs opposés, suivants :

(a) 1. $\begin{vmatrix} 3 & 4 \\ 5 & 9 \end{vmatrix}$; 2. $\begin{vmatrix} 2 & -1 \\ 4 & 3 \end{vmatrix}$; 3. $\begin{vmatrix} 4 & -5 \\ 3 & -2 \end{vmatrix}$.

(b) 1. $-\begin{vmatrix} 3 & 6 \\ 4 & 2 \end{vmatrix}$; 2. $-\begin{vmatrix} 7 & -5 \\ 3 & 2 \end{vmatrix}$; 3. $-\begin{vmatrix} 4 & -1 \\ 8 & -3 \end{vmatrix}$.

Solution : on utilise les relations $\begin{vmatrix} a & b \\ c & d \end{vmatrix} = ad - bc$ et $-\begin{vmatrix} a & b \\ c & d \end{vmatrix} = bc - ad$.

(a) 1. $27 - 20 = 7$; 2. $6 + 4 = 10$; 3. $-8 + 15 = 7$.

(b) 1. $24 - 6 = 18$; 2. $-15 - 14 = -29$; 3. $-8 + 12 = 4$.

1.25 Soient $u = 2\mathbf{i} - 3\mathbf{j} + 4\mathbf{k}$, $v = 3\mathbf{i} + \mathbf{j} - 2\mathbf{k}$ et $w = \mathbf{i} + 5\mathbf{j} + 3\mathbf{k}$. Calculer :

(a) $u \wedge v$; (b) $u \wedge w$.

Solution :

(a) À l'aide de la matrice $\begin{pmatrix} 2 & -3 & 4 \\ 3 & 1 & -2 \end{pmatrix}$ et de la règle des déterminants donnée plus haut, on obtient $u \wedge v = (6 - 4)\mathbf{i} + (12 + 4)\mathbf{j} + (2 + 9)\mathbf{k} = 2\mathbf{i} + 16\mathbf{j} + 11\mathbf{k}$.

(b) Même chose à partir de la matrice $\begin{pmatrix} 2 & -3 & 4 \\ 1 & 5 & 3 \end{pmatrix}$.

On trouve $u \wedge v = (-9 - 20)\mathbf{i} + (4 - 6)\mathbf{j} + (10 + 3)\mathbf{k} = -29\mathbf{i} - 2\mathbf{j} + 13\mathbf{k}$.

1.26 Calculer le produit vectoriel $u \wedge v$, si :
(a) $u = (1, 2, 3)$ et $v = (4, 5, 6)$; (b) $u = (-4, 7, 3)$ et $v = (6, -5, 2)$.

Solution :
(a) On construit à nouveau la matrice des composantes $\begin{pmatrix} 1 & 2 & 3 \\ 4 & 5 & 6 \end{pmatrix}$, soit $u \wedge v = (12-15,\ 12-6,\ 5-8) = (-3, 6, -3)$.
(b) Idem : $\begin{pmatrix} -4 & 7 & 3 \\ 6 & -5 & 2 \end{pmatrix}$, d'où $u \wedge v = (14+15,\ 18+8,\ 20-42) = (29, 26, -22)$.

1.27 Exhiber un vecteur unitaire u orthogonal à $v = (1, 3, 4)$ et $w = (2, -6, -5)$.

Solution : le produit vectoriel est orthogonal à chacun des vecteurs ; écrivons $\begin{pmatrix} 1 & 3 & 4 \\ 2 & -6 & -5 \end{pmatrix}$, d'où $v \wedge w = (-15+24,\ 8+5,\ -6-6) = (9, 13, -12)$. On obtient le vecteur cherché par normalisation : $u = (9/\sqrt{394},\ 13/\sqrt{394},\ -12/\sqrt{394})$.

1.28 Considérons les vecteurs $u = (a_1, a_2, a_3)$, $v = (b_1, b_2, b_3)$ et leur produit vectoriel $u \wedge v = (a_2b_3 - a_3b_2,\ a_3b_1 - a_1b_3,\ a_1b_2 - a_2b_1)$. Montrer que :
(a) $u \wedge v$ est orthogonal à u et v (théorème 1.5, assertion (a)) ;
(b) $\|u \wedge v\|^2 = (u \cdot u)(v \cdot v) - (u \cdot v)^2$ (identité de Lagrange).

Solution :
(a) Écrivons le produit mixte :

$$\begin{aligned} u \cdot (u \wedge v) &= a_1(a_2b_3 - a_3b_2) + a_2(a_3b_1 - a_1b_3) + a_3(a_1b_2 - a_2b_1) \\ &= a_1a_2b_3 - a_1a_3b_2 + a_2a_3b_1 - a_1a_2b_3 + a_1a_3b_2 - a_2a_3b_1 = 0 \end{aligned}$$

qui prouve l'orthogonalité de u et de $u \wedge v$. L'orthogonalité avec v se démontre de la même manière.
(b) Le carré scalaire du produit vectoriel s'écrit :

$$\|u \wedge v\|^2 = (a_2b_3 - a_3b_2)^2 + (a_3b_1 - a_1b_3)^2 + (a_1b_2 - a_2b_1)^2 \tag{1.1}$$

On a aussi :

$$(u \cdot u)(v \cdot v) - (u \cdot v)^2 = (a_1^2 + a_2^2 + a_3^2)(b_1^2 + b_2^2 + b_3^2) - (a_1b_1 + a_2b_2 + a_3b_3)^2 \tag{1.2}$$

En développant les seconds membres des équations (1.1) et (1.2), on établit aisément l'égalité.

NOMBRES COMPLEXES ; VECTEURS DE $\mathbb{C}^n$

1.29 Soient les nombres complexes $z = 5 + 3i$ et $w = 2 - 4i$; calculer :
(a) $z + w$; (b) $z - w$; (c) zw.

Solution : on utilise les règles habituelles du calcul algébrique, en y ajoutant la règle $i^2 = -1$, d'où :
(a) $z + w = (5 + 3i) + (2 - 4i) = 7 - i$;
(b) $z - w = (5 + 3i) - (2 - 4i) = 3 + 7i$;
(c) $zw = (5 + 3i)(2 - 4i) = 10 - 14i - 12i^2 = 22 - 14i$.

1.30 Simplifier :
(a) $(5 + 3i)(2 - 7i)$; (b) $(4 - 3i)^2$; (c) $(1 + 2i)^3$.

Solution :

(a) $(5+3i)(2-7i) = 10+6i-35i-21i^2 = 31-29i$;

(b) $(4-3i)^2 = 16-24i+9i^2 = 7-24i$;

(c) $(1+2i)^3 = 1+6i+12i^2+8i^3 = -11-2i$, puisque $i^3 = i^2 i = -i$.

1.31 Simplifier :

(a) i^0, i^3, i^4 ; (b) i^5, i^6, i^7, i^8 ; (c) $i^{39}, i^{174}, i^{252}, i^{317}$.

Solution :

(a) $i^0 = 1, \quad i^3 = -i, \quad i^4 = i^2 \times i^2 = 1$;

(b) $i^5 = i^4 \times i = i, \quad i^6 = i^4 \times i^2 = -1, \quad i^7 = i^6 \times i = -i, \quad i^8 = i^4 \times i^4 = 1$;

(c) On simplifie les expressions données en utilisant $i^4 = 1$: pour une puissance n arbitraire, on écrit $n = 4p+q$, soit $i^n = i^q$. Ainsi : $i^{39} = i^{4\times 9+3} = i^3 = -i, \quad i^{174} = i^{43\times 4+2} = i^2 = -1$, $i^{252} = i^{63\times 4} = 1, \quad i^{317} = i^{79\times 4+1} = i$.

1.32 Déterminer le complexe conjugué de :

(a) $4+6i, \quad 7-5i, \quad 4+i, \quad -3-i$; (b) $6, \quad -3, \quad 4i, \quad -9i$.

Solution :

(a) $\overline{4+6i} = 4-6i, \quad \overline{7-5i} = 7+5i, \quad \overline{4+i} = 4-i, \quad \overline{-3-i} = -3+i$;

(b) $\overline{6} = 6, \quad \overline{-3} = -3, \quad \overline{4i} = -4i, \quad \overline{-9i} = 9i$.

On remarque que le conjugué d'un nombre réel est ce nombre lui-même, et que le conjugué d'un nombre imaginaire pur est son opposé.

1.33 Exprimer $z\bar{z}$ et $|z|$ pour $z = 3+4i$.

Solution : on sait que si $z = a+ib, \quad z\bar{z} = a^2+b^2$ et $|z| = \sqrt{z\bar{z}} = \sqrt{a^2+b^2}$, d'où ici : $z\bar{z} = 9+16 = 25$ et $|z| = \sqrt{25} = 5$.

1.34 Simplifier $\dfrac{2-7i}{5+3i}$.

Solution : multiplions le numérateur et le dénominateur de la fraction par le complexe conjugué du dénominateur :

$$\frac{2-7i}{5+3i} = \frac{(2-7i)(5-3i)}{(5+3i)(5-3i)} = \frac{-11-41i}{34} = -\frac{11}{34} - \frac{41}{34}i$$

1.35 Montrer que $\forall z, w \in \mathbb{C}$,

(a) $\overline{z+w} = \bar{z}+\bar{w}$; (b) $\overline{zw} = \bar{z}\,\bar{w}$; (c) $\bar{\bar{z}} = z$.

Solution : posons $z = a+ib$ et $w = c+id$, $a,b,c,d \in \mathbb{R}$.

(a) $\overline{z+w} = \overline{(a+ib)+(c+id)} = \overline{(a+c)+i(b+d)}$

$= (a+c)-i(b+d) = a+c-ib-id = (a-ib)+(c-id) = \bar{z}+\bar{w}$

(b) $\overline{zw} = \overline{(a+ib)(c+id)} = \overline{(ac-bd)+i(bc+ad)}$

$= (ac-bd)-i(bc+ad) = (a-ib)(c-id) = \bar{z}\,\bar{w}$

(c) $\bar{\bar{z}} = \overline{a-ib} = a+ib = z$.

1.36 Démontrer que pour tout couple de nombres complexes $z, w \in \mathbb{C}$, $|zw| = |z|\,|w|$.

Solution : on utilise le résultat (b) du problème 1.35 :

$$|zw|^2 = (zw)(\overline{zw}) = (zw)(\bar{z}\,\bar{w}) = (z\,\bar{z})(w\,\bar{w}) = |z|^2|w|^2.$$

Le résultat cherché s'obtient en prenant la racine carrée des deux membres.

1.37 Montrer que pour tout couple de nombres complexes $z, w \in \mathbb{C}$, $|z + w| \leq |z| + |w|$.

Solution : posons $z = a+ib$ et $w = c+id$, avec $a, b, c, d \in \mathbb{R}$. Considérons les vecteurs $u = (a, b)$ et $v = (c, d)$ de $\mathbb{R}^2$; on a :

$$|z| = \sqrt{a^2 + b^2} = \|u\| \quad \text{et} \quad |w| = \sqrt{c^2 + d^2} = \|v\|$$

et :

$$|z + w| = |(a + c) + i(b + d)| = \sqrt{(a + c)^2 + (b + d)^2} = \|(a + c, b + d)\| = \|u + v\|$$

L'inégalité de Minkowski (problème 1.15) appliquée aux vecteurs u et v s'écrit $\|u + v\| \leq \|u\| + \|v\|$, ce qui entraîne :

$$|z + w| = \|u + v\| \leq \|u\| + \|v\| = |z| + |w|$$

1.38 Calculer les produits scalaires $u \cdot v$ et $v \cdot u$, avec :

(a) $u = (1 - 2i,\ 3 + i)$ et $v = (4 + 2i,\ 5 - 6i)$;

(b) $u = (3 - 2i,\ 4i,\ 1 + 6i)$ et $v = (5 + i,\ 2 - 3i,\ 7 + 2i)$.

Solution : on se souvient que dans le produit scalaire hermitien de $\mathbb{C}^n$, c'est le complexe conjugué du second vecteur qui intervient :

$$(z_1, z_2, \ldots, z_n) \cdot (w_1, w_1, \ldots, w_n) = z_1\overline{w_1} + z_2\overline{w_2} + \cdots + z_n\overline{w_n}$$

(a)
$$\begin{aligned}
u \cdot v &= (1 - 2i)(\overline{4 + 2i}) + (3 + i)(\overline{5 - 6i}) \\
&= (1 - 2i)(4 - 2i) + (3 + i)(5 + 6i) = -10i + 9 + 23i = 9 + 13i \\
v \cdot u &= (4 + 2i)(\overline{1 - 2i}) + (5 - 6i)(\overline{3 + i}) \\
&= (4 + 2i)(1 + 2i) + (5 - 6i)(3 - i) = 10i + 9 - 23i = 9 - 13i
\end{aligned}$$

(b)
$$\begin{aligned}
u \cdot v &= (3 - 2i)(\overline{5 + i}) + 4i(\overline{2 - 3i}) + (1 + 6i)(\overline{7 + 2i}) \\
&= (3 - 2i)(5 - i) + 4i(2 + 3i) + (1 + 6i)(7 - 2i) = 20 + 35i \\
v \cdot u &= (5 + i)(\overline{3 - 2i}) + (2 - 3i)(\overline{4i}) + (7 + 2i)(\overline{1 + 6i}) \\
&= (5 + i)(3 + 2i) + (2 - 3i)(-4i) + (7 + 2i)(1 - 6i) = 20 - 35i
\end{aligned}$$

Dans les deux cas, $u \cdot v = \overline{v \cdot u}$; c'est un résultat général, qui sera l'un des sujets du problème 1.40.

1.39 Soient $u = (7 - 2i,\ 2 + 5i)$ et $v = (1 + i,\ -3 - 6i)$; calculer :

(a) $u + v$; (b) $2iu$; (c) $(3 - i)v$; (c) $u \cdot v$; (c) $\|u\|$ et $\|v\|$.

Solution :

(a) $u+v=(7-2i+1+i,\ 2+5i-3-6i)=(8-i,\ -1-i)$;

(b) $2iu=(14i-4i^2,\ 4i+10i^2)=(4+14i,\ -10+4i)$;

(c) $(3-i)v=(3+3i-i-i^2,\ -9-18i+3i+6i^2)=(4+2i,\ -15-15i)$;

(d)
$$\begin{aligned} u\cdot v &= (7-2i)\overline{(1+i)}+(2-5i)\overline{(-3-6i)} \\ &= (7-2i)(1-i)+(2-5i)(-3+6i)=5-9i-36-3i=-31-12i \end{aligned}$$

(e) $\|u\|=\sqrt{7^2+(-2)^2+2^2+5^2}=\sqrt{82}$ et $\|v\|=\sqrt{1^2+1^2+(-3)^3+(-6)^2}=\sqrt{47}$.

1.40 Montrer, quels que soient les vecteurs u et v de $\mathbb{C}^n$, et quel que soit le scalaire $z\in\mathbb{C}$, que :

(a) $u\cdot v=\overline{v\cdot u}$; (b) $(zu)\cdot v=z(u\cdot v)$; (c) $u\cdot(zv)=\bar{z}(u\cdot v)$.

Solution : posons $u=(z_1,z_2,\ldots,z_n)$ et $v=(w_1,w_2,\ldots,w_n)$:

(a) Utilisons les propriétés du complexe conjugué (*cf.* problème 1.35) :

$$\begin{aligned} \overline{v\cdot u} &= \overline{w_1\overline{z_1}+w_2\overline{z_2}+\cdots+w_n\overline{z_n}}=\overline{w_1\overline{z_1}}+\overline{w_2\overline{z_2}}+\cdots+\overline{w_n\overline{z_n}} \\ &= \overline{w_1}z_1+\overline{w_2}z_2+\cdots+\overline{w_n}z_n=u\cdot v \end{aligned}$$

(b) Sachant que $zu=(zz_1,zz_2,\ldots,zz_n)$:

$$(zu)\cdot v=zz_1\overline{w_1}+zz_2\overline{w_2}+\cdots+zz_n\overline{w_n}=z(z_1\overline{w_1}+z_2\overline{w_2}+\cdots+z_n\overline{w_n})=z(u\cdot v)$$

On peut comparer ce résultat au théorème 1.2 pour les vecteurs de $\mathbb{R}^n$.

(c) En utilisant les deux points ci-dessus :

$$u\cdot(zv)=\overline{(zv)\cdot u}=\overline{z(v\cdot u)}=\overline{z}\,\overline{v\cdot u}=\bar{z}(u\cdot v)$$

EXERCICES SUPPLÉMENTAIRES

VECTEURS DE $\mathbb{R}^n$

1.41 Soient $u=(1,-2,4)$, $v=(3,5,1)$ et $w=(2,1,-3)$. Déterminer :

(a) $3u-2v$;

(b) $5u+3v-5w$;

(c) $u\cdot v,\ u\cdot w,\ v\cdot w$;

(d) $\|u\|$, $\|v\|$ et $\|w\|$.

(e) $\cos\theta$, où θ est l'angle entre u et v ;

(f) $d(u,v)$;

(g) $\mathrm{proj}(u,v)$.

1.42 Mêmes questions qu'au problème 1.41 pour $u=\begin{pmatrix}1\\3\\-4\end{pmatrix}$, $v=\begin{pmatrix}2\\1\\5\end{pmatrix}$, $w=\begin{pmatrix}3\\-2\\6\end{pmatrix}$.

1.43 Soient $u = (2, -5, 4, 6, -3)$ et $v = (5, -2, 1, -7, -4)$. Déterminer :

(a) $4u - 3v$; (c) $u \cdot v$; (e) $\text{proj}(u, v)$;
(b) $5u + 2v$; (d) $\|u\|$ et $\|v\|$; (f) $d(u, v)$.

1.44 Normaliser chacun des vecteurs suivants :

(a) $u = (5, -7)$; (b) $v = (1, 2, -2, 4)$; (c) $w = \left(\frac{1}{2}, -\frac{1}{3}, \frac{3}{4}\right)$.

1.45 Soit $u = (1, 2, -2)$, $v = (3, -12, 4)$ et $k = -3$:
(a) calculer $\|u\|$, $\|v\|$, $\|u + v\|$ et $\|ku\|$;
(b) vérifier que $\|ku\| = |k|\,\|u\|$ et que $\|u + v\| \leq \|u\| + \|v\|$.

1.46 Déterminer x et y tels que :

(a) $(x,\ y + 1) = (y - 2,\ 6)$; (b) $x(2,\ y) = y(1,\ -2)$.

1.47 Trouver x, y et z tels que $(x,\ y + 1,\ y + z) = (2x + y,\ 4,\ 3z)$.

1.48 Écrire $v = (2, 5)$ comme combinaison linéaire de u_1 et u_2, dans les deux cas suivants :

(a) $u_1 = (1, 2)$ et $u_2 = (3, 5)$; (b) $u_1 = (3, -4)$ et $u_2 = (2, -3)$.

1.49 Écrire $v = \begin{pmatrix} 9 \\ 0 \\ 16 \end{pmatrix}$ comme combinaison linéaire de $u_1 = \begin{pmatrix} 1 \\ 3 \\ 3 \end{pmatrix}$, $u_2 = \begin{pmatrix} 2 \\ 5 \\ -1 \end{pmatrix}$ et $u_3 = \begin{pmatrix} 4 \\ -2 \\ 3 \end{pmatrix}$.

1.50 Trouver la valeur de k pour que u et v soient orthogonaux :
(a) $u = (3, k, -2)$ et $v = (6, -4, -3)$;
(b) $u = (5, k, -4, 2)$ et $v = (1, -3, 2, 2k)$;
(c) $u = (1, 7, k + 2, -2)$ et $v = (3, k, -3, k)$.

VECTEURS LIÉS, HYPERPLANS ET DROITES DE $\mathbb{R}^n$

1.51 Identifier le vecteur v correspondant au bipoint orienté $\overrightarrow{PQ}$ pour :
(a) $P(2, 3, -7)$ et $Q(1, -6, -5)$ dans $\mathbb{R}^3$;
(b) $P(1, -8, -4, 6)$ et $Q(3, -5, 2, -4)$ dans $\mathbb{R}^4$.

1.52 Trouver l'équation de l'hyperplan de $\mathbb{R}^4$ qui :
(a) contient $P(1, 2, -3, 2)$ et est normal au vecteur $u = (2, 3, -5, 6)$;
(b) contient $P(3, -1, 2, 5)$ et est parallèle à l'hyperplan d'équation $2x_1 - 3x_2 + 5x_3 - 7x_4 = 4$.

1.53 Déterminer la représentation paramétrique de la droite de $\mathbb{R}^4$ qui :
(a) passe par les points $P(1, 2, 1, 2)$ et $Q(3, -5, 7, -9)$;
(b) passe par $P(1, 1, 3, 3)$ et est perpendiculaire à l'hyperplan d'équation

$$2x_1 + 4x_2 + 6x_3 - 8x_4 = 5.$$

VECTEURS D'ESPACE ($\mathbb{R}^3$), NOTATION i j k

1.54 Étant donnés $u = 3\mathbf{i} - 4\mathbf{j} + 2\mathbf{k}$, $v = 2\mathbf{i} + 5\mathbf{j} - 3\mathbf{k}$ et $w = 4\mathbf{i} + 7\mathbf{j} + 2\mathbf{k}$, déterminer :

(a) $2u - 3v$;

(b) $3u + 4v - 2w$;

(c) $u \cdot v$, $u \cdot w$ et $v \cdot w$;

(d) $\|u\|$, $\|v\|$ et $\|w\|$.

1.55 Déterminer l'équation du plan H :

(a) normal à $\mathbf{N} = 3\mathbf{i} - 4\mathbf{j} + 5\mathbf{k}$ et contenant le point $P(2, -1, 3)$;

(b) parallèle au plan d'équation $4x + 3y - 2z = 11$ et passant par le point $Q(1, -5, 7)$.

1.56 Trouver les équations paramétriques de la droite L :

(a) passant par le point $P(2, 5, -3)$ et ayant la direction du vecteur $v = 4\mathbf{i} - 5\mathbf{j} + 7\mathbf{k}$;

(b) perpendiculaire au plan d'équation $2x - 3y + 7z = 4$ et contenant le point $P(1, -5, 7)$.

1.57 Soit la courbe C de $\mathbb{R}^3$, où $0 \leq t \leq 5$, d'équation $F(t) = t^3\,\mathbf{i} - t^2\,\mathbf{j} + (2t - 3)\,\mathbf{k}$:

(a) trouver le point P de C correspondant à $t = 2$;

(b) trouver les extrémités Q et Q' ;

(c) trouver le vecteur unitaire tangent à C pour $t = 2$.

1.58 On considère un mobile B, dont la position à l'instant t est donnée par $R(t) = t^2\,\mathbf{i} + t^3\,\mathbf{j} + 3t\,\mathbf{k}$. Sachant que la vitesse et l'accélération du mobile sont données respectivement par

$$V(t) = dR(t)/dt \quad \text{et} \quad A(t) = dV(t)/dt,$$

déterminer, au temps $t = 1$:

(a) la position du mobile ;

(b) sa vitesse v ;

(c) la norme $\|v\|$ de sa vitesse ;

(d) son accélération a.

1.59 Pour les surfaces données ci-dessous, déterminer un vecteur normal $\mathbf{N}$ et l'équation du plan tangent, au point P indiqué :

(a) $x^2y + 3yz = 20$, $P(1, 3, 2)$;

(b) $x^2 + 3y^2 - 5z^2 = 160$, $P(3, -2, 1)$.

PRODUIT VECTORIEL

1.60 Calculer les déterminants d'ordre 2 suivants, ou leurs opposés :

(a) $\begin{vmatrix} 2 & 5 \\ 3 & 6 \end{vmatrix}$, $\begin{vmatrix} 3 & -6 \\ 1 & -4 \end{vmatrix}$, $\begin{vmatrix} -4 & -2 \\ 7 & -3 \end{vmatrix}$;

(b) $-\begin{vmatrix} 6 & 4 \\ 7 & 5 \end{vmatrix}$, $-\begin{vmatrix} 1 & -3 \\ 2 & 4 \end{vmatrix}$, $-\begin{vmatrix} 8 & -3 \\ -6 & -2 \end{vmatrix}$.

1.61 On donne $u = 3\mathbf{i} - 4\mathbf{j} + 2\mathbf{k}$, $v = 2\mathbf{i} + 5\mathbf{j} - 3\mathbf{k}$ et $w = 4\mathbf{i} + 7\mathbf{j} + 2\mathbf{k}$; déterminer :

(a) $u \wedge v$;

(b) $u \wedge w$;

(c) $v \wedge w$.

1.62 On donne $u = (2, 1, 3)$, $v = (4, -2, 2)$ et $w = (1, 1, 5)$; déterminer :

(a) $u \wedge v$;

(b) $u \wedge w$;

(c) $v \wedge w$.

1.63 Calculer le volume du parallélipipède formé par les vecteurs :
(a) du problème 1.61, page ci-contre ; (b) du problème 1.62, page ci-contre.

1.64 Déterminer un vecteur unitaire u orthogonal à :
(a) $v = (1, 2, 3)$ et $w = (1, -1, 2)$;
(b) $v = 3\mathbf{i} - \mathbf{j} + 2\mathbf{k}$ et $w = 4\mathbf{i} - 2\mathbf{j} - \mathbf{k}$.

1.65 Démontrer les propriétés suivantes du produit vectoriel :
(a) $u \wedge v = -(v \wedge u)$;
(b) $\forall u, u \wedge u = 0$;
(c) $(ku) \wedge v = k(u \wedge v) = u \wedge (kv)$;
(d) $u \wedge (v + w) = (u \wedge v) + (u \wedge w)$;
(e) $(v + w) \wedge u = (v \wedge u) + (w \wedge u)$;
(f) $(u \wedge v) \wedge w = (u \cdot w)v - (v \cdot w)u$.

NOMBRES COMPLEXES

1.66 Simplifier :
(a) $(4 - 7i)(9 + 2i)$;
(b) $(3 - 5i)^2$;
(c) $\dfrac{1}{4 - 7i}$
(d) $\dfrac{9 + 2i}{3 - 5i}$
(e) $(1 - i)^3$.

1.67 Simplifier :
(a) $\dfrac{1}{2i}$; (b) $\dfrac{2 + 3i}{7 - 3i}$; (c) i^{15}, i^{25}, i^{34} ; (d) $\left(\dfrac{1}{3 - i}\right)^2$.

1.68 Soit $z = 2 - 5i$ et $w = 7 + 3i$; calculer :
(a) $z + w$; (b) zw ; (c) z/w ; (d) $\bar{z}$ et $\bar{w}$; (e) $|z|$ et $|w|$.

1.69 Montrer que :
(a) $\Re z = \dfrac{1}{2}(z + \bar{z})$; (b) $\Im z = \dfrac{1}{2i}(z - \bar{z})$; (c) $zw = 0 \Rightarrow z = 0$ ou $w = 0$;

VECTEURS DE $\mathbb{C}^n$

1.70 Soient $u = (1 + 7i,\ 2 - 6i)$ et $v = (5 - 2i,\ 3 - 4i)$; calculer :
(a) $u + v$;
(b) $(3 + i)u$;
(c) $2iu + (4 + 7i)v$;
(d) $u \cdot v$;
(e) $\|u\|$ et $\|v\|$.

1.71 Montrer que, $\forall u, v, w \in \mathbb{C}^n$:
(a) $(u + v) \cdot w = u \cdot w + v \cdot w$; (b) $w \cdot (u + v) = w \cdot u + w \cdot v$.

1.72 Montrer que la norme de $\mathbb{C}^n$ obéit aux trois règles suivantes :
(a) $\forall u \in \mathbb{C}^n$, $\|u\| \geq 0$ et $\|u\| = 0$ si et seulement si $u = 0$;
(b) $\forall u \in \mathbb{C}^n$ et $\forall z \in \mathbb{C}$, $\|zu\| = |z|\,\|u\|$;
(c) $\forall u, v \in \mathbb{C}^n$, $\|u + v\| \leq \|u\| + \|v\|$.

SOLUTIONS

1.41 (a) $(-3, -16, 10)$; (b) $(6, 1, 35)$; (c) $-3, -12, 8$; (d) $\sqrt{21}, \sqrt{35}, \sqrt{14}$; (e) $-3/7\sqrt{15}$; (f) $\sqrt{62}$; (g) $-\dfrac{3}{35}(3, 5, 1)$.

1.42 (a) $(-1, 7, -22)$; (b) $(-1, 26, 29)$; (c) $-15, -27, 34$; (d) $\sqrt{26}, \sqrt{30}, \sqrt{49} = 7$; (e) $-15/2\sqrt{195}$; (f) $\sqrt{86}$; (g) $-\dfrac{15}{30}\, v = \left(-1, -\dfrac{1}{2}, -\dfrac{5}{2}\right)$.

1.43 (a) $(-7, -14, 13, 45, 0)$; (b) $(20, -29, 22, 16, -23)$; (c) -6 ; (d) $\sqrt{90}, \sqrt{95}$; (e) $-\dfrac{6}{95}\, v$; (f) $\sqrt{197}$.

1.44 (a) $\left(5/\sqrt{74},\ -7/\sqrt{74}\right)$; (b) $\left(\dfrac{1}{5}, \dfrac{2}{5}, -\dfrac{2}{5}, \dfrac{4}{5}\right)$; (c) $\left(6/\sqrt{133},\ -4/\sqrt{133},\ 9/\sqrt{133}\right)$.

1.45 (a) $3, 13, 2\sqrt{30}, 9$.

1.46 (a) $x = 3, y = 5$; (b) $x = 0, y = 0$, et $x = -2, y = -4$.

1.47 $x = -3, y = 3, z = \dfrac{3}{2}$.

1.48 (a) $v = 5u_1 - u_2$; (b) $v = 16u_1 - 23u_2$.

1.49 $v = 3u_1 - u_2 + 2u_3$.

1.50 (a) 3 ; (b) 3 ; (c) 3/2.

1.51 (a) $v = (-1, -9, 2)$; (b) $v = (2, 3, 6, -10)$.

1.52 (a) $2x_1 + 3x_2 - 5x_3 + 6x_4 = 35$; (b) $2x_1 - 3x_2 + 5x_3 - 7x_4 = -16$.

1.53 (a) $(2t + 1,\ -7t + 2,\ 6t + 1,\ -11t + 2)$; (b) $(2t + 1,\ 4t + 1,\ 6t + 3,\ -8t + 3)$.

1.54 (a) $-23\mathbf{j} + 13\mathbf{k}$; (b) $9\mathbf{i} - 6\mathbf{j} - 10\mathbf{k}$; (c) $-20, -12, 37$; (d) $\sqrt{29}, \sqrt{38}, \sqrt{69}$.

1.55 (a) $3x - 4y + 5z = -20$; (b) $4x + 3y - 2z = -1$.

1.56 (a) $(4t + 2,\ -5t + 5,\ 7t - 3)$; (b) $(2t + 1,\ -3t - 5,\ 7t + 7)$.

1.57 (a) $P = F(2) = 8\mathbf{i} - 4\mathbf{j} + \mathbf{k}$;
(b) $Q = F(0) = -3\mathbf{k}$, $Q' = F(5) = 125\mathbf{i} - 25\mathbf{j} + 7\mathbf{k}$;
(c) $\mathbf{T} = (6\mathbf{i} - 2\mathbf{j} + \mathbf{k})/\sqrt{41}$.

1.58 (a) $\mathbf{i}+\mathbf{j}+3\mathbf{k}$; (b) $2\mathbf{i}+3\mathbf{j}+3\mathbf{k}$; (c) $\sqrt{22}$; (d) $2\mathbf{i}+6\mathbf{j}$.

1.59 (a) $N=6\mathbf{i}+7\mathbf{j}+9\mathbf{k}$, $6x+7y+9z=45$; (b) $N=6\mathbf{i}-12\mathbf{j}-10\mathbf{k}$, $3x-6y-5z=16$.

1.60 (a) $-3, -6, 26$; (b) $-2, -10, 34$.

1.61 (a) $2\mathbf{i}+13\mathbf{j}+23\mathbf{k}$; (b) $-22\mathbf{i}+2\mathbf{j}+37\mathbf{k}$; (c) $31\mathbf{i}-16\mathbf{j}-6\mathbf{k}$.

1.62 (a) $(8,8,-8)$; (b) $(2,-7,1)$; (c) $(-12,-18,6)$.

1.63 (a) 145 ; (b) 24.

1.64 (a) $(7,1,-3)/\sqrt{59}$; (b) $(5\mathbf{i}+11\mathbf{j}-2\mathbf{k})/\sqrt{150}$.

1.66 (a) $50-55i$; (b) $-16-30i$; (c) $\frac{1}{65}(4+7i)$; (d) $\frac{1}{2}(1+3i)$; (e) $-2-2i$.

1.67 (a) $-\frac{1}{2}i$; (b) $\frac{1}{58}(5+27i)$; (c) $-i, i, -1$; (d) $\frac{1}{50}(4+3i)$.

1.68 (a) $9-2i$; (b) $29-29i$; (c) $\frac{1}{58}(-1-41i)$; (d) $2+5i, 7-3i$; (e) $\sqrt{29}, \sqrt{58}$.

1.69 *Suggestion* pour la troisième partie : si $zw=0$, alors $|zw|=|z|\,|w|=0$.

1.70 (a) $(6+5i,\ 5-10i)$; (b) $(-4+22i,\ 12-16i)$; (c) $(20+29i,\ 52+9i)$; (d) $21+27i$; (e) $\sqrt{90}, \sqrt{54}$.

Chapitre 2

Algèbre de matrices

2.1 INTRODUCTION

Dans ce chapitre, nous examinons la notion de matrice, et les diverses opérations algébriques qu'on peut leur appliquer. Une matrice peut être considérée comme un tableau rectangulaire dont chaque élément dépend de deux indices, repérant leur place dans le tableau[(1)]. Les systèmes d'équations linéaires, que nous étudierons au prochain chapitre, peuvent être traités efficacement à l'aide du langage des matrices. De plus, certains concepts plus abstraits, introduits dans les chapitres ultérieurs, tels que « changement de base », « transformations linéaires », et « formes quadratiques », peuvent être exprimés également à l'aide de matrices. Inversement, ces aspects plus théoriques de l'algèbre linéaire nous permettront de mettre en lumière de nouveaux aspects de la structure d'une matrice.

Les éléments constituant nos matrices sont censés appartenir, tout comme les composantes des vecteurs du chapitre précédent, à un corps $\mathbb{K}$. Ces nombres sont encore appelés *scalaires* ; pour fixer les idées, on pourra considérer sans inconvénient que $\mathbb{K} = \mathbb{R}$.

2.2 MATRICES

Une matrice A sur un corps $\mathbb{K}$, ou simplement une matrice A, l'existence du corps sous-jacent étant implicitement supposée, est un tableau rectangulaire présenté habituellement de la manière suivante :

$$A = \begin{pmatrix} a_{11} & a_{12} & \dots & a_{1n} \\ a_{21} & a_{22} & \dots & a_{2n} \\ \vdots & \vdots & \vdots & \vdots \\ a_{m1} & a_{m2} & \dots & a_{mn} \end{pmatrix}$$

1. Les vecteurs étudiés au chapitre précédent peuvent de ce point de vue être considérés comme des tableaux à une seule dimension, dont les éléments sont repérés par un seul indice.

Les *lignes* de la matrice sont les m listes horizontales de scalaires :

$$(a_{11}, a_{12}, \ldots, a_{1n})\ ;\ (a_{21}, a_{22}, \ldots, a_{2n})\ ;\ \ldots\ ;\ (a_{m1}, a_{m2}, \ldots, a_{mn})$$

et les *colonnes* sont les n listes verticales de scalaires :

$$\begin{pmatrix} a_{11} \\ a_{21} \\ \vdots \\ a_{m1} \end{pmatrix};\ \begin{pmatrix} a_{12} \\ a_{22} \\ \vdots \\ a_{m2} \end{pmatrix};\ \ldots;\ \begin{pmatrix} a_{m1} \\ a_{m2} \\ \vdots \\ a_{mn} \end{pmatrix}.$$

La quantité a_{ij}, appelée « l'élément ij », est ainsi placée dans le tableau à l'intersection de la i-ème ligne et de la j-ème colonne ; en d'autres termes, le premier indice i est l'*indice de ligne*, et le second indice j l'*indice de colonne*[1]. En pratique, on désigne souvent une matrice A d'éléments a_{ij} par la notation $A = (a_{ij})$.

Une matrice à m lignes et n colonnes est appelée matrice m par n, noté $m \times n$; le couple m, n est appelé la *dimension*, ou *taille* de la matrice. On dit que deux matrices sont *égales*, ce que l'on écrit $A = B$, si elles ont la même dimension et que leurs éléments sont égaux deux à deux : $\forall i, j,\ a_{ij} = b_{ij}$. En d'autres termes, l'égalité entre deux matrices se traduit par un système de $m \times n$ égalités.

Une matrice à une seule ligne est appelée *matrice ligne*, ou *vecteur ligne*, et une matrice à une seule colonne est appelée *matrice colonne*, ou *vecteur colonne*. La matrice dont tous les éléments sont nuls est appelée *matrice nulle*, et notée simplement 0.

Une matrice dont tous les éléments sont réels est une matrice *réelle*, respectivement *complexe* si ses éléments sont complexes. Nous traiterons essentiellement dans cet ouvrage de telles matrices, réelles ou complexes.

Exemple 2.1

(a) Le tableau rectangulaire $A = \begin{pmatrix} 1 & -4 & 5 \\ 0 & 3 & -2 \end{pmatrix}$ est une matrice 2×3 ; ses lignes sont $(1, -4, 5)$ et $(0, 3, -2)$, et ses colonnes sont :

$$\begin{pmatrix} 0 \\ 1 \end{pmatrix},\ \begin{pmatrix} -4 \\ 3 \end{pmatrix},\ \begin{pmatrix} 5 \\ -2 \end{pmatrix}$$

(b) La matrice nulle 2×4 est la matrice $0 = \begin{pmatrix} 0 & 0 & 0 & 0 \\ 0 & 0 & 0 & 0 \end{pmatrix}$.

(c) Déterminer x, y, z et t tels que :

$$\begin{pmatrix} x+y & 2z+t \\ x-y & z-t \end{pmatrix} = \begin{pmatrix} 3 & 7 \\ 1 & 5 \end{pmatrix}$$

Par définition de l'égalité des matrices, les éléments de même indice doivent être égaux ; on obtient donc le système de quatre équations :

$$x + y = 3, \quad x - y = 1, \quad 2z + t = 7, \quad z - t = 5$$

dont la solution est : $x = 2$, $y = 1$, $z = 4$ et $t = -1$.

1. On désigne fréquemment par indice – tout court – l'ensemble formé par le couple ij.

2.3 ADDITION MATRICIELLE ET MULTIPLICATION SCALAIRE

Soient $A = (a_{ij})$ et $B = (b_{ij})$ deux matrices de même dimension, soit $m \times n$ pour fixer les idées. La *somme* de A et B, désignée par $A + B$, est la matrice obtenue en ajoutant les éléments de même indice :

$$A+B=\begin{pmatrix} a_{11}+b_{11} & a_{12}+b_{12} & \dots & a_{1n}+b_{1n} \\ a_{21}+b_{21} & a_{22}+b_{22} & \dots & a_{2n}+b_{2n} \\ \vdots & \vdots & \vdots & \vdots \\ a_{m1}+b_{m1} & a_{m2}+b_{m2} & \dots & a_{mn}+b_{mn} \end{pmatrix}$$

La *multiplication* d'une matrice A par un scalaire k, notée kA, s'obtient en multipliant chaque élément par k :

$$kA=\begin{pmatrix} ka_{11} & ka_{12} & \dots & ka_{1n} \\ ka_{21} & ka_{22} & \dots & ka_{2n} \\ \vdots & \vdots & \vdots & \vdots \\ ka_{m1} & ka_{m2} & \dots & ka_{mn} \end{pmatrix}$$

On remarque que $A + B$ et kA sont encore des matrices $m \times n$. Nous pouvons aussi définir :

$$-A = (-1)A \quad \text{et} \quad A - B = A + (-B)$$

La matrice $-A$ est l'*opposée* de la matrice A, et $A - B$ la *différence* des matrices A et B. Bien entendu, aucune de ces opérations n'a de sens pour des matrices de dimensions différentes.

Exemple 2.2

Soit $A = \begin{pmatrix} 1 & -2 & 3 \\ 0 & 4 & 5 \end{pmatrix}$ et $B = \begin{pmatrix} 4 & 6 & 8 \\ 1 & -3 & -7 \end{pmatrix}$; alors :

$$A+B=\begin{pmatrix} 1+4 & -2+6 & 3+8 \\ 0+1 & 4+(-3) & 5+(-7) \end{pmatrix}=\begin{pmatrix} 5 & 4 & 11 \\ 1 & 1 & -2 \end{pmatrix}$$

$$3A=\begin{pmatrix} 3\times 1 & 3\times(-2) & 3\times 3 \\ 3\times 0 & 3\times 4 & 3\times 5 \end{pmatrix}=\begin{pmatrix} 3 & -6 & 9 \\ 0 & 12 & 15 \end{pmatrix}$$

$$2A-3B=\begin{pmatrix} 2 & -4 & 6 \\ 0 & 8 & 10 \end{pmatrix}+\begin{pmatrix} -12 & -18 & -24 \\ -3 & 9 & 21 \end{pmatrix}=\begin{pmatrix} -10 & -22 & -18 \\ -3 & 17 & 31 \end{pmatrix}$$

La matrice $2A - 3B$ est appelée *combinaison linéaire* des matrices A et B, de coefficients 2 et -3.

Le théorème suivant résume les propriétés élémentaires de l'addition matricielle et de la multiplication scalaire :

∗ Théorème 2.1 : Soient trois matrices quelconques A, B et C de même dimension, et deux scalaires arbitraires k et k' ; alors :

(a) $(A+B)+C = A+(B+C)$;

(b) $A+0 = 0+A = A$;

(c) $A+(-A) = (-A)+A = 0$;

(d) $A+B = B+A$;

(e) $k(A+B) = kA+kB$;

(f) $(k+k')A = kA+k'A$;

(g) $(kk')A = k(k'A)$;

(h) $1 \cdot A = 1A = A.$;

On note que dans (b) et (c), le symbole « 0 » se réfère à la *matrice nulle*. Le point (a) signifie l'*associativité* et le point (d) la *commutativité* de l'addition matricielle ; il en résulte qu'une somme arbitraire de matrices :

$$A_1 + A_2 + \cdots + A_n$$

peut être écrite sans parenthèses, et dans n'importe quel ordre. De plus, grâce à (f) et (h), on a :

$$A + A = 2A, \qquad A + A + A = 3A, \qquad \ldots$$

et ainsi de suite.

La démonstration du théorème 2.1 se réduit à établir que les éléments d'indice ij dans chaque membre des égalités matricielles sont égaux. Elle sera effectuée au problème 2.3.

On remarquera la similitude entre le théorème 2.1 sur les matrices et le théorème 1.1 à propos des vecteurs. Ces opérations matricielles peuvent être comprises comme une *généralisation* des opérations vectorielles du théorème 1.1.

2.4 SYMBOLE $\sum$ DE SOMMATION

Au lieu de représenter laborieusement une somme en écrivant chaque terme et des signes « + », on systématise la notation à l'aide de la lettre grecque sigma majuscule « $\sum$ », chaque terme étant affecté d'un indice. Considérons une certaine fonction $f(x)$, correspondant à une expression algébrique donnée ; la notation :

$$\sum_{k=1}^{n} f(k), \qquad \text{ou} \qquad \textstyle\sum_{k=1}^{n} f(k)$$

signifie ceci : on remplace x par $k = 1$ dans l'expression de $f(x)$, soit :

$$f(1)$$

puis on fait $k = 2$, d'où $f(2)$, qu'on ajoute à $f(1)$:

$$f(1) + f(2)$$

on ajoute ensuite la valeur correspondant à $k = 3$:

$$f(1) + f(2) + f(3)$$

et ainsi de suite jusqu'à la valeur $k = n$:

$$f(1) + f(2) + \cdots + f(n)$$

Le paramètre k est appelé *indice de sommation*, et sa valeur, initialement égale à 1, est incrémentée d'une unité jusqu'à la valeur finale $k = n$. Les valeurs 1 et n sont respectivement la *valeur inférieure* et la *valeur supérieure* de k. L'indice k est aussi appelé *indice muet*, pour mettre l'accent sur le fait qu'on peut le remplacer par n'importe quel autre symbole, par exemple i ou j, pour citer les plus employés. Cette notation se généralise à des valeurs quelconques des valeurs inférieure et supérieure de l'indice :

$$\sum_{k=n_1}^{n_2} f(k) = f(n_1) + f(n_1 + 1) + f(n_1 + 2) + \cdots + f(n_2)$$

Exemple 2.3

(a) $\sum_{k=1}^{5} x_k = x_1 + x_2 + x_3 + x_4 + x_5$ et $\sum_{i=1}^{n} a_i b_i = a_1 b_1 + a_2 b_2 + \cdots + a_n b_n$;

(b) $\sum_{j=2}^{5} j^2 = 2^2 + 3^2 + 4^2 + 5^2 = 54$ et $\sum_{i=0}^{n} a_i x^i = a_0 + a_1 x + a_2 x^2 + \cdots + a_n x^n$;

(c) $\sum_{k=1}^{p} a_{ik} b_{kj} = a_{i1} b_{1j} + a_{i2} b_{2j} + \cdots + a_{ip} b_{pj}$.

2.5 PRODUIT DE MATRICES

La multiplication de deux matrices A et B, ou *produit matriciel*, ou encore *produit de matrices*, noté AB, n'est pas une opération si évidente. Nous commencerons par examiner un cas particulier.

Le produit AB d'une matrice ligne $A = (a_i)$ par une matrice colonne $B = (b_i)$ ayant le même nombre d'éléments est définie comme la matrice à un élément (matrice *scalaire* de dimension 1×1) obtenue en multipliant entre eux les éléments de même indice et en ajoutant les produits :

$$AB = (a_1, a_2, \ldots, a_n) \begin{pmatrix} b_1 \\ b_2 \\ \vdots \\ b_n \end{pmatrix} = a_1 b_1 + a_2 b_2 + \cdots + a_n b_n = \sum_{k=1}^{n} a_k b_k$$

Insistons sur le fait que ce produit est une matrice *scalaire* de dimension 1×1, et n'est défini que si les deux matrices ont *le même nombre* d'éléments.

Exemple 2.4

(a) $(7, -4, 5) \begin{pmatrix} 3 \\ 2 \\ -1 \end{pmatrix} = 7 \times 3 + (-4) \times 2 + 5 \times (-1) = 21 - 8 - 5 = 8$;

(b) $(6, -1, 8, 3) \begin{pmatrix} 4 \\ -9 \\ -2 \\ 5 \end{pmatrix} = 24 + 9 - 16 + 15 = 32$.

Nous voilà prêts à affronter le produit de matrices dans sa généralité :

◆ **Définition 2.1 :** Soient $A = (a_{ik})$ et $B = (b_{kj})$ deux matrices telles que le nombre de colonnes de A soit égal au nombre de lignes de B ; autrement dit, A est une matrice de dimension $m \times p$ et B est une matrice de dimension $p \times n$. Le produit AB de A par B est la matrice de dimension $m \times n$

dont l'élément ij est obtenu en multipliant la i-ème ligne de A par la j-ème colonne de B :

$$\begin{pmatrix} a_{11} & \dots & a_{1p} \\ \vdots & \vdots & \vdots \\ a_{i1} & \dots & a_{ip} \\ \vdots & \vdots & \vdots \\ a_{i1} & \dots & a_{ip} \end{pmatrix} \begin{pmatrix} b_{11} & \dots & b_{1j} & \dots & b_{1n} \\ \dots & \dots & \vdots & \dots & \dots \\ \dots & \dots & \vdots & \dots & \dots \\ \dots & \dots & \vdots & \dots & \dots \\ b_{p1} & \dots & b_{pj} & \dots & b_{pn} \end{pmatrix} = \begin{pmatrix} c_{11} & \dots & c_{1n} \\ \vdots & \vdots & \vdots \\ \dots & c_{ij} & \dots \\ \vdots & \vdots & \vdots \\ c_{m1} & \dots & c_{mn} \end{pmatrix}$$

avec :

$$c_{ij} = a_{i1}b_{1j} + a_{i2}b_{2j} + \cdots + a_{ip}b_{pj} = \sum_{k=1}^{p} a_{ik}b_{kj}$$

Insistons sur le fait que le produit AB n'est pas défini si A est une matrice de dimension $m \times p$ et B une matrice de dimension $q \times n$, où $p \neq q$.

Exemple 2.5

(a) Déterminer la matrice AB si $A = \begin{pmatrix} 1 & 3 \\ 2 & -1 \end{pmatrix}$ et $B = \begin{pmatrix} 2 & 0 & -4 \\ 5 & -2 & 6 \end{pmatrix}$. Puisque A est une matrice 2×2 et B une matrice 2×3, le produit AB est défini et est une matrice 2×3. Pour obtenir la première ligne de AB, on multiplie successivement la première ligne de A, soit $(1, 3)$, par les colonnes de B :

$$\begin{pmatrix} 2 \\ 5 \end{pmatrix}, \begin{pmatrix} 0 \\ -2 \end{pmatrix}, \begin{pmatrix} -4 \\ 6 \end{pmatrix}$$

soit :

$$AB = \begin{pmatrix} 2+15 & 0-6 & -4+18 \\ & & \end{pmatrix} = \begin{pmatrix} 17 & -6 & 14 \\ & & \end{pmatrix}$$

Pour obtenir la seconde ligne de AB, on opère de même, mais avec la seconde ligne de A :

$$AB = \begin{pmatrix} 17 & -6 & 14 \\ 4-5 & 0+2 & -8-6 \end{pmatrix} = \begin{pmatrix} 17 & -6 & 14 \\ -1 & 2 & -14 \end{pmatrix}$$

(b) Soient $A = \begin{pmatrix} 1 & 2 \\ 3 & 4 \end{pmatrix}$ et $B = \begin{pmatrix} 5 & 6 \\ 0 & -2 \end{pmatrix}$. Alors :

$$AB = \begin{pmatrix} 5+0 & 6-4 \\ 15+0 & 18-8 \end{pmatrix} = \begin{pmatrix} 5 & 2 \\ 15 & 10 \end{pmatrix} \quad \text{et} \quad BA = \begin{pmatrix} 5+18 & 10+24 \\ 0-6 & 0-8 \end{pmatrix} = \begin{pmatrix} 23 & 34 \\ -6 & -8 \end{pmatrix}$$

Ce dernier exemple montre que le produit matriciel *n'est pas commutatif*, autrement dit, *a priori*, $AB \neq BA$. Le produit de matrices vérifie toutefois les propriétés suivantes :

∗ Théorème 2.2 : Soient un scalaire k et trois matrices A, B, et C, vérifiant les conditions requises pour que les sommes et produits ci-dessous existent :
(a) $(AB)C = A(BC)$: associativité du produit de matrices ;
(b) $A(B + C) = AB + AC$: distributivité à gauche du produit par rapport à la somme ;
(c) $(B + C)A = BA + CA$: distributivité à droite du produit par rapport à la somme ;
(d) $k(AB) = (kA)B = A(kB)$;
(e) $0A = A0 = 0$, où 0 désigne la matrice nulle.

2.6 TRANSPOSÉE D'UNE MATRICE

La *transposée* d'une matrice A, on dit aussi la *matrice transposée* de A, est la matrice notée A^T obtenue en écrivant en ligne, dans l'ordre, les colonnes de A ; par exemple :

$$\begin{pmatrix} 1 & 2 & 3 \\ 4 & 5 & 6 \end{pmatrix}^T = \begin{pmatrix} 1 & 4 \\ 2 & 5 \\ 3 & 6 \end{pmatrix} \quad \text{et} \quad (1, -3, -5)^T = \begin{pmatrix} 1 \\ -3 \\ -5 \end{pmatrix}$$

En d'autres termes, si $A = (a_{ij})$ est une matrice $m \times n$, alors $A^T = B$ est la matrice $n \times m$ telle que $b_{ij} = a_{ji}$. On remarque que la transposée d'une matrice ligne est une matrice colonne, et inversement, que la transposée d'une matrice colonne est une matrice ligne. L'opération de transposition d'une matrice, ou simplement *transposition*, possède les propriétés suivantes :

∗ Théorème 2.3 : Soient deux matrices A et B et un scalaire k ; alors, dans la mesure où les sommes et produits suivants existent :
(a) $(A + B)^T = A^T + B^T$;
(b) $(A^T)^T = A$;
(c) $(kA)^T = k(A^T)$;
(d) $(AB)^T = B^T A^T$.

Attention au point (d) : la transposée d'un produit s'obtient par *commutation* du produit des transposées.

2.7 MATRICES CARRÉES

Comme son nom l'indique, une *matrice carrée* est une matrice A dont le nombre des lignes est égal au nombre des colonnes ; si ce nombre est égal à n, A est donc une matrice $n \times n$. On dit que c'est une matrice carrée de dimension n, ou d'ordre n.

On se souvient que la somme ou le produit de deux matrices quelconques n'est pas toujours défini ; ce n'est plus vrai pour des matrices carrées, à condition bien sûr qu'elles soient de même dimension. Plus précisément, les opérations d'addition, multiplication scalaire, produit et transposition peuvent être appliquées sur des matrices $n \times n$ arbitraires, le résultat étant encore une matrice $n \times n$.

Exemple 2.6

Soient les deux matrices d'ordre 3 :

$$A = \begin{pmatrix} 1 & 2 & 3 \\ -4 & -4 & -4 \\ 5 & 6 & 7 \end{pmatrix} \quad \text{et} \quad B = \begin{pmatrix} 2 & -5 & 1 \\ 0 & 3 & -2 \\ 1 & 2 & -4 \end{pmatrix}$$

À partir de A et B, on peut calculer les matrices d'ordre 3 suivantes :

$$A+B = \begin{pmatrix} 3 & -3 & 4 \\ -4 & -1 & -6 \\ 6 & 8 & 3 \end{pmatrix}, \quad 2A = \begin{pmatrix} 2 & 4 & 6 \\ -8 & -8 & -8 \\ 10 & 12 & 14 \end{pmatrix}, \quad A^T = \begin{pmatrix} 1 & -4 & 5 \\ 2 & -4 & 6 \\ 3 & -4 & 7 \end{pmatrix},$$

$$AB = \begin{pmatrix} 5 & 7 & -15 \\ -12 & 0 & 20 \\ 17 & 7 & -35 \end{pmatrix}, \quad BA = \begin{pmatrix} 27 & 30 & 33 \\ -22 & -24 & -26 \\ -27 & -30 & -33 \end{pmatrix}.$$

2.7.1 Diagonale et trace d'une matrice carrée

Soit $A = (a_{ij})$ une matrice carrée d'ordre n. Les éléments dont les deux indices sont égaux, soit les a_{ii}, sont les *éléments diagonaux* de la matrice A. L'ensemble formé de tous ces éléments, dans l'ordre croissant de l'indice, est appelé *diagonale principale*, ou *diagonale*, de la matrice A.

La *trace* de la matrice A est définie par la somme de ses éléments diagonaux :

$$\operatorname{tr}(A) = a_{11} + a_{22} + \cdots + a_{nn} = \sum_{k=1}^{n} a_{kk}$$

Voici quelques-unes des propriétés de la trace :

*** Théorème 2.4 :** Soient $A = (a_{ij})$ et $B = (b_{ij})$ deux matrices carrées d'ordre n, et k un scalaire :

(a) $\operatorname{tr}(A+B) = \operatorname{tr}(A) + \operatorname{tr}(B)$;

(b) $\operatorname{tr}(kA) = k \operatorname{tr}(A)$;

(c) $\operatorname{tr}(A^T) = \operatorname{tr}(A)$;

(d) $\operatorname{tr}(AB) = \operatorname{tr}(BA)$.

Exemple 2.7

Reprenons les matrices A et B de l'exemple 2.6 ; on peut écrire :

$$\text{diagonale de } A = (1, -4, 7), \qquad \operatorname{tr}(A) = 1 - 4 + 7 = 4$$
$$\text{diagonale de } B = (2, 3, -4), \qquad \operatorname{tr}(B) = 2 + 3 - 4 = 1$$

et encore :

$$\operatorname{tr}(A+B) = 3 - 1 + 3 = 5, \quad \operatorname{tr}(2A) = 2 - 8 + 14 = 8, \quad \operatorname{tr}(A^T) = 1 - 4 + 7 = 4$$
$$\operatorname{tr}(AB) = 5 + 0 - 35 = -30, \quad \operatorname{tr}(BA) = 27 - 24 - 33 = -30$$

On a bien, conformément au théorème 2.4 :

$$\operatorname{tr}(A+B) = \operatorname{tr}(A) + \operatorname{tr}(B), \quad \operatorname{tr}(2A) = 2\operatorname{tr}(A), \quad \operatorname{tr}(A^T) = \operatorname{tr}(A)$$

Ainsi, même si AB est différent de BA, $\operatorname{tr}(AB) = \operatorname{tr}(BA)$.

2.7.2 Matrice identité ; matrices scalaires

La *matrice identité*, ou *matrice unité*, d'ordre n, notée I_n ou I, est par définition la matrice dont tous les éléments diagonaux sont égaux à 1, et dont tous les autres éléments sont nuls. Pour toute matrice carrée A, on a :

$$AI = IA = A$$

Plus généralement, pour une matrice rectangulaire $m \times n$, on a :

$$BI_n = I_m B = B$$

Étant donné un scalaire quelconque k, la matrice dont les éléments diagonaux valent k, tous les autres étant nuls, est appelée *matrice scalaire* associée au scalaire k. Alors :

$$(kI)A = k(IA) = kA$$

Autrement dit, multiplier une matrice par la matrice kI revient à la multiplier par le scalaire k, d'où le nom.

Exemple 2.8

Voici les matrices unité d'ordre 3 et 4, et les matrices scalaires correspondantes, pour $k = 5$:

$$\begin{pmatrix} 1 & 0 & 0 \\ 0 & 1 & 0 \\ 0 & 0 & 1 \end{pmatrix}, \quad \begin{pmatrix} 1 & 0 & 0 & 0 \\ 0 & 1 & 0 & 0 \\ 0 & 0 & 1 & 0 \\ 0 & 0 & 0 & 1 \end{pmatrix}, \quad \begin{pmatrix} 5 & 0 & 0 \\ 0 & 5 & 0 \\ 0 & 0 & 5 \end{pmatrix}, \quad \begin{pmatrix} 5 & & & \\ & 5 & & \\ & & 5 & \\ & & & 5 \end{pmatrix}.$$

Remarques : (a) S'il n'y a pas d'ambiguïté, on peut omettre d'écrire les « 0 », comme dans la dernière matrice de l'exemple ci-dessus.

(b) Le *symbole de Kronecker*, ou *symbole* δ, est défini par :

$$\delta_{ij} = \begin{cases} 0 & \text{si } i \neq j \\ 1 & \text{si } i = j \end{cases}$$

La matrice unité peut alors être écrite $I = (\delta_{ij})$.

2.8 PUISSANCES DE MATRICES ; POLYNÔMES DE MATRICES

Soit A une matrice carrée d'ordre n sur un corps $\mathbb{K}$. Les *puissances* de A sont définies par :

$$A^2 = AA, \quad A^3 = A^2A, \quad \ldots, \quad A^{n+1} = A^nA \quad \text{et} \quad A^0 = I$$

On définit alors les polynômes de matrices. Pour un polynôme quelconque :

$$f(x) = a_0 + a_1x + a_2x^2 + \cdots + a_nx^n$$

où les coefficients a_i sont des scalaires de $\mathbb{K}$, on définit la matrice $f(A)$ par :

$$f(A) = a_0I + a_1A + a_2A^2 + \cdots + a_nA^n$$

Si la matrice $f(A)$ est la matrice nulle, on dit que A est une *racine* du polynôme $f(A)$, ou un *zéro* de l'équation (matricielle) $f(A) = 0$.

Exemple 2.9

Soit la matrice $A = \begin{pmatrix} 1 & 2 \\ 3 & -4 \end{pmatrix}$; alors :

$$A^2 = \begin{pmatrix} 1 & 2 \\ 3 & -4 \end{pmatrix}\begin{pmatrix} 1 & 2 \\ 3 & -4 \end{pmatrix} = \begin{pmatrix} 7 & -6 \\ -9 & 22 \end{pmatrix}$$

et

$$A^3 = A^2A = \begin{pmatrix} 7 & -6 \\ -9 & 22 \end{pmatrix}\begin{pmatrix} 1 & 2 \\ 3 & -4 \end{pmatrix} = \begin{pmatrix} -11 & 38 \\ 57 & -106 \end{pmatrix}$$

Soient les polynômes $f(x) = 2x^2 - 3x + 5$ et $g(x) = x^2 + 3x - 10$; on a :

$$f(A) = 2\begin{pmatrix} 7 & -6 \\ -9 & 22 \end{pmatrix} - 3\begin{pmatrix} 1 & 2 \\ 3 & -4 \end{pmatrix} + 5\begin{pmatrix} 1 & 0 \\ 0 & 1 \end{pmatrix} = \begin{pmatrix} 16 & -18 \\ -27 & 61 \end{pmatrix}$$

$$g(A) = \begin{pmatrix} 7 & -6 \\ -9 & 22 \end{pmatrix} + 3\begin{pmatrix} 1 & 2 \\ 3 & -4 \end{pmatrix} - 10\begin{pmatrix} 1 & 0 \\ 0 & 1 \end{pmatrix} = \begin{pmatrix} 0 & 0 \\ 0 & 0 \end{pmatrix}$$

A est une racine du polynôme $g(x)$.

2.9 MATRICES INVERSIBLES

Une matrice carrée A est dite *inversible*, ou *régulière*, ou encore *non singulière*, s'il existe une matrice B telle que :

$$AB = BA = I$$

où I est la matrice unité. La matrice B est unique : supposons qu'il existe B_1 et B_2 telles que $AB_1 = B_1A = I$ et $AB_2 = B_2A = I$; alors :

$$B_1 = B_1I = B_1(AB_2) = (B_1A)B_2 = IB_2 = B_2$$

La matrice B est appelée l'*inverse* de la matrice A et notée A^{-1}. On peut remarquer la symétrie de cette définition : B est l'inverse de A, mais aussi bien A est l'inverse de B.

Exemple 2.10

Soit $A = \begin{pmatrix} 2 & 5 \\ 1 & 3 \end{pmatrix}$ et $B = \begin{pmatrix} 3 & -5 \\ -1 & 2 \end{pmatrix}$. On peut écrire :

$$AB = \begin{pmatrix} 6-5 & -10+10 \\ 3-3 & -5+6 \end{pmatrix} = \begin{pmatrix} 1 & 0 \\ 0 & 1 \end{pmatrix} \quad \text{et} \quad BA = \begin{pmatrix} 6-5 & 15-15 \\ -2+2 & -5+6 \end{pmatrix} = \begin{pmatrix} 1 & 0 \\ 0 & 1 \end{pmatrix}$$

Les matrices A et B sont inverses l'une de l'autre.

Nous verrons au prochain chapitre (théorème 3.18) que $AB = I$ si et seulement si $BA = I$; il suffit donc d'effectuer le produit seulement dans un sens pour s'assurer si deux matrices sont ou non inverses l'une de l'autre (voir problème 2.17).

Soient deux matrices A et B inversibles ; alors le produit AB est lui aussi inversible et :

$$(AB)^{-1} = B^{-1}A^{-1}$$

Plus généralement, le produit d'un nombre quelconque de matrices inversibles est inversible, et :

$$(A_1A_2 \dots A_k)^{-1} = A_k^{-1}A_{k-1}^{-1} \dots A_1^{-1}$$

Il convient de se souvenir que le produit des inverses apparaît dans l'ordre inverse.

2.9.1 Inverse d'une matrice 2 × 2

Soit une matrice carrée arbitraire d'ordre 2, $A = \begin{pmatrix} a & b \\ c & d \end{pmatrix}$. Pour trouver l'expression de A^{-1}, nous devons déterminer $2^2 = 4$ scalaires x_1, x_2, y_1 et y_2 tels que :

$$\begin{pmatrix} a & b \\ c & d \end{pmatrix}\begin{pmatrix} x_1 & x_2 \\ y_1 & y_2 \end{pmatrix} = I \quad \text{soit} \quad \begin{pmatrix} ax_1 + by_1 & ax_2 + by_2 \\ cx_1 + dy_1 & cx_2 + dy_2 \end{pmatrix} = \begin{pmatrix} 1 & 0 \\ 0 & 1 \end{pmatrix}$$

On se ramène donc au système linéaire de quatre équations à quatre inconnues :

$$ax_1 + by_1 = 1 \qquad ax_2 + by_2 = 0$$
$$cx_1 + dy_1 = 0 \qquad cx_2 + dy_2 = 1$$

Soit $|A|$ le *déterminant* de la matrice A, défini par $|A| = ad - bc$; l'unique solution de ce système est :

$$x_1 = \frac{d}{|A|}, \quad x_2 = \frac{-b}{|A|}, \quad y_1 = \frac{-c}{|A|}, \quad y_2 = \frac{a}{|A|}$$

On en déduit la matrice inverse :

$$A^{-1} = \begin{pmatrix} a & b \\ c & d \end{pmatrix}^{-1} = \begin{pmatrix} d/|A| & -b/|A| \\ -c/|A| & a/|A| \end{pmatrix} = \frac{1}{|A|}\begin{pmatrix} d & -b \\ -c & a \end{pmatrix}$$

En résumé, si $|A| \neq 0$, la règle pour écrire la matrice inverse d'une matrice 2×2 est la suivante :

(a) Échanger les deux éléments diagonaux.
(b) Prendre l'opposé des éléments non diagonaux.
(c) Multiplier la matrice obtenue par $1/|A|$, ou de façon équivalente diviser chacun de ses éléments par $|A|$.

Rappelons que si $|A| = 0$, la matrice n'est pas inversible ; elle est alors *singulière*.

Exemple 2.11

Calculer les inverses de $A = \begin{pmatrix} 2 & 3 \\ 4 & 5 \end{pmatrix}$ et $B = \begin{pmatrix} 1 & 3 \\ 2 & 6 \end{pmatrix}$.

Solution : on calcule d'abord le déterminant $|A| = 2 \times 5 - 3 \times 4 = -2$. Puisqu'il est non nul, la matrice A est inversible, et l'inverse A^{-1} est donné par :

$$A^{-1} = \frac{1}{-2}\begin{pmatrix} 5 & -3 \\ -4 & 2 \end{pmatrix} = \begin{pmatrix} -\frac{5}{2} & \frac{3}{2} \\ 2 & -1 \end{pmatrix}$$

On calcule ensuite $|B| = 1 \times 6 - 2 \times 3 = 0$. La matrice B n'est pas inversible.

Remarque : le fait qu'une matrice soit inversible si et seulement si son déterminant est non nul reste vrai à toute dimension, comme nous le verrons au chapitre 8.

2.9.2 Inverse d'une matrice $n \times n$

Chercher l'inverse d'une matrice carrée A d'ordre n arbitraire se ramène, généralisant ce que nous venons de voir, à la résolution d'un système de n équations à n inconnues. Nous reportons cette tâche au prochain chapitre, où nous introduirons des outils puissants adaptés à un tel travail.

2.10 MATRICES CARRÉES PARTICULIÈRES

2.10.1 Matrices diagonales et triangulaires

Une matrice carrée $D = (d_{ij})$ est dite *diagonale* si tous ses éléments non diagonaux sont nuls. Elle est parfois notée :

$$D = \text{diag}(d_{11}, d_{22}, \ldots, d_{nn})$$

Certains de ces éléments diagonaux peuvent être nuls, mais il en faut au moins un non nul. Voici trois exemples :

$$\begin{pmatrix} 3 & 0 & 0 \\ 0 & -7 & 0 \\ 0 & 0 & 2 \end{pmatrix}, \quad \begin{pmatrix} 4 & 0 \\ 0 & -5 \end{pmatrix}, \quad \begin{pmatrix} 6 & & & \\ & 0 & & \\ & & -9 & \\ & & & 8 \end{pmatrix}$$

qu'on peut écrire :

$$\text{diag}(3, -7, 2)\,, \quad \text{diag}(4, -5)\,, \quad \text{diag}(6, 0, -9, 8)$$

On remarquera l'omission des « 0 » non diagonaux dans l'écriture de la 3e matrice.

Une matrice carrée $A = (a_{ij})$ est dite *triangulaire supérieure*, ou simplement *triangulaire*, si tous les éléments situés au-dessous de la diagonale sont nuls ; autrement dit, si $a_{ij} = 0$ pour $i > j$. Voici des exemples génériques à 2, 3 et 4 dimensions :

$$\begin{pmatrix} a_{11} & a_{12} \\ 0 & a_{22} \end{pmatrix}, \quad \begin{pmatrix} b_{11} & b_{12} & b_{13} \\ & b_{22} & b_{23} \\ & & b_{33} \end{pmatrix}, \quad \begin{pmatrix} c_{11} & c_{12} & c_{13} & c_{14} \\ & c_{22} & c_{23} & c_{24} \\ & & c_{33} & c_{34} \\ & & & c_{44} \end{pmatrix}.$$

où nous avons encore omis les zéros dont l'écriture est inutile. Nous avons le théorème suivant :

> *** Théorème 2.5 :** Soient $A = (a_{ij})$ et $B = (b_{ij})$ deux matrices triangulaires (supérieures) $n \times n$ et k un scalaire. Alors :
>
> (a) $A + B$, kA et AB sont des matrices triangulaires dont les diagonales sont données, respectivement, par :
>
> $$(a_{11} + b_{11}, \ldots, a_{nn} + b_{nn}), \quad (ka_{11}, \ldots, ka_{nn}), \quad (a_{11}b_{11}, \ldots, a_{nn}b_{nn})$$
>
> (b) Pour tout polynôme $f(x)$, la matrice $f(A)$ est triangulaire, avec pour diagonale :
>
> $$\big(f(a_{11}), f(a_{22}), \ldots, f(a_{nn})\big)$$
>
> (c) A est inversible si et seulement si *tous* les éléments de la diagonale sont non nuls : $\forall i,\ a_{ii} \neq 0$, et la matrice A^{-1}, si elle existe, est elle aussi triangulaire.

Mentionnons enfin l'existence de matrices triangulaires *inférieures*, dont les éléments au-dessus de la diagonale sont tous nuls. Le théorème précédent reste valable pour de telles matrices, à condition de remplacer « triangulaire » par « triangulaire inférieur ». Le théorème est bien sûr valable aussi pour les matrices diagonales.

Remarque : une famille non vide de matrices est appelée *algèbre* (de matrices) si elle est fermée sous les opérations d'addition, de multiplication scalaire, et de produit matriciel[1]. L'ensemble des matrices carrées de même ordre forme une algèbre, et il en est de même pour les sous-ensembles constitués des matrices diagonales, scalaires, et triangulaires, supérieurement et inférieurement.

2.10.2 Matrices symétriques, orthogonales et normales

▶ Matrices symétriques

Une matrice carrée est dite *symétrique* ssi $A^T = A$. Il en résulte que ses éléments vérifient, $\forall i, j, a_{ij} = a_{ji}$.

Une matrice carrée est dite *antisymétrique* si $A^T = -A$. Ses éléments vérifient cette fois, $\forall i, j, a_{ij} = -a_{ji}$. Ceci implique que tous les éléments diagonaux sont nuls, puisque $a_{ii} = -a_{ii} \Rightarrow a_{ii} = 0$.

Exemple 2.12

Soient les matrices $A = \begin{pmatrix} 2 & -3 & 5 \\ -3 & 6 & 7 \\ 5 & 7 & -8 \end{pmatrix}$, $B = \begin{pmatrix} 0 & 3 & -4 \\ -3 & 0 & 5 \\ 4 & -5 & 0 \end{pmatrix}$ et $C = \begin{pmatrix} 1 & 0 & 0 \\ 0 & 0 & 1 \end{pmatrix}$

(a) L'examen des éléments de A montre que pour tout couple ij, $a_{ij} = a_{ji}$; la matrice A est symétrique.

(b) Les éléments diagonaux de B sont tous nuls, et les éléments non diagonaux vérifient $a_{ij} = -a_{ji}$: la matrice B est antisymétrique.

(c) La matrice C n'est pas carrée, la question de sa symétrie ou de son antisymétrie n'a pas de sens.

▶ Matrices orthogonales

Une matrice carrée *réelle* est dite *orthogonale* ssi $A^T = A^{-1}$. On en déduit que $AA^T = A^TA = I$. La matrice A est donc nécessairement inversible.

Exemple 2.13

Soit la matrice $A = \begin{pmatrix} \frac{1}{9} & \frac{8}{9} & -\frac{4}{9} \\ \frac{4}{9} & -\frac{4}{9} & -\frac{7}{9} \\ \frac{8}{9} & \frac{1}{9} & \frac{4}{9} \end{pmatrix}$. On vérifie aisément que $A^TA = AA^T = I$; comme nous l'avons dit plus haut, il suffit d'effectuer un seul de ces deux produits. La matrice A est donc inversible, puisque $A^T = A^{-1}$, et orthogonale.

1. Un ensemble est dit *fermé* sous une opération donnée si le résultat de l'opération, appliquée à des éléments quelconques de l'ensemble, est encore un élément de l'ensemble.

Considérons une matrice orthogonale 3×3 dont les lignes s'écrivent :

$$u_1 = (a_1, a_2, a_3), \quad u_2 = (b_1, b_2, b_3), \quad u_3 = (c_1, c_2, c_3)$$

La matrice A doit donc vérifier $AA^T = I$, soit :

$$AA^T = \begin{pmatrix} a_1 & a_2 & a_3 \\ b_1 & b_2 & b_3 \\ c_1 & c_2 & c_3 \end{pmatrix} \begin{pmatrix} a_1 & b_1 & c_1 \\ a_2 & b_2 & c_2 \\ a_3 & b_3 & c_3 \end{pmatrix} = \begin{pmatrix} 1 & 0 & 0 \\ 0 & 1 & 0 \\ 0 & 0 & 1 \end{pmatrix} = I$$

Cette équation matricielle est équivalente au système de 9 équations suivant :

$$\begin{array}{rrr} a_1^2 + a_2^2 + a_3^2 = 1 & a_1b_1 + a_2b_2 + a_3b_3 = 0 & a_1c_1 + a_2c_2 + a_3c_3 = 0 \\ b_1a_1 + b_2a_2 + b_3a_3 = 0 & b_1^2 + b_2^2 + b_3^2 = 1 & b_1c_1 + b_2c_2 + b_3c_3 = 0 \\ c_1a_1 + c_2a_2 + c_3a_3 = 0 & c_1b_1 + c_2b_2 + c_3b_3 = 0 & c_1^2 + c_2^2 + c_3^2 = 1 \end{array}$$

En termes du produit scalaire des vecteurs étudié au chapitre 1, ce système se récrit $u_1 \cdot u_1 = u_2 \cdot u_2 = u_3 \cdot u_3 = 1$, et pour tous les couples tels que $i \neq j$, $u_i \cdot u_j = 0$. Autrement dit, les lignes d'une matrice orthogonale sont des vecteurs unitaires et sont orthogonaux deux à deux.

De manière générale, une famille $u_1, u_2, \ldots, u_n$ de vecteurs de $\mathbb{R}^n$ est dite former un *système orthonormé*, ou *orthonormal*, de vecteurs s'ils sont tous unitaires et orthogonaux deux à deux ; en d'autres termes :

$$u_i \cdot u_j = \begin{cases} 0 & \text{si } i \neq j \\ 1 & \text{si } i = j \end{cases}$$

c'est-à-dire $u_i \cdot u_j = \delta_{ij}$ en utilisant le symbole de Kronecker.

Nous avons montré que les lignes d'une matrice orthogonale formaient un système orthonormé de vecteurs, comme conséquence de la relation $AA^T = I$. Si l'on avait utilisé la relation équivalente $A^TA = I$, on aurait montré exactement la même chose pour les colonnes de la matrice A, qui forment donc aussi un système orthonormé de vecteurs. Ce que nous venons d'établir pour une matrice 3×3 est vrai pour un ordre quelconque :

> *** Théorème 2.6 :** Soit A une matrice carrée réelle ; les trois propositions ci-dessous sont équivalentes :
> (a) A est orthogonale ;
> (b) les lignes de A forment un système orthonormal ;
> (c) les colonnes de A forment un système orthonormal.

Le cas particulier des matrices 2×2 s'exprime ainsi (démonstration au problème 2.28) :

> *** Théorème 2.7 :** Soit A une matrice 2×2 orthogonale arbitraire ; il existe alors $\theta \in [0, 2\pi[$ tel que :
>
> $$A = \begin{pmatrix} \cos\theta & \sin\theta \\ -\sin\theta & \cos\theta \end{pmatrix} \quad \text{ou} \quad A = \begin{pmatrix} \cos\theta & \sin\theta \\ \sin\theta & -\cos\theta \end{pmatrix}$$

▶ Matrices normales

Une matrice réelle carrée est dite *normale* si elle commute avec sa transposée, c'est-à-dire si l'on a : $AA^T = A^T A$. Comme nous venons de le voir, les matrices symétriques, antisymétriques et orthogonales sont normales, mais il en existe d'autres.

Exemple 2.14

Soit $A = \begin{pmatrix} 6 & -3 \\ 3 & 6 \end{pmatrix}$. Alors :

$$AA^T = \begin{pmatrix} 6 & -3 \\ 3 & 6 \end{pmatrix}\begin{pmatrix} 6 & 3 \\ -3 & 6 \end{pmatrix} = \begin{pmatrix} 45 & 0 \\ 0 & 45 \end{pmatrix} \quad \text{et} \quad A^T A = \begin{pmatrix} 6 & 3 \\ -3 & 6 \end{pmatrix}\begin{pmatrix} 6 & -3 \\ 3 & 6 \end{pmatrix} = \begin{pmatrix} 45 & 0 \\ 0 & 45 \end{pmatrix}$$

On voit que $AA^T = A^T A$; la matrice A est normale.

2.11 MATRICES COMPLEXES

Une matrice complexe est une matrice dont les éléments sont des nombres complexes. On appelle *complexe conjuguée*, ou simplement *conjuguée*, d'une matrice complexe la matrice $\overline{A}$ obtenue en remplaçant chaque élément par son complexe conjugué. En d'autres termes, si $A = (a_{ij})$, $\overline{A} = (\overline{a}_{ij})$.

L'opération de conjugaison complexe commute avec la transposition pour toute matrice complexe ; on utilise en général la notation suivante pour désigner l'application à la fois de la conjugaison complexe et de la transposition à une matrice A, ce que l'on appelle la conjugaison *hermitienne*, ou *hermitique* :

$$A^H = (\overline{A})^T = \overline{A^T}$$

La matrice A^H est appelée *hermitique conjuguée*, ou *adjointe*, de la matrice A. Une notation parfois rencontrée dans la littérature pour désigner l'adjointe est $A^H = A^*$, mais elle est à déconseiller car la plupart des physiciens l'utilise pour représenter la seule conjugaison complexe, *i.e.* $\overline{A} = A^*$.

Exemple 2.15

Soit $A = \begin{pmatrix} 2+8i & 5-3i & 4-7i \\ 6i & 1-4i & 3+2i \end{pmatrix}$; alors $A^H = \begin{pmatrix} 2-8i & -6i \\ 5+3i & 1+4i \\ 4+7i & 3-2i \end{pmatrix}$.

2.11.1 Cas particuliers : matrices hermitiennes, unitaires et normales

De manière analogue au cas des matrices réelles, où certaines propriétés de symétrie par rapport à la transposition nous a conduit à des cas particuliers intéressants, on est amené à examiner l'invariance par rapport à la conjugaison hermitienne.

Une matrice carrée complexe telle que :

$$A^H = A$$

est appelée matrice *hermitienne*, ou *hermitique*, et si elle vérifie :

$$A^H = -A$$

on la dit *antihermitienne*, ou *antihermitique*. Une matrice est hermitienne si et seulement si ses éléments vérifient, pour tout couple i, j, $a_{ij} = \bar{a}_{ji}$; il en résulte que les éléments diagonaux sont nécessairement réels : $a_{ii} = \bar{a}_{ii}$. On vérifie de la même façon que les éléments diagonaux d'une matrice antihermitienne sont nécessairement nuls.

Une matrice carrée complexe est dite *unitaire* si elle vérifie :

$$A^H A^{-1} = A^{-1} A^H = I \Rightarrow A^H = A^{-1}$$

La matrice A est donc inversible. De manière analogue au cas réel, on montre que les lignes et les colonnes d'une matrice unitaire forment un système orthonormal de vecteurs, pour le produit scalaire hermitien.

Une matrice carrée complexe est dite *normale* si elle commute avec son adjointe, *i.e.*

$$AA^H = A^H A$$

Cette définition se réduit à celle donnée précédemment si la matrice est réelle.

Exemple 2.16

Considérons les matrices complexes suivantes :

$$A = \begin{pmatrix} 3 & 1-2i & 4+7i \\ 1+2i & -4 & -2i \\ 4-7i & 2i & 5 \end{pmatrix} ; \; B = \frac{1}{2} \begin{pmatrix} 1 & -i & -1+i \\ i & 1 & 1+i \\ 1+i & -1+i & 0 \end{pmatrix} ; \; C = \begin{pmatrix} 2+3i & 1 \\ i & 1+2i \end{pmatrix}$$

(a) L'examen des éléments de la matrice A montre qu'elle est hermitienne : les éléments diagonaux sont réels, et les éléments symétriques par rapport à la diagonale sont complexes conjugués.

(b) Si l'on multiplie B par B^H, on vérifie que $BB^H = I$; cela entraîne $B^H B = I$, d'où $B^H = B^{-1}$, et la matrice B est unitaire.

(c) Montrons que C est normale ; il nous faut donc calculer CC^H et $C^H C$:

$$CC^H = \begin{pmatrix} 2+3i & 1 \\ i & 1+2i \end{pmatrix} \begin{pmatrix} 2-3i & -i \\ 1 & 1-2i \end{pmatrix} = \begin{pmatrix} 14 & 4-4i \\ 4+4i & 6 \end{pmatrix}$$

$$C^H C = \begin{pmatrix} 2-3i & -i \\ 1 & 1-2i \end{pmatrix} \begin{pmatrix} 2+3i & 1 \\ i & 1+2i \end{pmatrix} = \begin{pmatrix} 14 & 4-4i \\ 4+4i & 6 \end{pmatrix}$$

$CC^H = C^H C \Rightarrow C$ normale.

On peut remarquer que pour une matrice réelle, la notion de matrice *hermitienne* se réduit à celle de matrice *symétrique*, et la notion de matrice *unitaire* à celle de matrice *orthogonale*.

2.12 MATRICES PAR BLOCS

Par le biais de lignes verticales et horizontales (en pointillés dans les exemples qui suivent), on peut partitionner une matrice en « blocs » d'éléments ; ceci peut s'effectuer selon plusieurs manières. Par exemple :

$$\left(\begin{array}{cc:cc:c} 1 & -2 & 0 & 1 & 3 \\ 2 & 3 & 5 & 7 & -2 \\ \hdashline 3 & 1 & 4 & 5 & 9 \\ 4 & 6 & -3 & 1 & 8 \end{array}\right), \quad \left(\begin{array}{cc:ccc} 1 & -2 & 0 & 1 & 3 \\ \hdashline 2 & 3 & 5 & 7 & -2 \\ 3 & 1 & 4 & 5 & 9 \\ \hdashline 4 & 6 & -3 & 1 & 8 \end{array}\right), \quad \left(\begin{array}{ccc:cc} 1 & -2 & 0 & 1 & 3 \\ 2 & 3 & 5 & 7 & -2 \\ \hdashline 3 & 1 & 4 & 5 & 9 \\ 4 & 6 & -3 & 1 & 8 \end{array}\right).$$

L'avantage du partitionnement en blocs est qu'on peut effectuer certains calculs sur les blocs comme s'il s'agissait d'éléments ordinaires. Nous allons illustrer cela, en utilisant une lettre *majuscule* pour désigner les blocs, au lieu d'une minuscule comme pour les éléments : $A = (A_{ij})$ désigne une matrice par blocs.

Soient donc deux matrices par blocs $A = (A_{ij})$ et $B = (B_{ij})$ avec le même nombre de lignes et de colonnes de blocs ; de plus, les blocs de même indice doivent avoir la même dimension. Ajouter les blocs de même indice revient donc à ajouter les éléments correspondants, et multiplier un bloc par un scalaire revient à multiplier tous ses éléments par le scalaire :

$$A + B = \begin{pmatrix} A_{11} + B_{11} & A_{12} + B_{12} & \dots & A_{1n} + B_{1n} \\ A_{21} + B_{21} & A_{22} + B_{22} & \dots & A_{2n} + B_{2n} \\ \vdots & \vdots & \vdots & \vdots \\ A_{m1} + B_{m1} & A_{m2} + B_{m2} & \dots & A_{mn} + B_{mn} \end{pmatrix}, \quad kA = \begin{pmatrix} kA_{11} & kA_{12} & \dots & kA_{1n} \\ kA_{21} & kA_{22} & \dots & kA_{2n} \\ \vdots & \vdots & \vdots & \vdots \\ kA_{m1} & kA_{m2} & \dots & kA_{mn} \end{pmatrix}$$

Le calcul d'un produit de matrices par blocs est moins évident, mais les formules précédentes sont encore vraies : considérons deux matrices $U = (U_{ik})$ et $V = (V_{kj})$ constituées de blocs tels que le nombre de colonnes de chaque bloc U_{ik} soit égal au nombre de lignes de chaque bloc V_{kj}, de sorte que le produit $U_{ik}V_{kj}$ ait un sens. Alors :

$$UV = \begin{pmatrix} W_{11} & W_{12} & \dots & W_{1n} \\ W_{21} & W_{22} & \dots & W_{2n} \\ \vdots & \vdots & \vdots & \vdots \\ W_{m1} & W_{m2} & \dots & W_{mn} \end{pmatrix}, \quad \text{avec} \quad W_{ij} = U_{i1}V_{1j} + U_{i2}V_{2j} + \cdots + U_{ip}V_{pj} = \sum_{k=1}^{p} U_{ik}V_{kj}$$

La démonstration est sans difficulté, mais laborieuse. Elle est laissée en exercice (problème 2.86).

2.12.1 Matrices carrées par blocs

Soit M une matrice par blocs. Elle est dite *carrée par blocs* si les conditions suivantes sont réunies :

(a) M est une matrice carrée ;

(b) la matrice formée par les blocs est carrée ;

(c) les blocs diagonaux sont eux-mêmes des matrices carrées.

Les deux dernières conditions sont remplies si et seulement si les blocs sont délimités par le même nombre de lignes verticales et horizontales, placées de manière symétrique. Par exemple :

$$A = \left(\begin{array}{cc|cc|c} 1 & 2 & 3 & 4 & 5 \\ 1 & 1 & 1 & 1 & 1 \\ \hline 9 & 8 & 7 & 6 & 5 \\ \hline 4 & 4 & 4 & 4 & 4 \\ 3 & 5 & 3 & 5 & 3 \end{array}\right) \quad \text{et} \quad B = \left(\begin{array}{cc|cc|c} 1 & 2 & 3 & 4 & 5 \\ 1 & 1 & 1 & 1 & 1 \\ \hline 9 & 8 & 7 & 6 & 5 \\ 4 & 4 & 4 & 4 & 4 \\ \hline 3 & 5 & 3 & 5 & 3 \end{array}\right)$$

La matrice A n'est pas carrée par blocs, puisque les deuxième et troisième blocs diagonaux ne sont pas carrés. En revanche, la matrice B est effectivement carrée par blocs.

2.12.2 Matrices diagonales par blocs

Soit M une matrice carrée par blocs dont tous les blocs non diagonaux sont des matrices nulles, c'est-à-dire $A_{ij} = 0$ si $i \neq j$. On dit alors que la matrice A est *diagonale par blocs*. Cela peut se noter de la façon suivante :

$$M = \operatorname{diag}(A_{11}, A_{22}, \ldots, A_{rr})$$

ou

$$M = A_{11} \oplus A_{22} \oplus \cdots \oplus A_{rr}$$

L'importance de la notion de matrice diagonale par blocs est que le calcul sur une matrice par blocs peut souvent se réduire au calcul sur les blocs individuels. Par exemple, soit $f(x)$ un polynôme et soit la matrice diagonale par blocs M ci-dessus ; alors $f(M)$ est encore une matrice diagonale par blocs, donnée par :

$$f(M) = \operatorname{diag}\big(f(A_{11}), f(A_{22}), \ldots, f(A_{rr})\big)$$

Une matrice M diagonale par blocs est inversible si et seulement si chacun des blocs A_{ii} est inversible ; alors M^{-1} est également une matrice diagonale par blocs, donnée par :

$$M^{-1} = \operatorname{diag}(A_{11}^{-1}, A_{22}^{-1}, \ldots, A_{rr}^{-1})$$

On dit qu'une matrice carrée par blocs est une matrice *triangulaire supérieure par blocs* si tous les blocs au-dessous de la diagonale sont des matrices nulles. On définit de même une matrice *triangulaire inférieure par blocs*.

Exemple 2.17

Parmi les matrices suivantes, lesquelles sont diagonales par blocs, triangulaires supérieures par blocs, triangulaires inférieures par blocs ?

$$A = \left(\begin{array}{cc|c} 1 & 2 & 0 \\ 3 & 4 & 5 \\ \hline 0 & 0 & 6 \end{array}\right), \qquad B = \left(\begin{array}{c|cc|c} 1 & 0 & 0 & 0 \\ \hline 2 & 3 & 4 & 0 \\ 5 & 0 & 6 & 0 \\ \hline 0 & 7 & 8 & 9 \end{array}\right),$$

$$C = \left(\begin{array}{c|cc} 1 & 0 & 0 \\ \hline 0 & 2 & 3 \\ 0 & 4 & 5 \end{array}\right), \qquad D = \left(\begin{array}{cc|c} 1 & 2 & 0 \\ 3 & 4 & 5 \\ \hline 0 & 6 & 7 \end{array}\right)$$

(a) A est triangulaire supérieure par blocs puisque le bloc sous la diagonale est la matrice nulle ;

(b) B est triangulaire inférieure par blocs puisque tous les blocs au-dessus de la diagonale sont nuls ;

(c) C est diagonale par blocs puisque les blocs au-dessus et au-dessous de la diagonale sont nuls ;

(d) D n'entre dans aucune de ces catégories, et on peut s'assurer qu'elle ne peut être mise sous aucune de ces formes par quelque partitionnement que ce soit.

EXERCICES CORRIGÉS

ADDITION MATRICIELLE ET MULTIPLICATION SCALAIRE

2.1 On donne $A = \begin{pmatrix} 1 & -2 & 3 \\ 4 & 5 & -6 \end{pmatrix}$ et $B = \begin{pmatrix} 3 & 0 & 2 \\ -7 & 1 & 8 \end{pmatrix}$; trouver :

(a) $A + B$; (b) $2A - 3B$;

Solution :

(a) On ajoute les éléments de même indice :

$$A + B = \begin{pmatrix} 1+3 & -2+0 & 3+2 \\ 4-7 & 5+1 & -6+8 \end{pmatrix} = \begin{pmatrix} 4 & -2 & 5 \\ -3 & 6 & 2 \end{pmatrix}$$

(b) On effectue tout d'abord la multiplication scalaire, puis l'addition matricielle :

$$2A - 3B = \begin{pmatrix} 2 & -4 & 6 \\ 8 & 10 & -12 \end{pmatrix} + \begin{pmatrix} -9 & 0 & -6 \\ 21 & -3 & -24 \end{pmatrix} = \begin{pmatrix} -7 & -4 & 0 \\ 29 & 7 & -36 \end{pmatrix}$$

2.2 Déterminer x, y, z et t tels que $3\begin{pmatrix} x & y \\ z & t \end{pmatrix} = \begin{pmatrix} x & 6 \\ -1 & 2t \end{pmatrix} + \begin{pmatrix} 4 & x+y \\ z+t & 3 \end{pmatrix}$

Solution : effectuons la multiplication scalaire dans le premier membre, et l'addition matricielle dans le second :

$$\begin{pmatrix} 3x & 3y \\ 3z & 3t \end{pmatrix} = \begin{pmatrix} x+4 & x+y+6 \\ z+t-1 & 2t+3 \end{pmatrix}$$

L'égalité élément par élément conduit au système de quatre équations :

$$3x = x+4, \quad 3y = x+y+6, \quad 3z = z+t-1, \quad 3t = 2t+3$$

soit en simplifiant :

$$2x = 4, \quad 2y = 6+x, \quad 2z = t-1, \quad t = 3$$

système dont la solution est : $x = 2$, $y = 4$, $z = 1$ et $t = 3$.

2.3 Démontrer les points (a) et (e) du théorème 2.1 : $(A+B)+C = A+(B+C)$ et $k(A+B) = kA+kB$.

Solution : rappelons que pour démontrer l'égalité de deux matrices, il suffit de montrer l'égalité des éléments de même indice.

(a) On doit démontrer l'associativité de l'addition matricielle, $(A + B) + C = A + (B + C)$. Posons $A = (a_{ij})$, $B = (b_{ij})$ et $C = (c_{ij})$. L'élément ij de la matrice $(A + B) + C$ est $(a_{ij} + b_{ij}) + c_{ij}$; de même, l'élément ij de la matrice $A + (B + C)$ est $a_{ij} + (b_{ij} + c_{ij})$. Ces éléments étant des scalaires, on peut utiliser l'associativité de l'addition dans le corps $\mathbb{K}$ des scalaires pour démontrer l'égalité des deux éléments. Puisqu'il n'est fait aucune hypothèse sur les valeurs de i et j, la démonstration est vraie $\forall i, j$, on en déduit l'égalité des matrices, et donc l'associativité de l'addition matricielle.

(e) L'élément ij de la matrice $A + B$ est $a_{ij} + b_{ij}$. Par définition de la multiplication scalaire, $k(a_{ij} + b_{ij})$ est l'élément ij de la matrice $k(A+B)$. Il nous suffit d'appliquer la distributivité de la multiplication par rapport à l'addition dans $\mathbb{K}$ pour pouvoir écrire $k(a_{ij} + b_{ij}) = ka_{ij} + kb_{ij}$; cette égalité étant valable pour tout couple (i, j), on en déduit l'égalité cherchée des matrices.

Le lecteur pourra démontrer les trois autres propositions du théorème de la même manière.

PRODUIT DE MATRICES

2.4 Calculer :

(a) $(8, -4, 5)\begin{pmatrix} 3 \\ 2 \\ -1 \end{pmatrix}$; (b) $(6, -1, 7, 5)\begin{pmatrix} 4 \\ -9 \\ -3 \\ 2 \end{pmatrix}$; (c) $(3, 8, -2, 4)\begin{pmatrix} 5 \\ -1 \\ 6 \end{pmatrix}$.

Solution :

(a) On multiplie entre eux les éléments de même indice et on ajoute :

$$(8, -4, 5)\begin{pmatrix} 3 \\ 2 \\ -1 \end{pmatrix} = 8 \times 3 + (-4) \times 2 + 5 \times (-1) = 24 - 8 - 5 = 11$$

(b) Même méthode : $(6, -1, 7, 5)\begin{pmatrix} 4 \\ -9 \\ -3 \\ 2 \end{pmatrix} = 24 + 9 - 21 + 10 = 22$

(c) La ligne et la colonne n'ont pas le même nombre d'éléments : leur produit n'existe pas.

2.5 Désignons par la notation $(r \times s)$ une matrice quelconque de dimension $r \times s$; déterminer les dimensions des matrices produit, si elles existent, dans les cas suivants :

(a) $(2 \times 3)(3 \times 4)$; (b) $(4 \times 1)(1 \times 2)$; (c) $(1 \times 2)(3 \times 1)$; (d) $(5 \times 2)(2 \times 3)$; (e) $(4 \times 4)(3 \times 3)$; (f) $(2 \times 2)(2 \times 4)$.

Solution : pour que le produit de deux matrices ait un sens, rappelons que le nombre de colonnes de la première matrice doit être égal au nombre de lignes de la seconde ; dans la notation ci-dessus, les deux nombres du milieu doivent être égaux. La matrice produit a autant de lignes que la première matrice, et autant de colonnes que la seconde, ce qui correspond aux nombres extrêmes.

(a) (2×4) ; (b) (4×2) ; (c) non défini ; (d) (5×3) ; (e) non défini ; (f) (2×4).

2.6 Soit $A = \begin{pmatrix} 1 & 3 \\ 2 & -1 \end{pmatrix}$ et $B = \begin{pmatrix} 2 & 0 & -4 \\ 3 & -2 & 6 \end{pmatrix}$. Déterminer AB et BA.

Solution :

(a) Le produit AB est bien défini, compte tenu des tailles des matrices, c'est une matrice 2×3. Pour calculer les éléments de la première ligne de AB, il convient de multiplier la première ligne (1, 3) de A successivement par les colonnes $\begin{pmatrix} 2 \\ 3 \end{pmatrix}$, $\begin{pmatrix} 0 \\ -2 \end{pmatrix}$ et $\begin{pmatrix} -4 \\ 6 \end{pmatrix}$ de B :

$$AB = \begin{pmatrix} 1 & 3 \\ 2 & -1 \end{pmatrix}\begin{pmatrix} 2 & 0 & -4 \\ 3 & -2 & 6 \end{pmatrix}$$

$$= \begin{pmatrix} 2+9 & 0-6 & -4+18 \\ & & \end{pmatrix} = \begin{pmatrix} 11 & -6 & 14 \\ & & \end{pmatrix}$$

La seconde ligne de AB s'obtient de la même manière, mais avec la seconde ligne de A :

$$AB = \begin{pmatrix} 1 & 3 \\ 2 & -1 \end{pmatrix}\begin{pmatrix} 2 & 0 & -4 \\ 3 & -2 & 6 \end{pmatrix} = \begin{pmatrix} 11 & -6 & 14 \\ 4-3 & 0+2 & -8-6 \end{pmatrix}$$

En définitive :

$$AB = \begin{pmatrix} 11 & -6 & 14 \\ 1 & 2 & -14 \end{pmatrix}$$

(b) Le produit AB n'est pas défini, puisque le nombre de lignes de B ne correspond pas au nombre de colonnes de A.

2.7 Calculer le produit AB, si $A = \begin{pmatrix} 2 & 3 & -1 \\ 4 & -2 & 5 \end{pmatrix}$ et $B = \begin{pmatrix} 2 & -1 & 0 & 6 \\ 1 & 3 & -5 & 1 \\ 4 & 1 & -2 & 2 \end{pmatrix}$.

Solution : le produit AB a un sens, c'est une matrice 2×4 ; on l'obtient en multipliant les lignes de A par les colonnes de B :

$$AB = \begin{pmatrix} 4+3-4 & -2+9-1 & 0-15+2 & 12+3-2 \\ 8-2+20 & -4-6+5 & 0+10-10 & 24-2+10 \end{pmatrix} = \begin{pmatrix} 3 & 6 & -13 & 13 \\ 26 & -5 & 0 & 32 \end{pmatrix}$$

2.8 Calculer les produits suivants :

(a) $\begin{pmatrix} 1 & 6 \\ -3 & 5 \end{pmatrix}\begin{pmatrix} 2 \\ -7 \end{pmatrix}$; (b) $\begin{pmatrix} 2 \\ -7 \end{pmatrix}\begin{pmatrix} 1 & 6 \\ -3 & 5 \end{pmatrix}$; (c) $\begin{pmatrix} 2, & -7 \end{pmatrix}\begin{pmatrix} 1 & 6 \\ -3 & 5 \end{pmatrix}$

Solution :

(a) Le produit d'une matrice 2×2 par une matrice 2×1 existe et est une matrice 2×1 :

$$\begin{pmatrix} 1 & 6 \\ -3 & 5 \end{pmatrix}\begin{pmatrix} 2 \\ -7 \end{pmatrix} = \begin{pmatrix} 2-42 \\ -6-35 \end{pmatrix} = \begin{pmatrix} -40 \\ -41 \end{pmatrix}$$

(b) Le produit d'une matrice 2×1 par une matrice 2×2 n'est pas défini.

(c) Le produit d'une matrice 1×2 par une matrice 2×2 est une matrice 1×2 :

$$\begin{pmatrix} 2 & -7 \end{pmatrix}\begin{pmatrix} 1 & 6 \\ -3 & 5 \end{pmatrix} = \begin{pmatrix} 2+21, & 12-35 \end{pmatrix} = \begin{pmatrix} 23, & -23 \end{pmatrix}$$

2.9 On sait que $0A = A0 = 0$, où 0 désigne la matrice nulle. Trouver deux matrices A et B non nulles telles que le produit AB soit la matrice nulle.

Solution : soit $A = \begin{pmatrix} 1 & 2 \\ 2 & 4 \end{pmatrix}$ et $B = \begin{pmatrix} 6 & 2 \\ -3 & 1 \end{pmatrix}$; on vérifie que $AB = \begin{pmatrix} 0 & 0 \\ 0 & 0 \end{pmatrix}$.

On dit que le produit matriciel admet, contrairement au produit usuel des nombres pour lequel un produit est nul si et seulement si l'un des facteurs est nul, des *diviseurs de zéro*.

2.10 Démontrer la première assertion du théorème 2.2, stipulant l'associativité du produit de matrices : $(AB)C = A(BC)$.

Solution : posons $A = (a_{ij})$, $B = (b_{jk})$, $C = (c_{kl})$, $AB = S = (s_{ik})$ et $BC = T = (t_{jl})$; les dimensions des matrices sont, respectivement, $A : p \times m$, $B : m \times n$, $C : n \times q$:

$$s_{ik} = \sum_{j=1}^{m} a_{ij}b_{jk} \qquad \text{et} \qquad t_{jl} = \sum_{k=1}^{n} b_{jk}c_{kl}$$

On multiplie $S = AB$ par C ; l'élément il de $(AB)C$ est :

$$s_{i1}c_{1l} + s_{i2}c_{2l} + \cdots + s_{in}c_{nl} = \sum_{k=1}^{n} s_{ik}c_{kl} = \sum_{k=1}^{n}\sum_{j=1}^{m}(a_{ij}b_{jk})c_{kl}$$

De même, en multipliant A par $T = BC$, l'élément il de $A(BC)$ s'écrit :

$$a_{i1}t_{1l} + a_{i2}t_{2l} + \cdots + a_{in}t_{nl} = \sum_{j=1}^{m} a_{ij}t_{jl} = \sum_{j=1}^{m}\sum_{k=1}^{n} a_{ij}(b_{jk}c_{kl})$$

La multiplication des nombres est associative ; de plus, on peut intervertir les sommations dans toute somme finie. Les deux expressions sont donc égales, ce qui établit l'associativité.

2.11 Démontrer la seconde assertion du théorème 2.2, stipulant la distributivité du produit de matrices par rapport à l'addition (des matrices) : $A(B + C) = AB + AC$.

Solution : posons $A = (a_{ij})$, $B = (b_{jk})$, $C = (c_{jk})$, $D = B + C = (d_{jk})$, $E = AB = (e_{ik})$ et $F = AC = (f_{ik})$; les dimensions des matrices sont, respectivement, $A : p \times m$, B et $C : m \times n$:

$$d_{jk} = b_{jk} + c_{jk}, \qquad e_{ik} = \sum_{j=1}^{m} a_{ij}b_{jk}, \qquad f_{ik} = \sum_{j=1}^{m} a_{ij}c_{jk}.$$

L'élément ik de la matrice $AB + AC$ vaut :

$$e_{ik} + f_{ik} = \sum_{j=1}^{m} a_{ij}b_{jk} + \sum_{j=1}^{m} a_{ij}c_{jk} = \sum_{j=1}^{m} a_{ij}(b_{jk} + c_{jk})$$

et l'élément ik de la matrice $AD = A(B + C)$:

$$a_{i1}d_{1k} + a_{i2}d_{2k} + \cdots + a_{im}d_{mk} = \sum_{j=1}^{m} a_{ij}d_{jk} = \sum_{j=1}^{m} a_{ij}(b_{jk} + c_{jk})$$

L'égalité des deux expressions prouve la distributivité.

TRANSPOSITION

2.12 Déterminer les transposées des matrices suivantes :

$$A = \begin{pmatrix} 1 & -2 & 3 \\ 7 & 8 & -9 \end{pmatrix}, \qquad B = \begin{pmatrix} 1 & 2 & 3 \\ 2 & 4 & 5 \\ 3 & 5 & 6 \end{pmatrix}, \qquad C = (1, -3, 5, -7), \qquad D = \begin{pmatrix} 2 \\ -4 \\ 6 \end{pmatrix}.$$

Solution : la transposée d'un matrice s'obtient en échangeant ses lignes et ses colonnes :

$$A^T = \begin{pmatrix} 1 & 7 \\ -2 & 8 \\ 3 & -9 \end{pmatrix}, \quad B^T = \begin{pmatrix} 1 & 2 & 3 \\ 2 & 4 & 5 \\ 3 & 5 & 6 \end{pmatrix}, \quad C^T = \begin{pmatrix} 1 \\ -3 \\ 5 \\ -7 \end{pmatrix}, \quad D^T = (2, -4, 6).$$

On remarque que $B^T = B$: une telle matrice est appelée *symétrique*. On voit aussi que la transposée d'une matrice ligne est une matrice colonne, et inversement.

2.13 Démontrer la quatrième assertion du théorème 2.3 : $(AB)^T = B^T A^T$.

Solution : soit $A = (a_{ik})$ et $B = (b_{kj})$; l'élément ij de AB est donné par :

$$a_{i1}b_{1j} + a_{i2}b_{2j} + \cdots + a_{im}b_{mj} = \sum_{k=1}^{m} a_{ik}b_{kj}$$

C'est donc l'élément ji de la matrice transposée $(AB)^T$. Effectuons à présent le produit $B^T A^T$; puisque nous avons en transposant interverti les lignes et les colonnes de A et B, l'élément ji de $B^T A^T$ est obtenu en effectuant le produit de la j-ème colonne de B par la i-ème ligne de A :

$$(b_{1j}, b_{2j}, \ldots, b_{mj})(a_{i1}, a_{i2}, \ldots, a_{im}) = b_{1j}a_{i1} + b_{2j}a_{i2} + \cdots + b_{mj}a_{im} = \sum_{k=1}^{m} b_{kj}a_{ik}$$

L'égalité de ces deux éléments entraîne l'égalité des matrices, soit $(AB)^T = B^T A^T$.

MATRICES CARRÉES

2.14 Indiquer la diagonale et calculer la trace des matrices suivantes :

(a) $A = \begin{pmatrix} 1 & 3 & 6 \\ 2 & -5 & 8 \\ 4 & -2 & 9 \end{pmatrix}$; (b) $B = \begin{pmatrix} 2 & 4 & 8 \\ 3 & -7 & 9 \\ -5 & 0 & 2 \end{pmatrix}$; (c) $C = \begin{pmatrix} 1 & 2 & -3 \\ 4 & -5 & 6 \end{pmatrix}$.

Solution :

(a) La diagonale de la matrice A contient tous les éléments dont les deux indices sont égaux, autrement dit, tous les éléments compris sur la diagonale, d'où le nom, depuis le haut à gauche jusqu'au bas à droite, soit $D(A) = (a_{11}, a_{22}, a_{33}) = (1, -5, 9)$. La trace est la somme de ces éléments diagonaux, soit :

$$\operatorname{tr}(A) = 1 - 5 + 9 = 5$$

(b) De même, $D(B) = (2, -7, 2)$ et $\operatorname{tr}(B) = 2 - 7 + 2 = -3$.

(c) La matrice C n'étant pas carrée, la notion de diagonale, et *a fortiori* de trace, n'a pas de sens.

2.15 Soit $A = \begin{pmatrix} 1 & 2 \\ 4 & -3 \end{pmatrix}$; soit $f(x) = 2x^3 - 4x + 5$ et $g(x) = x^2 + 2x - 11$. Calculer :

(a) A^2 ; (b) A^3 ; (c) $f(A)$; (d) $g(A)$.

Solution :

(a) $A^2 = AA = \begin{pmatrix} 1 & 2 \\ 4 & -3 \end{pmatrix}\begin{pmatrix} 1 & 2 \\ 4 & -3 \end{pmatrix} = \begin{pmatrix} 1+8 & 2-6 \\ 4-12 & 8+9 \end{pmatrix} = \begin{pmatrix} 9 & -4 \\ -8 & 17 \end{pmatrix}$

(b) $A^3 = AA^2 = \begin{pmatrix} 1 & 2 \\ 4 & -3 \end{pmatrix}\begin{pmatrix} 9 & -4 \\ -8 & 17 \end{pmatrix} = \begin{pmatrix} 9-16 & -4+34 \\ 36+24 & -16-51 \end{pmatrix} = \begin{pmatrix} -7 & 30 \\ 60 & -67 \end{pmatrix}$

(c) On remplace x par A et la constante 5 par $5I$, où I est la matrice unité, dans l'expression de $f(x)$:

$$f(A) = 2A^3 - 4A + 5I = 2\begin{pmatrix} -7 & 30 \\ 60 & -67 \end{pmatrix} - 4\begin{pmatrix} 1 & 2 \\ 4 & -3 \end{pmatrix} + 5\begin{pmatrix} 1 & 0 \\ 0 & 1 \end{pmatrix}$$

On effectue ensuite la multiplication scalaire, puis l'addition matricielle :

$$f(A) = \begin{pmatrix} -14 & 60 \\ 120 & -134 \end{pmatrix} + \begin{pmatrix} -4 & -8 \\ -16 & 12 \end{pmatrix} + \begin{pmatrix} 5 & 0 \\ 0 & 5 \end{pmatrix} = \begin{pmatrix} -13 & 52 \\ 104 & -117 \end{pmatrix}$$

(d) On procède de la même manière :

$$g(A) = A^2 + 2A - 11I = \begin{pmatrix} 9 & -4 \\ -8 & 17 \end{pmatrix} + 2\begin{pmatrix} 1 & 2 \\ 4 & -3 \end{pmatrix} - 11\begin{pmatrix} 1 & 0 \\ 0 & 1 \end{pmatrix}$$

$$= \begin{pmatrix} 9 & -4 \\ -8 & 17 \end{pmatrix} + \begin{pmatrix} 2 & 4 \\ 8 & -6 \end{pmatrix} + \begin{pmatrix} -11 & 0 \\ 0 & -11 \end{pmatrix} = \begin{pmatrix} 0 & 0 \\ 0 & 0 \end{pmatrix}$$

On trouve que $g(A)$ est la matrice nulle ; il en résulte que A est racine du polynôme $g(A)$.

2.16 Soit $A = \begin{pmatrix} 1 & 3 \\ 4 & -3 \end{pmatrix}$.

(a) Trouver un vecteur colonne non nul $u = \begin{pmatrix} x \\ y \end{pmatrix}$ tel que $Au = 3u$.

(b) Déterminer tous les vecteurs vérifiant cette équation.

Solution :

(a) Écrivons sous forme matricielle l'équation donnée $Au = 3u$:

$$\begin{pmatrix} 1 & 3 \\ 4 & -3 \end{pmatrix}\begin{pmatrix} x \\ y \end{pmatrix} = 3\begin{pmatrix} x \\ y \end{pmatrix} \Rightarrow \begin{pmatrix} x+3y \\ 4x-3y \end{pmatrix} = \begin{pmatrix} 3x \\ 3y \end{pmatrix}$$

qui donne un système de deux équations :

$$\begin{matrix} x+3y = 3x \\ 4x-3y = 3y \end{matrix} \Leftrightarrow \begin{matrix} 2x-3y = 0 \\ 4x-6y = 0 \end{matrix} \Leftrightarrow 2x - 3y = 0$$

Le système se réduit à une équation linéaire unique entre les deux inconnues x et y, qui a une infinité de solutions ; une solution pourra être, par exemple, $x = 3$ et $y = 2$, et le vecteur cherché sera $u = (3,\ 2)^T$.

(b) La solution générale est l'ensemble des couples $(x,\ y)$ vérifiant $2x - 3y = 0$. Si l'on introduit le paramètre a tel que $y = a$, on a alors $x = \frac{3}{2}a$, et la solution générale se met sous la forme $u = \left(\frac{3}{2}a,\ a\right)^T$: elle dépend d'un seul paramètre arbitraire.

MATRICES INVERSIBLES ; INVERSES

2.17 Montrer que $A = \begin{pmatrix} 1 & 0 & 2 \\ 2 & -1 & 3 \\ 4 & 1 & 8 \end{pmatrix}$ et $B = \begin{pmatrix} -11 & 2 & 2 \\ -4 & 0 & 1 \\ 6 & -1 & -1 \end{pmatrix}$ sont inverses l'une de l'autre.

Solution : calculons le produit AB :

$$AB = \begin{pmatrix} -11+0+12 & 2+0-2 & 2+0-2 \\ -22+4+18 & 4+0-3 & 4-1-3 \\ -44-4+48 & 8+0-8 & 8+1-8 \end{pmatrix} = \begin{pmatrix} 1 & 0 & 0 \\ 0 & 1 & 0 \\ 0 & 0 & 1 \end{pmatrix} = I$$

Comme on le verra au prochain chapitre (théorème 3.18), $AB = I$ entraîne $BA = I$, et par conséquent A et B sont inverses l'une de l'autre.

2.18 Déterminer les inverses, s'ils existent, des matrices suivantes :

(a) $A = \begin{pmatrix} 5 & 3 \\ 4 & 2 \end{pmatrix}$; (b) $B = \begin{pmatrix} 2 & -3 \\ 1 & 3 \end{pmatrix}$; (c) $C = \begin{pmatrix} -2 & 6 \\ 3 & -9 \end{pmatrix}$.

Solution : on utilise la méthode du § 2.9.1 :

(a) On calcule le déterminant $|A| = 5 \times 2 - 3 \times 4 = -2$; on échange les éléments diagonaux, on prend les opposés des éléments non diagonaux, et on multiplie par $1/|A|$:

$$A^{-1} = -\frac{1}{2}\begin{pmatrix} 2 & -3 \\ -4 & 5 \end{pmatrix} = \begin{pmatrix} -1 & \frac{3}{2} \\ 2 & -\frac{5}{2} \end{pmatrix}$$

(b) On applique la même technique, avec ici $|B| = 2 \times 3 - (-3) \times 1 = 9$:

$$B^{-1} = -\frac{1}{9}\begin{pmatrix} 3 & 3 \\ -1 & 2 \end{pmatrix} = \begin{pmatrix} \frac{1}{3} & \frac{1}{3} \\ -\frac{1}{9} & \frac{2}{9} \end{pmatrix}$$

(c) On calcule $|C| = (-2) \times (-9) - 3 \times 6 = 0$; une matrice de déterminant nul n'a pas d'inverse : C^{-1} n'existe pas.

2.19 On donne $A = \begin{pmatrix} 1 & 1 & 1 \\ 0 & 1 & 2 \\ 1 & 2 & 4 \end{pmatrix}$; calculer $A^{-1} = \begin{pmatrix} x_1 & x_2 & x_3 \\ y_1 & y_2 & y_3 \\ z_1 & z_2 & z_3 \end{pmatrix}$.

Solution : calculons le produit AA^{-1} et résolvons le système associé à l'équation $AA^{-1} = I$:

$$\begin{aligned} x_1 + y_1 + z_1 &= 1 \\ y_1 + 2z_1 &= 0 \\ x_1 + 2y_1 + 4z_1 &= 0 \end{aligned} \qquad \begin{aligned} x_2 + y_2 + z_2 &= 0 \\ y_2 + 2z_2 &= 1 \\ x_2 + 2y_2 + 4z_2 &= 0 \end{aligned} \qquad \begin{aligned} x_3 + y_3 + z_3 &= 0 \\ y_3 + 2z_3 &= 0 \\ x_3 + 2y_3 + 4z_3 &= 1 \end{aligned}$$

Tous calculs faits, on trouve :

$x_1 = 0,\ y_1 = 2,\ z_1 = -1$; $x_2 = -2,\ y_2 = 3,\ z_2 = -1$; $x_3 = 1,\ y_3 = -2,\ z_3 = 1$

soit :

$$A^{-1} = \begin{pmatrix} 0 & -2 & 1 \\ 2 & 3 & -2 \\ -1 & -1 & 1 \end{pmatrix}.$$

Au chapitre suivant, nous décrirons des moyens performants pour inverser une matrice.

2.20 Soient A et B deux matrices inversibles de même dimension. Montrer que le produit AB est inversible, avec $(AB)^{-1} = B^{-1}A^{-1}$.

Solution : formons les produits $(AB)(B^{-1}A^{-1})$ et $(B^{-1}A^{-1})(AB)$, en utilisant l'associativité du produit de matrice, et la propriété de commutation particulière $AA^{-1} = A^{-1}A = I$:

$$(AB)(B^{-1}A^{-1}) = A(BB^{-1})A^{-1} = AIA^{-1} = AA^{-1} = I$$
$$(B^{-1}A^{-1})(AB) = B^{-1}(A^{-1}A)B = B^{-1}IB = B^{-1}B = I$$

Il en résulte que $(AB)^{-1}$ existe et vaut $(AB)^{-1} = B^{-1}A^{-1}$. On en déduit, par récurrence, $(A_1A_2\dots A_m)^{-1} = A_m^{-1}\dots A_2^{-1}A_1^{-1}$.

MATRICES DIAGONALES ET TRIANGULAIRES

2.21 Écrire les matrices diagonales $A = \text{diag}(4, -3, 7)$, $B = \text{diag}(2, -6)$ et $C = \text{diag}(3, -8, 0, 5)$.

Solution : les éléments donnés vont sur la diagonale, tous les autres sont nuls :

$$A = \begin{pmatrix} 4 & 0 & 0 \\ 0 & -3 & 0 \\ 0 & 0 & 7 \end{pmatrix} ; \quad B = \begin{pmatrix} 2 & 0 \\ 0 & -6 \end{pmatrix} ; \quad C = \begin{pmatrix} 3 & & & \\ & -8 & & \\ & & 0 & \\ & & & 5 \end{pmatrix}$$

2.22 Soit $A = \text{diag}(2, 3, 5)$ et $B = \text{diag}(7, 0, -4)$ et soit le polynôme $f(x) = x^2 + 3x - 2$. Calculer :

(a) AB, A^2, B^2 ; (b) $f(A)$; (c) A^{-1} et B^{-1}.

Solution :

(a) Le produit AB de deux matrices diagonales est une matrice diagonale dont les éléments sont les produits des éléments de même indice :

$$AB = \text{diag}\big(2 \times 7,\ 3 \times 0,\ 5 \times (-4)\big) = \text{diag}(14, 0, -20)$$

Les carrés ne sont qu'un cas particulier de produit :

$$A^2 = \text{diag}(2^2, 3^2, 5^2) = \text{diag}(4, 9, 25) \quad \text{et} \quad B^2 = \text{diag}(49, 0, 16)$$

(b) $f(A)$ est une matrice diagonale dont l'élément ii vaut $f(a_{ii})$:

$$f(2) = 4 + 6 - 2 = 8, \quad f(3) = 9 + 9 - 2 = 16, \quad f(5) = 25 + 15 - 2 = 38$$

d'où $f(A) = \text{diag}(8, 16, 38)$.

(c) L'inverse d'une matrice diagonale est une matrice diagonale dont les éléments sont les inverses (au sens de la multiplication des nombres) des éléments initiaux, d'où $A^{-1} = \text{diag}\left(\frac{1}{2}, \frac{1}{3}, \frac{1}{5}\right)$, mais B n'a pas d'inverse puisque l'un des éléments est nul.

2.23 Trouver une matrice 2×2 non diagonale A, telle que A^2 soit diagonale.

Solution : soit $A = \begin{pmatrix} 1 & 2 \\ 3 & -1 \end{pmatrix}$; alors $A^2 = \begin{pmatrix} 7 & 0 \\ 0 & 7 \end{pmatrix}$, qui est diagonale.

2.24 Trouver une matrice A triangulaire supérieure telle que $A^3 = \begin{pmatrix} 8 & -57 \\ 0 & 27 \end{pmatrix}$.

Solution : posons $A = \begin{pmatrix} x & y \\ 0 & z \end{pmatrix}$. Alors $x^3 = 8 \Rightarrow x = 2$; $z^3 = 27 \Rightarrow z = 3$; calculons A^3 en utilisant ces valeurs de x et de z :

$$A^2 = \begin{pmatrix} 2 & y \\ 0 & 3 \end{pmatrix}\begin{pmatrix} 2 & y \\ 0 & 3 \end{pmatrix} = \begin{pmatrix} 4 & 5y \\ 0 & 9 \end{pmatrix} \quad \text{et} \quad A^3 = \begin{pmatrix} 2 & y \\ 0 & 3 \end{pmatrix}\begin{pmatrix} 4 & 5y \\ 0 & 9 \end{pmatrix} = \begin{pmatrix} 8 & 19y \\ 0 & 27 \end{pmatrix}$$

On en déduit $19y = -57 \Rightarrow y = -3$, d'où $A = \begin{pmatrix} 2 & -3 \\ 0 & 3 \end{pmatrix}$.

2.25 Soient $A = (a_{ij})$ et $B = (b_{ij})$ deux matrices triangulaires supérieures. Montrer que AB est une matrice triangulaire supérieure dont les éléments diagonaux sont $a_{11}b_{11}, a_{22}b_{22}, \ldots, a_{nn}b_{nn}$.

Solution : posons $AB = (c_{ij})$, avec $c_{ij} = \sum_{k=1}^{n} a_{ik}b_{kj}$ et en particulier $c_{ii} = \sum_{k=1}^{n} a_{ik}b_{ki}$. Supposons $i > j$; alors, pour chaque k, on a soit $i > k$, soit $k > j$, de sorte que soit $a_{ik} = 0$, soit $b_{kj} = 0$. Il en résulte que $c_{ij} = 0$, et la matrice AB est bien triangulaire supérieure. Supposons à présent $i = j$; alors, pour $k < i$, $a_{ik} = 0$, et pour $k > i$, $b_{ki} = 0$, et donc $c_{ii} = a_{ii}b_{ii}$. Ceci démontre la première affirmation du théorème 2.5 ; la démonstration des deux autres affirmations est laissée en exercice.

MATRICES RÉELLES SYMÉTRIQUES ET ORTHOGONALES

2.26 Dire si les matrices suivantes sont *symétriques, i.e.* $A^T = A$, ou *antisymétriques, i.e.* $A^T = -A$:

(a) $A = \begin{pmatrix} 5 & -7 & 1 \\ -7 & 8 & 2 \\ 1 & 2 & -4 \end{pmatrix}$; (b) $B = \begin{pmatrix} 0 & 4 & -3 \\ -4 & 0 & 5 \\ 3 & -5 & 0 \end{pmatrix}$; (c) $C = \begin{pmatrix} 0 & 0 & 0 \\ 0 & 0 & 0 \end{pmatrix}$.

Solution :

(a) L'examen de la matrice A montre que les éléments symétriques par rapport à la diagonale sont égaux : $a_{12} = a_{21} = -7$, $a_{13} = a_{31} = 1$ et $a_{23} = a_{32} = 2$; la matrice A est donc symétrique.

(b) L'examen de la matrice B montre que les éléments diagonaux sont nuls, et que les éléments symétriques par rapport à la diagonale sont opposés : $b_{12} = -b_{21} = 4$, $b_{13} = -b_{31} = -3$ et $b_{23} = -b_{32} = 5$; la matrice B est donc antisymétrique.

(c) La matrice C n'est pas carrée : elle ne peut donc être ni symétrique, ni antisymétrique.

2.27 Déterminer x pour que la matrice $B = \begin{pmatrix} 4 & x+2 \\ 2x-3 & x+1 \end{pmatrix}$ soit symétrique.

Solution : les éléments symétriques par rapport à la diagonale doivent être égaux, soit $2x - 3 = x + 2 \Rightarrow x = 5$, d'où $B = \begin{pmatrix} 4 & 7 \\ 7 & 6 \end{pmatrix}$.

2.28 Soit A une matrice arbitraire 2×2, réelle et orthogonale.

(a) On désigne par (a, b) la première ligne ; montrer que $a^2 + b^2 = 1$ et que A s'écrit :

$$A = \begin{pmatrix} a & b \\ -b & a \end{pmatrix} \quad \text{ou bien} \quad A = \begin{pmatrix} a & b \\ b & -a \end{pmatrix} \tag{2.1}$$

(b) Démontrer le théorème 2.7 : il existe $\theta \in [0, 2\pi[$ tel que :

$$A = \begin{pmatrix} \cos\theta & \sin\theta \\ -\sin\theta & \cos\theta \end{pmatrix} \quad \text{ou} \quad A = \begin{pmatrix} \cos\theta & \sin\theta \\ \sin\theta & -\cos\theta \end{pmatrix}$$

Solution :

(a) Soit (x, y) la deuxième ligne de A ; puisque les lignes d'une matrice orthogonale forment un système orthonormé, nous devons avoir :

$$a^2 + b^2 = 1, \qquad x^2 + y^2 = 1, \qquad ax + by = 0$$

Les colonnes doivent également former un système orthonormé, soit :

$$a^2 + x^2 = 1, \qquad b^2 + y^2 = 1, \qquad ab + xy = 0$$

On en déduit $x^2 = 1 - a^2 = b^2$, d'où deux possibilités :

– soit $x = b$, et $b(a + y) = 0 \Rightarrow y = -a$;

– soit $x = -b$, et $b(y - a) = 0 \Rightarrow y = a$.

ce qui prouve (2.1).

(b) L'équation $a^2 + b^2 = 1$ implique $-1 \leq a \leq +1$; on peut donc poser $a = \cos\theta$, et $b^2 = 1 - \cos^2\theta$ entraîne $b = \sin\theta$. En introduisant ces valeurs dans (2.1), on trouve les expressions demandées.

2.29 Trouver une matrice A orthogonale 2×2 dont la première ligne soit un multiple (positif) de (3, 4).

Solution : par normalisation de la ligne donnée, on obtient $\left(\frac{3}{5}, \frac{4}{5}\right)$. On utilise ensuite les résultats du problème 2.28 :

$$A = \begin{pmatrix} \frac{3}{5} & \frac{4}{5} \\ -\frac{4}{5} & \frac{3}{5} \end{pmatrix} \quad \text{ou} \quad A = \begin{pmatrix} \frac{3}{5} & \frac{4}{5} \\ \frac{4}{5} & -\frac{3}{5} \end{pmatrix}$$

2.30 Trouver une matrice 3×3 orthogonale P dont les deux premières lignes sont multiples, respectivement, de $u_1 = (1, 1, 1)$ et de $u_2 = (0, -1, 1)$. (Remarquer que, comme il se doit, les lignes u_1 et u_2 sont orthogonales.)

Solution : on sait que le produit vectoriel de deux vecteurs est orthogonal à chacun d'eux : la 3e ligne de P pourra donc être choisie multiple de $u_3 = u_1 \wedge u_2$, soit $u_3 = (2, -1, -1)$. Si A est la matrice dont les lignes sont u_1, u_2 et u_3, la matrice cherchée P s'en déduit par normalisation de ses lignes :

$$A = \begin{pmatrix} 1 & 1 & 1 \\ 0 & -1 & 1 \\ 2 & -1 & -1 \end{pmatrix} \quad \text{et} \quad P = \begin{pmatrix} \frac{1}{\sqrt{3}} & \frac{1}{\sqrt{3}} & \frac{1}{\sqrt{3}} \\ 0 & -\frac{1}{\sqrt{2}} & \frac{1}{\sqrt{2}} \\ \sqrt{\frac{2}{3}} & -\frac{1}{\sqrt{6}} & -\frac{1}{\sqrt{6}} \end{pmatrix}$$

On peut constater que les colonnes de P forment aussi un un système orthonormé.

MATRICES COMPLEXES, HERMITIENNES ET UNITAIRES

2.31 Déterminer la matrice hermitique conjuguée A^H de A pour les matrices :

(a) $A = \begin{pmatrix} 3-5i & 2+4i \\ 6+7i & 1+8i \end{pmatrix}$; (b) $A = \begin{pmatrix} 2-3i & 5+8i \\ -4 & 3-7i \\ -6-i & 5i \end{pmatrix}$.

Solution : on rappelle que $A^H = \overline{A}^T$ est la transposée de la matrice complexe conjuguée :

(a) $A^H = \begin{pmatrix} 3+5i & 6-7i \\ 2-4i & 1-8i \end{pmatrix}$; (b) $A = \begin{pmatrix} 2+3i & -4 & -6+i \\ 5-8i & 3+7i & -5i \end{pmatrix}$.

2.32 Montrer que la matrice $A = \begin{pmatrix} \frac{1}{3}-\frac{2}{3}i & \frac{2}{3}i \\ -\frac{2}{3}i & -\frac{1}{3}-\frac{2}{3}i \end{pmatrix}$ est unitaire.

Solution : les lignes de A doivent constituer un système orthonormal :

$$\left(\frac{1}{3}-\frac{2}{3}i, \frac{2}{3}i\right)\cdot\left(\frac{1}{3}-\frac{2}{3}i, \frac{2}{3}i\right) = \left(\frac{1}{9}+\frac{4}{9}\right)+\frac{4}{9} = 1$$

$$\left(\frac{1}{3}-\frac{2}{3}i, \frac{2}{3}i\right)\cdot\left(-\frac{2}{3}i, -\frac{1}{3}-\frac{2}{3}i\right) = \left(\frac{2}{9}i+\frac{4}{9}\right)+\left(-\frac{2}{9}i-\frac{4}{9}\right) = 0$$

$$\left(-\frac{2}{3}i, -\frac{1}{3}-\frac{2}{3}i\right)\cdot\left(-\frac{2}{3}i, -\frac{1}{3}-\frac{2}{3}i\right) = \frac{4}{9}+\left(\frac{1}{9}+\frac{4}{9}\right) = 1$$

La matrice A est bien unitaire.

2.33 Démontrer l'analogue complexe du théorème 2.6 : soit A une matrice carrée complexe ; les trois propositions ci-dessous sont équivalentes :

(a) A est unitaire ;
(b) les lignes de A forment un système orthonormal ;
(c) les colonnes de A forment un système orthonormal.

Solution : la démonstration est quasiment identique à celle de la page 46, relative à une matrice réelle 3×3. Rappelons tout d'abord que des vecteurs $u_1, u_2, \ldots, u_n$ de $\mathbb{C}^n$ forment un système orthonormé s'ils sont unitaires et orthogonaux deux à deux ; rappelons encore que le produit scalaire dans $\mathbb{C}^n$ est défini par :

$$(a_1, a_2, \ldots, a_n)\cdot(b_1, b_2, \ldots, b_n) = a_1\overline{b}_1 + a_2\overline{b}_2 + \cdots + a_n\overline{b}_n$$

Soit A une matrice unitaire, et soient $R_1, R_2, \ldots, R_n$ ses lignes. Alors $\overline{R}_1^T, \overline{R}_2^T, \ldots, \overline{R}_n^T$ sont les colonnes de A^H. Posons $AA^H = (c_{ij})$. Par définition du produit de matrices, $c_{ij} = R_i\overline{R}_j^T = R_i \cdot R_j$. Puisque A est unitaire, on doit avoir $AA^H = I$; en effectuant le produit AA^H et en égalant ses éléments aux éléments correspondants de I, on obtient le système de n^2 équations :

$$R_1 \cdot R_1 = R_2 \cdot R_2 = \cdots = R_n \cdot R_n = 1\,, \quad \text{et} \quad R_i \cdot R_j = 0 \text{ si } i \neq j$$

Les lignes de A forment bien un ensemble de vecteurs unitaires, orthogonaux deux à deux, autrement dit un système orthonormal. La même démonstration effectuée à partir de $A^HA = I$ établit que les colonnes de A forment aussi un système orthonormal.

Chaque étape de la démonstration étant réversible, la réciproque est vraie, et le théorème est démontré.

MATRICES PAR BLOCS

2.34 Considérons les deux partitions en blocs de la matrice suivante :

$$\text{(a)}\ \left(\begin{array}{cc|cc|c} 1 & -2 & 0 & 1 & 3 \\ 2 & 3 & 5 & 7 & -2 \\ \hline 3 & 1 & 4 & 5 & 9 \end{array}\right); \qquad \text{(b)}\ \left(\begin{array}{ccc|cc} 1 & -2 & 0 & 1 & 3 \\ \hline 2 & 3 & 5 & 7 & -2 \\ \hline 3 & 1 & 4 & 5 & 9 \end{array}\right)$$

Donner la dimension de chacune des matrices par blocs obtenues, ainsi que la dimension de chaque bloc.

Solution :

(a) La matrice par blocs est constituée de deux lignes de matrices et de trois colonnes de matrices : c'est donc une matrice par blocs de dimension 2×3. Les dimensions des blocs sont respectivement de 2×2, 2×2 et 2×1 pour la première ligne, et 1×2, 1×2 et 1×1 pour la seconde ligne.

(b) La dimension de la matrice par blocs est de 3×2. Les dimensions des blocs sont 1×3 et 1×2 pour chacune des trois lignes.

2.35 Calculer le produit AB par la méthode du produit de blocs, avec :

$$A = \left(\begin{array}{cc|c} 1 & 2 & 1 \\ 3 & 4 & 0 \\ \hline 0 & 0 & 2 \end{array}\right) \qquad \text{et} \qquad B = \left(\begin{array}{ccc|c} 1 & 2 & 3 & 1 \\ 4 & 5 & 6 & 1 \\ \hline 0 & 0 & 0 & 1 \end{array}\right)$$

Solution : on écrit $A = \begin{pmatrix} E & F \\ 0_{1\times 2} & G \end{pmatrix}$ et $B = \begin{pmatrix} R & S \\ 0_{1\times 3} & T \end{pmatrix}$, où E, F, G, R, S et T sont les blocs donnés, et $0_{m\times n}$ les matrices nulles ayant les dimensions indiquées ; on vérifie que tous les blocs ont les tailles requises pour que les produits aient un sens. Alors :

$$AB = \begin{pmatrix} ER & ES + FT \\ 0_{1\times 3} & GT \end{pmatrix} = \begin{pmatrix} \begin{pmatrix} 9 & 12 & 15 \\ 19 & 26 & 33 \end{pmatrix} & \begin{pmatrix} 3 \\ 7 \end{pmatrix} + \begin{pmatrix} 1 \\ 0 \end{pmatrix} \\ \begin{pmatrix} 0 & 0 & 0 \end{pmatrix} & 2 \end{pmatrix} = \begin{pmatrix} 9 & 12 & 15 & 4 \\ 19 & 26 & 33 & 7 \\ 0 & 0 & 0 & 2 \end{pmatrix}$$

2.36 Soit $M = \operatorname{diag}(A, B, C)$, où $A = \begin{pmatrix} 1 & 2 \\ 3 & 4 \end{pmatrix}$, $B = (5)$, $C = \begin{pmatrix} 1 & 3 \\ 5 & 7 \end{pmatrix}$; calculer M^2.

Solution : puisque M est diagonale par blocs, on élève chaque bloc au carré :

$$A^2 = \begin{pmatrix} 7 & 10 \\ 15 & 22 \end{pmatrix}, \quad B^2 = (25) \quad C^2 = \begin{pmatrix} 16 & 24 \\ 40 & 64 \end{pmatrix} \Rightarrow M^2 = \left(\begin{array}{cc|c|cc} 7 & 10 & & & \\ 15 & 22 & & & \\ \hline & & 25 & & \\ \hline & & & 16 & 24 \\ & & & 40 & 64 \end{array}\right)$$

PROBLÈMES DIVERS

2.37 Soient $f(x)$ et $g(x)$ deux polynômes, et soit A une matrice carrée ; montrer :

(a) $(f+g)(A) = f(A) + g(A)$; (c) $f(A)g(A) = g(A)f(A)$.
(b) $(fg)(A) = f(A)g(A)$;

Solution :

(a) Posons $f(x) = \sum_{i=1}^{r} a_i x^i$ et $g(x) = \sum_{j=1}^{s} b_j x^j$; on peut toujours supposer $r = s = n$, en ajoutant des puissances de x de coefficient nul d'où, avec $f(x) + g(x) = \sum_{i=1}^{n} (a_i + b_i)x^i$:

$$(f+g)(A) = \sum_{i=1}^{n} (a_i + b_i)A^i = \sum_{i=1}^{n} a_i A^i + \sum_{i=1}^{n} b_i A^i = f(A) + g(A)$$

(b) On a $f(x)g(x) = \sum_{i,j} a_i b_j x^{i+j}$, soit :

$$f(A)g(A) = \left(\sum_i a_i A^i\right)\left(\sum_j b_j A^j\right) = \sum_{i,j} a_i b_j A^{i+j} = (fg)(A)$$

(c) $f(x)g(x) = g(x)f(x) \Rightarrow f(A)g(A) = (fg)(A) = (gf)(A) = g(A)f(A)$.

? EXERCICES SUPPLÉMENTAIRES

ALGÈBRE DE MATRICES

Les problèmes 2.38 à 2.41 utilisent les matrices suivantes :

$$A = \begin{pmatrix} 1 & 2 \\ 3 & -4 \end{pmatrix} ; \quad B = \begin{pmatrix} 5 & 0 \\ -6 & 7 \end{pmatrix} ; \quad C = \begin{pmatrix} 1 & -3 & 4 \\ 2 & 6 & -5 \end{pmatrix} ; \quad D = \begin{pmatrix} 3 & 7 & -1 \\ 4 & -8 & 9 \end{pmatrix}$$

On rappelle que $(AB)C = A(BC)$, et que $A^T B^T \neq (AB)^T$. Calculer :

2.38 (a) $5A - 2B$; (b) $2A + 3B$; (c) $2C - 3D$.

2.39 (a) AB et $(AB)C$; (b) BC et $A(BC)$.

2.40 (a) A^2 et A^3 ; (b) AD et BD ; (c) CD.

2.41 (a) A^T ; (b) B^T ; (c) $(AB)^T$; (d) $A^T B^T$.

Les problèmes 2.42 et 2.43 utilisent les matrices suivantes :

$$A=\begin{pmatrix}1 & -1 & 2\\ 0 & 3 & 4\end{pmatrix};\quad B=\begin{pmatrix}4 & 0 & -3\\ -1 & -2 & 3\end{pmatrix};\quad C=\begin{pmatrix}2 & -3 & 0 & 1\\ 5 & -1 & -4 & 2\\ -1 & 0 & 0 & 3\end{pmatrix};\quad D=\begin{pmatrix}2\\ -1\\ 3\end{pmatrix}$$

Calculer :

2.42 (a) $3A-4B$; (b) AC ; (c) BC ; (d) AD ; (e) BD ; (f) CD.

2.43 (a) A^T ; (b) A^TB ; (c) A^TC ;

2.44 Soit $A=\begin{pmatrix}1 & 2\\ 3 & 6\end{pmatrix}$. Trouver une matrice B d'éléments distincts non nuls, de dimension 2×3, telle que $AB=0$.

2.45 Soit $e_1=(1,0,0)$, $e_2=(0,1,0)$, $e_3=(0,0,1)$ et $A=\begin{pmatrix}a_1 & a_2 & a_3 & a_4\\ b_1 & b_2 & b_3 & b_4\\ c_1 & c_2 & c_3 & c_4\end{pmatrix}$. Déterminer e_1A, e_2A et e_3A.

2.46 Soit $e_i=(0,\dots,0,1,0,\dots,0)$ où le 1 est la i-ème composante. Montrer que :

(a) $e_iA=A_i$, la i-ème ligne de A ;
(b) $Be_j^T=B^j$, la j-ème colonne de B ;
(c) Si $\forall i$, $e_iA=e_iB$, alors $A=B$;
(d) Si $\forall j$, $Ae_j^T=Be_j^T$, alors $A=B$.

2.47 Démontrer les points (c) et (d) du théorème 2.2 :

(c) $(B+C)A=BA+CA$; (d) $k(AB)=(kA)B=A(kB)$.

2.48 Démontrer les trois premières affirmations du théorème 2.3 :

(a) $(A+B)^T=A^T+B^T$; (b) $(A^T)^T=A$; (c) $(kA)^T=kA^T$.

2.49 Montrer que :

(a) Si A a une ligne nulle, alors AB a une ligne nulle ;
(b) Si B a une colonne nulle, alors AB a une colonne nulle.

MATRICES CARRÉES, MATRICES INVERSES

2.50 Trouver la diagonale et la trace des matrices suivantes :

$$A=\begin{pmatrix}2 & -5 & 8\\ 3 & -6 & -7\\ 4 & 0 & -1\end{pmatrix};\quad B=\begin{pmatrix}1 & 3 & -4\\ 6 & 1 & 7\\ 2 & -5 & -1\end{pmatrix};\quad C=\begin{pmatrix}4 & 3 & -6\\ 2 & -5 & 0\end{pmatrix}$$

Les problèmes 2.51 à 2.53 font appel à $A=\begin{pmatrix}2 & -5\\ 3 & 1\end{pmatrix}$; $B=\begin{pmatrix}4 & -2\\ 1 & -6\end{pmatrix}$; $M=\begin{pmatrix}6 & -4\\ 3 & -2\end{pmatrix}$.

2.51 On donne $f(x)=x^3-2x^2-5$ et $g(x)=x^2-3x+17$, trouver :

(a) A^2 et A^3 ; (b) $f(A)$ et $g(A)$.

2.52 Si $f(x) = x^2 + 2x - 22$ et $g(x) = x^2 - 3x - 6$, trouver :
(a) B^2 et B^3 ; (b) $f(B)$ et $g(B)$.

2.53 Trouver un vecteur colonne u non nul tel que $Mu = 4u$.

2.54 Déterminer, s'ils existent, les inverses des matrices suivantes :

$$A = \begin{pmatrix} 7 & 4 \\ 5 & 3 \end{pmatrix} ; \quad B = \begin{pmatrix} 2 & 3 \\ 4 & 5 \end{pmatrix} ; \quad C = \begin{pmatrix} 4 & -6 \\ -2 & 3 \end{pmatrix} ; \quad A = \begin{pmatrix} 5 & -2 \\ 6 & -3 \end{pmatrix} ;$$

2.55 Trouver les inverses de $A = \begin{pmatrix} 1 & 1 & 2 \\ 1 & 2 & 5 \\ 1 & 3 & 7 \end{pmatrix}$ et $B = \begin{pmatrix} 1 & -1 & 1 \\ 0 & 1 & -1 \\ 1 & 3 & -2 \end{pmatrix}$.

2.56 Soit A une matrice inversible ; montrer que si $AB = AC$, alors $B = C$. Donner un exemple d'une matrice A non nulle telle que $AB = AC$, mais $B \neq C$.

2.57 Trouver deux matrices 2×2 A et B inversibles telles que $A + B \neq 0$ et que $A + B$ ne soit pas inversible.

2.58 Montrer que :
(a) A est inversible si et seulement si A^T est inversible ;
(b) les opérations de transposition et d'inversion sont commutatives : $(A^T)^{-1} = (A^{-1})^T$;
(c) si A a une colonne nulle, ou une ligne nulle, alors A n'est pas inversible.

MATRICES DIAGONALES ET TRIANGULAIRES

2.59 Soit $A = \text{diag}(1, 2, -3)$, $B = \text{diag}(2, -5, 0)$ et $f(x) = x^2 + 4x - 3$; calculer :
(a) AB, A^2 et B^2 ; (b) $f(A)$; (c) A^{-1} et B^{-1}.

2.60 Soit $A = \begin{pmatrix} 1 & 2 \\ 0 & 1 \end{pmatrix}$ et $B = \begin{pmatrix} 1 & 1 & 0 \\ 0 & 1 & 1 \\ 0 & 0 & 1 \end{pmatrix}$. Calculer A^n et B^n.

2.61 Trouver toutes les matrices réelles triangulaires A telles que $A^2 = B$, avec :
(a) $B = \begin{pmatrix} 4 & 21 \\ 0 & 25 \end{pmatrix}$; (b) $B = \begin{pmatrix} 1 & 4 \\ 0 & -9 \end{pmatrix}$.

2.62 Soit $A = \begin{pmatrix} 5 & 2 \\ 0 & k \end{pmatrix}$; Déterminer tous les nombres k pour lesquels A soit racine du polynôme :
(a) $f(x) = x^2 - 7x + 10$; (b) $g(x) = x^2 - 25$; (c) $h(x) = x^2 - 4$.

2.63 Soit $B = \begin{pmatrix} 1 & 0 \\ 26 & 27 \end{pmatrix}$; trouver une matrice A telle que $A^3 = B$.

2.64 Soit $B = \begin{pmatrix} 1 & 8 & 5 \\ 0 & 9 & 5 \\ 0 & 0 & 4 \end{pmatrix}$; trouver une matrice triangulaire A dont les éléments diagonaux sont positifs et telle que $A^2 = B$.

2.65 Avec pour éléments les chiffres 0 et 1 uniquement, trouver le nombre de matrices 3×3 qui soient :

(a) diagonales ;
(b) triangulaires supérieures ;
(c) non singulières et triangulaires supérieures ;

Généraliser aux matrices $n \times n$.

2.66 On pose $D_k = kI$, la matrice scalaire associée au nombre k ; montrer :

(a) $D_k A = kA$;
(b) $BD_k = kB$;
(c) $D_k + D_{k'} = D_{k+k'}$;
(d) $D_k D_{k'} = D_{kk'}$.

2.67 Supposons $AB = C$, où A et C sont triangulaires supérieures.
(a) Exhiber trois matrices 2×2 non nulles A, B et C, telles que B ne soit pas pas triangulaire supérieure ;
(b) Mais si de plus A est inversible, montrer qu'alors B *doit* être triangulaire supérieure.

MATRICES RÉELLES PARTICULIÈRES

2.68 Trouver x, y et z pour que la matrice A soit symétrique, avec :

(a) $A = \begin{pmatrix} 2 & x & 3 \\ 4 & 5 & y \\ z & 1 & 7 \end{pmatrix}$;
(b) $A = \begin{pmatrix} 7 & -6 & 2x \\ y & z & -2 \\ x & -2 & 5 \end{pmatrix}$.

2.69 Soit A une matrice carrée ; montrer que :
(a) $A + A^T$ est symétrique ;
(b) $A - A^T$ est antisymétrique ;
(c) $A = B + C$, où B est symétrique et C est antisymétrique.

2.70 Écrire la matrice $A = \begin{pmatrix} 4 & 5 \\ 1 & 3 \end{pmatrix}$ comme somme d'une matrice B symétrique et d'une matrice C antisymétrique.

2.71 Soient deux matrices A et B symétriques et $f(x)$ un polynôme ; montrer que les matrices suivantes sont également symétriques :

(a) $A + B$;
(b) $\forall k$, kA ;
(c) A^2 ;
(d) A^n, pour $n > 0$;
(e) $f(A)$, $\forall f(x)$.

2.72 Trouver une matrice P 2×2 orthogonale dont la première ligne soit multiple de :

(a) $(3, -4)$;
(b) $(1, 2)$.

2.73 Trouver une matrice P 3×3 orthogonale dont les deux premières lignes soient multiples de :

(a) $(1, 2, 3)$ et $(0, -3, 2)$;
(b) $(1, 3, 1)$ et $(1, 0, -1)$.

2.74 Soient A et B deux matrices orthogonales ; montrer que A^T, A^{-1} et AB sont aussi orthogonales.

2.75 Trouver les matrices normales parmi $A = \begin{pmatrix} 3 & -4 \\ 4 & 3 \end{pmatrix}$; $B = \begin{pmatrix} 1 & -2 \\ 2 & 3 \end{pmatrix}$; $C = \begin{pmatrix} 1 & 1 & 1 \\ 0 & 1 & 1 \\ 0 & 0 & 1 \end{pmatrix}$.

MATRICES COMPLEXES

2.76 Trouver les réels x, y et z pour que la matrice $A = \begin{pmatrix} 3 & x+2i & iy \\ 3-2i & 0 & 1+iz \\ iy & 1-ix & -1 \end{pmatrix}$ soit hermitienne.

2.77 Soit A une matrice complexe ; montrer que AA^H et A^HA sont hermitiennes.

2.78 Soit A une matrice carrée ; montrer que :
(a) $A + A^H$ est hermitienne ;
(b) $A - A^H$ est antihermitienne ;
(c) $A = B + C$, où B est hermitienne et C antihermitienne.

2.79 Trouver parmi ces matrices celles qui sont unitaires :

$$A = \begin{pmatrix} i/2 & -\sqrt{3}/2 \\ \sqrt{3}/2 & -i/2 \end{pmatrix} ; \quad B = \frac{1}{2}\begin{pmatrix} 1+i & 1-i \\ 1-i & 1+i \end{pmatrix} ; \quad C = \frac{1}{2}\begin{pmatrix} 1 & -i & -1+i \\ i & 1 & 1+i \\ 1+i & -1+i & 0 \end{pmatrix}$$

2.80 Soient deux matrices A et B unitaires ; montrer que A^H, A^{-1} et AB sont unitaires.

2.81 Trouver lesquelles de ces matrices sont normales : $A = \begin{pmatrix} 3+4i & 1 \\ i & 2+3i \end{pmatrix}$ et $B = \begin{pmatrix} 1 & 0 \\ 1-i & i \end{pmatrix}$.

MATRICES PAR BLOCS

2.82 Soit $U = \left(\begin{array}{cc|ccc} 1 & 2 & 0 & 0 & 0 \\ 3 & 4 & 0 & 0 & 0 \\ \hline 0 & 0 & 5 & 1 & 2 \\ 0 & 0 & 3 & 4 & 1 \end{array}\right)$ et $V = \left(\begin{array}{cc|cc} 3 & -2 & 0 & 0 \\ 2 & 4 & 0 & 0 \\ \hline 0 & 0 & 1 & 2 \\ 0 & 0 & 2 & -3 \\ 0 & 0 & -4 & 1 \end{array}\right)$.

(a) Calculer UV avec le produit par blocs ;
(b) U et V sont-elles diagonales par blocs ?
(c) UV est-il diagonal par blocs ?

2.83 Découper chacune de ces matrices pour les rendre carrées par blocs, avec le plus de blocs diagonaux possibles :

$$A = \begin{pmatrix} 1 & 0 & 0 \\ 0 & 0 & 2 \\ 0 & 0 & 3 \end{pmatrix} ; \quad B = \begin{pmatrix} 1 & 2 & 0 & 0 & 0 \\ 3 & 0 & 0 & 0 & 0 \\ 0 & 0 & 4 & 0 & 0 \\ 0 & 0 & 5 & 0 & 0 \\ 0 & 0 & 0 & 0 & 6 \end{pmatrix} ; \quad C = \begin{pmatrix} 0 & 1 & 0 \\ 0 & 0 & 0 \\ 2 & 0 & 0 \end{pmatrix}$$

2.84 Calculer M^2 et M^3 pour $M = \left(\begin{array}{c|cc|c} 2 & 0 & 0 & 0 \\ \hline 0 & 1 & 4 & 0 \\ 0 & 2 & 1 & 0 \\ \hline 0 & 0 & 0 & 3 \end{array}\right)$ et $M = \left(\begin{array}{cc|cc} 1 & 1 & 0 & 0 \\ 2 & 3 & 0 & 0 \\ \hline 0 & 0 & 1 & 2 \\ 0 & 0 & 4 & 5 \end{array}\right)$.

2.85 Pour chacune des matrices du problème 2.84, calculer $f(M)$ si $f(x) = x^2 + 4x - 5$.

2.86 Les matrices $U = (U_{ik})$ et $V = (V_{ik})$ sont des matrices par blocs telles que le produit UV soit défini, et que le nombre de colonnes de chaque bloc U_{ik} soit égal au nombre de lignes de chaque bloc V_{kj}. Montrer que $UV = (W_{ij})$, avec $W_{ij} = \sum_k U_{ik}V_{kj}$.

2.87 Soient M et N deux matrices diagonales par blocs où les blocs correspondants ont la même dimension, plus précisément $M = \text{diag}(A_i)$ et $N = \text{diag}(B_i)$. Montrer que :

(a) $M + N = \text{diag}(A_i + B_i)$;
(b) $kM = \text{diag}(kA_i)$;
(c) $MN = \text{diag}(A_iB_i)$;
(d) $f(M) = \text{diag}\big(f(A_i)\big)$, pour tout polynôme $f(x)$.

¿ SOLUTIONS

Notation : $A = (R_1;\ R_2;\ \ldots)$ désigne une matrice A dont les lignes sont $R_1, R_2, \ldots$

2.38 (a) $(-5, 10;\ \ 27, -34)$;
(b) $(17, 4;\ \ -12, 13)$;
(c) $(-7, -27, 11;\ \ -8, 36, -37)$.

2.39 (a) $(-7, 14;\ \ 39, -28)$, $(21, 105, -98;\ \ -17, -285, 296)$;
(b) $(5, -15, 20;\ \ 8, 60, -59)$, $(21, 105, -98;\ \ -17, -285, 296)$.

2.40 (a) $(-7, -6;\ \ -9, 22)$, $(-11, 38;\ \ 57, -106)$;
(b) $(11, -9, 17;\ \ -7, 53, -39)$, $(15, 35, -5;\ \ 10, -98, 69)$;
(c) n'existe pas.

2.41 (a) $(1, 3;\ \ 2, -4)$, $(5, -6;\ \ 0, 7)$, $(5, -15;\ \ 10, -40)$.

2.42 (a) $(-13, -3, 18;\ \ 4, 17, 0)$;
(b) $(-5, -2, 4, 5;\ \ 11, -3, -12, 18)$;
(c) $(11, -12, 0, -5;\ \ -15, 5, 8, 4)$;
(d) $(9;\ \ 9)$;
(e) $(-1;\ \ 9)$;
(f) non défini.

2.43 (a) $(1, 0;\ \ -1, 3;\ \ 2, 4)$;
(b) $(4, 0, -3;\ \ -7, -6, 12;\ \ 4, -8, 6)$;
(c) non défini.

2.44 $(2, 4, 6;\ \ -1, -2, -3)$.

2.45 (a_1, a_2, a_3, a_4), (b_1, b_2, b_3, b_4), (c_1, c_2, c_3, c_4).

2.50 (a) $2, -6, -1, \text{tr}(A) = -5$; (b) $1, 1, -1, \text{tr}(B) = 1$; (c) non défini.

2.51 (a) $(-11, -15;\ \ 9, -14)$, $(-67, 40;\ \ -24, -59)$;
(b) $f(A) = (-50, 70;\ \ -42, -36)$, $g(A) = 0$.

2.52 (a) $(14, 4;\ \ -2, 34)$, $(60, -52;\ \ 26, -200)$; (b) $f(B) = 0$, $g(B) = (-4, 10;\ \ -5, 46)$.

2.53 $u = (2a, a)^T$.

2.54 $(3,-4;\ -5,7)$, $\left(-\frac{5}{2},\frac{3}{2};\ 2,-1\right)$, non défini, $\left(1,-\frac{2}{3};\ 2,-\frac{5}{3}\right)$.

2.55 $(1,1,-1;\ 2,-5,3;\ -1,2,-1)$, $(1,1,0;\ -1,-3,1;\ -1,-4,1)$.

2.56 $A=(1,2;\ 1,2)$, $B=(0,0;\ 1,1)$, $C=(2,2;\ 0,0)$.

2.57 $A=(1,2;\ 0,3)$, $B=(4,3;\ 3,0)$.

2.58 (c) *Suggestion* : utiliser les résultats du problème 2.49.

2.59 (a) $AB=\text{diag}(2,-10,0)$, $A^2=\text{diag}(1,4,9)$, $B^2=\text{diag}(4,25,0)$;
(b) $f(A)=\text{diag}(2,9,18)$;
(c) $A^{-1}=\text{diag}\left(1,\frac{1}{2},-\frac{1}{3}\right)$, C^{-1} n'existe pas.

2.60 (a) $(1,2^n;\ 0,1)$; (b) $\left(1,n,\frac{1}{2}n(n-1);\ 0,1,n;\ 0,0,1\right)$.

2.61 (a) $(2,3;\ 0,5)$, $(-2,-3;\ 0,-5)$, $(2,-7;\ 0,-5)$, $(-2,7;\ 0,-5)$;
(b) aucun.

2.62 (a) $k=2$; (b) $k=-5$; (c) aucun.

2.63 $(1,0;\ 2,3)$.

2.64 $(1,2,1;\ 0,3,1;\ 0,0,2)$.

2.65 Tous les éléments au-dessous de la diagonale doivent être nuls pour que la matrice soit triangulaire supérieure, et tous les éléments diagonaux doivent être égaux à 1 pour qu'elle ne soit pas singulière :
(a) $8\ (2^n)$; (b) $2^6\ (2^{n(n+1)/2})$; (c) $2^3\ (2^{n(n-1)/2})$.

2.67 (a) $A=(1,1;\ 0,0)$, $B=(1,2;\ 3,4)$, $C=(4,6;\ 0,0)$.

2.68 (a) $x=4, y=1, z=3$; (b) $x=0, y=-6$, z réel arbitraire.

2.69 (c) *Suggestion* : poser $B=\frac{1}{2}(A+A^T)$ et $C=\frac{1}{2}(A-A^T)$.

2.70 $B=(4,3;\ 3,3)$, $C=(0,2;\ -2,0)$.

2.72 (a) $\left(\frac{3}{5},-\frac{4}{5};\ \frac{4}{5},\frac{3}{5}\right)$; (b) $\left(\frac{1}{\sqrt{5}},\frac{2}{\sqrt{5}};\ \frac{2}{\sqrt{5}},-\frac{1}{\sqrt{5}}\right)$.

2.73 (a) $\left(\frac{1}{\sqrt{14}},\frac{2}{\sqrt{14}},\frac{3}{\sqrt{14}};\ 0,-\frac{3}{\sqrt{13}},\frac{2}{\sqrt{13}};\ \frac{13}{\sqrt{182}},-\frac{2}{\sqrt{182}},-\frac{3}{\sqrt{182}}\right)$;
(b) $\left(\frac{1}{\sqrt{11}},\frac{3}{\sqrt{11}},\frac{1}{\sqrt{11}};\ \frac{1}{\sqrt{2}},0,-\frac{1}{\sqrt{2}};\ \frac{3}{\sqrt{22}},-\frac{2}{\sqrt{22}},\frac{3}{\sqrt{22}}\right)$.

2.75 A.

2.76 $x=3, y=0, z=3$.

2.78 (c) *Suggestion* : Poser $B=\frac{1}{2}(A+A^H)$ et $C=\frac{1}{2}(A-A^H)$.

2.79 A, B et C.

2.81 A.

2.82 (a) $UV = \text{diag}\big((7,6;\quad 17,10),(-1,9;\quad 7,5)\big)$;
(b) non ;
(c) oui.

2.83 A : séparer entre les 1re et 2e lignes, et entre les 1re et 2e colonnes ;
B : séparer entre les 2e et 3e lignes (colonnes) et entre les 4e et 5e lignes (colonnes) ;
C : C elle-même : aucune partition ne répond à la question.

2.84 (a) $M^2 = \text{diag}\big((4),(9,8;\quad 4,9),(9)\big)$
$M^3 = \text{diag}\big((8),(25,44;\quad 22,25),(27)\big)$
(b) $M^2 = \text{diag}\big((3,4;\quad 8,11),(9,12;\quad 24,33)\big)$
$M^3 = \text{diag}\big((11,15;\quad 30,41),(57,78;\quad 156,213)\big)$

2.85 (a) $\text{diag}\big((7),(8,24;\quad 12,8),(16)\big)$; (b) $\text{diag}\big((2,8;\quad 16,18),(8,20;\quad 40,48)\big)$.

Chapitre 3

Systèmes d'équations linéaires

3.1 INTRODUCTION

Les systèmes d'équations linéaires jouent un rôle important et moteur en algèbre linéaire. De fait, de nombreux problèmes d'algèbre linéaire se réduisent à la recherche des solutions d'un système d'équations linéaires. En conséquence, les techniques abordées dans ce chapitre serviront de support aux notions abstraites des chapitres ultérieurs. En retour, ces concepts théoriques jetteront une lumière nouvelle sur la structure et les propriétés d'un système d'équations linéaires.

Tout système d'équations linéaires fait intervenir des quantités scalaires, à titre de constantes ou de coefficients, scalaires provenant d'un certain corps $\mathbb{K}$. On pourra supposer, sans grande perte de généralité, que ces scalaires sont des nombres réels (éléments du corps $\mathbb{R}$).

3.2 DÉFINITIONS FONDAMENTALES — SOLUTIONS

Ce paragraphe est dévolu aux définitions de base en relation avec les solutions d'un système d'équations linéaires. Les algorithmes utilisés dans la pratique pour déterminer les solutions seront vus ensuite.

3.2.1 Équations linéaires et solutions

Une *équation linéaire* d'inconnues $x_1, x_2, \ldots, x_n$ est une équation pouvant être mise sous la forme :

$$a_1x_1 + a_2x_2 + \cdots + a_nx_n = b \tag{3.1}$$

où les quantités $a_1, a_2, \ldots, a_n$ et b sont des constantes. La constante a_k est appelée le *coefficient* de l'inconnue x_k, et b est le *terme constant*, ou *second membre*, de l'équation (3.1).

Une *solution* de l'équation linéaire (3.1) est une liste de valeurs des inconnues ou, de façon équivalente, un vecteur u de $\mathbb{K}^n$:

$$x_1 = k_1,\ x_2 = k_2,\ \ldots,\ x_n = k_n \quad \text{ou} \quad u = (k_1, k_2, \ldots, k_n)$$

de telle sorte que soit vérifiée l'identité obtenue en substituant k_i à x_i pour tout i dans l'équation (3.1) :

$$a_1k_1 + a_2k_2 + \cdots + a_nk_n = b$$

On dit alors que le vecteur u *satisfait à* l'équation (3.1).

Remarque : l'équation (3.1) suppose implicitement que les inconnues sont ordonnées. Afin d'éviter les indices, nous pourrons écrire : x, y pour deux inconnues ; x, y, z pour trois inconnues ; et x, y, z, t pour quatre inconnues, dans cet ordre.

Exemple 3.1

Soit l'équation linéaire à trois inconnues :

$$x + 2y - 3z = 6$$

On vérifie que $x = 5$, $y = 2$, $z = 1$ ou, de manière équivalente, que le vecteur $u = (5, 2, 1)$ est solution de l'équation ; autrement dit :

$$5 + 2 \times 2 - 3 \times 1 = 6 \quad \text{ou} \quad 5 + 4 - 3 = 6 \quad \text{ou} \quad 6 = 6$$

En revanche, $w = (1, 2, 3)$ n'est pas solution de l'équation, puisque :

$$1 + 2 \times 2 - 3 \times 3 = 6 \quad \text{ou} \quad 1 + 4 - 9 = 6 \quad \text{ou} \quad -4 = 6$$

est une contradiction.

3.2.2 Système d'équations linéaires

Un système d'équations linéaires est une famille d'équations linéaires avec les *mêmes* inconnues. Par exemple, un système de m équations $L_1, L_2, \ldots, L_m$ à n inconnues $x_1, x_2, \ldots, x_n$ peut se mettre sous la forme canonique :

$$\begin{aligned}
a_{11}x_1 + a_{12}x_2 + \cdots + a_{1n}x_n &= b_1 \\
a_{21}x_1 + a_{22}x_2 + \cdots + a_{2n}x_n &= b_2 \\
\cdots\cdots\cdots\cdots\cdots\cdots&\cdots\cdots \\
a_{n1}x_1 + a_{n2}x_2 + \cdots + a_{nn}x_n &= b_n
\end{aligned} \tag{3.2}$$

où les a_{ij} et les b_i sont des constantes. La quantité a_{ij} est le *coefficient* de l'inconnue x_j dans l'équation L_i, et b_i est le *terme constant* ou *second membre* de l'équation L_i.

Le système (3.2) est désigné par *système* $m \times n$. Il est dit *carré* si $m = n$, autrement dit s'il y a autant d'équations que d'inconnues.

Le système (3.2) est dit *homogène*, ou *sans second membre*, si tous les termes constants sont nuls, c'est-à-dire $\forall i$, $b_i = 0$, sinon il est dit *non homogène*, ou *avec second membre*.

Une *solution*, ou *solution particulière* du système (3.2) est une liste de valeurs des inconnues, ou de manière équivalente un vecteur $u \in \mathbb{K}^n$, qui est solution de chacune des équations du système. L'ensemble de toutes les solutions du système est appelée la *solution générale* du système.

Exemple 3.2

Soit le système d'équations linéaires :

$$\begin{aligned}
x_1 + x_2 + 4x_3 + 3x_4 &= 5 \\
2x_1 + 3x_2 + x_3 - 2x_4 &= 1 \\
x_1 + 2x_2 - 5x_3 + 4x_4 &= 3
\end{aligned}$$

C'est un système 3×4 puisqu'il possède 3 équations à 4 inconnues. Examinons si

(a) $u = (-8, 6, 1, 1)$; (b) $v = (-10, 5, 1, 2)$

sont solutions.

Solution :

(a) Substituons les composantes de u dans l'équation :

$$-8 + 6 + 4 \times 1 + 3 \times 1 = 5 \quad \text{ou} \quad -8 + 6 + 4 + 3 = 5 \quad \text{ou} \quad 5 = 5$$
$$2 \times (-8) + 3 \times 6 + 1 - 2 \times 1 = 1 \quad \text{ou} \quad -16 + 18 + 1 - 2 = 1 \quad \text{ou} \quad 1 = 1$$
$$-8 + 2 \times 6 - 5 \times 1 + 4 \times 1 = 3 \quad \text{ou} \quad -8 + 12 - 5 + 4 = 3 \quad \text{ou} \quad 3 = 3$$

Le vecteur u, solution de chacune des équations du système, est solution du système.

(b) Effectuons les mêmes opérations avec v :

$$-10 + 5 + 4 \times 1 + 3 \times 2 = 5 \quad \text{ou} \quad -10 + 5 + 4 + 6 = 5 \quad \text{ou} \quad 5 = 5$$
$$2 \times (-10) + 3 \times 5 + 1 - 2 \times 2 = 1 \quad \text{ou} \quad -20 + 15 + 1 - 4 = 1 \quad \text{ou} \quad -8 = 1$$

Le vecteur v n'est pas solution, puisqu'il ne vérifie pas la 2e équation ; il est inutile de poursuivre la vérification avec la 3e équation.

Le système (3.2) est dit *cohérent*, ou *soluble*, s'il possède une ou plusieurs solutions, et *non cohérent*, ou *impossible*, s'il n'en a aucune. Si le corps $\mathbb{K}$ est infini, comme le corps $\mathbb{R}$ des réels ou le corps $\mathbb{C}$ des complexes, on a le résultat suivant :

> **✻ Théorème 3.1 :** Si le corps $\mathbb{K}$ est infini, tout système $\mathcal{L}$ d'équations linéaires possède, soit :
>
> (a) une seule solution ; (b) aucune solution ; (c) une infinité de solutions.

Ceci est illustré sur la figure 3.1. Chacune des trois situations peut se décrire géométriquement si $\mathcal{L}$ est un système de deux équations à deux inconnues (voir § 3.4).

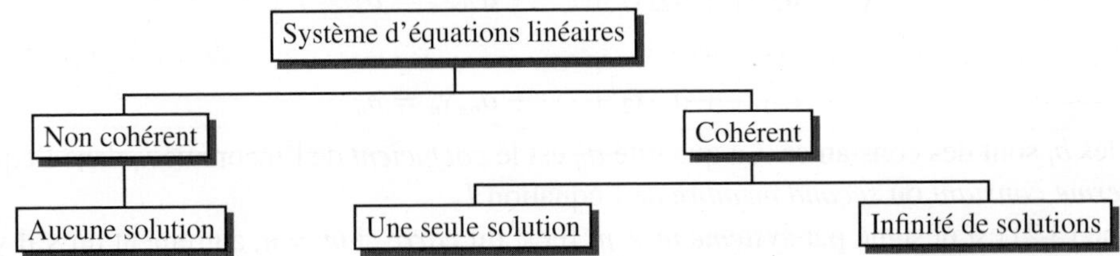

Figure 3.1 Systèmes d'équations linéaires réelles ou complexes.

3.2.3 Matrice des coefficients et matrice augmentée d'un système

On associe au système (3.2) les deux matrices suivantes :

$$M = \begin{pmatrix} a_{11} & a_{12} & \dots & a_{1n} & b_1 \\ a_{21} & a_{22} & \dots & a_{2n} & b_2 \\ & \dots & \dots & \dots & \\ a_{m1} & a_{m2} & \dots & a_{mn} & b_m \end{pmatrix} \quad \text{et} \quad A = \begin{pmatrix} a_{11} & a_{12} & \dots & a_{1n} \\ a_{21} & a_{22} & \dots & a_{2n} \\ & \dots & \dots & \\ a_{m1} & a_{m2} & \dots & a_{mn} \end{pmatrix}$$

La matrice M est appelée *matrice augmentée* du système, et la matrice A *matrice des coefficients*.

La matrice M n'est autre que la matrice A des coefficients, à laquelle on ajoute une colonne supplémentaire, formée par les termes constants des équations du système. Dans certains ouvrages, M est écrite sous la forme $M = (A, B)$, où B représente la colonne des seconds membres, pour bien mettre l'accent sur les deux ingrédients de la matrice M. Ainsi, les matrices associées à l'exemple 3.2 sont :

$$M = \begin{pmatrix} 1 & 1 & 4 & 3 & 5 \\ 2 & 3 & 1 & -2 & 1 \\ 1 & 2 & -5 & 4 & 3 \end{pmatrix} \quad \text{et} \quad A = \begin{pmatrix} 1 & 1 & 4 & 3 \\ 2 & 3 & 1 & -2 \\ 1 & 2 & -5 & 4 \end{pmatrix}$$

Manifestement, un système d'équations linéaires est entièrement déterminé par sa matrice M, et réciproquement. Plus précisément, chaque ligne de M correspond à une équation du système, et chaque colonne aux coefficients d'une inconnue, sauf la dernière colonne qui donne les termes constants.

3.2.4 Équations linéaires dégénérées

Une équation linéaire est dite *dégénérée* si tous ses coefficients sont nuls, autrement dit si elle est de la forme :

$$0x_1 + 0x_2 + \cdots + 0x_n = b \tag{3.3}$$

La solution d'une telle équation dépend de la valeur de la constante b :

(a) si $b \neq 0$, il n'y a pas de solution ;

(b) si $b = 0$, alors tout vecteur $u = (k_1, k_2, \ldots, k_n) \in \mathbb{K}^n$ est solution.

On a le résultat suivant :

✻ Théorème 3.2 : Soit un système $\mathcal{L}$ d'équations linéaires dont l'une des équations, soit L, de second membre b, est dégénérée :

(a) si $b \neq 0$, le système n'a pas de solution ;

(b) si $b = 0$, on peut supprimer l'équation L du système sans en changer la solution générale.

Démonstration :

(a) Si l'une des équations, ici l'équation dégénérée, n'a pas de solution, alors le système n'a pas de solution ;

(b) n'importe quel vecteur est solution de l'équation dégénérée, donc solution du système. ■

3.2.5 Première inconnue d'une équation linéaire non dégénérée

Si L est une équation linéaire non dégénérée, alors elle possède des coefficients non nuls. On désigne par *première inconnue* celle que l'on rencontre en premier avec un coefficient non nul. Par exemple, x_3 et y sont respectivement les premières inconnues des équations :

$$0x_1 + 0x_2 + 5x_3 + 6x_4 + 0x_5 + 8x_6 = 7 \quad \text{et} \quad 0x + 2y - 4z = 5$$

On omet fréquemment les termes à coefficient nul, de sorte que les équations ci-dessus s'écrivent :

$$5x_3 + 6x_4 + 8x_6 = 7 \quad \text{et} \quad 2y - 4z = 5$$

et la *première inconnue* apparaît en premier.

3.3 SYSTÈMES ÉQUIVALENTS ; OPÉRATIONS ÉLÉMENTAIRES

Reprenons le système (3.2) de m équations linéaires à n inconnues. Soit L l'équation linéaire obtenue en multipliant les m équations du système respectivement par des constantes $c_1, c_1, \ldots, c_m$, puis en ajoutant tous ces résultats ; L s'écrit :

$$(c_1a_{11} + \cdots + c_m a_{m1})x_1 + \cdots + (c_1 a_{1n} + \cdots + c_m a_{mn})x_n = c_1 b_1 + \cdots + c_m b_m$$

On dit que L est une *combinaison linéaire* des équations du système. On montre (problème 3.43) que toute solution du système (3.2) est également solution de L.

Exemple 3.3

Désignons par L_1, L_2 et L_3 les trois équations de l'exemple 3.2, et soit L la combinaison linéaire obtenue en multipliant L_1, L_2 et L_3, respectivement, par 3, -2 et 4 puis en ajoutant :

$$\begin{array}{rrcl}
3L_1: & 3x_1 + 3x_2 + 12x_3 + 9x_4 & = & 15 \\
-2L_2: & -4x_1 - 6x_2 - 2x_3 + 4x_4 & = & -2 \\
4L_3: & 4x_1 + 8x_2 - 20x_3 + 16x_4 & = & 12 \\
\hline
L: & 3x_1 + 5x_2 - 10x_3 + 29x_4 & = & 25
\end{array}$$

On vérifie que la solution $u = (-8, 6, 1, 1)$ du système est aussi solution de L :

$$3 \times (-8) + 5 \times 6 - 10 \times 1 + 29 \times 1 = 25 \quad \text{ou} \quad -24 + 30 - 10 + 29 = 25 \quad \text{ou} \quad 25 = 25$$

On a le théorème suivant :

> ∗ **Théorème 3.3 :** Deux systèmes d'équations linéaires ont les mêmes solutions si et seulement si chacune des équations de chacun des systèmes est combinaison linéaire des équations de l'autre.

Deux systèmes d'équations linéaires sont dits *équivalents* s'ils ont les mêmes solutions. Le paragraphe suivant énumère plusieurs moyens d'obtenir des systèmes équivalents d'équations linéaires.

3.3.1 Opérations élémentaires

Les opérations suivantes, appliquées à un système d'équations linéaires, sont appelées *opérations élémentaires* :

[E_a] Permuter deux équations ; une telle opération est notée :

« permutation de L_i et L_j » ou « $L_i \leftrightarrow L_j$ »

[E_b] Remplacer une équation par un multiple non nul d'elle-même, ce qui se note :

« remplacer L_i par kL_i » ou « $kL_i \to L_i$ »

[E_c] Remplacer une équation par la somme d'un multiple d'une autre équation et d'elle-même ; ceci s'écrit :

« remplacer L_j par $kL_i + L_j$ » ou « $kL_i + L_j \to L_j$ »

La flèche dans [E_b] et [E_c] signifie « remplace ».

Le principal intérêt des opérations élémentaires ci-dessus est précisé dans le théorème suivant, démontré au problème 3.45 :

∗ Théorème 3.4 : Soit un système $\mathcal{M}$ d'équations linéaires obtenu à partir d'un système $\mathcal{L}$ par une suite finie d'opérations élémentaires ; alors $\mathcal{L}$ et $\mathcal{M}$ ont les mêmes solutions.

Remarque : parfois, par exemple pour éviter d'avoir des fractions si les coefficients donnés sont tous entiers, on peut appliquer [E_b] et [E_c] en une seule étape :
[E] Remplacer l'équation L_j par la somme de kL_i et $k'L_j$ ($k' \neq 0$), ce qui s'écrit :

$$\text{« remplacer } L_j \text{ par } kL_i + k'L_j \text{ »} \quad \text{ou} \quad \text{« } kL_i + k'L_j \to L_j \text{ »}$$

Insistons sur le fait que dans [E_c] et [E], seule l'équation L_j est modifiée.

La *méthode de Gauss*, technique principale que nous utiliserons pour trouver les solutions d'un système d'équations linéaires, consiste essentiellement, en utilisant les *opérations élémentaires* ci-dessus, à transformer le système en un système équivalent dont les solutions sont plus faciles à trouver.

Les détails de la méthode font l'objet des paragraphes suivants.

3.4 PETITS SYSTÈMES CARRÉS D'ÉQUATIONS LINÉAIRES

Dans ce paragraphe, nous examinons les cas particuliers d'une équation à une inconnue, et d'un système de deux équations à deux inconnues. Nous traitons à part ces systèmes élémentaires, car on peut décrire géométriquement leurs solutions, et leurs propriétés éclairent le cas général.

3.4.1 Équation linéaire à une inconnue

∗ Théorème 3.5 : Soit l'équation linéaire à une inconnue $ax = b$:
(a) si $a \neq 0$, alors $x = b/a$ en est la seule solution ;
(b) si $a = 0$ et $b \neq 0$, il n'y a aucune solution ;
(c) si $a = b = 0$, tout scalaire k en est solution.

Ces résultats élémentaires seront démontrés au problème 3.4.

Exemple 3.4

Résoudre :

(a) $4x - 1 = x + 6$; (b) $2x - 5 - x = x + 3$ (c) $4 + x - 3 = 2x + 1 - x$.

Solution :

(a) On récrit l'équation sous la forme standard, soit $3x = 7$; alors $x = 7/3$ est l'unique solution (théorème 3.5, point (a)) ;

(b) l'équation s'écrit $0x = 8$: elle n'a aucune solution (théorème 3.5, point (b)) ;

(c) l'équation s'écrit $0x = 0$: tout réel k est solution (théorème 3.5, point (c)).

3.4.2 Système de deux équations linéaires à deux inconnues (système 2 x 2)

Soit un système non dégénéré de deux équations à deux inconnues x et y ; on peut le mettre sous la forme canonique :

$$A_1x + B_1y = C_1 \tag{3.4}$$
$$A_2x + B_2y = C_2 \tag{3.5}$$

Le système n'étant pas dégénéré, A_1 et B_1 ne sont pas nuls simultanément, et il en est de même pour A_2 et B_2.

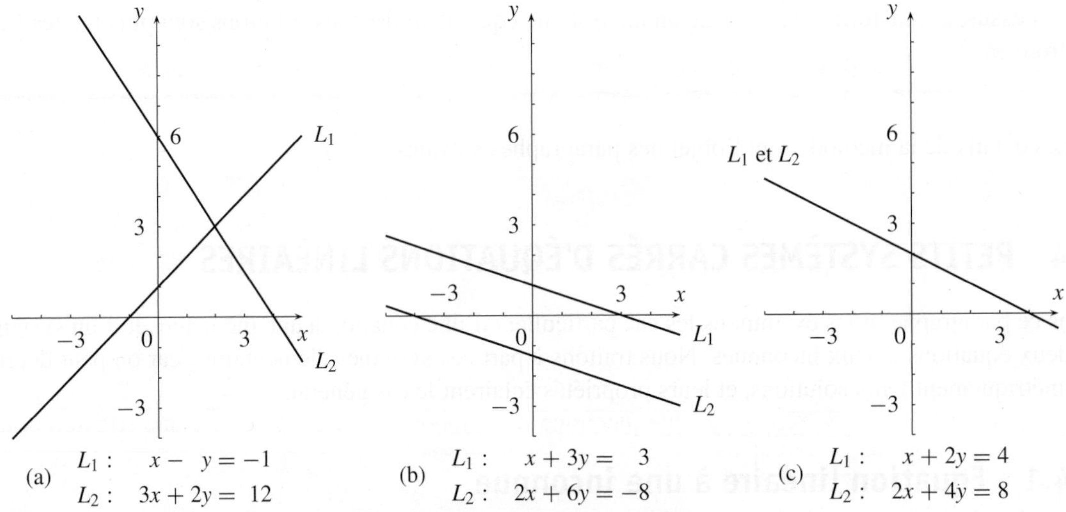

Figure 3.2 Systèmes d'équations linéaires 2×2.

La solution du système (3.5) appartient à l'un des trois types de la figure 3.1, page 74. Si $\mathbb{R}$ est le corps des scalaires, chacune des équations du système (3.5) peut être représentée par une droite du plan $\mathbb{R}^2$, et chacun des trois types de solutions peut être décrit géométriquement comme sur la figure 3.2 :

(a) *Le système a une solution et une seule*

Les deux droites ont alors un point d'intersection (figure 3.2(a)), ce qui se produit si elles n'ont pas la même pente, autrement dit si les coefficients de x et de y ne sont pas proportionnels :

$$\frac{A_1}{A_2} \neq \frac{B_1}{B_2} \quad \text{ou} \quad A_1B_2 - A_2B_1 \neq 0$$

Sur la figure 3.2(a), $1/3 \neq -1/2$.

(b) *Le système n'a pas de solution*

Les deux droites sont alors parallèles (figure 3.2(b), page ci-contre), ce qui se produit si elles ont la même pente mais des ordonnées à l'origine différentes, autrement dit si :

$$\frac{A_1}{A_2} = \frac{B_1}{B_2} \neq \frac{C_1}{C_2}$$

Sur la figure 3.2(b), page ci-contre, $1/2 = 3/6 \neq -3/8$.

(c) *Le système a une infinité de solutions*

Alors les deux droites sont confondues (figure 3.2(c), page ci-contre), ce qui se produit si elles ont même pente et même ordonnée à l'origine, autrement dit si les coefficients et les termes constants sont proportionnels entre eux :

$$\frac{A_1}{A_2} = \frac{B_1}{B_2} = \frac{C_1}{C_2}$$

Sur la figure 3.2(c), page ci-contre, $1/2 = 2/4 = 4/8$.

Remarque : l'expression

$$\begin{vmatrix} A_1 & B_1 \\ A_2 & B_2 \end{vmatrix} = A_1B_2 - A_2B_1$$

déjà rencontrée au chapitre 1, est un *déterminant d'ordre 2*. Les déterminants seront étudiés dans le cas général au chapitre 9. On dit alors que le système (3.5) a une solution et une seule si et seulement si le déterminant de ses coefficients est non nul. Nous verrons que ceci est vrai pour tout système carré d'équations linéaires.

3.4.3 Algorithme d'élimination

La solution du système (3.5) peut être obtenue par le procédé d'*élimination*, par lequel on le ramène à un système à une seule équation à une seule inconnue. En supposant que le système a une solution et une seule, cet algorithme se met en œuvre en deux temps :

*** Algorithme 3.1 :** L'entrée se compose de deux équations linéaires non dégénérées à deux inconnues, avec une et une seule solution.

Partie A *Élimination :* on multiplie chacune des équations par une constante telle que les coefficients de l'une des inconnues soient opposés, puis on ajoute les deux nouvelles équations : on obtient une équation L à une seule inconnue.

Partie B *Substitution :* on résout l'équation L, d'où la valeur de l'inconnue ; on substitue cette valeur dans l'une des équations originales, que l'on résout à son tour pour obtenir la valeur de l'autre inconnue.

La partie A de l'algorithme 3.1 s'applique même si le système n'est pas à solution unique, mais dans ce cas, l'équation L est dégénérée et la partie B ne peut s'appliquer.

Exemple 3.5

(Système à une seule solution). Résoudre :

$$L_1 : \quad 2x - 3y = -8$$
$$L_2 : \quad 3x + 4y = \ \ 5$$

On élimine l'inconnue x à l'aide de la nouvelle équation $L = -3L_1 + 2L_2$, obtenue en multipliant L_1 par -3, L_2 par 2 et en ajoutant :

$$\begin{array}{rl} -3L_1 : & -6x + \ 9y = 24 \\ 2L_2 : & \ \ 6x + \ 8y = 10 \\ \hline \text{Somme } L : & \qquad\quad 17y = 34 \end{array}$$

On résout L et on obtient $y = 2$; on remplace y par 2 dans l'une des équations de départ, par exemple L_1, que l'on résout :

$$2x - 3 \times 2 = -8 \quad \text{ou} \quad 2x - 6 = -8 \quad \text{ou} \quad 2x = -2 \quad \text{ou} \quad x = -1$$

En définitive, $x = -1$, $y = 2$, ou le vecteur $u = (-1, 2)$, est l'unique solution du système. On attend une solution unique, puisque $2/3 \neq -3/4$; géométriquement, les droites correspondant aux deux équations se coupent au point $(-1, 2)$.

Exemple 3.6

(Systèmes n'admettant pas une solution unique).

(a) Résoudre le système :

$$L_1 : \quad x - 3y = 4$$
$$L_2 : \quad -2x + 6y = 5$$

On élimine x en multipliant L_1 par 2 puis en l'ajoutant à L_2 ; on a ainsi formé la nouvelle équation $L = 2L_1 + L_2$. Cette équation est dégénérée :

$$0x + 0y = 13$$

et possède un second membre $b = 13$ non nul. Cette équation, et donc le système initial, n'a pas de solution. On devait s'attendre à cela, puisque $1/(-2) = -3/6 \neq 4/5$; géométriquement, les deux droites représentant les deux équations sont parallèles.

(b) Résoudre le système :

$$L_1 : \quad x - 3y = \ \ 4$$
$$L_2 : \quad -2x + 6y = -8$$

On élimine x de la même manière que ci-dessus, en formant l'équation $L = 2L_1 + L_2$. Cette équation est encore dégénérée :

$$0x + 0y = 0$$

mais cette fois le second membre est nul : le système a une infinité de solutions, solutions de l'une ou de l'autre des équations. Il fallait s'y attendre, puisque $1/(-2) = -3/6 = 4/(-8)$; géométriquement, les deux droites représentant les deux équations sont confondues.

Pour trouver la solution générale, posons $y = a$, et substituons dans L_1 :

$$x - 3a = 4 \quad \text{ou} \quad x = 3a + 4$$

La solution générale du système est :

$$x = 3a + 4, y = a \quad \text{ou} \quad u = (3a + 4, a)$$

où a, appelé *paramètre*, est un scalaire arbitraire.

3.5 SYSTÈMES SOUS FORME TRIANGULAIRE OU ÉCHELON

La principale méthode de résolution des systèmes d'équations linéaires, la méthode de Gauss, sera traitée au paragraphe 3.6. En attendant, nous examinons ici deux nouveaux cas particuliers, les systèmes *triangulaires*, et plus généralement les systèmes en forme d'échelle, ou *échelon*.

3.5.1 Forme triangulaire

Soit le système suivant, donné sous forme triangulaire :

$$\begin{aligned} 2x_1 - 3x_2 + 5x_3 - 2x_4 &= 9 \\ 5x_2 - x_3 + 3x_4 &= 1 \\ 7x_3 - x_4 &= 3 \\ 2x_4 &= 8 \end{aligned}$$

Dans ce système, x_1 est la première inconnue de la première équation, x_2 la première inconnue de la seconde équation, et ainsi de suite. Il en résulte en particulier que le système est nécessairement carré : seul un système à autant d'équations que d'inconnues peut avoir une telle forme.

Un tel système a toujours une solution et une seule, qui est aisément trouvée par substitutions successives :

(a) on résout la dernière équation, à une seule inconnue : on trouve $x_4 = 4$;

(b) on remplace x_4 par sa valeur 4 dans l'avant dernière équation, que l'on résout à son tour :

$$7x_3 - 4 = 3 \quad \text{ou} \quad 7x_3 = 7 \quad \text{ou} \quad x_3 = 1$$

(c) on remplace x_4 par 4 et x_3 par 3 dans la deuxième équation, et l'on déduit x_2 :

$$5x_2 - 1 + 12 = 1 \quad \text{ou} \quad 5x_2 = -10 \quad \text{ou} \quad x_2 = -2$$

(d) on remplace enfin x_4 par 4, x_3 par 3 et x_2 par -2 dans la première équation, pour trouver x_1 :

$$2x_1 + 6 + 5 - 8 = 9 \quad \text{ou} \quad 2x_1 = 6 \quad \text{ou} \quad x_1 = 3$$

En définitive, $x_1 = 3$, $x_2 = -2$, $x_3 = 1$ et $x_4 = 4$, ou de façon équivalente le vecteur $u = (3, -2, 1, 4)$, est la solution et la seule du système.

Remarque : il existe une autre manière de procéder, que nous mettrons en œuvre lorsque nous résoudrons le système sous forme matricielle : après avoir résolu la dernière équation, on remplace la dernière inconnue par sa valeur dans *toutes* les équations précédentes, ce qui donne un nouveau système triangulaire dont la dimension est inférieure d'une unité, c'est-à-dire une équation et une inconnue de moins. Dans le système précédent, en remplaçant x_4 par 4 dans les trois premières équations, on obtient le nouveau système :

$$\begin{aligned} 2x_1 - 3x_2 + 5x_3 &= 17 \\ 5x_2 - x_3 &= -11 \\ 7x_3 &= 7 \end{aligned}$$

que l'on résout par la même méthode, et ainsi de suite.

3.5.2 Forme échelon, variables pivots et variables libres

Le système suivant est dit *sous forme échelon* :

$$\begin{aligned} 2x_1 + 6x_2 - x_3 + 4x_4 - 2x_5 &= 7 \\ x_3 + 2x_4 + 2x_5 &= 5 \\ 3x_4 - 9x_5 &= 6 \end{aligned}$$

Il ne contient aucune équation dégénérée, et la première inconnue de chaque équation est d'indice supérieur à celle de l'équation qui la précède ; les premières inconnues, ici x_1, x_3 et x_4, sont appelées *variables pivots* et les autres, ici x_2 et x_5, sont appelées *variables libres*.

L'expression générale d'un système *échelon* est la suivante :

$$\begin{aligned} a_{11}x_1 + a_{12}x_2 + a_{13}x_3 + a_{14}x_4 + \cdots + a_{1n}x_n &= b_1 \\ a_{2j_2}x_{j_2} + a_{2j_2+1}x_{j_2+1} + \cdots + a_{2n}x_n &= b_2 \\ \cdots\cdots\cdots\cdots\cdots\cdots\cdots\cdots & \\ a_{rj_r}x_{j_r} + \cdots + a_{rn}x_n &= b_r \end{aligned} \tag{3.6}$$

avec $1 < j_2 < \cdots < j_r$ et les coefficients $a_{11}, a_{2j_2}, \ldots, a_{rj_r}$ non nuls. Les *variables pivots* sont les inconnues $x_1, x_{j_2}, \ldots, x_{j_r}$. On remarque que $r \leq n$.

L'ensemble des solutions d'un système échelon est régi par le théorème suivant (démontré au problème 3.10) :

✻ Théorème 3.6 : Soit un système d'équations linéaires sous forme échelon, à r équations et n inconnues ; on a deux situations :

(a) $r = n$; autrement dit, il y a autant d'équations que d'inconnues, et le système est par conséquent triangulaire. Alors le système a une solution et une seule.

(b) $r < n$; il y a plus d'inconnues que d'équations. Une solution s'obtient en donnant des valeurs arbitraires aux $n - r$ variables libres, et en résolvant le système résultant pour les r variables pivots.

Si un système a plus d'inconnues que d'équations, et si le corps $\mathbb{K}$ est infini, le système a une infinité de solutions, puisque l'on peut donner aux variables libres une infinité de valeurs différentes.

La solution générale d'un système contenant des variables libres, tel que celui du début de ce §, à $r = 3$ équations et $n = 5$ inconnues, peut être exprimée de deux manières équivalentes : l'une est appelée « forme paramétrique », et l'autre « forme en variables libres ».

3.5.3 Forme paramétrique

On appelle *paramètres* les valeurs arbitraires attribuées aux variables libres, ici $x_2 = a$ et $x_5 = b$; on remplace ces inconnues par leurs valeurs paramétriques dans le système, que l'on résout pour déterminer les valeurs des variables pivots :

(a) remplaçons x_5 par b dans la dernière équation, et déduisons-en x_4 :

$$3x_4 - 9b = 6 \Rightarrow x_4 = 2 + 3b$$

(b) remplaçons x_4 par $2 + 3b$ et x_5 par b dans la deuxième équation, et résolvons-la :

$$x_3 + 2(2 + 3b) + 2b = 5 \Rightarrow x_3 = 1 - 8b$$

(c) remplaçons enfin x_2 par a, x_3 par $1-8b$, x_4 par $2+3b$ et x_5 par b dans la première équation :

$$2x_1 + 6a - (1-8b) + 4(2+3b) - 2b = 7 \Rightarrow x_1 = -3a - 9b$$

La solution sous forme paramétrique est donc :

$$x_1 = -3a - 9b, \quad x_2 = a, \quad x_3 = 1 - 8b, \quad x_4 = 2 + 3b, \quad x_5 = b$$

ou de façon équivalente, sous la forme du vecteur v :

$$v = (-3a - 9b, a, 1 - 8b, 2 + 3b, b)$$

où a et b sont deux *paramètres* arbitraires.

3.5.4 Forme en variables libres

À l'aide de substitutions, on détermine directement les variables pivots x_1, x_3 et x_4 en fonction des variables libres ; la dernière équation donne $x_4 = 2 + 3x_5$, que l'on substitue dans la deuxième équation pour obtenir $x_3 = 1 - 8x_5$, et enfin dans la première, on obtient $x_1 = -3x_2 - 9x_5$:

$$x_1 = -3x_2 - 9x_5, \quad x_2 \text{ libre}, \quad x_3 = 1 - 8x_5, \quad x_4 = 2 + 3x_5, \quad x_5 \text{ libre}$$

ou sous forme d'un vecteur v :

$$v = (-3x_2 - 9x_5, x_2, 1 - 8x_5, 2 + 3x_5, x_5)$$

Insistons sur le fait qu'il n'y a aucune différence entre ces deux expressions de la solution générale, et qu'utiliser l'une ou l'autre est purement affaire de goût.

Remarque : une *solution particulière* du système s'obtient en donnant aux variables libres, ou aux paramètres, des valeurs quelconques, et en résolvant par substitution : par exemple, si l'on pose $x_2 = 1$ et $x_5 = 1$, on obtient :

$$x_4 = 2 + 3 = 5, \quad x_3 = 1 - 8 = -7, \quad x_1 = -3 - 9 = -12$$

De façon équivalente, le vecteur $u = (-12, 1, -7, 5, 1)$ est la solution particulière correspondant à $x_2 = 1$ et $x_5 = 1$.

3.6 MÉTHODE D'ÉLIMINATION DE GAUSS

La méthode principale permettant de résoudre le système 3.2 sous sa forme générale est la méthode d'élimination de Gauss. Elle s'exécute en deux temps :

Partie A Étape après étape, on remplace le système :

- soit par un système équivalent contenant une équation dégénérée sans solution, et le système dans son ensemble n'a alors aucune solution ;
- soit par un système plus simple sous forme triangulaire ou échelon.

Partie B On procède alors par substitutions successives pour résoudre le système simplifié.

La deuxième partie a été étudiée au § 3.4. Nous nous focalisons donc ici sur l'algorithme nécessaire à la première partie, qui est le suivant :

∗ Algorithme 3.2 :

Entrée : le système d'équations linéaires (3.2) à m équations et à n inconnues.

Phase d'élimination : déterminer la première inconnue à coefficient non nul (qui devra être x_1).

(a) Réordonner éventuellement les équations pour que la première inconnue x_1 apparaisse à la première équation avec un coefficient non nul.

(b) Utiliser a_{11} comme *pivot* pour éliminer x_1 de toutes les équations sauf la première ; plus précisément, $\forall i > 1$:

1. poser $m = -a_{i1}/a_{11}$;
2. remplacer L_i par $mL_1 + L_i$.

Le système se présente alors ainsi :

$$\begin{aligned} a_{11}x_1 + a_{12}x_2 + a_{13}x_3 + \cdots + a_{1n}x_n &= b_1 \\ a_{2j_2}x_{j_2} + \cdots + a_{2n}x_n &= b_2 \\ \cdots\cdots\cdots\cdots\cdots\cdots\cdots\cdots & \\ a_{mj_2}x_{j_2} + \cdots + a_{mn}x_n &= b_n \end{aligned}$$

où x_1 n'apparaît plus que dans la première équation ($a_{11} \neq 0$), et x_{j_2} est la première inconnue, de coefficient non nul, de toute équation autre que la première.

(c) Inspecter chacune des nouvelles équations :

1. S'il y en a (au moins) une de la forme $0x_1 + 0x_2 + \cdots + 0x_n = b$, avec $b \neq 0$, alors :

   STOP

   Le système est *impossible* et n'a aucune solution.
2. Toute équation de la forme $0x_1 + 0x_2 + \cdots + 0x_n = 0$, ainsi que toute équation multiple d'une autre équation, peut être enlevée du système.

Phase récursive : on répète la phase précédente pour le nouveau sous-système plus petit formé de toutes les équations sauf la première.

Sortie : à la fin, si l'on n'a pas obtenu en cours de route une équation dégénérée sans solution, indiquant un système sans solution, le système se retrouve sous forme triangulaire ou échelon.

Remarques : sur la phase d'élimination de l'algorithme précédent :

(a) Le nombre m de l'étape (b) est appelé *multiplicateur* :

$$m = -\frac{a_{i1}}{a_{11}} = \frac{\text{coefficient à supprimer}}{\text{pivot}}$$

(b) On peut aussi procéder ainsi à l'étape (b) :

Remplacer L_i par $-a_{i1}L_1 + a_{11}L_i$

ceci pour éviter les coefficients fractionnaires si les coefficients initiaux étaient entiers.

3.6.1 Exemple d'application de la méthode de Gauss

Nous allons illustrer très en détails les diverses étapes sur le système suivant :

$$\begin{aligned} L_1 :& \quad x - 3y - 2z = 6 \\ L_2 :& \quad 2x - 4y - 3z = 8 \\ L_3 :& \quad -3x + 6y + 8z = -5 \end{aligned}$$

Partie A Le coefficient 1 de x dans l'équation L_1 est pris pour pivot, afin d'éliminer x des équations L_2 et L_3 :

(a) on multiplie L_1 par le multiplicateur $m = -2$ et on l'ajoute à L_2 ; autrement dit, on remplace L_2 par $-2L_1 + L_2$.

(b) on multiplie L_1 par le multiplicateur $m = 3$ et on l'ajoute à L_3 ; autrement dit, on remplace L_3 par $3L_1 + L_3$. En résumé :

$$\begin{array}{rr} -2L_1 : & -2x + 6y + 4z = -12 \\ L_2 : & 2x - 4y - 3z = 8 \\ \hline \text{nouvel } L_2 : & 2y + z = -4 \end{array} \qquad \begin{array}{rr} 3L_1 : & 3x - 9y - 6z = 18 \\ L_3 : & -3x + 6y + 8z = -5 \\ \hline \text{nouvel } L_3 : & -3y + 2z = 13 \end{array}$$

Le système d'origine est ainsi remplacé par celui-ci :

$$\begin{aligned} L_1 :& \quad x - 3y - 2z = 6 \\ L_2 :& \quad 2y + z = -4 \\ L_3 :& \quad -3y + 2z = 13 \end{aligned}$$

dans lequel les équations L_2 et L_3 forment un sous-système comprenant une équation et une inconnue de moins que l'original.

Utilisons à présent le coefficient 2 de y dans la nouvelle L_2 comme pivot pour éliminer y de la nouvelle L_3.

(c) On multiplie L_2 par le multiplicateur $m = \dfrac{3}{2}$ et on l'ajoute à L_3 ; on remplace donc L_3 par $\dfrac{3}{2}L_2 + L_3$. L'autre manière d'opérer, pour éviter les fractions, consiste à remplacer L_3 par $3L_2 + 2L_3$:

$$\begin{array}{rr} \frac{3}{2}L_2 : & 3y + \frac{3}{2}z = -6 \\ L_3 : & -3y + 2z = 13 \\ \hline \text{nouvel } L_3 : & \frac{7}{2}z = 7 \end{array} \quad \text{ou} \quad \begin{array}{rr} 3L_2 : & 6y + 3z = -12 \\ 2L_3 : & -6y + 4z = 26 \\ \hline \text{nouvel } L_3 : & 7z = 14 \end{array}$$

En définitive, le système est devenu :

$$\begin{aligned} L_1 :& \quad x - 3y - 2z = 6 \\ L_2 :& \quad 2y + z = -4 \\ L_3 :& \quad 7z = 14 \quad (\text{ou } \tfrac{7}{2}z = 7) \end{aligned}$$

Ce système est sous forme triangulaire, ce qui achève la première partie.

Partie B Les inconnues sont déterminées par substitution, à partir de la dernière :

(a) on résout L_3, pour trouver $z = 2$;

(b) on remplace z par 2 dans L_2, qu'on résout en y, d'où $y = -3$;

(c) on remplace y par -3 et z par 2 dans L_1, qu'on résout en x, d'où $x = 1$.

La solution du système triangulaire, et donc du système initial, est donc :

$$x = 1, \quad y = -3, \quad z = 2 \quad \text{ou} \quad u = (1, -3, 2)$$

3.6.2 Écriture condensée

La méthode de Gauss consiste, comme nous venons de le voir, à récrire plusieurs fois, en le modifiant, le système d'équations. Il peut être plus commode, et plus lisible, de condenser l'écriture de la manière suivante :

Numéro	Équation	Opération
(1)	$x - 3y - 2z = 6$	
(2)	$2x - 4y - 3z = 8$	
(3)	$-3x + 6y + 8z = -5$	
(2′)	$2y + z = -4$	Remplacer L_2 par $-2L_1 + L_2$
(3′)	$-3y + 2z = 13$	Remplacer L_3 par $3L_1 + L_3$
(3″)	$7z = 14$	Remplacer L_3 par $3L_2 + 2L_3$

On écrit chaque équation avec son numéro ; on applique l'algorithme aux équations qui le nécessitent, en ajoutant un « prime » à leur numéro, et en indiquant, s'il y a lieu, l'opération effectuée ; on répète autant de fois que nécessaire.

On extrait de la liste le système triangulaire final, composé des numéros initiaux, mais affectés du plus grand nombre de « primes ». On résout alors successivement les équations dans l'ordre inverse, comme décrit plus haut.

Remarque : s'il est nécessaire d'échanger deux équations, par exemple pour avoir un coefficient non nul pour pivot, mieux vaut alors échanger les numéros que les positions des équations.

Exemple 3.7

Résoudre le système :

$$\begin{aligned} x + 2y - 3z &= 1 \\ 2x + 5y - 8z &= 4 \\ 3x + 8y - 13z &= 7 \end{aligned}$$

Solution : appliquons notre algorithme :

Partie A Le coefficient 1 de x dans L_1 est utilisé comme pivot pour éliminer x de L_2 et L_3 :

(a) multiplier L_1 par le multiplicateur $m = -2$ et l'ajouter à L_2 : « remplacer L_2 par $-2L_1 + L_2$ » ;

(b) multiplier L_1 par le multiplicateur $m = -3$ et l'ajouter à L_3 : « remplacer L_3 par $-3L_1 + L_3$ ».

Le nouveau système s'écrit :

$$\begin{aligned} x + 2y - 3z &= 1 \\ y - 2z &= 2 \\ 2y - 4z &= 4 \end{aligned} \quad \text{ou} \quad \begin{aligned} x + 2y - 3z &= 1 \\ y - 2z &= 2 \end{aligned}$$

On a supprimé la 3e équation, multiple de la seconde ; le système est à présent sous forme échelon, avec z comme variable libre.

Partie B La présence d'une variable libre suggère l'utilisation d'un paramètre a, soit $z = a$, que l'on remplace dans L_2, dont la solution est alors $y = 2(1+a)$. Substituant ces valeurs dans L_1, on trouve :

$$x + 4(1 + a) - 3a = 1 \quad \text{ou} \quad x = -3 - a$$

la solution générale est donc, avec a pour paramètre arbitraire :

$$x = -3 - a, \quad y = 2(1 + a), \quad z = a \qquad \text{ou} \qquad u = (-3 - a,\ 2 + 2a,\ a)$$

Exemple 3.8

Résoudre le système :

$$\begin{aligned} x_1 + 3x_2 - \ \ 2x_3 + \ \ 5x_4 &= 4 \\ 2x_1 + 8x_2 - \ \ \ \ x_3 + \ \ 9x_4 &= 9 \\ 3x_1 + 5x_2 - 12x_3 + 17x_4 &= 7 \end{aligned}$$

Solution : on utilise la même méthode :

Partie A Le coefficient 1 de x_1 dans L_1 est le pivot servant à éliminer x_1 dans L_2 et L_3 ; on applique alors les deux opérations « remplacer L_2 par $-2L_1+L_2$ » et « remplacer L_3 par $-3L_1+L_3$ », soit :

$$\begin{aligned} x_1 + 3x_2 - 2x_3 + 5x_4 &= \ \ 4 \\ 2x_2 + 3x_3 - \ \ x_4 &= \ \ 1 \\ -4x_2 - 6x_3 + 2x_4 &= -5 \end{aligned}$$

On utilise le coefficient 2 de x_2 dans L_2 comme pivot pour éliminer x_2 de L_3 ; on remplace alors L_3 par $2L_2 + L_3$, et l'on obtient :

$$0x_1 + 0x_2 + 0x_3 + 0x_4 + 0x_5 = -3$$

Cette équation, et par suite le système original, n'a pas de solution :

STOP

Remarques : (a) On voit que la première partie de l'algorithme, le processus d'élimination, nous renseigne sur l'existence ou non de solutions. On ne doit donc pas procéder à la seconde partie pour un système sans solution.

(b) Pour un système d'équations à plus de quatre équations et quatre inconnues, la mise en œuvre est lourde et il est plus adapté d'utiliser la représentation matricielle du système pour le résoudre. Nous verrons cette méthode un peu plus loin.

3.7 MATRICES ÉCHELON, FORME CANONIQUE ET ÉQUIVALENCE EN LIGNES

Une technique pour résoudre un système d'équations linéaires est d'opérer sur la matrice augmentée M plutôt que sur le système lui-même. Dans ce paragraphe, nous introduisons les notions matricielles nécessaires, mais ces concepts ont aussi leur intérêt propre.

3.7.1 Matrices échelon

◆ **Définition 3.1 :** Une matrice est dite *sous forme échelon*, ou être une *matrice échelon*, si les deux conditions suivantes sont satisfaites :

(a) Toutes les lignes nulles, s'il y en a, sont au bas de la matrice ;

(b) Le premier élément non nul de chaque ligne est à droite du premier élément non nul de la ligne précédente.

En d'autres termes, une matrice $A = (a_{ij})$ est sous forme échelon si elle possède des éléments non nuls :

$$a_{1j_1}, a_{2j_2}, \ldots, a_{rj_r}, \qquad j_1 < j_2 < \cdots < j_r$$

mais aussi des éléments nuls :

$$a_{ij} = 0 \quad \text{pour} \quad \begin{cases} \text{(i)} & i \leq r,\ j < j_i \\ \text{(ii)} & i > r \end{cases}$$

Les éléments $a_{1j_1}, a_{2j_2}, \ldots, a_{rj_r}$, qui sont les premiers éléments non nuls de leurs lignes respectives, sont appelés *pivots* de la matrice échelon.

Exemple 3.9

Voici une matrice sous forme échelon, dont nous avons entouré les pivots :

$$\begin{pmatrix} 0 & \textcircled{2} & 3 & 4 & 5 & 9 & 0 & 7 \\ 0 & 0 & 0 & \textcircled{3} & 4 & 1 & 2 & 5 \\ 0 & 0 & 0 & 0 & 0 & \textcircled{5} & 7 & 2 \\ 0 & 0 & 0 & 0 & 0 & 0 & \textcircled{8} & 6 \\ 0 & 0 & 0 & 0 & 0 & 0 & 0 & 0 \end{pmatrix}$$

On voit que les pivots appartiennent aux colonnes C_2, C_4, C_6 et C_7, et que chacun d'eux est à la droite de celui du dessus. Avec les notations précédentes, les pivots s'écrivent :

$$a_{1j_1} = 2, \quad a_{2j_2} = 3, \quad a_{3j_3} = 5, \quad a_{4j_4} = 8$$

où $j_1 = 2, j_2 = 4, j_3 = 6$ et $j_4 = 7$; ici $r = 4$.

3.7.2 Forme canonique en lignes

◆ **Définition 3.2 :** Une matrice est dite *sous forme canonique en lignes* si elle est sous forme échelon, c'est-à-dire vérifie les deux propriétés de la définition 3.1, et de plus obéit aux deux conditions suivantes :

(c) chaque pivot est égal à 1 ;

(d) chaque pivot est le seul élément non nul de la colonne où il se trouve.

La différence essentielle entre une matrice échelon et une matrice sous forme canonique en lignes est que dans une matrice échelon, on doit avoir des zéros au-dessous de chaque pivot (propriétés (a) et (b)), et dans une matrice sous forme canonique en lignes, chaque pivot doit valoir 1 (propriété (c)), et de plus n'avoir que des zéros au-dessus de lui (propriété (d)).

La matrice nulle, et la matrice identité, quelles que soient leurs dimensions, sont des cas particuliers importants de matrices sous forme canonique en ligne.

Exemple 3.10

Voici trois matrices échelon dont les pivots sont entourés :

$$\begin{pmatrix} \textcircled{2} & 3 & 2 & 0 & 4 & 5 & -6 \\ 0 & 0 & \textcircled{1} & 1 & -3 & 2 & 0 \\ 0 & 0 & 0 & 0 & 0 & \textcircled{6} & 2 \\ 0 & 0 & 0 & 0 & 0 & 0 & 0 \end{pmatrix}, \quad \begin{pmatrix} \textcircled{1} & 2 & 3 \\ 0 & 0 & \textcircled{1} \\ 0 & 0 & 0 \end{pmatrix},$$

$$\begin{pmatrix} 0 & \textcircled{1} & 3 & 0 & 0 & 4 \\ 0 & 0 & 0 & \textcircled{1} & 0 & -3 \\ 0 & 0 & 0 & 0 & \textcircled{1} & 2 \end{pmatrix}$$

La 3e matrice est un exemple de matrice sous forme canonique en lignes. La 2e ne l'est pas, car elle ne satisfait pas à la propriété (d), un élément non nul étant présent au-dessus du second pivot dans la 3e colonne. La 1re matrice ne l'est pas non plus, ne satisfaisant à aucune des deux propriétés de la définition 3.2 : pivots différents de 1, éléments non nuls au-dessus des pivots.

3.7.3 Opérations élémentaires sur les lignes

Soit A une matrice constituée des lignes $R_1, R_2, \ldots, R_m$. Les opérations suivantes sont appelées *opérations élémentaires sur les lignes* :

[E_a] *Échange de lignes* : on permute les lignes R_i et R_j ; cela s'écrit :

$$\text{« échanger } R_i \text{ et } R_j \text{ »} \quad \text{ou} \quad \text{« } R_i \leftrightarrow R_j \text{ »}$$

[E_b] *Renormalisation* : remplacer une ligne par un multiple (non nul) d'elle-même ; on peut l'écrire :

$$\text{« remplacer } R_i \text{ par } kR_i,\ k \neq 0 \text{ »} \quad \text{ou} \quad \text{« } kR_i \to R_i \text{ »}$$

[E_c] *Addition* : remplacer la ligne R_j par la somme d'un multiple d'une autre ligne et d'elle-même ; on le note :

$$\text{« remplacer } R_j \text{ par } k'R_i + R_j \text{ »} \quad \text{ou} \quad \text{« } kR_i + R_j \to R_j \text{ »}$$

La flèche $\to$ dans [E_b] et [E_c] signifie « remplace ».

Remarque : parfois, par exemple pour éviter d'avoir des fractions si les coefficients donnés sont tous entiers, on peut appliquer [E_b] et [E_c] en une seule étape :

[E] Remplacer la ligne R_j par la somme de kR_i et $k'R_j$ ($k' \neq 0$), ce qui s'écrit :

$$\text{« remplacer } R_j \text{ par } kR_i + k'R_j \text{ »} \quad \text{ou} \quad \text{« } R_j \to kR_i + k'R_j \text{ »}$$

Insistons sur le fait que dans [E_c] et [E], seule la ligne R_j est modifiée.

3.7.4 Équivalence en lignes, rang d'une matrice

◆ **Définition 3.3 :** Une matrice A est dite *équivalente en lignes* à une matrice B, ce qu'on écrit :

$$A \sim B$$

si B peut être obtenue à partir de A par une suite finie d'opérations élémentaires. Si B est sous forme échelon, elle est appelée *forme échelon* de A.

Voici deux propriétés fondamentales de l'équivalence en lignes :

✻ **Théorème 3.7 :** Soient $A = (a_{ij})$ et $B = (b_{ij})$ deux matrices équivalentes en lignes avec pour pivots respectifs :

$$a_{1j_1}, a_{2j_2}, \dots, a_{rj_r} \quad \text{et} \quad b_{1k_1}, b_{2k_2}, \dots, b_{srk_s}$$

Alors A et B ont le même nombre de lignes non nulles, soit $r = s$, et les pivots sont aux mêmes positions, soit $j_1 = k_1, j_2 = k_2, \dots, j_r = k_r$.

✻ **Théorème 3.8 :** Toute matrice A est équivalente à une matrice et une seule sous forme canonique en ligne.

Les démonstrations de ces théorèmes sont reportées au chapitre suivant. La matrice unique mentionnée au théorème 3.7 est désignée par *forme canonique en lignes* de A.

Grâce à ces deux théorèmes, nous pouvons donner une première définition de la notion de *rang* d'une matrice :

◆ **Définition 3.4 :** Le *rang* d'une matrice, noté rang(A), est égal au nombre de pivots d'une forme échelon de A.

Le *rang* d'une matrice est une propriété fondamentale et, selon le contexte où la matrice est utilisée, peut être définie de nombreuses manières différentes. Bien entendu, toutes ces définitions aboutissent à la même valeur.

Le paragraphe suivant traite de la forme matricielle de la méthode de Gauss, qui consiste à mettre sous forme échelon une matrice A quelconque, de déterminer son rang et sa forme canonique en lignes.

On peut montrer que l'équivalence en lignes des matrices est une *relation d'équivalence* ; en effet :

(a) $\forall A, A \sim A$;

(b) $A \sim B \Rightarrow B \sim A$;

(c) $A \sim B$ et $B \sim C \Rightarrow A \sim C$.

La propriété (b) est due au fait qu'à chaque opération élémentaire sur les lignes, on peut associer une opération inverse ; plus précisément :

(a) « échanger R_i et R_j » est son propre inverse ;

(b) « remplacer R_i par kR_i » et « remplacer R_i par $\frac{1}{k} R_i$ » sont inverses l'une de l'autre ;

(c) « remplacer R_j par $kR_i + R_j$ » et « remplacer R_j par $-kR_i + R_j$ » sont inverses l'une de l'autre.
Il y a un résultat semblable pour l'opération [E] (problème 3.73).

3.8 FORMULATION MATRICIELLE DE LA MÉTHODE DE GAUSS

Nous allons étudier deux algorithmes :

(a) l'algorithme 3.3 met une matrice quelconque sous forme échelon ;

(b) l'algorithme 3.4 met une matrice échelon quelconque sous forme canonique en lignes.

Ces algorithmes, qui font usage des opérations élémentaires, ne sont que des reformulations de la technique d'élimination, mais appliquées aux matrices plutôt qu'aux systèmes d'équations.

*** Algorithme 3.3 :** On introduit en entrée une matrice arbitraire A ; l'algorithme remplace les éléments sous les pivots par des zéros, en procédant du haut vers le bas. En sortie, on obtient une matrice sous forme échelon équivalente à A.

Étape A Trouver la première colonne contenant un élément non nul ; soit j_1 son numéro.

(a) faire en sorte que $a_{1j_1} \neq 0$; il faut éventuellement effectuer des permutations de lignes pour qu'un élément non nul apparaisse à la première ligne sur la colonne j_1 ;

(b) prendre a_{1j_1} pour pivot afin d'obtenir des « 0 » au-dessous de a_{1j_1}. Plus précisément, pour $i > 1$:

1. poser $m = -a_{ij_1}/a_{1j_1}$;
2. remplacer R_i par $mR_1 + R_i$.

Étape B Appliquer l'étape 1 à la sous-matrice obtenue en supprimant la 1re ligne ; on appelle ici j_2 le numéro de la 1re colonne à élément non nul. À la fin de cette étape, on doit avoir $a_{2j_2} \neq 0$, et des zéros au-dessous.

Étape C On continue le processus jusqu'à ce que la sous-matrice ne comporte que des lignes nulles ; on désigne par r le n° de l'étape correspondante.

Insistons sur le fait qu'à la fin de l'algorithme, les pivots doivent être :

$$a_{1j_1}, a_{2j_2}, \ldots, a_{rj_r}$$

où r est le nombre de lignes non nulles de la matrice, dans sa forme échelon finale.

Remarques : (a) Comme précédemment, le nombre m de l'étape A, § (b), est le *multiplicateur* :

$$m = -\frac{a_{ij_1}}{a_{1j_1}} = -\frac{\text{élément à supprimer}}{\text{pivot}}$$

(b) On peut remplacer l'étape A, § (b), par :

$$\text{Remplacer } R_i \text{ par } -a_{ij_1}R_1 + a_{1j_1}R_i$$

ceci pour éviter l'éventuelle apparition de fractions si les éléments originaux étaient entiers.

∗ Algorithme 3.4 : L'entrée est une matrice A sous forme échelon, dont les pivots sont :

$$a_{1j_1}, a_{2j_2}, \ldots, a_{rj_r}$$

La sortie est la forme canonique en lignes de A.

(a) On renormalise la dernière ligne non nulle de A, de sorte que le dernier pivot prenne la valeur 1 ; on multiplie donc tous ses éléments par $1/a_{rj_r}$.

(b) On utilise la nouvelle valeur $a_{rj_r} = 1$ pour obtenir des zéros au-dessus du pivot : pour $i = r-1, r-2, \ldots, 2, 1$:

1. poser $m = -a_{ij_r}$;
2. remplacer R_i par $mR_r + R_i$.

(c) On applique l'étape précédente aux lignes successives $R_{r-1}, R_{r-2}, \ldots, R_2$;

(d) On renormalise la 1re ligne pour que le premier pivot prenne la valeur 1 : on multiplie donc R_1 par $1/a_{1j_1}$.

Il existe une alternative à l'algorithme 3.4, que nous allons décrire qualitativement ; la description formelle en est laissée au lecteur sous la forme d'un problème supplémentaire.

∗ Algorithme 3.5 : Mettre des zéros au dessus des pivots ligne par ligne, en commençant par le bas (plutôt que par colonnes en commençant par la droite).

Cette forme alternative, appliquée à la matrice augmentée d'un système d'équations linéaires, est analogue à la détermination des inconnues pivots les unes après les autres, du bas vers le haut.

Remarque : la méthode de Gauss, insistons là-dessus, s'effectue en deux temps :

(a) mettre des zéros *au-dessous* de chaque pivot, ligne par ligne du haut vers le bas (algorithme 3.3) ;

(b) mettre des zéros *au-dessus* de chaque pivot, ligne par ligne à partir du bas (algorithme 3.4).

Il existe un autre algorithme, dit de *Gauss-Jordan*, qui permet aussi de réduire une matrice à sa forme canonique par lignes ; la différence est qu'il place les zéros à la fois au-dessus et au-dessous de chaque pivot, en partant du haut. Bien qu'il soit facile à exposer et à comprendre, il est loin d'être aussi efficace que celui, en deux temps, que nous venons d'étudier.

Exemple 3.11

Soit la matrice $A = \begin{pmatrix} 1 & 2 & -3 & 1 & 2 \\ 2 & 4 & -4 & 6 & 10 \\ 3 & 6 & -6 & 9 & 13 \end{pmatrix}$

(a) Utiliser l'algorithme 3.3 pour la mettre sous forme échelon.

(b) Utiliser l'algorithme 3.4 pour la mettre sous la forme canonique en lignes.

Solution :

(a) On prend a_{11} comme pivot pour mettre à 0 les autres éléments de la 1re colonne : on remplace donc R_2 par $-2R_1 + R_2$ et R_3 par $-3R_1 + R_3$; on prend ensuite $a_{23} = 2$ comme pivot pour annuler l'élément sous a_{23} : on remplace R_3 par $-\frac{3}{2}R_2 + R_3$. On obtient :

$$A \sim \begin{pmatrix} 1 & 2 & -3 & 1 & 2 \\ 0 & 0 & 2 & 4 & 6 \\ 0 & 0 & 3 & 6 & 7 \end{pmatrix} \sim \begin{pmatrix} 1 & 2 & -3 & 1 & 2 \\ 0 & 0 & 2 & 4 & 6 \\ 0 & 0 & 0 & 0 & -2 \end{pmatrix}$$

La dernière matrice obtenue est bien sous forme échelon.

(b) On multiplie R_3 par $-\frac{1}{2}$ pour mettre l'élément pivot a_{35} à 1, puis on utilise cette nouvelle valeur comme pivot pour mettre à 0 tous les éléments au-dessus : on remplace R_2 par $-6R_3 + R_2$, puis R_1 par $-2R_3 + R_1$:

$$A \sim \begin{pmatrix} 1 & 2 & -3 & 1 & 2 \\ 0 & 0 & 2 & 4 & 6 \\ 0 & 0 & 0 & 0 & 1 \end{pmatrix} \sim \begin{pmatrix} 1 & 2 & -3 & 1 & 0 \\ 0 & 0 & 2 & 4 & 0 \\ 0 & 0 & 0 & 0 & 1 \end{pmatrix}$$

On multiplie R_2 par $\frac{1}{2}$ pour que l'élément pivot a_{23} soit égal à 1 ; on utilise $a_{23} = 1$ comme pivot pour annuler tous les éléments situés au-dessus : on remplace R_1 par $3R_2 + R_1$:

$$A \sim \begin{pmatrix} 1 & 2 & -3 & 1 & 0 \\ 0 & 0 & 1 & 2 & 0 \\ 0 & 0 & 0 & 0 & 1 \end{pmatrix} \sim \begin{pmatrix} 1 & 2 & 0 & 7 & 0 \\ 0 & 0 & 1 & 2 & 0 \\ 0 & 0 & 0 & 0 & 1 \end{pmatrix}$$

La dernière matrice est la forme canonique en lignes de A.

3.8.1 Application aux systèmes d'équations linéaires

On peut résoudre un système d'équations linéaires en opérant sur sa matrice augmentée M plutôt que sur le système lui-même. On ramène M à une forme échelon – ce qui nous renseigne sur l'existence de solutions – puis on met M sous forme canonique en lignes ; on obtient alors les solutions du système. Cette méthode se justifie ainsi :

(a) toute opération élémentaire sur les lignes de M est équivalente à la même opération appliquée au système lui-même ;

(b) le système possède une solution si et seulement si la forme échelon de la matrice M n'a pas de ligne de la forme $(0, 0, \ldots, 0, b)$ avec $b \neq 0$;

(c) dans la forme canonique en lignes de M (en ayant supprimé les lignes nulles), le coefficient de chaque inconnue non libre est un élément pivot égal à 1, seul élément non nul de sa colonne ; par conséquent la forme en variables libres de la solution s'obtient en transférant les variables libres au second membre.

Voici quelques exemples.

Exemple 3.12

Résoudre les systèmes suivants :

(a) $\begin{aligned} x_1 + x_2 - 2x_3 + 4x_4 &= 5 \\ 2x_1 + 2x_2 - 3x_3 + x_4 &= 3 \\ 3x_1 + 3x_2 - 4x_3 - 2x_4 &= 1 \end{aligned}$ (b) $\begin{aligned} x_1 + x_2 - 2x_3 + 3x_4 &= 4 \\ 2x_1 + 3x_2 + 3x_3 - x_4 &= 3 \\ 5x_1 + 7x_2 + 4x_3 + x_4 &= 5 \end{aligned}$ (c) $\begin{aligned} x + 2y + z &= 3 \\ 2x + 5y - z &= -4 \\ 3x - 2y - z &= 5 \end{aligned}$

Solution :

(a) On réduit la matrice M du système sous forme échelon, puis sous forme canonique en ligne ; voici les résultats :

$$\begin{pmatrix} 1 & 1 & -2 & 4 & 5 \\ 2 & 2 & -3 & 1 & 3 \\ 3 & 3 & -4 & -2 & 1 \end{pmatrix} \sim \begin{pmatrix} 1 & 1 & -2 & 4 & 5 \\ 0 & 0 & 1 & -7 & -7 \\ 0 & 0 & 2 & -14 & -14 \end{pmatrix} \sim \begin{pmatrix} 1 & 1 & 0 & -10 & -9 \\ 0 & 0 & 1 & -7 & -7 \\ 0 & 0 & 0 & 0 & 0 \end{pmatrix}$$

On récrit alors le système à l'aide de la forme canonique en lignes de la matrice M, en omettant la ligne nulle :

$$\begin{aligned} x_1 + x_2 \quad - 10x_4 &= -9 \\ x_3 - \ \ 7x_4 &= -7 \end{aligned} \quad \text{ou} \quad \begin{aligned} x_1 &= -9 - x_2 + 10x_4 \\ x_3 &= -7 + 7x_4 \end{aligned}$$

x_1 et x_3 sont les variables *pivot*, et x_2 et x_4 les variables libres.

(b) Mettons la matrice M sous forme échelon :

$$M = \begin{pmatrix} 1 & 1 & -2 & 3 & 4 \\ 2 & 3 & 3 & -1 & 3 \\ 5 & 7 & 4 & 1 & 5 \end{pmatrix} \sim \begin{pmatrix} 1 & 1 & -2 & 3 & 4 \\ 0 & 1 & 7 & -7 & -5 \\ 0 & 2 & 14 & -14 & -15 \end{pmatrix} \sim \begin{pmatrix} 1 & 1 & -2 & 3 & 4 \\ 0 & 1 & 7 & -7 & -5 \\ 0 & 0 & 0 & 0 & -5 \end{pmatrix}$$

Inutile de continuer ; la dernière ligne est dégénérée sans solution :

$$0x_1 + 0x_2 + 0x_3 + 0x_4 = -5$$

le système n'admet pas de solution.

(c) Mettons la matrice M sous forme échelon, puis sous forme canonique en lignes :

$$M = \begin{pmatrix} 1 & 2 & 1 & 3 \\ 2 & 5 & -1 & -4 \\ 3 & -2 & -1 & 5 \end{pmatrix} \sim \begin{pmatrix} 1 & 2 & 1 & 3 \\ 0 & 1 & -3 & -10 \\ 0 & -8 & -4 & -4 \end{pmatrix} \sim \begin{pmatrix} 1 & 2 & 1 & 3 \\ 0 & 1 & -3 & -10 \\ 0 & 0 & -28 & -84 \end{pmatrix}$$

$$\sim \begin{pmatrix} 1 & 2 & 1 & 3 \\ 0 & 1 & -3 & -10 \\ 0 & 0 & 1 & 3 \end{pmatrix} \sim \begin{pmatrix} 1 & 2 & 0 & 0 \\ 0 & 1 & 0 & -1 \\ 0 & 0 & 1 & 3 \end{pmatrix} \sim \begin{pmatrix} 1 & 0 & 0 & 2 \\ 0 & 1 & 0 & -1 \\ 0 & 0 & 1 & 3 \end{pmatrix}$$

La seule et unique solution du système est $x = 2$, $y = -1$ et $z = 3$, ou encore le vecteur $u = (2, -1, 3)$. On peut remarquer que la forme échelon de M était suffisante pour indiquer l'existence d'une seule solution, puisqu'elle correspondait à un système triangulaire.

3.8.2 Application aux théorèmes d'existence et d'unicité

Dans ce paragraphe, nous donnons des conditions nécessaires et suffisantes d'existence et d'unicité des solutions de systèmes d'équations linéaires, basées sur la notion de rang d'une matrice.

∗ Théorème 3.9 : Soit un système d'équations linéaires à n inconnues, de matrice augmentée $M = (A, B)$. Alors :

(a) le système a une solution si et seulement si $\text{rang}(A) = \text{rang}(M)$;

(b) la solution est unique si et seulement si $\text{rang}(A) = \text{rang}(M) = n$.

Démonstration :

(a) On a vu précédemment que le système a une solution si et seulement si la forme échelon de la matrice $M = (A,\ B)$ n'a aucune ligne de la forme :

$$(0, 0 \ldots, 0, b) \qquad \text{avec} \quad b \neq 0$$

Si la forme échelon de M possède une telle ligne, alors b est un pivot de M mais pas de A, de sorte que $\operatorname{rang}(M) > \operatorname{rang}(A)$. Dans le cas contraire, les formes échelon de A et de M ont les mêmes pivots, par conséquent $\operatorname{rang}(A) = \operatorname{rang}(M)$.

(b) La solution du système est unique si et seulement si la forme échelon ne laisse pas apparaître de variable libre, ce qui implique l'existence d'un pivot pour chaque inconnue. En conséquence, $n = \operatorname{rang}(A) = \operatorname{rang}(M)$. ■

La démonstration utilise la propriété (voir problème 3.74) que la forme échelon de $M = (A,\ B)$ induit automatiquement une forme échelon pour A.

3.9 ÉQUATION MATRICIELLE D'UN SYSTÈME D'ÉQUATIONS LINÉAIRES

le système général (3.2) de m équations linéaires à n inconnues est équivalent à l'équation matricielle :

$$\begin{pmatrix} a_{11} & a_{12} & \cdots & a_{1n} \\ a_{21} & a_{22} & \cdots & a_{2n} \\ \vdots & \vdots & \cdots & \vdots \\ a_{m1} & a_{m2} & \cdots & a_{mn} \end{pmatrix} \begin{pmatrix} x_1 \\ x_2 \\ x_3 \\ \vdots \\ x_n \end{pmatrix} = \begin{pmatrix} b_1 \\ b_2 \\ \vdots \\ b_m \end{pmatrix} \qquad \text{ou} \quad AX = B$$

où $A = (a_{ij})$ est la matrice des coefficients, $X = (x_j)$ est le vecteur colonne des inconnues, et $B = (b_i)$ le vecteur colonne des seconds membres. Certains auteurs écrivent $Ax = b$ au lieu de $AX = B$, pour mettre l'accent sur la fait que x et b sont simplement des vecteurs colonne.

L'affirmation « le système d'équations linéaires et l'équation matricielle sont équivalents » signifie que tout vecteur solution du système est solution de l'équation matricielle, et *vice versa*.

Exemple 3.13

Le système d'équations linéaires et l'équation matricielle suivants sont équivalents :

$$\begin{aligned} x_1 + 2x_2 - 4x_3 + 7x_4 &= 4 \\ 3x_1 - 5x_2 + 6x_3 - 8x_4 &= 8 \\ 4x_1 - 3x_2 - 2x_3 + 6x_4 &= 11 \end{aligned} \qquad \text{et} \qquad \begin{pmatrix} 1 & 2 & -4 & 7 \\ 3 & -5 & 6 & -8 \\ 4 & -3 & -2 & 6 \end{pmatrix} \begin{pmatrix} x_1 \\ x_2 \\ x_3 \\ x_4 \end{pmatrix} = \begin{pmatrix} 4 \\ 8 \\ 11 \end{pmatrix}$$

Les valeurs $x_1 = 3$, $x_2 = 1$, $x_3 = 2$ et $x_4 = 1$, ou bien le vecteur $u = (3, 1, 2, 1)$ sont solutions du système. Le vecteur u est donc aussi solution de l'équation matricielle.

La notation matricielle $AX = B$ des systèmes d'équations linéaires est particulièrement bien adaptée aux discussions et démonstrations des propriétés de ces systèmes. Nous allons l'illustrer immédiatement avec la démonstration du théorème 3.1 ; rappelons en l'énoncé :

Si le corps $\mathbb{K}$ est infini, tout système $\mathcal{L}$ d'équations linéaires possède, soit :

(a) *une seule solution ;* (b) *aucune solution ;* (c) *une infinité de solutions.*

Démonstration : Il nous suffit de montrer que si le système admet plus d'une solution, il en admet une infinité. Soient u et v deux solutions distinctes de l'équation $AX = B$, *i.e.* $Au = B$ et $Av = B$. Alors, $\forall k \in \mathbb{K}$:

$$A\big(u + k(u - v)\big) = Au + k(Au - Av) = B + k(B - B) = B$$

Ainsi, quel que soit $k \in \mathbb{K}$, le vecteur $u + k(u - v)$ est une solution de $AX = B$. Toutes ces solutions étant distinctes (voir problème 3.47), l'équation $AX = B$ admet une infinité de solutions. ■

Ce théorème s'applique en particulier si $\mathbb{K}$ est le corps $\mathbb{R}$ des nombres réels, ou le corps $\mathbb{C}$ des nombres complexes. Nous avons vu au § 3.3 qu'un système de deux équations à deux inconnues admettait une interprétation géométrique, chacune des équations pouvant être représentée par une droite du plan $\mathbb{R}^2$. On peut aussi donner une interprétation géométrique d'un système non dégénéré de trois équations à trois inconnues, ou les trois équations sont représentées par trois plans H_1, H_2 et H_3 dans $\mathbb{R}^3$:

(a) *solution unique* : l'intersection des trois plans est un point ;

(b) *aucune solution* : les plans peuvent se couper deux à deux, mais sans point d'intersection commun, ou bien deux plans ou plus sont parallèles entre eux ;

(c) *infinité de solutions* : les trois plans se coupent selon une même droite (une variable libre), ou bien deux plans ou plus coïncident (deux variables libres).

Ces diverses situations sont illustrées sur la figure 3.3.

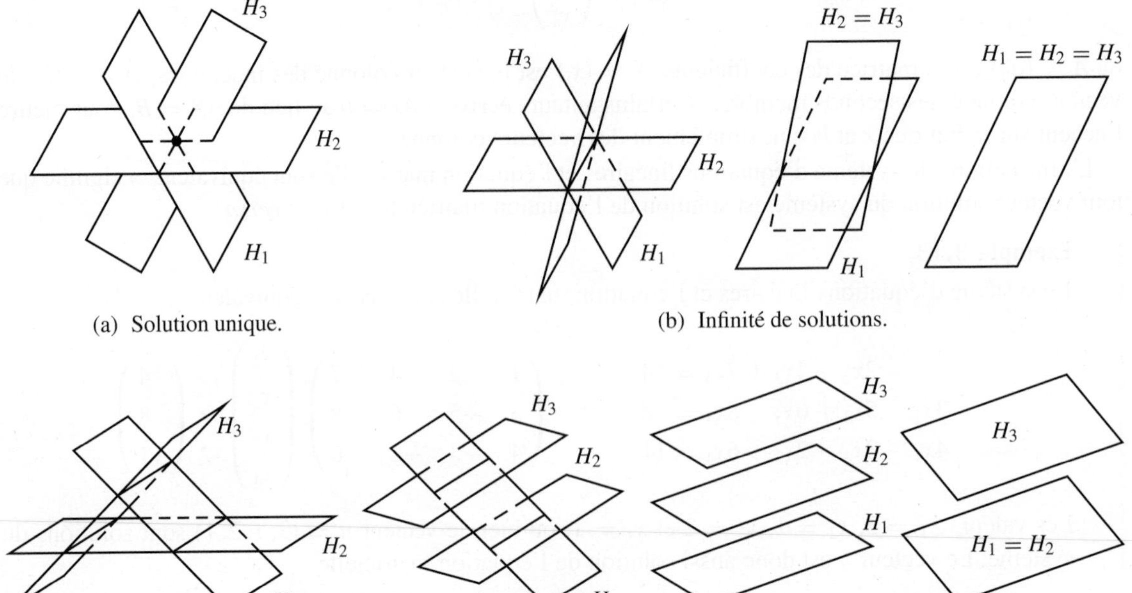

Figure 3.3 Interprétation géométrique d'un système d'équations linéaires 3×3.

3.9.1 Équation matricielle d'un système carré d'équations linéaires

On dit qu'un système d'équations linéaires est carré si sa matrice A des coefficients est carrée. Pour un tel système, nous avons le résultat suivant :

*** Théorème 3.10 :** Un système carré $AX = B$ d'équations linéaires possède une solution et une seule si et seulement si la matrice A est inversible ; alors la solution est donnée par $X = A^{-1}B$.

Démonstration : Nous prouverons seulement que si A est inversible, alors $A^{-1}B$ est la seule solution.
Si A est inversible :

$$\begin{aligned} A(A^{-1}B) &= (AA^{-1})B \\ &= IB \\ &= B \end{aligned}$$

qui prouve que $A^{-1}B$ est solution. Supposons qu'il existe une autre solution, que nous appellerons v ; elle vérifie donc $Av = B$:

$$\begin{aligned} v = Iv &= (A^{-1}A)v \\ &= A^{-1}(Av) \\ &= A^{-1}B \end{aligned}$$

ce qui prouve l'unicité. ■

Exemple 3.14

Soit le système suivant d'équations linéaires, avec sa matrice A des coefficients et la matrice A^{-1} :

$$\begin{aligned} x + 2y + \ \ 3z &= 1 \\ x + 3y + \ \ 6z &= 3 \\ 2x + 6y + 13z &= 5 \end{aligned}, \quad A = \begin{pmatrix} 1 & 2 & 3 \\ 1 & 3 & 6 \\ 2 & 6 & 13 \end{pmatrix}, \quad A^{-1} = \begin{pmatrix} 3 & -8 & 3 \\ -1 & 7 & -3 \\ 0 & -2 & 1 \end{pmatrix},$$

D'après le théorème 3.10, la solution et la seule du système est :

$$A^{-1}B = \begin{pmatrix} 3 & -8 & 3 \\ -1 & 7 & -3 \\ 0 & -2 & 1 \end{pmatrix} \begin{pmatrix} 1 \\ 3 \\ 5 \end{pmatrix} = \begin{pmatrix} -6 \\ 5 \\ -1 \end{pmatrix}$$

c'est-à-dire $x = -6$, $y = 5$ et $z = -1$.

Remarque : le théorème 3.10 n'est pas spécialement utile dans la pratique pour trouver la solution. En d'autres termes, il n'est en général pas plus simple de calculer A^{-1} que de résoudre le système directement. En conséquence, sauf si la matrice A^{-1} est déjà connue par ailleurs, il sera plus judicieux de chercher la solution d'un système carré par la méthode de Gauss (ou par tout autre méthode itérative dont la discussion dépasse le cadre de cet ouvrage).

3.10 SYSTÈMES D'ÉQUATIONS LINÉAIRES ET COMBINAISONS LINÉAIRES DE VECTEURS

On peut encore écrire le système général 3.2 sous la forme de l'équation vectorielle :

$$x_1 \begin{pmatrix} a_{11} \\ a_{21} \\ \vdots \\ a_{m1} \end{pmatrix} + x_2 \begin{pmatrix} a_{12} \\ a_{22} \\ \vdots \\ a_{m2} \end{pmatrix} + \cdots + x_n \begin{pmatrix} a_{1n} \\ a_{2n} \\ \vdots \\ a_{mn} \end{pmatrix} = \begin{pmatrix} b_1 \\ b_2 \\ \vdots \\ b_m \end{pmatrix}$$

On se souvient (voir chapitre 1) qu'un vecteur $v \in \mathbb{K}^n$ est appelé *combinaison linéaire* des vecteurs $u_1, u_2, \ldots, u_m$ de $\mathbb{K}^n$ s'il existe des scalaires $a_1, a_2, \ldots, a_m$ de $\mathbb{K}$ tels que :

$$v = a_1u_1 + a_2u_2 + \cdots + a_mu_m$$

Alors, l'équation vectorielle ci-dessus et le système 3.2 ont une solution si et seulement si le vecteur colonne des seconds membres s'écrit comme combinaison linéaire des colonnes de la matrice A des coefficients du système :

> ✻ **Théorème 3.11 :** Un système $AX = B$ d'équations linéaires a une solution si et seulement si B est combinaison linéaire des colonnes de la matrice A.

Ainsi, le problème de l'expression d'un vecteur $v \in \mathbb{K}^n$ donné sous forme d'une combinaison linéaire de vecteurs $u_1, u_2, \ldots, u_m$ de $\mathbb{K}^n$ se ramène à la résolution d'un système d'équations linéaires.

3.10.1 Un exemple de combinaison linéaire

Supposons que nous voulions exprimer le vecteur $v = (1, -2, 5)$ comme combinaison linéaire des vecteurs :

$$u_1 = (1, 1, 1), \quad u_2 = (1, 2, 3), \quad u_3 = (2, -1, 1)$$

Écrivons la combinaison linéaire à l'aide de coefficients inconnus x, y et z, soit $v = xu_1 + yu_2 + zu_3$, ce qui est équivalent au système d'équations linéaires :

$$\begin{pmatrix} 1 \\ -2 \\ 5 \end{pmatrix} = x \begin{pmatrix} 1 \\ 1 \\ 1 \end{pmatrix} + y \begin{pmatrix} 1 \\ 2 \\ 3 \end{pmatrix} + z \begin{pmatrix} 2 \\ -1 \\ 1 \end{pmatrix} \tag{3.7}$$

soit :

$$\begin{pmatrix} 1 \\ -2 \\ 5 \end{pmatrix} = \begin{pmatrix} x \\ x \\ x \end{pmatrix} + \begin{pmatrix} y \\ 2y \\ 3y \end{pmatrix} + \begin{pmatrix} 2z \\ -z \\ z \end{pmatrix} = \begin{pmatrix} x + y + 2z \\ x + 2y - z \\ x + 3y + z \end{pmatrix}$$

ce qui donne le système d'équations linéaires :

$$\begin{aligned} x + y + 2z &= 1 \\ x + 2y - z &= -2 \\ x + 3y + z &= 5 \end{aligned} \tag{3.8}$$

Nous avons écrit les vecteurs de $\mathbb{R}^3$ en colonnes, notation plus commode pour déduire le système d'équations linéaires équivalent. Mais en fait, avec un peu de pratique, il est très facile de passer directement de (3.7) à (3.8).

Résolvons à présent le système en le mettant sous forme échelon :

$$\begin{aligned} x + y + 2z &= 1 \\ y - 3z &= -3 \\ 2y - z &= 4 \end{aligned} \quad \text{puis} \quad \begin{aligned} x + y + 2z &= 1 \\ y - 3z &= -3 \\ 5z &= 10 \end{aligned}$$

La résolution des équations du bas vers le haut donne la solution $x = -6$, $y = 3$ et $z = 2$; en définitive, la réponse au problème est $v = -6u_1 + 3u_2 + 2u_3$.

Exemple 3.15

(a) Écrire le vecteur $v = (4, 9, 19)$ comme combinaison linéaire de :

$$u_1 = (1, -2, 3), \quad u_2 = (3, -7, 10), \quad u_3 = (2, 1, 9)$$

En écrivant la combinaison sous la forme $v = xu_1 + yu_2 + zu_3$, on obtient le système d'équations linéaires équivalent que l'on résout :

$$\begin{aligned} x + 3y + 2z &= 4 \\ -2x - 7y + z &= 9 \\ 3x + 10y + 9z &= 19 \end{aligned} \quad \text{puis} \quad \begin{aligned} x + 3y + 2z &= 4 \\ -y + 5z &= 17 \\ y + 3z &= 7 \end{aligned} \quad \text{puis} \quad \begin{aligned} x + 3y + 2z &= 4 \\ -y + 5z &= 17 \\ 8z &= 24 \end{aligned}$$

La solution est alors immédiate : $x = 4$, $y = -2$ et $z = 3$. Le vecteur v peut s'écrire comme combinaison linéaire des vecteurs u_1, u_2 et u_3, sous la forme $v = 4u_1 - 2u_2 + 3u_3$.

(b) Écrire le vecteur $v = (2, 3, -5)$ comme combinaison linéaire de :

$$u_1 = (1, 2, -3), \quad u_2 = (2, 3, -4), \quad u_3 = (1, 3, -5)$$

On applique la même méthode :

$$\begin{aligned} x + 2y + z &= 2 \\ 2x + 3y + 3z &= 3 \\ -3x - 4y - 5z &= -5 \end{aligned} \quad \text{puis} \quad \begin{aligned} x + 2y + z &= 2 \\ -y + z &= -1 \\ 2y - 2z &= 1 \end{aligned} \quad \text{puis} \quad \begin{aligned} x + 2y + z &= 2 \\ -y + z &= -1 \\ 0 &= -1 \end{aligned}$$

Le système n'a pas de solution : il est donc impossible d'écrire le vecteur v comme combinaison linéaire de u_1, u_2 et u_3.

3.10.2 Combinaisons linéaires de vecteurs orthogonaux, coefficients de Fourier

Rappelons tout d'abord (§ 1.4) que le produit scalaire $u \cdot v$ de deux vecteurs $u = (a_1, \ldots, a_n)$ et $v = (b_1, \ldots, b_n)$ de $\mathbb{R}^n$ est défini par :

$$u \cdot v = a_1 b_1 + a_2 b_2 + \cdots + a_n b_n$$

Rappelons encore que les vecteurs u et v sont dits *orthogonaux* si leur produit scalaire est nul, soit $u \cdot v = 0$.

Considérons n vecteurs $u_1, u_2, \ldots, u_n$ de $\mathbb{R}^n$ non nuls et orthogonaux deux à deux, c'est-à-dire :

$$\forall i \neq j,\ u_i \cdot u_j = 0 \quad \text{et} \quad \forall i,\ u_i \cdot u_i \neq 0$$

Alors tout vecteur $v \in \mathbb{R}^n$ peut facilement s'écrire comme combinaison linéaire des (u_i), comme illustré dans l'exemple qui suit :

Exemple 3.16
Soient les trois vecteurs de $\mathbb{R}^3$:

$$u_1 = (1,1,1), \quad u_2 = (1,-3,2), \quad u_3 = (5,-1,-4)$$

Ces vecteurs sont orthogonaux deux à deux :

$$u_1 \cdot u_2 = 1 - 3 + 2 = 0, \quad u_1 \cdot u_3 = 5 - 1 - 4 = 0, \quad u_2 \cdot u_3 = 5 + 3 - 8 = 0$$

Soit le vecteur $v = (4, 14, -9)$ que l'on souhaite écrire comme combinaison linéaire de u_1, u_2 et u_3. On peut proposer deux façons de faire :

(a) On écrit le système d'équations linéaires équivalent, comme dans l'exemple 3.15, dont la solution donne la combinaison cherchée, soit ici $v = 3u_1 - 4u_2 + u_3$.

(b) On met à profit l'orthogonalité des vecteurs, ce qui simplifie significativement les calculs ; écrivons la combinaison linéaire à coefficients inconnus :

$$(4, 14, -9) = x(1,1,1) + y(1,-3,2) = z(5,-1,-4) \tag{3.9}$$

Effectuons le produit scalaire de (3.9) par u_1 :

$$(4, 14, -9) \cdot (1,1,1) = x\,(1,1,1) \cdot (1,1,1) \Rightarrow x = 3$$

On remarque que les produits scalaires avec u_2 et u_3 ont disparu, puisque ces vecteurs sont orthogonaux à u_1. On procède de même en effectuant le produit scalaire de (3.9) avec u_2 :

$$(4, 14, -9) \cdot (1,-3,2) = y\,(1,-3,2) \cdot (1,-3,2) \Rightarrow y = -4$$

et enfin avec u_3 :

$$(4, 14, -9) \cdot (5,-1,-4) = y\,(5,-1,-4) \cdot (5,-1,-4) \Rightarrow z = 1$$

soit en définitive $v = 3u_1 - 4u_2 + u_3$.

Cette seconde méthode est tout à fait générale :

✻ Théorème 3.12 : Soit une famille $u_1, u_2, \ldots, u_n$ de vecteurs de $\mathbb{R}^n$, non nuls et orthogonaux deux à deux ; alors, pour tout vecteur $v \in \mathbb{R}^n$:

$$v = \frac{v \cdot u_1}{u_1 \cdot u_1}\, u_1 + \frac{v \cdot u_2}{u_2 \cdot u_2}\, u_2 + \cdots + \frac{v \cdot u_n}{u_n \cdot u_n}\, u_n$$

On fera attention à ce qu'il y ait bien n vecteurs pour pouvoir appliquer la formule. Attention aussi à ce qu'ils soient tous non nuls.

Remarque : les scalaires k_i apparaissant au théorème 3.12 sont appelés *coefficients de Fourier* de v par rapport aux u_i :

$$k_i = \frac{v \cdot u_i}{u_i \cdot u_i} = \frac{v \cdot u_i}{\|u_i\|^2}$$

et jouent un rôle analogue à ceux d'une fonction dans la théorie des *séries de Fourier*.

3.11 SYSTÈMES HOMOGÈNES D'ÉQUATIONS LINÉAIRES

Rappelons qu'un système d'équations linéaires est dit *homogène* si tous les seconds membres sont nuls. L'équation matricielle d'un système homogène est donc $AX = 0$. Manifestement, le vecteur nul $0 = (0, 0, \ldots, 0)$ est toujours solution, appelé *solution triviale*, ou *solution évidente*, du système. Il est donc naturel de se poser la question de savoir s'il existe des solutions non nulles à un tel système.

Puisqu'un système homogène a toujours au moins une solution – le vecteur nul – on peut toujours le mettre sous forme échelon :

$$\begin{aligned} a_{11}x_1 + a_{12}x_2 + a_{13}x_3 + a_{14}x_4 + \cdots + a_{1n}x_n &= b_1 \\ a_{2j_2}x_{j_2} + a_{2j_2+1}x_{j_2+1} + \cdots + a_{2n}x_n &= b_2 \\ \cdots\cdots\cdots\cdots\cdots\cdots\cdots\cdots\cdots & \\ a_{rj_r}x_{j_r} + \cdots + a_{rn}x_n &= b_n \end{aligned}$$

où r désigne le nombre d'équations (de la forme échelon) et n le nombre d'inconnues ; le système a donc $n - r$ variables libres.

Le problème de l'existence de solutions non nulles se réduit aux deux situations suivantes :

(a) $r = n$: le système n'a que la solution nulle ;

(b) $r < n$: le système a une solution non nulle.

Si le système original a déjà plus d'inconnues que d'équations, une fois mis sous forme échelon, on aura nécessairement $r < n$, et il y aura donc une solution non nulle :

> ✻ **Théorème 3.13 :** Un système homogène $AX = 0$ de plus d'inconnues que d'équations possède une solution non nulle.

Exemple 3.17

Déterminer si chacun des systèmes homogènes d'équations linéaires suivants a une solution non nulle :

(a) $\begin{aligned} x + y - z &= 0 \\ 2x - 3y + z &= 0 \\ x - 4y + 2z &= 0 \end{aligned}$ (b) $\begin{aligned} x + y - z &= 0 \\ 2x + 4y - z &= 0 \\ 3x + 2y + 2z &= 0 \end{aligned}$ (c) $\begin{aligned} x_1 + 2x_2 - 3x_3 + 4x_4 &= 0 \\ 2x_1 - 3x_2 + 5x_3 - 7x_4 &= 0 \\ 5x_1 + 6x_2 - 9x_3 + 8x_4 &= 0 \end{aligned}$

(a) Le système a autant d'équations que d'inconnues ; il nous faut le mettre sous forme échelon :

$$\begin{aligned} x + y - z &= 0 \\ -5y + 3z &= 0 \\ -5y + 3z &= 0 \end{aligned} \quad \text{puis} \quad \begin{aligned} x + y - z &= 0 \\ -5y + 3z &= 0 \end{aligned}$$

En forme d'échelon, le système a une équation de moins que d'inconnues ; il possède donc une solution non nulle. Donnons une valeur arbitraire, par exemple 5, à la variable libre z ; par substitutions successives, on trouve $y = 3$ et $x = 2$. Le vecteur $u = (2, 3, 5)$ est une solution particulière non nulle.

(b) Opérons de même :

$$\begin{aligned} x + y - z &= 0 \\ 2y + z &= 0 \\ -y + 5z &= 0 \end{aligned} \quad \text{puis} \quad \begin{aligned} x + y - z &= 0 \\ 2y + z &= 0 \\ 11z &= 0 \end{aligned}$$

Sous forme échelon, il reste trois équations à trois inconnues. Le système n'a que la solution nulle.

(c) Le système *doit* posséder une solution non nulle, puisqu'il y a quatre inconnues pour seulement trois équations ; point n'est besoin ici de mettre le système sous forme échelon pour parvenir à cette conclusion.

3.11.1 Bases de la solution générale d'un système homogène

Soit W la solution générale d'un système homogène $AX = 0$. Une famille de vecteurs non nuls, solutions du système, $u_1, u_2, \ldots, u_s$ est appelée *base* de W si chaque solution $w \in W$ peut être exprimée d'une manière et d'une seule comme combinaison linéaire des (u_i), *i.e.* s'il existe des scalaires uniques $a_1, a_2, \ldots, a_s$ tels que :

$$w = a_1u_1 + a_2u_2 + \cdots + a_su_s$$

Le nombre s des vecteurs d'une telle base est égal au nombre de variables libres du système, et est appelé *dimension* de W, ce que l'on écrit $\dim W = s$. Si le système ne possède que la solution nulle, c'est-à-dire $W = \{0\}$, on définit $\dim W = 0$.

Le théorème suivant, que nous démontrerons au chapitre 5, nous indique comment trouver une telle base :

> *** Théorème 3.14 :** Soit W la solution générale d'un système homogène $AX = 0$, et supposons que la forme échelon du système fasse apparaître s variables libres. Soit $u_1, u_2, \ldots, u_s$ les solutions obtenues en donnant la valeur 1 à l'une des variables libres, et la valeur 0 à toutes les autres. Alors $\dim W = s$, et les vecteurs $u_1, u_2, \ldots, u_s$ forment une base de W.

On doit savoir que la solution générale W peut avoir plusieurs bases, le théorème 3.14 donnant un moyen de trouver l'une d'entre elles.

Exemple 3.18

Pour le système homogène suivant, trouver la dimension de la solution générale W et en donner une base :

$$\begin{aligned} x_1 + 2x_2 - 3x_3 + 2x_4 - 4x_5 &= 0 \\ 2x_1 + 4x_2 - 5x_3 + x_4 - 6x_5 &= 0 \\ 5x_1 + 10x_2 - 13x_3 + 4x_4 - 16x_5 &= 0 \end{aligned}$$

Solution : mettons le système sous forme échelon :

$$\begin{aligned} x_1 + 2x_2 - 3x_3 + 2x_4 - 4x_5 &= 0 \\ x_3 - 3x_4 + 2x_5 &= 0 \\ 2x_3 - 6x_4 + 4x_5 &= 0 \end{aligned} \quad \text{puis} \quad \begin{aligned} x_1 + 2x_2 - 3x_3 + 2x_4 - 4x_5 &= 0 \\ x_3 - 3x_4 + 2x_5 &= 0 \end{aligned}$$

Le système de gauche s'obtient en remplaçant L_2 par $-2L_1 + L_2$ et L_3 par $-5L_1 + L_3$; celui de droite s'obtient en remplaçant L_3 par $-2L_2 + L_3$, ce qui donne une ligne nulle, que nous avons omise. Ce système laisse apparaître 3 variables libres, x_2, x_4 et x_5, par conséquent $\dim W = 3$. On obtient trois vecteurs formant une base de W de la façon suivante :

(a) On pose $x_2 = 1$, $x_4 = x_5 = 0$, d'où une première solution $u_1 = (-2, 1, 0, 0, 0)$;

(b) On pose $x_4 = 1$, $x_2 = x_5 = 0$, d'où une 2e solution $u_2 = (7, 0, 3, 1, 0)$;

(c) On pose $x_5 = 1$, $x_2 = x_4 = 0$, d'où enfin une 3e solution $u_3 = (-2, 0, -2, 0, 1)$.

Les vecteurs $u_1 = (-2, 1, 0, 0, 0)$, $u_2 = (7, 0, 3, 1, 0)$ et $u_3 = (-2, 0, -2, 0, 1)$ forment donc une base de la solution générale W.

Remarque : toute solution du système de l'exemple ci-dessus peut être écrite comme combinaison linéaire des vecteurs u_1, u_2 et u_3 :

$$\begin{aligned} au_1 + bu_2 + cu_3 &= a(-2, 1, 0, 0, 0) + b(7, 0, 3, 1, 0) + c(-2, 0, -2, 0, 1) \\ &= (-2a + 7b - 2c,\ a,\ 3b - 2c,\ b,\ c) \end{aligned}$$

ou encore $x_1 = -2a + 7b - 2c$, $x_2 = a$, $x_3 = 3b - 2c$, $x_4 = b$, $x_5 = c$. On remarque que ce n'est rien d'autre que la représentation paramétrique de la solution générale, exprimée en fonction des paramètres $x_2 = a$, $x_4 = b$ et $x_5 = c$.

3.11.2 Système homogène associé à un système avec second membre

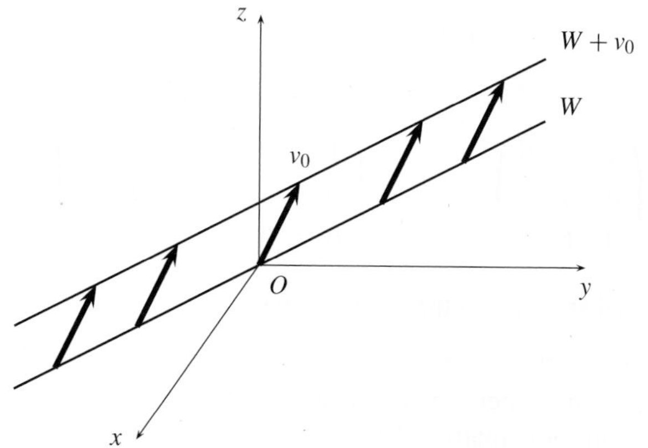

Figure 3.4 Illustration du théorème 3.15.

Soit $AX = B$ un système d'équations linéaires avec second membre. Le système $AX = 0$ est appelé *système homogène associé*. Par exemple :

$$\begin{aligned} x + 2y - 4z &= 7 \\ 3x - 5y + 6z &= 8 \end{aligned} \quad \text{et} \quad \begin{aligned} x + 2y - 4z &= 0 \\ 3x - 5y + 6z &= 0 \end{aligned}$$

est un système avec 2e membre, avec à droite son système homogène associé.

La relation entre la solution U d'un système avec second membre et la solution W de son système homogène associé est examinée dans le théorème suivant, démontré au problème 3.28 :

∗ Théorème 3.15 : Soit v_0 une solution particulière du système avec second membre $AX = B$, et soit W la solution générale de son système homogène associé $AX = 0$. Alors :

$$U = v_0 + W = \{v_0 + w \mid w \in W\}$$

est la solution générale du système avec second membre.

Autrement dit, la solution générale $U = v_0 + W$ s'obtient en ajoutant v_0 à chaque élément de W. Dans le cas particulier de $\mathbb{R}^3$, ce théorème peut s'interpréter géométriquement : supposons que W soit représenté par une droite passant par l'origine ; alors, comme illustré sur la figure 3.4, page précédente, la solution générale $U = v_0 + W$ est la droite parallèle à W obtenue par translation de v_0. De même, si W est un plan passant par l'origine O, la solution générale U est un plan parallèle à W.

3.12 MATRICES ÉLÉMENTAIRES

Désignons par e une opération élémentaire sur les lignes et soit $e(A)$ le résultat d'une telle opération sur une matrice A. On note E la matrice résultant de l'application de e sur la matrice unité I :

$$E = e(I)$$

La matrice E est appelée *matrice élémentaire* associée à l'opération e. On remarque que E est toujours une matrice carrée.

Exemple 3.19

On considère les trois opérations élémentaires de lignes suivantes :

(a) $R_2 \leftrightarrow R_3$; (b) $-6R_2 \to R_2$; (c) $-4R_1 + R_3 \to R_3$.

Les matrices élémentaires 3×3 correspondant à ces opérations sont respectivement :

$$E_1 = \begin{pmatrix} 1 & 0 & 0 \\ 0 & 0 & 1 \\ 0 & 1 & 0 \end{pmatrix}, \quad E_2 = \begin{pmatrix} 1 & 0 & 0 \\ 0 & -6 & 0 \\ 0 & 0 & 1 \end{pmatrix}, \quad E_3 = \begin{pmatrix} 1 & 0 & 0 \\ 0 & 1 & 0 \\ -4 & 0 & 1 \end{pmatrix}$$

On a le résultat suivant, qui sera démontré au problème 3.34 :

∗ Théorème 3.16 : Soit e une opération élémentaire de ligne et E la matrice élémentaire $m \times m$ correspondante ; alors, pour toute matrice A $m \times n$:

$$e(A) = EA$$

En d'autres termes, appliquer une opération élémentaire quelconque à une matrice revient à la prémultiplier par la matrice élémentaire correspondante.

Soit e' l'inverse d'une opération élémentaire de ligne e, et soient E et E' les matrices élémentaires correspondantes. On montre (problème 3.33) que E est inversible et que E' est son inverse. Il en résulte, entre autres, que tout produit

$$P = E_k \dots E_2 E_1$$

de matrices élémentaires est inversible.

3.12.1 Applications des matrices élémentaires

À l'aide du théorème 3.16, nous montrerons (problème 3.35) les résultats suivants :

> ✻ **Théorème 3.17 :** Soit A une matrice carrée ; les trois propriétés suivantes sont équivalentes :
> (a) A est inversible ;
> (b) A est équivalente en lignes à la matrice identité I ;
> (c) A est un produit de matrices élémentaires.

On se souvient que deux matrices sont inverses l'une de l'autre ssi $AB = BA = I$. Le théorème suivant (démontré au problème 3.36), nous assure que si l'un seulement des deux produits est égal à I, alors l'autre l'est aussi et les matrices A et B sont inverses l'une de l'autre.

> ✻ **Théorème 3.18 :** Soient deux matrices carrées A et B ; si $AB = I$, alors $BA = I$ et $B = A^{-1}$.

L'équivalence en lignes peut aussi s'exprimer en termes de produit matriciel. Nous montrerons au problème 3.37 le théorème suivant :

> ✻ **Théorème 3.19 :** Une matrice B est équivalente en lignes à une matrice A si et seulement si il existe une matrice régulière P telle que $B = PA$.

3.12.2 Application à la détermination de l'inverse

On utilise l'algorithme suivant :

> ✻ **Algorithme 3.6 :** En entrée, on a une matrice carrée A ; en sortie, on obtient soit l'inverse de A, soit la preuve de la non-existence de A^{-1}.
>
> **Étape A** On construit la matrice $M = (A, I)$, de dimension $n \times 2n$: A constitue la « moitié gauche » de M, et la matrice unité I la « moitié droite ».
>
> **Étape B** On met M sous forme échelon. Si durant le processus apparaît dans la moitié gauche une ligne nulle, alors :
>
> STOP
>
> A n'est pas inversible. Dans le cas contraire, A se retrouve nécessairement sous forme triangulaire, et l'on peut passer à l'étape suivante.
>
> **Étape C** En procédant du bas vers le haut, on met M sous forme canonique en ligne :
>
> $$M \sim (I, B)$$
>
> où la matrice unité I a remplacé A dans la moitié gauche de M.
>
> **Étape D** On extrait la moitié droite de M, qui donne $B = A^{-1}$.

Le fonctionnement de l'algorithme 3.6 peut être justifié de la manière suivante : la matrice A étant inversible, appelons $e_1, e_2, \ldots, e_q$ la suite d'opérations élémentaires sur les lignes qui, appliquée à $M = (A, I)$, remplace A par I dans la moitié gauche de M. En désignant par E_i la matrice élémentaire associée à l'opération e_i, on a en vertu du théorème 3.15 :

$$E_q \ldots E_2 E_1 A = I \quad \text{ou} \quad (E_q \ldots E_2 E_1 I)A = I \Rightarrow A^{-1} = E_q \ldots E_2 E_1 I$$

Autrement dit, A^{-1} est obtenue en appliquant la suite $e_1, e_2, \ldots, e_q$ d'opérations ligne élémentaires à la matrice I, partie droite de M, et donc, comme annoncé, $B = A^{-1}$.

Exemple 3.20

Déterminer l'inverse de la matrice $A = \begin{pmatrix} 1 & 0 & 2 \\ 2 & -1 & 3 \\ 4 & 1 & 8 \end{pmatrix}$.

Solution : construisons la matrice $M = (A, I)$, puis réduisons-la sous forme échelon :

$$M = \left(\begin{array}{ccc|ccc} 1 & 0 & 2 & 1 & 0 & 0 \\ 2 & -1 & 3 & 0 & 1 & 0 \\ 4 & 1 & 8 & 0 & 0 & 1 \end{array}\right) \sim \left(\begin{array}{ccc|ccc} 1 & 0 & 2 & 1 & 0 & 0 \\ 0 & -1 & -1 & -2 & 1 & 0 \\ 0 & 1 & 0 & -4 & 0 & 1 \end{array}\right) \sim \left(\begin{array}{ccc|ccc} 1 & 0 & 2 & 1 & 0 & 0 \\ 0 & -1 & -1 & -2 & 1 & 0 \\ 0 & 0 & -1 & -6 & 1 & 1 \end{array}\right)$$

Sous forme échelon, la moitié gauche de M est triangulaire, indiquant que A est inversible ; nous pouvons par conséquent procéder à la mise sous forme canonique en lignes de M :

$$M \sim \left(\begin{array}{ccc|ccc} 1 & 0 & 0 & -11 & 2 & 2 \\ 0 & -1 & 0 & 4 & 0 & -1 \\ 0 & 0 & -1 & -6 & 1 & 1 \end{array}\right) \sim \left(\begin{array}{ccc|ccc} 1 & 0 & 0 & -11 & 2 & 2 \\ 0 & 1 & 0 & -4 & 0 & 1 \\ 0 & 0 & 1 & 6 & -1 & -1 \end{array}\right)$$

À la gauche de M se trouve la matrice unité I, et on identifie la moitié droite à l'inverse cherché :

$$A^{-1} = \begin{pmatrix} -11 & 2 & 2 \\ -4 & 0 & 1 \\ 6 & -1 & -1 \end{pmatrix}$$

3.12.3 Opérations élémentaires sur les colonnes

Soit A une matrice constituée des colonnes $C_1, C_2, \ldots, C_n$. Les opérations suivantes, analogues aux opérations ligne vues précédemment, sont appelées *opérations colonne élémentaires* :

(a) *Échange de colonnes* : permuter les colonnes C_i et C_j ;

(b) *Renormalisation* : remplacer C_i par kC_i, $k \neq 0$;

(c) *Addition* : remplacer C_j par $kC_i + C_j$.

Ces opérations sont notées comme suit :

(a) $C_i \leftrightarrow C_j$; (b) $kC_i \rightarrow C_i$; (c) $kC_i + C_j \rightarrow C_j$.

De plus, comme pour les opérations ligne, chaque opération colonne élémentaire a une opération inverse du même type.

Soit f une opération colonne élémentaire, et soit F la matrice obtenue en appliquant f à la matrice unité :

$$F = f(I)$$

F est appelée *matrice élémentaire* associée à l'opération f. Précisons que F est une matrice carrée.

Exemple 3.21

Soit les trois opérations colonne élémentaires suivantes :

(a) $C_1 \leftrightarrow C_3$; (b) $-2C_3 \rightarrow C_3$; (c) $-3C_2 + C_3 \rightarrow C_3$.

Les trois matrices élémentaires correspondantes sont :

$$F_1 = \begin{pmatrix} 0 & 0 & 1 \\ 0 & 1 & 0 \\ 1 & 0 & 0 \end{pmatrix} \quad F_2 = \begin{pmatrix} 1 & 0 & 0 \\ 0 & 1 & 0 \\ 0 & 0 & -2 \end{pmatrix} \quad F_3 = \begin{pmatrix} 1 & 0 & 0 \\ 0 & 1 & -3 \\ 0 & 0 & 1 \end{pmatrix}$$

Le résultat suivant est l'analogue du théorème 3.15 qui s'appliquait aux opérations ligne :

*** Théorème 3.20 :** Pour toute matrice $A, f(A) = AF$.

Autrement dit, appliquer une opération colonne à une matrice A consiste à la *postmultiplier* par la matrice élémentaire correspondante.

3.12.4 Équivalence matricielle

◆ Définition 3.5 : On dit qu'une matrice B est *équivalente* à une matrice A si l'on peut passer de A à B par une suite *finie* d'opérations élémentaires sur les lignes et/ou les colonnes.

Exprimé différemment, on dit que B est équivalente à A s'il existe deux matrices non singulières P et Q telles que $B = PAQ$.

Tout comme l'équivalence en lignes, l'équivalence (tout court) des matrices est une *relation d'équivalence*. On démontrera au problème 3.38 le théorème suivant :

*** Théorème 3.21 :** Toute matrice A rectangulaire $m \times n$ est équivalente à une matrice blocs et une seule de la forme :

$$A \sim \begin{pmatrix} I_r & 0 \\ 0 & 0 \end{pmatrix}$$

où I_r est la matrice unité $r \times r$.

Introduisons la définition suivante :

◆ Définition 3.6 : L'entier r non négatif du théorème 3.21 est appelé le *rang* de la matrice A.

On remarquera que cette manière d'introduire le rang ne contredit pas la définition précédente 3.4 et donne la même valeur.

3.13 DÉCOMPOSITION *LU*

Soit une matrice A non singulière pouvant être mise sous forme triangulaire supérieure U à l'aide uniquement d'opérations sur les lignes ; on peut alors mettre en œuvre l'algorithme suivant, que nous détaillons avec des notations « de programmeur » :

> ✻ **Algorithme 3.7 :** En entrée, la matrice A ; en sortie, la matrice triangulaire équivalente U.
> **Étape A** Boucler pour $i = 1, 2, \ldots, n-1$;
> **Étape B** boucler pour $j = i+1, i+2, \ldots, n$;
> (a) poser $m_{ij} := \dfrac{a_{ij}}{a_{ii}}$;
> (b) poser $R_j := m_{ij}R_j + R_i$.
> [fin de la boucle intérieure sur j] ;
> [fin de la boucle extérieure sur i].

Les quantités m_{ij} sont appelés *multiplicateurs*. On les « garde en mémoire » dans la matrice triangulaire inférieure suivante L :

$$\begin{pmatrix} 1 & 0 & 0 & \cdots & 0 & 0 \\ -m_{21} & 1 & 0 & \cdots & 0 & 0 \\ -m_{31} & -m_{32} & 1 & \cdots & 0 & 0 \\ \cdots & \cdots & \cdots & \cdots & \cdots & \cdots \\ -m_{n1} & -m_{n2} & -m_{n3} & \cdots & -m_{n,n-1} & 1 \end{pmatrix} \tag{3.10}$$

La matrice L est constituée de 1 sur la diagonale, de 0 au-dessus, et l'élément ij, $i > j$ est l'opposé du multiplicateur m_{ij}.

Cette matrice L, et la matrice triangulaire supérieure U calculée par l'algorithme 3.7, constituent ce que l'on appelle la *décomposition LU* de la matrice A. On a :

> ✻ **Théorème 3.22 :** Soit A une matrice non singulière pouvant être mise sous forme triangulaire supérieure U uniquement à l'aide d'opérations élémentaires sur les lignes. Alors $A = LU$, où L est la matrice (3.10) ne comportant que des 1 sur la diagonale, et U une matrice triangulaire supérieure sans aucun 0 sur la diagonale.

Exemple 3.22

Soit $A = \begin{pmatrix} 1 & 2 & -3 \\ -3 & -4 & 13 \\ 2 & 1 & -5 \end{pmatrix}$. Les opérations élémentaires sur les lignes $3R_1 + R_2 \to R_2$, $-2R_1 + R_3 \to R_3$, puis $\frac{3}{2}R_2 + R_3 \to R_3$ la mettent sous forme triangulaire :

$$A \sim \begin{pmatrix} 1 & 2 & -3 \\ 0 & 2 & 4 \\ 0 & -3 & 1 \end{pmatrix} \sim \begin{pmatrix} 1 & 2 & -3 \\ 0 & 2 & 4 \\ 0 & 0 & 7 \end{pmatrix}$$

les multiplicateurs sont donc :

$$m_{21} = 3, \quad m_{31} = -2, \quad m_{32} = \frac{3}{2}$$

La décomposition LU de A fait donc intervenir les matrices :

$$L = \begin{pmatrix} 1 & 0 & 0 \\ -3 & 1 & 0 \\ 2 & -\frac{3}{2} & 1 \end{pmatrix} \quad \text{et} \quad U = \begin{pmatrix} 1 & 2 & -3 \\ 0 & 2 & 4 \\ 0 & 0 & 7 \end{pmatrix}$$

Insistons :

(a) les éléments -3, 2 et $-\frac{3}{2}$ sont les opposés des multiplicateurs associés aux opérations ligne élémentaires ;

(b) U est la forme triangulaire supérieure de A.

3.13.1 Application aux systèmes d'équations linéaires

Considérons un algorithme de calcul numérique M. Soit $C(n)$ le temps de calcul, en fonction de la taille n des données à l'entrée[(1)]. En général, $C(n)$ se borne à compter le nombre de multiplications et de divisions effectuées par M, mais ne compte pas les additions et soustractions, qui s'exécutent beaucoup plus rapidement.

Soit un système d'équations linéaires $AX = B$, avec :

$$A = (A_{ij}), \quad X = (x_1, \dots, x_n)^T, \quad B = (b_1, \dots, b_n)^T$$

et supposons que A ait une décomposition LU. Alors le système peut être rendu triangulaire en appliquant l'algorithme 3.7 à la matrice augmentée $M = (A, B)$. Les complexités de l'algorithme 3.7 et des substitutions postérieures sont, respectivement :

$$C(n) \approx \frac{1}{2}n^3 \quad \text{et} \quad C(n) \approx \frac{1}{2}n^2$$

où n est le nombre d'équations.

Ceci étant, supposons que nous ayons déjà en notre possession la décomposition $A = LU$. Alors, pour mettre le système sous forme triangulaire, nous n'avons besoin que d'appliquer les opérations lignes dont l'information est contenue dans la matrice L au vecteur colonne B. La complexité devient :

$$C(n) \approx \frac{1}{2}n^2$$

Bien entendu, obtenir la factorisation LU nécessite l'algorithme original de complexité $C(n) \approx \frac{1}{2}n^3$, en sorte que le gain peut être négligeable si l'on commence par effectuer la décomposition LU, lorsque l'on n'a à traiter qu'un seul système. Mais dans certaines situations, la décomposition LU peut être avantageuse ; pour une matrice A donnée, supposons que nous ayons à résoudre le système d'équations linéaires :

$$AX = B$$

pour une suite de seconds membres différents $B_1, B_2, \dots, B_k$, et supposons que certains B_i soient fonction des solutions obtenues pour des B_j précédents. Dans un tel cas, il est plus efficace de chercher d'abord la décomposition LU de la matrice A, puis de l'utiliser pour résoudre les systèmes successifs.

1. La fonction $C(n)$ est appelée la *complexité* de l'algorithme.

Exemple 3.23

Soit le système d'équations linéaires :

$$\begin{aligned} x + 2y + z &= k_1 \\ 2x + 3y + 3z &= k_2 \\ -3x - 10y + 2z &= k_3 \end{aligned} \quad \text{soit} \quad AX = B \quad \text{où} \quad A = \begin{pmatrix} 1 & 2 & 1 \\ 2 & 3 & 3 \\ -3 & -10 & 2 \end{pmatrix} \quad \text{et} \quad B = \begin{pmatrix} k_1 \\ k_2 \\ k_3 \end{pmatrix}$$

Supposons que nous ayons à résoudre le système trois fois, pour trois seconds membres B_1, B_2 et B_3 tels que :

$$B_1 = (1, 1, 1)^T \quad \text{et} \quad B_{j+1} = B_j + X_j, \quad j = 1, 2$$

où X_j est la solution du système $AX = B_j$.

Il est plus efficace ici de déterminer d'abord la décomposition LU de A et de l'utiliser pour résoudre le système pour les B_i successifs (problème 3.42).

EXERCICES CORRIGÉS

ÉQUATIONS LINÉAIRES, SOLUTIONS, SYSTÈMES 2 × 2

3.1 Dire si les équations suivantes sont linéaires ou non :

(a) $5x + 7y - 8yz = 16$; (b) $x + \pi y + ez = \log 5$; (c) $3x + ky - 8z = 16$.

Solution :

(a) l'équation n'est pas linéaire, car le produit yz des deux inconnues y et z est du second degré ;

(b) la réponse est *oui*, puisque π, e et $\log 5$ sont des constantes ;

(c) si l'on considère qu'il y a 4 inconnues x, y, z et k, l'équation n'est pas linéaire puisqu'il y a un terme du second degré ky ; en revanche, si l'on considère k comme une constante, l'équation est bien linéaire (en x, y et z).

3.2 Dire si les vecteurs suivants sont solution de l'équation $x_1 + 2x_2 - 4x_3 + 3x_4 = 15$:

(a) $u = (3, 2, 1, 4)$; (b) $v = (1, 2, 4, 5)$

Solution :

(a) La substitution donne $3 + 2 \times 2 - 4 \times 1 + 3 \times 4 = 15$, soit $15 = 15$: u est bien une solution ;

(b) ici $1 + 2 \times 2 - 4 \times 4 + 3 \times 5 = 15$, soit $4 = 15$: v n'est pas solution.

3.3 Résoudre :

(a) $ex = \pi$; (b) $3x - 4 - x = 2x + 3$; (c) $7 + 2x - 4 = 3x + 3 - x$.

Solution :

(a) puisque $e \neq 0$, on peut multiplier par $1/e$, d'où la solution $x = \pi/e$;

(b) remise sous forme standard, l'équation devient $0x = 7$: elle n'a pas de solution ;

(c) on obtient ici $0x = 0$: tout scalaire k est solution.

3.4 Démontrer le théorème 3.5 : *soit l'équation* $ax = b$;

(a) *si* $a \neq 0$, *la solution et la seule est* $x = b/a$;

(b) *si* $a = 0$ et $b \neq 0$, *il n'y a aucune solution ;*

(c) *si* $a = b = 0$, *tout scalaire k est solution.*

Solution : supposons $a \neq 0$; alors le scalaire b/a existe. En le substituant dans l'équation, on obtient $a(b/a) = b$, soit $b = b$: b/a est solution. Supposons qu'il existe une autre solution x_0 ; on a donc $ax_0 = b$. En multipliant les deux membres par $1/a$, il vient $x_0 = b/a$: b/a est la seule solution de l'équation, et l'affirmation (a) du théorème est démontrée.
Soit à présent $a = 0$; pour tout scalaire k, on a $ak = 0k = 0$. Si $b \neq 0$, alors $ak \neq b$, et donc aucun scalaire n'est solution : l'affirmation (b) est démontrée. Si en revanche $b = 0$, alors $\forall k$, $ak = b$ et donc tout scalaire est solution, ce qui établit l'affirmation (c).

3.5 Résoudre les systèmes suivants :

(a) $\begin{matrix} 2x - 5y = 11 \\ 3x + 4y = 5 \end{matrix}$; (b) $\begin{matrix} 2x - 3y = 8 \\ -6x + 9y = 6 \end{matrix}$; (c) $\begin{matrix} 2x - 3y = 8 \\ -4x + 6y = -16 \end{matrix}$.

Solution :

(a) On élimine l'inconnue x entre les deux équations en construisant la nouvelle équation $L = -3L_1 + 2L_2$, soit :

$$23y = -23 \Rightarrow y = -1$$

On remplace alors y par sa valeur -1 dans l'une quelconque des équations initiales, par exemple la première :

$$2x - 5 \times (-1) = 11 \quad \text{ou} \quad 2x + 5 = 11 \Rightarrow x = 3$$

Donc $x = 3$, $y = -1$ est la solution du système, que l'on peut mettre sous la forme du vecteur $u = (3, -1)$.

(b) La nouvelle équation $L = 3L_1 + L_2$ permet d'éliminer x :

$$0x + 0y = 30$$

C'est une équation dégénérée de second membre non nul : elle n'a pas de solution, et par conséquent le système initial non plus[1].

(c) L'équation $L = 2L_1 + L_2$ s'écrit :

$$0x + 0y = 0$$

équation dégénérée de second membre nul : elle a donc une infinité de solutions, de même que le système initial[2].
La solution générale s'exprime en posant $y = a$, où a est un scalaire arbitraire (le paramètre), et en remplaçant y par a dans, par exemple, la première équation :

$$2x - 3a = 8 \Rightarrow x = \frac{3}{2}a + 4$$

La solution générale du système est donc :

$$x = \frac{3}{2}a + 4,\ y = a \quad \text{ou le vecteur} \quad u = \left(\frac{3}{2}a + 4,\ a\right)$$

où a est un scalaire quelconque.

---

1. Géométriquement, les droites représentant les équations sont parallèles.
2. Géométriquement, les droites représentant les équations sont confondues.

3.6 Soit le système :

$$x + ay = 4$$
$$ax + 9y = b$$

(a) Pour quelles valeurs de a le système a-t-il une solution et une seule ?
(b) Trouver les couples de valeurs (a, b) pour lesquels le système admet plus d'une solution.

Solution :

(a) On élimine x entre les deux équations à l'aide de la nouvelle équation $L = -aL_1 + L_2$:

$$(9 - a^2)y = b - 4a \qquad (3.11)$$

Le système a une solution et une seule si et seulement si le coefficient de y est non nul, soit :

$$9 - a^2 \neq 0 \Rightarrow a \neq \pm 3$$

(b) Le système a plus d'une solution, en fait une infinité, si et seulement si les deux membres de l'équation (3.11) sont nuls. Il y a donc deux possibilités :

1. $a = -3$, d'où $b = -12$; 2. $a = 3$, d'où $b = 12$

les couples de valeurs (a, b) pour lesquels le système possède plus d'une solution sont donc $(-3, -12)$ et $(3, 12)$.

SYSTÈMES TRIANGULAIRES OU ÉCHELON

3.7 Déterminer les variables pivots et les variables libres des systèmes suivants :

(a)
$$\begin{aligned} 2x_1 + 3x_2 - 6x_3 - 5x_4 + 2x_5 &= 7 \\ x_3 + 3x_4 - 7x_5 &= 6 \\ x_4 - 2x_5 &= 1 \end{aligned}$$

(c)
$$\begin{aligned} x + 2y - 3z &= 2 \\ 2x + 3y + z &= 4 \\ 3x + 4y + 5z &= 8 \end{aligned}$$

(b)
$$\begin{aligned} 2x - 6y + 7z &= 1 \\ 4y + 3z &= 8 \\ 2z &= 4 \end{aligned}$$

Solution :

(a) Le système est sous forme échelon : les premières inconnues de chaque ligne sont les variables pivots, et les autres les variables libres. Ici, les variables pivots sont donc x_1, x_3 et x_4, et les variables libres sont x_2 et x_5.
(b) Le système est triangulaire : les variables pivots sont x, y et z et il n'y a aucune variable libre.
(c) La notion de variable pivot et de variable libre ne s'applique qu'à un système échelon (ou triangulaire), ce qui n'est pas le cas ici.

3.8 Résoudre le système triangulaire (b) du problème 3.7.

Solution : on résout un système triangulaire par substitutions successives, du bas vers le haut :

(a) la dernière équation a pour solution $z = 2$;
(b) la substitution $z = 2$ dans la seconde équation donne $4y + 6 = 8$, d'où $y = \frac{1}{2}$;
(c) les substitutions $z = 2$ et $y = \frac{1}{2}$ dans la première équation donnent $2x - 6 \times \frac{1}{2} + 7 \times 2 = 1$, d'où $x = -5$.

La solution du système est donc $x = -5$, $y = \frac{1}{2}$ et $z = 2$, ou encore le vecteur $u = \left(-5, \frac{1}{2}, 2\right)$.

3.9 Résoudre le système échelon (a) du problème 3.7.

Solution : on remplace les variables libres par des paramètres arbitraires, soit $x_2 = a$ et $x_5 = b$. On résout alors le système par substitutions successives, du bas vers le haut :

(a) on remplace x_5 par b dans la 3e équation, d'où $x_4 = 2b + 1$;

(b) on remplace x_5 par b et x_4 par $2b + 1$ dans la 2e équation, soit $x_3 + 3(2b + 1) - 7b = 6$ d'où $x_3 = b + 3$;

(c) on remplace enfin x_5 par b, x_4 par $2b + 1$, x_3 par $b + 3$ et x_2 par a dans la première équation, soit :

$$2x_1 + 3a - 6(b + 3) - 5(2b + 1) + 2b = 7 \Rightarrow x_1 = -\frac{3}{2}a + 7b + 15$$

La solution du système est donc $x_1 = -\frac{3}{2}a + 7b + 15$, $x_2 = a$, $x_3 = b + 3$, $x_4 = 2b + 1$ et $x_5 = b$, ou le vecteur $u = \left(-\frac{3}{2}a + 7b + 15, a, b + 3, 2b + 1, b\right)$ où a et b sont des paramètres arbitraires.

Une autre manière d'écrire la solution consiste à exprimer, en utilisant la même méthode de substitutions successives, les variables pivots en fonction des variables libres, soit :

$$x_1 = -\frac{3}{2}x_2 + 7x_5 + 15, \quad x_3 = x_5 + 3, \quad x_4 = 2x_5 + 1$$

3.10 Démontrer le théorème 3.6, qui affirme que pour le système échelon (3.6) de r équations à n inconnues :

(a) si $r = n$, le système a une solution et une seule ;

(b) si $r < n$, on peut assigner des valeurs arbitraires aux $n - r$ variables libres, puis exprimer en fonction d'elles les r variables pivots.

Solution :

(a) Supposons $r = n$; alors l'équation matricielle du système est $AX = B$ où A est une matrice triangulaire supérieure dont aucun élément diagonal n'est nul. Elle est donc inversible, et le théorème 3.10 affirme que le système a une solution et une seule.

(b) Donner une valeur à chacune des variables libres du système le met sous forme triangulaire pour les variables pivots, le point précédent nous assurant alors de l'existence et de l'unicité de la solution.

MÉTHODE D'ÉLIMINATION DE GAUSS

3.11 Résoudre les systèmes suivants :

(a) $\begin{aligned} x + 2y - 4z &= -4 \\ 2x + 5y - 9z &= -10 \\ 3x - 2y + 3z &= 11 \end{aligned}$ (b) $\begin{aligned} x + 2y - 3z &= -1 \\ -3x + y - 2z &= -7 \\ 5x + 3y - 4z &= 2 \end{aligned}$ (c) $\begin{aligned} x + 2y - 3z &= 1 \\ 2x + 5y - 8z &= 4 \\ 3x + 8y - 13z &= 7 \end{aligned}$

Solution : on met chacun des systèmes sous forme triangulaire ou échelon, puis on met en œuvre la méthode de Gauss :

(a) On transforme tout d'abord le système en utilisant les opérations suivantes : $-2L_1 + L_2 \to L_2$ et $-3L_1 + L_3 \to L_3$, puis en appliquant $8L_2 + L_3 \to L_3$ au résultat obtenu :

$$\begin{aligned} x + 2y - 4z &= -4 \\ y - z &= -2 \\ -8y + 15z &= 23 \end{aligned} \quad \text{puis} \quad \begin{aligned} x + 2y - 4z &= -4 \\ y - z &= -2 \\ 7z &= 7 \end{aligned}$$

Le système est alors triangulaire, et les substitutions successives du bas vers le haut permettent d'en obtenir la solution : $u = (2, -1, 1)$.

(b) Appliquons les opérations : $3L_1 + L_2 \to L_2$ et $-5L_1 + L_3 \to L_3$:

$$\begin{aligned} x + 2y - \ 3z &= -1 \\ 7y - 11z &= -10 \\ -7y + 11z &= \ \ 7 \end{aligned}$$

En appliquant à ce système l'opération $L_2 + L_3 \to L_3$, on obtient une équation dégénérée à second membre non nul :

$$0x + 0y + 0z = -3$$

qui n'admet pas de solution ; le système initial n'admet donc lui non plus aucune solution.

(c) On applique $-2L_1 + L_2 \to L_2$ et $-3L_1 + L_3 \to L_3$:

$$\begin{aligned} x + 2y - 3z &= 1 \\ y - 2z &= 2 \\ 2y - 4z &= 4 \end{aligned} \quad \text{ou} \quad \begin{aligned} x + 2y - 3z &= 1 \\ y - 2z &= 2 \end{aligned}$$

On a supprimé la 3e équation puisqu'elle est multiple de la 2e. On obtient ainsi un système échelon de variables pivots x et y et de variable libre z.

La solution paramétrique s'obtient en posant $z = a$, puis en résolvant de la manière habituelle : poser $z = a$ dans la deuxième équation donne $y = 2 + 2a$, puis $z = a$ et $y = 2 + 2a$ dans la première équation donne $x + 2(2 + 2a) - 3a = 1$ d'où $x = -3 - a$; la solution générale du système est donc, en fonction du paramètre arbitraire a :

$$x = -3 - a,\ y = 2(1 + a), z = a \quad \text{ou} \quad u = (-3 - a, 2 + 2a, a)$$

3.12 Résoudre les systèmes suivants :

(a)
$$\begin{aligned} x_1 - 3x_2 + 2x_3 - \ x_4 + 2x_5 &= 2 \\ 3x_1 - 9x_2 + 7x_3 - \ x_4 + 3x_5 &= 7 \\ 2x_1 - 6x_2 + 7x_3 + 4x_4 - 5x_5 &= 7 \end{aligned}$$

(b)
$$\begin{aligned} x_1 + \ 2x_2 - 3x_3 + 4x_4 &= 2 \\ 2x_1 + \ 5x_2 - 2x_3 + \ x_4 &= 1 \\ 5x_1 + 12x_2 - 7x_3 + 6x_4 &= 3 \end{aligned}$$

Solution : on rend échelon chacun des systèmes par la méthode de Gauss :

(a) On applique $-3L_1 + L_2 \to L2$ et $-2L_1 + L_3 \to L_3$ afin d'éliminer x_1 des 2e et 3e équations :

$$\begin{aligned} x_1 - 3x_2 + 2x_3 - \ x_4 + 2x_5 &= 2 \\ x_3 + 2x_4 - 3x_5 &= 1 \\ 3x_3 + 6x_4 - 9x_5 &= 3 \end{aligned} \quad \text{ou} \quad \begin{aligned} x_1 - 3x_2 + 2x_3 - \ x_4 + 2x_5 &= 2 \\ x_3 + 2x_4 - 3x_5 &= 1 \end{aligned}$$

On supprime la 3e équation qui est multiple de la seconde. Le système est à présent sous forme échelon, avec x_1 et x_3 pour variables pivots, x_2, x_4 et x_5 pour variables libres.

Pour exprimer la solution générale sous forme paramétrique, on pose $x_2 = a$, $x_4 = b$ et $x_5 = c$, introduisant les paramètres arbitraires a, b et c. Par substitution, on détermine $x_3 = 1 - 2b + 3c$ et $x_1 = 3a + 5b - 8c$, soit :

$$x_1 = 3a + 5b - 8c,\ x_2 = a,\ x_3 = 1 - 2b + 3c,\ x_4 = b,\ x_5 = c$$

ou encore le vecteur $u = (3a + 5b - 8c, a, 1 - 2b + 3c, b, c)$.

(b) Appliquons $-2L_1 + L_2 \to L_2$ et $-5L_1 + L_3 \to L_3$ pour éliminer x_1 des 2e et 3e équations :

$$\begin{aligned} x_1 + 2x_2 - 3x_3 + 4x_4 &= 2 \\ x_2 + 4x_3 - 7x_4 &= -3 \\ 2x_2 + 8x_3 - 14x_4 &= -7 \end{aligned}$$

L'opération $-2L_2 + L_3 \to L_3$ conduit à l'équation dégénérée $0x_2 + 0x_3 + 0x_4 = -1$: le système n'admet donc aucune solution. On voit ici qu'un système, même ayant plus d'inconnues que d'équations, peut être impossible.

3.13 En utilisant l'écriture condensée, résoudre $\begin{cases} 2y + 3z = 3 \\ x + y + z = 4 \\ 4x + 8y - 3z = 35 \end{cases}$

Solution : voici la suite des opérations en format condensé :

	Numéro	Équation	Opération
(2)	(1)	$2y + 3z = 3$	$L_1 \leftrightarrow L_2$
(1)	(2)	$x + y + z = 4$	$L_1 \leftrightarrow L_2$
	(3)	$4x + 8y - 3z = 35$	
	(3′)	$4y - 7z = 19$	$-4L_1 + L_3 \to L_3$
	(3″)	$-13z = 13$	$-2L_2 + L_3 \to L_3$

Pour les deux premières opérations, nous nous sommes contentés de changer les numéros des lignes sans les récrire. Les substitutions du bas vers le haut conduisent à la solution : $z = -1$, $y = 3$ et $x = 2$, ou le vecteur $u = (2,\ 3,\ -1)$.

3.14 Soit le système $\begin{cases} x + 2y + z = 3 \\ ay + 5z = 10 \\ 2x + 7y + az = b \end{cases}$

(a) Pour quelles valeurs de a le système a-t-il une solution et une seule ?

(b) Pour quelles valeurs du couple $(a,\ b)$ le système a-t-il plus d'une solution ?

Solution : mettons le système sous forme échelon : éliminons x de la 3e équation par l'opération $-2L_1 + L_3 \to L_3$, puis y de la nouvelle 3e équation par $-3L_2 + aL_3 \to L_3$:

$$\begin{aligned} x + 2y + z &= 3 \\ ay + 5z &= 10 \\ y + (a-2)z &= b - 6 \end{aligned} \qquad \text{puis} \qquad \begin{aligned} x + 2y + z &= 3 \\ ay + 5z &= 10 \\ (a^2 - 2a - 15)z &= ab - 6a - 30 \end{aligned}$$

Examinons la dernière équation :

(a) Le système a une solution et une seule ssi le coefficient de z est non nul :

$$a^2 - 2a - 15 = (a-5)(a+3) \neq 0 \Rightarrow a \neq 5 \text{ et } a \neq -3$$

(b) Le système a plus d'une solution (une infinité en fait) si le coefficient de z et le second membre sont nuls ; cela donne deux possibilités :

1. $a = 5 \Rightarrow b = 12$; 2. $a = -3 \Rightarrow b = 4$.

Les 2 couples pour lesquels le système admet plus d'une solution sont donc (5, 12) et (−3, 4).

MATRICES ÉCHELON, ÉQUIVALENCE ET FORME CANONIQUE EN LIGNES

3.15 Réduire les matrices suivantes sous forme échelon :

(a) $A = \begin{pmatrix} 1 & 2 & -3 & 0 \\ 2 & 4 & -2 & 2 \\ 3 & 6 & -4 & 3 \end{pmatrix}$; (b) $B = \begin{pmatrix} -4 & 1 & -6 \\ 1 & 2 & -5 \\ 6 & 3 & -4 \end{pmatrix}$.

Solution :

(a) On prend $a_{11} = 1$ comme pivot pour rendre nuls les éléments situés au-dessous. Pour ce faire, on applique les opérations élémentaires de ligne $-2R_1 + R_2 \to R_2$ et $-3R_1 + R_3 \to R_3$; on prend ensuite $a_{23} = 4$ comme pivot pour rendre nuls les éléments situés au-dessous. Il faut cette fois appliquer $-5R_2 + 4R_3 \to R_3$:

$$A \sim \begin{pmatrix} 1 & 2 & -3 & 0 \\ 0 & 0 & 4 & 2 \\ 0 & 0 & 5 & 3 \end{pmatrix} \sim \begin{pmatrix} 1 & 2 & -3 & 0 \\ 0 & 0 & 4 & 2 \\ 0 & 0 & 0 & 2 \end{pmatrix}$$

La matrice est bien sous forme échelon.

(b) Les calculs sont manifestement plus simples si le pivot est égal à 1. Il est donc judicieux ici de commencer par permuter les lignes R_1 et R_2 ; ensuite, dans un premier temps, on applique $4R_1 + R_2 \to R_2$ et $-6R_1 + R_3 \to R_3$, puis, dans un deuxième temps, $R_2 + R_3 \to R_3$:

$$B \sim \begin{pmatrix} 1 & 2 & -5 \\ -4 & 1 & -6 \\ 6 & 3 & -4 \end{pmatrix} \sim \begin{pmatrix} 1 & 2 & -5 \\ 0 & 9 & -26 \\ 0 & -9 & 26 \end{pmatrix} \sim \begin{pmatrix} 1 & 2 & -5 \\ 0 & 9 & -26 \\ 0 & 0 & 0 \end{pmatrix}$$

La matrice est bien sous forme échelon.

3.16 Décrire un algorithme de réduction d'une matrice en lignes au moyen de pivots. Indiquer, s'il y a lieu, les avantages de cet algorithme.

Solution : la méthode décrite dans le cours peut être utilisée comme algorithme si dans la colonne j, on choisit l'élément de plus grande valeur absolue pour pivot, qui devient donc a_{1j_1}, et on applique l'opération :

$$-\frac{a_{ij_1}}{a_{1j_1}} R_1 + R_i \to R_i$$

Le principal avantage d'un tel algorithme est que l'opération ci-dessus fait intervenir la division par le pivot, et que les erreurs d'arrondi effectuées par l'ordinateur peuvent être significativement réduites si le diviseur a une grande valeur absolue.

3.17 Mettre la matrice $A = \begin{pmatrix} 2 & -2 & 2 & 1 \\ -3 & 6 & 0 & -1 \\ 1 & -7 & 10 & 2 \end{pmatrix}$ sous forme échelon en appliquant l'algorithme du problème 3.16.

Solution : dans la 1re colonne, l'élément de plus grande valeur absolue se trouve sur la 2e ligne. On permute les lignes 1 et 2 avant d'appliquer les opérations $\frac{2}{3}R_1 + R_2 \to R_2$ et $\frac{1}{3}R_1 + R_3 \to R_3$:

$$A \sim \begin{pmatrix} -3 & 6 & 0 & -1 \\ 2 & -2 & 2 & 1 \\ 1 & -7 & 10 & 2 \end{pmatrix} \sim \begin{pmatrix} -3 & 6 & 0 & -1 \\ 0 & 2 & 2 & \frac{1}{3} \\ 0 & -5 & 10 & \frac{5}{3} \end{pmatrix}$$

On échange ensuite les lignes 2 et 3 pour pouvoir utiliser l'élément -5 de plus grande valeur absolue comme pivot, puis on applique $\frac{2}{5}R_2 + R_3 \to R_3$:

$$A \sim \begin{pmatrix} -3 & 6 & 0 & -1 \\ 0 & -5 & 10 & \frac{5}{3} \\ 0 & 2 & 2 & \frac{1}{3} \end{pmatrix} \sim \begin{pmatrix} -3 & 6 & 0 & -1 \\ 0 & -5 & 10 & \frac{5}{3} \\ 0 & 0 & 6 & 1 \end{pmatrix}$$

3.18 Mettre les matrices suivantes sous forme canonique en lignes :

(a) $A = \begin{pmatrix} 2 & 2 & -1 & 6 & 4 \\ 4 & 4 & 1 & 10 & 13 \\ 8 & 8 & -1 & 26 & 19 \end{pmatrix}$; (b) $B = \begin{pmatrix} 5 & -9 & 6 \\ 0 & 2 & 3 \\ 0 & 0 & 7 \end{pmatrix}$

Solution :

(a) On met d'abord A sous forme échelon avec $-2R_1 + R_2 \to R_2$ et $-4R_1 + R_3 \to R_3$, puis $-R_2 + R_3 \to R_3$:

$$A \sim \begin{pmatrix} 2 & 2 & -1 & 6 & 4 \\ 0 & 0 & 3 & -2 & 5 \\ 0 & 0 & 3 & 2 & 3 \end{pmatrix} \sim \begin{pmatrix} 2 & 2 & -1 & 6 & 4 \\ 0 & 0 & 3 & -2 & 5 \\ 0 & 0 & 0 & 4 & -2 \end{pmatrix}$$

On applique ensuite la substitution inverse pour mettre A sous forme canonique : on multiplie tout d'abord R_3 par $\frac{1}{4}$ pour rendre le pivot a_{34} égal à 1, puis on applique les opérations $2R_3 + R_2 \to R_2$ et $-6R_3 + R_1 \to R_1$:

$$A \sim \begin{pmatrix} 2 & 2 & -1 & 6 & 4 \\ 0 & 0 & 3 & -2 & 5 \\ 0 & 0 & 0 & 1 & -\frac{1}{2} \end{pmatrix} \sim \begin{pmatrix} 2 & 2 & -1 & 0 & 7 \\ 0 & 0 & 3 & 0 & 4 \\ 0 & 0 & 0 & 1 & -\frac{1}{2} \end{pmatrix}$$

On multiplie R_2 par $\frac{1}{3}$, d'où le pivot $a_{23} = 1$, et on applique $R_2 + R_1 \to R_1$:

$$A \sim \begin{pmatrix} 2 & 2 & -1 & 0 & 7 \\ 0 & 0 & 1 & 0 & \frac{4}{3} \\ 0 & 0 & 0 & 1 & -\frac{1}{2} \end{pmatrix} \sim \begin{pmatrix} 2 & 2 & 0 & 0 & \frac{25}{3} \\ 0 & 0 & 1 & 0 & \frac{4}{3} \\ 0 & 0 & 0 & 1 & -\frac{1}{2} \end{pmatrix}$$

On multiplie enfin R_1 par $\frac{1}{2}$ pour avoir $a_{11} = 1$, et la forme canonique en lignes de A est :

$$A \sim \begin{pmatrix} 1 & 1 & 0 & 0 & \frac{25}{6} \\ 0 & 0 & 1 & 0 & \frac{4}{3} \\ 0 & 0 & 0 & 1 & -\frac{1}{2} \end{pmatrix}$$

(b) La matrice B est déjà sous forme échelon ; on applique la substitution inverse :

$$B \sim \begin{pmatrix} 5 & -9 & 6 \\ 0 & 2 & 3 \\ 0 & 0 & 1 \end{pmatrix} \sim \begin{pmatrix} 5 & -9 & 0 \\ 0 & 2 & 0 \\ 0 & 0 & 1 \end{pmatrix} \sim \begin{pmatrix} 5 & -9 & 0 \\ 0 & 1 & 0 \\ 0 & 0 & 1 \end{pmatrix} \sim \begin{pmatrix} 5 & 0 & 0 \\ 0 & 1 & 0 \\ 0 & 0 & 1 \end{pmatrix} \sim \begin{pmatrix} 1 & 0 & 0 \\ 0 & 1 & 0 \\ 0 & 0 & 1 \end{pmatrix}$$

On constate que la forme canonique en lignes de B est la matrice unité I ; on devait s'y attendre, la matrice B étant inversible.

3.19 Décrire l'algorithme d'élimination de Gauss-Jordan, qui permet aussi de réduire une matrice sous forme canonique en lignes.

Solution : l'algorithme de Gauss-Jordan a certains points communs avec l'algorithme d'élimination de Gauss, sauf qu'il utilise chaque pivot pour rendre nuls à la fois les éléments au-dessous et au-dessus, avant de passer au suivant. Il existe aussi une variante de l'algorithme qui commence par normaliser la ligne, rendant le pivot égal à 1, avant de mettre à 0 les éléments au-dessus et au-dessous, plutôt que d'effectuer cette normalisation à la fin.

3.20 Utiliser l'algorithme de Gauss-Jordan pour réduire la matrice $A = \begin{pmatrix} 1 & -2 & 3 & 1 & 2 \\ 1 & 1 & 4 & -1 & 3 \\ 2 & 5 & 9 & -2 & 8 \end{pmatrix}$ à sa forme canonique en lignes.

Solution : on prend le pivot $a_{11} = 1$ pour obtenir des 0 au-dessous en appliquant $-R_1 + R_2 \to R_2$ et $-2R_1 + R_3 \to R_3$:

$$A \sim \begin{pmatrix} 1 & -2 & 3 & 1 & 2 \\ 0 & 3 & 1 & -2 & 1 \\ 0 & 9 & 3 & -4 & 4 \end{pmatrix}$$

On multiplie ensuite R_2 par $\frac{1}{2}$ pour avoir $a_{22} = 1$, puis rendre nuls les éléments au-dessus et au-dessous par les opérations $-9R_2 + R_3 \to R_3$ et $2R_2 + R_1 \to R_1$:

$$A \sim \begin{pmatrix} 1 & -2 & 3 & 1 & 2 \\ 0 & 1 & \frac{1}{3} & -\frac{2}{3} & \frac{1}{3} \\ 0 & 9 & 3 & -4 & 4 \end{pmatrix} \sim \begin{pmatrix} 1 & 0 & \frac{11}{3} & -\frac{1}{3} & \frac{8}{3} \\ 0 & 1 & \frac{1}{3} & -\frac{2}{3} & \frac{1}{3} \\ 0 & 0 & 0 & 2 & 1 \end{pmatrix}$$

On multiplie enfin R_3 par $\frac{1}{2}$ pour avoir $a_{34} = 1$, puis rendre nuls les éléments au-dessus et au-dessous par les opérations $\frac{2}{3}R_3 + R_2 \to R_2$ et $\frac{1}{3}R_3 + R_1 \to R_1$:

$$A \sim \begin{pmatrix} 1 & 0 & \frac{11}{3} & -\frac{1}{3} & \frac{8}{3} \\ 0 & 1 & \frac{1}{3} & -\frac{2}{3} & \frac{1}{3} \\ 0 & 0 & 0 & 1 & \frac{1}{2} \end{pmatrix} \sim \begin{pmatrix} 1 & 0 & \frac{11}{3} & 0 & \frac{17}{6} \\ 0 & 1 & \frac{1}{3} & 0 & \frac{2}{3} \\ 0 & 0 & 0 & 1 & \frac{1}{2} \end{pmatrix}$$

SYSTÈMES D'ÉQUATIONS LINÉAIRES SOUS FORME MATRICIELLE

3.21 Écrire la matrice augmentée et la matrice des coefficients du système $\begin{cases} x + 2y - 3z = 4 \\ 7x + 3y - 4z = 5 \\ 8x - 9y + 6z = 1 \end{cases}$

Solution : après avoir remis les inconnues dans l'ordre, on obtient aisément les matrices cherchées :

$$\begin{aligned} x + 2y - 3z &= 4 \\ 7x + 3y - 4z &= 5 \\ 8x - 9y + 6z &= 1 \end{aligned} \quad \text{d'où} \quad M = \begin{pmatrix} 1 & 2 & -3 & 4 \\ 7 & 3 & -4 & 5 \\ 8 & -9 & 6 & 1 \end{pmatrix} \quad \text{et} \quad A = \begin{pmatrix} 1 & 2 & -3 \\ 7 & 3 & -4 \\ 8 & -9 & 6 \end{pmatrix}$$

3.22 Résoudre les systèmes suivants en utilisant leur matrice augmentée :

$$\text{(a)} \begin{aligned} x + 2y - z &= 3 \\ x + 3y + z &= 5\,; \\ 3x + 8y + 4z &= 17 \end{aligned} \qquad \text{(b)} \begin{aligned} x - 2y + 4z &= 2 \\ 2x - 3y + 5z &= 3\,; \\ 3x - 4y + 6z &= 7 \end{aligned} \qquad \text{(c)} \begin{aligned} x + y + 3z &= 1 \\ 2x + 3y - z &= 3. \\ 5x + 7y + z &= 7 \end{aligned}$$

Solution :

(a) On met la matrice augmentée M sous forme échelon :

$$M = \begin{pmatrix} 1 & 2 & -1 & 3 \\ 1 & 3 & 1 & 5 \\ 3 & 8 & 4 & 17 \end{pmatrix} \sim \begin{pmatrix} 1 & 2 & -1 & 3 \\ 0 & 1 & 2 & 2 \\ 0 & 2 & 7 & 8 \end{pmatrix} \sim \begin{pmatrix} 1 & 2 & -1 & 3 \\ 0 & 1 & 2 & 2 \\ 0 & 0 & 3 & 4 \end{pmatrix}$$

On écrit le système triangulaire correspondant :

$$\begin{aligned} x + 2y - z &= 3 \\ y + 2z &= 2 \\ 3z &= 4 \end{aligned}$$

On obtient la solution par substitutions successives : $x = \frac{17}{3}$, $y = -\frac{2}{3}$, $z = \frac{4}{3}$ ou $u = \left(\frac{17}{3}, -\frac{2}{3}, \frac{4}{3}\right)$. On peut aussi, ce qui est plus compact, mettre la matrice M sous forme canonique en lignes :

$$M \sim \begin{pmatrix} 1 & 2 & -1 & 3 \\ 0 & 1 & 2 & 2 \\ 0 & 0 & 1 & \frac{4}{3} \end{pmatrix} \sim \begin{pmatrix} 1 & 2 & 0 & \frac{13}{3} \\ 0 & 1 & 0 & -\frac{2}{3} \\ 0 & 0 & 1 & \frac{4}{3} \end{pmatrix} \sim \begin{pmatrix} 1 & 0 & 0 & \frac{17}{3} \\ 0 & 1 & 0 & -\frac{2}{3} \\ 0 & 0 & 1 & \frac{4}{3} \end{pmatrix}$$

qui redonne bien la même solution.

(b) On réduit la matrice M sous forme échelon :

$$M \sim \begin{pmatrix} 1 & -2 & 4 & 2 \\ 2 & -3 & 5 & 3 \\ 3 & -4 & 6 & 7 \end{pmatrix} \sim \begin{pmatrix} 1 & -2 & 4 & 2 \\ 0 & 1 & -3 & -1 \\ 0 & 2 & -6 & 1 \end{pmatrix} \sim \begin{pmatrix} 1 & -2 & 4 & 2 \\ 0 & 1 & -3 & -1 \\ 0 & 0 & 0 & 3 \end{pmatrix}$$

La dernière ligne de la matrice correspond à l'équation dégénérée $0x + 0y + 0z = 3$ à second membre non nul : elle n'a pas de solution, le système initial non plus, et point n'est besoin de continuer.

(c) On réduit la matrice M sous forme échelon, puis sous forme canonique en lignes :

$$M \sim \begin{pmatrix} 1 & 1 & 3 & 1 \\ 2 & 3 & -1 & 3 \\ 5 & 7 & 1 & 7 \end{pmatrix} \sim \begin{pmatrix} 1 & 1 & 3 & 1 \\ 0 & 1 & -7 & 1 \\ \cancel{0} & \cancel{2} & \cancel{-14} & \cancel{2} \end{pmatrix} \sim \begin{pmatrix} 1 & 0 & 10 & 0 \\ 0 & 1 & -7 & 1 \end{pmatrix}$$

La dernière ligne a pu être supprimée, étant multiple de la 2e. Écrivons le système correspondant à la forme canonique en lignes de M, et transférons les variables libres au second membre pour avoir la solution :

$$\begin{aligned} x + \quad 10z &= 0 \\ y - \quad 7z &= 0 \end{aligned} \Rightarrow \begin{aligned} x &= -10z \\ y &= 1 + 7z \end{aligned}$$

z est la seule variable libre ; si l'on préfère la formulation paramétrique, on pose $z = a$, d'où :

$$x = -10a,\ y = 1 + 7a,\ z = a \quad \text{ou} \quad u = (-10a,\ 1 + 7a,\ a)$$

3.23 En utilisant la matrice augmentée M, résoudre : $\begin{cases} x_1 + 2x_2 - 3x_3 - 2x_4 + 4x_5 = 1 \\ 2x_1 + 5x_2 - 8x_3 - x_4 + 6x_5 = 4 \\ x_1 + 4x_2 - 7x_3 + 5x_4 + 2x_5 = 8 \end{cases}$

Solution : mettons la matrice M sous forme échelon puis sous forme canonique en lignes :

$$M = \begin{pmatrix} 1 & 2 & -3 & -2 & 4 & 1 \\ 2 & 5 & -8 & -1 & 6 & 4 \\ 1 & 4 & -7 & 5 & 2 & 8 \end{pmatrix} \sim \begin{pmatrix} 1 & 2 & -3 & -2 & 4 & 1 \\ 0 & 1 & -2 & 3 & -2 & 2 \\ 0 & 2 & -4 & 7 & -2 & 7 \end{pmatrix}$$

$$\sim \begin{pmatrix} 1 & 2 & -3 & -2 & 4 & 1 \\ 0 & 1 & -2 & 3 & -2 & 2 \\ 0 & 0 & 0 & 1 & 2 & 3 \end{pmatrix} \sim \begin{pmatrix} 1 & 2 & -3 & 0 & 8 & 7 \\ 0 & 1 & -2 & 0 & -8 & -7 \\ 0 & 0 & 0 & 1 & 2 & 3 \end{pmatrix}$$

$$\sim \begin{pmatrix} 1 & 0 & 1 & 0 & 24 & 21 \\ 0 & 1 & -2 & 0 & -8 & -7 \\ 0 & 0 & 0 & 1 & 2 & 3 \end{pmatrix}$$

On écrit le système équivalent, puis on déplace les variables libres au second membre :

$$\begin{aligned} x_1 + \quad x_3 + \quad 24x_5 &= 21 \\ x_2 - 2x_3 - \quad 8x_5 &= -7 \\ x_4 + \quad 2x_5 &= 3 \end{aligned} \quad \text{d'où} \quad \begin{aligned} x_1 &= 21 - x_3 - 24x_5 \\ x_2 &= -7 + 2x_3 + 8x_5 \\ x_4 &= 3 - 2x_5 \end{aligned}$$

Les variables pivots sont ici x_1, x_2 et x_4, et les variables libres x_3 et x_5. On obtient la forme paramétrique en posant par exemple $x_3 = a$ et $x_5 = b$, soit :

$$x_1 = 21 - a - 24b,\ x_2 = -7 + 2a + 8b,\ x_3 = a,\ x_4 = 3 - 2b,\ x_5 = b$$

$$\text{ou} \quad u = (21 - a - 24b,\ -7 + 2a + 8b,\ a,\ 3 - 2b,\ b)$$

COMBINAISONS LINÉAIRES – SYSTÈMES HOMOGÈNES

3.24 Écrire v comme combinaison linéaire de u_1, u_2 et u_3, avec :

(a) $v = (3, 10, 7)$ et $u_1 = (1, 3, -2)$, $u_2 = (1, 4, 2)$, $u_3 = (2, 8, 1)$;

(b) $v = (2, 7, 8)$ et $u_1 = (1, 2, 3)$, $u_2 = (1, 3, 5)$, $u_3 = (1, 5, 9)$;

(c) $v = (1, 5, 4)$ et $u_1 = (1, 3, -2)$, $u_2 = (2, 7, -1)$, $u_3 = (1, 6, 7)$.

Solution : on écrit le système d'équations linéaires équivalent sous la forme $v = xu_1 + yu_2 + zu_3$; on remarque que la matrice augmentée de ce système n'est autre que $M = (u_1, u_2, u_3, v)$, dont les colonnes sont formées des composantes des vecteurs considérés.

(a) L'équation vectorielle $v = xu_1 + yu_2 + zu_3$ s'écrit :

$$\begin{pmatrix} 3 \\ 10 \\ 7 \end{pmatrix} = x \begin{pmatrix} 1 \\ 3 \\ -2 \end{pmatrix} + y \begin{pmatrix} 1 \\ 4 \\ 2 \end{pmatrix} + z \begin{pmatrix} 2 \\ 8 \\ 1 \end{pmatrix} = \begin{pmatrix} x + y + 2z \\ 3x + 4y + 8z \\ -2x + 2y + z \end{pmatrix}$$

On en déduit le système d'équations linéaires, que l'on met sous forme échelon :

$$\begin{aligned} x + \ y + 2z &= 3 \\ 3x + 4y + 8z &= 10 \\ -2x + 2y + \ z &= 7 \end{aligned} \quad \text{ou} \quad \begin{aligned} x + \ y + 2z &= 3 \\ y + 2z &= 1 \\ 4y + 5z &= 13 \end{aligned} \quad \text{ou} \quad \begin{aligned} x + y + 2z &= 3 \\ y + 2z &= 1 \\ -3z &= 9 \end{aligned}$$

Ce système triangulaire se résout aisément ; on trouve $x = 2$, $y = 7$, $z = -3$, d'où $v = 2u_1 + 7u_2 - 3u_3$.
On peut aussi écrire la matrice augmentée $M = (u_1, u_2, u_3, v)$ du système et la mettre sous forme échelon :

$$M = \begin{pmatrix} 1 & 1 & 2 & 3 \\ 3 & 4 & 8 & 10 \\ -2 & 2 & 1 & 7 \end{pmatrix} \sim \begin{pmatrix} 1 & 1 & 2 & 3 \\ 0 & 1 & 2 & 1 \\ 0 & 4 & 5 & 13 \end{pmatrix} \sim \begin{pmatrix} 1 & 1 & 2 & 3 \\ 0 & 1 & 2 & 1 \\ 0 & 0 & -3 & 9 \end{pmatrix}$$

On reconnaît la matrice d'un système triangulaire à solution unique, identique à la précédente.

(b) Nous exposerons seulement la méthode utilisant la matrice augmentée :

$$M = \begin{pmatrix} 1 & 1 & 1 & 2 \\ 2 & 3 & 5 & 7 \\ 3 & 5 & 9 & 8 \end{pmatrix} \sim \begin{pmatrix} 1 & 1 & 1 & 2 \\ 0 & 1 & 3 & 3 \\ 0 & 2 & 6 & 4 \end{pmatrix} \sim \begin{pmatrix} 1 & 1 & 1 & 2 \\ 0 & 1 & 3 & 3 \\ 0 & 0 & 0 & -2 \end{pmatrix}$$

On reconnaît dans la 3e ligne une équation dégénérée à second membre non nul, n'ayant donc pas de solution : il est impossible d'écrire le vecteur v comme combinaison linéaire des vecteurs u_1, u_2, u_3 donnés.

(c) On applique la même méthode :

$$M = \begin{pmatrix} 1 & 2 & 1 & 1 \\ 3 & 7 & 6 & 5 \\ -2 & -1 & 7 & 4 \end{pmatrix} \sim \begin{pmatrix} 1 & 2 & 1 & 1 \\ 0 & 1 & 3 & 2 \\ 0 & 3 & 9 & 6 \end{pmatrix} \sim \begin{pmatrix} 1 & 2 & 1 & 1 \\ 0 & 1 & 3 & 2 \\ 0 & 0 & 0 & 0 \end{pmatrix}$$

La dernière ligne correspond à une équation dégénérée à second membre nul, qui admet une infinité de solutions ; on a ici z pour variable libre :

$$\begin{aligned} x + 2y + z &= 1 \\ y + 3z &= 2 \end{aligned}$$

On peut donc écrire v d'une infinité de manières différentes comme combinaison linéaire de u_1, u_2 et u_3. Donnons par exemple la valeur 1 la variable libre z, d'où $y = -2$ et $x = 2$. On obtient alors $v = 2u_1 - 2u_2 + u_3$.

3.25 Soient les vecteurs $u_1 = (1, 2, 4)$, $u_2 = (2, -3, 1)$ et $u_3 = (2, 1, -1)$ dans $\mathbb{R}^3$. Montrer que u_1, u_2 et u_3 sont orthogonaux, puis écrire v comme combinaison linéaire de u_1, u_2 et u_3, avec :

(a) $v = (7, 16, 6)$; (b) $v = (3, 5, 2)$.

Solution : exprimons les produits scalaires deux à deux des vecteurs u_1, u_2 et u_3 :

$$u_1 \cdot u_2 = 2 - 6 + 4 = 0, \quad u_1 \cdot u_3 = 2 + 2 - 4 = 0, \quad u_2 \cdot u_3 = 4 - 3 - 1 = 0$$

Ces trois vecteurs sont donc orthogonaux, et l'on peut utiliser les coefficients de Fourier pour exprimer les combinaisons linéaires ; on écrit donc $v = xu_1 + yu_2 + zu_3$, avec :

$$x = \frac{v \cdot u_1}{u_1 \cdot u_1}, \quad y = \frac{v \cdot u_2}{u_2 \cdot u_2}, \quad z = \frac{v \cdot u_3}{u_3 \cdot u_3}$$

(a) $x = \dfrac{7 + 32 + 24}{1 + 4 + 16} = 3$, $y = \dfrac{14 - 48 + 6}{4 + 9 + 1} = -2$, $z = \dfrac{14 + 16 - 6}{4 + 1 + 1} = 4$, d'où $v = 3u_1 - 2u_2 + 4u_3$;

(b) $x = \dfrac{3+10+8}{1+4+16} = 1, \quad y = \dfrac{6-15+2}{4+9+1} = -\dfrac{1}{2}, \quad z = \dfrac{6+5-2}{4+1+1} = \dfrac{3}{2}$,
d'où $v = u_1 - \dfrac{1}{2}u_2 + \dfrac{3}{2}u_3$.

3.26 Trouver la dimension et une base de la solution générale W des systèmes homogènes suivants :

$$\text{(a)}\ \begin{aligned} 2x_1 + 4x_2 - 5x_3 + 3x_4 &= 0 \\ 3x_1 + 6x_2 - 7x_3 + 4x_4 &= 0 \\ 5x_1 + 10x_2 - 11x_3 + 6x_4 &= 0 \end{aligned} \qquad \text{(b)}\ \begin{aligned} x - 2y - 3z &= 0 \\ 2x + y - z &= 0 \\ 3x - 4y - 8z &= 0 \end{aligned}$$

Solution :

(a) On met le système sous forme échelon par les opérations $-3L_1 + 2L_2 \to L_2$, $-5L_1 + 2L_3 \to L_3$, puis $-2L_2 + L_3 \to L_3$:

$$\begin{aligned} 2x_1 + 4x_2 - 5x_3 + 3x_4 &= 0 \\ x_3 - x_4 &= 0 \\ 3x_3 - 3x_4 &= 0 \end{aligned} \quad \text{puis} \quad \begin{aligned} 2x_1 + 4x_2 - 5x_3 + 3x_4 &= 0 \\ x_3 - x_4 &= 0 \end{aligned}$$

Le système a deux variables libres, x_2 et x_4, de sorte que $\dim W = 2$. On détermine une base (u_1, u_2)de la manière suivante :

1. On pose $x_2 = 1$ et $x_4 = 0$, d'où $x_3 = 0$ et $x_1 = -2$; on a donc $u_1 = (-2, 1, 0, 0)$;
2. On pose $x_2 = 0$ et $x_4 = 1$, d'où $x_3 = 1$ et $x_1 = 1$; on a donc $u_2 = (1, 0, 1, 1)$.

(b) La mise sous forme échelon du système s'écrit :

$$\begin{aligned} x - 2y - 3z &= 0 \\ 5y + 5z &= 0 \\ 2y + z &= 0 \end{aligned} \quad \text{puis} \quad \begin{aligned} x - 2y - 3z &= 0 \\ 5y + 5z &= 0 \\ 5z &= 0 \end{aligned}$$

Le système est triangulaire et n'a pas de variables libres. Il en résulte que $\dim W = 0$, et W n'a par conséquent pas de base. En fait, la seule solution du système est la solution nulle, soit $W = \{0\}$.

3.27 En utilisant la notation matricielle, trouver la dimension et une base du système homogène suivant :

$$\begin{aligned} 2x_1 + 2x_2 + 3x_3 - 2x_4 + 4x_5 &= 0 \\ 2x_1 + 4x_2 + 8x_3 + x_4 + 9x_5 &= 0 \\ 3x_1 + 6x_2 + 13x_3 + 4x_4 + 14x_5 &= 0 \end{aligned}$$

Montrer comment, à partir de la base, on obtient la forme paramétrique de la solution générale.

Solution : un système homogène peut être représenté simplement par sa matrice A des coefficients, puisque la dernière colonne de la matrice augmentée est nulle, et reste nulle au cours des opérations successives de la mise sous forme échelon. Mettons donc A sous forme échelon :

$$A = \begin{pmatrix} 1 & 2 & 3 & -2 & 4 \\ 2 & 4 & 8 & 1 & 9 \\ 3 & 6 & 13 & 4 & 14 \end{pmatrix} \sim \begin{pmatrix} 1 & 2 & 3 & -2 & 4 \\ 0 & 0 & 2 & 5 & 1 \\ 0 & 0 & 4 & 10 & 2 \end{pmatrix} \sim \begin{pmatrix} 1 & 2 & 3 & -2 & 4 \\ 0 & 0 & 2 & 5 & 1 \end{pmatrix}$$

On a supprimé la dernière ligne, multiple de la seconde. Il y a deux manières de procéder :

(a) On écrit le système d'équations linéaires correspondant, sous forme échelon :

$$\begin{aligned} x_1 + 2x_2 + 3x_3 - 2x_4 + 4x_5 &= 0 \\ 2x_3 + 5x_4 + x_5 &= 0 \end{aligned}$$

Ce système a trois variables libres, x_2, x_4 et x_5, par conséquent $\dim W = 3$. On détermine une base de la façon suivante :

1. On pose $x_2 = 1$, $x_4 = 0$ et $x_5 = 0$, d'où $x_3 = 0$ puis $x_1 = -2$; on en déduit $u_1 = (-2, 1, 0, 0, 0)$;
2. on pose $x_2 = 0$, $x_4 = 1$ et $x_5 = 0$, d'où $x_3 = -\dfrac{5}{2}$ puis $x_1 = \dfrac{19}{2}$; on en déduit $u_2 = \left(\dfrac{19}{2}, 0, -\dfrac{5}{2}, 1, 0\right)$;
3. on pose enfin $x_2 = 0$, $x_4 = 0$ et $x_5 = 1$, d'où $x_3 = -\dfrac{1}{2}$ puis $x_1 = -\dfrac{5}{2}$; on en déduit $u_3 = \left(-\dfrac{5}{2}, 0, -\dfrac{1}{2}, 0, 1\right)$.

On aurait pu éviter les fractions dans les expressions de u_2 et u_3 en posant $x_4 = 2$ dans (a2) et $x_5 = 2$ dans (a3), ce qui aurait donné des multiples des u_1 et u_2 ci-dessus. La forme paramétrique de la solution s'écrit comme combinaison linéaire des vecteurs de la base, dont les coefficients sont les paramètres a, b et c :

$$au_1 + bu_2 + cu_3 = \left(-2a + \frac{19}{2}b - \frac{5}{2}c, a, -\frac{5}{2}b - \frac{1}{2}c, b, c\right)$$

(b) On met la forme échelon de A sous forme canonique en lignes :

$$A \sim \begin{pmatrix} 1 & 2 & 3 & -2 & 4 \\ 0 & 0 & 1 & \frac{5}{2} & \frac{1}{2} \end{pmatrix} \sim \begin{pmatrix} 1 & 2 & 0 & -\frac{19}{2} & \frac{5}{2} \\ 0 & 0 & 1 & \frac{5}{2} & \frac{1}{2} \end{pmatrix}$$

On écrit ensuite la solution correspondante en fonction des variables libres :

$$\begin{aligned} x_1 &= -2x_2 + \frac{19}{2}x_4 - \frac{5}{2}x_5 \\ x_3 &= -\frac{5}{2}x_4 - \frac{1}{2}x_5 \end{aligned}$$

On résout ces équations avec les variables pivots x_1 et x_3, puis on recommence le processus précédent pour obtenir une base (u_1, u_2, u_3) de W ; plus précisément, on pose $x_2 = 1$, $x_4 = 0$ et $x_5 = 0$ pour obtenir u_1, on pose $x_2 = 0$, $x_4 = 1$ et $x_5 = 0$ pour obtenir u_2, et enfin on pose $x_2 = 0$, $x_4 = 0$ et $x_5 = 1$ pour obtenir u_3.

3.28 Démontrer le théorème 3.15 : *Soit v_0 une solution particulière du système avec second membre $AX = B$, et soit W la solution générale de son système homogène associé $AX = 0$. Alors :*

$$U = v_0 + W = \{v_0 + w \mid w \in W\}$$

est la solution générale du système avec second membre.

Solution : soit w une solution de $AX = 0$. On peut écrire :

$$A(v_0 + w) = Av_0 + Aw = B + 0 = B$$

La somme $v_0 + w$ est donc solution de $AX = B$. Soit à présent v, également solution de $AX = B$; alors :

$$A(v - v_0) = Av - Av_0 = B - B = 0$$

$v - v_0$ appartient par conséquent à W. Puisque $v = v_0 + (v - v_0)$, on voit que toutes les solutions du système $AX = B$ s'obtiennent en ajoutant une solution de $AX = 0$ à une solution particulière de $AX = B$, ce qui montre le théorème.

MATRICES ÉLÉMENTAIRES, APPLICATIONS

3.29 Soient e_1, e_2 et e_3, respectivement, les opérations élémentaires sur les lignes :

« permuter les lignes R_1 et R_2 », « remplacer R_3 par $7R_3$ », « remplacer R_2 par $-3R_1 + R_2$ »

Exprimer les matrices élémentaires carrées 3×3, E_1, E_2 et E_3 correspondantes.

Solution : on applique les opérations correspondantes à la matrice unité I_3 :

$$E_1 = \begin{pmatrix} 0 & 1 & 0 \\ 1 & 0 & 0 \\ 0 & 0 & 1 \end{pmatrix}, \quad E_2 = \begin{pmatrix} 1 & 0 & 0 \\ 0 & 1 & 0 \\ 0 & 0 & 7 \end{pmatrix}, \quad E_3 = \begin{pmatrix} 1 & 0 & 0 \\ -3 & 1 & 0 \\ 0 & 0 & 1 \end{pmatrix}$$

3.30 On considère les opérations élémentaires sur les lignes du problème 3.29 :

(a) décrire les opérations inverses e_1^{-1}, e_2^{-1} et e_3^{-1} ;

(b) exprimer les matrices élémentaires carrées 3×3 E'_1, E'_2 et E'_3 correspondantes ;

(c) déterminer les relations entre les matrices E_1, E_2, E_3 d'une part, et E'_1, E'_2, E'_3 d'autre part.

Solution :

(a) Les inverses de e_1, e_2 et e_3 sont, respectivement :

« permuter les lignes R_1 et R_2 », « remplacer R_3 par $\frac{1}{7}R_3$ », « remplacer R_2 par $3R_1 + R_2$ »

(b) On applique les opérations inverses correspondantes à la matrice unité I_3 :

$$E'_1 = \begin{pmatrix} 0 & 1 & 0 \\ 1 & 0 & 0 \\ 0 & 0 & 1 \end{pmatrix}, \quad E'_2 = \begin{pmatrix} 1 & 0 & 0 \\ 0 & 1 & 0 \\ 0 & 0 & \frac{1}{7} \end{pmatrix}, \quad E'_3 = \begin{pmatrix} 1 & 0 & 0 \\ 3 & 1 & 0 \\ 0 & 0 & 1 \end{pmatrix}$$

(c) Les matrices E'_1, E'_2 et E'_3 sont les inverses, respectivement, des matrices E_1, E_2 et E_3.

3.31 Écrire chacune des matrices suivantes sous forme d'un produit de matrices élémentaires :

(a) $A = \begin{pmatrix} 1 & -3 \\ -2 & 4 \end{pmatrix}$; (b) $B = \begin{pmatrix} 1 & 2 & 3 \\ 0 & 1 & 4 \\ 0 & 0 & 1 \end{pmatrix}$; (c) $C = \begin{pmatrix} 1 & 1 & 2 \\ 2 & 3 & 8 \\ -3 & -1 & 2 \end{pmatrix}$.

Solution : il convient de suivre les trois étapes suivantes pour écrire une matrice M comme produit de matrices élémentaires :

Étape A ramener M à la matrice unité, en gardant la trace des opérations élémentaires effectuées ;

Étape B écrire les opérations inverses correspondantes ;

Étape C écrire enfin M comme produit des matrices correspondant aux opérations élémentaires inverses.

Attention : si une ligne nulle apparaît à la première étape, la matrice M n'est pas équivalente (en lignes) à la matrice unité, et ne peut donc pas être mise sous la forme d'un produit de matrices élémentaires.

(a) **Étape A** On a :

$$A = \begin{pmatrix} 1 & -3 \\ -2 & 4 \end{pmatrix} \sim \begin{pmatrix} 1 & -3 \\ 0 & -2 \end{pmatrix} \sim \begin{pmatrix} 1 & -3 \\ 0 & 1 \end{pmatrix} \sim \begin{pmatrix} 1 & 0 \\ 0 & 1 \end{pmatrix} = I$$

où les opérations élémentaires de ligne successives sont, respectivement :

$$2R_1 + R_2 \to R_2, \quad -\frac{1}{2}R_2 \to R_2, \quad 3R_2 + R_1 \to R_1$$

Étape B Les opérations inverses sont :

$$-2R_1 + R_2 \to R_2, \quad -2R_2 \to R_2, \quad -3R_2 + R_1 \to R_1$$

Étape C En définitive, $A = \begin{pmatrix} 1 & 0 \\ -2 & 1 \end{pmatrix} \begin{pmatrix} 1 & 0 \\ 0 & -2 \end{pmatrix} \begin{pmatrix} 1 & -3 \\ 0 & 1 \end{pmatrix}$.

(b) **Étape A** On a :

$$B = \begin{pmatrix} 1 & 2 & 3 \\ 0 & 1 & 4 \\ 0 & 0 & 1 \end{pmatrix} \sim \begin{pmatrix} 1 & 2 & 0 \\ 0 & 1 & 0 \\ 0 & 0 & 1 \end{pmatrix} \sim \begin{pmatrix} 1 & 0 & 0 \\ 0 & 1 & 0 \\ 0 & 0 & 1 \end{pmatrix} = I$$

où les opérations élémentaires de ligne successives sont, respectivement :

$$-4R_3 + R_2 \to R_2, \quad -3R_3 + R_1 \to R_1, \quad -2R_2 + R_1 \to R_1$$

Étape B Les opérations inverses sont :

$$4R_3 + R_2 \to R_2, \quad 3R_3 + R_1 \to R_1, \quad 2R_2 + R_1 \to R_1$$

Étape C En définitive, $B = \begin{pmatrix} 1 & 0 & 0 \\ 0 & 1 & 4 \\ 0 & 0 & 1 \end{pmatrix} \begin{pmatrix} 1 & 0 & 3 \\ 0 & 1 & 0 \\ 0 & 0 & 1 \end{pmatrix} \begin{pmatrix} 1 & 2 & 0 \\ 0 & 1 & 0 \\ 0 & 0 & 1 \end{pmatrix}$.

(c) **Étape A** On a :

$$C = \begin{pmatrix} 1 & 1 & 2 \\ 2 & 3 & 8 \\ -3 & -1 & 2 \end{pmatrix} \sim \begin{pmatrix} 1 & 1 & 2 \\ 0 & 1 & 4 \\ 0 & 2 & 8 \end{pmatrix} \sim \begin{pmatrix} 1 & 1 & 2 \\ 0 & 1 & 4 \\ 0 & 0 & 0 \end{pmatrix} \neq I$$

Sous forme échelon, la matrice C présente une ligne nulle : inutile d'aller plus loin, la matrice C n'est pas équivalente à la matrice unité, et ne peut donc pas être écrite comme produit de matrices élémentaires. On notera que cela signifie également que C n'est pas inversible.

3.32 Déterminer l'inverse des matrices suivantes :

(a) $A = \begin{pmatrix} 1 & 2 & -4 \\ -1 & -1 & 5 \\ 2 & 7 & -3 \end{pmatrix}$; (b) $B = \begin{pmatrix} 1 & 3 & -4 \\ 1 & 5 & -1 \\ 3 & 13 & -6 \end{pmatrix}$

Solution :

(a) On construit la matrice $M = (A, I)$, que l'on met sous forme échelon :

$$M = \left(\begin{array}{ccc|ccc} 1 & 2 & -4 & 1 & 0 & 0 \\ -1 & -1 & 5 & 0 & 1 & 0 \\ 2 & 7 & -3 & 0 & 0 & 1 \end{array}\right) \sim \left(\begin{array}{ccc|ccc} 1 & 2 & -4 & 1 & 0 & 0 \\ 0 & 1 & 1 & 1 & 1 & 0 \\ 0 & 3 & 5 & -2 & 0 & 1 \end{array}\right) \sim \left(\begin{array}{ccc|ccc} 1 & 2 & -4 & 1 & 0 & 0 \\ 0 & 1 & 1 & 1 & 1 & 0 \\ 0 & 0 & 2 & -5 & -3 & 1 \end{array}\right)$$

Sous cette forme, la moitié gauche de M est triangulaire, prouvant que A est inversible. Mettons alors M sous forme canonique en lignes :

$$M \sim \left(\begin{array}{ccc|ccc} 1 & 2 & 0 & -9 & -6 & 2 \\ 0 & 1 & 0 & 7/2 & 5/2 & -1/2 \\ 0 & 0 & 1 & -5/2 & -3/2 & 1/2 \end{array}\right) \sim \left(\begin{array}{ccc|ccc} 1 & 0 & 0 & -16 & -11 & 3 \\ 0 & 1 & 0 & 7/2 & 5/2 & -1/2 \\ 0 & 0 & 1 & -5/2 & -3/2 & 1/2 \end{array}\right)$$

qui est de la forme (I, A^{-1}) ; autrement dit, A^{-1} est la moitié droite de la dernière matrice :

$$A^{-1} = \begin{pmatrix} -16 & -11 & 3 \\ 7/2 & 5/2 & -1/2 \\ -5/2 & -3/2 & 1/2 \end{pmatrix}$$

(b) On construit la matrice $M = (B, I)$, que l'on met sous forme échelon :

$$M = \left(\begin{array}{ccc|ccc} 1 & 3 & -4 & 1 & 0 & 0 \\ 1 & 5 & -1 & 0 & 1 & 0 \\ 3 & 13 & -6 & 0 & 0 & 1 \end{array}\right) \sim \left(\begin{array}{ccc|ccc} 1 & 3 & -4 & 1 & 0 & 0 \\ 0 & 2 & 3 & -1 & 1 & 0 \\ 0 & 4 & 6 & -3 & 0 & 1 \end{array}\right) \sim \left(\begin{array}{ccc|ccc} 1 & 3 & -4 & 1 & 0 & 0 \\ 0 & 2 & 3 & -1 & 1 & 0 \\ 0 & 0 & 0 & -1 & -2 & 1 \end{array}\right)$$

La moitié gauche de M contient une ligne nulle ; B ne peut pas être mise sous forme triangulaire, et n'est donc pas inversible.

3.33 Démontrer que toute matrice élémentaire est inversible, et que son inverse est encore une matrice élémentaire.

Solution : soit E la matrice élémentaire correspondant à l'opération élémentaire de ligne e, c'est-à-dire $e(I) = E$. Soit e' l'opération inverse et E' la matrice correspondante, $E' = e'(I)$. Alors :

$$I = e'\big(e(I)\big) = e'(E) = E'E \quad \text{et} \quad I = e\big(e'(I)\big) = e(E') = EE'$$

E' est l'inverse de E.

3.34 Démontrer le théorème 3.16 : Soit e une opération élémentaire de ligne et $E = e(I)$ la matrice élémentaire $m \times m$ correspondante ; alors, pour toute matrice A $m \times n$, $e(A) = EA$.

Solution : désignons par R_i la i-ème ligne de A ; dans la suite, nous écrirons la matrice A sous la forme $A = (R_1, \ldots, R_m)$. Soit B une matrice telle que le produit AB ait un sens, alors $AB = (R_1B, \ldots, R_mB)$. Introduisons la notation :

$$e_i = (0, \ldots, \hat{1}, 0, \ldots, 0) \qquad \hat{} = i$$

où $\hat{} = i$ signifie que le 1 est à la i-ème place. On peut montrer (problème 2.46) que $e_iA = R_i$. On remarquera que la matrice $I = (e_1, e_2, \ldots, e_m)$ est la matrice unité $m \times m$.

(a) Soit l'opération élémentaire de ligne e : « permuter les lignes i et j ». Alors, pour $\hat{} = i$ et $\hat{\hat{}} = j$:

$$E = e(I) = (e_1, \ldots, \widehat{e_j}, \ldots, \widehat{\widehat{e_i}}, \ldots, e_m) \quad \text{et} \quad e(A) = (R_1, \ldots, \widehat{R_j}, \ldots, \widehat{\widehat{R_i}} \ldots, R_m)$$

Par conséquent :

$$EA = (e_1A, \ldots, \widehat{e_jA}, \ldots, \widehat{\widehat{e_iA}}, \ldots, e_mA) = (R_1, \ldots, \widehat{R_j}, \ldots, \widehat{\widehat{R_i}}, \ldots, R_m) = e(A)$$

(b) Soit l'opération élémentaire de ligne e : « remplacer R_i par kR_i, $(k \neq 0)$ ». Alors, pour $\hat{} = i$:

$$E = e(I) = (e_1, \ldots, \widehat{ke_i}, \ldots, e_m) \quad \text{et} \quad e(A) = (R_1, \ldots, \widehat{kR_i}, \ldots, R_m)$$

Par conséquent :

$$EA = (e_1A, \ldots, \widehat{ke_iA}, \ldots, e_mA) = (R_1, \ldots, \widehat{kR_i}, \ldots, R_m) = e(A)$$

(c) Soit l'opération élémentaire de ligne e : « remplacer R_i par $kR_j + R_i$ ». Alors, pour $\hat{} = i$:

$$E = e(I) = (e_1, \ldots, \widehat{ke_j + e_i}, \ldots, e_m) \quad \text{et} \quad e(A) = (R_1, \ldots, \widehat{kR_j + R_i}, \ldots, R_m)$$

Puisque $(ke_j + e_i)A = k(e_jA) + e_iA = kR_j + R_i$, on obtient :

$$EA = (e_1A, \ldots, (\widehat{ke_j + e_i})A, \ldots, e_mA) = (R_1, \ldots, \widehat{kR_j + R_i}, \ldots, R_m) = e(A)$$

3.35 Démontrer le théorème 3.17 : *soit A une matrice carrée ; les trois propriétés suivantes sont équivalentes :*

(a) *A est inversible ;*

(b) *A est équivalente en lignes à la matrice identité I ;*

(c) *A est un produit de matrices élémentaires.*

Solution : supposons que A soit inversible, et soit équivalente (en lignes) à une matrice B sous forme canonique en lignes. Alors, d'après le théorème 3.16, il existe des matrices élémentaires $E_1, E_2, \ldots, E_s$ telles que $E_s \ldots E_2E_1A = B$. Puisque A est inversible, et que chacune des matrices élémentaires est inversible, B est aussi inversible. Si $B \neq I$, alors B a une ligne nulle, et n'est pas inversible. On en déduit que $B = I$, par conséquent (a) implique (b).

Si (b) est vraie, alors il existe des matrices élémentaires $E_1, E_2, \ldots, E_s$ telles que $E_s \ldots E_2E_1A = I$. Il en résulte que $A = (E_s \ldots E_2E_1)^{-1} = E_1^{-1}E_2^{-1} \ldots E_s^{-1}$. On sait que les E_j^{-1} sont aussi des matrices élémentaires, et (b) implique (c).

Si (c) est vraie, alors $A = E_1E_2 \ldots E_s$. Les E_j étant inversibles, leur produit est inversible, et donc A aussi. Alors (c) implique (a). Le théorème est donc démontré.

3.36 Démontrer le théorème 3.18 : *soient deux matrices carrées A et B ; alors si $AB = I$, alors $BA = I$ et $B = A^{-1}$.*

Solution : si la matrice A n'est pas inversible, elle n'est pas équivalente (en lignes) à la matrice unité, et est équivalente à une matrice dont une ligne au moins est nulle. Autrement dit, il existe des matrices élémentaires $E_1, E_2, \ldots, E_s$ telles que $E_s \ldots E_2E_1A$ a une ligne nulle. On en déduit que $E_s \ldots E_2E_1AB = E_s \ldots E_2E_1$, qui est une matrice inversible, aurait une ligne nulle, ce qui est contradictoire. A est donc inversible, d'inverse A^{-1}. On peut également écrire :

$$B = IB = (A^{-1}A)B = A^{-1}(AB) = A^{-1}I = A^{-1}$$

3.37 Démontrer le théorème 3.19 : *une matrice B est équivalente en lignes à une matrice A si et seulement si il existe une matrice régulière P telle que $B = PA$.*

Solution : si $B \sim A$, elle s'écrit $B = e_s(\ldots(e_2(e_1(A)))\ldots) = E_s \ldots E_2E_1A = PA$ où $P = E_s \ldots E_2E_1$ est inversible.

Réciproquement, supposons que $B = PA$, où P est régulière. Le théorème 3.17 nous assure que P est produit de matrices élémentaires, et par conséquent B peut être obtenue à partir de A par une suites d'opérations élémentaires sur les lignes, soit $B \sim A$, ce qui démontre le théorème.

3.38 Démontrer le théorème 3.21 : *Toute matrice A rectangulaire $m \times n$ est équivalente à une matrice blocs et une seule de la forme $A \sim \begin{pmatrix} I_r & 0 \\ 0 & 0 \end{pmatrix}$ où I_r est la matrice unité $r \times r$.*

Solution : la démonstration peut être formulée comme un algorithme :

Étape A Réduire A sous forme canonique en lignes, en désignant par $a_{1j_1}, a_{2j_2}, \ldots, a_{rj_r}$ les premiers éléments non nuls de chaque ligne.

Étape B Permuter les colonnes C_1 et C_{1j_1}, C_2 et $C_{2j_2}, \ldots, C_r$ et C_{rj_r}. On obtient une matrice de la forme $\left(\begin{array}{c|c} I_r & B \\ \hline 0 & 0 \end{array}\right)$, avec pour premiers éléments non nuls $a_{11}, a_{22}, \ldots, a_{rr}$.

Étape C Mettre en œuvre les opérations élémentaires sur les colonnes, avec pour pivots les a_{ii}, nécessaires pour remplacer par 0 tous les éléments de B : plus précisément, pour $i = 1, 2, \ldots, r$ et $j = r+1, r+2, \ldots, n$, appliquer l'opération $-b_{ij}C_i + C_j \rightarrow C_j$. La matrice obtenue a bien la forme cherchée.

DÉCOMPOSITION *LU*

3.39 Trouver la décomposition LU des matrices suivantes :

(a) $A = \begin{pmatrix} 1 & -3 & 5 \\ 2 & -4 & 7 \\ -1 & -2 & 1 \end{pmatrix}$; (b) $A = \begin{pmatrix} 1 & 4 & -3 \\ 2 & 8 & 1 \\ -5 & -9 & 7 \end{pmatrix}$.

Solution :

(a) On met A sous forme triangulaire par les opérations :

$$-2R_1 + R_2 \rightarrow R_2, \quad R_1 + R_3 \rightarrow R_3, \quad \text{puis} \quad \frac{5}{2}R_2 + R_3 \rightarrow R_3$$

On obtient, en appelant U la forme triangulaire :

$$A \sim \begin{pmatrix} 1 & -3 & 5 \\ 0 & 2 & -3 \\ 0 & -5 & 6 \end{pmatrix} \sim \begin{pmatrix} 1 & -3 & 5 \\ 0 & 2 & -3 \\ 0 & 0 & -\frac{3}{2} \end{pmatrix} = U \quad \text{et} \quad L = \begin{pmatrix} 1 & 0 & 0 \\ 2 & 1 & 0 \\ -1 & -\frac{5}{2} & 1 \end{pmatrix}$$

Les éléments 2, -1 et $-\frac{5}{2}$ de L sont les opposés des multiplicateurs des opérations sur les lignes effectuées. On peut à titre de vérification effectuer le produit LU qui doit redonner A.

(b) La réduction de B sous forme triangulaire s'effectue par :

$$-2R_1 + R_2 \to R_2, \quad \text{et} \quad 5R_1 + R_3 \to R_3$$

ce qui donne :

$$B \sim \begin{pmatrix} 1 & 4 & -3 \\ 0 & 0 & 7 \\ 0 & 11 & -8 \end{pmatrix}$$

On constate la présence d'un zéro sur la diagonale ; il en résulte que B ne pourra être mise sous forme triangulaire sans l'intervention de permutation de lignes. En conséquence, B ne peut être décomposée sous forme LU[(1)].

3.40 Déterminer la décomposition LDU de la matrice A (item (a)) du problème 3.39.

Solution : la décomposition $A = LDU$ fait intervenir une matrice L triangulaire inférieure dont la diagonale est formée de 1 (comme dans la décomposition LU), une matrice D diagonale, et une matrice U triangulaire supérieure dont la diagonale est également formée de 1. La matrice L est la même ; les matrices D et V s'obtiennent à partir de U : D en contient les éléments diagonaux, et V s'obtient en divisant les lignes par l'élément diagonal :

$$L = \begin{pmatrix} 1 & 0 & 0 \\ 2 & 1 & 0 \\ -1 & -\frac{5}{2} & 1 \end{pmatrix}, \quad D = \begin{pmatrix} 1 & 0 & 0 \\ 0 & 2 & 0 \\ 0 & 0 & -\frac{3}{2} \end{pmatrix}, \quad U = \begin{pmatrix} 1 & -3 & 5 \\ 0 & 1 & -\frac{3}{2} \\ 0 & 0 & 1 \end{pmatrix}$$

3.41 Trouver la décomposition LU de la matrice $A = \begin{pmatrix} 1 & 2 & 1 \\ 2 & 3 & 3 \\ -3 & -10 & 2 \end{pmatrix}$.

Solution : les opérations suivantes mettent A sous forme triangulaire :

$$-2R_1 + R_2 \to R_2, \quad 3R_1 + R_3 \to R_3, \quad \text{puis} \quad -4R_2 + R_3 \to R_3$$

On obtient :

$$A \sim \begin{pmatrix} 1 & 2 & 1 \\ 0 & -1 & 1 \\ 0 & -4 & 5 \end{pmatrix} \sim \begin{pmatrix} 1 & 2 & 1 \\ 0 & -1 & 1 \\ 0 & 0 & 1 \end{pmatrix} = U \quad \text{et} \quad L = \begin{pmatrix} 1 & 0 & 0 \\ 2 & 1 & 0 \\ -3 & 4 & 1 \end{pmatrix}$$

Les éléments de L sous la diagonale, 2, -3 et 4, sont les opposés des multiplicateurs -2, 3 et -4 utilisés dans les opérations sur les lignes. On pourra effectuer le produit LU pour vérifier qu'il est bien égal à A.

---

1. Il existe une décomposition dite PLU, où P est une matrice de permutation, mais une telle décomposition n'entre pas dans le cadre de cet ouvrage.

3.42 Soit A la matrice du problème 3.41. Déterminer les solutions X_1, X_2 et X_3 des systèmes $AX = B_i$, avec :

(a) $B_1 = (1, 1, 1)$; (b) $B_2 = B_1 + X_1$; (c) $B_3 = B_2 + X_2$.

Solution :

(a) On détermine $L^{-1}B_1$ en appliquant à B_1 les opérations sur les lignes du problème 3.41 :

$$B_1 = \begin{pmatrix} 1 \\ 1 \\ 1 \end{pmatrix} \xrightarrow[-2R_1+R_2 \to R_2]{3R_1+R_3 \to R_3} \begin{pmatrix} 1 \\ -1 \\ 4 \end{pmatrix} \xrightarrow{-4R_2+R_3 \to R_3} \begin{pmatrix} 1 \\ -1 \\ 8 \end{pmatrix}$$

On résout alors le système $UX = B$ pour $B = (1, -1, 8)$, d'où $X_1 = (-25, 9, 8)$.

(b) On calcule ensuite $B_2 = B_1 + X_1 = (-24, 10, 9)$, puis on procède comme ci-dessus :

$$\begin{aligned} B_2 = (-24, 10, 9)^T &\xrightarrow[-2R_1+R_2 \to R_2]{3R_1+R_3 \to R_3} (-24, 58, -63)^T \\ &\xrightarrow{-4R_2+R_3 \to R_3} (-24, 58, -295)^T \end{aligned}$$

La résolution de $UX = B$ pour $B = (-24, 58, -295)$ donne $X_2 = (977, -353, -295)$.

(c) On calcule à présent $B_3 = B_2 + X_2 = (953, -343, -286)$, puis on recommence :

$$\begin{aligned} B_3 = (953, -343, -286)^T &\xrightarrow[-2R_1+R_2 \to R_2]{3R_1+R_3 \to R_3} (953, -2249, 2573)^T \\ &\xrightarrow{-4R_2+R_3 \to R_3} (953, -2249, 11\,569)^T \end{aligned}$$

La résolution de $UX + B$ pour $B = (953, -2249, 11\,569)$ donne

$$X_3 = (-38\,252, 13\,818, 11\,569).$$

PROBLÈMES DIVERS

3.43 Soit L une combinaison linéaire des m équations à n inconnues du système 3.2. L est donc de la forme :

$$(c_1a_{11} + \cdots + c_ma_{m1})x_1 + \cdots + (c_1a_{1n} + \cdots + c_ma_{mn})x_n = c_1b_1 + \cdots + c_mb_m \qquad (3.12)$$

Montrer que toute solution du système 3.2 est aussi solution de L.

Solution : soit $u = (k_1, \ldots, k_n)$ une solution du système 3.2 ; alors :

$$\forall i = 1, 2, \ldots, m \quad a_{i1}k_1 + a_{i2}k_2 + \cdots + a_{in}k_n = b_i \qquad (3.13)$$

En remplaçant u dans le membre de gauche de (3.12), et en tenant compte de (3.13), il vient :

$$\begin{aligned} &(c_1a_{11} + \cdots + c_ma_{m1})k_1 + \cdots + (c_1a_{1n} + \cdots + c_ma_{mn})k_n \\ &\quad = c_1(a_{11}k_1 + \cdots + a_{1n}k_n) + \cdots + c_m(a_{m1}k_1 + \cdots + a_{mn}k_n) \\ &\quad = c_1b_1 + \cdots + c_mb_m \end{aligned}$$

On reconnaît le membre de droite de (3.12), d'où il résulte que u est bien solution de (3.12).

3.44 Considérons un système $\mathcal{M}$ d'équations linéaires obtenu à partir d'un système $\mathcal{L}$ en appliquant une opération élémentaire (§ 3.3.1 p. 76). Montrer que $\mathcal{M}$ et $\mathcal{L}$ ont les mêmes solutions.

Solution : chacune des équations de $\mathcal{M}$ est une combinaison linéaire de celles de $\mathcal{L}$. Le problème 3.43 nous assure alors que toute solution de $\mathcal{L}$ est aussi solution de $\mathcal{M}$. Par ailleurs, à toute opération élémentaire est associée une opération élémentaire inverse, de sorte que $\mathcal{L}$ peut être obtenu à partir de $\mathcal{M}$ au moyen d'une opération élémentaire. Il en résulte que toute solution de $\mathcal{M}$ est aussi solution de $\mathcal{L}$. En conclusion, les systèmes $\mathcal{L}$ et $\mathcal{M}$ ont les mêmes solutions.

3.45 Démontrer le théorème 3.4 : *soit un système $\mathcal{M}$ d'équations linéaires obtenu à partir d'un système $\mathcal{L}$ par une suite finie d'opérations élémentaires ; alors $\mathcal{L}$ et $\mathcal{M}$ ont les mêmes solutions.*

Solution : chaque étape de la suite d'opérations élémentaires ne change pas la solution (problème 3.44). Par conséquent, le système original $\mathcal{L}$ et le système final $\mathcal{M}$, ainsi d'ailleurs que tout système intermédiaire, ont les mêmes solutions.

3.46 Un système $\mathcal{L}$ d'équations linéaires est dit *cohérent*, ou *soluble*, si aucune combinaison linéaire des équations qui le composent n'est une équation dégénérée à second membre non nul. Montrer que $\mathcal{L}$ est soluble si et seulement si $\mathcal{L}$ peut être mis sous forme échelon.

Solution : supposons que $\mathcal{L}$ puisse être mis sous forme échelon. Alors $\mathcal{L}$ possède une solution, qui est aussi solution de toute combinaison linéaire de ses équations. Par conséquent une équation L qui n'admettrait pas de solution ne pourrait être combinaison linéaire des équations de $\mathcal{L}$, ce qui prouve que $\mathcal{L}$ est soluble.
Réciproquement, supposons que $\mathcal{L}$ ne soit pas réductible à la forme échelon. Alors, au cours du processus de réduction, on doit tomber sur une équation dégénérée à second membre non nul, qui est une combinaison linéaire des équations de $\mathcal{L}$. Il en résulte que $\mathcal{L}$ n'est pas soluble, et est donc *impossible*.

3.47 Soient u et v deux vecteurs distincts. Montrer que pour des valeurs distinctes du scalaire k, les vecteurs $u + k(u - v)$ sont distincts.

Solution : supposons que $u + k_1(u - v) = u + k_2(u - v)$. Il nous suffit de montrer que $k_1 = k_2$; on a :

$$k_1(u - v) = k_2(u - v) \Rightarrow (k_1 - k_2)(u - v) = 0$$

Les vecteurs u et v étant distincts, $u - v \neq 0$, et par conséquent $k_1 - k_2 = 0$, d'où $k_1 = k_2$.

3.48 Soient deux matrices A et B telles que le produit AB soit défini. Montrer que :

(a) Si A possède une ligne nulle, alors AB possède une ligne nulle ;

(b) Si B possède une colonne nulle, alors AB possède une colonne nulle.

Solution :

(a) Désignons par R_i la ligne nulle de A, et par $C_1, C_2, \ldots, C_n$ les colonnes de B. La i-ème ligne de AB s'écrit :

$$(R_iC_1, R_iC_2, \ldots, R_iC_n) = (0, 0, \ldots, 0)$$

(b) La matrice B^T a une ligne nulle, et par conséquent $B^T A^T = (AB)^T$ a une ligne nulle. On en déduit que AB a une colonne nulle.

? EXERCICES SUPPLÉMENTAIRES

ÉQUATIONS LINÉAIRES, SYSTÈMES 2 × 2

3.49 Dire si les systèmes suivants sont linéaires ou non :

(a) $3x - 4y + 2yz = 8$; (b) $ex + 3y = \pi$; (c) $2x - 3y + kz = 4$.

3.50 Résoudre :

(a) $\pi x = 2$; (b) $3x + 2 = 5x + 7 - 2x$; (c) $6x + 2 - 4x = 5 + 2x - 3$.

3.51 Résoudre les systèmes suivants :

(a) $\begin{aligned} 2x + 3y &= 1 ; \\ 5x + 7y &= 3 \end{aligned}$ (b) $\begin{aligned} 4x - 2y &= 5 ; \\ -6x + 3y &= 1 \end{aligned}$ (c) $\begin{aligned} 2x - 4 &= 3y ; \\ 5y - x &= 5 \end{aligned}$ (d) $\begin{aligned} 2x - 4y &= 10. \\ 3x - 6y &= 15 \end{aligned}$

3.52 Soient les systèmes suivants, d'inconnues x et y :

(a) $\begin{aligned} x - ay &= 1 ; \\ ax - 4y &= b \end{aligned}$ (b) $\begin{aligned} ax + 3y &= 2 ; \\ 12x + ay &= b \end{aligned}$ (c) $\begin{aligned} x + ay &= 3. \\ 2x + 5y &= b \end{aligned}$

Pour quelles valeurs de a chacun de ces systèmes a-t-il une solution unique, et pour quelles valeurs du couple (a, b) chacun de ces systèmes a-t-il plus d'une solution ?

SYSTÈMES GÉNÉRAUX D'ÉQUATIONS LINÉAIRES

3.53 Résoudre les systèmes d'équations linéaires suivants :

(a) $\begin{aligned} x + y + 2z &= 4 ; \\ 2x + 3y + 6z &= 10 \\ 3x + 6y + 10z &= 14 \end{aligned}$ (b) $\begin{aligned} x - 2y + 3z &= 2 ; \\ 2x - 3y + 8z &= 7 \\ 3x - 4y + 13z &= 8 \end{aligned}$ (c) $\begin{aligned} x + 2y + 3z &= 3. \\ 2x + 3y + 8z &= 4 \\ 5x + 8y + 19z &= 11 \end{aligned}$

3.54 Résoudre les systèmes d'équations linéaires suivants :

(a) $\begin{aligned} x - 2y &= 5 ; \\ 2x + 3y &= 3 \\ 3x + 2y &= 7 \end{aligned}$ (b) $\begin{aligned} x + 2y - 3z + 2t &= 2 ; \\ 2x + 5y - 8z + 6t &= 5 \\ 3x + 4y - 5z + 2t &= 4 \end{aligned}$ (c) $\begin{aligned} x + 2y + 4z - 5t &= 3. \\ 3x - y + 5z + 2t &= 4 \\ 5x - 4y - 6z + 9t &= 2 \end{aligned}$

3.55 Résoudre les systèmes d'équations linéaires suivants :

(a) $\begin{aligned} 2x - y - 4z &= 2 ; \\ 4x - 2y - 6z &= 5 \\ 6x - 3y - 8z &= 8 \end{aligned}$ (b) $\begin{aligned} x + 2y - z + 3t &= 3. \\ 2x + 4y + 4z + 3t &= 3 \\ 3x + 6y - z + 8t &= 10 \end{aligned}$

3.56 Soient les systèmes suivants, d'inconnues x et y :

(a) $\begin{aligned} x - 2y &= 1 ; \\ x - y + az &= 2 \\ ay + 4z &= b \end{aligned}$ (b) $\begin{aligned} x + 2y + 2z &= 1 ; \\ x + ay + 3z &= 3 \\ x + 11y + az &= b \end{aligned}$ (c) $\begin{aligned} x + y + az &= 1. \\ x + ay + z &= 4 \\ ax + y + z &= b \end{aligned}$

Pour quelles valeurs de a chacun de ces systèmes a-t-il une solution unique, et pour quelles valeurs du couple (a, b) chacun de ces systèmes a-t-il plus d'une solution ? Pourquoi la valeur de b n'a-t-elle aucune influence sur le fait que le système a une solution unique ?

COMBINAISONS LINÉAIRES, SYSTÈMES HOMOGÈNES

3.57 Écrire v comme combinaison linéaire de u_1, u_2 et u_3, avec :

(a) $v = (4, -9, 2)$, $u_1 = (1, 2, -1)$, $u_2 = (1, 4, 2)$, $u_3 = (1, -3, 2)$;
(b) $v = (1, 3, 2)$, $u_1 = (1, 2, 1)$, $u_2 = (2, 6, 5)$, $u_3 = (1, 7, 8)$;
(c) $v = (1, 4, 6)$, $u_1 = (1, 1, 2)$, $u_2 = (2, 3, 5)$, $u_3 = (3, 5, 8)$.

3.58 Soient les vecteurs $u_1 = (1, 1, 2)$, $u_2 = (1, 3, -2)$ et $u_3 = (4, -2, -1)$ de $\mathbb{R}^3$. Montrer que u_1, u_2 et u_3 sont orthogonaux, et écrire v comme combinaison linéaire de u_1, u_2 et u_3, avec :

(a) $v = (5, -5, 9)$; (b) $v = (1, -3, 3)$; (c) $v = (1, 1, 1)$.

3.59 Trouver la dimension et une base pour la solution générale W de chacun des systèmes homogènes suivants :

(a) $\begin{aligned} x - y + 2z &= 0 ; \\ 2x + y + z &= 0 \\ 5x + y + 4z &= 0 \end{aligned}$ (b) $\begin{aligned} x + 2y - 3z &= 0. \\ 2x + 5y + 2z &= 0 \\ 3x - y - 4z &= 0 \end{aligned}$ (c) $\begin{aligned} x + 2y + 3z + t &= 0 ; \\ 2x + 4y + 7z + 4t &= 0 \\ 3x + 6y + 10z + 5t &= 0 \end{aligned}$

3.60 Trouver la dimension et une base pour la solution générale W de chacun des systèmes homogènes suivants :

(a) $\begin{aligned} x_1 + 3x_2 + 2x_3 - x_4 - x_5 &= 0 ; \\ 2x_1 + 6x_2 + 5x_3 + x_4 - x_5 &= 0 \\ 5x_1 + 15x_2 + 12x_3 + x_4 - 3x_5 &= 0 \end{aligned}$ (b) $\begin{aligned} 2x_1 - 4x_2 + 3x_3 - x_4 + 2x_5 &= 0 . \\ 3x_1 - 6x_2 + 5x_3 - 2x_4 + 4x_5 &= 0 \\ 5x_1 - 10x_2 + 7x_3 - 3x_4 + 4x_5 &= 0 \end{aligned}$

MATRICES ÉCHELON, FORME CANONIQUE EN LIGNES

3.61 Mettre les matrices suivantes sous forme échelon, puis sous forme canonique en lignes :

(a) $\begin{pmatrix} 1 & 1 & 2 \\ 2 & 4 & 9 \\ 1 & 5 & 12 \end{pmatrix}$; (b) $\begin{pmatrix} 1 & 2 & -1 & 2 & 1 \\ 2 & 4 & 1 & -2 & 3 \\ 3 & 6 & 3 & -7 & 7 \end{pmatrix}$; (c) $\begin{pmatrix} 2 & 4 & 2 & -2 & 5 & 1 \\ 3 & 6 & 2 & 2 & 0 & 4 \\ 4 & 8 & 2 & 6 & -5 & 7 \end{pmatrix}$.

3.62 Mettre les matrices suivantes sous forme échelon, puis sous forme canonique en lignes :

(a) $\begin{pmatrix} 1 & 2 & 1 & 2 & 1 & 2 \\ 2 & 4 & 3 & 5 & 5 & 7 \\ 3 & 6 & 4 & 9 & 10 & 11 \\ 1 & 2 & 4 & 3 & 6 & 9 \end{pmatrix}$; (b) $\begin{pmatrix} 0 & 1 & 2 & 3 \\ 0 & 3 & 8 & 12 \\ 0 & 0 & 4 & 6 \\ 0 & 2 & 7 & 10 \end{pmatrix}$; (c) $\begin{pmatrix} 1 & 3 & 1 & 3 \\ 2 & 8 & 5 & 10 \\ 1 & 7 & 7 & 11 \\ 3 & 11 & 7 & 15 \end{pmatrix}$.

3.63 Établir la liste de toutes les matrices 2×2, sous forme canonique en lignes, composées uniquement de 0 et de 1.

3.64 Déterminer le nombre de matrices 3×3, sous forme canonique en lignes, composées uniquement de 0 et de 1.

MATRICES ÉLÉMENTAIRES, APPLICATIONS

3.65 Soient e_1, e_2 et e_3, respectivement, les opérations sur les lignes élémentaires :

(a) $R_2 \leftrightarrow R_3$; (b) $3R_2 \rightarrow R_2$; (c) $2R_3 + R_1 \rightarrow R_1$.

(a) Exprimer les matrices élémentaires correspondantes E_1, E_2 et E_3.
(b) Trouver les opérations inverses e'_1, e'_2 et e'_3, les matrices élémentaires correspondantes , E'_1, E'_2 et E'_3, ainsi que leurs relations avec E_1, E_2 et E_3.
(c) Décrire les opérations élémentaires sur les colonnes f_1, f_2 et f_3 correspondantes.
(d) Déterminer les matrices élémentaires F_1, F_2 et F_3 correspondantes et leurs relations avec E_1, E_2 et E_3.

3.66 Exprimer les matrices suivantes comme produit de matrices élémentaires :

$$A = \begin{pmatrix} 1 & 2 \\ 3 & 4 \end{pmatrix}, \quad B = \begin{pmatrix} 3 & -6 \\ -2 & 4 \end{pmatrix}, \quad C = \begin{pmatrix} 2 & 6 \\ -3 & -7 \end{pmatrix}, \quad D = \begin{pmatrix} 1 & 2 & 0 \\ 0 & 1 & 3 \\ 3 & 8 & 7 \end{pmatrix}$$

3.67 Trouver, s'il existe, l'inverse des matrices suivantes :

$$A = \begin{pmatrix} 1 & -2 & -1 \\ 2 & -3 & 1 \\ 3 & -4 & 4 \end{pmatrix}, \quad B = \begin{pmatrix} 1 & 2 & 3 \\ 2 & 6 & 1 \\ 3 & 10 & -1 \end{pmatrix}, \quad C = \begin{pmatrix} 1 & 3 & -2 \\ 2 & 8 & -3 \\ 1 & 7 & 1 \end{pmatrix}, \quad D = \begin{pmatrix} 2 & 1 & -1 \\ 5 & 2 & -3 \\ 0 & 2 & 1 \end{pmatrix}$$

3.68 Déterminer l'inverse des matrices $n \times n$ suivantes :
(a) A, formée de 1 sur la diagonale et la diagonale secondaire juste au-dessus, et de 0 partout ailleurs.
(b) B, triangulaire supérieure, composée de 1 sur la diagonale et au-dessus, et de 0 ailleurs.

DÉCOMPOSITION *LU*

3.69 Trouver la décomposition LU des matrices suivantes :

$$\text{(a)} \begin{pmatrix} 1 & -1 & -1 \\ 3 & -4 & -2 \\ 2 & -3 & -2 \end{pmatrix}; \quad \text{(b)} \begin{pmatrix} 1 & 3 & -1 \\ 2 & 5 & 1 \\ 3 & 4 & 2 \end{pmatrix}; \quad \text{(c)} \begin{pmatrix} 2 & 3 & 6 \\ 4 & 7 & 9 \\ 3 & 5 & 4 \end{pmatrix}; \quad \text{(d)} \begin{pmatrix} 1 & 2 & 3 \\ 2 & 4 & 7 \\ 3 & 7 & 10 \end{pmatrix}.$$

3.70 Soit A la matrice (a) du problème 3.69. Trouver X_1, X_2, X_3 et X_4 tels que :
(a) X_1 est la solution du système d'équations linéaires $AX = B_1$, avec $B_1 = (1, 1, 1)^T$;
(b) pour $k > 1$, X_k est la solution de $AX = B_k$, avec $B_k = B_{k-1} + X_{k-1}$.

3.71 Soit B la matrice (b) du problème 3.69. Déterminer la décomposition LDU de B.

PROBLÈMES DIVERS

3.72 Soient les systèmes suivants, d'inconnues x et y :

$$\text{(a)} \begin{array}{l} ax + by = 1 \\ cx + dy = 0 \end{array}; \qquad \text{(b)} \begin{array}{l} ax + by = 0 \\ cx + dy = 1 \end{array}.$$

On suppose que $D = ad - bc \neq 0$. Montrer que chacun des systèmes a pour unique solution :

$$\text{(a)}\ x = \frac{d}{D}, y = -\frac{c}{D}; \qquad \text{(b)}\ x = -\frac{b}{D}, y = \frac{a}{D}.$$

3.73 Trouver l'inverse de l'opération sur les lignes « remplacer R_i par $kR_j + k'R_i$, ($k' \neq 0$) ».

3.74 Montrer que si l'on supprime la dernière colonne d'une matrice augmentée $M = (A, B)$ sous forme échelon (resp. sous forme canonique en lignes), on obtient la forme échelon (resp. la forme canonique en lignes) de la matrice A des coefficients.

3.75 Soit e une opération élémentaire sur les lignes et E sa matrice élémentaire associée ; soit f la même opération sur les colonnes et F sa matrice associée. Montrer que, pour toute matrice A :

(a) $f(A) = \left(e(A^T)\right)^T$; (b) $F = E^T$; (c) $f(A) = AF$.

3.76 On dit qu'une matrice A est *équivalente* à une matrice B, ce qu'on note $A \approx B$, s'il existe des matrices régulières P et Q telles que $B = PAQ$. Démontrer que $\approx$ est une relation d'équivalence, c'est-à-dire :

(a) $A \approx A$;
(b) $A \approx B \Rightarrow B \approx A$;
(c) $A \approx B$ et $B \approx C \Rightarrow A \approx C$.

¿ SOLUTIONS

Notation : $A = (R_1;\ R_2;\ \ldots)$ désigne une matrice A dont les lignes sont R_1, R_2,... Les éléments dans chaque ligne sont séparés par des virgules (éventuellement par rien si ce sont des chiffres simples), les lignes sont séparées par des point-virgules, et on note 0 la ligne nulle. Par exemple :

$$A = (1, 2, 3, 4;\ 5, -6, 7, -8;\ 0) = \begin{pmatrix} 1 & 2 & 3 & 4 \\ 5 & -6 & 7 & -8 \\ 0 & 0 & 0 & 0 \end{pmatrix}$$

3.49 (a) non ; (b) oui ; (c) linéaire en x, y, z ; non linéaire en x, y, z, k.

3.50 (a) $x = 2/\pi$; (b) pas de solution ; (c) tout scalaire k est solution.

3.51 (a) $(2,\ -1)$; (b) pas de solution ; (c) $(5,\ 2)$; (d) $(5 - 2a,\ a)$.

3.52 (a) $a \neq \pm 2, (2, 2), (-2, -2)$; (b) $a \neq \pm 6, (6, 4), (-6, -4)$; (c) $a \neq \frac{5}{2}, \left(\frac{5}{2}, 6\right)$.

3.53 (a) $\left(2, 1, \frac{1}{2}\right)$; (b) pas de solution ; (c) $u = (-7a + 7, 2a - 2, a)$.

3.54 (a) $(3,\ -1)$; (b) $u = (-a + 2b,\ 1 + 2a,\ a,\ b)$; (c) pas de solution.

3.55 (a) $u=\left(\frac{1}{2}a, a, \frac{1}{2}\right)$; (b) $u=\left(\frac{1}{2}(7-5b-4a), a, \frac{1}{2}(1+b), b\right)$.

3.56 (a) $a \neq \pm 3$, $(3,3)$, $(-3,-3)$; (b) $a \neq 5$ et $a \neq -1$, $(5,7)$, $(-1,-5)$; (c) $a \neq 1$ et $a \neq -2$, $(1,-2)$, $(-2,5)$.

3.57 (a) $2, -1, 3$; (b) $-5, \frac{5}{2}, 1$; (c) impossible.

3.58 (a) $3, -2, 1$; (b) $\frac{2}{3}, -1, \frac{1}{3}$; (c) $\frac{2}{3}, \frac{1}{7}, \frac{1}{21}$.

3.59 (a) $\dim W = 1$, $u_1 = (-1,1,1)$;
(b) $\dim W = 0$, pas de base ;
(c) $\dim W = 2$, $u_1 = (2,1,0,0)$, $u_2 = (5,0,-2,1)$.

3.60 (a) $\dim W = 3$, $u_1 = (-3,1,0,0,0)$, $u_2 = (7,0,-3,1,0)$, $u_3 = (-3,0,-1,0,1)$;
(b) $\dim W = 2$, $u_1 = (2,1,0,0,0)$, $u_2 = (5,0,-5,-3,1)$.

3.61 (a) $\left(1, 0, -\frac{1}{2};\ 0, 1, \frac{5}{2};\ 0\right)$;
(b) $\left(1, 2, 0, 0, \frac{4}{3};\ 0, 0, 1, 0, \frac{13}{3};\ 0, 0, 0, 1, 2\right)$;
(c) $\left(1, 2, 0, 4, 5, 3;\ 0, 0, 1, -5, \frac{15}{2}, -\frac{5}{2};\ \ 0\right)$.

3.62 (a) $(1,2,0,0,-4,-2;\ 0,0,1,0,1,2;\ 0,0,0,1,2,1;\ 0)$;
(b) $(0,1,0,0;\ 0,0,1,0;\ 0,0,0,1;\ 0)$;
(c) $(1,0,0,4;\ 0,1,0,-1;\ 0,0,1,2;\ 0)$.

3.63 5 : $(1,0;\ 0,1)$, $(1,1;\ 0,0)$, $(1,0;\ 0,0)$, $(0,1;\ 0,0)$, 0.

3.64 15.

3.65 (a) $(1,0,0;\ 0,0,1;\ 0,1,0)$, $(1,0,0;\ 0,3,0;\ 0,0,11)$, $(1,0,2;\ 0,1,0;\ 0,0,1)$;
(b) $R_2 \leftrightarrow R_3$, $\frac{1}{3}R_2 \to R_2$, $-2R_3 + R_1 \to R_1$, $\forall i$, $E'_i = E_i^{-1}$;
(c) $C_2 \leftrightarrow C_3$, $3C_2 \to C_2$, $2C_3 + C_1 \to C_1$;
(d) $\forall i$, $F_i = E_i^T$

3.66 $A = (1,0;\ 3,0)(1,0;\ 0,-2)(1,2;\ 0,1)$;
B n'est pas inversible ;
$C = \left(1,0;\ -\frac{3}{2},1\right)(1,0;\ 0,1)(1,6;\ 0,1)(2,0;\ 0,1)$;
$D = (100;\ 010;\ 301)(100;\ 010;\ 021)(100;\ 013;\ 001)(120;\ 010;\ 001)$

3.67 $A^{-1} = (-8,12,-5;\ -5,7,-3;\ 1,-2,1)$; B n'a pas d'inverse ;
$C^{-1} = \left(\frac{29}{2}, -\frac{17}{2}, \frac{7}{2};\ -\frac{5}{2}, \frac{3}{2}, -\frac{1}{2};\ 3,-2,1\right)$; $D^{-1} = (8,-3,-1;\ -5,2,1;\ 10,-4,-1)$.

3.68 $A^{-1} = (1,-1,1,-1,\ldots;\ 0,1,-1,1,-1,\ldots;\ 0,0,1,-1,1,-1,\ldots;\ \ldots;\ \ldots;\ 0,\ldots,0,1)$;
B^{-1} a des 1 sur la diagonale principale, des -1 sur la diagonale juste au-dessus, et des 0 ailleurs.

3.69 (a) $(100;\ 310;\ 211)(1,-1,-1;\ 0,-1,1;\ 0,0,-1)$;
(b) $(100;\ 210;\ 351)(1,3,-1;\ 0,-1,-3;\ 0,0,-10)$;
(c) $\left(100;\ 210;\ \frac{3}{2},\frac{1}{2},1\right)\left(2,\frac{3}{2},3;\ 0,1,-3;\ 0,0,-\frac{7}{2}\right)$;
(d) La matrice n'admet pas de décomposition LU.

3.70 $X_1=(1,1,-1)^T$, $B_2=(2,2,0)^T$, $X_2=(6,4,0)^T$, $B_3=(8,6,0)^T$, $X_3=(22,16,-2)^T$, $B_4=(30,22,-2)^T$, $X_4=(86,62,-6)^T$.

3.71 $B=(100;\ 210;\ 351)\,\mathrm{diag}(1,-1,-10)(1,3,-1;\ 0,1,-3;\ 0,0,1)$.

3.73 Remplacer R_i par $-kR_j+\frac{1}{k'}R_i$.

3.75 (c) $f(A)=\left(e(A^T)\right)^T=(EA^T)^T=(A^T)^TE^T=AF$.

3.76 (a) $A=IAI$;
(b) $A=PBQ\Rightarrow B=P^{-1}AQ^{-1}$;
(c) $A=PBQ$ et $B=P'CQ'\Rightarrow A=(PP')C(Q'Q)$.

Chapitre 4

Espaces vectoriels

4.1 INTRODUCTION

Dans ce chapitre, nous introduisons la structure sous-jacente à toute l'algèbre linéaire, celle d'*espace vectoriel de dimension finie*. La définition d'un tel espace V, dont les éléments sont appelés *vecteurs*, nécessite l'existence d'un certain corps $\mathbb{K}$, dont les éléments sont appelés *scalaires*. Sauf indication contraire, nous utiliserons les notations suivantes :

V	L'espace vectoriel
u, v, w	vecteurs de V
$\mathbb{K}$	le corps des nombres (scalaires)
a, b, c ou k	scalaires de $\mathbb{K}$

Comme pour les chapitres précédents, le lecteur ne perdra rien d'essentiel s'il identifie $\mathbb{K}$ au corps $\mathbb{R}$ des nombres réels ou au corps $\mathbb{C}$ des nombres complexes.

Le lecteur se doute que la droite réelle $\mathbb{R}$ est de « dimension » 1, le plan cartésien $\mathbb{R}^2$ de « dimension » 2, et l'espace $\mathbb{R}^3$ de « dimension » 3. Dans ce chapitre, nous formalisons cette notion intuitive de dimension.

Nous récapitulons ici les notations habituelles de la théorie des ensembles, déjà rencontrées à l'occasion dans les chapitres précédents, et dont l'emploi sera systématique dans ce chapitre :

$a \in A$	l'élément a appartient à l'ensemble A
$a, b \in A$	les éléments a et b appartiennent à l'ensemble A
$\forall x \in A$	pour tout élément x de A
$\exists x \in A$	il existe un élément x dans A
$A \subseteq B$	A est un sous-ensemble de B
$A \cap B$	intersection de A et B
$A \cup B$	réunion de A et B
$\emptyset$	Ensemble vide

4.2 ESPACES VECTORIELS

Un *espace vectoriel* sur un corps $\mathbb{K}$ est défini formellement de la façon suivante :

◆ **Définition 4.1 :** Soit V un ensemble non vide muni de deux opérations :

(a) ***Addition vectorielle*** : associe à deux vecteurs quelconques $u, v \in V$ l'unique vecteur *somme* $u + v \in V$.

(b) ***Multiplication scalaire*** : associe à tout vecteur $u \in V$ et à tout scalaire $k \in \mathbb{K}$ l'unique vecteur produit $ku \in V$.

L'ensemble V est appelé *espace vectoriel sur le corps* $\mathbb{K}$ si les axiomes suivants sont vérifiés $\forall u, v, w \in V$:

[A_1] $(u + v) + w = u + (v + w)$

[A_2] Il existe un vecteur de V, noté 0 et appelé *vecteur nul*, tel que pour vecteur $u \in V$:

$$u + 0 = 0 + u = u$$

[A_3] Pour tout vecteur $u \in V$, il existe un unique vecteur de V, noté $-u$ et appelé l'*opposé* de u, tel que :

$$u + (-u) = (-u) + u = 0$$

[A_4] $u + v = v + u$

[M_1] $k(u + v) = ku + kv$, pour tout scalaire $k \in \mathbb{K}$

[M_2] $(a + b)u = au + bu$, pour tous scalaires $a, b \in \mathbb{K}$

[M_3] $(ab)u = a(bu)$, pour tous scalaires $a, b \in \mathbb{K}$

[M_4] $1u = u$, où 1 est l'élément neutre de la multiplication dans $\mathbb{K}$

Cet ensemble d'axiomes se sépare de façon naturelle en deux sous-ensembles, comme suggéré par la numérotation. les quatre premiers ne concernent que l'opération *addition vectorielle* sur l'ensemble V, et l'on voit qu'ils lui confèrent une structure de *groupe commutatif*, ou *groupe abélien*. Plus précisément :

(a) toute somme $v_1 + v_2 + \cdots + v_m$ de vecteurs de V peut être effectuée dans n'importe quel ordre et ne nécessite pas de parenthèses ;

(b) le vecteur nul 0 est unique, et pour chaque vecteur u, l'opposé $-u$ est unique ;

(c) $u + w = v + w \Rightarrow u = v$.

On peut définir la *soustraction*, contraction se rapportant à l'addition d'un opposé : $u - v = u + (-v)$, où $-v$ est l'unique opposé de v.

Les quatre axiomes restants sont liés à la *multiplication scalaire*, autrement dit l'action des scalaires du corps $\mathbb{K}$ sur les vecteurs de V. Ils permettent (problème 4.2) de démontrer les propriétés élémentaires suivantes d'un espace vectoriel :

✻ **Théorème 4.1 :** Considérons un espace vectoriel V sur un corps $\mathbb{K}$; on a :

(a) $\forall k \in \mathbb{K}$ et $0 \in V$, $k0 = 0$;

(b) $\forall u \in V$ et $0 \in \mathbb{K}$, $0u = 0$;

(c) si $ku = 0$, avec $k \in \mathbb{K}$ et $u \in V$, alors soit $k = 0$, soit $u = 0$;

(d) $\forall k \in \mathbb{K}$ et $\forall u \in V$, $(-k)u = k(-u) = -ku$.

4.3 EXEMPLES D'ESPACES VECTORIELS

Nous présentons ici des exemples importants que nous utiliserons tout au long de l'exposé.

4.3.1 Espace $\mathbb{K}^n$

Si $\mathbb{K}$ est un corps arbitraire, la notation $\mathbb{K}^n$ s'utilise fréquemment pour désigner l'ensemble des multiplets $(a_1, a_2, \ldots, a_n)$ formés de n éléments de $\mathbb{K}$. $\mathbb{K}^n$ peut être alors muni d'une structure d'espace vectoriel sur $\mathbb{K}$, avec les opérations :
(a) ***Addition vectorielle*** : $(a_1, a_2, \ldots, a_n) + (b_1, b_2, \ldots, b_n) = (a_1 + b_1, a_2 + b_2, \ldots, a_n + b_n)$;
(b) ***Multiplication scalaire*** : $k(a_1, a_2, \ldots, a_n) = (ka_1, ka_2, \ldots, ka_n)$.
Le vecteur nul de $\mathbb{K}^n$ est le multiplet formé de n éléments nuls :

$$0 = (0, 0, \ldots, 0)$$

et l'opposé d'un vecteur est défini par :

$$-(a_1, a_2, \ldots, a_n) = (-a_1, -a_2, \ldots, -a_n)$$

On peut constater que ce sont les mêmes opérations que celles que nous avions introduites pour définir $\mathbb{R}^n$ au chapitre 1, et la démonstration établissant que $\mathbb{K}^n$ est un espace vectoriel est identique à celle du théorème 1.1, qui peut être dorénavant considéré comme prouvant que $\mathbb{R}^n$ est un espace vectoriel sur $\mathbb{R}$.

4.3.2 Espace des polynômes P(t)

Soit $\mathbf{P}(t)$ l'ensemble des polynômes $p(t)$ de la variable t de la forme :

$$p(t) = a_0 + a_1 t + a_2 t^2 + \cdots + a_s t^s, \qquad s \in \mathbb{N}$$

où les coefficients a_i appartiennent à un corps $\mathbb{K}$. $\mathbf{P}(t)$ est un espace vectoriel sur $\mathbb{K}$ si on le munit des opérations suivantes :
(a) ***Addition vectorielle*** : $p(t) + q(t)$ est défini par l'addition usuelle des polynômes ;
(b) ***Multiplication scalaire*** : $kp(t)$ est défini de la manière habituelle.
Le polynôme nul 0 est le vecteur nul de $\mathbf{P}(t)$.

4.3.3 Espace des polynômes $\mathbf{P}_n(t)$

Soit $\mathbf{P}_n(t)$ l'ensemble des polynômes $p(t)$ de la variable t sur un corps $\mathbb{K}$, dont le degré est inférieur ou égal à n, c'est-à-dire :

$$p(t) = a_0 + a_1 t + a_2 t^2 + \cdots + a_s t^s, \qquad s \leq n$$

$\mathbf{P}_n(t)$ est un espace vectoriel sur $\mathbb{K}$ pour les opérations usuelles d'addition des polynômes et de multiplication par une constante, exactement comme pour $\mathbf{P}(t)$ ci-dessus. Nous incluons le polynôme nul 0 à $\mathbf{P}_n(t)$, même si son degré n'est pas défini.

4.3.4 Espace des matrices $\mathbf{M}_{m,n}$

Nous utilisons la notation $\mathbf{M}_{m,n}$, ou plus simplement $\mathbf{M}$, pour désigner l'ensemble des matrices rectangulaires $m \times n$ dont les éléments appartiennent à un corps $\mathbb{K}$. Si on le munit des opérations usuelles d'addition de matrices et de multiplication d'une matrice par un scalaire, $\mathbf{M}_{m,n}$ devient un espace vectoriel sur $\mathbb{K}$ (théorème 2.1).

4.3.5 Espace des fonctions $F(X)$

Soit X un ensemble non vide et $\mathbb{K}$ un corps quelconque. On désigne par $F(X)$ l'ensemble de toutes les fonctions de X dans $\mathbb{K}$. Cet ensemble est non vide, puisque X est non vide. $F(X)$, muni des opérations suivantes, est un espace vectoriel sur $\mathbb{K}$:

(a) ***Addition vectorielle*** : la somme de deux fonctions f et g de $F(X)$ est la fonction $f+g$ de $F(X)$ définie par :

$$\forall x \in X, \quad (f+g)(x) = f(x) + g(x)$$

(b) ***Multiplication scalaire*** : le produit d'une fonction $f \in F(X)$ par un scalaire $k \in \mathbb{K}$ est la fonction $kf \in F(x)$ définie par :

$$\forall x \in X, \quad (kf)(x) = kf(x)$$

Le vecteur nul de $F(X)$ est la fonction $\mathbf{0}$, qui fait correspondre à tout élément $x \in X$ l'élément $0 \in \mathbb{K}$:

$$\forall x \in X, \quad \mathbf{0}(x) = 0$$

Pour toute fonction $f \in F(X)$, on définit la fonction opposée $-f$ par :

$$\forall x \in X, \quad (-f)(x) = -f(x)$$

4.3.6 Corps et sous-corps

Soit $\mathbb{E}$ une *extension* d'un corps $\mathbb{K}$; autrement dit, $\mathbb{E}$ est un corps qui contient $\mathbb{K}$ comme sous-corps. $\mathbb{E}$ peut alors être considéré comme un espace vectoriel sur $\mathbb{K}$, grâce aux opérations :

(a) ***Addition vectorielle :*** $u+v$ dans $\mathbb{E}$ est défini par l'addition habituelle de $\mathbb{E}$;

(b) ***Multiplication scalaire :*** $ku \in \mathbb{E}$, avec $k \in \mathbb{K}$ et $u \in \mathbb{E}$, est le produit ordinaire de u par k, considérés tous deux comme éléments de $\mathbb{E}$.

On vérifie immédiatement que les huit axiomes de la définition 4.1 sont satisfaits par $\mathbb{E}$ et son sous-corps $\mathbb{K}$.

4.4 COMBINAISONS LINÉAIRES, ENSEMBLES ENGENDRÉS

Soit V un espace vectoriel sur un corps $\mathbb{K}$. Un vecteur v est dit *combinaison linéaire* de vecteurs $u_1, u_2, \ldots, u_m$ de V s'il existe des scalaires $a_1, a_2, \ldots, a_m$ de $\mathbb{K}$ tels que :

$$v = a_1u_1 + a_2u_2 + \cdots + a_mu_m$$

De façon équivalente, on dit que v est une combinaison linéaire de $u_1, u_2, \ldots, u_m$ s'il existe une solution à l'équation vectorielle :

$$v = x_1u_1 + x_2u_2 + \cdots + x_mu_m$$

où $x_1, x_2, \ldots, x_m$ sont des scalaires inconnus.

Exemple 4.1

Combinaisons linéaires dans $\mathbb{R}^n$ *:* supposons que nous voulions exprimer $v = (3, 7, -4) \in \mathbb{R}^3$ comme combinaison linéaire des vecteurs :

$$u_1 = (1, 2, 3), \quad u_2 = (2, 3, 7), \quad u_3 = (3, 5, 6)$$

Cherchons s'il existe des scalaires x, y et z tels que :

$$\begin{pmatrix} 3 \\ 7 \\ -4 \end{pmatrix} = x \begin{pmatrix} 1 \\ 2 \\ 3 \end{pmatrix} + y \begin{pmatrix} 2 \\ 3 \\ 7 \end{pmatrix} + z \begin{pmatrix} 3 \\ 5 \\ 6 \end{pmatrix} \quad \text{ou} \quad \begin{aligned} x + 2y + 3z &= 3 \\ 2x + 3y + 5z &= 7 \\ 3x + 7y + 6z &= -4 \end{aligned}$$

On met le système sous forme échelon :

$$\begin{aligned} x + 2y + 3z &= 3 \\ -y - z &= 1 \\ y - 3z &= -13 \end{aligned} \quad \text{puis} \quad \begin{aligned} x + 2y + 3z &= 3 \\ -y - z &= 1 \\ -4z &= -12 \end{aligned}$$

Par substitutions successives, du bas vers le haut, on trouve la solution $x = 2$, $y = -4$ et $z = 3$, d'où $v = 2u_1 - 4u_2 + 3u_3$.

Remarque : de façon générale, exprimer un vecteur $v \in \mathbb{K}^n$ comme combinaison linéaire de vecteurs $u_1, u_2, \ldots, u_m \in \mathbb{K}^n$ est équivalent à résoudre un système d'équations linéaires $AX = B$, où v est la colonne B des seconds membres, et les u_i sont les colonnes de la matrice A des coefficients. Un tel système peut avoir une solution unique comme ci-dessus, une infinité de solutions, ou aucune solution. Dans la dernière situation – aucune solution – le vecteur v ne peut être écrit comme combinaison linéaire des u_i.

Exemple 4.2

Combinaisons linéaires dans $\mathbf{P}(t)$: soit le polynôme $v = 3t^2 + 5t - 5$, que nous désirons exprimer comme combinaison linéaire des polynômes :

$$p_1 = t^2 + 2t + 1, \quad p_2 = 2t^2 + 5t + 4, \quad p_3 = t^2 + 3t + 6$$

Tentons de déterminer trois scalaires x, y et z tels que $v = xp_1 + yp_2 + zp_3$, soit :

$$3t^2 + 5t - 5 = x(t^2 + 2t + 1) + y(2t^2 + 5t + 4) + z(t^2 + 3t + 6) \tag{4.1}$$

Nous pouvons procéder de deux façons :

(a) Développer le second membre de (4.1) :

$$\begin{aligned} 3t^2 + 5t - 5 &= xt^2 + 2xt + x + 2yt^2 + 5yt + 4y + zt^2 + 3zt + 6z \\ &= (x + 2y + z)t^2 + (2x + 5y + 3z)t + (x + 4y + 6z) \end{aligned}$$

On identifie dans les deux membres les facteurs des mêmes puissances de t, ce qui donne un système d'équations linéaires, qu'il convient de réduire sous forme échelon :

$$\begin{aligned} x + 2y + z &= 3 \\ 2x + 5y + 3z &= 5 \\ x + 4y + 6z &= -5 \end{aligned} \quad \text{puis} \quad \begin{aligned} x + 2y + z &= 3 \\ y + z &= -1 \\ 2y + 5z &= -8 \end{aligned} \quad \text{puis} \quad \begin{aligned} x + 2y + z &= 3 \\ y + z &= -1 \\ 3z &= -6 \end{aligned}$$

Ce système est triangulaire et a donc une solution unique, qu'on obtient par substitutions : $x = 3$, $y = 1$ et $z = -2$, d'où $v = 3p_1 + p_2 - 2p_3$.

(b) L'équation (4.1) est une identité en la variable t ; elle est donc vérifiée pour toute valeur de t. On peut obtenir trois équations pour les trois inconnues x, y et z en donnant à t trois valeurs différentes quelconques ; par exemple :

$$\begin{aligned} t = 0 \text{ dans } (4.1) \quad &\Rightarrow \quad x + 4y + 6z = -5 \\ t = 1 \text{ dans } (4.1) \quad &\Rightarrow \quad 4x + 11y + 10z = 3 \\ t = -1 \text{ dans } (4.1) \quad &\Rightarrow \quad y + 4z = -7 \end{aligned}$$

On résout ce système de la même manière que le précédent, et on trouve la même solution que dans (a).

4.4.1 Ensembles engendrés

Soit V un espace vectoriel sur un corps $\mathbb{K}$. La famille de vecteurs $u_1, u_2, \ldots, u_m$ de V est dite *engendrer* V, ou *former une famille génératrice* de V, si tout vecteur $v \in V$ peut être écrit comme combinaison linéaire des vecteurs de la famille, autrement dit s'il existe des scalaires $a_1, a_2, \ldots, a_m$ de $\mathbb{K}$ tels que :

$$v = a_1u_1 + a_2u_2 + \cdots + a_mu_m$$

On peut faire les trois remarques suivantes :

(a) Soit $(u_1, u_2, \ldots, u_m)$ une famille génératrice de V. Alors, $\forall w \in V$, la famille $(w, u_1, u_2, \ldots, u_m)$ engendre également V.

(b) Soit $(u_1, u_2, \ldots, u_m)$ une famille génératrice de V, et supposons que l'un des vecteurs, disons u_k, de la famille, soit combinaison linéaire des autres vecteurs. Alors la famille privée de u_k est encore génératrice.

(c) Soit $(u_1, u_2, \ldots, u_m)$ une famille génératrice de V, et supposons que l'un des vecteurs soit le vecteur nul 0. Alors la famille privée de 0 est encore génératrice.

Exemple 4.3

Considérons l'espace vectoriel $\mathbb{R}^3$.

(a) Nous allons montrer que les trois vecteurs suivants engendrent $\mathbb{R}^3$:

$$e_1 = (1, 0, 0), \quad e_2 = (0, 1, 0), \quad e_3 = (0, 0, 1)$$

Plus précisément, tout vecteur $v = (a, b, c)$ de $\mathbb{R}^3$ s'écrit :

$$v = ae_1 + be_2 + ce_3$$

Par exemple, $v = (5, -6, 2) = 5e_1 - 6e_2 + 2e_3$.

(b) Les trois vecteurs suivants engendrent également $\mathbb{R}^3$:

$$w_1 = (1, 1, 1), \quad w_2 = (1, 1, 0), \quad w_3 = (1, 0, 0)$$

Plus précisément, tout vecteur $v = (a, b, c)$ de $\mathbb{R}^3$ s'écrit (problème 4.62) :

$$v = (a, b, c) = cw_1 + (b - c)w_2 + (a - b)w_3$$

Par exemple, $v = (5, -6, 2) = 2w_1 - 8w_2 + 11w_3$.

(c) On montre (problème 3.24) que le vecteur $v = (2, 7, 8)$ ne peut être écrit comme combinaison linéaire de :

$$u_1 = (1, 2, 3), \quad u_2 = (1, 3, 5), \quad u_3 = (1, 5, 9)$$

Il en résulte que l'ensemble de vecteurs u_1, u_2, u_3 n'est pas générateur.

Exemple 4.4

Considérons l'espace $\mathbf{P}_n(t)$ de tous les polynômes de degré $\leq n$.

(a) Manifestement, tout polynôme de $\mathbf{P}_n(t)$ s'écrit comme combinaison linéaire des $n+1$ polynômes :

$$1,\ t,\ t^2,\ t^3,\ \ldots,\ t^n$$

Toutes ces puissances de t (on a $t^0 = 1$) engendrent l'espace $\mathbf{P}_n(t)$.

(b) De même, pour tout scalaire c, l'ensemble des $n+1$ puissances de $(t-c)$:

$$1,\ t-c,\ (t-c)^2,\ (t-c)^3,\ \ldots,\ (t-c)^n$$

avec $(t-c)^0 = 1$, est un ensemble générateur de $\mathbf{P}_n(t)$.

Exemple 4.5

Soit l'espace vectoriel $\mathbf{M} = \mathbf{M}_{2,2}$ formé de toutes les matrices 2×2, et soient les quatre matrices suivantes de $\mathbf{M}$:

$$E_{11} = \begin{pmatrix} 1 & 0 \\ 0 & 0 \end{pmatrix}, \quad E_{12} = \begin{pmatrix} 0 & 1 \\ 0 & 0 \end{pmatrix}, \quad E_{21} = \begin{pmatrix} 0 & 0 \\ 1 & 0 \end{pmatrix}, \quad E_{22} = \begin{pmatrix} 0 & 0 \\ 0 & 1 \end{pmatrix}$$

Alors toute matrice de $\mathbf{M}$ s'écrit comme combinaison linéaire de ces quatre matrices ; par exemple :

$$A = \begin{pmatrix} 5 & -6 \\ 7 & 8 \end{pmatrix} = 5E_{11} - 6E_{12} + 7E_{21} + 8E_{22}$$

Il en résulte que les quatre matrices E_{11}, E_{12}, E_{21} et E_{22} engendrent $\mathbf{M}$.

4.5 SOUS-ESPACES

Dans ce paragraphe, nous introduisons la notion fondamentale de *sous-espace vectoriel.*

◆ **Définition 4.2 :** Soit V un espace vectoriel sur un corps $\mathbb{K}$ et soit W un sous-ensemble de V. On dit que W est un sous-espace vectoriel de V si W, muni de l'addition vectorielle et de la multiplication scalaire définies sur V, est lui-même un espace vectoriel sur $\mathbb{K}$.

La manière naturelle de montrer que W est un espace vectoriel est de vérifier qu'il satisfait aux huit axiomes de la définition 4.1. Cependant, puisque W est un sous-ensemble de V, certains des axiomes sont automatiquement vérifiés, puisqu'ils le sont dans V. Nous donnons ici quelques critères simples pour caractériser un sous-espace vectoriel.

✻ **Théorème 4.2 :** Soit W un sous-ensemble d'un espace vectoriel V. Alors W est un sous-espace vectoriel de V s'il vérifie les deux conditions suivantes :

(a) le vecteur nul 0 appartient à W ;

(b) $\forall u,\ v \in W, \forall k \in \mathbb{K}$:

1. $u + v \in W$;
2. $ku \in W$.

La propriété (b1) dans (b) signifie que W est *fermé* par rapport à l'addition vectorielle, et la propriété (b2) dans (b) signifie que W est *fermé* par rapport à la multiplication par un scalaire. Ces deux propriétés peuvent être combinées en une seule affirmation :

(c) $\forall u,\ v \in W, \forall a,\ b \in \mathbb{K},\ au + bv \in W$.

Soit V un espace vectoriel quelconque. Alors V contient automatiquement les deux sous-espaces vectoriels suivants, l'ensemble $\{0\}$ formé du seul vecteur nul, et l'ensemble tout entier V lui-même. Ces deux sous-espaces sont parfois appelés sous-espaces *triviaux*, et nous donnons ci-dessous des exemples de sous-espaces non triviaux.

Exemple 4.6

Considérons l'espace $\mathbb{R}^3$.

(a) Soit U le sous-ensemble de $\mathbb{R}^3$ formé de tous les vecteurs dont les trois composantes sont égales :

$$U = \{(a, b, c) \mid a = b = c\}$$

Par exemple, $(1, 1, 1)$, $(-3, -3, -3)$, $(7, 7, 7)$, $(-2, -2, -2)$ sont des vecteurs de U. Manifestement, le vecteur nul $0 = (0, 0, 0)$ appartient à U, puisque toutes ses composantes sont égales. De plus, si $u = (a, a, a)$ et $v = (b, b, b)$ sont deux vecteurs quelconques de U, alors, $\forall k \in \mathbb{K}$:

$$u + v = (a + b, a + b, a + b)$$

et

$$ku = (ka, ka, ka)$$

appartiennent à U, qui est donc un sous-espace vectoriel de $\mathbb{R}^3$. Géométriquement, U est la droite passant par l'origine et le point $(1, 1, 1)$ (figure 4.1(a)).

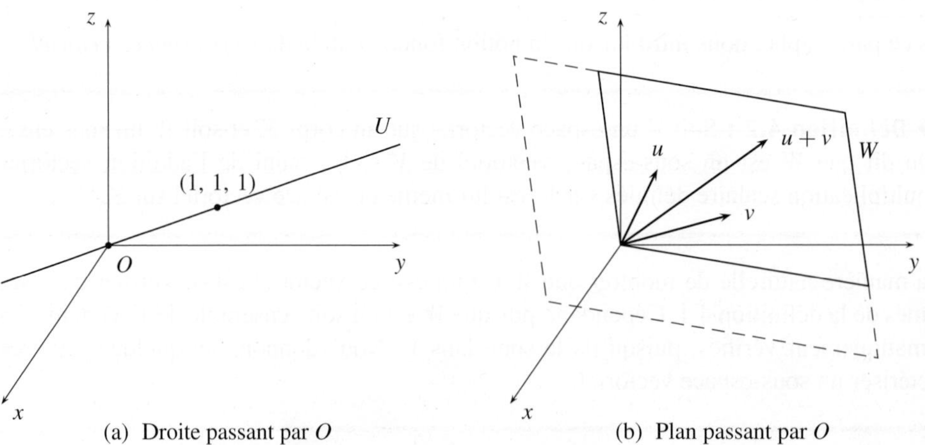

(a) Droite passant par O (b) Plan passant par O

Figure 4.1 Sous-espaces vectoriels de $\mathbb{R}^3$.

(b) Soit W un plan quelconque de $\mathbb{R}^3$ passant par l'origine (figure 4.1(b)). Il en résulte que le vecteur nul $0 = (0, 0, 0)$ est dans W. Deux vecteurs quelconques u et v de W peuvent être représentés par des flèches issues de l'origine (voir figure 4.1(b)). Leur somme $u + v$ et tout multiple ku de u appartiennent aussi au plan W, qui est donc un sous-espace de $\mathbb{R}^3$.

Exemple 4.7

(a) Soit $V = \mathbf{M}_{n,n}$ l'espace vectoriel des matrices $n \times n$. Soit W_1 le sous-ensemble formé de toutes les matrices triangulaires (supérieures), et soit W_2 le sous-ensemble formé de toutes les matrices symétriques. Alors W_1 est un sous-espace vectoriel de V, puisqu'il contient la matrice nulle, et est fermé par rapport à l'addition matricielle et à la multiplication scalaire : la somme de deux matrices triangulaires, un multiple quelconque d'un matrice triangulaire, sont encore des matrices triangulaires. On vérifie de même facilement que W_2 est un sous-espace vectoriel de V.

(b) Soit $V = \mathbf{P}(t)$ l'espace vectoriel de polynômes. Alors l'espace $\mathbf{P}_n(t)$ des polynômes de degré au plus égal à n peut être considéré comme un sous-espace vectoriel de V. Soit à présent $\mathbf{Q}(t)$ la famille des polynômes ne contenant que des puissances paires de t. Par exemple :

$$p_1 = 3 + 4t^2 - 5t^6 \quad \text{et} \quad p_2 = 6 - 7t^4 + 9t^6 + 3t^{12}$$

appartiennent à $\mathbf{Q}(t)$, en considérant le terme constant $k = kt^0$ comme un terme de puissance paire. Alors $\mathbf{Q}(t)$ est un sous-espace vectoriel de V.

(c) Soit enfin V l'espace vectoriel des fonctions à valeurs réelles. Alors la famille W_1 des fonctions continues et la famille W_2 des fonctions différentiables sont des sous-espaces vectoriels de V.

4.5.1 Intersection de sous-espaces

Soient U et W deux sous-espaces vectoriels d'un espace vectoriel V. Nous allons montrer que leur intersection $U \cap W$ est également sous-espace vectoriel de V. Puisque U et W sont des sous-espaces, ils contiennent tous deux le vecteur nul 0, qui appartient donc à leur intersection. Considérons à présent deux vecteurs u et v appartenant à $U \cap W$; alors u et v appartiennent, par définition de l'intersection, à la fois à U et àV. Puisque U et W sont des sous-espaces, $\forall a,\, b \in \mathbb{K}$:

$$au + bv \in U \quad \text{et} \quad au + bv \in W$$

$au + bv$ appartient ainsi à l'intersection $U \cap W$, qui est donc bien un sous-espace vectoriel de V. Ce résultat se généralise comme suit :

✻ Théorème 4.3 : L'intersection d'un nombre quelconque de sous-espaces vectoriels d'un espace vectoriel V est un sous-espace vectoriel de V.

4.5.2 Espace des solutions d'un système homogène d'équations linéaires

Considérons un système $AX = B$ d'équations linéaires à n inconnues. Toute solution peut être considérée comme un vecteur de $\mathbb{K}^n$, et par conséquent l'ensemble des solutions du système est un sous-ensemble de $\mathbb{K}^n$. Supposons à présent que le système soit homogène, c'est-à-dire de la forme $AX = 0$, et soit W l'ensemble formé par ses solutions. Puisque $A0 = 0$, le vecteur nul 0 appartient à W. De plus, soient u et v deux éléments de W ; u et v sont donc solutions de $AX = 0$, *i.e.* $Au = 0$ et $Av = 0$. Par suite, pour tous scalaires a et b, nous avons :

$$A(au + bv) = aAu + bAv = a0 + b0 = 0 + 0 = 0$$

Il en résulte que $au + bv$ appartient à W, qui est ainsi un sous-espace de $\mathbb{K}^n$. Formellement :

> ∗ **Théorème 4.4 :** L'ensemble des solutions d'un système homogène d'équations linéaires à n inconnues est un sous-espace vectoriel de $\mathbb{K}^n$.

Insistons sur le fait que la solution d'un système avec second membre non nul $AX = B$, $B \neq 0$, *n'est pas* un sous-espace vectoriel de $\mathbb{K}^n$. On le voit aisément en remarquant que 0 n'appartient pas à l'ensemble des solutions.

4.6 ESPACES VECTORIELS ENGENDRÉS, ESPACE LIGNE D'UNE MATRICE

Soient $u_1, u_2, \ldots, u_m$ des vecteurs d'un espace vectoriel V. On se souvient (§ 4.4) que tout vecteur de la forme $a_1u_1 + a_2u_2 + \cdots + a_mu_m$, où les a_i sont des scalaires, est appelé *combinaison linéaire* des vecteurs $u_1, u_2, \ldots, u_m$. L'ensemble de toutes ces combinaisons linéaires, noté :

$$\text{Vect}(u_1, u_2, \ldots, u_m) \quad \text{ou} \quad \text{Vect}(u_i)$$

est appelé *espace vectoriel engendré* par $u_1, u_2, \ldots, u_m$. Le vecteur 0 appartient à $\text{Vect}(u_i)$, puisque :

$$0 = 0u_1 + 0u_2 + \cdots + 0u_m$$

De plus, soient v et $v' \in \text{Vect}(u_i)$, c'est-à-dire :

$$v = a_1u_1 + a_2u_2 + \cdots + a_mu_m \quad \text{et} \quad v' = b_1u_1 + b_2u_2 + \cdots + b_mu_m$$

alors, $\forall k \in \mathbb{K}$, on a :

$$v + v' = (a_1 + b_1)u_1 + (a_2 + b_2)u_2 + \cdots + (a_m + b_m)u_m$$
$$kv = ka_1u_1 + ka_2u_2 + \cdots + ka_mu_m$$

Les vecteurs $v + v'$ et kv appartiennent à $\text{Vect}(u_i)$, qui est bien un sous-espace vectoriel de V.

Plus généralement, pour tout sous-ensemble $S \subset V$, $\text{Vect}(S)$ est composé de toutes les combinaisons linéaires de vecteurs de S. Si S est vide, *i.e.* $S = \emptyset$, alors $\text{Vect}(\emptyset) = \{0\}$. On remarque en particulier que S est un ensemble générateur (voir § 4.4) de $\text{Vect}(S)$. Nous avons le théorème suivant, que nous avons démontré en partie ci-dessus :

> ∗ **Théorème 4.5 :** Soit S un sous-ensemble d'un espace vectoriel V :
> (a) alors $\text{Vect}(S)$ est un sous-espace vectoriel de V qui contient S ;
> (b) si W est un sous-espace vectoriel de V contenant S, alors $\text{Vect}(S) \subseteq W$.

La condition (b) du théorème 4.5 peut être interprétée en disant que « $\text{Vect}(S)$ est le plus petit sous-espace vectoriel de V contenant S ».

Exemple 4.8

Considérons l'espace vectoriel $\mathbb{R}^3$.

(a) Soit un vecteur arbitraire $u \in \mathbb{R}^3$ non nul. Alors $\text{Vect}(u)$ est constitué de tous les multiples de u, c'est-à-dire tous les vecteurs de la forme ku, $k \in \mathbb{R}$. Géométriquement, $\text{Vect}(u)$ est la droite de direction u et passant par l'origine O (figure 4.2(a), page ci-contre).

(b) Soient deux vecteurs u et v non multiples l'un de l'autre. Alors $\text{Vect}(u, v)$ est le plan contenant u et v et passant par O (figure 4.2(b), page ci-contre).

(c) Soient les vecteurs $e_1 = (1, 0, 0)$, $e_2 = (0, 1, 0)$ et $e_3 = (0, 0, 1)$ de l'item (a) de l'exemple 4.3. On se souvient que tout vecteur de $\mathbb{R}^3$ s'exprime comme combinaison linéaire de ces trois vecteurs. Il en résulte que $\text{Vect}(e_1, e_2, e_3) = \mathbb{R}^3$.

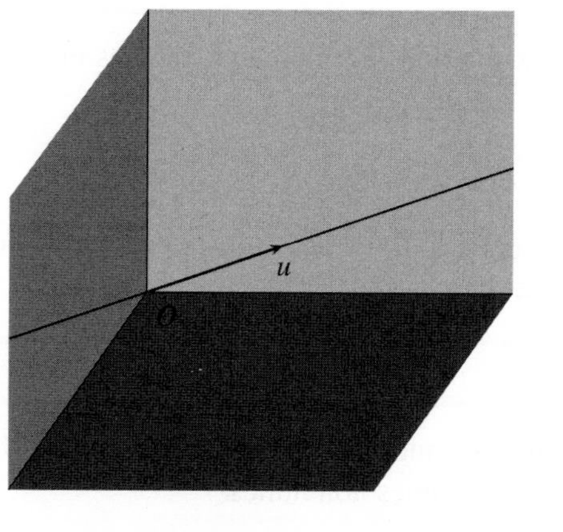

(a) Un vecteur

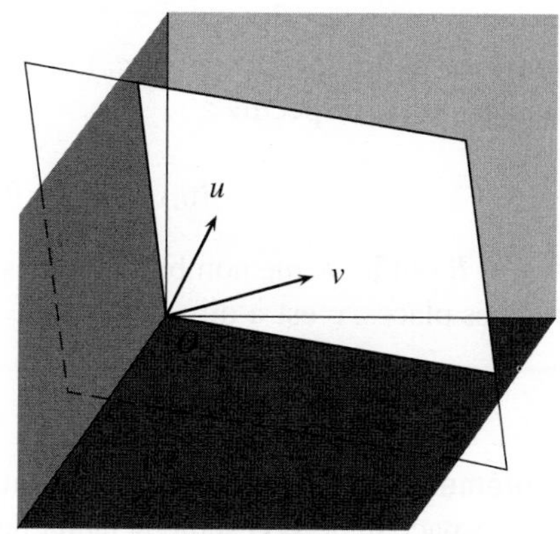

(b) Deux vecteurs

Figure 4.2 Sous-espaces vectoriels de $\mathbb{R}^3$ engendrés par un et par deux vecteurs.

4.6.1 Espace ligne d'une matrice

Soit $A = (a_{ij})$ une matrice $m \times n$ quelconque sur un corps $\mathbb{K}$; les lignes de A :

$$R_1 = (a_{11}, a_{12}, \ldots, a_{1n}), \quad R_2 = (a_{21}, a_{22}, \ldots, a_{2n}), \quad \ldots \quad R_m = (a_{m1}, a_{m2}, \ldots, a_{mn})$$

peuvent être considérées comme des vecteurs de $\mathbb{K}^n$; elles engendrent donc un sous-espace vectoriel de $\mathbb{K}^n$, appelé l'*espace ligne* de A, et noté $\mathrm{Lig}(A)$, soit :

$$\mathrm{Lig}(A) = \mathrm{Vect}(R_1, R_2, \ldots, R_m)$$

De même, les colonnes de A peuvent être considérées comme des vecteurs de $\mathbb{K}^m$, et engendrent un sous-espace vectoriel de $\mathbb{K}^m$, appelé l'*espace colonne* de A, noté $\mathrm{Col}(A)$. On remarque que $\mathrm{Col}(A) = \mathrm{Lig}(A^T)$.

On rappelle que deux matrices A et B sont équivalentes en lignes, noté $A \sim B$, si B peut être obtenue à partir de A par une suite finie d'opérations élémentaires sur les lignes. Supposons alors que M soit la matrice obtenue en appliquant à la matrice A l'une des applications élémentaires sur les lignes suivantes :

(a) permuter R_i et R_j ;

(b) remplacer R_i par kR_i ;

(c) remplacer R_j par $kR_i + R_j$.

Ainsi, chaque ligne de M est une ligne de A ou une combinaison linéaire de lignes de A. On en déduit que l'espace ligne de M est contenu dans l'espace ligne de A. Mais on peut aussi appliquer les inverses des opérations ligne ci-dessus à M pour obtenir A, et déduire que l'espace ligne de A est contenu dans l'espace ligne de M. D'où il résulte que A et M ont le même espace ligne. Cela est vrai pour toute application d'une opération élémentaire, et nous avons démontré le théorème suivant :

> ✻ **Théorème 4.6 :** Des matrices équivalentes en lignes ont le même espace ligne.

Nous sommes à présent en mesure de démontrer (problèmes 4.45 à 4.47) certaines propriétés de l'équivalence en ligne, déjà rencontrées au chapitre 3 (théorèmes 3.7 et 3.8).

✻ Théorème 4.7 : Soient $A = (a_{ij})$ et $B = (b_{ij})$ deux matrices échelon équivalentes en lignes, d'éléments pivots respectifs :

$$a_{1j_1}, a_{2j_2}, \ldots, a_{rj_r} \quad \text{et} \quad b_{1k_1}, b_{2k_2}, \ldots, b_{sk_s}$$

Alors A et B ont le même nombre de lignes non nulles, c'est-à-dire $r = s$, et les pivots se trouvent aux mêmes places, c'est-à-dire $j_1 = k_1, j_2 = k_2, \ldots, j_r = k_r$.

✻ Théorème 4.8 : Soient A et B deux matrices sous forme canonique en lignes. Alors A et B ont le même espace ligne si et seulement si elles ont les mêmes lignes non nulles.

✻ Corollaire 4.9 : Toute matrice A est équivalente en lignes à une matrice et une seule sous forme canonique en lignes.

Nous allons appliquer ces résultats à l'exemple suivant :

Exemple 4.9

Considérons les deux ensembles de vecteurs de $\mathbb{R}^4$ suivants :

$$u_1 = (1, 2, -1, 3), \quad u_2 = (2, 4, 1, -2), \quad u_3 = (3, 6, 3, -7)$$
$$w_1 = (1, 2, -4, 11), \quad w_2 = (2, 4, -5, 14)$$

Posons $U = \text{Vect}(u_i)$ et $W = \text{Vect}(w_i)$; il y a deux manières de montrer que $U = W$:

(a) Montrer que chacun des u_i est combinaison linéaire de w_1 et w_2, puis que chacun des w_i est combinaison linéaire des u_i. Ceci nous entraîne à démontrer la cohérence de six systèmes d'équations linéaires !

(b) Écrire la matrice A de lignes u_1, u_2 et u_3, la réduire à sa forme canonique en lignes, puis faire de même avec la matrice B, de lignes w_1 et w_2 :

$$A = \begin{pmatrix} 1 & 2 & -1 & 3 \\ 2 & 4 & 1 & -2 \\ 3 & 6 & 3 & -7 \end{pmatrix} \sim \begin{pmatrix} 1 & 2 & -1 & 3 \\ 0 & 0 & 3 & -8 \\ 0 & 0 & 6 & -16 \end{pmatrix} \sim \begin{pmatrix} 1 & 2 & 0 & \frac{1}{3} \\ 0 & 0 & 1 & -\frac{8}{3} \\ 0 & 0 & 0 & 0 \end{pmatrix}$$

$$B = \begin{pmatrix} 1 & 2 & -4 & 11 \\ 2 & 4 & -5 & 14 \end{pmatrix} \sim \begin{pmatrix} 1 & 2 & -4 & 11 \\ 0 & 0 & 3 & -8 \end{pmatrix} \sim \begin{pmatrix} 1 & 2 & 0 & \frac{1}{3} \\ 0 & 0 & 1 & -\frac{8}{3} \end{pmatrix}$$

On constate que les deux matrices sous forme canonique en lignes ont les mêmes lignes non nulles, ce qui prouve l'égalité des espaces ligne de A et B, et donc l'égalité de U et W.

Manifestement, la 2e méthode est plus efficace que la 1re .

4.7 DÉPENDANCE ET INDÉPENDANCE LINÉAIRES

Soit V un espace vectoriel sur un corps $\mathbb{K}$. Nous allons définir les notions-clé de *dépendance linéaire* et d'*indépendance linéaire* de vecteurs. Dorénavant, nous pourrons supprimer la mention du corps $\mathbb{K}$ sous-jacent à l'espace vectoriel, son existence étant sous-entendue.

◆ **Définition 4.3 :** Soit V un espace vectoriel ; on dit que les vecteurs $v_1, v_2, \ldots, v_m$ de V sont *linéairement dépendants*, ou *liés*, s'il existe des scalaires $a_1, a_2, \ldots, a_m$ de $\mathbb{K}$ non tous nuls tels que :

$$a_1v_1 + a_2v_2 + \cdots + a_mv_m = 0$$

Sinon, si tous les scalaires sont nuls, on dit que les vecteurs sont *linéairement indépendants*, ou *libres*.

Cette définition peut être exprimée autrement ; considérons l'équation vectorielle :

$$x_1v_1 + x_2v_2 + \cdots + x_mv_m = 0 \tag{4.2}$$

où les scalaires x_i sont inconnus. Cette équation est toujours satisfaite par la solution nulle $x_1 = 0$, $x_2 = 0, \ldots, x_m = 0$. Supposons qu'il n'y ait pas d'autre solution, c'est-à-dire que nous puissions montrer que :

$$x_1v_1 + x_2v_2 + \cdots + x_mv_m = 0 \Rightarrow x_1 = 0,\ x_2 = 0,\ \ldots,\ x_m = 0$$

Alors les vecteurs $v_1, v_2, \ldots, v_m$ sont linéairement indépendants. Inversement, si cette équation possède une solution non nulle, alors les vecteurs sont linéairement dépendants.

On dit qu'un ensemble de vecteurs est linéairement dépendant [*resp.* indépendant] si les vecteurs qui le composent sont linéairement dépendants [*resp.* indépendants].

On dit qu'un ensemble infini de vecteurs est linéairement dépendant si l'on peut trouver parmi eux des vecteurs $v_1, v_2, \ldots, v_m$ linéairement dépendants. Si l'on ne peut y trouver de vecteurs linéairement dépendants, il est dit linéairement indépendant.

Attention : L'ensemble $S = \{v_1, v_2, \ldots, v_m\}$ représente une suite *finie* et *ordonnée* de vecteurs, mais dans laquelle la répétition est autorisée.

On peut faire les remarques suivantes, qui découlent immédiatement de la définition :

(a) Si le vecteur nul 0 fait partie des vecteurs $v_1, v_2, \ldots, v_m$, soit par exemple $v_1 = 0$, ils sont alors nécessairement linéairement dépendants, puisque l'on peut construire la combinaison linéaire suivante, avec le coefficient de v_1 non nul :

$$1v_1 + 0v_2 + \cdots + 0v_m = 0$$

(b) Soit v un vecteur non nul ; alors v est, par lui-même, linéairement indépendant, puisque :

$$kv = 0 \text{ avec } v \neq 0 \Rightarrow k = 0$$

(c) Si parmi les vecteurs $v_1, v_2, \ldots, v_m$, deux d'entre eux, par exemple v_1 et v_2, sont égaux ou multiples l'un de l'autre, soit $v_1 = kv_2$, alors ils sont nécessairement linéairement dépendants, puisque l'on peut construire la combinaison linéaire suivante, avec le coefficient de v_2 non nul :

$$v_1 - kv_2 + 0v_3 + \cdots + 0v_m = 0$$

(d) Deux vecteurs sont linéairement dépendants si et seulement si ils sont multiples l'un de l'autre.

(e) Si l'ensemble $S = \{v_1, v_2, \ldots, v_m\}$ est linéairement dépendant [*resp.* indépendant], alors tout réarrangement $S = \{v_{i_1}, v_{i_2}, \ldots, v_{i_m}\}$ est linéairement dépendant [*resp.* indépendant].

(f) Si un ensemble S de vecteurs est linéairement indépendant, alors tout sous-ensemble de S est linéairement indépendant. Réciproquement, si S contient un sous-ensemble linéairement dépendant, il est linéairement dépendant.

Exemple 4.10

(a) Soient $u = (1, 1, 0)$, $v = (1, 3, 2)$ et $w = (4, 9, 5)$; ces vecteurs sont linéairement dépendants, car :

$$3u + 5v - 2w = 3(1, 1, 0) + 5(1, 3, 2) - 2(4, 9, 5) = (0, 0, 0) = 0$$

(b) Montrons que les vecteurs $u = (1, 2, 3)$, $v = (2, 5, 7)$ et $w = (1, 3, 5)$ sont linéairement indépendants ; pour ce faire, construisons l'équation vectorielle $xu + yv + zw = 0$, où x, y et z sont des scalaires inconnus :

$$x\begin{pmatrix}1\\2\\3\end{pmatrix} + y\begin{pmatrix}2\\5\\7\end{pmatrix} + z\begin{pmatrix}1\\3\\5\end{pmatrix} = \begin{pmatrix}0\\0\\0\end{pmatrix} \quad \text{ou} \quad \begin{aligned} x + 2y + z &= 0\\ 2x + 5y + 3z &= 0\\ 3x + 7y + 5z &= 0 \end{aligned} \quad \text{ou} \quad \begin{aligned} x + 2y + z &= 0\\ y + z &= 0\\ 2z &= 0 \end{aligned}$$

Ce système homogène triangulaire n'a que la solution nulle $x = y = z = 0$. En conséquence, les vecteurs u, v et w sont linéairement indépendants.

(c) Soit V l'espace vectoriel des fonctions de $\mathbb{R}$ dans $\mathbb{R}$. Nous allons montrer que les fonctions $f(t) = \sin t$, $g(t) = e^t$ et $h(t) = t^2$ sont linéairement indépendantes ; construisons l'équation vectorielle $xf + yg + zh = 0$, où x, y et z sont des scalaires inconnus. Cette équation s'écrit :

$$\forall t, \quad x \sin t + y e^t + z t^2 = 0$$

Nous allons choisir pour la variable t des valeurs appropriées pour obtenir aisément le résultat cherché $x = 0$, $y = 0$, $z = 0$. Par exemple :

1. $t = 0 \Rightarrow x \times 0 + y \times 1 + z \times 0 = 0 \Rightarrow y = 0$;
2. $t = \pi \Rightarrow x \times 0 + 0 \times e^{\pi} + z \times \pi^2 = 0 \Rightarrow z = 0$;
3. $t = \dfrac{\pi}{2} \Rightarrow x \times 1 + 0 \times e^{\frac{\pi}{2}} + 0 \times \dfrac{\pi^2}{4} = 0 \Rightarrow x = 0$.

Nous venons de montrer que :

$$xf + yg + zh = 0 \Rightarrow x = 0, y = 0, z = 0$$

Par conséquent, les « vecteurs » f, g et h sont linéairement indépendants.

4.7.1 Dépendance linéaire dans $\mathbb{R}^3$

L'examen de la dépendance linéaire dans $\mathbb{R}^3$ est instructive dans la mesure où elle peut s'interpréter géométriquement :

(a) Deux vecteurs quelconques de $\mathbb{R}^3$ sont linéairement dépendants s'ils appartiennent à la même droite passant par l'origine (figure 4.3(a), page ci-contre) ;

(b) Trois vecteurs quelconques de $\mathbb{R}^3$ sont linéairement dépendants s'ils appartiennent au même plan passant par l'origine (figure 4.3(b), page ci-contre).

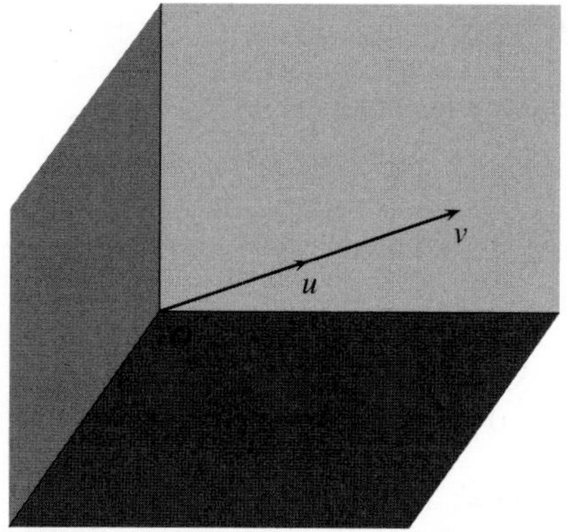

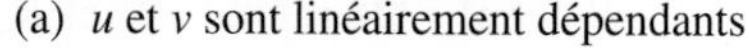

(a) u et v sont linéairement dépendants

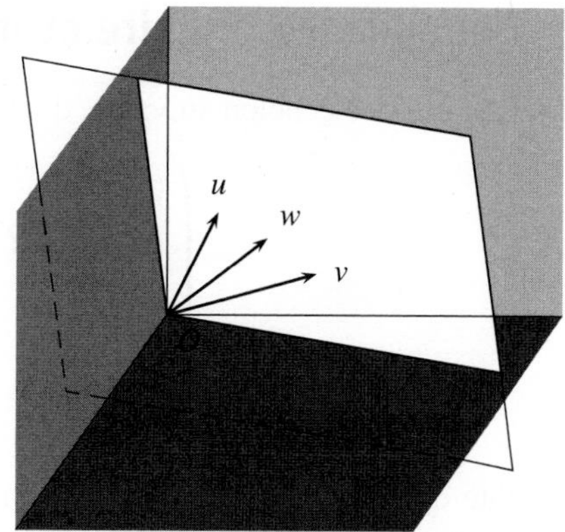

(b) u, v et w sont linéairement dépendants

Figure 4.3 Sous-espaces vectoriels de $\mathbb{R}^3$ engendrés par un et par deux vecteurs.

Nous montrerons plus loin que quatre vecteurs ou plus de $\mathbb{R}^3$ sont automatiquement linéairement dépendants.

4.7.2 Dépendance linéaire et combinaisons linéaires

Les deux notions de dépendance linéaire et de combinaison linéaire sont étroitement liées. En particulier, un ensemble $v_1, v_2, \ldots, v_m$, $m > 1$, est linéairement dépendant si et seulement si l'un des vecteurs est combinaison linéaire des autres. Supposons, par exemple, que v_i soit combinaison linéaire des autres vecteurs :

$$v_i = a_1v_1 + \cdots + a_{i-1}v_{i-1} + a_{i+1}v_{i+1} + \cdots + a_mv_m$$

En ajoutant $-v_i$ aux deux membres de cette équation, il vient :

$$a_1v_1 + \cdots + a_{i-1}v_{i-1} - v_i + a_{i+1}v_{i+1} + \cdots + a_mv_m = 0$$

soit une combinaison linéaire nulle dont l'un au moins des coefficients, celui de v_i, est non nul. Réciproquement, supposons les vecteurs linéairement dépendants :

$$b_1v_1 + \cdots + b_jv_j + \cdots + b_mv_m = 0 \quad \text{avec} \quad b_j \neq 0$$

On peut résoudre cette équation en v_j :

$$v_j = -b_j^{-1}b_1v_1 - b_j^{-1}b_2v_2 - \cdots - b_j^{-1}b_{j-1}v_{j-1} - b_j^{-1}b_{j+1}v_{j+1} - \cdots - b_j^{-1}b_mv_m$$

ce qui montre que v_j est combinaison linéaire des autres vecteurs. Nous allons donner maintenant un résultat légèrement plus fort qui a, nous le verrons, des conséquences importantes :

*** Lemme 4.10 :** Soit un ensemble de vecteurs $v_1, v_2, \ldots, v_m$, avec $m \geq 2$, linéairement dépendants. Alors l'un des vecteurs est combinaison linéaire de ses prédécesseurs ; autrement dit, il existe $k > 1$ tel que :

$$v_k = c_1v_1 + c_2v_2 + \cdots + c_{k-1}v_{k-1}$$

4.7.3 Dépendance linéaire et matrices échelon

Considérons la matrice échelon suivante, dont nous avons entouré les pivots :

$$\begin{pmatrix} 0 & \textcircled{2} & 3 & 4 & 5 & 6 & 7 \\ 0 & 0 & \textcircled{4} & 3 & 2 & 3 & 4 \\ 0 & 0 & 0 & 0 & \textcircled{7} & 8 & 9 \\ 0 & 0 & 0 & 0 & 0 & \textcircled{6} & 7 \\ 0 & 0 & 0 & 0 & 0 & 0 & 0 \end{pmatrix}$$

On constate que les lignes R_2, R_3 et R_4 ont des zéros sur la 2e colonne au-dessous du pivot de R_1 ; il en résulte que le second élément de toute combinaison linéaire des ces trois lignes est nécessairement nul, et par conséquent R_1 ne peut être combinaison linéaire de R_2, R_3 et R_4. De même, R_3 et R_4 ont des zéros sur la 3e colonne au-dessous du pivot de R_2, et le même raisonnement entraîne que R_2 ne peut être combinaison linéaire de R_3 et R_4. On montre enfin de la même manière que R_3 ne peut être multiple de R_4. En définitive, en observant les lignes de bas en haut, aucune ligne n'est combinaison linéaire de celles qui la précèdent ; le lemme 4.10 permet d'affirmer qu'elles sont linéairement indépendantes.

L'argument que nous venons de développer sur cet exemple s'applique aux lignes non nulles de n'importe quelle matrice sous forme échelon. Nous pouvons ainsi énoncer le résultat suivant :

> ✻ **Théorème 4.11 :** Les lignes non nulles d'une matrice sous forme échelon sont linéairement indépendantes.

4.8 BASES ET DIMENSION D'UN ESPACE VECTORIEL

Commençons par donner deux définitions équivalentes de la notion de *base* d'un espace vectoriel V. L'équivalence sera démontrée au problème 4.28.

> ◆ **Définition 4.4 :** Un ensemble $S = \{u_1, u_2, \ldots, u_n\}$ de vecteurs d'un espace vectoriel V est une *base* de V s'il vérifie les deux propriétés suivantes :
>
> (a) S est linéairement indépendant ; (b) S engendre V.

> ◆ **Définition 4.5 :** Un ensemble $S = \{u_1, u_2, \ldots, u_n\}$ de vecteurs d'un espace vectoriel V est une *base* de V si tout vecteur $v \in V$ s'écrit d'un façon et d'une seule comme combinaison linéaire des vecteurs de S.

Le théorème suivant énonce un résultat fondamental de l'algèbre linéaire :

> ✻ **Théorème 4.12 :** Soit V un espace vectoriel possédant une base composée de m éléments, et une seconde base composée de n éléments. Alors $m = n$.

On dit qu'un espace vectoriel est de dimension finie n, ou qu'il est à n dimensions, ce qui s'écrit :

$$\dim V = n$$

si V possède une base de n éléments. Le théorème 4.12 affirme alors que toute base de V a le même nombre d'éléments.

Par définition, l'espace vectoriel $\{0\}$ réduit au seul vecteur nul a la dimension 0.

Soit un espace vectoriel V tel qu'on ne puisse trouver une base à nombre fini d'éléments ; alors V est dit *de dimension infinie*.

Le théorème 4.12 est une conséquence du lemme suivant, démontré au problème 4.35 :

*** Lemme 4.13 :** Supposons que l'ensemble $\{v_1, v_2, \ldots, v_n\}$ engendre V, et soient des vecteurs $\{w_1, w_2, \ldots, w_m\}$ linéairement indépendants. Alors $m \leq n$, et V est engendré par un ensemble de la forme :

$$\{w_1, w_2, \ldots, w_m, v_{i_1}, v_{i_2}, \ldots, v_{i_{n-m}}\}$$

Il en résulte en particulier qu'un ensemble de $n+1$ vecteurs ou plus sont linéairement dépendants.

On remarque que dans ce lemme, on a remplacé m vecteurs de l'ensemble générateur par m vecteurs linéairement indépendants, le nouvel ensemble étant encore générateur.

4.8.1 Exemples de bases

Nous présentons ici quelques exemples importants de bases des espaces vectoriels principaux intervenant dans notre exposé.

(a) *L'espace vectoriel* $\mathbb{K}^n$; soient les n vecteurs de $\mathbb{K}^n$:

$$e_1 = (1, 0, 0, 0, \ldots, 0, 0), \quad e_2 = (0, 1, 0, 0, \ldots, 0, 0), \quad \ldots, \quad e_n = (0, 0, 0, 0, \ldots, 0, 1)$$

Ces vecteurs sont linéairement indépendants, ce que l'on voit, par exemple, en remarquant qu'ils forment les lignes successives d'une matrice sous forme échelon. Par suite, tout vecteur $u = (a_1, a_2, \ldots, a_n) \in \mathbb{K}^n$ peut être écrit comme combinaison linéaire de ces vecteurs :

$$u = a_1e_1 + a_2e_2 + \cdots + a_ne_n$$

Cette base particulière est appelée la base *usuelle*, *standard*, ou *canonique* de $\mathbb{K}^n$. Il en résulte que, comme on s'y attend, $\mathbb{K}^n$ est de dimension n, et toute base de $\mathbb{K}^n$ comporte n éléments.

(b) *L'espace vectoriel* $\mathbf{M} = \mathbf{M}_{r,s}$ *des matrices* $r \times s$; les six matrices suivantes forment une base de l'espace $\mathbf{M}_{2,3}$ des matrices rectangulaires 2×3 sur $\mathbb{K}$:

$$\begin{pmatrix} 1 & 0 & 0 \\ 0 & 0 & 0 \end{pmatrix}, \quad \begin{pmatrix} 0 & 1 & 0 \\ 0 & 0 & 0 \end{pmatrix}, \quad \begin{pmatrix} 0 & 0 & 1 \\ 0 & 0 & 0 \end{pmatrix}, \quad \begin{pmatrix} 0 & 0 & 0 \\ 1 & 0 & 0 \end{pmatrix}, \quad \begin{pmatrix} 0 & 0 & 0 \\ 0 & 1 & 0 \end{pmatrix}, \quad \begin{pmatrix} 0 & 0 & 0 \\ 0 & 0 & 1 \end{pmatrix}$$

Plus généralement, soit dans l'espace $\mathbf{M} = \mathbf{M}_{r,s}$ des matrices $r \times s$ la matrice E_{ij} dont l'élément ij vaut 1 et dont tous les autres sont nuls. L'ensemble de ces matrices forme la base *canonique* de $\mathbf{M}_{r,s}$. On en déduit que $\mathbf{M}_{r,s}$ est de dimension rs.

(c) *L'espace vectoriel* $P_n(t)$ *des polynômes de degré* $\leq n$; l'ensemble $S = \{1, t, t^2, t^3, \ldots, t^n\}$ de $n+1$ monômes est une base de $P_n(t)$. Tout polynôme $f(t)$ de degré $\leq n$ s'exprime comme combinaison linéaire de ces puissances de t, que l'on montre être linéairement indépendantes. On en déduit que $\dim P_n(t) = n + 1$.

(d) *L'espace vectoriel $P(t)$ de tous les polynômes* ; soit un ensemble fini $S = \{f_1(t), f_2(t), \ldots, f_p(t)\}$ quelconque de polynômes, et soit m le plus grand des degrés de ces polynômes. Alors tout polynôme de degré supérieur à m ne peut être exprimé comme combinaison linéaire des éléments de S, et S ne peut donc pas être une base de $P(t)$. Il en résulte que la dimension de $P(t)$ est infinie. On remarque que l'ensemble infini $S' = \{1, t, t^2, t^3, \ldots\}$ formé de toutes les puissances de t engendre $P(t)$, et est de plus linéairement indépendant. L'ensemble S' constitue donc une base (infinie) de $P(t)$.

4.8.2 Théorèmes sur les bases

Nous aurons souvent l'occasion d'utiliser les trois théorèmes suivants (démontrés aux problèmes 4.37, 4.38 et 4.39) :

*** Théorème 4.14 :** Soit V un espace vectoriel de dimension finie n. Alors :
(a) tout ensemble de $n + 1$ vecteurs ou plus est linéairement dépendant ;
(b) tout ensemble $S = \{u_1, u_2, \ldots, u_n\}$ linéairement indépendant de n vecteurs est une base de V ;
(c) tout ensemble générateur $T = \{v_1, v_2, \ldots, v_n\}$ de V à n éléments est une base de V.

*** Théorème 4.15 :** Soit un ensemble S engendrant un espace vectoriel V. Alors :
(a) tout sous-ensemble maximal de vecteurs linéairement indépendants de S est une base de V ;
(b) si l'on supprime de S tout vecteur combinaison linéaire de ses prédécesseurs, l'ensemble restant forme une base de V.

*** Théorème 4.16 :** Soit V un espace vectoriel de dimension finie et soit $S = \{u_1, u_2, \ldots, u_r\}$ un ensemble de vecteurs de V linéairement indépendants. Alors S forme une partie d'une base de V ; autrement dit, on peut étendre S pour obtenir une base de V.

Exemple 4.11

(a) Les quatre vecteurs suivants de $\mathbb{R}^4$ peuvent être considérés comme les lignes d'une matrice sous forme échelon :

$$(1, 1, 1, 1), \quad (0, 1, 1, 1), \quad (0, 0, 1, 1), \quad (0, 0, 0, 1)$$

Ils sont donc linéairement indépendants, et forment une base de $\mathbb{R}^4$, puisque $\mathbb{R}^4$ est de dimension 4.

(b) Les $n + 1$ polynômes suivants de $P_n(t)$ sont de degré croissant :

$$1,\ t - 1,\ (t - 1)^2,\ \ldots\ ,\ (t - 1)^n$$

Par conséquent aucun de ces polynômes n'est combinaison linéaire de ses prédécesseurs, et ils forment donc un ensemble linéairement indépendant. Puisque $\dim P_n(t) = n + 1$, ils constituent une base de $P_n(t)$.

(c) Soient quatre vecteurs quelconques de $\mathbb{R}^3$, par exemple :

$$(257, -132, 58), \quad (43, 0, -17), \quad (521, -317, 94), \quad (328, -512, -731)$$

Le théorème 4.14, item (a), nous assure qu'ils sont nécessairement liés, puisque $\mathbb{R}^3$ est de dimension 3.

4.8.3 Dimension et sous-espaces

Le théorème suivant, démontré au problème 4.40, explicite la relation fondamentale entre la dimension d'un espace vectoriel et celles de ses sous-espaces :

> ✻ **Théorème 4.17 :** Soit W un sous-espace vectoriel d'un espace vectoriel V. Alors $\dim W \leq n$. Si $\dim W = n$, alors $W = V$.

Exemple 4.12

Soit W un sous-espace de l'espace vectoriel $\mathbb{R}^3$ (on rappelle que $\dim \mathbb{R}^3 = 3$). Le théorème 4.17 nous assure que la dimension de W ne peut prendre que les valeurs 0, 1, 2 ou 3. On a donc les situations suivantes :

(a) $\dim W = 0$, soit $W = \{0\}$, réduit à l'origine ;

(b) $\dim W = 1$, donc W est une droite passant par l'origine ;

(c) $\dim W = 2$, donc W est un plan passant par l'origine ;

(d) $\dim W = 3$, soit $W = \mathbb{R}^3$, l'espace entier.

4.9 APPLICATION AUX MATRICES, RANG D'UNE MATRICE

Soit A une matrice $m \times n$ quelconque sur un corps $\mathbb{K}$. On sait que ses lignes peuvent être considérées comme des vecteurs de $\mathbb{K}^n$, et que son espace ligne $\mathrm{Lig}(A)$ est le sous-espace de $\mathbb{K}^m$ engendré par elles. On peut alors poser la définition suivante :

> ◆ **Définition 4.6 :** Le rang d'une matrice A, noté $\mathrm{rang}(A)$, est le plus grand nombre de lignes linéairement indépendantes de A ou, en d'autres termes, la dimension de son espace ligne.

Par ailleurs, on sait aussi que les colonnes d'une matrice A rectangulaire $m \times n$ peuvent être aussi considérées comme des vecteurs de $\mathbb{K}^m$, et que l'espace colonne $\mathrm{Col}(A)$ est le sous-espace de $\mathbb{K}^m$ engendré par les colonnes de A. Bien qu'*a priori* m soit différent de n, et que les lignes et les colonnes de A appartiennent à des espaces différents, on a le résultat fondamental suivant :

> ✻ **Théorème 4.18 :** La borne supérieure du nombre de lignes linéairement indépendantes d'une matrice quelconque A est égale à la borne supérieure du nombre de ses colonnes linéairement indépendantes. Par conséquent la dimension de l'espace ligne est égale à celle de l'espace colonne.

On peut par conséquent réécrire la définition 4.6 en remplaçant « ligne » par « colonne ».

4.9.1 Détermination des bases

Nous montrons ici comment la forme échelon d'une matrice quelconque permet de résoudre certains problèmes liés à A elle-même ; considérons les matrices suivantes, où B est une forme échelon de A, dont nous avons entouré les pivots :

$$A = \begin{pmatrix} 1 & 2 & 1 & 3 & 1 & 2 \\ 2 & 5 & 5 & 5 & 4 & 5 \\ 3 & 7 & 6 & 11 & 6 & 9 \\ 1 & 5 & 10 & 8 & 9 & 9 \\ 2 & 6 & 8 & 11 & 9 & 12 \end{pmatrix} \quad \text{et} \quad B = \begin{pmatrix} \textcircled{1} & 2 & 1 & 3 & 1 & 2 \\ 0 & \textcircled{1} & 3 & 1 & 2 & 1 \\ 0 & 0 & 0 & \textcircled{1} & 1 & 2 \\ 0 & 0 & 0 & 0 & 0 & 0 \\ 0 & 0 & 0 & 0 & 0 & 0 \end{pmatrix}$$

Posons-nous les quatre problèmes suivants, où $C_1, C_2, \ldots, C_6$ désignent les colonnes de la matrice A :

(a) déterminer une base de l'espace ligne de A ;
(b) déterminer chaque colonne C_k de A qui soit combinaison linéaire des précédentes ;
(c) déterminer une base de l'espace colonne de A ;
(d) déterminer le rang de A.

Solution :

(a) Par construction, les matrices A et B sont équivalentes en lignes, et ont donc le même espace ligne. De plus, B est sous forme échelon, ses lignes sont par conséquent linéairement indépendantes et forment une base de l'espace ligne commun à A et B. Une base de Lig(A) est donc :

$$(1, 2, 1, 3, 1, 2), \quad (0, 1, 3, 1, 2, 1), \quad (0, 0, 0, 1, 1, 2)$$

(b) Soit $M_k = (C_1, C_2, \ldots, C_k)$ la sous-matrice de A constituée des k premières colonnes de A. Alors M_{k-1} et M_k sont respectivement la matrice des coefficients et la matrice augmentée de l'équation vectorielle :

$$x_1 C_1 + x_2 C_2 + \cdots + x_{k-1} C_{k-1} = C_k$$

Le théorème 3.9 nous assure que le système a une solution, ce qui signifie que C_k est effectivement combinaison linéaire des colonnes précédentes si et seulement si $\text{rang}(M_k) = \text{rang}(M_{k-1})$, où $\text{rang}(M_k)$ est le nombre de pivots de la forme échelon de M_k. Puisque les k premières colonnes de la matrice échelon B constituent une forme échelon de M_k, on peut écrire :

$$\text{rang}(M_2) = \text{rang}(M_3) = 2 \quad \text{et} \quad \text{rang}(M_4) = \text{rang}(M_5) = \text{rang}(M_6) = 3$$

On en déduit que chacune des colonnes C_3, C_5 et C_6 est combinaison linéaire de celles qui les précèdent.

(c) On déduit aussi que les colonnes C_1, C_2 et C_4 ne sont pas des combinaisons linéaires des colonnes précédentes, et sont donc linéairement indépendantes. Elles constituent par conséquent une base de l'espace colonne de A :

$$(1, 2, 3, 1, 2)^T, \quad (2, 5, 7, 5, 6)^T, \quad (3, 5, 11, 8, 11)^T$$

On note que C_1, C_2 et C_4 sont aussi les colonnes contenant les pivots, quelle que soit la forme échelon de A.

(d) Nous voyons ici que les trois définitions de rang(A) donnent la même valeur :

1. B, forme échelon de A, possède trois pivots ;
2. les trois pivots de B correspondent aux lignes non nulles de B, qui forment une base de l'espace ligne de A ;
3. les trois pivots de B correspondent aux colonnes formant une base de l'espace colonne de A.

Dans les trois cas, $\text{rang}(A) = 3$.

4.9.2 Application à la recherche d'une base de $W = \text{Vect}(u_1, u_2, \ldots, u_r)$

On a souvent, étant donnée une famille $S = \{u_1, u_2, \ldots, u_r\}$ de vecteurs de $\mathbb{K}^n$, à déterminer une base du sous-espace :

$$W = \text{Vect}(S) = \text{Vect}(u_1, u_2, \ldots, u_r)$$

de $\mathbb{K}^n$ engendré par ces vecteurs. Voici deux algorithmes, dont le principe a été discuté au paragraphe précédent.

✻ Algorithme 4.1 (de l'espace ligne) :
Étape A Construire la matrice M dont les lignes sont les vecteurs donnés.
Étape B Mettre M sous forme échelon.
Étape C Extraire les lignes non nulles de la forme échelon.

Il est parfois nécessaire de trouver une base qui s'exprime uniquement à partir des vecteurs donnés ; c'est ce qu'effectue l'algorithme suivant :

✻ Algorithme 4.2 (d'élimination) :
Étape A Construire la matrice M dont les colonnes sont les vecteurs donnés.
Étape B Mettre M sous forme échelon.
Étape C Pour chaque colonne C_k sans pivot de la forme échelon, éliminer de la liste le vecteur u_k correspondant.
Étape D Extraire les vecteurs de S qui restent, correspondant aux colonnes contenant les pivots.

La différence essentielle entre les deux algorithmes est que dans le premier, on construit une matrice dont les lignes sont les vecteurs donnés, tandis que dans le second ce sont les colonnes qui sont constituées par les vecteurs.

Exemple 4.13

Soit W le sous-espace de $\mathbb{R}^5$ engendré par les vecteurs :

$$u_1 = (1, 2, 1, 3, 2), \quad u_2 = (1, 3, 3, 5, 3), \quad u_3 = (3, 8, 7, 13, 8)$$
$$u_4 = (1, 4, 6, 9, 7), \quad u_5 = (5, 13, 13, 25, 19)$$

Déterminer une base de W à partir de ces vecteurs, et trouver $\dim(W)$.

Solution : on écrit la matrice M dont les colonnes sont les vecteurs donnés, et on la met sous forme échelon :

$$M = \begin{pmatrix} 1 & 1 & 3 & 1 & 5 \\ 2 & 3 & 8 & 4 & 13 \\ 1 & 3 & 7 & 6 & 13 \\ 3 & 5 & 13 & 9 & 25 \\ 2 & 3 & 8 & 7 & 19 \end{pmatrix} \sim \begin{pmatrix} 1 & 1 & 3 & 1 & 5 \\ 0 & 1 & 2 & 2 & 3 \\ 0 & 0 & 0 & 1 & 2 \\ 0 & 0 & 0 & 0 & 0 \\ 0 & 0 & 0 & 0 & 0 \end{pmatrix}$$

Les pivots appartiennent aux colonnes C_1, C_2 et C_4. Nous retirons donc les vecteurs u_3 et u_5 de la liste originale. Les trois vecteurs restants, u_1, u_2 et u_4, qui correspondent aux colonnes de la forme échelon avec pivots, forment une base de W, qui est par conséquent de dimension 3.

Remarque : nous avons déjà abondamment discuté plus haut de l'algorithme d'élimination, mais il est important d'insister sur certains points ; le fait que la colonne C_3 de la matrice échelon de l'exemple 4.13 ne contienne pas de pivot signifie que l'équation vectorielle :

$$xu_1 + yu_2 = u_3$$

possède une solution, impliquant que u_3 soit combinaison linéaire de u_1 et u_2. De même, le fait que C_5 n'ait pas de pivot signifie que u_5 est combinaison linéaire des vecteurs qui le précèdent. On retire donc de la liste les vecteurs combinaisons linéaires des autres, et ainsi les vecteurs restants sont linéairement indépendants et forment une base de W.

4.9.3 Application aux systèmes homogènes d'équations linéaires

Soit un système homogène $AX = 0$ d'équations linéaires sur $\mathbb{K}$ à n inconnues. En vertu du théorème 4.4, l'ensemble W des solutions d'un tel système est un sous-espace vectoriel de $\mathbb{K}^n$. On a le théorème suivant, qui précise la dimension de ce sous-espace, et dont nous reportons la démonstration au chapitre 5 :

∗ Théorème 4.19 : La dimension de l'espace vectoriel W des solutions d'un système homogène d'équations linéaires $AX = 0$ est égale à $n - r$, où n est le nombre d'inconnues et r le rang de la matrice A des coefficients.

Si le système est sous forme échelon, il a exactement $n - r$ variables libres, soit $x_{i_1}, x_{i_2}, \ldots, x_{i_{n-r}}$. Soit v_j la solution obtenue en posant $x_{i_j} = 1$ (ou toute autre valeur non nulle) et $x_{i_k} = 0$ pour $k \neq j$. Nous montrerons (problème 4.52) que les solutions $v_1, v_2, \ldots, v_{n-r}$ sont linéairement indépendantes, et forment donc une base de l'espace W des solutions.

Nous avons déjà utilisé cette méthode pour trouver une base de l'espace W des solutions d'un système homogène d'équations linéaires au § 3.11. Le problème 4.50 donne trois autres exemples.

4.10 SOMME ET SOMME DIRECTE

Soient U et W deux sous-ensembles d'un espace vectoriel V. La *somme* de U et W, notée $U + W$, est l'ensemble des additions vectorielles $u + w$, où $u \in U$ et $w \in W$:

$$U + W = \{v \mid v = u + w,\ u \in U \text{ et } w \in W\}$$

Supposons à présent que U et W soient deux sous-espaces vectoriels. On montre aisément (problème 4.53) que $U + W$ est aussi un sous-espace vectoriel de V. Le théorème suivant (démontré au problème 4.58) précise les dimensions de ces sous-espaces :

∗ Théorème 4.20 : Soient U et W deux sous-espaces de dimension finie d'un espace vectoriel V. Alors $U + W$ est de dimension finie et :

$$\dim(U + W) = \dim U + \dim W - \dim(U \cap W)$$

Exemple 4.14
Soit $V = \mathbf{M}_{2,2}$ l'espace vectoriel des matrices carrées 2×2, de dimension 4. Soit U le sous-ensemble des matrices dont la deuxième ligne est nulle, et W le sous-ensemble des matrices dont la deuxième colonne est nulle :

$$U = \left\{\begin{pmatrix} a & b \\ 0 & 0 \end{pmatrix}\right\}, \quad W = \left\{\begin{pmatrix} a & 0 \\ c & 0 \end{pmatrix}\right\}, \quad U + W = \left\{\begin{pmatrix} a & b \\ c & 0 \end{pmatrix}\right\}, \quad U \cap W = \left\{\begin{pmatrix} a & 0 \\ 0 & 0 \end{pmatrix}\right\}$$

$U + W$ est donc l'ensemble des matrices dont l'élément inférieur droit est nul, et $U \cap W$ l'ensemble des matrices dont le seul élément non nul est en haut à gauche. On vérifie immédiatement que tous ces sous-ensembles sont des sous-espaces vectoriels, que $\dim U = 2$, $\dim W = 2$ et que $\dim(U \cap W) = 1$. Alors $\dim(U + W) = 3$, comme le prévoit le théorème 4.20 :

$$\dim(U + W) = \dim U + \dim W - \dim(U \cap W) = 2 + 2 - 1 = 3$$

4.10.1 Somme directe

◆ **Définition 4.7 :** Soit V un espace vectoriel, U et W deux de ses sous-espaces. On dit que V est la *somme directe* de U et W, noté

$$V = U \oplus W$$

si tout vecteur $v \in V$ s'écrit d'une manière et d'une seule sous la forme $v = u + w$, où $u \in U$ et $w \in W$.

Le théorème suivant, qu'on montrera au problème 4.59, caractérise une telle décomposition :

✻ **Théorème 4.21 :** Un espace vectoriel V est somme directe de deux sous-espaces U et W si et seulement si :

(a) $V = U + W$; (b) $U \cap W = \{0\}$.

Exemple 4.15
On se place dans l'espace vectoriel $V = \mathbb{R}^3$.

(a) Soit U le plan xy, et W le plan yz :

$$U = \{(a, b, 0) \mid a, b \in \mathbb{R}\} \quad \text{et} \quad W = \{(0, d, c) \mid d, c \in \mathbb{R}\}$$

Alors $\mathbb{R}^3 = U + W$, puisque tout vecteur de $\mathbb{R}^3$ peut s'écrire comme somme d'un vecteur de U et d'un vecteur de W. Mais $\mathbb{R}^3$ n'est pas la somme directe de U et W , puisqu'une telle somme n'est pas unique ; par exemple :

$$(3, 5, 7) = (3, 1, 0) + (0, 4, 7), \quad \text{mais aussi} \quad (3, 5, 7) = (3, -4, 0) + (0, 9, 7)$$

(b) Soit à présent U le plan xy, et W l'axe z :

$$U = \{(a, b, 0) \mid a, b \in \mathbb{R}\} \quad \text{et} \quad W = \{(0, 0, c) \mid c \in \mathbb{R}\}$$

On peut encore écrire tout vecteur de $\mathbb{R}^3$ comme somme d'un vecteur de U et d'un vecteur de W, mais cette fois d'une façon et d'une seule :

$$(a, b, c) = (a, b, 0) + (0, 0, c)$$

Alors $\mathbb{R}^3$ est la *somme directe* de U et W : $\mathbb{R}^3 = U \oplus W$.

4.10.2 Somme directe, cas général

La notion de somme directe s'étend sans difficulté à plus de deux termes : on dit que V est la somme directe de ses sous-espaces $W_1, W_2, \ldots, W_r$, noté :

$$V = W_1 \oplus W_2 \oplus \cdots \oplus W_r$$

si tout vecteur $v \in V$ s'écrit d'une manière et d'une seule sous la forme :

$$v = w_1 + w_2 + \cdots + w_r$$

où $w_1 \in W_1, w_2 \in W_2, \ldots, w_r \in W_r$. On a les théorèmes suivants :

∗ Théorème 4.22 : Soit un espace vectoriel V pouvant s'écrire sous la forme $V = W_1 \oplus W_2 \oplus \cdots \oplus W_r$. Supposons que pour chaque valeur de k, S_k soit un sous-ensemble linéairement indépendant de W_k ; alors :

(a) la réunion $\cup_k S_k$ est linéairement indépendante dans V ;

(b) si chacun des S_k est une base du sous-espace correspondant W_k, alors la réunion $\cup_k S_k$ est une base de V ;

(c) $\dim V = \dim W_1 + \dim W_2 + \cdots + \dim W_r$.

∗ Théorème 4.23 : Soient un espace vectoriel V et des sous-espaces W_k tels que :

$$V = W_1 + W_2 + \cdots + W_r \quad \text{et} \quad \dim W = \sum_k \dim W_k$$

Alors $V = W_1 \oplus W_2 \oplus \cdots \oplus W_r$.

4.11 COMPOSANTES D'UN VECTEUR

Soit V un espace vectoriel de dimension n sur $\mathbb{K}$ muni d'une base $S = \{u_1, u_2, \ldots, u_n\}$. Alors tout vecteur $v \in V$ s'écrit de façon unique comme combinaison linéaire des vecteurs de la base :

$$v = a_1u_1 + a_2u_2 + \cdots + a_nu_n$$

Les scalaires a_n sont appelés les *composantes*[1] du vecteur v sur la base S. Le vecteur $[a_1, a_2, \ldots, a_n]$ de $\mathbb{K}^n$ est appelé *vecteur des composantes* de v par rapport à la base S. Ce vecteur est désigné par $[v]_S$, ou simplement $[v]$, si la base est sous-entendue :

$$[v]_S = [a_1, a_2, \ldots, a_n]$$

Nous noterons en général de tels vecteurs de composantes avec des crochets plutôt qu'avec des parenthèses.

Remarque : on peut aussi, avec les composantes, former un vecteur colonne $[a_1, a_2, \ldots, a_n]^T$ plutôt qu'un vecteur ligne, en fonction du contexte où ce vecteur est utilisé. Nous verrons au chapitre suivant l'intérêt de tels vecteurs.

1. On dit aussi *coordonnées*, mais ce mot peut prêter à confusion : on le réserve en général plutôt au repérage dans un espace de points (espace affine).

Exemple 4.16

Plaçons-nous dans l'espace $\mathbf{P}_2(t)$ des polynômes de degré ≤ 2 ; les polynômes :

$$p_1 = t+1, \quad p_2 = t-1, \quad p_3 = (t-1)^2$$

forment une base S de $\mathbf{P}_2(t)$. Le vecteur $[v]$ des composantes de $v = 2t^2 - 5t + 9$ sur la base S s'obtient en écrivant v sous la forme $v = xp_1 + yp_2 + zp_3$, à l'aide des inconnues x, y et z, et en simplifiant l'équation obtenue :

$$\begin{aligned} 2t^2 - 5t + 9 &= x(t+1) + y(t-1) + z(t^2 - 2t + 1) \\ &= xt + x + yt - y + zt^2 - 2zt + z \\ &= zt^2 + (x + y - 2z)t + (x - y + z) \end{aligned}$$

On identifie les coefficients de chaque puissance de t dans les deux membres, d'où le système d'équations linéaires :

$$z = 2, \quad x + y - 2z = -5, \quad x - y + z = 9$$

dont la solution est $x = 3$, $y = -4$, $z = 2$. En définitive :

$$v = 3p_1 - 4p_2 + 2p_3 \Rightarrow [v] = [3, -4, 2]$$

Exemple 4.17

Soient dans l'espace $\mathbb{R}^3$ les vecteurs :

$$u_1 = (1, -1, 0), \quad u_2 = (1, 1, 0), \quad u_1 = (0, 1, 1)$$

formant une base S. Cherchons le vecteur des composantes de $v = (5, 3, 4)$ sur cette base. On écrit v comme combinaison linéaire de u_1, u_2 et u_3, de coefficients inconnus x, y et z, $v = xu_1 + yu_2 + zu_3$, soit :

$$\begin{pmatrix} 5 \\ 3 \\ 4 \end{pmatrix} = x \begin{pmatrix} 1 \\ -1 \\ 0 \end{pmatrix} + y \begin{pmatrix} 1 \\ 1 \\ 0 \end{pmatrix} + z \begin{pmatrix} 0 \\ 1 \\ 1 \end{pmatrix}$$

d'où le système d'équations linéaires :

$$x + y = 5, \quad -x + y + z = 3, \quad z = 4$$

dont la solution est $x = 3$, $y = 2$ et $z = 4$, d'où :

$$v = 3u_1 + 2u_2 + 4u_3 \Rightarrow [v]_S = [3, 2, 4]$$

Remarques : (a) On peut donner, dans l'espace $\mathbb{R}^n$, une interprétation géométrique des composantes d'un vecteur sur une base, que nous allons illustrer avec la base S de $\mathbb{R}^3$ de l'exemple 4.17. Rapportons l'espace $\mathbb{R}^3$ à un système d'axes rectangulaires x, y et z. Les vecteurs u_1, u_2 et u_3 déterminent un nouveau système d'axes, que nous notons x', y' et z' (figure 4.4, page suivante) :

1. l'axe x' est choisi dans la direction de u_1, avec pour unité de longueur $\|u_1\|$;
2. l'axe y' est choisi dans la direction de u_2, avec pour unité de longueur $\|u_2\|$;
3. l'axe z' est choisi dans la direction de u_3, avec pour unité de longueur $\|u_3\|$.

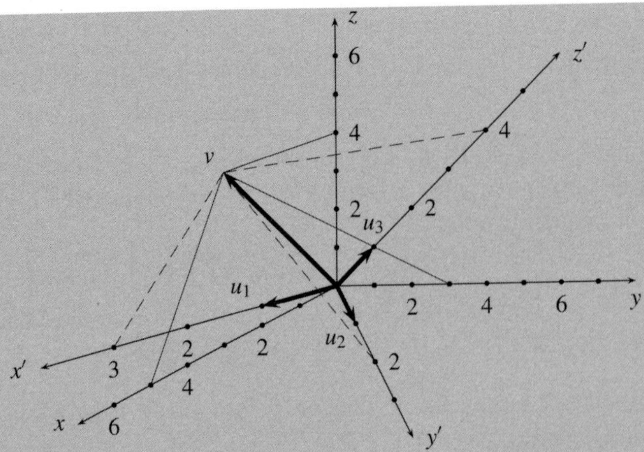

Figure 4.4 Composantes de $v = (5, 3, 4) = [3, 2, 4]$.

Ainsi chaque vecteur $v = (a, b, c)$ de $\mathbb{R}^3$ ou, de façon équivalente, le point $P(a, b, c)$, possède de nouvelles composantes sur le nouveau système ; ces composantes sont précisément $[v]_S$, les composantes de v sur la base S. Dans l'exemple 4.17, les coordonnées du point $P(5, 3, 4)$ deviennent $[3, 2, 4]$ dans le nouveau système d'axes.

(b) Soit dans $\mathbb{K}^n$ la base canonique $E = \{e_1, e_2, \ldots, e_n\}$ définie par :

$$e_1 = (1, 0, 0, \ldots, 0, 0), \quad e_2 = (0, 1, 0, \ldots, 0, 0), \quad \ldots, \quad e_n = (0, 0, 0, \ldots, 0, 1)$$

Si $v = (a_1, a_2, \ldots, a_n)$ un vecteur arbitraire de $\mathbb{K}^n$, on vérifie aisément qu'il s'écrit :

$$v = a_1 e_1 + a_2 e_2 + \cdots + a_n e_n \Rightarrow [v]_E = [a_1, a_2, \ldots, a_n]$$

Sur la base canonique, le vecteur $[v]_E$ des composantes est identique au vecteur v original.

4.11.1 Isomorphisme entre V et $\mathbb{K}^n$

Soit V un espace vectoriel sur $\mathbb{K}$, et soit $S = \{u_1, u_2, \ldots, u_n\}$ une base de V. Alors, à tout vecteur $v \in V$ correspond un multiplet unique $[v]_S \in \mathbb{K}^n$. Inversement, à chaque multiplet $[c_1, c_2, \ldots, c_n] \in \mathbb{K}^n$ correspond un vecteur unique $c_1u_1 + c_2u_2 + \cdots + c_nu_n \in V$. La donnée de la base S permet donc d'établir une bijection entre V et $\mathbb{K}^n$. Soient deux vecteurs quelconques :

$$v = a_1u_1 + a_2u_2 + \cdots + a_nu_n \quad \text{et} \quad w = b_1u_1 + b_2u_2 + \cdots + b_nu_n$$

Alors :

$$v + w = (a_1 + b_1)u_1 + (a_2 + b_2)u_2 + \cdots + (a_n + b_n)u_n$$
$$kv = (ka_1)u_1 + (ka_2)u_2 + \cdots + (ka_n)u_n$$

où k est un scalaire quelconque. On en déduit :

$$[v+w]_S = [a_1+b_1, \ldots, a_n+b_n] = [a_1, \ldots, a_n] + [b_1, \ldots, b_n] = [v]_S + [w]_S$$
$$[kv]_S = [ka_1, ka_2, \ldots, ka_n] = k[a_1, a_2, \ldots, a_n] = k[v]_S$$

Nous avons montré que cette bijection conservait la structure d'espace vectoriel, c'est-à-dire l'addition vectorielle et la multiplication scalaire. Dans ces conditions, on dit que les espaces vectoriels V et $\mathbb{K}^n$ sont *isomorphes*, ce que l'on note :

$$V \cong \mathbb{K}^n$$

Nous pouvons énoncer ce résultat sous forme d'un théorème :

*** Théorème 4.24 :** Soit V un espace vectoriel de dimension finie n sur un corps $\mathbb{K}$. Alors V et $\mathbb{K}^n$ sont isomorphes.

L'exemple qui suit nous donne une application pratique :

Exemple 4.18

Essayons de déterminer si les matrices suivantes de $V = \mathbf{M}_{2,3}$ sont linéairement dépendantes ou non :

$$A = \begin{pmatrix} 1 & 2 & -3 \\ 4 & 0 & 1 \end{pmatrix}, \quad B = \begin{pmatrix} 1 & 3 & -4 \\ 6 & 5 & 4 \end{pmatrix}, \quad C = \begin{pmatrix} 3 & 8 & -11 \\ 16 & 10 & 9 \end{pmatrix}$$

Sur la base canonique de $\mathbf{M}_{2,3}$, les matrices ci-dessus ont pour vecteurs de composantes :

$$[A] = [1, 2, -3, 4, 0, 1], \quad [B] = [1, 3, -4, 6, 5, 4], \quad [C] = [3, 8, -11, 16, 10, 9]$$

Construisons la matrice M dont les lignes sont les vecteurs des composantes ci-dessus, et mettons-la sous forme échelon :

$$M = \begin{pmatrix} 1 & 2 & -3 & 4 & 0 & 1 \\ 1 & 3 & -4 & 6 & 5 & 4 \\ 3 & 8 & -11 & 16 & 10 & 9 \end{pmatrix}$$
$$\sim \begin{pmatrix} 1 & 2 & -3 & 4 & 0 & 1 \\ 0 & 1 & -1 & 2 & 5 & 3 \\ 0 & 2 & -2 & 4 & 10 & 6 \end{pmatrix}$$
$$\sim \begin{pmatrix} 1 & 2 & -3 & 4 & 0 & 1 \\ 0 & 1 & -1 & 2 & 5 & 3 \\ 0 & 0 & 0 & 0 & 0 & 0 \end{pmatrix}$$

On voit que sous forme échelon, la matrice n'a que deux lignes non nulles, et par conséquent les vecteurs $[A]$, $[B]$ et $[C]$ engendrent un sous-espace de dimension 2 et sont linéairement dépendants ; il en est de même des matrices originales A, B et C.

? EXERCICES CORRIGÉS

ESPACES VECTORIELS, COMBINAISONS LINÉAIRES

4.1 Soient deux vecteurs u et v d'un espace vectoriel V ; simplifier les expressions suivantes :

(a) $E_1 = 3(2u - 4v) + 5u + 7v$;

(b) $E_2 = 3u - 6(3u - 5v) + 7u$;

(c) $E_3 = 2uv + 3(2u + 4v)$;

(d) $E_4 = 5u - \dfrac{3}{v} + 5u.$

Solution : développons puis regroupons les termes :

(a) $E_1 = 6u - 12v + 5u + 7v = 11u - 5v$;

(b) $E_2 = 3u - 18u + 30v + 7u = -8u + 30v$;

(c) E_3 n'est pas défini puisque le produit de deux vecteurs ne l'est pas ;

(d) E_4 n'est pas défini puisque la division par un vecteur ne l'est pas.

4.2 Démontrer le théorème 4.1 : *soit V un espace vectoriel sur un corps $\mathbb{K}$; alors :*

(a) $k0 = 0$;

(b) $0u = 0$;

(c) $ku = 0 \Rightarrow k = 0$ ou $u = 0$;

(d) $(-k)u = k(-u) = -ku.$

Solution :

(a) On applique l'axiome $[A_2]$ avec $u = 0$, d'où $0 + 0 = 0$; on applique ensuite l'axiome $[M_1]$, d'où :

$$k0 = k(0 + 0) = k0 + k0$$

Il suffit d'ajouter $-k0$ aux deux membres pour obtenir le résultat cherché.

(b) Pour les scalaires, on a $0 + 0 = 0$. L'axiome $[M_2]$ donne :

$$0u = (0 + 0)u = 0u + 0u$$

On ajoute $-0u$ aux deux membres, d'où le résultat.

(c) Soit $ku = 0$ avec $k \neq 0$. Il existe un scalaire k^{-1} tel que $k^{-1}k = 1$; alors :

$$u = 1u = (k^{-1}k)u = k^{-1}(ku) = k^{-1}0 = 0$$

(d) Écrivons $u + (-u) = 0$ et $k + (-k) = 0$, d'où :

$$0 = k0 = k[u + (-u)] = ku + k(-u) \quad \text{et} \quad 0 = 0u = [k + (-k)]u = ku + (-k)u$$

En ajoutant $-ku$ aux deux membres de la première équation, on obtient $(-k)u = k(-u)$, et en ajoutant $-ku$ aux deux membres de la seconde, on obtient $-ku = (-k)u$. On a bien $(-k)u = k(-u) = -ku$.

4.3 Montrer :

(a) $k(u - v) = ku - kv$;

(b) $u + u = 2u.$

Solution :

(a) Par définition, l'opération de soustraction est $u - v = u + (-v)$; le théorème 4.1, point (d), permet d'écrire $k(-v) = -kv$, d'où :

$$k(u - v) = k[u + (-v)] = ku + k(-v) = ku + (-kv) = ku - kv$$

(b) En utilisant les axiomes [M_4] puis [M_2], on a :

$$u + u = 1u + 1u = (1 + 1)u = 2u$$

4.4 Exprimer $v = (1, -2, 5) \in \mathbb{R}^3$ comme combinaison linéaire des vecteurs :

$$u_1 = (1, 1, 1), \quad u_2 = (1, 2, 3), \quad u_3 = (2, -1, 1)$$

Solution : à l'aide des inconnues x, y et z, on écrit la combinaison linéaire $v = xu_1 + yu_2 + zu_3$, soit :

$$\begin{pmatrix} 1 \\ -2 \\ 5 \end{pmatrix} = x\begin{pmatrix} 1 \\ 1 \\ 1 \end{pmatrix} + y\begin{pmatrix} 1 \\ 2 \\ 3 \end{pmatrix} + z\begin{pmatrix} 2 \\ -1 \\ 1 \end{pmatrix} \quad \text{ou} \quad \begin{aligned} x + y + 2z &= 1 \\ x + 2y - z &= -2 \\ x + 3y + z &= 5 \end{aligned}$$

Nous avons écrit les vecteurs en colonne, car il est plus facile d'en déduire le système associé. La forme échelon de ce système est triangulaire :

$$x + y + 2z = 1, \quad y - 3z = -3, \quad 5z = 10$$

Ce système a une solution et une seule : $x = -6$, $y = 3$ et $z = 2$, d'où $v = -6u_1 + 3u_2 + 2u_3$.
Une autre méthode consiste à écrire la matrice augmentée du système d'équations linéaires associé, dont u_1, u_2 et u_3 forment les trois premières colonnes et v la dernière ; on met ensuite cette matrice sous forme échelon :

$$\begin{pmatrix} 1 & 1 & 2 & 1 \\ 1 & 2 & -1 & -2 \\ 1 & 3 & 1 & 5 \end{pmatrix} \sim \begin{pmatrix} 1 & 1 & 2 & 1 \\ 0 & 1 & -3 & -3 \\ 0 & 2 & -1 & 4 \end{pmatrix} \sim \begin{pmatrix} 1 & 1 & 2 & 1 \\ 0 & 1 & -3 & -3 \\ 0 & 0 & 5 & 10 \end{pmatrix}$$

On reconnaît la matrice d'un système triangulaire qui a une solution et une seule ; on retrouve bien sûr la même solution.

4.5 Exprimer $v = (2, -5, 3) \in \mathbb{R}^3$ comme combinaison linéaire des vecteurs :

$$u_1 = (1, -3, 2), \quad u_2 = (2, -4, -1), \quad u_3 = (1, -5, 7)$$

Solution : à l'aide des inconnues x, y et z, on écrit la combinaison linéaire $v = xu_1 + yu_2 + zu_3$, soit :

$$\begin{pmatrix} 2 \\ -5 \\ 3 \end{pmatrix} = x\begin{pmatrix} 1 \\ -3 \\ 2 \end{pmatrix} + y\begin{pmatrix} 2 \\ -4 \\ -1 \end{pmatrix} + z\begin{pmatrix} 1 \\ -5 \\ 7 \end{pmatrix} \quad \text{ou} \quad \begin{aligned} x + 2y + z &= 2 \\ -3x - 4y - 5z &= -5 \\ 2x - y + 7z &= 3 \end{aligned}$$

La mise sous forme échelon aboutit à :

$$x + 2y + z = 2, \quad 2y - 2z = 1, \quad 0 = 3$$

soit un système impossible sans solution : v ne peut donc pas s'écrire comme combinaison linéaire de u_1, u_2 et u_3.

4.6 Écrire le polynôme $v = t^2 + 4t - 3 \in \mathbf{P}(t)$ comme combinaison linéaire des polynômes :

$$p_1 = t^2 - 2t + 5, \quad p_2 = 2t^2 - 3t, \quad p_3 = t + 3$$

Solution : on met v sous la forme d'une combinaison linéaire à coefficients inconnus :

$$t^2 + 4t - 3 = x(t^2 - 2t + 5) + y(2t^2 - 3t) + z(t + 3) \tag{4.3}$$

Il y a deux manières d'opérer :

Méthode 1 Développer le membre de droite de l'équation (4.3) et regrouper les termes selon les puissances de t :

$$\begin{aligned} t^2 + 4t - 3 &= xt^2 - 2xt + 5x + 2yt^2 - 3yt + zt + 3z \\ &= (x + 2y)t^2 + (-2x - 3y + z)t + (5x + 3z) \end{aligned}$$

L'identification des facteurs des diverses puissances de t aboutit à un système d'équations linéaires, qu'on met sous forme échelon :

$$\begin{array}{rcl} x + 2y \phantom{{}+z} &=& 1 \\ -2x - 3y + z &=& 4 \\ 5x \phantom{{}-3y} + 3z &=& -3 \end{array} \quad \text{ou} \quad \begin{array}{rcl} x + 2y \phantom{{}+z} &=& 1 \\ y + z &=& 6 \\ -10y + 3z &=& -8 \end{array} \quad \text{ou} \quad \begin{array}{rcl} x + 2y \phantom{{}+z} &=& 1 \\ y + z &=& 6 \\ 13z &=& 52 \end{array}$$

Le dernier système est triangulaire et a une solution : $x = -3$, $y = 2$ et $z = 4$, d'où $v = -3p_1 + 2p_2 + 4p_3$.

Méthode 2 L'équation (4.3) est une identité en t, vraie quelle que soit sa valeur. Donner à t des valeurs particulières quelconques permet d'obtenir des équations entre les inconnues :

(a) poser $t = 0$ dans (4.3) aboutit à l'équation : $-3 = 5x + 3z$;

(b) poser $t = 1$ dans (4.3) aboutit à l'équation : $2 = 4x - y + 4z$;

(c) poser $t = -1$ dans (4.3) aboutit à l'équation : $-6 = 8x + 5y + 2z$.

La solution de ce système redonne le résultat précédent.

4.7 Exprimer la matrice M comme combinaison linéaire des matrices A, B et C :

$$M = \begin{pmatrix} 4 & 7 \\ 7 & 9 \end{pmatrix} \quad \text{et} \quad A = \begin{pmatrix} 1 & 1 \\ 1 & 1 \end{pmatrix}, \quad B = \begin{pmatrix} 1 & 2 \\ 3 & 4 \end{pmatrix}, \quad C = \begin{pmatrix} 1 & 1 \\ 4 & 5 \end{pmatrix}$$

Solution : on écrit M comme combinaison linéaire de A, B et C à coefficients inconnus x, y et z :

$$\begin{pmatrix} 4 & 7 \\ 7 & 9 \end{pmatrix} = x\begin{pmatrix} 1 & 1 \\ 1 & 1 \end{pmatrix} + y\begin{pmatrix} 1 & 2 \\ 3 & 4 \end{pmatrix} + z\begin{pmatrix} 1 & 1 \\ 4 & 5 \end{pmatrix} = \begin{pmatrix} x + y + z & x + 2y + z \\ x + 3y + 4z & x + 4y + 5z \end{pmatrix}$$

L'identification élément par élément des matrices extrêmes conduit au système d'équations linéaires :

$$x + y + z = 4, \quad x + 2y + z = 7, \quad x + 3y + 4z = 7, \quad x + 4y + 5z = 9$$

La mise sous forme échelon aboutit à :

$$x + y + z = 4, \quad y = 3, \quad 3z = -3, \quad 4z = -4$$

On élimine la 4e équation, multiple de la 3e, d'où la solution : $x = 2$, $y = 3$ et $z = -1$, soit $M = 2A + 3B - C$.

SOUS-ESPACES VECTORIELS

4.8 Démontrer le théorème 4.2 : *W est un sous-espace de V s'il vérifie les deux conditions suivantes :*

(a) $0 \in W$; (b) $u, v \in W, k \in \mathbb{K} \Rightarrow u + v$ et $ku \in W$.

Solution : la première condition assure que W n'est pas vide, et la deuxième que les opérations d'addition vectorielle et de multiplication scalaire y sont bien définies. Les axiomes $[A_1]$, $[A_4]$, $[M_1]$, $[M_2]$ $[M_3]$ et $[M_4]$ sont vérifiés dans W puisque les éléments de W appartiennent aussi à V. Il suffit donc de montrer que $[A_2]$ et $[A_3]$ y sont vérifiés. $[A_2]$ l'est puisque $0 \in W$. Enfin, si $w \in W$, alors $(-1)v \in W$, et donc $v + (-v) = 0$, ce qui prouve que $[A_3]$ est vérifié.

4.9 Soit $V = \mathbb{R}^3$; montrer que W n'est pas un sous-espace de V, si :

(a) $W = \{(a, b, c) \mid a \geq 0\}$; (b) $W = \{(a, b, c) \mid a^2 + b^2 + c^2 \leq 1\}$.

On montrera que pour chacun de ces ensembles, le théorème 4.2 ne s'applique pas.

Solution :

(a) Tout vecteur de W a sa première composante non négative. Alors, par exemple, $v = (1, 2, 3) \in W$; multiplions-le par $k = -3$. Le vecteur résultant $kv = (-3, -6, -9) \notin W$, ce qui prouve que W n'est pas un espace vectoriel, et donc ne peut être sous-espace de V.

(b) La longueur des vecteurs de W n'est pas supérieure à 1. Par exemple, $v = (1, 0, 0)$ et $v = (0, 1, 0) \in W$, mais leur somme $u + v = (1, 1, 0) \notin W$, puisque $1^2 + 1^2 + 0^2 = 2 > 1$. Par conséquent, W n'est pas un espace vectoriel, et ne peut donc pas être sous-espace de V.

4.10 Soit $V = \mathbf{P}(t)$, l'espace vectoriel des polynômes réels. Dire si W est sous-espace de V, lorsque :

(a) W est l'ensemble des polynômes à coefficients entiers ;

(b) W est l'ensemble des polynômes de degré ≥ 6, plus le polynôme nul ;

(c) W est l'ensemble des polynômes avec seulement des puissances paires de t.

Solution :

(a) Non, car les multiples scalaires des éléments de W peuvent ne pas appartenir à W, par exemple :

$$f(t) = 3 + 6t + 7t^2 \in W \Rightarrow \frac{1}{2}f(t) = \frac{3}{2} + 3t + \frac{7}{2}t^2 \notin W$$

(b) Non ; par exemple, $p = t^6 + 1$ et $q = -t^6 + 1$ sont dans W, mais leur somme $p + q = 2$ n'est pas de degré ≥ 6 et n'appartient pas à W.

(c) Oui ; le polynôme nul, les multiples scalaires et les sommes de polynômes de W sont dans W.

4.11 Soit V l'espace vectoriel des fonctions $f : \mathbb{R} \to \mathbb{R}$. Montrer que W est un sous-espace de V, si :

(a) $W = \{f(x) \mid f(1) = 0\}$, l'ensemble des fonctions dont la valeur en 1 est nulle ;

(b) $W = \{f(x) \mid f(3) = f(1)\}$, l'ensemble des fonctions dont la valeur en 1 est égale à la valeur en 3 ;

(c) $W = \{f(x) \mid f(-x) = -f(x)\}$, l'ensemble des fonctions impaires.

Solution : on désigne par $\hat{0}$ la fonction nulle, définie par $\forall x, \hat{0}(x) = 0$.

(a) La fonction nulle $\hat{0} \in W$, puisque $\hat{0}(1) = 0$. Soient f et g deux fonctions quelconques de W, vérifiant $f(1) = 0$ et $g(1) = 0$. Alors, pour tous scalaires a et b :

$$(af + bg)(1) = af(1) + bg(1) = a0 + b0 = 0$$

Par conséquent $af + bg \in W$, qui est bien un sous-espace vectoriel.

(b) La fonction nulle $\hat{0} \in W$, puisque $\hat{0}(3) = \hat{0}(1) = 0$. Soient f et g deux fonctions quelconques de W, qui vérifient $f(3) = f(1)$ et $g(3) = g(1)$. Alors, pour tous scalaires a et b :

$$(af + bg)(3) = af(3) + bg(3) = af(1) + bg(1) = (af + bg)(1)$$

On a donc $af + bg \in W$, qui est bien un sous-espace vectoriel.

(c) La fonction nulle $\hat{0} \in W$, puisque $\hat{0}(-x) = 0 = -0 = -\hat{0}(x)$. Soient f et g deux fonctions quelconques de W ; alors $f(-x) = -f(x)$ et $g(-x) = -g(x)$. Pour tous scalaires a et b :

$$(af + bg)(-x) = af(-x) + bg(-x) = -af(x) - bg(x) = -(af + bg)(x)$$

On en déduit que $af + bg \in W$, qui est un sous-espace vectoriel.

4.12 Démontrer le théorème 4.3 : *l'intersection d'un nombre quelconque de sous-espaces de V est un sous-espace de V.*

Solution : soit $\{W_i \mid i \in I\}$ une famille de sous-espaces de V et soit $W = \cap(W_i \mid i \in I)$. Puisque chacun des W_i est sous-espace de V, $0 \in W_i$ pour tout i, et donc $0 \in W$. Supposons que u et v appartiennent à W ; alors $u, v \in W_i, \forall i$. Tout W_i étant un sous-espace, toute combinaison linéaire $au + bv \in W_i, \forall i \in I$, et donc $au + bv \in W$: W est un sous-espace vectoriel de V.

ENSEMBLES ENGENDRÉS

4.13 Montrer que les vecteurs $u_1 = (1, 1, 1)$, $u_2 = (1, 2, 3)$ et $u_3 = (1, 5, 8)$ engendrent $\mathbb{R}^3$.

Solution : il nous faut montrer qu'un vecteur arbitraire $v = (a, b, c)$ peut s'écrire comme combinaison linéaire de u_1, u_2 et u_3. Posons donc $v = xu_1 + yu_2 + zu_3$:

$$(a, b, c) = x(1, 1, 1) + y(1, 2, 3) + z(1, 5, 8) = (x + y + z,\ x + 2y + 5z,\ x + 3y + 8z)$$

Écrivons le système d'équations linéaires équivalent et mettons-le sous forme échelon :

$$\begin{aligned} x + y + z &= a \\ x + 2y + 5z &= b \\ x + 3y + 8z &= c \end{aligned} \quad \text{ou} \quad \begin{aligned} x + y + z &= a \\ y + 4z &= b - a \\ 2y + 7z &= c - a \end{aligned} \quad \text{ou} \quad \begin{aligned} x + y + z &= a \\ y + 4z &= b - a \\ -z &= c - 2b + a \end{aligned}$$

Le dernier système, sous forme triangulaire, a une solution et une seule :

$$x = -a + 5b - 3c, \quad y = 3a - 7b + 4c, \quad z = -a + 2b - c$$

ce qui prouve que u_1, u_2 et u_3 engendrent $\mathbb{R}^3$.

4.14 Trouver les conditions sur a, b et c pour que $v = (a, b, c) \in \mathbb{R}^3$ appartienne à $W = \text{Vect}(u_1, u_2, u_3)$, avec :

$$u_1 = (1, 2, 0), \quad u_2 = (-1, 1, 2), \quad u_3 = (3, 0, -4)$$

Solution : écrivons v comme combinaison linéaire, à coefficients inconnus x, y et z, de u_1, u_2 et u_3, soit $v = xu_1 + yu_2 + zu_3$:

$$(a, b, c) = x(1, 2, 0) + y(-1, 1, 2) + z(3, 0, -4) = (x - y + 3z,\ 2x + y,\ 2y - 4z)$$

On en déduit le système d'équations linéaires équivalent, qu'on met sous forme échelon :

$$\begin{aligned} x - y + 3z &= a \\ 2x + y &= b \\ 2y - 4z &= c \end{aligned} \quad \text{ou} \quad \begin{aligned} x - y + 3z &= a \\ 3y - 6z &= b - 2a \\ 2y - 4z &= c \end{aligned} \quad \text{ou} \quad \begin{aligned} x - y + 3z &= a \\ 3y - 6z &= b - 2a \\ 0 &= 4a - 2b + 3c \end{aligned}$$

Le vecteur v ne peut appartenir à W que si le système est soluble, c'est-à-dire si et seulement si $4a - 2b + 3c = 0$. On note aussi que u_1, u_2 et u_3 n'engendrent pas $\mathbb{R}^3$ tout entier.

4.15 Montrer que l'espace vectoriel $V = \mathbf{P}(t)$ des polynômes réels ne peut pas être engendré par un nombre fini de polynômes.

Solution : tout ensemble fini S de polynômes contient un polynôme de degré maximum, disons m. Il en résulte que l'espace engendré $\text{Vect}(S)$ ne peut contenir de polynôme de degré $> m$. Par conséquent, pour tout ensemble fini S de polynômes, $\text{Vect}(S) \neq V$.

4.16 Démontrer le théorème 4.5 : *soit S un sous-ensemble d'un espace vectoriel V :*

(a) *alors* $\text{Vect}(S)$ *est un sous-espace vectoriel de V contenant S ;*

(b) *si W est un sous-espace vectoriel de V contenant S, alors* $\text{Vect}(S) \subseteq W$.

Solution :

(a) Supposons que S soit vide ; alors, par définition, $\text{Vect}(S) = \{0\}$, qui est bien un sous-espace de V tel que $S \subseteq \text{Vect}(S)$. S'il est non vide, prenons $v \in S$ quelconque ; alors $v = 1v \in \text{Vect}(S) \Rightarrow S \subseteq \text{Vect}(S)$. De même, le vecteur nul $0 = 0v \in \text{Vect}(S)$; soient à présent u et $w \in \text{Vect}(S)$:

$$u = a_1u_1 + \cdots + a_ru_r = \sum_i a_iu_i$$

et

$$w = b_1w_1 + \cdots + b_sw_s = \sum_j b_jw_j$$

où les u_i et $w_j \in S$ et a_i, $b_j \in \mathbb{K}$. Alors :

$$u + v = \sum_i a_iu_i + \sum_j b_jw_j$$

et

$$ku = \left(\sum_i a_iu_i\right) = \sum_i ka_iu_i$$

appartiennent à $\text{Vect}(S)$, étant combinaisons linéaires de vecteurs de S. Ceci montre que $\text{Vect}\, S$ est un sous-espace de V.

(b) Soient $u_1, u_2, \ldots, u_r \in S$. Ces vecteurs appartiennent à W, donc tous les multiples $a_1u_1, a_2u_2, \ldots, a_ru_r$ y sont aussi, de même que la somme $a_1u_1 + a_2u_2 + \cdots + a_ru_r$. En d'autres termes, W contient toutes les combinaisons linéaires d'éléments de S, ce qui signifie que $\text{Vect}\, S \subseteq W$, comme annoncé.

DÉPENDANCE LINÉAIRE

4.17 Déterminer si u et v sont ou non linéairement dépendants, avec :

(a) $u = (1, 2)$, $v = (3, -5)$;
(b) $u = (1, -3)$, $v = (-2, 6)$;
(c) $u = (1, 2, -3)$, $v = (4, 5, -6)$;
(d) $u = (2, 4, -8)$, $v = (3, 6, -12)$.

Solution : deux vecteurs sont linéairement dépendants si et seulement si ils sont multiples l'un de l'autre :

(a) non ; (b) oui : $v = -2u$; (c) non ; (d) oui : $v = \frac{3}{2}u$.

4.18 Déterminer si u et v sont ou non linéairement dépendants, avec :

(a) $u = 2t^2 + 4t - 3$, $v = 4t^2 + 8t - 6$;
(b) $u = 2t^2 - 3t + 4$, $v = 4t^2 - 3t + 2$;
(c) $u = \begin{pmatrix} 1 & 3 & -4 \\ 5 & 0 & -1 \end{pmatrix}$, $v = \begin{pmatrix} -4 & -12 & 16 \\ -20 & 0 & 4 \end{pmatrix}$;
(d) $u = \begin{pmatrix} 1 & 1 & 1 \\ 2 & 2 & 2 \end{pmatrix}$, $v = \begin{pmatrix} 2 & 2 & 2 \\ 3 & 3 & 3 \end{pmatrix}$.

Solution : deux vecteurs sont linéairement dépendants si et seulement si ils sont multiples l'un de l'autre :

(a) oui : $v = 2u$; (b) non ; (c) oui : $v = -4u$; (d) non.

4.19 Dire si les vecteurs $u = (1, 1, 2)$, $v = (2, 3, 1)$ et $w = (4, 5, 5)$ de $\mathbb{R}^3$ sont ou non linéairement dépendants.

Solution : nous allons donner trois méthodes pour répondre à la question.

Méthode 1 Écrire une combinaison linéaire à coefficients inconnus x, y et z des trois vecteurs, écrire le système d'équations linéaires homogène équivalent et le mettre sous forme échelon :

$$u = x \begin{pmatrix} 1 \\ 1 \\ 2 \end{pmatrix} + y \begin{pmatrix} 2 \\ 3 \\ 1 \end{pmatrix} + z \begin{pmatrix} 4 \\ 5 \\ 5 \end{pmatrix} = \begin{pmatrix} 0 \\ 0 \\ 0 \end{pmatrix}$$

$$\text{ou} \quad \begin{aligned} x + 2y + 4z &= 0 \\ x + 3y + 5z &= 0 \\ 2x + y + 5z &= 0 \end{aligned} \quad \text{ou} \quad \begin{aligned} x + 2y + 4z &= 0 \\ y + z &= 0 \end{aligned}$$

Le système sous forme échelon n'a que deux équations pour trois inconnues ; il a une variable libre et donc une solution non nulle, prouvant que les trois vecteurs u, v et w sont linéairement dépendants.

Méthode 2 Construire la matrice A de colonnes u, v et w, puis la mettre sous forme échelon :

$$A = \begin{pmatrix} 1 & 2 & 4 \\ 1 & 3 & 5 \\ 2 & 1 & 5 \end{pmatrix} \sim \begin{pmatrix} 1 & 2 & 4 \\ 0 & 1 & 1 \\ 0 & -3 & -3 \end{pmatrix} \sim \begin{pmatrix} 1 & 2 & 4 \\ 0 & 1 & 1 \\ 0 & 0 & 0 \end{pmatrix}$$

La 3e colonne n'a pas de pivot, indiquant que le 3e vecteur w est combinaison linéaire des deux premiers u et v ; ils sont donc linéairement dépendants. On peut remarquer que la matrice A est la matrice des coefficients du système utilisé dans la 1re méthode : en d'autres termes, cette 2e méthode n'est qu'une reformulation de la 1re.

Méthode 3 Construire la matrice B dont les *lignes* sont u, v et w, et la mettre sous forme échelon :

$$B = \begin{pmatrix} 1 & 1 & 2 \\ 2 & 3 & 1 \\ 4 & 5 & 5 \end{pmatrix} \sim \begin{pmatrix} 1 & 1 & 2 \\ 0 & 1 & -3 \\ 0 & 1 & -3 \end{pmatrix} \sim \begin{pmatrix} 1 & 1 & 2 \\ 0 & 1 & -3 \\ 0 & 0 & 0 \end{pmatrix}$$

La matrice n'ayant que deux lignes non nulles, les trois vecteurs sont linéairement dépendants. On peut aussi en déduire qu'ils engendrent un sous-espace de dimension 2.

4.20 Déterminer si les familles suivantes de vecteurs de $\mathbb{R}^3$ sont ou non linéairement dépendantes :

(a) $u_1 = (1, 2, 5)$, $u_2 = (1, 3, 1)$, $u_3 = (2, 5, 7)$, $u_4 = (3, 1, 4)$;

(b) $u = (1, 2, 5)$, $v = (2, 5, 1)$, $w = (1, 5, 2)$;

(c) $u = (1, 2, 3)$, $v = (0, 0, 0)$, $w = (1, 5, 6)$.

Solution :

(a) Oui, puisque quatre vecteurs ou plus de $\mathbb{R}^3$ sont toujours linéairement dépendants.

(b) On utilise la méthode 2 du problème 4.19 ; on construit la matrice A dont les colonnes sont les vecteurs donnés, puis on la met sous forme échelon :

$$A = \begin{pmatrix} 1 & 2 & 1 \\ 2 & 5 & 5 \\ 5 & 1 & 2 \end{pmatrix} \sim \begin{pmatrix} 1 & 2 & 1 \\ 0 & 1 & 3 \\ 0 & -9 & -3 \end{pmatrix} \sim \begin{pmatrix} 1 & 2 & 1 \\ 0 & 1 & 3 \\ 0 & 0 & 24 \end{pmatrix}$$

Chaque colonne a un pivot, donc aucun vecteur n'est combinaison linéaire de ceux qui les précèdent : ils sont linéairement indépendants.

(c) Puisque le vecteur nul $0 = (0, 0, 0)$ fait partie de la famille, les vecteurs sont linéairement dépendants.

4.21 Montrer que les fonctions $f(t) = \sin t$, $g(t) = \cos t$ et $h(t) = t$ de $\mathbb{R}$ dans $\mathbb{R}$ sont linéairement indépendantes.

Solution : on forme une combinaison linéaire nulle des trois fonctions, dont les coefficients x, y et z sont inconnus, soit $xf + yg + zh = \mathbf{0}$, où $\mathbf{0}$ désigne la fonction nulle, puis on montre que, nécessairement, $x = y = z = 0$. Insistons sur le fait que l'équation $xf + yg + zh = \mathbf{0}$ doit être vérifiée $\forall t$, *i.e.* $\forall t, xf(t) + yg(t) + zh(t) = 0$. Alors, dans l'équation $x \sin t + y \cos t + zt = 0$:

(a) on pose $t = 0$, d'où $x \times 0 + y \times 1 + z \times 0 = 0 \Rightarrow y = 0$;

(b) on pose $t = \frac{\pi}{2}$, d'où $x \times 1 + y \times 0 + z \times \frac{\pi}{2} = 0 \Rightarrow x + z\frac{\pi}{2} = 0$;

(c) on pose $t = \pi$, d'où $x \times 0 + y \times (-1) + z \times \pi = 0 \Rightarrow -y + z\pi = 0$.

La solution de ce système d'équations est $x = 0$, $y = 0$ et $z = 0$: les trois fonctions sont linéairement indépendantes.

4.22 Soient trois vecteurs u, v et w linéairement indépendants ; montrer que les vecteurs $u+v$, $u-v$ et $u-2v+w$ sont aussi linéairement indépendants.

Solution : écrivons une combinaison linéaire nulle de ces trois vecteurs :

$$x(u+v)+y(u-v)+z(u-2v+w)=0 \Rightarrow (x+y+z)u+(x-y-2z)v+zw=0$$

Puisque les vecteurs u, v et w sont linéairement indépendants, les coefficients de cette combinaison linéaire sont tous nuls, d'où le système :

$$x+y+z=0, \quad x-y-2z=0, \quad z=0$$

dont la solution est $x=0$, $y=0$ et $z=0$: les vecteurs $u+v$, $u-v$ et $u-2v+w$ sont linéairement indépendants.

4.23 Montrer que les vecteurs $u=(1+2i,\ 2i)$ et $w=(1,\ 1+i)$ de $\mathbb{C}^2$ sont linéairement dépendants sur le corps $\mathbb{C}$ des complexes mais linéairement indépendants sur le corps $\mathbb{R}$ des réels.

Solution : on se souvient que deux vecteurs sont linéairement dépendants (sur un corps $\mathbb{K}$) si et seulement si l'un est multiple de l'autre ; on peut écrire :

$$(1+i)w=(1+i)(1,\ 1+i)=(1+i,\ 2i)=u$$

ce qui prouve que u et v sont linéairement dépendants sur $\mathbb{C}$. Mais ils sont indépendants sur $\mathbb{R}$, puisqu'aucun multiple réel de w ne peut être égal à u. Plus précisément, si $k\in\mathbb{R}$, la première composante de $kw=(k,\ k+ki)$ est nécessairement réelle et ne peut en aucune façon être égale à la première composante $1+i$ de w, qui est complexe.

BASES ET DIMENSION

4.24 Déterminer si les ensembles de vecteurs suivants forment une base de $\mathbb{R}^3$:

(a) $(1,1,1), (1,0,1)$;

(b) $(1,2,3), (1,3,5), (1,0,1), (2,3,0)$;

(c) $(1,1,1), (1,2,3), (2,-1,1)$;

(d) $(1,1,2), (1,2,5), (5,3,4)$.

Solution :

(a) Non, car $\dim(\mathbb{R}^3)=3$, et que le nombre de vecteurs d'une base est précisément égal à la dimension de l'espace.

(b) Non, pour la même raison.

(c) Les trois vecteurs forment une base si et seulement si ils sont linéairement indépendants. Formons la matrice dont les lignes sont les vecteurs donnés, et réduisons-la à la forme échelon :

$$\begin{pmatrix}1&1&1\\1&2&3\\2&-1&1\end{pmatrix}\sim\begin{pmatrix}1&1&1\\0&1&2\\0&-3&-1\end{pmatrix}\sim\begin{pmatrix}1&1&1\\0&1&2\\0&0&5\end{pmatrix}$$

La forme échelon n'a pas de lignes nulles ; les trois vecteurs sont linéairement indépendants, et forment une base de $\mathbb{R}^3$.

(d) On utilise la même méthode :

$$\begin{pmatrix}1&1&2\\1&2&5\\5&3&4\end{pmatrix}\sim\begin{pmatrix}1&1&2\\0&1&3\\0&-2&-6\end{pmatrix}\sim\begin{pmatrix}1&1&2\\0&1&3\\0&0&0\end{pmatrix}$$

La forme échelon possède une ligne nulle, ce qui prouve que les vecteurs ne sont pas linéairement indépendants, et ne peuvent former une base de $\mathbb{R}^3$.

4.25 Déterminer si les vecteurs $(1,1,1,1)$, $(1,2,3,2)$, $(2,5,6,4)$ et $(2,6,8,5)$ forment une base de $\mathbb{R}^4$. Si la réponse est négative, trouver la dimension du sous-espace qu'ils engendrent.

Solution : on construit la matrice dont les lignes sont constituées des composantes des vecteurs donnés, et on la met sous forme échelon :

$$\begin{pmatrix} 1 & 1 & 1 & 1 \\ 1 & 2 & 3 & 2 \\ 2 & 5 & 6 & 4 \\ 2 & 6 & 8 & 5 \end{pmatrix} \sim \begin{pmatrix} 1 & 1 & 1 & 1 \\ 0 & 1 & 2 & 1 \\ 0 & 3 & 4 & 2 \\ 0 & 4 & 6 & 3 \end{pmatrix} \sim \begin{pmatrix} 1 & 1 & 1 & 1 \\ 0 & 1 & 2 & 1 \\ 0 & 0 & -2 & -1 \\ 0 & 0 & -2 & -1 \end{pmatrix} \sim \begin{pmatrix} 1 & 1 & 1 & 1 \\ 0 & 1 & 2 & 1 \\ 0 & 0 & 2 & 1 \\ 0 & 0 & 0 & 0 \end{pmatrix}$$

La matrice échelon a une ligne nulle : les quatre vecteurs sont linéairement dépendants et ne peuvent former une base de $\mathbb{R}^4$. La matrice ayant trois lignes non nulles, le sous-espace vectoriel engendré par les quatre vecteurs est de dimension 3.

4.26 Compléter l'ensemble $\{u_1 = (1,1,1,1),\ u_2 = (2,2,3,4)\}$ pour former une base de $\mathbb{R}^4$.

Solution : on commence par écrire la matrice dont les lignes sont u_1 et u_2, qu'on met sous forme échelon :

$$\begin{pmatrix} 1 & 1 & 1 & 1 \\ 2 & 2 & 3 & 4 \end{pmatrix} \sim \begin{pmatrix} 1 & 1 & 1 & 1 \\ 0 & 0 & 1 & 2 \end{pmatrix}$$

Les vecteurs $w_1 = (1,1,1,1)$ et $w_2 = (0,0,1,2)$ engendrent le même sous-espace que u_1 et u_2. Posons $u_3 = (0,1,0,0)$ et $u_4 = (0,0,0,1)$. L'ensemble w_1, u_3, w_2, u_4 construisent une matrice échelon : ils sont linéairement indépendants et constituent une base de $\mathbb{R}^4$. On en déduit que u_1, u_2, u_3 et u_4 forment aussi une base de $\mathbb{R}^4$.

4.27 Considérons le corps $\mathbb{C}$ des nombres complexes, qui contient le corps $\mathbb{R}$ des nombres réels, qui lui-même contient le corps $\mathbb{Q}$ des nombres rationnels : par conséquent, $\mathbb{C}$ est un espace vectoriel sur $\mathbb{R}$, et $\mathbb{R}$ est un espace vectoriel sur $\mathbb{Q}$.

(a) Montrer que $\{1, i\}$ est une base de $\mathbb{C}$ sur $\mathbb{R}$, et que par conséquent $\mathbb{C}$ est un espace de dimension 2 sur $\mathbb{R}$.

(b) Montrer que $\mathbb{R}$ est un espace de dimension infinie sur $\mathbb{Q}$.

Solution :

(a) Pour tout $v \in \mathbb{C}$, on peut écrire $v = a + ib$, où a et $b \in \mathbb{R}$, et donc $\{1, i\}$ engendre $\mathbb{C}$ sur $\mathbb{R}$. De plus, si $x(1) + y(i) = 0$, c'est-à-dire $x + iy = 0$, où x et y sont réels, alors $x = y = 0$, d'où l'on déduit que $\{1, i\}$ est linéairement indépendant sur $\mathbb{R}$, et forme donc une base de $\mathbb{C}$ sur $\mathbb{R}$.

(b) On montre que π est un nombre transcendent, ce qui signifie qu'il n'est racine d'aucun polynôme sur $\mathbb{Q}$, autrement dit un polynôme à coefficients rationnels. On en déduit que pour tout $n \in \mathbb{N}$, les $n+1$ nombres réels $\pi, \pi^2, \dots, \pi^n$ sont linéairement indépendants sur $\mathbb{Q}$, et donc $\mathbb{R}$ ne peut être de dimension n sur $\mathbb{Q}$: il en résulte que $\mathbb{R}$ est de dimension infinie sur $\mathbb{Q}$.

4.28 Soit $S = \{u_1, u_2, \dots, u_n\}$ un sous-ensemble d'un espace vectoriel V. Montrer que les deux définitions suivantes d'une base de V sont équivalentes :

(a) S est linéairement indépendant et engendre V ;

(b) tout $v \in V$ s'écrit sous forme d'une combinaison linéaire unique de vecteurs de S.

Solution :

(a) Supposons que (a) soit vraie ; puisque S engendre V, le vecteur v s'écrit comme combinaison linéaire de vecteurs de S, soit :

$$v = a_1u_1 + a_2u_2 + \cdots + a_nu_n \quad \text{et} \quad v = b_1u_1 + b_2u_2 + \cdots + b_nu_n$$

En soustrayant ces deux expressions, on obtient :

$$0 = v - v = (a_1 - b_1)u_1 + (a_2 - b_2)u_2 + \cdots + (a_n - b_n)u_n$$

Les u_i étant linéairement indépendants, les coefficients de la combinaison linéaire ci-dessus sont tous nuls, et l'écriture de v est unique. Par conséquent, (a) $\Rightarrow$ (b).

(b) Supposons que (b) soit vraie ; il en résulte que S engendre V. Considérons la combinaison linéaire nulle :

$$0 = c_1u_1 + c_2u_2 + \cdots + c_nu_n$$

Puisque l'on a $0 = 0u_1 + 0u_2 + \cdots + 0u_n$ et que, par hypothèse, la représentation de 0 par une combinaison linéaire des u_i est unique, tous les c_i sont nuls et par conséquent les u_i sont linéairement indépendants : (b) $\Rightarrow$ (a).

DIMENSION ET SOUS-ESPACES

4.29 Trouver une base et la dimension des sous-espaces W de $\mathbb{R}^3$ suivants :

(a) $W = \{(a,b,c) \mid a+b+c=0\}$; (b) $W = \{(a,b,c) \mid a=b=c\}$.

Solution :

(a) Commençons par remarquer que $W \neq \mathbb{R}^3$, puisque par exemple, $(1,2,3) \notin W$, et donc $\dim W < 3$. Remarquons ensuite que $(1,0,-1)$ et $(0,1,-1)$ sont deux vecteurs linéairement indépendants de W. Il en résulte que $\dim W = 2$, et que u_1 et u_2 forment une base de W.

(b) Le vecteur $(1,1,1)$ appartient à W. Tout vecteur de $w \in W$ est de la forme $w = (k,k,k)$, soit $w = ku$: u engendre W, qui est de dimension 1.

4.30 Soit W le sous-espace de $\mathbb{R}^4$ engendré par les vecteurs :

$$u_1 = (1,-2,5,-3), \quad u_2 = (2,3,1,-4), \quad u_3 = (3,8,-3,-5)$$

(a) Trouver une base et la dimension de W ;
(b) compléter la base pour obtenir une base de $\mathbb{R}^4$.

Solution :

(a) On applique l'algorithme 4.1 de l'espace ligne : on construit la matrice dont les lignes sont les vecteurs donnés, puis on la met sous forme échelon :

$$A = \begin{pmatrix} 1 & -2 & 5 & -3 \\ 2 & 3 & 1 & -4 \\ 3 & 8 & -3 & -5 \end{pmatrix} \sim \begin{pmatrix} 1 & -2 & 5 & -3 \\ 0 & 7 & -9 & 2 \\ 0 & 14 & -18 & 4 \end{pmatrix} \sim \begin{pmatrix} 1 & -2 & 5 & -3 \\ 0 & 7 & -9 & 2 \\ 0 & 0 & 0 & 0 \end{pmatrix}$$

Les deux lignes non nulles $(1,-2,5,-3)$ et $(0,7,-9,2)$ de la forme échelon forment une base de l'espace ligne de A, et donc de W : la dimension de W est égale à 2.

(b) Nous cherchons quatre vecteurs linéairement indépendants, dont les deux vecteurs précédents. Alors les quatre vecteurs $(1,-2,5,-3)$, $(0,7,-9,2)$, $(0,0,1,0)$ et $(0,0,0,1)$ sont linéairement indépendants puisqu'ils forment une matrice échelon, et constituent donc une base de $\mathbb{R}^4$, extension de celle de W.

4.31 Soit W le sous-espace de $\mathbb{R}^5$ engendré par $u_1 = (1, 2, -1, 3, 4)$, $u_2 = (2, 4, -2, 6, 8)$, $u_3 = (1, 3, 2, 2, 6)$, $u_4 = (1, 4, 5, 1, 8)$ et $u_5 = (2, 7, 3, 3, 9)$. Trouver un sous-ensemble de vecteurs formant une base de W.

Solution : nous utilisons ici l'algorithme d'élimination 4.2 : construire la matrice M dont les *colonnes*, et non les lignes, sont formées par les vecteurs donnés, et la mettre sous forme échelon :

$$M = \begin{pmatrix} 1 & 2 & 1 & 1 & 2 \\ 2 & 4 & 3 & 4 & 7 \\ -1 & -2 & 2 & 5 & 3 \\ 3 & 6 & 2 & 1 & 3 \\ 4 & 8 & 6 & 8 & 9 \end{pmatrix} \sim \begin{pmatrix} 1 & 2 & 1 & 1 & 2 \\ 0 & 0 & 1 & 2 & 3 \\ 0 & 0 & 3 & 6 & 5 \\ 0 & 0 & -1 & -2 & -3 \\ 0 & 0 & 2 & 4 & 1 \end{pmatrix} \sim \begin{pmatrix} 1 & 2 & 1 & 1 & 2 \\ 0 & 0 & 1 & 2 & 3 \\ 0 & 0 & 0 & 0 & -4 \\ 0 & 0 & 0 & 0 & 0 \\ 0 & 0 & 0 & 0 & 0 \end{pmatrix}$$

Les pivots se trouvent sur les colonnes C_1, C_3 et C_5, par conséquent les vecteurs u_1, u_3 et u_5 forment une base de W, et $\dim W = 3$.

4.32 Soit V l'espace vectoriel des matrices 2×2 sur $\mathbb{K}$, et soit W le sous-espace des matrices symétriques. Montrer, en cherchant une base de W, que $\dim W = 3$.

Solution : on se souvient qu'une matrice $A = (a_{ij})$ est symétrique si $A^T = A$, c'est-à-dire si pour tous les couples ij, $a_{ij} = a_{ji}$. Ainsi $A = \begin{pmatrix} a & b \\ b & d \end{pmatrix}$ représente une matrice 2×2 symétrique arbitraire. Si l'on pose :

(a) $a = 1, b = 0, d = 0$; (b) $a = 0, b = 1, d = 0$; (c) $a = 0, b = 0, d = 1$;

on obtient respectivement les matrices :

$$E_1 = \begin{pmatrix} 1 & 0 \\ 0 & 0 \end{pmatrix}, \quad E_2 = \begin{pmatrix} 0 & 1 \\ 1 & 0 \end{pmatrix}, \quad E_3 = \begin{pmatrix} 0 & 0 \\ 0 & 1 \end{pmatrix}$$

Nous affirmons que l'ensemble $S = \{E_1, E_2, E_3\}$ est une base de W ; il nous faut donc établir deux choses :

(a) S engendre W ; (b) S est linéairement indépendant.

(a) La matrice générale $A = \begin{pmatrix} a & b \\ b & d \end{pmatrix}$ s'écrit $A = aE_1 + bE_2 + dE_3$, donc S engendre W.

(b) Posons $xE_1 + yE_2 + yE_3 = 0$, où x, y et z sont des scalaires inconnus ; il vient :

$$x \begin{pmatrix} 1 & 0 \\ 0 & 0 \end{pmatrix} + y \begin{pmatrix} 0 & 1 \\ 1 & 0 \end{pmatrix} + z \begin{pmatrix} 0 & 0 \\ 0 & 1 \end{pmatrix} = \begin{pmatrix} 0 & 0 \\ 0 & 0 \end{pmatrix}$$

ou

$$\begin{pmatrix} x & y \\ y & z \end{pmatrix} = \begin{pmatrix} 0 & 0 \\ 0 & 0 \end{pmatrix}$$

Le système équivalent a pour seule solution $x = y = z = 0$: S est linéairement indépendant, et forme donc une base, comme annoncé.

THÉORÈMES SUR LA DÉPENDANCE LINÉAIRE, LES BASES ET LA DIMENSION

4.33 Démontrer le lemme 4.10 : *soit un ensemble de vecteurs $v_1, v_2, \ldots, v_m$, avec $m \geq 2$, linéairement dépendants. Alors l'un des vecteurs est combinaison linéaire de ses prédécesseurs.*

Solution : puisque les v_i sont linéairement dépendants, il existe des scalaires $a_1, \ldots, a_m$ non tous nuls tels que $a_1v_1 + \cdots + a_mv_m = 0$. Soit k le plus grand entier pour lequel $a_k \neq 0$; alors :

$$a_1v_1 + \cdots + a_kv_k + 0v_{k+1} + \cdots + 0v_m = 0 \Rightarrow a_1v_1 + \cdots + a_kv_k = 0$$

Si $k = 1$, alors $a_1v_1 = 0$, avec $a_1 \neq 0$, d'où $v_1 = 0$, ce qui est contradictoire puisque les v_i sont non nuls par hypothèse : nécessairement, $k > 1$, d'où :

$$v_k = -a_k^{-1}a_1v_1 - \cdots - a_k^{-1}a_{k-1}v_{k-1}$$

et v_k est bien combinaison linéaire des vecteurs qui le précèdent.

4.34 Soit un ensemble $S = \{v_1, v_2, \ldots, v_m\}$ engendrant un espace vectoriel V ; montrer que :

(a) si $w \in V$, alors $\{w, v_1, v_2, \ldots, v_m\}$ est linéairement dépendant et engendre V ;

(b) si v_i est combinaison linéaire de $v_1, v_2, \ldots, v_{i-1}$, alors S privé de v_i engendre V.

Solution :

(a) Le vecteur w est combinaison linéaire des v_i, puisque les $\{v_i\}$ engendrent V. Le système de vecteurs $\{w, v_1, v_2, \ldots, v_m\}$ est donc linéairement dépendant. Si l'on ajoute w au système générateur S, on obtient encore un système générateur, par conséquent $\{w, v_1, v_2, \ldots, v_m\}$ engendre V.

(b) Supposons $v_i = k_1v_1 + \cdots + k_{i-1}v_{i-1}$, et soit $u \in V$. Puisque les $\{v_j\}$ engendrent V, u s'écrit comme combinaison linéaire des v_j, soit $u = a_1v_1 + \cdots + a_mv_m$. En remplaçant les v_j par leur expression, il vient :

$$\begin{aligned} u &= a_1v_1 + \cdots + a_{i-1}v_{i-1} + a_i(k_1v_1 + \cdots + k_{i-1}v_{i-1}) + a_{i+1}v_{i+1} + \cdots + a_mv_m \\ &= (a_1 + a_ik_1)v_1 + \cdots + (a_{i-1} + a_ik_{i-1})v_{i-1} + a_{i+1}v_{i+1} + \cdots + a_mv_m \end{aligned}$$

Par conséquent l'ensemble $\{v_1, \ldots, v_{i-1}, v_{i+1}, \ldots, v_m\}$ engendre V : on peut effectivement retirer v_i de l'ensemble générateur, l'ensemble résultant restant générateur.

4.35 Démontrer le lemme 4.13 : *supposons que l'ensemble $\{v_1, v_2, \ldots, v_n\}$ engendre V, et soit $\{w_1, w_2, \ldots, w_m\}$ un système libre. Alors $m \leq n$, et V est engendré par un ensemble de la forme :*

$$\{w_1, w_2, \ldots, w_m, v_{i_1}, v_{i_2}, \ldots, v_{i_{n-m}}\}$$

Il en résulte en particulier qu'un ensemble de $n + 1$ vecteurs ou plus est linéairement dépendant.

Solution : il suffit de démontrer le lemme dans le cas où *tous* les v_i sont non nuls (pourquoi ?). Puisque les $\{v_i\}$ engendrent V, le problème 4.34 affirme que le système :

$$\{w_1, v_1, v_2, \ldots, v_n\} \tag{4.4}$$

est linéairement dépendant et engendre V. D'après le lemme 4.10, l'un des vecteurs du système (4.4) est combinaison linéaire de ses prédécesseurs. Comme on l'a vu plus haut, ce ne peut pas être le premier, w_1, et c'est donc nécessairement l'un des v_j, soit v_i. Le problème 4.34 nous permet alors de le supprimer du système (4.4), et nous obtenons un nouveau système générateur :

$$\{w_1, v_1, \ldots, v_{j-1}, v_{j+1}, \ldots, v_n\} \tag{4.5}$$

On recommence le processus avec le vecteur w_2 ; puisque le système (4.5) est générateur, l'ensemble :

$$\{w_1, w_2, v_1, \ldots, v_{j-1}, v_{j+1}, \ldots, v_n\} \tag{4.6}$$

l'est aussi, et est linéairement dépendant. Le lemme 4.10 affirme à nouveau que l'un des vecteurs est combinaison linéaire de ceux qui le précèdent. Ce n'est pas w_1, et ce ne peut être w_2 non plus, puisque par hypothèse les $\{w_j\}$ sont linéairement indépendants. C'est donc encore l'un des v_i, soit v_k. On peut donc, toujours grâce au problème 4.34, supprimer v_k du système, obtenant encore un système générateur :

$$\{w_1, w_2, v_1, \ldots, v_{j-1}, v_{j+1}, \ldots, v_{k-1}, v_{k+1}, \ldots, v_n\}$$

On recommence à nouveau avec w_3, et ainsi de suite. À chaque étape, on ajoute un vecteur de l'ensemble $\{w_j\}$, et on retire un vecteur de l'ensemble $\{v_i\}$. Si $m \leq n$, on obtient à la fin un système générateur ayant la forme requise :

$$\{w_1, \ldots, w_m, v_{i_1}, \ldots, v_{i_{n-m}}\}$$

Nous montrerons pour finir que le cas $m > n$ est impossible : en effet, nous obtiendrions, après n étapes comme celles qui précèdent, le système générateur $\{w_1, \ldots, w_n\}$. Mais cela signifierait que w_{m+1} serait combinaison linéaire de $w_1, \ldots, w_n$, en contradiction avec l'hypothèse d'indépendance linéaire des $\{w_i\}$.

4.36 Démontrer le théorème 4.12 : *toutes les bases d'un espace vectoriel ont le même nombre d'éléments.*

Solution : soit $\{u_1, u_2, \ldots, u_n\}$ une base de V, et supposons que $\{v_1, v_2, \ldots\}$ soit aussi une base de V. Puisque les $\{u_i\}$ engendrent V, l'ensemble $\{v_1, v_2, \ldots\}$ doit contenir au plus n vecteurs, sinon il ne serait pas linéairement indépendant (problème 4.35 ou lemme 4.13). Mais si la base $\{v_1, v_2, \ldots\}$ contient moins de n vecteurs, alors l'ensemble $\{u_1, u_2, \ldots, u_n\}$ serait linéairement dépendant, toujours d'après le problème 4.35, ce qui est contradictoire. La base $\{v_1, v_2, \ldots\}$ possède donc exactement n vecteurs, ce qui démontre l'affirmation du théorème.

4.37 Démontrer le théorème 4.14 : *soit V un espace vectoriel de dimension finie n. Alors :*

(a) *tout ensemble de $n+1$ vecteurs ou plus est linéairement dépendant ;*
(b) *tout ensemble $S = \{u_1, u_2, \ldots, u_n\}$ linéairement indépendant de n vecteurs est une base de V ;*
(c) *tout ensemble générateur $T = \{v_1, v_2, \ldots, v_n\}$ de V à n éléments est une base de V.*

Solution : soit $B = \{w_1, w_2, \ldots, w_n\}$ une base de V :

(a) Puisque B engendre V, d'après le lemme 4.13, tout ensemble de $n+1$ vecteurs ou plus est linéairement dépendant.
(b) Toujours d'après le lemme 4.13, on peut ajouter à S des éléments de B pour constituer un ensemble générateur de V à n éléments. Puisque S possède déjà n éléments, S est par lui-même un système générateur de V. S est par conséquent une base de V.
(c) Supposons que T soit lié. L'un des v_i qui le composent est alors combinaison linéaire de ses prédécesseurs. D'après le problème 4.34, V est engendré par T privé de v_i, soit un ensemble de $n-1$ vecteurs. D'après le lemme 4.13, l'ensemble libre B ne pourrait avoir plus de $n-1$ éléments, contrairement à l'hypothèse. T est donc linéairement indépendant, et forme par conséquent une base de V.

4.38 Démontrer le théorème 4.15 : *soit un ensemble S engendrant un espace vectoriel V. Alors :*

(a) *tout sous-ensemble maximum de vecteurs linéairement indépendants de S est une base de V ;*

(b) *si l'on supprime de S tout vecteur combinaison linéaire de ses prédécesseurs, l'ensemble restant forme une base de V.*

Solution :

(a) Soit $\{v_1, \ldots, v_m\}$ un sous-ensemble maximum de vecteurs linéairement indépendants de S, et soit $w \in S$. L'ensemble $\{v_1, \ldots, v_m, w\}$ est donc lié, et aucun des v_i ne peut être combinaison linéaire de ses prédécesseurs. On en déduit que w est combinaison linéaire des v_i. Par conséquent $w \in \mathrm{Vect}(v_i)$, d'où $S \subseteq \mathrm{Vect}(v_i)$. Alors :

$$V = \mathrm{Vect}\, S \subseteq \mathrm{Vect}(v_i) \subseteq V$$

Le système des $\{v_i\}$ engendre V et, étant libre, est une base de V.

(b) Les vecteurs restants forment un sous-ensemble maximum de vecteurs linéairement indépendants de S ; d'après le point précédent, c'est une base de V.

4.39 Démontrer le théorème 4.16 : *soit V un espace vectoriel de dimension finie et soit* $S = \{u_1, u_2, \ldots, u_r\}$ *un ensemble de vecteurs de V linéairement indépendants. Alors S forme une partie d'une base de V ; autrement dit, on peut étendre S pour obtenir une base de V.*

Solution : soit $B = \{w_1, w_2, \ldots, w_n\}$ une base de V ; B engendre V, qui est donc aussi engendré par :

$$S \cup B = \{u_1, u_2, \ldots, u_r,\ w_1, w_2, \ldots, w_n\}$$

D'après le théorème 4.15, on peut supprimer de $S \cup B$ tout vecteur combinaison linéaire de ses prédécesseurs pour former une base B' de V. Puisque S est libre, aucun des u_k n'est combinaison linéaire des ses prédécesseurs. B' contient donc tous les vecteurs de S, et S est une partie de la base B' de V.

4.40 Démontrer le théorème 4.17 : *soit W un sous-espace vectoriel d'un espace vectoriel V. Alors* $\dim W \leq n$. *Si* $\dim W = n$, *alors* $W = V$.

Solution : V étant de dimension n, tout ensemble de $n + 1$ vecteurs ou plus est nécessairement lié. De plus, puisqu'une base de W doit être formée de vecteurs linéairement indépendants, il contient au plus n vecteurs ; par conséquent $\dim W \leq n$.

En particulier, si $\{w_1, w_2, \ldots, w_n\}$ est une base de W, puisque c'est un ensemble libre de n éléments, c'est aussi une base de V. Alors $W = V$, et $\dim W = n$.

RANG D'UNE MATRICE, ESPACE LIGNE ET ESPACE COLONNE D'UNE MATRICE

4.41 Trouver le rang et une base de l'espace ligne des matrices suivantes :

(a) $A = \begin{pmatrix} 1 & 2 & 0 & -1 \\ 2 & 6 & -3 & -3 \\ 3 & 10 & -6 & -5 \end{pmatrix}$; (b) $B = \begin{pmatrix} 1 & 3 & 1 & -2 & -3 \\ 1 & 4 & 3 & -1 & -4 \\ 2 & 3 & -4 & -7 & -3 \\ 3 & 8 & 1 & -7 & -8 \end{pmatrix}$.

Solution :

(a) On met A sous forme échelon :

$$A \sim \begin{pmatrix} 1 & 2 & 0 & -1 \\ 0 & 2 & -3 & -1 \\ 0 & 4 & -6 & -2 \end{pmatrix} \sim \begin{pmatrix} 1 & 2 & 0 & -1 \\ 0 & 2 & -3 & -1 \\ 0 & 0 & 0 & 0 \end{pmatrix}$$

Les deux lignes non nulles de la forme échelon, $(1, 2, 0, -1)$ et $(0, 2, -3, -1)$, forment une base de $\text{Lig}(A)$; on en déduit que $\text{rang}(A) = 2$.

(b) On met B sous forme échelon :

$$B \sim \begin{pmatrix} 1 & 3 & 1 & -2 & -3 \\ 0 & 1 & 2 & 1 & -1 \\ 0 & -3 & -6 & -3 & 3 \\ 0 & -1 & -2 & -1 & 1 \end{pmatrix} \sim \begin{pmatrix} 1 & 3 & 1 & -2 & -3 \\ 0 & 1 & 2 & 1 & -1 \\ 0 & 0 & 0 & 0 & 0 \\ 0 & 0 & 0 & 0 & 0 \end{pmatrix}$$

Les deux lignes non nulles de la forme échelon, $(1, 3, 1, -2, -3)$ et $(0, 1, 2, 1, -1)$, forment une base de $\text{Lig}(B)$; on en déduit que $\text{rang}(B) = 2$.

4.42 Montrer que $U = W$, où U et W sont les sous-espaces suivants de $\mathbb{R}^3$:

$$U = \text{Vect}(u_1, u_2, u_3) = \text{Vect}\big((1, 1, -1),\ (2, 3, -1),\ (3, 1, -5)\big)$$
$$W = \text{Vect}(w_1, w_2, w_3) = \text{Vect}\big((1, -1, -3),\ (3, -2, -8),\ (2, 1, -3)\big)$$

Solution : on écrit la matrice dont les lignes sont les u_i, et on la met sous forme canonique en lignes :

$$A = \begin{pmatrix} 1 & 1 & -1 \\ 2 & 3 & -1 \\ 3 & 1 & -5 \end{pmatrix} \sim \begin{pmatrix} 1 & 1 & -1 \\ 0 & 1 & 1 \\ 0 & -2 & -2 \end{pmatrix} \sim \begin{pmatrix} 1 & 0 & -2 \\ 0 & 1 & 1 \\ 0 & 0 & 0 \end{pmatrix}$$

On opère de même avec la matrice B dont les lignes sont les w_i :

$$B = \begin{pmatrix} 1 & -1 & -3 \\ 3 & -2 & -8 \\ 2 & 1 & -3 \end{pmatrix} \sim \begin{pmatrix} 1 & -1 & -3 \\ 0 & 1 & 1 \\ 0 & 3 & 3 \end{pmatrix} \sim \begin{pmatrix} 1 & 0 & -2 \\ 0 & 1 & 1 \\ 0 & 0 & 0 \end{pmatrix}$$

On constate que A et B ont la même forme canonique en lignes ; leurs espaces ligne sont donc égaux, soit $U = W$.

4.43 Soit $A = \begin{pmatrix} 1 & 2 & 1 & 2 & 3 & 1 \\ 2 & 4 & 3 & 7 & 7 & 4 \\ 1 & 2 & 2 & 5 & 5 & 6 \\ 3 & 6 & 6 & 15 & 14 & 15 \end{pmatrix}$.

(a) Déterminer rang(M_k), où M_k est la sous-matrice de A comprenant les k premières colonnes $C_1, C_2, \dots, C_k$ de A.
(b) Quelles sont les colonnes C_{k+1} combinaisons linéaires des colonnes précédentes C_1, $C_2, \dots, C_k$?
(c) Trouver les colonnes de A formant une base de l'espace colonne de A.
(d) Exprimer la colonne C_4 comme combinaison linéaire des colonnes trouvées à la question précédente.

Solution :

(a) Réduisons A à la forme échelon :

$$A \sim \begin{pmatrix} 1 & 2 & 1 & 2 & 3 & 1 \\ 0 & 0 & 1 & 3 & 1 & 2 \\ 0 & 0 & 1 & 3 & 2 & 5 \\ 0 & 0 & 3 & 9 & 5 & 12 \end{pmatrix} \sim \begin{pmatrix} 1 & 2 & 1 & 2 & 3 & 1 \\ 0 & 0 & 1 & 3 & 1 & 2 \\ 0 & 0 & 0 & 0 & 1 & 3 \\ 0 & 0 & 0 & 0 & 0 & 0 \end{pmatrix}$$

On remarque que ce processus met simultanément toutes les matrices M_k sous forme échelon : par exemple, les quatre premières colonnes de la forme échelon de A sont une forme échelon de M_4. On sait que le rang d'une matrice est égal au nombre de pivots, ou encore au nombre de lignes non nulles de sa forme échelon. On a donc :

$$\text{rang}(M_1) = \text{rang}(M_2) = 1, \quad \text{rang}(M_3) = \text{rang}(M_4) = 2, \quad \text{rang}(M_5) = \text{rang}(M_6) = 3$$

(b) L'équation vectorielle $x_1C_1 + x_2C_2 + \cdots + x_kC_k = C_{k+1}$ conduit au système d'équations linéaires dont la matrice des coefficients est M_k et la matrice augmentée M_{k+1}. Alors C_{k+1} est combinaison linéaire de $C_1, C_2, \dots, C_k$ si et seulement si rang(M_k) = rang(M_{k+1}) ou, de façon équivalente, si C_{k+1} ne contient pas de pivot. On voit alors que C_2, C_4 et C_6 sont des combinaisons linéaires des colonnes qui les précèdent.

(c) Dans la forme échelon de A, les pivots se trouvent à la première, troisième et cinquième colonnes. Les colonnes C_1, C_3 et C_5 de A forment donc une base de son espace colonne. Une autre méthode pour trouver une base consiste à supprimer de l'espace générateur des colonnes celles qui sont des combinaisons linéaire des autres, c'est-à-dire C_2, C_4 et C_6 ; on retrouve à nouveau C_1, C_3 et C_5.

(d) La forme échelon nous indique que C_4 est combinaison linéaire de C_1 et C_3. La matrice augmentée M de l'équation vectorielle $C_4 = xC_1 + yC_3$ est formée des colonnes C_1, C_3 et C_4 ; sa forme échelon, une fois retirées les lignes nulles, s'écrit :

$$\begin{pmatrix} 1 & 1 & 2 \\ 0 & 1 & 3 \end{pmatrix} \quad \text{ou} \quad \begin{aligned} x + y &= 2 \\ y &= 3 \end{aligned} \quad \text{ou} \quad x = -1,\ y = 3$$

En définitive, $C_4 = -C_1 + 3C_3 = -C_1 + 3C_3 + 0C_5$.

4.44 Soit le vecteur $u = (a_1, a_2, \dots, a_n)$ combinaison linéaire des lignes $R_1, R_2, \dots, R_m$ d'une matrice $B = (b_{ij})$, soit $u = k_1R_1 + k_2R_2 + \cdots + k_mR_m$. Montrer que :

$$a_i = k_1b_{1i} + k_2b_{2i} + \cdots + k_mb_{mi}, \quad i = 1, 2, \dots, n$$

où $b_{1i}, b_{2i}, \dots, b_{mi}$ sont les éléments de la i-ème colonne de B.

Solution : par hypothèse, $u = k_1R_1 + k_2R_2 + \cdots + k_mR_m$, d'où :

$$\begin{aligned} (a_1, a_2, \dots, a_n) &= k_1(b_{11}, \dots, b_{1n}) + \cdots + k_m(b_{m1}, \dots, b_{mn}) \\ &= (k_1b_{11} + \cdots + k_mb_{m1}, \dots, k_1b_{1n} + \cdots + k_mb_{mn}) \end{aligned}$$

En identifiant les composantes correspondantes, on trouve le résultat cherché.

$$A = \begin{pmatrix} a_{1j_1} & * & * & * & * & * & * \\ & & a_{2j_2} & * & * & * & * \\ & & & \cdots & \cdots & \cdots & \cdots \\ & & & & a_{rj_r} & * & * \end{pmatrix}, \qquad B = \begin{pmatrix} b_{1k_1} & * & * & * & * & * & * \\ & & b_{2k_2} & * & * & * & * \\ & & & \cdots & \cdots & \cdots & \cdots \\ & & & & b_{sk_s} & * & * \end{pmatrix}$$

Figure 4.5 Pivots d'une matrice échelon.

4.45 Démontrer le théorème 4.7 : *soient $A = (a_{ij})$ et $B = (b_{ij})$ deux matrices échelon équivalentes en lignes, d'éléments pivots respectifs :*

$$a_{1j_1}, a_{2j_2}, \ldots, a_{rj_r} \quad \text{et} \quad b_{1k_1}, b_{2k_2}, \ldots, b_{sk_s}$$

Alors A et B ont le même nombre de lignes non nulles, c'est-à-dire $r = s$, et les pivots se trouvent aux mêmes places, c'est-à-dire $j_1 = k_1, j_2 = k_2, \ldots, j_r = k_r$ (figure 4.5).

Solution : il est évident que $A = 0$ si et seulement si $B = 0$, il suffit donc d'effectuer la démonstration pour $r \geq 1$ et $s \geq 1$. Montrons tout d'abord que $j_1 = k_1$: supposons que $k_1 < j_1$; alors la j_1-ème colonne de B est nulle ; puisque la première ligne R^* de A est dans l'espace ligne de B, on peut écrire $R^* = c_1R_1 + c_2R_2 + \cdots + c_mR_m$, les R_i étant les lignes de B. La j_1-ème colonne de B étant nulle, on a :

$$a_{1j_1} = c_10 + c_20 + \cdots + c_m0 = 0$$

ce qui est contradictoire puisque l'élément pivot a_{1j_1} est non nul. On doit donc avoir $j_1 \geq k_1$, et on montre de la même manière que $k_1 \geq j_1$, d'où $j_1 = k_1$.
Soit à présent la sous-matrice A' de A obtenue en enlevant à A sa première ligne, et soit la sous-matrice B' de B obtenue en enlevant à B sa première ligne. Nous allons montrer que A' et B' partagent le même espace ligne. Le théorème suivra alors par induction, puisque A' et B' sont également des matrices échelon.
Soit $R = (a_1, a_2, \ldots, a_n)$ une ligne quelconque de A', et soient $R_1, R_2, \ldots, R_m$ les lignes de B. Puisque R appartient à l'espace ligne de B, elle s'écrit comme une combinaison linéaire $R = d_1R_1 + d_2R_2 + \cdots + d_mR_m$. A étant sous forme échelon et R n'étant pas sa première ligne, l'élément j_1 de R est nul, soit $a_i = 0$ pour $i = j_1 = k_1$. De plus, puisque B est sous forme échelon, tous les éléments de la k_1-ème colonne de B sont nuls sauf le premier : $b_{1k_1} = 0$ mais $b_{1k_1} = b_{2k_1} = \cdots = b_{mk_1} = 0$, soit :

$$0 = a_{k_1} = d_1b_{1k_1} + d_20 + \cdots + d_m0 = d_1b_{1k_1}$$

Mais $b_{1k_1} \neq 0$ et donc $d_1 = 0$. Il en résulte que R est combinaison linéaire de $R_2, \ldots, R_m$ et donc appartient à l'espace ligne de B'. Puisque R est arbitraire, on déduit $\text{Lig}(A') \subseteq \text{Lig}(B')$. On montre de la même façon que $\text{Lig}(B') \subseteq \text{Lig}(A')$. A' et B' ont donc le même espace ligne, et le théorème est démontré.

4.46 Démontrer le théorème 4.8 : *soient A et B deux matrices sous forme canonique en lignes. Alors A et B ont le même espace ligne si et seulement si elles ont les mêmes lignes non nulles.*

Solution : si deux matrices A et B ont les mêmes lignes non nulles, elles ont évidemment le même espace ligne. Il nous faut démontrer la réciproque.
Soient A et B deux matrices ayant le même espace ligne, et soit $R \neq 0$ la i-ème ligne de A. Il existe des scalaires $c_1, c_2, \ldots, c_s$ tels que :

$$R = c_1R_1 + c_2R_2 + \cdots + c_sR_s \tag{4.7}$$

où les R_i sont les lignes non nulles de B. Le théorème est démontré si nous montrons que $R = R_i$, autrement dit si $c_i = 1$ et $\forall j \neq i$, $c_j = 0$.
Soit a_{ij} le pivot de R, c'est-à-dire le premier élément non nul de la ligne. D'après (4.7) et le problème 4.44 :

$$a_{ij_i} = c_1 b_{1j_i} + c_2 b_{2j_i} + \cdots + c_s b_{sj_i} \tag{4.8}$$

Mais d'après le problème 4.45, b_{ij_i} est un pivot de B, et puisque B est sous forme canonique en lignes, c'est le seul élément non nul de la j-ème colonne de B. L'équation (4.8) nous donne donc $a_{ij_i} = c_i b_{ij_i}$. A et B étant sous forme canonique en lignes, $a_{ij_i} = b_{ij_i} = 1$, d'où $c_i = 1$.
Supposons maintenant $k \neq i$, et soit b_{kj_k} le pivot de R_k. D'après (4.7) et le problème 4.44 :

$$a_{kj_k} = c_1 b_{1j_k} + c_2 b_{2j_k} + \cdots + c_s b_{sj_k} \tag{4.9}$$

B étant sous forme canonique en lignes, b_{kj_k} est le seul élément non nul de la k-ème colonne de B. L'équation (4.9) nous donne donc $a_{kj_k} = c_k b_{kj_k}$. D'après le problème 4.45, a_{kj_k} est un pivot de A, et puisque A est sous forme canonique en lignes, $a_{kj_k} = 0$, d'où $c_k b_{kj_k} = 0$ et finalement $c_k = 0$ car $b_{kj_k} = 1$. On a donc bien $R = R_i$, ce qui établit le théorème.

4.47 Démontrer le corollaire 4.9 : *toute matrice A est équivalente en lignes à une matrice et une seule sous forme canonique en lignes.*

Solution : supposons que A soit équivalente en lignes à deux matrices A_1 et A_2, toutes deux sous forme canonique en lignes. Alors $\mathrm{Lig}(A) = \mathrm{Lig}(A_1)$, et $\mathrm{Lig}(A) = \mathrm{Lig}(A_2)$, d'où $\mathrm{Lig}(A_1) = \mathrm{Lig}(A_2)$. Ces deux matrices étant sous forme canonique en lignes, elles sont égales d'après le théorème 4.8, ce qui prouve le corollaire.

4.48 Soit un vecteur ligne R et deux matrices A et B sous forme canonique en lignes, tels que les produits RB et AB aient un sens. Montrer que :

(a) RB est une combinaison linéaire des lignes de B ;
(b) l'espace ligne de AB est inclus dans l'espace ligne de B ;
(c) l'espace colonne de AB est inclus dans l'espace colonne de A ;
(d) $\mathrm{rang}(AB) \leq \mathrm{rang}(B)$ et $\mathrm{rang}(AB) \leq \mathrm{rang}(A)$.

Solution :

(a) posons $R = (a_1, a_2, \ldots, a_m)$ et $B = (b_{ij})$; désignons par $B_1, B_2, \ldots, B_m$ les lignes de B et par $B^1, B^2, \ldots, B^n$ ses colonnes ; alors :

$$\begin{aligned} RB &= (RB^1, RB^2, \ldots, RB^n) \\ &= (a_1 b_{11} + a_2 b_{21} + \cdots + a_m b_{m1}, \ \ldots, \ a_1 b_{1n} + a_2 b_{2n} + \cdots + a_m b_{mn}) \\ &= a_1(b_{11}, b_{12}, \ldots, b_{1n}) + a_2(b_{21}, b_{22}, \ldots, b_{2n}) + \cdots + a_m(b_{m1}, b_{m2}, \ldots, b_{mn}) \\ &= a_1 B_1 + a_2 B_2 + \cdots + a_m B_m \end{aligned}$$

RB est bien combinaison linéaire des lignes de B.

(b) Les lignes du produit AB sont données par $R_i B$, où R_i est la i-ème ligne de A. D'après (a), chaque ligne de AB est dans l'espace ligne de B, ce qui entraîne $\mathrm{Lig}(AB) \subseteq \mathrm{Lig}(B)$, comme annoncé.

(c) D'après (b), on peut écrire :

$$\mathrm{Col}(AB) = \mathrm{Lig}(AB)^T = \mathrm{Lig}(B^T A^T) \subseteq \mathrm{Lig}(A^T) = \mathrm{Col}(A)$$

(d) L'espace ligne de AB est inclus dans l'espace ligne de B ; on en déduit $\mathrm{rang}(AB) \leq \mathrm{rang}(B)$. Puisque l'espace colonne de AB est inclus dans l'espace colonne de A, on a $\mathrm{rang}(AB) \leq \mathrm{rang}(A)$.

4.49 Soit A une matrice carrée $n \times n$; montrer que A est inversible si et seulement si $\text{rang}(A) = n$.

Solution : remarquons tout d'abord que les lignes de la matrice identité I_n sont linéairement indépendantes, puisque I_n est sous forme échelon, et par conséquent $\text{rang}(I_n) = n$.
Si A est inversible, on sait que A est équivalente en lignes à I_n, donc $\text{rang}(A) = n$. Si A n'est pas inversible, elle est alors équivalente en lignes à une matrice avec au moins une ligne nulle, d'où $\text{rang}(A) < n$. En conclusion, A est inversible si et seulement si $\text{rang}(A) = n$.

APPLICATION AUX ÉQUATIONS LINÉAIRES

4.50 Trouver la dimension et une base de l'espace des solutions des systèmes homogènes suivants :

$$\text{(a)}\ \begin{aligned} x + 2y + 2z - s + 3t &= 0 \\ x + 2y + 3z + s + t &= 0 \\ 3x + 6y + 8z + s + 5t &= 0 \end{aligned} \qquad \text{(b)}\ \begin{aligned} x + 2y + z - 2t &= 0 \\ 2x + 4y + 4z - 3t &= 0 \\ 3x + 6y + 7z - 4t &= 0 \end{aligned} \qquad \text{(c)}\ \begin{aligned} x + y + 2z &= 0 \\ 2x + 3y + 3z &= 0 \\ x + 3y + 5z &= 0 \end{aligned}$$

Solution :

(a) Mettons le système sous forme échelon :

$$\begin{aligned} x + 2y + 2z - s + 3t &= 0 \\ z + 2s - 2t &= 0 \\ 2z + 4s - 4t &= 0 \end{aligned} \quad \text{ou} \quad \begin{aligned} x + 2y + 2z - s + 3t &= 0 \\ z + 2s - 2t &= 0 \end{aligned}$$

Le système échelon a deux équations et cinq inconnues ; il y a donc trois variables libres y, s et t, d'où $\dim W = 3$. Cherchons une base de W :

On pose $y = 1$, $s = 0$ et $t = 0$ d'où la solution $v_1 = (-2, 1, 0, 0, 0)$
On pose $y = 0$, $s = 1$ et $t = 0$ d'où la solution $v_2 = (5, 0, -2, 1, 0)$
On pose $y = 0$, $s = 0$ et $t = 1$ d'où la solution $v_3 = (-7, 0, 2, 0, 1)$

L'ensemble $\{v_1, v_2, v_3\}$ est une base de l'espace W des solutions.

(b) Nous allons utiliser ici la forme matricielle du système ; réduisons la matrice A des coefficients sous forme échelon :

$$A = \begin{pmatrix} 1 & 2 & 1 & -2 \\ 2 & 4 & 4 & -3 \\ 3 & 6 & 7 & -4 \end{pmatrix} \sim \begin{pmatrix} 1 & 2 & 1 & -2 \\ 0 & 0 & 2 & 1 \\ 0 & 0 & 4 & 2 \end{pmatrix} \sim \begin{pmatrix} 1 & 2 & 1 & -2 \\ 0 & 0 & 2 & 1 \\ 0 & 0 & 0 & 0 \end{pmatrix}$$

Le système échelon équivalent est :

$$\begin{aligned} x + 2y + 2z - 2t &= 0 \\ 2z + t &= 0 \end{aligned}$$

Il y a deux variables libres y et t, d'où $\dim W = 2$. Déterminons une base :

On pose $y = 1$, $t = 0$ d'où la solution $u_1 = (-2, 1, 0, 0)$
On pose $y = 0$, $t = 2$ d'où la solution $u_2 = (6, 0, -1, 2)$

L'ensemble $\{u_1, u_2\}$ est une base de l'espace W des solutions.

(c) Mettons la matrice A des coefficients sous forme échelon :

$$A = \begin{pmatrix} 1 & 1 & 2 \\ 2 & 3 & 3 \\ 1 & 3 & 5 \end{pmatrix} \sim \begin{pmatrix} 1 & 1 & 2 \\ 0 & 1 & -1 \\ 0 & 2 & 3 \end{pmatrix} \sim \begin{pmatrix} 1 & 1 & 2 \\ 0 & 1 & -1 \\ 0 & 0 & 5 \end{pmatrix}$$

C'est un système triangulaire dont la seule solution est la solution nulle, soit $W = \{0\}$ et $\dim W = 0$.

4.51 Écrire un système homogène dont l'ensemble W des solutions soit engendré par le système de vecteurs :

$$\{u_1, u_2, u_3\} = \{(1, -2, 0, 3), \quad (1, -1, -1, 4), \quad (1, 0, -2, 5)\}$$

Solution : posons $v = (x, y, z, t)$; $v \in W$ si et seulement si v s'écrit comme combinaison linéaire des vecteurs du système générateur de W. Écrivons la matrice M dont les trois premières colonnes sont u_1, u_2 et u_3, et la dernière v, puis mettons la sous forme échelon :

$$M = \begin{pmatrix} 1 & 1 & 1 & x \\ -2 & -1 & 0 & y \\ 0 & -1 & -2 & z \\ 3 & 4 & 5 & t \end{pmatrix} \sim \begin{pmatrix} 1 & 1 & 1 & x \\ 0 & 1 & 2 & 2x+y \\ 0 & -1 & -2 & z \\ 0 & 1 & 2 & -3x+t \end{pmatrix} \sim \begin{pmatrix} 1 & 1 & 1 & x \\ 0 & 1 & 2 & 2x+y \\ 0 & 0 & 0 & 2x+y+z \\ 0 & 0 & 0 & -5x-y+t \end{pmatrix}$$

Alors v est combinaison linéaire de u_1, u_2 et u_3 si $\operatorname{rang} M = \operatorname{rang} A$, où A est la sous-matrice de M sans la colonne v. Le système homogène cherché s'obtient donc en annulant les deux derniers éléments de la colonne de droite :

$$\begin{aligned} 2x + y + z \quad &= 0 \\ 5x + y \quad - t &= 0 \end{aligned}$$

4.52 Soient $x_{i_1}, x_{i_2}, \ldots, x_{i_k}$ les variables libres d'un système homogène d'équations linéaires à n inconnues. Soit v_j la solution obtenue en posant $x_{i_j} = 1$ et $x_{i_k} = 0 \ \forall k \neq j$. Montrer que les solutions v_1, v_2, v_k sont linéairement indépendantes.

Solution : construisons la matrice A de lignes les v_i. Échangeons les colonnes 1 et i_1, 2 et $i_2, \ldots, k$ et i_k ; nous obtenons la matrice :

$$B = (I, C) = \begin{pmatrix} 1 & 0 & 0 & \ldots & 0 & 0 & c_{1,k+1} & \ldots & c_{1n} \\ 0 & 1 & 0 & \ldots & 0 & 0 & c_{2,k+1} & \ldots & c_{2n} \\ \ldots & \ldots & \ldots & \ldots & \ldots & & & & \\ 0 & 0 & 0 & \ldots & 0 & 1 & c_{k,k+1} & \ldots & c_{kn} \end{pmatrix}$$

Cette matrice est sous forme échelon, ses lignes sont donc linéairement indépendantes, d'où $\operatorname{rang}(B) = k$. Puisque A et B sont équivalentes en colonnes, elles ont le même rang, soit $\operatorname{rang}(A) = \operatorname{rang}(B)$. Puisque A a k lignes, ces lignes, *i.e.* les v_i, sont linéairement indépendants.

SOMME, SOMME DIRECTE, INTERSECTION

4.53 Soient U et W deux sous-espaces d'un espace vectoriel V ; montrer que :

(a) $U + W$ est un sous-espace de V ;
(b) U et W sont inclus dans $U + W$;
(c) $U + W$ est le plus petit sous-espace contenant U et W, c'est-à-dire $U + W = \text{Vect}(U, W)$;
(d) $W + W = W$.

Solution :

(a) U et W étant des sous-espaces vectoriels, $0 \in U$ et $0 \in W$, et donc $0 = 0 + 0 \in U + W$. Soient v et $v' \in U + W$. Ils s'écrivent respectivement $v = u + w$ et $v' = u' + w'$ où u et $u' \in U$, w et $w' \in W$. On a donc :

$$av + bv' = (au + bu') + (aw + bw') \in U + W$$

$U + W$ est bien un sous-espace vectoriel de V.

(b) Soit $u \in U$. W étant un sous-espace vectoriel, $0 \in W$, et par conséquent $u = u + 0 \in U + W$, ce qui implique $U \subseteq U + W$. On montre de même que $W \subseteq U + W$.

(c) Puisque $U + W$ est un sous-espace vectoriel contenant U et W, il contient aussi Vect(U) et Vect(W), soit $\text{Vect}(U, W) \subseteq U + W$. Inversement, si $v \in U + W$, il s'écrit $v = u + w = 1u + 1w$, où $u \in U$ et $w \in W$. Le vecteur v est donc combinaison linéaire d'éléments de $U \cup W$, d'où $v \in \text{Vect}(U, W)$; par conséquent $U + W \subseteq \text{Vect}(U, W)$. L'inclusion dans les deux sens entraîne l'égalité cherchée.

(d) W étant un sous-espace de V, il est fermé sous l'opération d'addition vectorielle, d'où $W + W \subseteq W$. D'après le résultat (a), $W \subseteq W + W$, d'où l'égalité.

4.54 Soient les sous-espaces suivants de $\mathbb{R}^5$:

$$U = \text{Vect}(u_1, u_2, u_3) = \text{Vect}\{(1, 3, -2, 2, 3), \quad (1, 4, -3, 4, 2), \quad (2, 3, -1, -2, 9)\}$$
$$W = \text{Vect}(w_1, w_2, w_3) = \text{Vect}\{(1, 3, 0, 2, 1), \quad (1, 5, -6, 6, 3), \quad (2, 5, 3, 2, 1)\}$$

Trouver une base et la dimension de :

(a) $U + W$; (b) $U \cap W$.

Solution :

(a) $U + W$ est le sous-espace vectoriel engendré par les six vecteurs. Écrivons la matrice dont les lignes sont les six vecteurs, et mettons-la sous forme échelon :

$$\begin{pmatrix} 1 & 3 & -2 & 2 & 3 \\ 1 & 4 & -3 & 4 & 2 \\ 2 & 3 & -1 & -2 & 9 \\ 1 & 3 & 0 & 2 & 1 \\ 1 & 5 & -6 & 6 & 3 \\ 2 & 5 & 3 & 2 & 1 \end{pmatrix} \sim \begin{pmatrix} 1 & 3 & -2 & 2 & 3 \\ 0 & 1 & -1 & 2 & -1 \\ 0 & -3 & 3 & -6 & 3 \\ 0 & 0 & 2 & 0 & -2 \\ 0 & 2 & -4 & 4 & 0 \\ 0 & -1 & 7 & -2 & -5 \end{pmatrix} \sim \begin{pmatrix} 1 & 3 & -2 & 2 & 3 \\ 0 & 1 & -1 & 2 & -1 \\ 0 & 0 & 1 & 0 & -1 \\ 0 & 0 & 0 & 0 & 0 \\ 0 & 0 & 0 & 0 & 0 \\ 0 & 0 & 0 & 0 & 0 \end{pmatrix}$$

Les trois lignes non nulles de la forme échelon constituent une base de $U + W$:

$$(1, 3, -2, 2, 3), \quad (0, 1, -1, 2, -1), \quad (0, 0, 1, 0, -1)$$

Par conséquent, $\dim(U + W) = 3$.

(b) Soit $v = (x, y, z, s, t)$ un vecteur arbitraire de $\mathbb{R}^5$. Comme dans le problème 4.51, cherchons des systèmes homogènes d'équations linéaires dont les espaces de solutions soient, respectivement, U et W.

Écrivons la matrice M dont les colonnes sont les u_i et v, et mettons-la sous forme échelon :

$$M = \begin{pmatrix} 1 & 1 & 2 & x \\ 3 & 4 & 3 & y \\ -2 & -3 & -1 & z \\ 2 & 4 & -2 & s \\ 3 & 2 & 9 & t \end{pmatrix} \sim \begin{pmatrix} 1 & 1 & 2 & x \\ 0 & 1 & -3 & -3x+y \\ 0 & 0 & 0 & -x+y+z \\ 0 & 0 & 0 & 4x-2y+s \\ 0 & 0 & 0 & -6x+y+t \end{pmatrix}$$

Les trois éléments du bas de la colonne de droite sont rendus nuls, d'où le système, dont l'espace des solutions est U :

$$-x+y+z=0, \quad 4x-2y+s=0, \quad -6x+y+t=0$$

Recommençons avec la matrice M' dont les colonnes sont les w_i et v :

$$M' = \begin{pmatrix} 1 & 1 & 2 & x \\ 3 & 5 & 5 & y \\ 0 & -6 & 3 & z \\ 2 & 6 & 2 & s \\ 1 & 3 & 1 & t \end{pmatrix} \sim \begin{pmatrix} 1 & 1 & 2 & x \\ 0 & 2 & -1 & -3x+y \\ 0 & 0 & 0 & -9x+3y+z \\ 0 & 0 & 0 & 4x-2y+s \\ 0 & 0 & 0 & 2x-y+t \end{pmatrix}$$

Annuler les trois éléments du bas de la colonne de droite donne un système homogène dont l'espace des solutions est W :

$$-9x+3y+z=0, \quad 4x-2y+s=0, \quad 2x-y+t=0$$

Le regroupement de ces deux systèmes conduit à un système homogène dont l'espace des solutions est $U \cap W$; mettons-le sous forme échelon :

$$\begin{aligned} -x+y+\ z \qquad\qquad &= 0 \\ 2y+4z\ +\ s \qquad &= 0 \\ 8z\ +5s+2t &= 0 \\ s-2t &= 0 \end{aligned}$$

Il y a une seule variable libre, t, et donc $\dim(U \cap W) = 1$. En posant $t = 2$, on obtient le vecteur $u = (1, 4, -3, 4, 2)$ qui forme la base cherchée de $U \cap W$.

4.55 Soient U et W deux sous-espaces *distincts* d'un espace vectoriel V de dimension 6. Déterminer les valeurs possibles de la dimension de $U \cap W$.

Solution : puisque U et W sont distincts, U et W sont des sous-espaces *propres* de $U + W$, et donc $\dim(U + W) > 4$. Mais $\dim(U + W)$ ne peut dépasser 6, qui est la dimension de V. Il y a donc deux possibilités, $\dim(U + W) = 5$ ou $\dim(U + W) = 6$. Appliquons le théorème 4.20 :

$$\dim(U \cap W) = \dim U + \dim W - \dim(U + W) = 8 - \dim(U + W)$$

Il y a donc deux valeurs possibles, $\dim(U \cap W) = 2$ ou $\dim(U \cap W) = 3$.

4.56 Soient les deux sous-espaces U et W de $\mathbb{R}^3$ suivants :

$$U = \{(a,b,c) \mid a = b = c\} \quad \text{et} \quad W = \{(0,b,c)\}$$

On remarque que W n'est autre que le plan yz. Montrer que $\mathbb{R}^3 = U \oplus W$.

Solution : montrons tout d'abord que $U \cap W = \{0\}$: soit $v = (a,b,c) \in U \cap W$; alors $a = b = c$ et $a = 0$. Alors $a = b = c = 0$ et v est nécessairement le vecteur nul.
Montrons à présent que $\mathbb{R}^3 = U + W$: pour un vecteur quelconque $v = (a,b,c) \in \mathbb{R}^3$, on peut écrire :

$$v = (a,a,a) + (0, b-a, c-a) \quad \text{où} \quad (a,a,a) \in U \text{ et } (0, b-a, c-a) \in W$$

Les deux conditions, $U \cap W = \{0\}$ et $U + W = \mathbb{R}^3$, entraînent $\mathbb{R}^3 = U \oplus W$.

4.57 Soient deux sous-espaces U et W d'un espace vectoriel V ; soit un système $S = \{u_i\}$ de vecteurs engendrant U et un système $S' = \{w_j\}$ de vecteurs engendrant W. Montrer que $S \cup S'$ engendre $U + W$. On en déduit alors inductivement que si S_i engendre W_i, pour $i = 1, 2, \ldots, n$, alors $S_1 \cup S_2 \ldots \cup S_n$ engendre $W_1 + W_2 + \cdots + W_n$.

Solution : soit $v \in U + W$; alors v s'écrit $v = u + w$, où $u \in U$ et $w \in W$. Puisque S engendre U, u est combinaison linéaire des u_i, et de même v est combinaison linéaire des w_j :

$$u = a_1 u_{i_1} + a_2 u_{i_2} + \cdots + a_r u_{i_r} \quad \text{et} \quad w = b_1 w_{j_1} + b_2 w_{j_2} + \cdots + b_s w_{j_s}$$

où les a_i et les b_j sont dans $\mathbb{K}$. Alors :

$$v = u + w = a_1 u_{i_1} + a_2 u_{i_2} + \cdots + a_r u_{i_r} + b_1 w_{j_1} + b_2 w_{j_2} + \cdots + b_s w_{j_s}$$

ce qui montre que $S \cup S' = \{u_i, w_j\}$ engendre $U + W$.

4.58 Démontrer le théorème 4.20 : *soient U et W deux sous-espaces de dimension finie d'un espace vectoriel V. Alors $U + W$ est de dimension finie et :*

$$\dim(U + W) = \dim U + \dim W - \dim(U \cap W)$$

Solution : remarquons d'abord que $U \cap W$ est sous-espace à la fois de U et de W ; posons $\dim U = m$, $\dim W = n$ et $\dim(U \cap W) = r$. Soit $\{v_1, \ldots, v_r\}$ une base de $U \cap W$. D'après le théorème 4.16, on peut compléter la base $\{v_i\}$ pour obtenir une base de U, et on peut aussi la compléter pour obtenir une base de W :

$$\{v_1, \ldots, v_r, u_1, \ldots, u_{m-r}\} \quad \text{et} \quad \{v_1, \ldots, v_r, w_1, \ldots, w_{n-r}\}$$

Posons :

$$B = \{v_1, \ldots, v_r, u_1, \ldots, u_{m-r}, w_1, \ldots, w_{n-r}\}$$

Le système B a exactement $m + n - r$ éléments. Nous aurons démontré le théorème si nous établissons que B est une base de $U + W$: puisque $\{v_i, u_j\}$ engendre U et que $\{v_i, w_k\}$ engendre W, la réunion $B = \{v_i, u_j, w_k\}$ engendre $U + W$; il suffit de montrer que B est libre. Écrivons une combinaison linéaire nulle :

$$a_1 v_1 + \cdots + a_r v_r + b_1 u_1 + \cdots + b_{m-r} u_{m-r} + c_1 w_1 + \cdots + c_{n-r} w_{n-r} = 0 \qquad (4.10)$$

où les a_i, b_j et c_k sont des scalaires. Posons :

$$v = a_1 v_1 + \cdots + a_r v_r + b_1 u_1 + \cdots + b_{m-r} u_{m-r} \qquad (4.11)$$

D'après (4.10), on a aussi :

$$v = -c_1 w_1 - \cdots - c_{n-r} w_{n-r} \tag{4.12}$$

Puisque $\{v_i, u_j\} \subseteq U$, (4.11) implique $v \in U$; puisque $\{w_k\} \subseteq W$, (4.12) implique $v \in W$. Il en résulte que $v \in U \cap W$. Mais $\{v_i\}$ est une base de $U \cap W$, il existe donc des scalaires $d_1, \dots, d_r$ tels que $v = d_1 v_1 + \cdots + d_r v_r$. On peut écrire d'après (4.12) :

$$d_1 v_1 + \cdots + d_r v_r + c_1 w_1 + \cdots + c_{n-r} w_{n-r} = 0$$

Le système $\{v_i, w_k\}$ est une base de W, et est donc libre. La relation ci-dessus entraîne $c_1 = c_2 = \cdots = c_{n-r} = 0$. En remplaçant dans (4.10), il vient :

$$a_1 v_1 + \cdots + a_r v_r + b_1 u_1 + \cdots + b_{m-r} u_{m-r} = 0$$

Le système $\{v_i, u_j\}$ est une base de U, et son indépendance linéaire implique $a_1 = \cdots = a_r = 0$, $b_1 = \cdots = b_{m-r} = 0$. D'après l'équation (4.10), tous les a_i, les b_j et les c_k sont nuls, $B = \{v_i, u_j, w_k\}$ est un système libre, ce qui démontre le théorème.

4.59 Démontrer le théorème 4.21 : *un espace vectoriel V est somme directe de deux sous-espaces U et W si et seulement si :*

(a) $V = U + W$; (b) $U \cap W = \{0\}$.

Solution : supposons que V s'écrive $V = U \oplus W$. Il en résulte que $\forall v \in V$, v s'écrit de manière unique $v = u + w$, $u \in U$ et $w \in W$. En particulier, $V = U + W$. Supposons à présent $v \in U \cap W$, alors :

(a) $v = v + 0$, $v \in U$ et $0 \in W$; (b) $v = 0 + v$, $0 \in U$ et $v \in W$.

Par conséquent $v = 0 + 0 = 0$ et $U \cap W = \{0\}$.
Réciproquement, supposons que $V = U + W$ et $U \cap W = \{0\}$ et soit $v \in V$. Puisque $V = U + W$, il existe $u \in U$ et $w \in W$ tels que $v = u + w$; nous devons montrer que cette décomposition est unique. Soit $v = u' + w'$, $u' \in U$ et $w' \in W$; alors :

$$u + w = u' + w' \Rightarrow u - u' = w - w'$$

On a $u - u' \in U$ et $w - w' \in W$, mais comme $U \cap W = \{0\}$:

$$u - u' = 0,\ w - w' = 0 \Rightarrow u = u',\ w = w'$$

La décomposition est unique, donc $V = U \oplus W$.

4.60 Démontrer le théorème 4.22 pour deux termes : *soit $V = U \oplus W$. Soit deux systèmes libres $S = \{u_1, \dots, u_m\}$ de U et $S' = \{w_1, \dots, w_n\}$ de W ; alors :*

(a) *la réunion $S \cup S'$ est linéairement indépendante dans V ;*

(b) *si S est une base de U et S' une base de W, alors la réunion $S \cup S'$ est une base de V ;*

(c) $\dim V = \dim U + \dim W$.

Solution :

(a) Posons $a_1u_1 + \cdots + a_mu_m + b_1w_1 + \cdots + b_nw_n = 0$, où les a_i et les b_j sont des scalaires ; alors :

$$(a_1u_1 + \cdots + a_mu_m) + (b_1w_1 + \cdots + b_nw_n) = 0 = 0 + 0$$

où 0 et $a_1u_1 + \cdots + a_mu_m \in U$, 0 et $b_1w_1 + \cdots + b_nw_n \in W$. Une telle décomposition de 0 étant unique, on a :

$$a_1u_1 + \cdots + a_mu_m = 0 \quad \text{et} \quad b_1w_1 + \cdots + b_nw_n = 0$$

Puisque S et S' sont des systèmes libres, tous les a_i sont nécessairement nuls, et de même pour les b_j. Il en résulte que la réunion $S \cup S'$ est un système libre.

(b) D'après (a), $S \cup S'$ est libre, et d'après le problème 4.55, $S \cup S'$ engendre $V = U + W$. Par conséquent $S \cup S'$ est une base de V.

(c) C'est une conséquence immédiate de (b).

COMPOSANTES

4.61 Déterminer les composantes des vecteurs v suivants, sur la base $S = \{u_1, u_2\} = \{(1,1),\ (2,3)\}$ de $\mathbb{R}^2$:

(a) $v = (4, -3)$;

(b) $v = (a, b)$.

Solution : dans les deux cas, on pose :

$$v = xu_1 + yu_2 = x(1,1) + y(2,3) = (x + 2y,\ x + 3y)$$

et l'on résout en x et y :

(a) On a :

$$(4, -3) = (x + 2y,\ x + 3y) \Rightarrow \begin{array}{l} x + 2y = 4 \\ x + 3y = -3 \end{array}$$

On trouve $x = 18$ et $y = -7$, d'où $[v] = [18, -7]$.

(b) On a cette fois :

$$(a, b) = (x + 2y,\ x + 3y) \Rightarrow \begin{array}{l} x + 2y = a \\ x + 3y = b \end{array}$$

d'où $x = 3a - 2b$ et $y = -a + b$, d'où $[v] = [3a - 2b, -a + b]$.

4.62 Trouver les composantes de $v = (a, b, c) \in \mathbb{R}^3$ sur :

(a) la base canonique $E = \{(1,0,0),\ (0,1,0),\ (0,0,1)\}$;

(b) la base $S = \{u_1, u_2, u_3\} = \{(1,1,1),\ (1,1,0),\ (1,0,0)\}$.

Solution :

(a) Sur la base canonique, le vecteur des composantes se confond avec le vecteur lui-même : $[v]_E = [a, b, c]$.

(b) On écrit v comme combinaison linéaire à coefficients inconnus x, y et z de u_1, u_2 et u_3 :

$$\begin{pmatrix} a \\ b \\ c \end{pmatrix} = x\begin{pmatrix} 1 \\ 1 \\ 1 \end{pmatrix} + y\begin{pmatrix} 1 \\ 1 \\ 0 \end{pmatrix} + z\begin{pmatrix} 1 \\ 0 \\ 0 \end{pmatrix} \quad \text{soit} \quad \begin{array}{l} x + y + z = a \\ x + y \phantom{{}+z} = b \\ x \phantom{{}+y+z} = c \end{array}$$

La solution est $x = c$, $y = b - c$ et $z = a - b - c$, d'où $[v]_S = [c, b - c, a - b - c]$.

4.63 Soit l'espace $\mathbf{P}_3(t)$ des polynômes de degré ≤ 3 :

(a) montrer que $S = \{(t-1)^3,\ (t-1)^2,\ t-1,\ 1\}$ est une base de $\mathbf{P}_3(t)$;

(b) trouver le vecteur $[v]_S$ des composantes de $v = 3t^3 - 4t^2 + 2t - 5$ sur la base S.

Solution :

(a) Le degré exact du polynôme $(t-1)^k$ est k ; en écrivant les polynômes de S au rebours, on voit qu'aucun polynôme n'est combinaison linéaire de ceux qui le précèdent. Ils forment donc un système libre, et puisque la dimension de $\mathbf{P}_3(t)$ vaut 4, ils forment une base de $\mathbf{P}_3(t)$.

(b) On écrit v comme combinaison linéaire à coefficients inconnus x, y, z et s des vecteurs de la base :

$$\begin{aligned} v = 3t^3 - 4t^2 + 2t - 5 &= x(t-1)^3 + y(t-1)^2 + z(t-1) + s(1) \\ &= x(t^3 - 3t^2 + 3t - 1) + y(t^2 - 2t + 1) + z(t-1) + s \\ &= xt^3 - 3xt^2 + 3xt - x + yt^2 - 2yt + y + zt - z + s \\ &= xt^3 + (-3x + y)t^2 + (3x - 2y + z)t + (-x + y - z + s) \end{aligned}$$

En identifiant les coefficients de même puissance de t, on obtient le système :

$$x = 3, \quad -3x + y = 4, \quad 3x - 2y + z = 2, \quad -x + y - z + s = -5$$

dont la solution est $x = 3$, $y = 13$, $z = 19$ et $s = 4$, d'où $[v]_S = [3, 13, 19, 4]$.

4.64 Trouver le vecteur des composantes de la matrice $A = \begin{pmatrix} 2 & 3 \\ 4 & -7 \end{pmatrix}$, appartenant à l'espace vectoriel réel $\mathbf{M} = \mathbf{M}_{2,2}$, sur :

(a) la base $S = \left\{ \begin{pmatrix} 1 & 1 \\ 1 & 1 \end{pmatrix}, \begin{pmatrix} 1 & -1 \\ 1 & 0 \end{pmatrix}, \begin{pmatrix} 1 & -1 \\ 0 & 0 \end{pmatrix}, \begin{pmatrix} 1 & 0 \\ 0 & 0 \end{pmatrix} \right\}$;

(b) la base canonique $E = \left\{ \begin{pmatrix} 1 & 0 \\ 0 & 0 \end{pmatrix}, \begin{pmatrix} 0 & 1 \\ 0 & 0 \end{pmatrix}, \begin{pmatrix} 0 & 0 \\ 1 & 0 \end{pmatrix}, \begin{pmatrix} 0 & 0 \\ 0 & 1 \end{pmatrix} \right\}$.

Solution :

(a) On écrit A comme combinaison linéaire à coefficients inconnus x, y, z et t des matrices de la base :

$$A = \begin{pmatrix} 2 & 3 \\ 4 & -7 \end{pmatrix} = x\begin{pmatrix} 1 & 1 \\ 1 & 1 \end{pmatrix} + y\begin{pmatrix} 1 & -1 \\ 1 & 0 \end{pmatrix} + z\begin{pmatrix} 1 & -1 \\ 0 & 0 \end{pmatrix} + t\begin{pmatrix} 1 & 0 \\ 0 & 0 \end{pmatrix}$$
$$= \begin{pmatrix} x + z + t & x - y - z \\ x + y & x \end{pmatrix}$$

L'identification des éléments de même indice conduit au système :

$$x + z + t = 2, \quad x - y - z = 3, \quad x + y = 4, \quad x = -7$$

La solution est $x = -7$, $y = 11$, $z = -21$ et $t = 30$, d'où $[A]_S = [-7, 11, -21, 30]$. On remarque que c'est un vecteur de $\mathbb{R}^4$, puisque $\dim \mathbf{M} = 4$.

(b) On applique la même méthode :

$$A = \begin{pmatrix} 2 & 3 \\ 4 & -7 \end{pmatrix} = x\begin{pmatrix} 1 & 0 \\ 0 & 0 \end{pmatrix} + y\begin{pmatrix} 0 & 1 \\ 0 & 0 \end{pmatrix} + z\begin{pmatrix} 0 & 0 \\ 1 & 0 \end{pmatrix} + t\begin{pmatrix} 0 & 0 \\ 0 & 1 \end{pmatrix} = \begin{pmatrix} x & y \\ z & t \end{pmatrix}$$

On trouve donc $x = 2$, $y = 3$, $z = 4$ et $t = -7$, d'où $[A]_E = [2, 3, 4, -7]$. On reconnaît l'écriture des éléments de A, ligne par ligne.

Remarque : ce résultat est tout à fait général ; pour toute matrice $A \in \mathbf{M}_{m,n}$, les composantes sur la base canonique sont les éléments de A écrits ligne par ligne.

4.65 Dire si le système de matrices suivant, appartenant à l'espace $\mathbf{M} = \mathbf{M}_{2,3}$, est ou non linéairement dépendant :

$$A = \begin{pmatrix} 1 & 2 & 3 \\ 4 & 0 & 5 \end{pmatrix}, \quad B = \begin{pmatrix} 2 & 4 & 7 \\ 10 & 1 & 13 \end{pmatrix}, \quad C = \begin{pmatrix} 1 & 2 & 5 \\ 8 & 2 & 11 \end{pmatrix}$$

Si le système est lié, trouver la dimension et une base du sous-espace $W \subset \mathbf{M}$ qu'il engendre.

Solution : les vecteurs des composantes des matrices ci-dessus sur la base canonique sont :

$$[A] = [1, 2, 3, 4, 0, 5], \quad [B] = [2, 4, 7, 10, 1, 13], \quad [C] = [1, 2, 5, 8, 2, 11]$$

Écrivons la matrice dont les lignes sont les trois vecteurs $[A]$, $[B]$ et $[C]$, puis mettons-la sous forme échelon :

$$M = \begin{pmatrix} 1 & 2 & 3 & 4 & 0 & 5 \\ 2 & 4 & 7 & 10 & 1 & 13 \\ 1 & 2 & 5 & 8 & 2 & 11 \end{pmatrix} \sim \begin{pmatrix} 1 & 2 & 3 & 4 & 0 & 5 \\ 0 & 0 & 1 & 2 & 1 & 3 \\ 0 & 0 & 0 & 0 & 0 & 0 \end{pmatrix}$$

La forme échelon de M ayant deux lignes non nulles, les vecteurs $[A]$, $[B]$ et $[C]$ engendrent un espace de dimension 2, et sont donc linéairement dépendants. Les matrices initiales A, B et C le sont aussi. En définitive, $\dim W = 2$, et les matrices :

$$w_1 = \begin{pmatrix} 1 & 2 & 3 \\ 4 & 0 & 5 \end{pmatrix} \quad \text{et} \quad w_1 = \begin{pmatrix} 0 & 0 & 1 \\ 2 & 1 & 3 \end{pmatrix}$$

correspondant aux lignes non nulles de la forme échelon de M forment une base de W.

PROBLÈMES DIVERS

4.66 Considérons une suite finie de vecteurs $S = \{v_1, v_2, \ldots, v_n\}$, et soit T la suite de vecteurs obtenue en appliquant à S l'une des « opérations élémentaires » suivantes :

(a) permuter deux vecteurs ;

(b) multiplier un vecteur par un scalaire non nul ;

(c) ajouter un multiple d'un vecteur à un autre.

Montrer que S et T engendrent le même espace W ; montrer que T est libre si et seulement si S est libre.

Solution : pour chacune des opérations, les vecteurs de T sont des combinaisons linéaires des vecteurs de S. De plus, chacune de ces opérations possède un inverse (démontrez-le) ; les vecteurs de S sont donc aussi des combinaisons linéaires de ceux de T. On en déduit que S et T engendrent le même espace W. On sait que T est libre si et seulement si $\dim W = n$, ce qui est vrai si le système S est lui-même libre.

4.67 Soient $A = (a_{ij})$ et $B = (b_{ij})$ deux matrices $m \times n$ équivalentes en lignes sur un corps $\mathbb{K}$, et soient $v_1, \ldots, v_n$ des vecteurs quelconques d'un espace vectoriel V sur $\mathbb{K}$. On pose :

$$\begin{array}{ll} u_1 = a_{11}v_1 + a_{12}v_2 + \cdots + a_{1n}v_n & w_1 = b_{11}v_1 + b_{12}v_2 + \cdots + b_{1n}v_n \\ u_2 = a_{21}v_1 + a_{22}v_2 + \cdots + a_{2n}v_n & w_2 = b_{21}v_1 + b_{22}v_2 + \cdots + b_{2n}v_n \\ \cdots\cdots\cdots\cdots & \cdots\cdots\cdots\cdots \\ u_m = a_{m1}v_1 + a_{m2}v_2 + \cdots + a_{mn}v_n & w_m = b_{m1}v_1 + b_{m2}v_2 + \cdots + b_{mn}v_n \end{array}$$

Montrer que les familles $\{u_i\}$ et $\{w_i\}$ engendrent le même espace.

Solution : appliquer l'une des « opérations élémentaires » du problème 4.66 à $\{u_i\}$ est équivalent à appliquer une opération élémentaire sur les lignes à la matrice A. Puisque A et B sont équivalentes en ligne, B peut être déduite de A par une suite d'opérations ligne élémentaires, et par conséquent $\{w_i\}$ peut être déduit de $\{u_i\}$ par la suite correspondante d'opérations. Les deux systèmes $\{u_i\}$ et $\{w_i\}$ engendrent donc le même espace.

4.68 Soient $v_1, \ldots, v_n$ des vecteurs quelconques d'un espace vectoriel V sur $\mathbb{K}$, et soit P une matrice carrée de dimension n sur $\mathbb{K}$. Soient :

$$w_1 = a_{11}v_1 + a_{12}v_2 + \cdots + a_{1n}v_n, \quad \ldots, \quad w_n = a_{n1}v_1 + a_{n2}v_2 + \cdots + a_{nn}v_n$$

(a) Si P est inversible, montrer que les systèmes de vecteurs $\{w_i\}$ et $\{v_i\}$ engendrent le même espace. Montrer qu'alors $\{w_i\}$ est libre si et seulement si $\{v_i\}$ l'est.

(b) Si P n'est pas inversible, montrer que le système $\{w_i\}$ est lié.

(c) Si le système $\{w_i\}$ est libre, montrer qu'alors P est inversible.

Solution :

(a) Si la matrice P est inversible, elle est équivalente en lignes à la matrice identité I. D'après le problème 4.67, $\{w_i\}$ et $\{v_i\}$ engendrent le même espace. L'un est donc libre si et seulement si l'autre l'est.

(b) Si la matrice P n'est pas inversible, elle est équivalente en lignes à une matrice dont au moins une ligne est nulle, ce qui entraîne que l'espace engendré par le système $\{w_i\}$ est de dimension $< n$, et donc $\{w_i\}$ est lié.

(c) Le raisonnement est, *mutatis mutandis*, identique à celui du point précédent.

4.69 Soient $A_1, A_2, \ldots$ des ensembles de vecteurs linéairement indépendants, tels que $A_1 \subseteq A_2 \subseteq \cdots$ Montrer que la réunion $A = A_1 \cup A_2 \cup \ldots$ forme aussi un système libre.

Solution : supposons que A soit lié. Il existe alors des vecteurs $v_1, v_2, \ldots, v_n \in A$ et des scalaires $a_1, a_2, \ldots, a_n \in \mathbb{K}$, non tous nuls, tels que :

$$a_1v_1 + a_2v_2 + \cdots + a_nv_n = 0 \tag{4.13}$$

Puisque $A = \cup_i A_i$ et que les $v_i \in A$, il existe des ensembles $A_{i1}, A_{i2}, \ldots, A_{in}$ tels que :

$$v_1 \in A_{i1}, \quad v_2 \in A_{i2}, \quad \ldots, \quad v_n \in A_{in}$$

Soit k la valeur maximale de l'indice, *i.e.* $k = \max(i_1, \ldots, i_n)$. Puisque $A_1 \subseteq A_2 \subseteq \cdots$, tous les A_{i_j} sont inclus dans A_k ; par conséquent $v_1, v_2, \ldots, v_n \in A_k$ et, d'après (4.13), A_k est lié, contrairement à l'hypothèse : A est donc libre.

4.70 Soit $\mathbb{K}$ un sous-corps d'un corps $\mathbb{L}$, lui-même sous-corps d'un corps $\mathbb{E}$; on a donc $\mathbb{K} \subseteq \mathbb{L} \subseteq \mathbb{E}$, et $\mathbb{K}$ est un sous-corps de $\mathbb{E}$. Supposons que $\mathbb{E}$ soit de dimension n sur $\mathbb{L}$, et que $\mathbb{L}$ soit de dimension m sur $\mathbb{K}$. Montrer que $\mathbb{E}$ est de dimension mn sur $\mathbb{K}$.

Solution : soit $\{v_1, \ldots, v_n\}$ une base de $\mathbb{E}$ sur $\mathbb{L}$ et $\{a_1, \ldots, a_m\}$ une base de $\mathbb{L}$ sur $\mathbb{K}$. Nous allons montrer que $\{a_i v_j \mid i = 1, \ldots, m, j = 1, \ldots, n\}$ est une base de $\mathbb{E}$ sur $\mathbb{K}$; on remarque que le système $\{a_i v_j\}$ contient mn vecteurs.
Soit w un élément quelconque de $\mathbb{E}$. Puisque $\{v_1, \ldots, v_n\}$ engendre $\mathbb{E}$ sur $\mathbb{L}$, w est une combinaison linéaire des v_i dont les coefficients sont dans $\mathbb{L}$:

$$w = b_1 v_1 + b_2 v_2 + \cdots + b_n v_n, \qquad b_i \in \mathbb{L} \tag{4.14}$$

Puisque $\{a_1, \ldots, a_m\}$ engendre $\mathbb{L}$ sur $\mathbb{K}$, les b_i sont eux-mêmes combinaisons linéaires des a_j, à coefficients dans $\mathbb{K}$:

$$\begin{aligned} b_1 &= k_{11}a_1 + k_{12}a_2 + \cdots + k_{1m}a_m \\ b_2 &= k_{21}a_1 + k_{22}a_2 + \cdots + k_{2m}a_m \\ &\cdots\cdots\cdots\cdots\cdots\cdots\cdots\cdots \\ b_n &= k_{n1}a_1 + k_{n2}a_2 + \cdots + k_{nm}a_m \end{aligned}$$

avec $k_{ij} \in \mathbb{K}$. En remplaçant dans (4.14), on obtient :

$$\begin{aligned} w &= (k_{11}a_1 + \cdots + k_{1m}a_m)v_1 + (k_{21}a_1 + \cdots + k_{2m}a_m)v_2 + \cdots + (k_{n1}a_1 + \cdots + k_{nm}a_m)v_n \\ &= k_{11}a_1v_1 + \cdots + k_{1m}a_mv_1 + k_{21}a_1v_2 + \cdots + k_{2m}a_mv_2 + \cdots + k_{n1}a_1v_n + \cdots + k_{nm}a_mv_n \\ &= \sum_{ij} k_{ji}(a_iv_j) \end{aligned}$$

L'élément w est donc combinaison linéaire des $a_i v_j$ à coefficients dans $\mathbb{K}$; par conséquent les $\{a_i v_j\}$ engendrent $\mathbb{E}$ sur $\mathbb{K}$. Nous aurons terminé la démonstration si nous prouvons qu'ils sont linéairement indépendants sur $\mathbb{K}$. Écrivons donc une combinaison linéaire nulle $\sum_{ij} x_{ji}(a_i v_j) = 0$ à coefficients inconnus $x_{ji} \in \mathbb{K}$:

$$(x_{11}a_1v_1 + x_{12}a_2v_1 + \cdots + x_{1m}a_mv_1) + \cdots + (x_{n1}a_1v_n + x_{n2}a_2v_n + \cdots + x_{nm}a_mv_n) = 0$$

soit :

$$(x_{11}a_1 + x_{12}a_2 + \cdots + x_{1m}a_m)v_1 + \cdots + (x_{n1}a_1 + x_{n2}a_2 + \cdots + x_{nm}a_m)v_n = 0$$

Les $\{v_1, \ldots, v_n\}$ étant linéairement indépendants sur $\mathbb{L}$, et les coefficients ci-dessus des v_i appartenant à $\mathbb{L}$, chacun d'eux doit être nul :

$$x_{11}a_1 + x_{12}a_2 + \cdots + x_{1m}a_m = 0, \quad \ldots, \quad x_{n1}a_1 + x_{n2}a_2 + \cdots + x_{nm}a_m = 0$$

Mais les $\{a_1, \ldots, a_m\}$ sont linéairement indépendants sur $\mathbb{K}$; alors, puisque les $x_{ij} \in \mathbb{K}$:

$$x_{11} = 0,\ x_{12} = 0,\ \ldots,\ x_{1m} = 0,\ \ldots,\ x_{n1} = 0,\ x_{n2} = 0,\ \ldots,\ x_{nm} = 0$$

Le système $\{a_i v_j\}$ est libre sur $\mathbb{K}$, ce qui achève la démonstration.

? EXERCICES SUPPLÉMENTAIRES

ESPACES VECTORIELS

4.71 Soient u et v appartenant à un espace vectoriel V ; simplifier les expressions suivantes :

(a) $E_1 = 4(5u - 6v) + 2(3u + v)$;

(b) $E_2 = 5(2u - 3v) + 4(7v + 8)$;

(c) $E_3 = 6(3u + 2v) + 5u - 7v$;

(d) $E_4 = 3(5u + 2/v)$.

4.72 Soit V l'ensemble des paires ordonnées (a, b) de nombres réels, où l'addition vectorielle et la multiplication scalaire sont définies par :

$$(a,b)+(c,d)=(a+c,\ b+d) \quad \text{et} \quad k(a,b)=(ka,0)$$

Montrer que V satisfait à tous les axiomes de la définition 4.1 sauf $[M_4]$, c'est-à-dire $1u = u$En déduire que $[M_4]$ n'est pas conséquence des autres axiomes.

4.73 Montrer que l'axiome $[A_4]$ de la définition 4.1 d'un espace vectoriel peut être déduit des autres axiomes.

4.74 Soit V l'ensemble des paires ordonnées (a, b) de nombres réels. Montrer que V n'est pas un espace vectoriel réel si l'addition vectorielle et la multiplication scalaire sont définies par :
(a) $(a,b)+(c,d)=(a+d,\ b+c)$ et $k(a,b)=(ka,kb)$;
(b) $(a,b)+(c,d)=(a+c,\ b+d)$ et $k(a,b)=(a,b)$;
(c) $(a,b)+(c,d)=(0,0)$ et $k(a,b)=(ka,kb)$;
(d) $(a,b)+(c,d)=(ac,bd)$ et $k(a,b)=(ka,kb)$.

4.75 Soit V l'ensemble des suites infinies $(a_1,a_2,\dots)$ d'éléments d'un corps $\mathbb{K}$. Montrer que V, muni des opérations suivantes d'addition vectorielle et de multiplication scalaire, est un espace vectoriel sur $\mathbb{K}$:

$$(a_1,a_2,\dots)+(b_1,b_2,\dots)=(a_1+b_1,\ a_2+b_2,\ \dots) \quad \text{et} \quad k(a_1,a_2,\dots)=(ka_1,ka_2,\dots)$$

4.76 Soient U et W deux espaces vectoriels sur un corps $\mathbb{K}$, et soit V l'ensemble des paires ordonnées (u, w) où $u \in U$ et $w \in W$. Montrer que V est un espace vectoriel sur $\mathbb{K}$ si l'addition vectorielle et la multiplication scalaire y sont définies par :

$$(u,w)+(u',w')=(u+u',\ w+w') \quad \text{et} \quad k(u,w)=(ku,kw)$$

L'espace V ainsi construit est appelé le *produit direct* de U et W, noté $V = U \times W$ ou encore $V = U \otimes W$.

SOUS-ESPACES VECTORIELS

4.77 Dire si W, ensemble des triplets (a,b,c) de $\mathbb{R}^3$ vérifiant les conditions suivantes, est un sous-espace de $\mathbb{R}^3$:
(a) $a=3b$; (c) $ab=0$; (e) $b=a^2$;
(b) $a\le b\le c$; (d) $a+b+c=0$; (f) $a=2b=3c$.

4.78 Soit V l'espace vectoriel des matrices carrées de dimension n sur un corps $\mathbb{K}$. Montrer que le sous-ensemble $W \subset V$ des matrices $A=(a_{ij})$ suivantes est un sous-espace vectoriel :
(a) symétriques ($A^T=A$ ou $a_{ij}=a_{ji}$) ; (c) diagonales ;
(b) triangulaires supérieures ; (d) scalaires.

4.79 Soit $AX=B$ un système non homogène d'équations linéaires à n inconnues ($B\neq 0$). Montrer que l'ensemble W des solutions n'est pas un sous-espace vectoriel de $\mathbb{K}^n$.

4.80 Soient deux sous-espaces U et W d'un espace vectoriel V tels que $U\cup W$ soit un sous-espace. Montrer qu'alors soit $U\subseteq W$, soit $W\subseteq U$.

4.81 Soit V l'espace vectoriel des fonctions $\mathbb{R}\to\mathbb{R}$, où $\mathbb{R}$ est le corps des réels. Montrer que les sous-ensembles W constitués :
(a) des fonctions bornées ; (b) des fonctions paires ;
sont des sous-espaces de V. On rappelle que $f:\mathbb{R}\to\mathbb{R}$ est bornée s'il existe $M>0$ tel que $\forall x\in\mathbb{R}, |f(x)|\le M$, et que f est paire si $\forall x\in\mathbb{R}, f(-x)=f(x)$.

4.82 Soit V l'espace vectoriel (problème 4.75) des suites infinies $(a_1, a_2, \dots)$ d'éléments d'un corps $\mathbb{K}$. Montrer que les sous-ensembles W constitués des suites telles que :
(a) le premier terme est nul : $a_1 = 0$;
(b) $a_i \neq 0$ pour un ensemble fini de valeurs de i ;
sont des sous-espaces vectoriels de V.

COMBINAISONS LINÉAIRES, ESPACES ENGENDRÉS

4.83 Soient les vecteurs $u = (1, 2, 3)$ et $v = (2, 3, 1)$ de $\mathbb{R}^3$:
(a) écrire $w = (1, 3, 8)$ comme combinaison linéaire de u et v ;
(b) écrire $w = (2, 4, 5)$ comme combinaison linéaire de u et v ;
(c) déterminer k pour que $w = (1, k, -2)$ soit combinaison linéaire de u et v ;
(d) trouver les conditions sur a, b et c pour que $w = (a, b, c)$ puisse s'écrire comme combinaison linéaire de u et v.

4.84 Écrire le polynôme $f(t) = at^2 + bt + c$ comme combinaison linéaire des polynômes $p_1 = (t-1)^2$, $p_2 = t - 1$ et $p_3 = 1$. On montre ainsi que p_1, p_2 et p_3 engendrent l'espace $\mathbf{P}_2(t)$ des polynômes de degré ≤ 2.

4.85 Trouver un vecteur de $\mathbb{R}^3$ qui engendre l'intersection de U et W, où U est le plan xy, *i.e.* $U = \{a, b, 0\}$, et W est le sous-espace engendré par les vecteurs $w_1 = (1, 1, 1)$ et $w_2 = (1, 2, 3)$.

4.86 Montrer que $\operatorname{Vect} S$ est l'intersection de tous les sous-espaces de V contenant S.

4.87 Montrer que $\operatorname{Vect} S = \operatorname{Vect}(S \cup \{0\})$; autrement dit, en ajoutant ou en retranchant le vecteur nul à un ensemble, on ne modifie pas l'espace engendré par cet ensemble.

4.88 Montrer que :
(a) $S \subseteq T \Rightarrow \operatorname{Vect} S \subseteq \operatorname{Vect} T$; (b) $\operatorname{Vect}\big(\operatorname{Vect}(S)\big) = \operatorname{Vect}(S)$.

DÉPENDANCE ET INDÉPENDANCE LINÉAIRE

4.89 Dire si les vecteurs suivants de $\mathbb{R}^4$ sont linéairement indépendants :
(a) $(1, 2, -3, 1)$, $(3, 7, 1, -2)$, $(1, 3, 7, -4)$; (b) $(1, 3, 1, -2)$, $(2, 5, -1, 3)$, $(1, 3, 7, -2)$.

4.90 Déterminer si les polynômes u, v et w suivants de $\mathbf{P}(t)$ sont linéairement indépendants :
(a) $u = t^3 - 4t^2 + 3t + 3$, $v = t^3 + 2t^2 + 4t - 1$, $w = 2t^3 - t^2 - 3t + 5$;
(b) $u = t^3 - 5t^2 - 2t + 3$, $v = t^3 - 4t^2 - 3t + 4$, $w = 2t^3 - 7t^2 - 7t + 9$.

4.91 Montrer que les fonctions f, g et h suivantes sont linéairement indépendantes :
(a) $f(t) = e^t$, $g(t) = \sin t$, $h(t) = t^2$; (b) $f(t) = e^t$, $g(t) = e^{2t}$, $h(t) = t$.

4.92 Montrer que $u = (a, b)$ et $v = (c, d)$ dans $\mathbb{R}^2$ sont linéairement dépendants si et seulement si $ad - bc = 0$.

4.93 Soient u, v et w trois vecteurs linéairement indépendants. Montrer que les systèmes suivants sont linéairement indépendants :
(a) $S = \{u + v - 2w,\ u - v - w,\ u + w\}$; (b) $S = \{u + v - 3w,\ u + 3v - w,\ u + w\}$.

4.94 Soit $\{u_1, \ldots, u_r, w_1, \ldots, w_s\}$ un système libre de vecteurs de V. Montrer que :

$$\text{Vect}(u_i) \cap \text{Vect}(w_j) = \{0\}$$

4.95 Soient $v_1, v_2, \ldots, v_n$ des vecteurs libres. Montrer que les systèmes S suivants sont libres :
(a) $S = \{a_1v_1, a_2v_2, \ldots, a_nv_n\}$, si $\forall i,\ a_i \neq 0$;
(b) $S = \{v_1, \ldots, v_{k-1}, w, v_{k+1}, \ldots, v_n\}$, avec $w = \sum_i b_iv_i$, $b_k \neq 0$.

4.96 Soient $(a_{11}, \ldots, a_{1n})$, $(a_{21}, \ldots, a_{2n}), \ldots, (a_{m1}, \ldots, a_{mn})$ des vecteurs linéairement indépendants de $\mathbb{K}^n$, et soient $v_1, v_2, \ldots, v_n$ des vecteurs linéairement indépendants d'un espace vectoriel V sur $\mathbb{K}$. Montrer que les vecteurs suivants sont également linéairement indépendants :

$$w_1 = a_{11}v_1 + \cdots + a_{1n}v_n, \quad w_2 = a_{21}v_1 + \cdots + a_{2n}v_n, \quad \ldots, \quad w_m = a_{m1}v_1 + \cdots + a_{mn}v_n$$

BASES ET DIMENSION

4.97 Déterminer un sous-ensemble du système $\{u_1, u_2, u_3, u_4\}$ formant une base de $\text{Vect}(u_i) \subset \mathbb{R}^5$ pour :
(a) $u_1 = (1,1,1,2,3)$, $u_2 = (1,2,-1,-2,1)$, $u_3 = (3,5,-1,-2,5)$, $u_4 = (1,2,1,-1,4)$;
(b) $u_1 = (1,-2,1,3,-1)$, $u_2 = (-2,4,-2,-6,2)$, $u_3 = (1,-3,1,2,1)$, $u_4 = (3,-7,3,8,-1)$;
(c) $u_1 = (1,0,1,0,1)$, $u_2 = (1,1,2,1,0)$, $u_3 = (1,2,3,1,1)$, $u_4 = (1,2,1,1,1)$;
(d) $u_1 = (1,0,1,1,1)$, $u_2 = (2,1,2,0,1)$, $u_3 = (1,1,2,3,4)$, $u_4 = (4,2,5,4,6)$.

4.98 Soient les sous-espaces $U = \{(a,b,c,d) \mid b - 2c + d = 0\}$ et $W = \{(a,b,c,d) \mid a = d, b = 2c\}$ de $\mathbb{R}^4$. Trouver une base et la dimension de :
(a) U ; (b) W ; (c) $U \cap W$.

4.99 Trouver une base et la dimension de l'espace W des solutions de chacun des systèmes homogènes suivants :

(a)
$$\begin{aligned} x + 2y - 2z + 2s - t &= 0 \\ x + 2y - z + 3s - 2t &= 0 \\ 2x + 4y - 7z + s + t &= 0 \end{aligned} \; ;$$

(b)
$$\begin{aligned} x + 2y - z + 3s - 4t &= 0 \\ 2x + 4y - 2z - s + 5t &= 0 \\ 2x + 4y - 2z + 4s - 2t &= 0 \end{aligned} \; .$$

4.100 Trouver un système homogène dont dont l'espace des solutions soit engendré par les systèmes de trois vecteurs suivants :
(a) $(1,-2,0,3,-1)$, $(2,-3,2,5,-3)$, $(1,-2,1,2,-2)$;
(b) $(1,1,2,1,1)$, $(1,2,1,4,3)$, $(3,5,4,9,7)$.

4.101 Dire si chacun des systèmes suivants est une base de l'espace des polynômes $\mathbf{P}_n(t)$:
(a) $\{1,\ 1+t,\ 1+t+t^2,\ 1+t+t^2+t^3,\ \ldots,\ 1+t+t^2+\cdots+t^{n-1}+t^n\}$;
(b) $\{1+t,\ t+t^2,\ t^2+t^3,\ \ldots,\ t^{n-2}+t^{n-1},\ t^{n-1}+t^n\}$.

4.102 Trouver une base et la dimension du sous-espace W de $V = \mathbf{P}(t)$ engendré par :
(a) $u = t^3 + 2t^2 - 2t + 1$, $v = t^3 + 3t^2 + t + 4$, $w = 2t^3 + t^2 - 7t - 7$;
(b) $u = t^3 + t^2 - 3t + 2$, $v = 2t^3 + t^2 + t - 4$, $w = 4t^3 + 3t^2 - 5t + 2$.

4.103 Trouver une base et la dimension du sous-espace W de $V = \mathbf{M}_{2,2}$ engendré par :

$$A = \begin{pmatrix} 1 & -5 \\ -4 & 2 \end{pmatrix}, \quad B = \begin{pmatrix} 1 & 1 \\ -1 & 5 \end{pmatrix}, \quad C = \begin{pmatrix} 2 & -4 \\ -5 & 7 \end{pmatrix}, \quad D = \begin{pmatrix} 1 & -7 \\ -5 & 1 \end{pmatrix}$$

RANG D'UNE MATRICE, ESPACE LIGNE ET ESPACE COLONNE

4.104 Déterminer le rang des matrices suivantes :

$$\text{(a)} \begin{pmatrix} 1 & 3 & -2 & 5 & 4 \\ 1 & 4 & 1 & 3 & 5 \\ 1 & 4 & 2 & 4 & 3 \\ 2 & 7 & -3 & 6 & 13 \end{pmatrix}; \quad \text{(b)} \begin{pmatrix} 1 & 2 & -3 & -2 \\ 1 & 3 & -2 & 0 \\ 3 & 8 & -7 & -2 \\ 2 & 1 & -9 & -10 \end{pmatrix}; \quad \text{(c)} \begin{pmatrix} 1 & 1 & 2 \\ 4 & 5 & 5 \\ 5 & 8 & 1 \\ -1 & -2 & 2 \end{pmatrix}.$$

4.105 Pour $k = 1, 2, \ldots, 5$, trouver le nombre n_k de sous-ensembles libres formés de k colonnes des matrices suivantes :

$$\text{(a) } A = \begin{pmatrix} 1 & 1 & 0 & 2 & 3 \\ 1 & 2 & 0 & 2 & 5 \\ 1 & 3 & 0 & 2 & 7 \end{pmatrix}; \qquad \text{(b) } B = \begin{pmatrix} 1 & 2 & 1 & 0 & 2 \\ 1 & 2 & 3 & 0 & 4 \\ 1 & 1 & 5 & 0 & 2 \end{pmatrix}$$

4.106 Pour chacune des matrices suivantes, dont on désigne par $C_1, \ldots, C_6$ les colonnes :

$$\text{(a) } A = \begin{pmatrix} 1 & 2 & 1 & 3 & 1 & 6 \\ 2 & 4 & 3 & 8 & 3 & 9 \\ 1 & 2 & 2 & 5 & 3 & 11 \\ 4 & 8 & 6 & 16 & 7 & 26 \end{pmatrix}; \qquad \text{(b) } B = \begin{pmatrix} 1 & 2 & 2 & 1 & 2 & 1 \\ 2 & 4 & 5 & 4 & 5 & 5 \\ 1 & 2 & 3 & 4 & 4 & 6 \\ 3 & 6 & 7 & 7 & 9 & 10 \end{pmatrix}.$$

(a) déterminer la forme canonique en lignes M ;
(b) trouver les colonnes combinaisons linéaires de celles qui les précèdent ;
(c) trouver les colonnes, C_6 exclue, formant une base de l'espace colonne ;
(d) exprimer C_6 comme combinaison linéaire des vecteurs de base de la question précédente.

4.107 Trouver parmi les matrices suivantes celles qui ont le même espace ligne :

$$A = \begin{pmatrix} 1 & -2 & -1 \\ 3 & -4 & 5 \end{pmatrix}, \quad B = \begin{pmatrix} 1 & -1 & 2 \\ 2 & 3 & -1 \end{pmatrix}, \quad C = \begin{pmatrix} 1 & -1 & 3 \\ 2 & -1 & 10 \\ 3 & -5 & 1 \end{pmatrix}$$

4.108 Indiquer les sous-espaces de $\mathbb{R}^3$ identiques parmi :

$$U_1 = \text{Vect}\big((1,1,-1),\ (2,3,-1),\ (3,1,-5)\big)$$
$$U_2 = \text{Vect}\big((1,-1,-3),\ (3,-2,-8),\ (2,1,-3)\big)$$
$$U_3 = \text{Vect}\big((1,1,1),\ (1,-1,3),\ (3,-1,7)\big)$$

4.109 Indiquer les sous-espaces de $\mathbb{R}^4$ identiques parmi :

$$U_1 = \text{Vect}\big((1,2,1,4),\ (2,4,1,5),\ (3,6,2,9)\big)$$
$$U_2 = \text{Vect}\big((1,2,1,2),\ (2,4,1,3)\big)$$
$$U_3 = \text{Vect}\big((1,2,3,10),\ (2,4,3,11)\big)$$

4.110 Pour chacune des matrices suivantes :

$$\text{(a) } M = \begin{pmatrix} 0 & 0 & 3 & 1 & 4 \\ 1 & 3 & 1 & 2 & 1 \\ 3 & 9 & 4 & 5 & 2 \\ 4 & 12 & 8 & 8 & 7 \end{pmatrix}; \qquad \text{(b) } M = \begin{pmatrix} 1 & 2 & 1 & 0 & 1 \\ 1 & 2 & 2 & 1 & 3 \\ 3 & 6 & 5 & 2 & 7 \\ 2 & 4 & 1 & -1 & 0 \end{pmatrix}.$$

trouver une base de :

(a) l'espace ligne ; (b) l'espace colonne.

4.111 Montrer que si l'on supprime une ligne quelconque d'une matrice sous forme échelon (resp. sous forme canonique en lignes), la matrice obtenue est encore sous forme échelon (resp. sous forme canonique en lignes).

4.112 Soient deux matrices $m \times n$ A et B quelconques. Montrer que $\operatorname{rang}(A + B) \leq \operatorname{rang} A + \operatorname{rang} B$.

4.113 On pose $\operatorname{rang}(A + B) = r$; trouver deux matrices 2×2 A et B telles que :

(a) $r < \operatorname{rang} A$, $r < \operatorname{rang} B$; (b) $r = \operatorname{rang} A = \operatorname{rang} B$; (c) $r > \operatorname{rang} A$, $r > \operatorname{rang} B$.

SOMME, SOMME DIRECTE, INTERSECTION

4.114 Soient U et W deux sous-espaces bidimensionnels de $\mathbb{K}^3$. Montrer que $U \cap W = \{0\}$.

4.115 Soient U et W deux sous-espaces d'un espace vectoriel V tels que $\dim U = 4$, $\dim W = 5$ et $\dim V = 7$. Déterminer les valeurs possibles de la dimension de $U \cap W$.

4.116 Soient U et W deux sous-espaces de $\mathbb{R}^3$ vérifiant $\dim U = 1$, $\dim W = 2$ et tels que $U \not\subseteq W$. Montrer que $\mathbb{R}^3 = U \oplus W$.

4.117 On considère les sous-espaces suivants de $\mathbb{R}^5$:

$$U = \operatorname{Vect}\big((1, -1, -1, -2, 0),\ (1, -2, -2, 0, -3),\ (1, -1, -2, -2, 1)\big)$$
$$W = \operatorname{Vect}\big((1, -2, -3, 0, -2),\ (1, -1, -3, 2, -4),\ (1, -1, -2, 2, -5)\big)$$

(a) Trouver deux systèmes homogènes dont les espaces de solutions soient respectivement U et W.

(b) Trouver une base et la dimension de $U \cap W$.

4.118 Soient U_1, U_2 et U_3 les sous-espaces suivants de $\mathbb{R}^3$:

$$U_1 = \{(a, b, c) \mid a = c\}, \quad U_2 = \{(a, b, c) \mid a + b + c = 0\}, \quad U_3 = \{(0, 0, c)\}$$

Montrer que :

(a) $\mathbb{R}^3 = U_1 + U_2$; (b) $\mathbb{R}^3 = U_2 + U_3$; (c) $\mathbb{R}^3 = U_1 + U_3$.

Dans quels cas la somme est-t-elle directe ?

4.119 Soient U, W_1 et W_2 des sous-espaces d'un espace vectoriel V. Montrer que :

$$(U \cap W_1) + (U \cap W_2) \subseteq U \cap (W_1 + W_2)$$

Indiquer des sous-espaces de $\mathbb{R}^2$ pour lesquels on n'a pas l'égalité.

4.120 Soient $W_1, W_2, \ldots, W_r$ des sous-espaces d'un espace vectoriel V. Montrer que :

(a) $\operatorname{Vect}(W_1, W_2, \ldots, W_r) = W_1 + W_2 + \cdots + W_r$;

(b) si S_i engendre W_i, $i = 1, 2, \ldots, r$, alors $S_1 \cup S_2 \cup \ldots \cup S_r$ engendre $W_1 + W_2 + \cdots + W_r$.

4.121 Montrer que si $V = U \oplus W$, alors $\dim V = \dim U + \dim W$.

4.122 Soient S et T deux sous-ensembles (non nécessairement sous-espaces) d'un espace vectoriel V, et soit k un scalaire. La somme $S+T$ et la multiplication scalaire kS sont définies par :

$$S+T=\{u+v \mid u \in S,\ v \in T\}, \quad kS=\{ku \mid u \in S\}$$

(On peut aussi écrire $w+S$ pour $\{w\}+S$). Soit :

$$S=\{(1,2),\ (2,3)\}, \quad T=\{(1,4),\ (1,5),\ (2,5)\}, \quad w=(1,1), \quad k=3$$

Déterminer :

(a) $S+T$; (b) $w+S$; (c) kS ; (d) kT ; (e) $kS+kT$; (f) $k(S+T)$.

4.123 Montrer que les opérations $S+T$ et kS du problème 4.122 possèdent les propriétés suivantes :
(a) commutativité : $S+T=T+S$;
(b) associativité : $(S_1+S_2)+S_3=S_1+(S_2+S_3)$;
(c) distributivité : $k(S+T)=kS+kT$;
(d) $S+\{0\}=\{0\}+S=S$ et $S+V=V+S=V$.

4.124 Soit V l'espace vectoriel des matrices carrées $n\times n$; soit U le sous-espace des matrices triangulaires supérieures et soit W celui des matrices triangulaires inférieures. Déterminer :

(a) $U \cap W$; (b) $U+W$.

4.125 Soit V le produit direct des espaces U et W sur un corps $\mathbb{K}$ (voir problème 4.76). Posons :

$$\hat{U}=\{(u,0) \mid u \in U\} \quad \text{et} \quad \hat{W}=\{(0,w) \mid w \in W\}$$

Montrer que :

(a) $\hat{U}$ et $\hat{W}$ sont des sous-espaces de V ; (b) $V=\hat{U}\oplus\hat{W}$.

4.126 Soit $V=U+W$, et soit $\hat{V}$ le produit direct de U et W. Montrer que la correspondance $v=u+w \leftrightarrow (u,\ w)$ définit un isomorphisme entre V et $\hat{V}$.

4.127 En utilisant le raisonnement par induction, démontrer les théorèmes 4.22 et 4.23.

COMPOSANTES

4.128 Les vecteurs $u_1=(1,-2)$ et $u_2=(4,-7)$ forment une base S de $\mathbb{R}^2$. Déterminer le vecteur $[v]$ des composantes sur S des vecteurs suivants :

(a) $v=(5,3)$; (b) $v=(a,b)$.

4.129 Les vecteurs $u_1=(1,2,0)$, $u_2=(1,3,2)$ et $u_3=(0,1,3)$ forment une base S de $\mathbb{R}^3$. Déterminer le vecteur $[v]$ des composantes sur S des vecteurs suivants :

(a) $v=(2,7,-4)$; (b) $v=(a,b,c)$.

4.130 Soit la base $S=\{t^3+t^2,\ t^2+t,\ t+1,\ 1\}$ de $\mathbf{P}_3(t)$. Trouver le vecteur $[v]$ des composantes sur S des polynômes suivants :

(a) $v=2t^3+t^2-4t+2$; (b) $v=at^3+bt^2+ct+d$.

4.131 Soit $V = \mathbf{M}_{2,2}$. Trouver le vecteur $[A]$ des composantes sur

$$S = \left\{ \begin{pmatrix} 1 & 1 \\ 1 & 1 \end{pmatrix}, \begin{pmatrix} 1 & -1 \\ 1 & 1 \end{pmatrix}, \begin{pmatrix} 1 & 0 \\ 0 & 0 \end{pmatrix} \right\}$$

de :

(a) $\begin{pmatrix} 3 & -5 \\ 6 & 7 \end{pmatrix}$; (b) $\begin{pmatrix} a & b \\ c & d \end{pmatrix}$

4.132 Trouver la dimension et une base du sous-espace W de $\mathbf{P}_3(t)$ engendré par :

$$u = t^3 + 2t^2 - 3t + 4, \quad v = 2t^3 + 5t^2 - 4t + 7, \quad w = t^3 + 4t^2 + t + 2$$

4.133 Trouver la dimension et une base du sous-espace W de $\mathbf{M} = \mathbf{M}_{2,3}$ engendré par :

$$A = \begin{pmatrix} 1 & 2 & 1 \\ 3 & 1 & 2 \end{pmatrix}, \quad B = \begin{pmatrix} 2 & 4 & 3 \\ 7 & 5 & 6 \end{pmatrix}, \quad C = \begin{pmatrix} 1 & 2 & 3 \\ 5 & 7 & 6 \end{pmatrix}$$

PROBLÈMES DIVERS

4.134 Répondre par *oui* ou par *non* ; si c'est *non*, exhiber un contre-exemple :

(a) si u_1, u_2 et u_3 engendrent V, alors $\dim V = 3$;

(b) si A est une matrice 4×8, tout ensemble de 6 colonnes est linéairement indépendant ;

(c) si u_1, u_2 et u_3 sont linéairement indépendants, alors u_1, u_2, u_3 et w sont liés ;

(d) si u_1, u_2, u_3 et u_4 sont linéairement indépendants, alors $\dim V \geq 4$;

(e) si u_1, u_2 et u_3 engendrent V, alors w, u_1, u_2 et u_3 engendrent V ;

(f) si u_1, u_2, u_3 et u_4 sont linéairement indépendants, alors u_1, u_2 et u_3 sont linéairement indépendants.

4.135 Répondre par *oui* ou par *non* ; si c'est *non*, exhiber un contre-exemple :

(a) si l'on supprime une colonne quelconque d'une matrice sous forme échelon, la matrice obtenue est encore sous forme échelon ;

(b) si l'on supprime une colonne quelconque d'une matrice sous forme canonique en lignes, la matrice obtenue est encore sous forme canonique en lignes ;

(c) si l'on supprime une colonne quelconque sans pivot d'une matrice sous forme canonique en lignes, la matrice obtenue est encore sous forme canonique en lignes.

4.136 Déterminer la dimension de l'espace vectoriel W des matrices carrées $n \times n$ suivantes :

(a) matrices symétriques ;

(b) matrices antisymétriques ;

(c) matrices diagonales ;

(d) matrices scalaires.

4.137 Soient des symboles $t_1, t_2, \ldots, t_n$, et soit $\mathbb{K}$ un corps arbitraire. On désigne par V l'ensemble des expressions suivantes, où les $a_i \in \mathbb{K}$:

$$a_1t_1 + a_2t_2 + \cdots + a_nt_n$$

On définit sur V une addition et une multiplication scalaire par :

$$(a_1t_1 + \cdots + a_nt_n) + (b_1t_1 + \cdots + b_nt_n) = (a_1 + b_1)t_1 + \cdots + (a_n + b_n)t_n$$
$$k(a_1t_1 + a_2t_2 + \cdots + a_nt_n) = ka_1t_1 + ka_2t_2 + \cdots + ka_nt_n$$

Montrer que V, muni de ces deux opérations, est un espace vectoriel sur $\mathbb{K}$. Montrer de plus que $\{t_1, t_2, \ldots, t_n\}$ est une base de V, si :

$$t_j = 0t_1 + \cdots + 0t_{j-1} + 1t_j + 0t_{j+1} + \cdots + 0t_n$$

SOLUTIONS

4.71 (a) $E_1 = 26u - 22v$; (b) $7v + 8$ n'est pas défini ; (c) $E_3 = 23u + 5v$; (d) la division par v n'est pas définie.

4.77 (a) oui ;
(b) non : par exemple $(1, 2, 3) \in W$ mais $-2(1, 2, 3) \notin W$;
(c) non : par exemple $u = (1, 0, 0)$ et $v = (0, 1, 0) \in W$ mais $u + v \notin W$;
(d) oui ;
(e) non : par exemple $(1, 1, 1) \in W$ mais $2(1, 1, 1) \notin W$;
(f) oui.

4.79 Le vecteur nul 0 n'est pas solution.

4.83 (a) $w = 3u_1 - u_2$; (b) impossible ; (c) $k = \frac{11}{5}$; (d) $7a - 5b + c = 0$.

4.84 Avec $f = xp_1 + yp_2 + zp_3$, on obtient $x = a$, $y = 2a + b$, $z = a + b + c$.

4.85 $v = (2, 5, 0)$.

4.89 (a) lié ; (b) libre.

4.90 (a) libre ; (b) lié.

4.97 (a) u_1, u_2, u_3, u_4 ; (b) u_1, u_2, u_3 ; (c) u_1, u_2, u_3, u_4 ; (d) u_1, u_2, u_3.

4.98 (a) $\dim U = 3$; (b) $\dim W = 2$; (c) $\dim(U \cap W) = 1$.

4.99 (a) Base : $\{(2, -1, 0, 0, 0),\ (4, 0, 1, -1, 0),\ (3, 0, 1, 0, 1)\}$; $\dim W = 3$;
(b) base : $\{(2, -1, 0, 0, 0),\ (1, 0, 1, 0, 0)\}$; $\dim W = 2$.

4.100 (a) $5x + y - z - s = 0, x + y - z - t = 0$;
(b) $2x - z = 0, 2x - 3y + s = 0, x - 2y + t = 0$.

4.101 (a) Oui ;
(b) non, car $\dim \mathbf{P}_n(t) = n + 1$, mais l'ensemble ne contient que n éléments.

4.102 (a) $\dim W = 2$; (b) $\dim W = 3$.

4.103 $\dim W = 2$.

4.104 (a) 3 ; (b) 2 ; (c) 3.

4.105 (a) $n_1 = 4, n_2 = 5, n_3 = n_4 = n_5 = 0$; (b) $n_1 = 4, n_2 = 5, n_3 = 2, n_4 = n_5 = 0$.

4.106 (a) 1. $M = (1,2,0,1,0,3;\quad 0,0,1,2,0,1;\quad 0,0,0,0,1,2;\quad 0)$;
2. C_2, C_4, C_6 ; 3. C_1, C_3, C_5 ; 4. $C_6 = 3C_1 + C_3 + 2C_4$.
(b) 1. $M = (1,2,0,0,3,1;\quad 0,0,1,0,-1,-1;\quad 0,0,0,1,1,2;\quad 0)$;
2. C_2, C_5, C_6 ; 3. C_1, C_3, C_4 ; 4. $C_6 = C_1 - C_3 + 2C_4$.

4.107 A et C sont équivalentes en ligne à $\begin{pmatrix} 1 & 0 & 7 \\ 0 & 1 & 4 \end{pmatrix}$, mais pas B.

4.108 U_1 et U_2 sont équivalentes en ligne à $\begin{pmatrix} 1 & 0 & -2 \\ 0 & 1 & 1 \end{pmatrix}$, mais pas U_3.

4.109 U_1, U_2 et U_3 sont équivalentes en ligne à $\begin{pmatrix} 1 & 2 & 0 & 1 \\ 0 & 0 & 1 & 3 \end{pmatrix}$.

4.110 (a) 1. $(1,3,1,2,1), (0,0,1,-1,-1), (0,0,0,4,7)$;
2. C_1, C_2 et C_5.
(b) 1. $(1,2,1,0,1), (0,0,1,1,2)$;
2. C_1 et C_3.

4.113 (a) $A = \begin{pmatrix} 1 & 1 \\ 0 & 0 \end{pmatrix}, B = \begin{pmatrix} -1 & -1 \\ 0 & 0 \end{pmatrix}$; (c) $A = \begin{pmatrix} 1 & 0 \\ 0 & 0 \end{pmatrix}, B = \begin{pmatrix} 0 & 0 \\ 0 & 1 \end{pmatrix}$.
(b) $A = \begin{pmatrix} 1 & 0 \\ 0 & 0 \end{pmatrix}, B = \begin{pmatrix} 0 & 2 \\ 0 & 0 \end{pmatrix}$;

4.115 $\dim(U \cap W) = 2$, 3 ou 4.

4.117 (a) 1. $\begin{matrix} 3x + 4y - z - t = 0 \\ 4x + 2y + s = 0 \end{matrix}$; 2. $\begin{matrix} 4x + 2y - s = 0 \\ 9x + 2y + z + t = 0 \end{matrix}$.

(b) Base : $\{(1,-2,-5,0,0),\ (0,0,1,0,-1)\}$; $\dim(U \cap W) = 2$.

4.118 La somme est directe dans les deux derniers cas.

4.119 Dans $\mathbb{R}^2$, U, V et W sont respectivement la droite $x = y$, l'axe x et l'axe y.

4.122 (a) $\{(2,6),\ (2,7),\ (3,7),\ (3,8),\ (4,8)\}$;
(b) $\{(2,3),\ (3,4)\}$;
(c) $\{(3,6),\ (6,9)\}$;
(d) $\{(3,12),\ (3,15),\ (6,15)\}$;
(e) $\{(6,18),\ (6,21),\ (9,21),\ (9,24),\ (12,24)\}$;
(f) idem.

4.124 (a) Les matrices diagonales ; (b) V.

4.128 (a) $[-41, 11]$; (b) $[-7a - 4b,\ 2a + b]$.

4.129 (a) $[-11, 13, -10]$; (b) $[c - 3b + 7a,\ -c + 3b - 6a,\ c - 2b + 4a]$.

4.130 (a) $[2, -1, -2, 2]$; (b) $[a,\ b - c,\ c - b + a,\ d - c + b - a]$.

4.131 (a) $[7, -1, -13, 10]$; (b) $[d,\ c - d,\ b + c - d,\ a - b - 2c + 2d]$.

4.132 $\dim W = 2$; base : $\{t^3 + 2t^2 - 3t + 4,\ t^2 + 2t - 1\}$.

4.133 $\dim W = 2$; base : $\{(1, 2, 1, 3, 1, 2),\ (0, 0, 1, 1, 3, 2)\}$.

4.134 (a) Faux : $(1, 1)$, $(1, 2)$ et $(2, 1)$ engendrent $\mathbb{R}^2$;
(b) vrai ;
(c) faux : $(1, 0, 0, 0)$, $(0, 1, 0, 0)$, $(0, 0, 1, 0)$, $w = (0, 0, 0, 1)$;
(d) vrai ; (e) vrai ; (f) vrai.

4.135 (a) Vrai ;
(b) faux : supprimer C_2 de $\begin{pmatrix} 1 & 0 & 3 \\ 0 & 1 & 2 \end{pmatrix}$;
(c) vrai.

4.136 (a) $\frac{1}{2}n(n + 1)$; (b) $\frac{1}{2}n(n - 1)$; (c) n ; (d) 1.

Chapitre 5

Applications linéaires

5.1 INTRODUCTION

La préoccupation principale de l'*algèbre linéaire* consiste en l'étude des applications linéaires et de leur représentation à l'aide de matrices. Le présent chapitre introduit en détails la notion d'application linéaire, tandis que le suivant sera plus spécifiquement dédié aux matrices et au calcul matriciel. Mais avant tout, précisons le concept d'*application*.

5.2 APPLICATIONS ET FONCTIONS

Soient A et B deux ensembles, supposés non vides. Imaginons qu'à chaque élément de A, nous fassions correspondre un et seul élément de B ; la famille f constituée de toutes ces correspondances est appelée *application* de A dans B, et se note par :

$$f \; : \; A \to B$$

L'ensemble A est appelé *domaine de définition*, ou plus simplement *domaine* de l'application f, et B est l'ensemble des *valeurs*, ou *images* de f. On note[1] $f(a)$ l'unique image dans B résultant de l'effet de f sur l'élément a de A. On peut imaginer une machine qui, si on lui introduit $a \in A$ à l'entrée, nous fournit un et un seul $b = f(a) \in B$ à l'autre extrémité.

Remarque : on peut utiliser le mot *fonction* comme synonyme du mot *application*. Néanmoins, il faut savoir que beaucoup d'auteurs se conforment à l'usage selon lequel on réserve le mot *fonction* aux applications à valeurs numériques, réelles ou complexes.

1. Lire « f de a ».

Considérons une application $f : A \to B$. Si $A' \subset A$ est un sous-ensemble quelconque de A, on désigne par $f(A')$ l'ensemble des images par f des éléments de A' ; inversement, pour un sous-ensemble $B' \subset B$ arbitraire, $f^{-1}(B')$ représente l'ensemble des éléments de A dont l'image est dans B'. Autrement dit :

$$f(A') = \{f(a) \in B \mid a \in A'\} \qquad \text{et} \qquad f^{-1}(B') = \{a \in A \mid f(a) \in B'\}$$

On appelle alors $f(A')$ l'*image* de A', et $f^{-1}(B')$ l'*image réciproque*, ou *antécédent*, de B'. L'ensemble de toutes les images des éléments de A est simplement désigné par l'*image* de f.

Introduisons à présent la notion de *graphe* : à toute application $f : A \to B$ correspond un sous-ensemble du produit cartésien $A \times B$, donné par l'ensemble des couples $\{(a, f(a)) \mid a \in A\}$; ce sous-ensemble est le *graphe* de l'application f. Deux applications $f : A \to B$ et $g : A \to B$ sont dites *égales*, noté $f = g$, si $\forall a \in A, f(a) = g(a)$, c'est-à-dire si elles ont le même graphe. Dès lors, il est naturel de confondre les deux notions, l'application et son graphe, ce que nous ferons dans la suite. La négation de l'assertion $f = g$ s'écrit $f \neq g$ et s'exprime par :

$$\boxed{f \neq g \Leftrightarrow \exists a \in A \text{ tel que } f(a) \neq g(a)}$$

On emploie parfois la flèche « barrée » $\mapsto$ pour désigner l'image d'un élément quelconque par l'application :

$$x \mapsto f(x)$$

Illustrons tout ceci par quelques exemples :

Exemple 5.1

(a) Soit $f : \mathbb{R} \to \mathbb{R}$ la fonction qui à tout nombre réel associe son carré. Nous l'écrivons ainsi :

$$f(x) = x^2 \qquad \text{ou bien} \qquad x \mapsto x^2$$

L'image du nombre -3 est le nombre 9, ce qui s'écrit $f(-3) = 9$; mais attention, l'image réciproque de 9 est l'ensemble $\{3, -3\}$, soit $f^{-1}(9) = \{3, -3\}$; l'image de f est $f(\mathbb{R}) = \mathbb{R}_+ = [0, \infty[= \{x \mid x \geq 0\}$.

(b) Posons $A = \{a, b, c, d\}$ et $B = \{x, y, z, t\}$; on peut définir l'application $f : A \to B$ point par point :

$$f(a) = y,\ f(b) = x,\ f(c) = z,\ f(d) = y$$

ou bien par son graphe :

$$f = \{(a, y),\ (b, x),\ (c, z),\ (d, y)\}$$

L'image du sous-ensemble $\{a, b, d\}$ est :

$$f(\{a, b, d\}) = \{f(a), f(b), f(d)\} = \{y, x, y\} = \{x, y\}$$

et l'image de f s'écrit $f(A) = \{x, y, z\}$.

Exemple 5.2
Soit V l'espace vectoriel des polynômes sur $\mathbb{R}$, et soit le polynôme particulier $p(t) = 3t^2 - 5t + 2$.

(a) L'opérateur de dérivation définit une application $\mathbf{D} : V \to V$, qui à tout polynôme f fait correspondre le polynôme $\mathbf{D}(f) = \dfrac{df}{dt}$. Par exemple :
$$\mathbf{D}p = \mathbf{D}(3t^2 - 5t + 2) = 6t - 5$$

(b) L'intégrale de 0 à 1 définit une application $\mathbf{J} : V \to \mathbb{R}$:
$$\forall f \in V,\ \mathbf{J}(f) = \int_0^1 f(t)\, dt$$
Ainsi :
$$\mathbf{J}(p) = \int_0^1 (3t^2 - 5t + 2)\, dt = \frac{1}{2}$$

L'application $\mathbf{J}$, de l'espace vectoriel V dans le corps des scalaires, est appelée *forme linéaire* ; en revanche, l'application $\mathbf{D}$ applique l'espace vectoriel sur lui-même.

5.2.1 Applications matricielles

Soit A une matrice rectangulaire $m \times n$ arbitraire dont les éléments appartiennent à un corps $\mathbb{K}$; elle détermine une application $F_A : \mathbb{K}^n \to \mathbb{K}^m$ par :
$$F_A(u) = A\,u$$
où les vecteurs de $\mathbb{K}^m$ et $\mathbb{K}^n$ sont écrits en colonnes ; par exemple, soit :
$$A = \begin{pmatrix} 1 & -4 & 5 \\ 2 & 3 & -6 \end{pmatrix} \quad \text{et} \quad u = \begin{pmatrix} 1 \\ 3 \\ -5 \end{pmatrix}$$
Alors :
$$F_A(u) = A\,u = \begin{pmatrix} 1 & -4 & 5 \\ 2 & 3 & -6 \end{pmatrix} \begin{pmatrix} 1 \\ 3 \\ -5 \end{pmatrix} = \begin{pmatrix} -36 \\ 41 \end{pmatrix}$$
Nous avons sacrifié ici à la coutume qui consiste à représenter l'application F_A par le symbole A qui désigne la matrice elle-même.

5.2.2 Composition des applications

Soient deux applications $f : A \to B$ et $g : B \to C$:
$$A \xrightarrow{f} B \xrightarrow{g} C$$
La *composition* de f et g, notée $g \circ f$, est l'application $g \circ f : A \to C$ définie par :
$$\forall a \in A,\ \big(g \circ f\big)(a) \equiv g\big(f(a)\big)$$
Autrement dit, on applique d'abord f à $a \in A$, puis g à $f(a) \in B$ pour obtenir $g\big(f(a)\big) \in C$. Pour utiliser à nouveau l'image des machines, la sortie de la première machine fournit l'entrée à la seconde, à la sortie de laquelle on récupère le résultat final. Le premier théorème que nous allons établir concerne l'*associativité* de la composition des applications :

∗ Théorème 5.1 : Soient trois applications $f : A \to B$, $g : B \to C$ et $h : C \to D$; alors :

$$h \circ (g \circ f) = (h \circ g) \circ f$$

Démonstration : Considérons un élément quelconque $a \in A$; alors :

$$\big(h \circ (g \circ f)\big)(a) = h\Big(\big(g \circ f\big)(a)\Big) = h\Big(g\big(f(a)\big)\Big)$$

$$\big((h \circ g) \circ f\big)(a) = \big(h \circ g\big)\big(f(a)\big) = h\Big(g\big(f(a)\big)\Big)$$

On en déduit que pour tout $a \in A$, $\big(h \circ (g \circ f)\big)(a) = \big((h \circ g) \circ f\big)(a)$, ce qui établit l'associativité.■

5.2.3 Applications particulières

Nous introduisons ici de façon formelle trois types d'applications qui jouent un rôle fondamental dans la pratique :

◆ Définition 5.1 : Une application $f : A \to B$ est dite *injective* si des éléments *distincts* de A ont des images *distinctes* :

$$a \neq b \Rightarrow f(a) \neq f(b)$$

De manière équivalente :

$$f(a) = f(b) \Rightarrow a = b$$

◆ Définition 5.2 : Une application $f : A \to B$ est dite *surjective* si tout élément $b \in B$ a au moins un antécédent.

◆ Définition 5.3 : Une application $f : A \to B$ est dite *bijective* si elle est à la fois injective et surjective.

Exemple 5.3

Considérons les trois fonctions $\mathbb{R} \to \mathbb{R}$ définies par :

$$f(x) : 2^x, \qquad g(x) = x^3 - x, \qquad h(x) = x^2$$

dont les graphes sont représentés sur la figure 5.1, page suivante. La fonction f est injective : géométriquement, on constate que toute ligne horizontale ne contient pas plus d'un point du graphe. Si on la considère comme une application $\mathbb{R} \to \mathbb{R}_+$, alors c'est une bijection. La fonction g, quant à elle, est surjective : toute ligne horizontale contient au moins un point de g. Enfin, la fonction h n'est ni l'un, ni l'autre : par exemple, les points 2 et -2 ont la même image, et -16 n'a pas d'antécédent. En revanche, considérée comme application $\mathbb{R} \to \mathbb{R}_+$, elle est surjective.

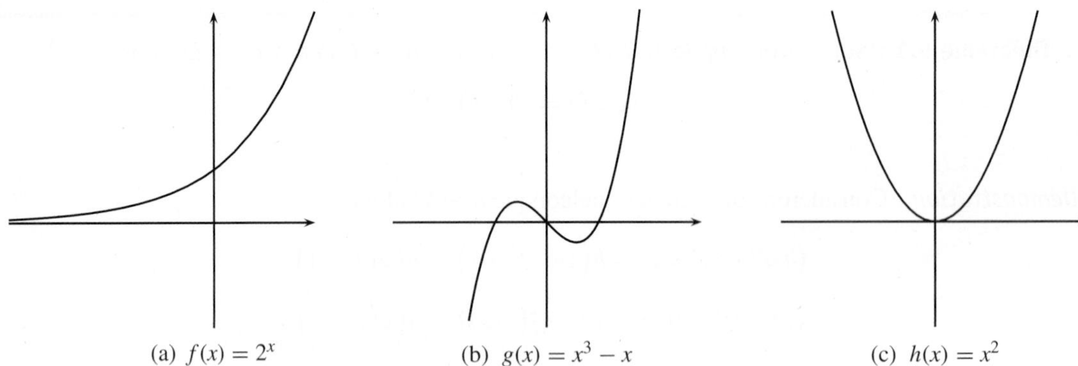

(a) $f(x) = 2^x$ (b) $g(x) = x^3 - x$ (c) $h(x) = x^2$

Figure 5.1 Exemples d'applications.

5.2.4 Identité et application inverse

Soit A un ensemble non vide. L'application $f : A \to A$ définie par $f(a) = a$, qui applique tout élément sur lui-même, est appelé *application identique*, ou *identité*. On la note $\mathbb{I}_A$, ou simplement $\mathbb{I}$, ou encore I, soit $\mathbb{I}_A(a) = a$.

Considérons à présent une application quelconque $f : A \to B$. S'il existe une application $g : B \to A$ vérifiant :

$$f \circ g = \mathbb{I}_B \qquad \text{et} \qquad g \circ f = \mathbb{I}_A$$

alors g est appelée l'*application inverse*, ou simplement l'*inverse*, de f, et est notée $g = f^{-1}$.

Pour qu'une application admette un inverse, elle est alors dite *inversible*, elle doit être bijective (problème 5.7).

5.3 APPLICATIONS LINÉAIRES

◆ **Définition 5.4 :** Soient U et V deux espaces vectoriels sur un même corps $\mathbb{K}$; une application $F : V \to U$ est appelée *application linéaire*, ou *transformation linéaire*, ou encore *homomorphisme*[(1)], si elle obéit aux deux conditions suivantes :

(a) $\forall u, v \in V, F(u + v) = F(u) + F(v)$;

(b) $\forall k \in \mathbb{K}, \forall v \in V, F(kv) = kF(v)$.

En termes imagés, l'application $F : V \to U$ est linéaire si elle préserve les deux opérations essentielles qui définissent un espace vectoriel, l'addition vectorielle et la multiplication scalaire.

Si dans la condition (b), on fait $k = 0$, on trouve une propriété fondamentale de toute application linéaire, $F(0) = 0$: au vecteur nul correspond le vecteur nul.

Pour deux scalaires quelconques a et $b \in \mathbb{K}$ et pour deux vecteurs arbitraires v et $w \in V$, on peut écrire :

$$F(av + bw) = F(av) + F(bw) = aF(v) + bF(w)$$

1. Si $U = V$, une application linéaire de V dans V est appelée *endomorphisme*.

qui se généralise immédiatement à un nombre quelconque de scalaires $a_i \in \mathbb{K}$ et de vecteurs $v_i \in V$:

$$F(a_1v_1 + a_2v_2 + \cdots + a_mv_m) = a_1F(v_1) + a_2F(v_2) + \cdots + a_mF(v_m)$$

On peut faire les deux remarques suivantes :

(a) Une application linéaire est complètement caractérisée par la relation :

$$F(av + bw) = aF(v) + bF(w) \tag{5.1}$$

qu'on utilise parfois comme *définition.*

(b) L'appellation *transformation linéaire*, au lieu d'*application linéaire*, est plutôt réservée aux applications (linéaires) de $\mathbb{R}^n \to \mathbb{R}^m$.

Exemple 5.4

(a) Soit $F : \mathbb{R}^3 \to \mathbb{R}^3$ la « projection » sur le plan xy, définie par $F(x, y, z) = F(x, y, 0)$. Montrons que c'est une application linéaire ; soit $v = (a, b, c)$ et $w = (a', b', c')$, alors :

$$\begin{aligned} F(v + w) &= F(a + a',\ b + b',\ c + c') = (a + a',\ b + b',\ 0) \\ &= (a, b, 0) + (a', b', 0) = F(v) + F(w) \end{aligned}$$

et pour tout scalaire k :

$$F(kv) = F(ka, kb, kc) = (ka, kb, 0) = k(a, b, 0) = kF(v)$$

ce qui établit la linéarité.

(b) Soit $G : \mathbb{R}^2 \to \mathbb{R}^2$ la « translation » définie par $G(x, y) = (x + 1,\ y + 2)$; cette application ajoute le vecteur $(1, 2)$ à tout vecteur $(x, y) \in \mathbb{R}^2$. Alors :

$$G(0) = G(0, 0) = (1, 2) \neq 0$$

Le vecteur nul n'est pas appliqué sur le vecteur nul, G n'est donc pas une application linéaire.

Exemple 5.5

Applications différentielles et intégrales. On se place dans l'espace $V = \mathbf{P}(t)$ des polynômes sur le corps $\mathbb{R}$ des réels. Soient u et v deux polynômes quelconques de $\mathbf{P}(t)$ et $k \in \mathbb{R}$ un scalaire arbitraire.

(a) Soit $\mathbf{D} : V \to V$ l'opérateur de dérivation ; on montre en analyse que :

$$\frac{d(u + v)}{dt} = \frac{du}{dt} + \frac{dv}{dt} \quad \text{et} \quad \frac{d(ku)}{dt} = k\,\frac{du}{dt}$$

Autrement dit, $\mathbf{D}(u + v) = \mathbf{D}(u) + \mathbf{D}(v)$ et $\mathbf{D}(ku) = k\mathbf{D}(u)$: l'opérateur de dérivation $\mathbf{D}$ est une application linéaire.

(b) Soit $\mathbf{J} : V \to \mathbb{R}$ l'opérateur intégral suivant :

$$\mathbf{J}\big(f(t)\big) = \int_0^1 f(t)\,dt$$

On montre aussi en analyse que :

$$\int_0^1 \big(u(t) + v(t)\big)\,dt = \int_0^1 u(t)\,dt + \int_0^1 v(t)\,dt$$

et que :

$$\int_0^1 ku(t)\,dt = k\int_0^1 u(t)\,dt$$

soit $\mathbf{J}(u + v) = \mathbf{J}(u) + \mathbf{J}(v)$ et $\mathbf{J}(ku) = k\mathbf{J}(u)$: l'opérateur intégral $\mathbf{J}$ est une application linéaire.

Exemple 5.6

Application nulle et application unité.

(a) Soit $F : V \to U$ l'application qui à tout vecteur $v \in V$ fait correspondre le vecteur nul $0 \in U$. $\forall v, w \in V$ et $\forall k \in \mathbb{K}$, on a :

$$F(v + w) = 0 = 0 + 0 = F(v) + F(w) \quad \text{et} \quad F(kv) = 0 = k0 = kF(v)$$

F est une application linéaire, appelée *application nulle*, et notée en général simplement $\mathbf{0}$.

(b) Considérons l'application *identité*, ou *unité* $I : V \to V$ qui applique tout vecteur $v \in V$ sur lui-même ; $\forall v, w \in V$ et $\forall a, b \in \mathbb{K}$, on écrit :

$$I(av + bw) = av + bw = aI(v) + bI(w)$$

C'est une application linéaire.

Le théorème qui suit, démontré au problème 5.13, est une source d'exemples d'applications linéaires. En particulier, il nous apprend qu'une application linéaire est complètement déterminée par ses valeurs sur les vecteurs d'une base.

> ✻ **Théorème 5.2 :** Soient V et U deux espaces vectoriels sur un même corps $\mathbb{K}$. Soit $\{v_1, v_2, \ldots, v_n\}$ une base de V et $u_1, u_2, \ldots, u_n$ des vecteurs quelconques de U. Alors il existe une application linéaire et une seule $F : V \to U$ telle que $F(v_1) = u_1, F(v_2) = u_2, \ldots, F(v_n) = u_n$.

Insistons sur le fait que les vecteurs $u_1, u_2, \ldots, u_n$ du théorème 5.2 sont tout-à-fait quelconques. Ils peuvent être linéairement indépendants ou pas, et même être tous égaux entre eux.

5.3.1 Matrices en tant qu'applications linéaires

Soit A une matrice arbitraire rectangulaire $m \times n$. Rappelons que A définit une application $F_A : \mathbb{K}^n \to \mathbb{K}^m$ par $F_A(u) = Au$, où les vecteurs de $\mathbb{K}^n$ et $\mathbb{K}^m$ sont écrits en colonnes. Montrons que cette application F_A est linéaire ; le produit matriciel nous permet d'écrire :

$$F_A(v + w) = A(v + w) = Av + Aw = F_A(v) + F_A(w)$$
$$F_A(kv) = A(kv) = k(Av) = kF_A(v)$$

En utilisant la notation A au lieu de F_A pour représenter l'application, ces relations s'écrivent :

$$A(v + w) = Av + Aw \quad \text{et} \quad A(kv) = k(Av)$$

et définissent bien une application linéaire.

5.3.2 Isomorphisme d'espaces vectoriels

Nous avons déjà rencontré la notion d'isomorphisme de deux espaces vectoriels au chapitre précédent à propos des composantes d'un vecteur sur une base. Nous allons ici redéfinir ce concept :

> ◆ **Définition 5.5 :** Deux espaces vectoriels sur un corps $\mathbb{K}$ sont dits *isomorphes*, noté $V \cong U$, s'il existe une application linéaire bijective $F : V \to U$. Une telle application F est appelée *isomorphisme* entre V et U.

Soit V un espace vectoriel de dimension n, et soit S une base quelconque de V. Alors l'application :

$$v \mapsto [v]_S$$

qui à tout vecteur $v \in V$ fait correspondre le vecteur de ses composantes sur S, est un isomorphisme entre V et $\mathbb{K}^n$.

5.4 NOYAU ET IMAGE D'UNE APPLICATION LINÉAIRE

Nous définissons ici deux notions.

◆ **Définition 5.6 :** Soit $F : V \to U$ une application linéaire.

(a) On appelle *noyau* de l'application F, noté $\ker F$, l'ensemble des éléments de V dont l'image est le vecteur nul $0 \in U$:

$$\ker F = \{v \in V \mid F(v) = 0\}$$

(b) On appelle *image* de l'application F, noté $\operatorname{Im} F$, l'ensemble des images dans U des éléments de V :

$$\operatorname{Im} F = \{u \in U \mid \exists v \in V \text{ tel que } F(v) = u\}$$

On démontre facilement le théorème suivant (problème 5.22) :

✻ **Théorème 5.3 :** Soit $F : V \to U$ une application linéaire. Alors le noyau de F est un sous-espace vectoriel de V, et l'image de F est un sous-espace vectoriel de U.

Supposons que les vecteurs $v_1, v_2, \ldots, v_m$ engendrent un espace vectoriel V, et soit une application linéaire $F : V \to U$. Nous allons montrer que $F(v_1), F(v_2), \ldots, F(v_m)$ engendrent $\operatorname{Im} F$. Soit $u \in \operatorname{Im} F$; il existe alors $v \in V$ vérifiant $F(v) = u$. Puisque les v_i engendrent V et que $v \in V$, on peut trouver des scalaires $a_1, a_2, \ldots, a_m$ tels que :

$$v = a_1v_1 + a_2v_2 + \cdots + a_mv_m$$

On en déduit :

$$\begin{aligned} u = F(v) &= F(a_1v_1 + a_2v_2 + \cdots + a_mv_m) \\ &= a_1F(v_1) + a_2F(v_2) + \cdots + a_mF(v_m) \end{aligned}$$

et par conséquent $F(v_1), F(v_2), \ldots, F(v_m)$ engendrent $\operatorname{Im} F$. Ce résultat s'énonce formellement ainsi :

✻ **Proposition 5.4 :** Soient des vecteurs $v_1, v_2, \ldots, v_m$ engendrant un espace vectoriel V, et soit une application linéaire $F : V \to U$. Alors $F(v_1), F(v_2), \ldots, F(v_m)$ engendrent $\operatorname{Im} F$.

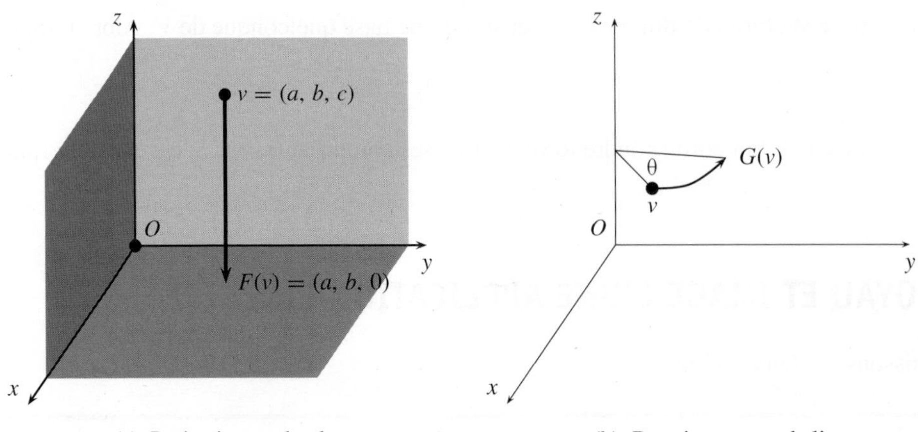

(a) Projection sur le plan xy (b) Rotation autour de l'axe z

Figure 5.2 Applications linéaires de $\mathbb{R}^3 \to \mathbb{R}^3$.

Exemple 5.7

(a) Soit $F : \mathbb{R}^3 \to \mathbb{R}^3$ l'opérateur de projection d'un vecteur v sur le plan xy (voir figure 5.2(a)) :

$$F(x, y, z) = (x, y, 0)$$

L'image de F est manifestement le plan xy tout entier, autrement dit tous les points de la forme $(x, y, 0)$. Le noyau de F est l'axe z, c'est-à-dire les points de la forme $(0, 0, z)$:

$$\operatorname{Im} F = \{(a, b, c) \mid c = 0\} = \text{plan } xy \quad \text{et} \quad \ker F = \{(a, b, c) \mid a = b = 0\} = \text{axe } z$$

(b) Soit $G : \mathbb{R}^3 \to \mathbb{R}^3$ l'opérateur de rotation d'un vecteur v autour de l'axe z d'un angle θ (voir figure 5.2(b)) :

$$G(x, y, z) = (x \cos\theta - y \sin\theta,\ x \sin\theta + y \cos\theta,\ z)$$

On voit que la longueur du vecteur v est inchangée par cette opération, et seul le vecteur nul $v = 0$ est invariant ; il en résulte que $\ker G = \{0\}$. Par ailleurs, tout vecteur u de $\mathbb{R}^3$ est l'image d'un vecteur $v \in \mathbb{R}^3$ pouvant être obtenu par la rotation inverse d'angle $-\theta$ autour de l'axe z ; il en résulte que $\operatorname{Im} G = \mathbb{R}^3$, l'espace tout entier.

Exemple 5.8

Considérons l'espace $V = \mathbf{P}(t)$ des polynômes sur $\mathbb{R}$, et soit $H : V \to V$ l'opérateur de dérivation à l'ordre trois, autrement dit $H\big(f(t)\big) = \dfrac{d^3f}{dt^3}$ (H est parfois notée $\mathbf{D}^3$, où $\mathbf{D}$ est l'opérateur de dérivation). Alors :

$$\ker H = \{f \mid f : \text{polynôme de degré} \leq 2\} \quad \text{et} \quad \operatorname{Im} H = V$$

En effet, $H(at^2 + bt + c) = 0$ et $H(t^n) \neq 0$ pour $n \geq 3$, et tout polynôme $g(t) \in V$ est la dérivée troisième d'un polynôme $f(t)$, ce que l'on voit en prenant à trois reprises la primitive de $g(t)$.

5.4.1 Noyau et image d'une application matricielle

Soit par exemple A une matrice 3×4 et la base canonique $\{e_1, e_2, e_3, e_4\}$ de $\mathbb{K}^4$, écrite en colonnes :

$$A = \begin{pmatrix} a_1 & a_2 & a_3 & a_4 \\ b_1 & b_2 & b_3 & b_4 \\ c_1 & c_2 & c_3 & c_4 \end{pmatrix}, \quad e_1 = \begin{pmatrix} 1 \\ 0 \\ 0 \\ 0 \end{pmatrix}, \quad e_2 = \begin{pmatrix} 0 \\ 1 \\ 0 \\ 0 \end{pmatrix}, \quad e_3 = \begin{pmatrix} 0 \\ 0 \\ 1 \\ 0 \end{pmatrix}, \quad e_4 = \begin{pmatrix} 0 \\ 0 \\ 0 \\ 1 \end{pmatrix}$$

On se souvient que la matrice A peut être considérée comme une application linéaire $A : \mathbb{K}^4 \to \mathbb{K}^3$, les vecteurs de $\mathbb{K}^3$ et $\mathbb{K}^4$ étant sous forme colonne. Les quatre vecteurs e_1, e_2, e_3 et e_4 ci-dessus engendrent $\mathbb{K}^4$, et par conséquent leurs images Ae_1, Ae_2, Ae_3 et Ae_4 engendrent $\operatorname{Im} A$. Ces vecteurs Ae_1, Ae_2, Ae_3 et Ae_4 sont précisément les colonnes de A :

$$Ae_1 = (a_1, b_1, c_1)^T, \quad Ae_2 = (a_2, b_2, c_2)^T, \quad Ae_3 = (a_3, b_3, c_3)^T, \quad Ae_4 = (a_4, b_4, c_4)^T$$

L'image de A, $\operatorname{Im} A$ est donc l'espace colonne $\operatorname{Col} A$ de A. Le noyau de A, constitué de tous les vecteurs v tels que $Av = 0$, est quant à lui l'espace des solutions du système homogène d'équations linéaires $AX = 0$, appelé aussi *l'espace nul* $\operatorname{Nul} A$ de A. Nous pouvons présenter ces résultats sous forme d'un théorème :

> **✻ Proposition 5.5 :** Soit A une matrice quelconque $m \times n$ sur un corps $\mathbb{K}$, considérée comme application linéaire de $\mathbb{K}^n \to \mathbb{K}^m$; alors :
>
> $$\ker A = \operatorname{Nul} A \quad \text{et} \quad \operatorname{Im} A = \operatorname{Col} A$$

5.4.2 Rang et nullité d'une application linéaire

Soit $F : V \to U$ une application linéaire. Le *rang* de F est défini par la dimension de son image, et la *nullité* de F par la dimension de son noyau :

$$\operatorname{rang} F = \dim(\operatorname{Im} F) \quad \text{et} \quad \text{nullité}\, F = \dim(\ker F)$$

Nous avons le résultat important suivant, démontré au problème 5.23 :

> **✻ Théorème 5.6 :** Soit V un espace vectoriel de dimension finie, et soit $F : V \to U$ une application linéaire. Alors :
>
> $$\dim V = \dim(\ker F) + \dim(\operatorname{Im} F) = \text{nullité}\, F + \operatorname{rang} F$$

Nous avons vu au chapitre précédent que le rang d'une matrice peut aussi être défini comme la dimension de son espace ligne, ou son espace colonne. En considérant A comme une application linéaire, on voit que les deux définitions coïncident, puisque l'espace image de A est justement son espace colonne.

Exemple 5.9

Soit $F : \mathbb{R}^4 \to \mathbb{R}^3$ l'application linéaire définie par :

$$F(x, y, z, t) = (x - y + z + t,\ 2x - 2y + 3z + 4t,\ 3x - 3y + 4z + 5t)$$

(a) Cherchons une base et la dimension de $\operatorname{Im} F$. Écrivons tout d'abord l'image des vecteurs de la base canonique de $\mathbb{R}^4$:

$$F(1,0,0,0) = (1,2,3) \qquad F(0,1,0,0) = (-1,-2,-3)$$
$$F(0,0,1,0) = (1,3,4) \qquad F(0,0,0,1) = (1,4,5)$$

D'après la proposition 5.4, ces vecteurs images engendrent $\operatorname{Im} F$. Construisons la matrice dont ces vecteurs constituent les lignes, puis réduisons-la à la forme échelon :

$$M = \begin{pmatrix} 1 & 2 & 3 \\ -1 & -2 & -3 \\ 1 & 3 & 4 \\ 1 & 4 & 5 \end{pmatrix} \sim \begin{pmatrix} 1 & 2 & 3 \\ 0 & 0 & 0 \\ 0 & 1 & 1 \\ 0 & 2 & 2 \end{pmatrix} \sim \begin{pmatrix} 1 & 2 & 3 \\ 0 & 1 & 1 \\ 0 & 0 & 0 \\ 0 & 0 & 0 \end{pmatrix}$$

Les vecteurs $(1,2,3)$ et $(0,1,1)$ forment donc une base de $\operatorname{Im} F$, d'où $\dim(\operatorname{Im} F) = 2$ et $\operatorname{rang} F = 2$.

(b) Cherchons à présent une base et la dimension du noyau de l'application F. On pose $F(v) = 0$, où $v = (x,y,z,t)$, soit :

$$F(x,y,z,t) = (x - y + z + t,\ 2x - 2y + 3z + 4t,\ 3x - 3y + 4z + 5t) = (0,0,0)$$

l'identification composante par composante donne le système :

$$\begin{aligned} x - y + z + t &= 0 \\ 2x - 2y + 3z + 4t &= 0 \\ 3x - 3y + 4z + 5t &= 0 \end{aligned} \quad \text{ou} \quad \begin{aligned} x - y + z + t &= 0 \\ z + 2t &= 0 \\ z + 2t &= 0 \end{aligned} \quad \text{ou} \quad \begin{aligned} x - y + z + t &= 0 \\ z + 2t &= 0 \end{aligned}$$

On a deux variables libres, y et t, d'où $\dim(\ker F) = \text{nullité } F = 2$. Écrivons la base :

1. on pose $y = 1, t = 0$ d'où le vecteur $(-1,1,0,0)$;
2. on pose $y = 0, t = 1$ d'où le vecteur $(1,0,-2,1)$

Ces deux vecteurs forment une base du noyau de F.

Conformément au théorème 5.6, on trouve $\dim(\operatorname{Im} F) + \dim(\ker F) = 4 = \dim \mathbb{R}^4$.

5.4.3 Application aux systèmes d'applications linéaires

Soit $AX = B$ la forme matricielle d'un système de m équations linéaires à n inconnues. Considérons la matrice A comme une application linéaire :

$$A : \mathbb{K}^n \to \mathbb{K}^m$$

La solution de l'équation $AX = B$ est alors l'antécédent du vecteur $B \in \mathbb{K}^m$ pour l'application A. Pour un système homogène :

$$AX = 0$$

la solution n'est autre que le noyau de l'application A. Par application du théorème 5.6 :

$$\dim(\ker A) = \dim \mathbb{K}^n - \dim(\operatorname{Im} A) = n - \operatorname{rang} A$$

Puisque n est aussi le nombre des inconnues du système $AX = 0$, nous venons de démontrer le théorème 4.19 du chapitre précédent. Rappelons son énoncé :

La dimension de l'espace vectoriel W des solutions d'un système homogène d'équations linéaires $AX = 0$ vaut $s = n - r$, où n est le nombre d'inconnues et r le rang de la matrice A des coefficients.

Le nombre r est aussi le nombre de variables pivots du système sous forme échelon, et donc $s = n - r$ est également le nombre des variables libres. De plus, les s vecteurs solution de $AX = 0$ décrits dans le théorème 3.14 sont linéairement indépendants (problème 4.52). Il en résulte, puisque $\dim W = s$, qu'ils forment une base de l'espace W des solutions : nous avons aussi démontré le théorème 3.14.

5.5 APPLICATIONS LINÉAIRES RÉGULIÈRES ET SINGULIÈRES, ISOMORPHISMES

On sait qu'une application linéaire $F : V \to U$ vérifie $F(0) = 0$. La définition suivante en découle naturellement.

◆ **Définition 5.7 :**

(a) On dit qu'une application linéaire F est *singulière*, ou *non régulière*, s'il existe un vecteur v non nul dont l'image soit le vecteur nul, soit $F(v) = 0$.

(b) On dit qu'une application linéaire F est *régulière*, ou *non singulière*, si le seul vecteur v dont l'image est le vecteur nul est le vecteur nul, soit $\ker F = \{0\}$.

Exemple 5.10

Soient la projection $F : \mathbb{R}^3 \to \mathbb{R}^3$ et la rotation $G : \mathbb{R}^3 \to \mathbb{R}^3$ décrites dans l'exemple 5.7 et la figure 5.2, page 214. Puisque le noyau de F est l'axe z, l'application F n'est pas régulière. En revanche, le noyau de G est réduit au vecteur nul, et G est régulière.

On peut caractériser les applications régulières comme celles qui à un système libre de vecteurs font correspondre un système libre ; plus précisément, nous montrerons au problème 5.28 le théorème suivant :

✻ **Théorème 5.7 :** Soit $F : V \to U$ une application linéaire régulière. Alors l'image de tout ensemble de vecteurs linéairement indépendant est linéairement indépendant.

5.5.1 Isomorphismes

Considérons une application linéaire injective. Alors seul le vecteur nul $0 \in V$ peut être appliqué sur le vecteur nul $0 \in U$, d'où il résulte que F est régulière. L'inverse est également vrai : supposons que F soit régulière et que $F(v) = F(w)$; alors $F(v - w) = F(v) - F(w) = 0$, d'où $v - w = 0$ soit $v = w$. Donc $F(v) = F(w) \Rightarrow v = w$, et F est injective. Nous avons montré :

✻ **Proposition 5.8 :** Une application linéaire $F : V \to U$ est injective si et seulement si elle est régulière.

Rappelons qu'une application $F : V \to U$ est un *isomorphisme* si elle est linéaire et bijective, c'est-à-dire à la fois injective et surjective. Rappelons encore qu'un espace vectoriel V est dit *isomorphe* à un espace vectoriel U, noté $V \cong U$, s'il existe un isomorphisme $F : V \to U$. On a le résultat suivant, démontré au problème 5.29 :

∗ Théorème 5.9 : Soient deux espaces vectoriels U et V de dimension finie tels que $\dim U = \dim V$, et soit une application linéaire $F : V \to U$. Alors l'application F est un isomorphisme si et seulement si elle est régulière.

5.6 OPÉRATIONS SUR LES APPLICATIONS LINÉAIRES

On peut composer les applications linéaires de diverses façons et obtenir de nouvelles applications linéaires. Ces opérations sont très importantes et seront utilisées tout au long de l'ouvrage.

Soient deux espaces vectoriels U et V sur un corps $\mathbb{K}$, et deux applications linéaires $F : V \to U$ et $G : V \to U$. On définit la somme $F + G$ et le produit kF par un scalaire $k \in \mathbb{K}$ de la manière suivante, comme applications de V sur U :

$$\forall v \in V, \ (F + G)(v) \equiv F(v) + G(v) \quad \text{et} \quad (kF)(v) \equiv kF(v)$$

Nous allons montrer que si F et G sont linéaires, alors $F + G$ et kF sont également linéaires ; soient des vecteurs quelconques $u, v \in V$ et des scalaires quelconques $a, b \in \mathbb{K}$:

$$\begin{aligned}(F + G)(av + bw) &= F(av + bw) + G(av + bw)\\ &= aF(v) + bF(w) + aG(v) + bG(w)\\ &= a\big(F(v) + G(v)\big) + b\big(F(w) + G(w)\big)\\ &= a(F + G)(v) + b(F + G)(w)\end{aligned}$$

puis :

$$\begin{aligned}(kF)(av + bw) &= k\big(F(av + bw)\big) = k\big(aF(v) + bF(w)\big)\\ &= ak\,F(v) + bk\,F(w) = a(kF)(v) + b(kF)(w)\end{aligned}$$

ce qui prouve la linéarité. Nous avons le théorème suivant :

∗ Théorème 5.10 : Soient V et U deux espaces vectoriels sur un corps $\mathbb{K}$. Alors l'ensemble de toute les applications linéaires $V \to U$, muni des deux opérations ci-dessus d'addition et de multiplication scalaire, est un espace vectoriel sur $\mathbb{K}$.

L'espace vectoriel des applications linéaires de V dans U est habituellement noté :

$$\mathcal{L}(V, U)$$

La démonstration du théorème 5.10 se ramène à vérifier que $\mathcal{L}(V, U)$ satisfait aux huit axiomes de la définition 4.1 d'un espace vectoriel. L'élément nul de $\mathcal{L}(V, U)$ est l'application linéaire nulle de V dans U, notée $\mathbf{0}$ et définie par :

$$\forall v \in V, \quad \mathbf{0}(v) = 0$$

Pour des espaces V et U de dimension finie, nous avons le résultat suivant :

∗ Théorème 5.11 : Si $\dim V = m$ et $\dim U = n$, alors $\dim \mathcal{L}(V, U) = mn$.

5.6.1 Composition d'applications linéaires

Soient V, U et W des espaces vectoriels sur un même corps $\mathbb{K}$, et soient deux applications linéaires $F : V \to U$ et $G : U \to W$, que nous notons ainsi :

$$V \xrightarrow{F} U \xrightarrow{G} W$$

On rappelle que l'application composée $G \circ F$ est l'application de V dans W définie par $(G \circ F)(v) = G\big(F(v)\big)$. Nous allons montrer que si F et G sont linéaires, alors $G \circ F$ est linéaire. $\forall v, w \in V$ et $\forall a, b \in \mathbb{K}$, on peut écrire :

$$\begin{aligned}(G \circ F)(av + bw) &= G\big(F(av + bw)\big) = G\big(aF(v) + bF(w)\big)\\ &= aG\big(F(v)\big) + bG\big(F(w)\big) = a(G \circ F)(v) + b(G \circ F)(w)\end{aligned}$$

Les relations entre addition, multiplication scalaire et composition des applications linéaires sont précisées dans le théorème suivant :

*** Théorème 5.12 :** Soient V, U et W des espaces vectoriels sur $\mathbb{K}$, et soient les applications linéaires suivantes :

$$F : V \to U, \quad F' : V \to U, \quad \text{et} \quad G : U \to W, \quad G' : U \to W$$

Alors, $\forall k \in \mathbb{K}$:
(a) $G \circ (F + F') = G \circ F + G \circ F'$;
(b) $(G + G') \circ F = G \circ F + G' \circ F$;
(c) $k(G \circ F) = (kG) \circ F = G \circ (kF)$.

5.7 ALGÈBRE D'OPÉRATEURS LINÉAIRES

Soit V un espace vectoriel sur un corps $\mathbb{K}$. Nous examinons dans ce paragraphe le cas particulier des *endomorphismes*, autrement dit des applications linéaires de V dans lui-même. On les appelle aussi *opérateurs linéaires* ou *transformations linéaires*. Nous noterons $\mathcal{A}(V)$ l'ensemble de ces transformations linéaires.

D'après le théorème 5.10, $\mathcal{A}(V)$ est un espace vectoriel sur $\mathbb{K}$, et d'après le théorème 5.11, $\dim \mathcal{A}(V) = n^2$ si $\dim V = n$. De plus, pour toutes applications $F, G \in \mathcal{A}(V)$, l'application composée $G \circ F$ existe et appartient à $\mathcal{A}(V)$. La composition définit donc une opération de type multiplicatif sur $\mathcal{A}(V)$. Dorénavant, nous pourrons utiliser la notation GF au lieu de $G \circ F$ (attention à l'ordre des termes, un tel produit n'étant en général pas commutatif).

◆ Définition 5.8 : Une *algèbre* $\mathcal{A}$ sur un corps $\mathbb{K}$ est un espace vectoriel sur $\mathbb{K}$ muni d'un produit obéissant aux règles suivantes, $\forall F, G, H \in A$ et $\forall k \in /K$:
(a) $F(G + H) = FG + FH$;
(b) $(G + H)F = GF + HF$;
(c) $k(GF) = (kG)F = G(kF)$.
Si de plus, $(FG)H = F(GH)$, l'algèbre est dite *associative*.

Cette définition et les théorèmes précédents permettent d'énoncer le résultat suivant :

∗ Théorème 5.13 : Soit V un espace vectoriel sur un corps $\mathbb{K}$. Alors l'ensemble $\mathcal{A}(V)$ des endomorphismes sur V, muni de la loi de composition des applications, est une algèbre associative sur $\mathbb{K}$. Si $\dim V = n$, alors $\dim \mathcal{A}(V) = n^2$.

Il est ainsi naturel d'appeler $\mathcal{A}(V)$ l'*algèbre des opérateurs linéaires* sur V.

5.7.1 Polynômes d'opérateurs linéaires

Nous pouvons remarquer que l'application unité, ou identité, $I : V \to V$ définie par $\forall v \in V, I(v) = v$, appartient à $\mathcal{A}(V)$. De plus, $\forall F \in \mathcal{A}(V), FI = IF = F$. On peut aussi définir les « puissances » de F :

$$F^0 = I, \quad F^2 = F \circ F, \quad F^3 = F^2 \circ F = F \circ F \circ F, \quad F^4 = F^3 \circ F, \; \ldots$$

Alors, pour tout polynôme $p(t)$ sur $\mathbb{K}$:

$$p(t) = a_0 + a_1 t + a_2 t^2 + \cdots + a_s t^s$$

on peut définir l'opérateur linéaire $p(F)$ par :

$$p(F) = a_0 I + a_1 F + a_2 F^2 + \cdots + a_s F^s$$

On dit que l'opérateur F est un *zéro* du polynôme $p(t)$ si $p(F) = \mathbf{0}$.

Exemple 5.11

Soit $F : \mathbb{K}^3 \to \mathbb{K}^3$ définie par $F(x, y, z) = (0, x, y)$. Alors, $\forall (a, b, c) \in \mathbb{K}^3$:

$$(F + I)(a, b, c) = (0, a, b) + (a, b, c) = (a, \; a + b, \; b + c)$$
$$F^3(a, b, c) = F^2(0, a, b) = F(0, 0, a) = (0, 0, 0)$$

d'où $F^3 = \mathbf{0}$, l'application nulle de $\mathcal{A}(V)$. On en déduit que F est un zéro du polynôme $p(t) = t^3$.

5.7.2 Matrices carrées comme opérateurs linéaires

Soit $\mathbf{M} = \mathbf{M}_{n,n}$ l'espace vectoriel des matrices carrées $n \times n$ sur $\mathbb{K}$. Toute matrice $A \in \mathbf{M}$ définit une application linéaire $F_A : \mathbb{K}^n \to \mathbb{K}^n$ par $F_A(u) = Au$, où les vecteurs $u \in \mathbb{K}^n$ sont écrits en colonnes. L'espace de départ étant le même que l'espace d'arrivée, la matrice A définit un endomorphisme de $\mathbb{K}^n$.

Pour toutes matrices A et $B \in \mathbf{M}$, le produit AB est défini ; pour tout vecteur (colonne) $u \in \mathbb{K}^n$:

$$F_{AB}(u) = (AB)(u) = A(Bu) = A\big(F_B(u)\big) = F_A\big(F_B(u)\big) = (F_A \circ F_B)(u)$$

Le produit AB correspond donc à la composition de A et de B en tant qu'applications linéaires. On vérifie aussi immédiatement que la somme matricielle $A + B$ correspond à la somme des applications linéaires A et B, et que le produit kA de la matrice A par le scalaire k correspond au produit par k de l'application linéaire A.

5.7.3 Opérateurs inversibles dans $\mathcal{A}(V)$

Soit $F : V \to V$ un opérateur linéaire. F est dit *inversible* s'il possède un inverse, c'est-à-dire s'il existe un opérateur linéaire $F^{-1} \in \mathcal{A}(V)$ tel que $FF^{-1} = F^{-1}F = I$. Si l'on remarque qu'en tant qu'application, F est inversible si elle est bijective, on montre alors (problème 5.15) que l'application réciproque F^{-1} est également linéaire, et est l'inverse de F au sens des opérateurs.

Soit un opérateur F inversible ; seul le vecteur nul $0 \in V$ est appliqué sur lui-même, ce qui signifie que F est régulière. Mais attention, la réciproque est fausse, comme le montre l'exemple suivant :

Exemple 5.12

Soit $V = \mathbf{P}(t)$, l'espace vectoriel des polynômes sur $\mathbb{K}$. Soit F l'application qui à tout polynôme de V fait correspondre le polynôme dont le degré de chaque terme a augmenté d'une unité :

$$F(a_0 + a_1 t + a_2 t^2 + \cdots + a_s t^s) = a_0 t + a_1 t^2 + a_2 t^3 + \cdots + a_s t^{s+1}$$

On vérifie aisément que F est linéaire et régulière. Mais F n'est pas surjective, puisqu'un polynôme de degré 0 (polynôme constant) ne peut être l'image d'aucun polynôme. Par conséquent F n'est pas inversible.

L'espace vectoriel $\mathbf{P}(t)$ de l'exemple précédent est de dimension infinie. Les choses sont très différentes si V est de dimension finie, comme le précise le théorème suivant :

*** Théorème 5.14 :** Soit F un endomorphisme sur un espace vectoriel de dimension finie ; alors les quatre propriétés suivantes sont équivalentes :

(a) F est régulière ($\ker F = \{0\}$) ;
(b) F est injective ;
(c) F est surjective ;
(d) F est inversible.

Démonstration : La preuve découle principalement du théorème 5.6, qui affirme que :

$$\dim V = \dim(\ker F) + \dim(\operatorname{Im} F) \tag{5.2}$$

D'après la proposition 5.8, les propriétés et (a) (b) sont équivalentes ; par ailleurs, la propriété (d) est équivalente à (b) et (c). Il nous suffit donc d'établir que (a) et (c) sont équivalentes :

(a) Supposons (a) vraie ; alors $\dim(\ker F) = 0$, et d'après l'équation (5.2), $\dim V = \dim(\operatorname{Im} F)$, ce qui entraîne que $V = \operatorname{Im} F$, et donc la surjectivité de F. Par conséquent (a) implique (c).

(b) Réciproquement, supposons (c) vraie. Alors $V = \operatorname{Im} F$, d'où $\dim V = \dim(\operatorname{Im} F)$ et l'équation (5.2) entraîne $\dim(\ker F) = 0$: F est donc régulière et (c) implique (a).

Les quatre propriétés sont équivalentes. ■

Remarque : soit A une matrice $n \times n$ sur $\mathbb{K}$, qui peut être considérée comme un endomorphisme de $\mathbb{K}^n$. $\mathbb{K}^n$ étant de dimension finie, le théorème 5.14 s'applique à la matrice A, et l'on peut par conséquent appliquer indifféremment les termes « régulière » et « inversible » à une matrice carrée.

Exemple 5.13

Soit F l'endomorphisme de $\mathbb{R}^2$ défini par $F(x, y) = (2x + y,\ 3x + 2y)$.

(a) Pour montrer que F est inversible, il nous suffit d'établir que F est régulière. Posons $F(x, y) = (0, 0)$, ce qui donne le système homogène :

$$2x + y = 0 \quad \text{et} \quad 3x + 2y = 0$$

La seule solution est $x = 0$ et $y = 0$, et par conséquent F régulière et inversible.

(b) Pour trouver l'expression de F^{-1}, on pose $F(x, y) = (s, t)$, d'où $(x, y) = F^{-1}(s, t)$:

$$(2x + y,\ 3x + 2y) = (s,\ t) \quad \text{ou} \quad \begin{aligned} 2x + \ \ y &= s \\ 3x + 2y &= t \end{aligned}$$

La solution en x et y est $x = 2s - t$ et $y = -3s + 2t$, d'où :

$$F^{-1}(s, t) = (2s - t,\ -3s + 2t) \quad \text{ou} \quad F^{-1}(x, y) = (2x - y,\ -3x + 2y)$$

où nous avons récrit F^{-1} en fonction des variables x et y au lieu de s et t.

? EXERCICES CORRIGÉS

APPLICATIONS

5.1 Dire si chacun des diagrammes de la figure 5.3 définit une application de $A = \{a, b, c\}$ dans $B = \{x, y, z\}$.

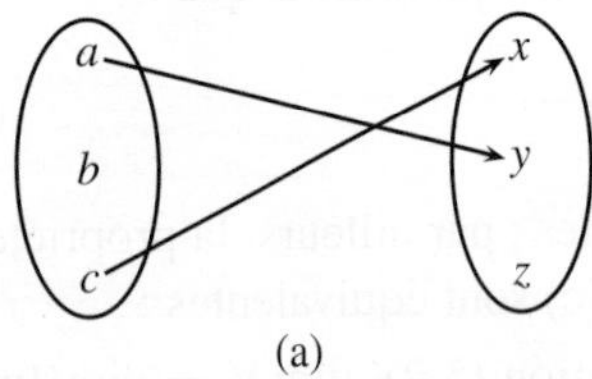

(a)

(b)

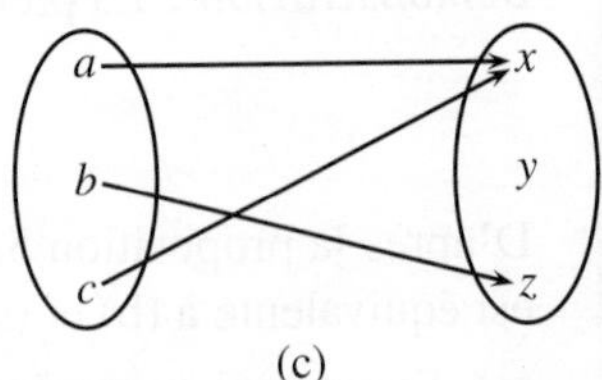

(c)

Figure 5.3 Applications.

Solution :

(a) Non, l'élément $b \in A$ n'a pas d'image.

(b) Non, l'élément $c \in A$ a deux images.

(c) Oui.

5.2 On considère les applications $f : A \to B$ et $g : B \to C$ définies sur la figure 5.4, page ci-contre.

(a) Déterminer l'application composée $(g \circ f) : A \to C$;

(b) déterminer les images des applications f, g et $g \circ f$.

Solution :

(a) Par définition de la composition des applications :

$$(g \circ f)(a) = g\big(f(a)\big) = g(y) = t$$
$$(g \circ f)(b) = g\big(f(b)\big) = g(x) = s$$
$$(g \circ f)(c) = g\big(f(c)\big) = g(y) = t$$

On peut remarquer qu'on arrive au même résultat en « suivant les flèches » de la figure 5.4 :

$$a \to y \to t, \quad b \to x \to s, \quad c \to y \to t$$

(b) La figure 5.4 montre que les images des éléments de A par f sont x et y, et que les images des éléments de B par g sont r, s et t, soit :

$$\operatorname{Im} f = \{x, y\} \quad \text{et} \quad \operatorname{Im} g = \{r, s, t\}$$

D'après la question précédente, les images des éléments de A par l'application composée $g \circ f$ sont s et t, soit $\operatorname{Im}(g \circ f) = \{s, t\}$. On remarque que les images de g et de $g \circ f$ sont différentes.

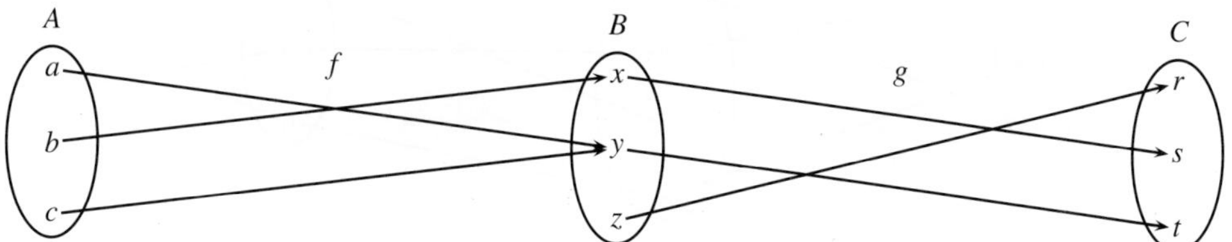

Figure 5.4 Composition des applications.

5.3 Soit l'application $F : \mathbb{R}^3 \to \mathbb{R}^2$ définie par $F(x, y, z) = (yz, x^2)$. Trouver :

(a) $F(2, 3, 4)$;

(b) $F(5, -2, 7)$;

(c) $F^{-1}(0, 0)$, l'ensemble des $v \in \mathbb{R}^3$ tels que $F(v) = 0$.

Solution :

(a) En remplaçant dans la formule, on obtient $F(2, 3, 4) = (3 \times 4,\ 2^2) = (12,\ 4)$.

(b) De même, $F(5, -2, 7) = (-2 \times 7,\ 5^2) = (-14,\ 25)$.

(c) On écrit $F(v) = 0$, avec $v = (x, y, z)$, puis on résout en x, y et z :

$$F(x, y, z) = (yz, x^2) = (0, 0) \Rightarrow yz = 0 \text{ et } x^2 = 0$$

La solution est $x = y = 0$ d'une part, $x = z = 0$ d'autre part, soit respectivement l'axe z et l'axe y.

5.4 Soit l'application $F : \mathbb{R}^2 \to \mathbb{R}^2$ définie par $F(x, y) = (3y, 2x)$, et soit S le cercle unité de $\mathbb{R}^2$, l'ensemble des points $(x,\ y)$ défini par $x^2 + y^2 = 1$:

(a) décrire $F(S)$;

(b) trouver $F^{-1}(S)$.

Solution :

(a) Soit $(a,\ b) \in F(S)$; il existe alors $(x,\ y) \in S$ tel que $F(x,\ y) = (a,\ b)$:

$$(3y, 2x) = (a, b) \quad \text{ou} \quad 3y = a,\ 2x = b \quad \text{ou} \quad y = \frac{a}{3},\ x = \frac{b}{2}$$

Puisque $(x,\ y) \in S$, on a $x^2 + y^2 = 1$, d'où :

$$\left(\frac{b}{2}\right)^2 + \left(\frac{a}{3}\right)^2 = 1 \Rightarrow \frac{a^2}{9} + \frac{b^2}{4} = 1$$

L'image $F(S)$ est donc une ellipse, de demi-axes 3 et 2.

(b) Soit $F(x, y) = (a, b)$, où $(a, b) \in S$. On a donc $(3y, 2x) = (a, b)$ ou $3y = a,\ 2x = b$. Puisque $(a,\ b) \in S$, $a^2 + b^2 = 1$ d'où $(3y)^2 + (2x)^2 = 1$. On en déduit que $F^{-1}(S)$ est l'ellipse $4x^2 + 9y^2 = 1$.

5.5 Considérons les applications $f : A \to B$, $g : B \to C$ et $h : C \to D$ définies dans la figure 5.5. Examiner si chacune de ces fonctions est :

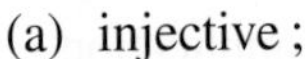

(a) injective ; (b) surjective ; (c) inversible.

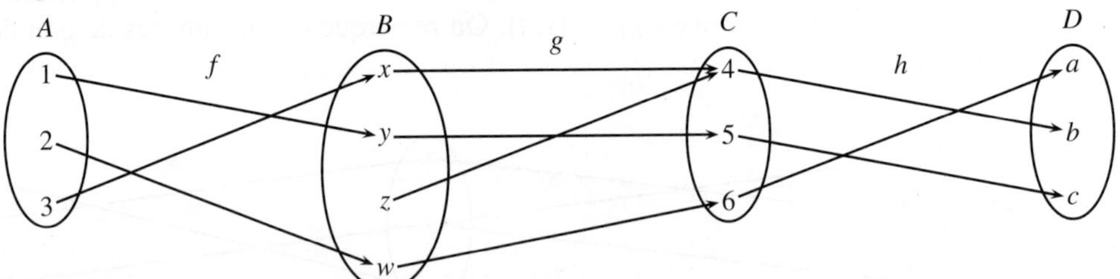

Figure 5.5 Propriétés des applications.

Solution :

(a) L'application $f : A \to B$ est injective, puisque chaque élément de A a une image différente. L'application $g : B \to C$ ne l'est pas, puisque deux éléments, x et z, ont la même image 4. Enfin, l'application $h : C \to D$ est injective.

(b) L'application $f : A \to B$ n'est pas surjective, puisque l'élément $z \in B$ n'est l'image d'aucun élément de A. L'application $g : B \to C$ est surjective, puisque tout élément de C est l'image d'au moins un élément de B. Enfin, l'application $h : C \to D$ est également surjective.

(c) On sait qu'une application possède un inverse si et seulement si elle est à la fois injective et surjective, donc bijective. D'après ce qui précède, on voit que seule l'application h a un inverse.

5.6 Soient $f : A \to B$ et $g : B \to C$; on peut donc définir $(g \circ f) : A \to C$. Montrer :

(a) si f et g sont injectives, alors $g \circ f$ est injective ;

(b) si f et g sont surjectives, alors $g \circ f$ est surjective ;

(c) si $g \circ f$ est injective, alors f est injective ;

(d) si $g \circ f$ est surjective, alors g est surjective.

Solution :

(a) Supposons que $(g \circ f)(x) = (g \circ f)(y)$, c'est-à-dire $g\big(f(x)\big) = g\big(f(y)\big)$. Puisque g est injective, $f(x) = f(y)$, et puisque f est injective, $x = y$. En définitive, $(g \circ f)(x) = (g \circ f)(y) \Rightarrow x = y$, donc $g \circ f$ est injective.

(b) Soit $c \in C$. g étant surjective, il existe $b \in B$ tel que $g(b) = c$. Puisque f est surjective, il existe $a \in A$ tel que $f(a) = b$. Donc $(g \circ f)(a) = g\big(f(a)\big) = g(b) = c$, d'où il résulte que $g \circ f$ est surjective.

(c) Supposons que f ne soit pas injective ; il existe alors des éléments distincts x et $y \in A$ pour lesquels $f(x) = f(y)$. Alors $(g \circ f)(x) = g\big(f(x)\big) = g\big(f(y)\big) = (g \circ f)(y)$. Par conséquent $g \circ f$ n'est pas injective, contrairement à l'hypothèse. On en déduit que f est injective.

(d) Si $a \in A$, alors $(g \circ f)(a) = g\big(f(a)\big) \in g(B)$, d'où $(g \circ f)(A) \subseteq g(B)$. Supposons que g ne soit pas surjective ; alors $g(B)$ serait contenu strictement dans C et donc $(g \circ f)(A)$ serait contenu strictement dans C, et $g \circ f$ ne serait pas surjective, contrairement à l'hypothèse : g est nécessairement surjective.

5.7 Montrer que $f : A \to B$ possède un inverse si et seulement si f est à la fois injective et surjective, c'est-à-dire bijective.

Solution : supposons que f a un inverse ; il existe donc une application $f^{-1} : B \to A$ telle que $f^{-1} \circ f = \mathbb{I}_A$ et $f \circ f^{-1} = \mathbb{I}_B$. L'application $\mathbb{I}_A$ étant injective, il en résulte que f est injective (problème 5.6(c)), et puisque $\mathbb{I}_B$ est surjective, que f est surjective (problème 5.6(d)) : f est bijective.

Réciproquement, supposons que f soit bijective. Alors tout $b \in B$ est l'image d'un élément unique de A, soit b^*. Alors si $f(a) = b$, on déduit $a = b^*$, et donc $f(b^*) = b$. Soit g l'application de B dans A définie par $b \mapsto b^*$; on peut écrire :

(a) $(g \circ f)(a) = g\big(f(a)\big) = g(b) = b^*$, $\forall a \in A$, d'où $g \circ f = \mathbb{I}_A$;

(b) $(f \circ g)(b) = f\big(g(b)\big) = f(b^*) = b$, $\forall b \in B$, d'où $f \circ g = \mathbb{I}_B$.

On en déduit que f a un inverse, qui n'est autre que l'application g.

5.8 Soit $f : \mathbb{R} \to \mathbb{R}$ définie par $f(x) = 2x - 3$. Clairement, f est bijective, et a donc un inverse f^{-1}. Trouver l'expression de f^{-1}.

Solution : appelons y l'image de x par f, c'est-à-dire $y = f(x) = 2x-3$. Alors x est l'image de y par l'application inverse f^{-1}. Résolvons en x l'équation précédente $y = 2x-3$, d'où $x = \dfrac{1}{2}(y+3)$. La formule définissant la fonction inverse est donc $f^{-1}(y) = \dfrac{1}{2}(y+3)$ ou, en revenant en variable x :

$$f^{-1}(x) = \frac{1}{2}(x+3)$$

APPLICATIONS LINÉAIRES

5.9 Soit l'application $F : \mathbb{R}^2 \to \mathbb{R}^2$ définie par $F(x, y) = (x+y, x)$. Montrer que F est linéaire.

Solution : nous devons montrer que $F(v+w) = F(v) + F(w)$ et que $F(kv) = kF(v)$, où v et w sont des éléments quelconques de $\mathbb{R}^2$ et k un scalaire arbitraire. Posons $v = (a, b)$ et $w = (a', b')$; alors :

$$v + w = (a + a',\ b + b') \quad \text{et} \quad kv = (ka, kb)$$

Nous avons $F(v) = (a+b, a)$ et $F(w) = (a'+b', a')$, d'où :

$$\begin{aligned} F(v+w) &= F(a+a',\ b+b') = (a+a'+b+b',\ a+a') \\ &= (a+b,\ a) + (a'+b',\ a') = F(v) + F(w) \end{aligned}$$

et :

$$F(kv) = F(ka, kb) = (ka+kb,\ ka) = k(a+b,\ a) = kF(v)$$

v, w et k étant arbitraires, F est linéaire.

5.10 Soit $F : \mathbb{R}^3 \to \mathbb{R}^2$ définie par $F(x, y, z) = (x + y + z,\ 2x - 3y + 4z)$. Montrer que F est linéaire.

Solution : nous raisonnerons à l'aide des matrices ; en écrivant les vecteurs en colonnes, l'application F se met sous la forme $F(v) = Av$, avec $v = (x, y, z)^T$ et :

$$A = \begin{pmatrix} 1 & 1 & 1 \\ 2 & -3 & 4 \end{pmatrix}$$

Les propriétés des matrices permettent d'écrire :

$$F(v + w) = A(v + w) = Av + Aw = F(v) + F(w)$$
$$F(kv) = A(kv) = k(Av) = kF(v)$$

F est donc linéaire.

5.11 Montrer que les applications suivantes ne sont pas linéaires :

(a) $F : \mathbb{R}^2 \to \mathbb{R}^2$ définie par $F(x, y) = (xy, x)$;
(b) $F : \mathbb{R}^2 \to \mathbb{R}^3$ définie par $F(x, y) = (x + 3,\ 2y,\ x + y)$;
(c) $F : \mathbb{R}^3 \to \mathbb{R}^2$ définie par $F(x, y, z) = (|x|,\ y + z)$.

Solution :

(a) Prenons par exemple $v = (1, 2)$ et $w = (3, 4)$; alors $v + w = (4, 6)$. Il vient :

$$F(v) = (1 \times 3, 1) = (3, 1) \quad \text{et} \quad F(w) = (3 \times 4, 3) = (12, 3)$$

d'où :

$$F(v + w) = (4 \times 6, 6) = (24, 6) \neq F(v) + F(w)$$

(b) On a $F(0, 0) = (3, 0, 0) \neq (0, 0, 0)$: F n'est pas linéaire.

(c) Soit $v = (1, 2, 3)$ et $k = -3$, d'où $kv = (-3, -6, -9)$. Appliquons F :

$$F(v) = (1, 5) \quad \text{et} \quad kF(v) = -3(1, 5) = (-3, -15)$$

Alors :

$$F(kv) = F(-3, -6, -9) = (3, -15) \neq kF(v)$$

5.12 Soit V l'espace vectoriel des matrices réelles carrées $n \times n$, et soit M une matrice de V arbitraire mais fixée. On définit l'application $F : V \to V$ par $F(A) = AM + MA$, $\forall A \in V$. Montrer que F est linéaire.

Solution : quelles que soient les matrices A et $B \in V$, et quel que soit le scalaire k :

$$F(A + B) = (A + B)M + M(A + B) = AM + BM + MA + MB$$
$$= (AM + MA) + (BM + MB) = F(A) + F(B)$$
$$F(kA) = (kA)M + M(kA) = k(AM) + k(MA) = k(AM + MA) = kF(A)$$

F est bien une application linéaire.

5.13 Démontrer le théorème 5.2 : *soient V et U deux espaces vectoriels sur un même corps* $\mathbb{K}$. *Soit* $\{v_1, v_2, \ldots, v_n\}$ *une base de V et* $u_1, u_2, \ldots, u_n$ *des vecteurs quelconques de U. Alors il existe une application linéaire et une seule* $F : V \to U$ *telle que* $F(v_1) = u_1$, $F(v_2) = u_2, \ldots, F(v_n) = u_n$.

Solution : la démonstration s'effectue en trois temps :

(a) définir $F : V \to U$ telle que $F(v_i) = u_i$, $i = 1, \ldots, n$;

(b) montrer que F est linéaire ;

(c) montrer que F est unique.

Étape A Soit $v \in V$; puisque $\{v_1, \ldots, v_n\}$ est une base de V, il existe des scalaires uniques $a_1, \ldots, a_n \in \mathbb{K}$ tels que $v = a_1v_1 + a_2v_2 + \cdots + a_nv_n$. Nous allons définir F par :

$$F(v) = a_1u_1 + a_2u_2 + \cdots + a_nu_n$$

qui est bien définie puisque les a_i sont uniques. Alors , pour $i = 1, 2, \ldots, n$:

$$v_i = 0v_1 + \cdots + 1v_i + \cdots + 0v_n \Rightarrow F(v_i) = 0u_1 + \cdots + 1u_i + \cdots + 0u_n = u_i$$

La 1re étape est achevée.

Étape B Soient $v = a_1v_1 + a_2v_2 + \cdots + a_nv_n$ et $w = b_1v_1 + b_2v_2 + \cdots + b_nv_n$; alors, $\forall k \in \mathbb{K}$:

$$v + w = (a_1 + b_1)v_1 + (a_2 + b_2)v_2 + \cdots + (a_n + b_n)v_n$$
$$kv = ka_1v_1 + ka_2v_2 + \cdots + ka_nv_n$$

Appliquons F :

$$F(v) = a_1u_1 + a_2u_2 + \cdots + a_nu_n \quad \text{et} \quad F(w) = b_1u_1 + b_2u_2 + \cdots + b_nu_n$$

On en déduit :

$$\begin{aligned} F(v + w) &= (a_1 + b_1)u_1 + (a_2 + b_2)u_2 + \cdots + (a_n + b_n)u_n \\ &= (a_1u_1 + a_2u_2 + \cdots + a_nu_n) + (b_1u_1 + b_2u_2 + \cdots + b_nu_n) = F(v) + F(w) \\ F(kv) &= k(a_1u_1 + a_2u_2 + \cdots + a_nu_n) = kF(v) \end{aligned}$$

F est linéaire : fin de la 2e étape.

Étape C Supposons qu'il existe une deuxième application $G : V \to U$ telle que $\forall i = 1, \ldots, n$, $G(v_i) = u_i$. Posons à nouveau $v = a_1v_1 + a_2v_2 + \cdots + a_nv_n$; alors :

$$\begin{aligned} G(v) &= G(a_1v_1 + a_2v_2 + \cdots + a_nv_n) = a_1G(v_1) + a_2G(v_2) + \cdots + a_nG(v_n) \\ &= a_1u_1 + a_2u_2 + \cdots + a_nu_n = F(v) \end{aligned}$$

L'égalité $G(v) = F(v)$ étant vérifiée pour tout $v \in V$, on en déduit $G = F$, ce qui établit l'unicité, et achève la démonstration du théorème.

5.14 Soit $F : \mathbb{R}^2 \to \mathbb{R}^2$ l'application linéaire telle que $F(1, 2) = (2, 3)$ et $F(0, 1) = (1, 4)$. En remarquant que $\{(1, 2), (0, 1)\}$ est une base de $\mathbb{R}^2$, on sait d'après le théorème 5.2 qu'une telle application existe et est unique. Déterminer F ; en d'autres termes, trouver l'expression de $F(a, b)$, où a et b sont quelconques.

Solution : on écrit (a, b) comme combinaison linéaire de $(1, 2)$ et $(0, 1)$, à l'aide de deux inconnues x et y :

$$(a, b) = x(1, 2) + y(0, 1) = (x,\ 2x + y) \Rightarrow a = x,\ b = 2x + y$$

On inverse cette relation, d'où $x = a$ et $y = -2a + b$; alors :

$$F(a, b) = xF(1, 2) + yF(0, 1) = a(2, 3) + (-2a + b)(1, 4) = (b,\ -5a + 4b)$$

5.15 Soit une application linéaire et bijective $F : V \to U$. Montrer que l'application inverse F^{-1} est également linéaire.

Solution : soient u et $u' \in U$. F étant bijective, il existe des vecteurs v et $v' \in V$ uniques tels que $F(v) = u$ et $F(v') = u'$. Puisque F est linéaire :

$$F(v + v') = F(v) + F(v') = u + u' \quad \text{et} \quad F(kv) = kF(v) = ku$$

Par définition de l'application inverse :

$$F^{-1}(u) = v,\ F^{-1}(u') = v',\ F^{-1}(u + u') = v + v',\ F^{-1}(ku) = kv$$

On en déduit :

$$F^{-1}(u + u') = v + v' = F^{-1}(u) + F^{-1}(u') \quad \text{et} \quad F^{-1}(ku) = kv = kF^{-1}(u)$$

Par conséquent, F^{-1} est linéaire.

NOYAU ET IMAGE D'UNE APPLICATION LINÉAIRE

5.16 Soit l'application linéaire $F : \mathbb{R}^4 \to \mathbb{R}^3$ définie par :

$$F(x, y, z, t) = (x - y + z + t,\ x + 2z - t,\ x + y + 3z - 3t)$$

Trouver une base et la dimension de l'image et du noyau de F.

Solution :

(a) *Image de F*. Écrivons les images des vecteurs de la base canonique de $\mathbb{R}^4$:

$$F(1, 0, 0, 0) = (1, 1, 1) \qquad F(0, 1, 0, 0) = (-1, 0, 1)$$
$$F(0, 0, 1, 0) = (1, 2, 3) \qquad F(0, 0, 0, 1) = (1, -1, -3)$$

D'après la proposition 5.4, ces images forment un système générateur de $\operatorname{Im} F$. On peut donc les écrire comme les lignes d'une matrice que l'on met ensuite sous forme échelon :

$$\begin{pmatrix} 1 & 1 & 1 \\ -1 & 0 & 1 \\ 1 & 2 & 3 \\ 1 & -1 & -3 \end{pmatrix} \sim \begin{pmatrix} 1 & 1 & 1 \\ 0 & 1 & 2 \\ 0 & 1 & 2 \\ 0 & -2 & -4 \end{pmatrix} \sim \begin{pmatrix} 1 & 1 & 1 \\ 0 & 1 & 2 \\ 0 & 0 & 0 \\ 0 & 0 & 0 \end{pmatrix}$$

On en déduit que $(1, 1, 1)$ et $(0, 1, 2)$ forment une base de $\operatorname{Im} F$, et par conséquent, $\dim(\operatorname{Im} F) = 2$.

(b) *Noyau de F*. Posons $F(v) = 0$, avec $v = (x, y, z, t)$:

$$F(x, y, z, t) = (x - y + z + t,\ x + 2z - t,\ x + y + 3z - 3t) = (0, 0, 0)$$

En identifiant les composantes de même indice, on obtient un système homogène d'équations linéaires dont l'espace des solutions n'est autre que $\ker F$:

$$\begin{aligned} x - y + z + t &= 0 \\ x \phantom{{}-y} + 2z - t &= 0 \\ x + y + 3z - 3t &= 0 \end{aligned} \quad \text{puis} \quad \begin{aligned} x - y + z + t &= 0 \\ y + z - 2t &= 0 \\ 2y + 2z - 4t &= 0 \end{aligned} \quad \text{puis} \quad \begin{aligned} x - y + z + t &= 0 \\ y + z - 2t &= 0 \end{aligned}$$

Il y a deux variables libres, z et t, d'où $\dim(\ker F) = 2$.

1. On pose $z = -1$ et $t = 0$, d'où la solution $(2, 1, -1, 0)$;
2. on pose $z = 0$ et $t = 1$, d'où la solution $(1, 2, 0, 1)$.

Les vecteurs $(2, 1, -1, 0)$ et $(1, 2, 0, 1)$ forment une base de $\ker F$.

On vérifie que $\dim(\operatorname{Im} F) + \dim(\ker F) = 2 + 2 = 4 = \dim \mathbb{R}^4$.

5.17 Soit $G : \mathbb{R}^3 \to \mathbb{R}^3$ l'application linéaire définie par :

$$G(x, y, z) = (x + 2y - z,\ y + z,\ x + y - 2z)$$

Trouver une base et la dimension de l'image et du noyau de G.

Solution :

(a) *Image de G.* On écrit les images des vecteurs de la base canonique de $\mathbb{R}^3$:

$$G(1, 0, 0) = (1, 0, 1), \quad G(0, 1, 0) = (2, 1, 1), \quad G(0, 0, 1) = (-1, 1, -2)$$

On sait (proposition 5.4) que ces images engendrent $\operatorname{Im} G$; on les écrit comme lignes d'une matrice, que l'on met sous forme échelon :

$$\begin{pmatrix} 1 & 0 & 1 \\ 2 & 1 & 1 \\ -1 & 1 & -2 \end{pmatrix} \sim \begin{pmatrix} 1 & 0 & 1 \\ 0 & 1 & -1 \\ 0 & 1 & -1 \end{pmatrix} \sim \begin{pmatrix} 1 & 0 & 1 \\ 0 & 1 & -1 \\ 0 & 0 & 0 \end{pmatrix}$$

Les vecteurs $(1, 0, 1)$ et $(0, 1, -1)$ forment une base de $\dim F$, qui a donc 2 pour dimension.

(b) *Noyau de F.* Écrivons $G(v) = 0$, avec $v = (x, y, z)$:

$$G(x, y, z) = (x + 2y - z,\ y + z,\ x + y - 2z) = (0, 0, 0)$$

L'identification composante par composante conduit au système homogène suivant, dont l'espace des solutions est justement $\ker F$:

$$\begin{aligned} x + 2y - \ z &= 0 \\ y + \ z &= 0 \\ x + \ y - 2z &= 0 \end{aligned} \quad \text{puis} \quad \begin{aligned} x + 2y - z &= 0 \\ y + z &= 0 \\ -y - z &= 0 \end{aligned} \quad \text{puis} \quad \begin{aligned} x + 2y - z &= 0 \\ y + z &= 0 \end{aligned}$$

z est la seule variable libre, d'où $\dim(\ker G) = 1$. En posant $z = 1$, on trouve $x = 3$ et $y = -1$: le vecteur $(3, -1, 1)$ est une base de $\ker G$.

On vérifie que $\dim(\operatorname{Im} G) + \dim(\ker G) = 2 + 1 = \dim \mathbb{R}^3$.

5.18 Soit l'application linéaire $A : \mathbb{R}^4 \to \mathbb{R}^3$ définie par la matrice $A = \begin{pmatrix} 1 & 2 & 3 & 1 \\ 1 & 3 & 5 & -2 \\ 3 & 8 & 13 & -3 \end{pmatrix}$.

Déterminer une base et la dimension de l'image et du noyau de A.

Solution :

(a) *Image de A.* On sait que l'espace image de A se confond avec son espace colonne ; écrivons A^T et mettons-la sous forme échelon :

$$A^T = \begin{pmatrix} 1 & 1 & 3 \\ 2 & 3 & 8 \\ 3 & 5 & 13 \\ 1 & -2 & -3 \end{pmatrix} \sim \begin{pmatrix} 1 & 1 & 3 \\ 0 & 1 & 2 \\ 0 & 2 & 4 \\ 0 & -3 & -6 \end{pmatrix} \sim \begin{pmatrix} 1 & 1 & 3 \\ 0 & 1 & 2 \\ 0 & 0 & 0 \\ 0 & 0 & 0 \end{pmatrix}$$

Le système $\{(1, 1, 3),\ (0, 1, 2)\}$ est une base de $\operatorname{Im} A$, et $\dim(\operatorname{Im} A) = 2$.

(b) *Noyau de A.* $\ker A$ est l'espace des solutions du système homogène $AX = 0$, où $X = (x, y, z, t)^T$. Il nous faut donc mettre la matrice A des coefficients sous forme échelon :

$$A \sim \begin{pmatrix} 1 & 2 & 3 & 1 \\ 0 & 1 & 2 & -3 \\ 0 & 2 & 4 & -6 \end{pmatrix} \sim \begin{pmatrix} 1 & 2 & 3 & 1 \\ 0 & 1 & 2 & -3 \\ 0 & 0 & 0 & 0 \end{pmatrix} \quad \text{ou} \quad \begin{aligned} x + 2y + 3z + t &= 0 \\ y + 2z - 3t &= 0 \end{aligned}$$

Les variables libres sont z et t, et donc $\dim(\ker A) = 2$;
1. posons $z = 1$ et $t = 0$, d'où la solution $(1, -2, 1, 0)$;
2. posons $z = 0$ et $t = 1$, d'où la solution $(-7, 3, 0, 1)$.

Le système $\{(1, -2, 1, 0),\ (-7, 3, 0, 1)\}$ est une base de $\ker F$.

5.19 Trouver une application linéaire $F : \mathbb{R}^3 \to \mathbb{R}^4$ dont l'image soit engendrée par $(1, 2, 0, -4)$et $(2, 0, -1, -3)\}$.

Solution : construisons une matrice 4×3 dont les colonnes sont les vecteurs donnés ; par exemple :

$$A = \begin{pmatrix} 1 & 2 & 2 \\ 2 & 0 & 0 \\ 0 & -1 & -1 \\ -4 & -3 & -3 \end{pmatrix}$$

On rappelle que les colonnes d'une matrice engendrent l'espace image de l'application linéaire associée : la matrice A ci-dessus répond à la question.

5.20 Soit $f : V \to U$ une application linéaire dont on désigne par W le noyau, et soit $f(v) = u$. Montrer que l'ensemble $v + W = \{v + w \mid w \in W\}$ est l'antécédent de u, autrement dit $v + W = f^{-1}(u)$.

Solution : il nous faut montrer deux choses :

(a) $f^{-1}(u) \subseteq v + W$; (b) $v + W \subseteq f^{-1}(u)$.

(a) Soit $v' \in f^{-1}(u)$; alors $f(v') = u$, et donc :

$$f(v' - v) = f(v') - f(v) = u - u = 0$$

Par conséquent, $v' - v \in W$. Alors $v' = v + (v' - v) \in v + W$, et donc $f^{-1}(u) \subseteq v + W$.

(b) Soit à présent $v' \in v + W$; alors $v' = v + w$, où $w \in W$. Puisque W est le noyau de f, on a $f(w) = 0$. Par conséquent :

$$f(v') = f(v + w) = f(v) + f(w) = f(v) + 0 = f(v) = u$$

Donc $v' \in f^{-1}(u)$, par conséquent $v + W \subseteq f^{-1}(u)$.

L'inclusion dans les deux sens entraîne l'égalité.

5.21 Soient deux applications linéaires $F : V \to U$ et $G : U \to W$. Démontrer que :

(a) $\operatorname{rang}(G \circ F) \leq \operatorname{rang} G$; (b) $\operatorname{rang}(G \circ F) \leq \operatorname{rang} F$.

Solution :

(a) Puisque $F(V) \subseteq U$, on a aussi $G\big(F(V)\big) \subseteq G(U)$, d'où $\dim G\big(F(V)\big) \leq \dim G(U)$. Alors :

$$\operatorname{rang}(G \circ F) = \dim\big((G \circ F)(V)\big) = \dim G\big(F(V)\big) \leq \dim G(U) = \operatorname{rang} G$$

(b) On a $\dim G\big(F(V)\big) \leq \dim F(V)$. Alors :

$$\operatorname{rang}(G \circ F) = \dim\big((G \circ F)(V)\big) = \dim G\big(F(V)\big) \leq \dim F(V) = \operatorname{rang} F$$

5.22 Démontrer le théorème 5.3 : *soit $F : V \to U$ une application linéaire. Alors :*

(a) $\operatorname{Im} F$ *est un sous-espace de* U ; (b) $\ker F$ *est un sous-espace de* V.

Solution :

(a) Puisque $F(0) = 0$, le vecteur $0 \in \operatorname{Im} F$. Soient u, $u' \in \operatorname{Im} F$ et $a, b \in \mathbb{K}$. Puisque u et u' appartiennent à l'image de F, il existe des vecteurs v et $v' \in V$ tels que $F(v) = u$ et $F(v') = u'$. Alors :

$$F(av + bv') = aF(v) + bF(v') = au + bu' \in \operatorname{Im} F$$

On en déduit que l'image de F est un sous-espace de U.

(b) Puisque $F(0) = 0$, le vecteur $0 \in \ker F$. Soient $v, w \in \ker F$ et $a, b \in \mathbb{K}$. Puisque u et u' appartiennent au noyau de F, $F(v) = 0$ et $F(w) = 0$. Alors :

$$F(av + bw) = aF(v) + bF(w) = a0 + b0 = 0 \Rightarrow av + bw \in \ker F$$

Par conséquent le noyau de F est un sous-espace de V.

5.23 Démontrer le théorème 5.6 : *Soit V un espace vectoriel de dimension finie, et soit $F : V \to U$ une application linéaire. Alors :*

$$\dim V = \dim(\ker F) + \dim(\operatorname{Im} F) = \text{nullité } F + \operatorname{rang} F$$

Solution : supposons que $\dim(\ker F) = r$ et soit $\{w_1, \ldots, w_r\}$ une base de $\ker F$. Supposons de même que $\dim(\operatorname{Im} F) = s$ et soit $\{u_1, \ldots, u_s\}$ une base de $\operatorname{Im} F$. On sait avec la proposition 5.4 que $\operatorname{Im} F$ est de dimension finie. Puisque $u_j \in \operatorname{Im} F$, il existe des vecteurs $v_1, \ldots, v_s \in V$ tels que $F(v_1) = u_1, \ldots, F(v_s) = u_s$. Nous allons montrer que l'ensemble :

$$B = \{w_1, \ldots, w_r, v_1, \ldots, v_s\}$$

est une base de V, ce qui se fait en deux temps :

(a) B engendre V ; (b) B est libre.

(a) *B engendre V.* Soit $v \in V$; alors $F(v) \in \operatorname{Im} F$. Puisque les u_j engendrent $\operatorname{Im} F$, il existe des scalaires $a_1, \ldots, a_s$ tels que $F(v) = a_1u_1 + \cdots + a_su_s$. Posons $\hat{v} = a_1v_1 + \cdots + a_sv_s - v$. Alors :

$$\begin{aligned} F(\hat{v}) &= F(a_1v_1 + \cdots + a_sv_s - v) = a_1F(v_1) + \cdots + a_sF(v_s) - F(v) \\ &= a_1u_1 + \cdots + a_su_s - F(v) = 0 \end{aligned}$$

On en déduit que $\hat{v} \in \ker F$. Puisque les w_i engendrent $\ker F$, il existe des scalaires $b_1, \ldots, b_r$ tels que :

$$\hat{v} = b_1w_1 + \cdots + b_rw_r = a_1v_1 + \cdots + a_sv_s - v$$

Par conséquent :

$$v = a_1v_1 + \cdots + a_sv_s - b_1w_1 - \cdots - b_rw_r$$

et donc B engendre V.

(b) *B est un système libre*. Supposons que :

$$x_1 w_1 + \cdots + x_r w_r + y_1 v_1 + \cdots + y_s v_s = 0 \tag{5.3}$$

où les x_i et y_j sont des scalaires de $\mathbb{K}$. Alors :

$$\begin{aligned} 0 = F(0) &= F(x_1 w_1 + \cdots + x_r w_r + y_1 v_1 + \cdots + y_s v_s) \\ &= x_1 F(w_1) + \cdots + x_r F(w_r) + y_1 F(v_1) + \cdots + y_s F(v_s) \end{aligned} \tag{5.4}$$

Les $F(w_j)$ sont nuls, puisque les $w_j \in \ker F$, et $F(v_i) = u_i$. En remplaçant dans (5.4), on obtient $y_1 u_1 + \cdots + y_s u_s = 0$. Puisque les u_j sont linéairement indépendants, tous les y_j sont nuls. En remplaçant dans (5.3), on obtient $x_1 w_1 + \cdots + x_r w_r = 0$. Les w_i étant linéairement indépendants, tous les x_i sont nuls. On a montré ainsi que B est libre.

On en déduit que $\dim V = \dim(\ker F) + \dim(\operatorname{Im} F)$.

APPLICATIONS LINÉAIRES RÉGULIÈRES ET SINGULIÈRES, ISOMORPHISMES

5.24 Déterminer si chacune des applications linéaires suivantes est régulière ; si elle ne l'est pas, exhiber un vecteur non nul dont l'image soit nulle.

(a) $F : \mathbb{R}^2 \to \mathbb{R}^2$ définie par $F(x, y) = (x - y, x - 2y)$;

(b) $G : \mathbb{R}^2 \to \mathbb{R}^2$ définie par $G(x, y) = (2x - 4y, 3x - 6y)$.

Solution :

(a) Cherchons $\ker F$ en posant $F(v) = 0$, avec $v = (x, y)$:

$$(x - y, x - 2y) = (0, 0) \Rightarrow \begin{aligned} x - y &= 0 \\ x - 2y &= 0 \end{aligned} \quad \text{ou} \quad \begin{aligned} x - y &= 0 \\ -y &= 0 \end{aligned}$$

La seule solution est $x = y = 0$, et donc F est régulière.

(b) Posons $G(v) = 0$, avec $v = (x, y)$, pour trouver $\ker G$:

$$(2x - 4y, 3x - 6y) = (0, 0) \Rightarrow \begin{aligned} 2x - 4y &= 0 \\ 3x - 6y &= 0 \end{aligned} \quad \text{ou} \quad x - 2y = 0$$

Ce système a des solutions non nulles, puisqu'il y a une variable libre, y ; G est donc singulière. Posons $y = 1$; on obtient le vecteur non nul $v = (2, 1)$ tel que $G(v) = 0$.

5.25 L'application linéaire $F : \mathbb{R}^2 \to \mathbb{R}^2$ définie par $F(x, y) = (x - y, x - 2y)$ est régulière (problème 5.24). Déterminer F^{-1}.

Solution : posons $F(x, y) = (a, b)$, de sorte que $(x, y) = F^{-1}(a, b)$. On a :

$$(x - y, x - 2y) = (a, b) \Rightarrow \begin{aligned} x - y &= a \\ x - 2y &= b \end{aligned} \quad \text{ou} \quad \begin{aligned} x - y &= a \\ y &= a - b \end{aligned}$$

On exprime x et y en fonction de a et b, soit $x = 2a - b$ et $y = a - b$. Alors :

$$F^{-1}(a, b) = (2a - b, a - b) \quad \text{ou} \quad F^{-1}(x, y) = (2x - y, x - y)$$

en remplaçant les variables muettes a et b par x et y.

5.26 Soit $G : \mathbb{R}^2 \to \mathbb{R}^3$ défini par $G(x, y) = (x + y, x - 2y, 3x + y)$:

(a) montrer que G est régulière ; (b) déterminer G^{-1}.

Solution :

(a) Posons $G(x, y) = (0, 0, 0)$ pour trouver $\ker G$:

$$(x + y,\ x - 2y,\ 3x + y) = (0, 0, 0) \Rightarrow x + y = 0,\ x - 2y = 0,\ 3x + y = 0$$

La seule solution est $x = y = 0$, et donc G est régulière.

(b) Bien que l'application G soit régulière, elle n'est pas inversible puisque $\mathbb{R}^2$ et $\mathbb{R}^3$ n'ont pas la même dimension, et le théorème 5.9 ne s'applique donc pas : G^{-1} n'existe pas.

5.27 Soit une application linéaire $F : V \to U$, où l'espace vectoriel V est de dimension finie. Montrer que V et $\operatorname{Im} F$ ont la même dimension si et seulement si F est régulière. Déterminer toutes les applications linéaires régulières $T : \mathbb{R}^4 \to \mathbb{R}^3$.

Solution : d'après le théorème 5.6, $\dim V = \dim(\operatorname{Im} F) + \dim(\ker F)$; V et $\operatorname{Im} F$ ont la même dimension si et seulement si $\dim(\ker F) = 0$, c'est-à-dire si et seulement si $\ker F = \{0\}$, autrement dit si et seulement si F est régulière.
Puisque $\dim \mathbb{R}^3 < \dim \mathbb{R}^4$, $\dim(\operatorname{Im} T)$ est nécessairement inférieure à la dimension du domaine de définition $\mathbb{R}^4$ de T. On en déduit qu'aucune application $T : \mathbb{R}^4 \to \mathbb{R}^3$ ne peut être régulière.

5.28 Démontrer le théorème 5.7 : *soit $F : V \to U$ une application linéaire régulière. Alors l'image de tout ensemble linéairement indépendant est linéairement indépendant.*

Solution : soient $v_1, v_2, \ldots, v_n$ des vecteurs linéairement indépendants de V. Montrons que $F(v_1)$, $F(v_2), \ldots, F(v_n)$ sont aussi linéairement indépendants. Construisons une combinaison linéaire nulle $a_1F(v_1) + a_2F(v_2) + \cdots + a_nF(v_n) = 0$, où les scalaires a_i sont dans $\mathbb{K}$. Puisque F est linéaire, $F(a_1v_1 + a_2v_2 + \cdots + a_nv_n) = 0$ et par conséquent :

$$a_1v_1 + a_2v_2 + \cdots + a_nv_n \in \ker F$$

Puisque F est régulière, $\ker F = \{0\}$ et donc $a_1v_1 + a_2v_2 + \cdots + a_nv_n = 0$. Les v_i étant linéairement indépendants, tous les a_i sont nuls, d'où l'on déduit que les $F(v_i)$ sont linéairement indépendants, ce qui établit le théorème.

5.29 Démontrer le théorème 5.9 : *soient deux espaces vectoriels U et V de dimension finie tels que $\dim U = \dim V$, et soit une application linéaire $F : V \to U$. Alors l'application F est un isomorphisme si et seulement si elle est régulière.*

Solution : si F est un isomorphisme, seul 0 est appliqué sur 0, et donc F est régulière. Réciproquement, soit F régulière, et donc $\ker F = \{0\}$. Le théorème 5.6 permet d'écrire $\dim V = \dim(\ker F) + \dim(\operatorname{Im} F)$. Par conséquent :

$$\dim U = \dim V = \dim(\operatorname{Im} F)$$

La dimension de U étant finie, $\operatorname{Im} F = U$, ce qui signifie que F est surjective. Elle est donc bijective, c'est un isomorphisme.

OPÉRATIONS SUR LES APPLICATIONS LINÉAIRES

5.30 Soient les applications $F : \mathbb{R}^3 \to \mathbb{R}^2$ et $G : \mathbb{R}^3 \to \mathbb{R}^2$ définies respectivement par $F(x, y, z) = (2x, y + z)$ et $G(x, y, z) = (x - z, y)$. Exprimer analytiquement les applications suivantes :

(a) $F + G$; (b) $3F$; (c) $2F - 5G$.

Solution :
(a) $(F+G)(x,y,z) = F(x,y,z) + G(x,y,z) = (2x, y+z) + (x-z, y) = (3x-z, 2y+z)$;
(b) $(3F)(x,y,z) = 3F(x,y,z) = 3(2x, y+z) = (6x, 3y+3z)$;
(c) $(2F-5G)(x,y,z) = 2F(x,y,z) - 5G(x,y,z) = 2(2x, y+z) - 5(x-z, y) = (-x+5z, -3y+2z)$.

5.31 Soient $F : \mathbb{R}^3 \to \mathbb{R}^2$ et $G : \mathbb{R}^2 \to \mathbb{R}^2$ définies respectivement par $F(x,y,z) = (2x, y+z)$ et $G(x,y) = (y,x)$. Exprimer les applications :

(a) $G \circ F$; (b) $F \circ G$.

Solution :
(a) $(G \circ F)(x,y,z) = G\big(F(x,y,z)\big) = G(2x, y+z) = (y+z, 2x)$;
(b) L'application $F \circ G$ n'est pas définie, puisque l'image de G n'est pas contenue dans le domaine de définition de F.

5.32 Démontrer les propriétés suivantes :
(a) l'application nulle $\mathbf{0} : V \to U$, définie par $\forall v \in V$, $\mathbf{0}(v) = 0 \in U$, est le vecteur nul de $\mathcal{L}(V, U)$;
(b) l'opposé de $F \in \mathcal{L}(V, U)$ est l'application $(-1)F$, *i.e.* $-F = (-1)F$.

Solution : soit $F \in \mathcal{L}(V, U)$; pour tout $v \in V$:
(a) $(F + \mathbf{0})(v) = F(v) + \mathbf{0}(v) = F(v) + 0 = F(v)$. Puisque $(F+\mathbf{0})(v) = F(v)$ $\forall v \in V$, on a $F + \mathbf{0} = F$. On établit de même sans difficulté que $\mathbf{0} + F = F$.
(b) $(F + (-1)F)(v) = F(v) + (-1)F(v) = F(v) - F(v) = 0 = \mathbf{0}(v)$, et donc $F + (-1)F = \mathbf{0}$. De même, $(-1)F + F = \mathbf{0}$, et par conséquent $-F = (-1)F$.

5.33 Soient $F_1, F_2, \ldots, F_n$ des applications linéaires de V dans U. Montrer que, $\forall a_1, a_2, \ldots, a_n \in \mathbb{K}$, $\forall v \in V$:

$$(a_1F_1 + a_2F_2 + \cdots + a_nF_n)(v) = a_1F_1(v) + a_2F_2(v) + \cdots + a_nF_n(v)$$

Solution : l'application a_1F_1 est définie par $(a_1F_1)(v) = a_1F_1(v)$ et par conséquent le théorème est vrai pour $n = 1$. Par récurrence :

$$\begin{aligned}(a_1F_1 + a_2F_2 + \cdots + a_nF_n)(v) &= (a_1F_1)(v) + (a_2F_2 + \cdots + a_nF_n)(v)\\ &= a_1F_1(v) + a_2F_2(v) + \cdots + a_nF_n(v)\end{aligned}$$

5.34 Soient les applications $F : \mathbb{R}^3 \to \mathbb{R}^2$, $G : \mathbb{R}^3 \to \mathbb{R}^2$ et $H : \mathbb{R}^3 \to \mathbb{R}^2$ définies par :

$$F(x,y,z) = (x+y+z,\ x+y), \quad G(x,y,z) = (2x+z,\ x+y), \quad H(x,y,z) = (2y,\ x)$$

Montrer que sur $\mathcal{L}(\mathbb{R}^3, \mathbb{R}^2)$, les applications F, G et H sont linéairement indépendantes.

Solution : écrivons une combinaison linéaire nulle :

$$aF + bG + cH = \mathbf{0} \tag{5.5}$$

où a, b et $c \in \mathbb{K}$, et où $\mathbf{0}$ est l'application nulle. Appliquons les deux membres de (5.5) au premier vecteur $e_1 = (1,0,0)$ de la base canonique de $\mathbb{R}^3$; on a $\mathbf{0}(e_1) = 0$, et :

$$\begin{aligned}(aF + bG + cH)(e_1) &= aF(1,0,0) + bG(1,0,0) + cH(1,0,0)\\ &= a(1,1) + b(2,1) + c(0,1) = (a+2b,\ a+b+c)\end{aligned}$$

Par conséquent :

$$a + 2b = 0 \quad \text{et} \quad a + b + c = 0 \tag{5.6}$$

Appliquons le même processus à $e_2 = (0, 1, 0)$; on a $\mathbf{0}(e_2) = 0$, et :

$$\begin{aligned}(aF + bG + cH)(e_2) &= aF(0, 1, 0) + bG(0, 1, 0) + cH(0, 1, 0)\\ &= a(1, 1) + b(0, 1) + c(2, 0) = (a + 2c,\ a + b)\end{aligned}$$

d'où :

$$a + 2c = 0 \quad \text{et} \quad a + b + c = 0 \tag{5.7}$$

À l'aide de (5.6) et (5.7), on trouve immédiatement :

$$a = 0, \quad b = 0, \quad c = 0 \tag{5.8}$$

Nous avons montré (5.5)⇒(5.8) ; par conséquent les applications F, G et H sont linéairement indépendantes.

5.35 Soit k un scalaire non nul. Montrer qu'une application linéaire T est singulière si et seulement si l'application linéaire kT est singulière. En déduire que T est singulière si et seulement si $-T$ est singulière.

Solution : soit T singulière ; alors il existe un vecteur v non nul tel que $T(v) = 0$. Alors :

$$(kT)(v) = kT(v) = k0 = 0$$

et donc kT est singulière.
Réciproquement, supposons kT singulière. Alors il existe un vecteur $w \neq 0$ pour lequel $(kT)(w) = 0$. Alors :

$$T(kw) = kT(w) = (kT)(w) = 0$$

Mais k et w étant par hypothèse non nuls, $kw \neq 0$. Il en résulte que T est singulière.

5.36 Déterminer la dimension d des espaces vectoriels suivants :

(a) $\mathcal{L}(\mathbb{R}^3, \mathbb{R}^4)$; (b) $\mathcal{L}(\mathbb{R}^5, \mathbb{R}^3)$; (c) $\mathcal{L}(\mathbf{P}_3(t), \mathbb{R}^2)$; (d) $\mathcal{L}(\mathbf{M}_{2,3}, \mathbb{R}^4)$.

Solution : on utilise la relation $\dim\big(\mathcal{L}(V, U)\big) = mn$, avec $\dim V = m$ et $\dim U = n$:

(a) $d = 3 \times 4 = 12$;
(b) $d = 5 \times 3 = 15$;
(c) $\dim \mathbf{P}_3(t) = 4 \Rightarrow d = 4 \times 2 = 8$;
(d) $\dim \mathbf{M}_{2,3} = 6 \Rightarrow d = 6 \times 4 = 24$.

5.37 Démontrer le théorème 5.11 : *si* $\dim V = m$ *et* $\dim U = n$, *alors* $\dim \mathcal{L}(V, U) = mn$.

Solution : soit $\{v_1, \ldots, v_m\}$ une base de V et $\{u_1, \ldots, u_n\}$ une base de U. D'après le théorème 5.2, une application linéaire de $\mathcal{L}(V, U)$ est entièrement déterminée par la connaissance des éléments u_i de U images des vecteurs v_j d'une base de V. Définissons :

$$F_{ij} \in \mathcal{L}(V, U), \quad i = 1, \ldots, m, \quad j = 1, \ldots, n$$

les applications linéaires telles que $F_{ij}(v_i) = u_j$, et $F_{ij}(v_k) = 0$ si $k \neq i$: F_{ij} applique v_i sur u_j et tous les autres v_k, $k \neq i$ sur 0. On remarque que l'ensemble des F_{ij} comprend exactement mn éléments. Le théorème sera démontré si nous établissons que les F_{ij} forment une base de $\mathcal{L}(V, U)$.

Cette démonstration se fait en deux temps :

(a) *le système* $\{F_{ij}\}$ *est générateur* : soit une application arbitraire $F \in \mathcal{L}(V, U)$, et posons $F(v_1) = w_1, F(v_2) = w_2, \ldots, F(v_m) = w_m$. Puisque les $w_k \in U$, ils s'expriment comme combinaison linéaire des u_i, soit :

$$w_k = a_{k1}u_1 + a_{k2}u_2 + \cdots + a_{kn}u_n, \quad k = 1, \ldots, m, \quad a_{ij} \in \mathbb{K} \tag{5.9}$$

Considérons l'application linéaire $G = \sum_{i=1}^{m} \sum_{j=1}^{n} a_{ij}F_{ij}$. Puisque G est une combinaison linéaire des F_{ij}, nous aurons prouvé que les $\{F_{ij}\}$ engendrent $\mathcal{L}(V, U)$ si nous montrons que $F = G$.

Calculons $G(v_k)$, $k = 1, \ldots, m$. Puisque $F_{ij}(v_k) = 0$ si $k \neq i$ et $F_{ki}(v_k) = u_i$, on a :

$$\begin{aligned} G(v_k) &= \sum_{i=1}^{m}\sum_{j=1}^{n} a_{ij}F_{ij}(v_k) = \sum_{j=1}^{n} a_{kj}F_{kj}(v_k) = \sum_{j=1}^{n} a_{kj}u_j \\ &= a_{k1}u_1 + a_{k2}u_2 + \cdots + a_{kn}u_n \end{aligned}$$

D'après (5.9), $G(v_k) = w_k$ pour chaque k ; mais aussi $F(v_k) = w_k$ pour chaque k. Le théorème 5.2 nous assure alors que $F = G$, et les $\{F_{ij}\}$ engendrent effectivement $\mathcal{L}(V, U)$.

(b) *le système* $\{F_{ij}\}$ *est libre* : soit, pour des scalaires $c_{ij} \in \mathbb{K}$:

$$\sum_{i=1}^{m}\sum_{j=1}^{n} c_{ij}F_{ij} = \mathbf{0}$$

Alors, pour v_k, $k = 1, \ldots, m$:

$$\begin{aligned} 0 = \mathbf{0}(v_k) &= \sum_{i=1}^{m}\sum_{j=1}^{n} c_{ij}F_{ij}(v_k) = \sum_{j=1}^{n} c_{kj}F_{kj}(v_k) = \sum_{j=1}^{n} c_{kj}u_j \\ &= c_{k1}u_1 + c_{k2}u_2 + \cdots + c_{kn}u_n \end{aligned}$$

Les u_i étant linéairement indépendants, pour $k = 1, \ldots, m$, on a $c_{k1} = c_{k2} = \cdots = c_{kn} = 0$. Le système $\{F_{ij}\}$ est bien libre.

5.38 Démontrer le théorème 5.12 :

(a) $G \circ (F + F') = G \circ F + G \circ F'$;

(b) $(G + G') \circ F = G \circ F + G' \circ F$;

(c) $k(G \circ F) = (kG) \circ F = G \circ (kF)$.

Solution :

(a) Pour tout $v \in V$:

$$\begin{aligned} \big(G \circ (F + F')\big)(v) &= G\big((F + F')(v)\big) = G\big(F(v) + F'(v)\big) \\ &= G\big(F(v)\big) + G\big(F'(v)\big) = (G \circ F)(v) + (G \circ F')(v) = (G \circ F + G \circ F')(v) \end{aligned}$$

En conséquence, $G \circ (F + F') = G \circ F + G \circ F'$.

(b) Pour tout $v \in V$:

$$\begin{aligned} \big((G + G') \circ F\big)(v) &= (G + G')\big(F(v)\big) = G\big(F(v)\big) + G'\big(F(v)\big) \\ &= (G \circ F)(v) + (G' \circ F)(v) = (G \circ F + G' \circ F)(v) \end{aligned}$$

En conséquence, $(G + G') \circ F = G \circ F + G' \circ F$.

(c) Pour tout $v \in V$:

$$\big(k(G \circ F)\big)(v) = k(G \circ F)(v) = k\Big(G\big(F(v)\big)\Big) = (kG)\big(F(v)\big) = (kG \circ F)(v)$$

et :

$$\big(k(G \circ F)\big)(v) = k(G \circ F)(v) = k\Big(G\big(F(v)\big)\Big) = G\big(kF(v)\big) = G\big((kF)(v)\big)$$
$$= (G \circ kF)(v)$$

En conséquence, $k(G \circ F) = (kG) \circ F = G \circ (kF)$. Insistons sur le fait que montrer l'égalité de deux applications signifie montrer l'égalité des images de *tout* point du domaine de définition.

ALGÈBRES D'APPLICATIONS LINÉAIRES

5.39 Soient F et G les endomorphismes de $\mathbb{R}^2$ définis par $F(x, y) = (y, x)$ et $G(x, y) = (0, x)$. Trouver l'expression de :

(a) $F + G$; (b) $2F - 3G$; (c) FG ; (d) GF ; (e) F^2 ; (f) G^2.

Solution :

(a) $(F + G)(x, y) = F(x, y) + G(x, y) = (y, x) + (0, x) = (y, 2x)$;
(b) $(2F - 3G)(x, y) = 2F(x, y) - 3G(x, y) = 2(y, x) - 3(0, x) = (2y, -x)$;
(c) $(FG)(x, y) = F\big(G(x, y)\big) = F(0, x) = (x, 0)$;
(d) $(GF)(x, y) = G\big(F(x, y)\big) = G(y, x) = (0, y)$;
(e) $(F^2)(x, y) = F\big(F(x, y)\big) = F(y, x) = (x, y)$; on remarque que $F^2 = I$, l'application unité ;
(f) $(G^2)(x, y) = G\big(G(x, y)\big) = G(0, x) = (0, 0)$; on remarque que $F^2 = \mathbf{0}$, l'application nulle.

5.40 Soit l'opérateur linéaire T sur $\mathbb{R}^3$ défini par $T(x, y, z) = (2x,\ 4x - y,\ 2x + 3y - z)$.
(a) Montrer que T est inversible ;
(b) Donner l'expression de :

1. T^{-1} ; 2. T^2 ; 3. T^{-2}.

Solution :

(a) Posons $W = \ker T$; il nous suffit de montrer que T est régulière, soit $\ker W = \{0\}$. Écrivons $T(x, y, z) = 0$:

$$T(x, y, z) = (2x,\ 4x - y,\ 2x + 3y - z) = (0, 0, 0)$$

W est donc l'espace des solutions du système homogène :

$$2x = 0, \quad 4x - y = 0, \quad 2x + 3y - z = 0$$

dont la seule solution est la solution nulle $x = y = z = 0$. On en déduit $W = \{0\}$, et donc T est régulière et inversible.

(b) 1. Posons $T(x, y, z) = (r, s, t)$, soit inversement $T^{-1}(r, s, t) = (x, y, z)$. Écrivons :

$$(2x,\ 4x - y,\ 2x + 3y - z) = (r, s, t) \quad \text{soit} \quad 2x = r, \quad 4x - y = s, \quad 2x + 3y - z = t$$

La solution du système est $x = \frac{1}{2}r$, $y = 2r - s$ et $z = 7r - 3s - t$, d'où :

$$T^{-1}(r, s, t) = \left(\frac{1}{2}r,\ 2r - s,\ 7r - 3s - t\right)$$

ou

$$T^{-1}(x, y, z) = \left(\frac{1}{2}x,\ 2x - y,\ 7x - 3y - z\right)$$

2. On applique T deux fois :

$$\begin{aligned} T^2(x, y, z) &= T(2x,\ 4x - y,\ 2x + 3y - z) \\ &= \big(4x,\ 4(2x) - (4x - y),\ 2(2x) + 3(4x - y) - (2x + 3y - z)\big) \\ &= (4x,\ 4x + y,\ 14x - 6y + z) \end{aligned}$$

3. On applique T^{-1} deux fois :

$$\begin{aligned} T^{-2}(x, y, z) &= T^{-1}\left(\frac{1}{2}x,\ 2x - y,\ 7x - 3y - z\right) \\ &= \left(\frac{1}{4}x,\ 2\left(\frac{1}{2}x\right) - (2x - y),\ 7\left(\frac{1}{2}x\right) - 3(2x - y) - (7x - 3y - z)\right) \\ &= \left(\frac{1}{4}x,\ -x + y,\ -\frac{19}{2}x + 6y + z\right) \end{aligned}$$

5.41 Soit V un espace vectoriel de dimension finie et T un endomorphisme de V tel qu'il existe R vérifiant $TR = I$. R est appelé *inverse à droite* de T.

(a) Montrer que T est inversible ;

(b) montrer que $R = T^{-1}$;

(c) donner un contre-exemple prouvant que ce qui précède n'est pas vrai si V est de dimension infinie.

Solution :

(a) Posons $\dim V = n$; d'après le théorème 5.14, T est inversible si et seulement s'il est surjectif, et donc si et seulement si $\operatorname{rang} T = n$. On a $n = \operatorname{rang} I = \operatorname{rang}(TR) \leq \operatorname{rang} T \leq n$. Donc $\operatorname{rang} T = n$ et T est inversible.

(b) On peut écrire $TT^{-1} = T^{-1}T = I$. Alors $R = IR = (T^{-1}T)R = T^{-1}(TR) = T^{-1}I = T^{-1}$.

(c) Soit $V = \mathbf{P}(t)$ l'espace vectoriel des polynômes sur $\mathbb{K}$, et soit un polynôme quelconque $p(t) = a_0 + a_1t + a_2t^2 + \cdots + a_st^s$. Soient T et R les opérateurs linéaires sur V définis par :

$$T\big(p(t)\big) = 0 + a_1 + a_2t + \cdots + a_st^{s-1} \quad \text{et} \quad R\big(p(t)\big) = a_0t + a_1t^2 + \cdots + a_st^{s+1}$$

On vérifie immédiatement que :

$$(TR)\big(p(t)\big) = T\Big(R\big(p(t)\big)\Big) = T(a_0t + a_1t^2 + \cdots + a_st^{s+1}) = a_0 + a_1t + a_2t^2 + \cdots + a_st^s = p(t)$$

en sorte que $TR = I$. Mais soit le polynôme constant k, $k \neq 0$; alors :

$$(RT)(k) = R\big(T(k)\big) = R(0) = 0 \neq k$$

$RT \neq I$ et donc R n'est pas l'inverse de T.

5.42 Soient F et G les endomorphismes de $\mathbb{R}^2$ définis par $F(x, y) = (0, x)$ et $G(x, y) = (x, 0)$. Montrer que :

(a) $GF = \mathbf{0}$, mais $FG \neq \mathbf{0}$; (b) $G^2 = G$.

Solution :

(a) $(GF)(x,y) = G\big(F(x,y)\big) = G(0,x) = (0,0)$. Ceci étant vrai pour tout vecteur $(x,y) \in \mathbb{R}^2$, GF est l'application nulle. Mais aussi $(FG)(x,y) = F\big(G(x,y)\big) = F(x,0) = (0,x) \neq (0,0)$. L'image par FG d'un vecteur quelconque de $\mathbb{R}^2$ n'est pas le vecteur nul, et donc $FG \neq \mathbf{0}$.

(b) $\forall (x,y) \in \mathbb{R}^2$, $G^2(x,y) = G\big(G(x,y)\big) = G(x,0) = (x,0) = G(x,y)$, donc $G^2 = G$.

5.43 Trouver la dimension de :

(a) $\mathcal{A}(\mathbb{R}^4)$; (b) $\mathcal{A}\big(\mathbf{P}^2(t)\big)$; (c) $\mathcal{A}(\mathbf{M}_{2,3})$.

Solution : on sait que si $\dim V = n$, alors $\dim\big(\mathcal{A}(V)\big) = n^2$; par conséquent :

(a) $\dim\big(\mathcal{A}(\mathbb{R}^4)\big) = 16$; (b) $\dim\Big(\mathcal{A}\big(\mathbf{P}^2(t)\big)\Big) = 9$; (c) $\dim\big(\mathcal{A}(\mathbf{M}_{2,3})\big) = 36$.

5.44 Soit E un endomorphisme d'un espace vectoriel V vérifiant $E^2 = E$; un tel opérateur est un *opérateur de projection*. On désigne par U l'image de E, et par W son noyau. Montrer que :

(a) si $u \in U$, alors $E(u) = u$; en d'autres termes, E est l'identité sur U ;

(b) si $E \neq I$, alors E est singulière : il existe $v \neq 0$ tel que $E(v) = 0$;

(c) $V = U \oplus W$.

Solution :

(a) Si $u \in \operatorname{Im} E = U$, alors il existe $v \in V$ tel que $E(v) = u$. Puisque $E^2 = E$, on a :

$$u = E(v) = E^2(v) = E\big(E(v)\big) = E(u)$$

(b) Si $E \neq I$, il existe $v \in V$ tel que $E(v) = u$, avec $v \neq u$. D'après la question précédente, $E(u) = u$, et donc :

$$E(v-u) = E(v) - E(u) = u - u = 0 \quad \text{avec} \quad v - u \neq 0$$

(c) Montrons d'abord que $V = U + W$. Soit $v \in V$; posons $u = E(v)$ et $w = v - E(v)$. Alors :

$$v = E(v) + v - E(v) = u + w$$

Par définition, $u = E(v) \in U$. Montrons que $w \in \ker E = W$:

$$E(w) = E\big(v - E(v)\big) = E(v) - E^2(v) = E(v) - E(v) = 0$$

ce qui prouve que $w \in W$, et par suite $V = U + W$.
Montrons à présent que $U \cap W = \{0\}$: soit $v \in U \cap W$. Puisque $v \in U$, $E(v) = v$, et puisque $v \in W$, $E(v) = 0$. On en déduit que $v = E(v) = 0$, et donc $U \cap W = \{0\}$.
Ces deux résultats entraînent $V = U \oplus W$.

? EXERCICES SUPPLÉMENTAIRES

APPLICATIONS

5.45 Quel est le nombre d'applications différentes de $\{a,b\}$ dans $\{1,2,3\}$?

5.46 Soit $f : \mathbb{R} \to \mathbb{R}$ et $g : \mathbb{R} \to \mathbb{R}$ définies par $f(x) = x^2 + 3x + 1$ et $g(x) = 2x - 3$. Donner l'expression de :

(a) $f \circ g$; (b) $g \circ f$; (c) $g \circ g$; (d) $f \circ f$.

5.47 Trouver l'expression de l'inverse des applications $f : \mathbb{R} \to \mathbb{R}$ suivantes :
(a) $f(x) = 3x - 7$; (b) $f(x) = x^3 + 2$.

5.48 Pour toute application $f : A \to B$, montrer que $\mathbb{I}_B \circ f = f \circ \mathbb{I}_A = f$.

APPLICATIONS LINÉAIRES

5.49 Montrer que les applications suivantes sont linéaires :
(a) $F : \mathbb{R}^3 \to \mathbb{R}^2$ définie par $F(x, y, z) = (x + 2y - 3z,\ 4x - 5y + 6z)$;
(b) $F : \mathbb{R}^2 \to \mathbb{R}^2$ définie par $F(x, y) = (ax + by,\ cx + dy)$, avec a, b, c et $d \in \mathbb{R}$.

5.50 Montrer que les applications suivantes ne sont pas linéaires :
(a) $F : \mathbb{R}^2 \to \mathbb{R}^2$ définie par $F(x, y) = (x^2,\ y^2)$;
(b) $F : \mathbb{R}^3 \to \mathbb{R}^2$ définie par $F(x, y, z) = (x + 1,\ y + z)$;
(c) $F : \mathbb{R}^2 \to \mathbb{R}^2$ définie par $F(x, y) = (xy, y)$;
(d) $F : \mathbb{R}^3 \to \mathbb{R}^2$ définie par $F(x, y, z) = (|x|,\ y + z)$.

5.51 Trouver l'expression de $F(a, b)$, si l'application $F : \mathbb{R}^2 \to \mathbb{R}^2$ vérifie $F(1, 2) = (3, -1)$ et $F(0, 1) = (2, 1)$.

5.52 Trouver une matrice 2×2 qui applique :
(a) $(1, 3)^T$ sur $(-2, 5)^T$ et $(1, 4)^T$ sur $(3, -1)^T$;
(b) $(2, -4)^T$ sur $(1, 1)^T$ et $(-1, 2)^T$ sur $(1, 3)^T$.

5.53 Trouver une matrice 2×2 singulière qui applique $(1, 1)^T$ sur $(1, 3)^T$.

5.54 Soit V l'espace vectoriel des matrices réelles carrées $n \times n$, et soit M une matrice non nulle fixée de V. Montrer que les deux premières applications ci-dessous sont linéaires, mais que la troisième ne l'est pas :
(a) $T(A) = MA$; (b) $T(A) = AM + MA$; (c) $T(A) = M + A$.

5.55 Donner un exemple d'une application non linéaire $F : \mathbb{R}^2 \to \mathbb{R}^2$ telle que $F^{-1}(0) = \{0\}$ mais qui ne soit pas injective.

5.56 Soit $F : \mathbb{R}^2 \to \mathbb{R}^2$ définie par $F(x,\ y) = (3x + 5y,\ 2x + 3y)$, et soit S le cercle unité, formé des points vérifiant $x^2 + y^2 = 1$. Trouver :
(a) l'image $F(S)$; (b) l'antécédent $F^{-1}(S)$.

5.57 Considérons l'application linéaire $F : \mathbb{R}^3 \to \mathbb{R}^3$ définie par $G(x, y, z) = (x+y+z,\ y-2z,\ y-3z)$, et soit S_2 la sphère unité de $\mathbb{R}^3$, constituée des points tels que $x^2 + y^2 + z^2 = 1$. Trouver :
(a) l'image $G(S_2)$; (b) l'antécédent $G^{-1}(S_2)$.

5.58 Soit H le plan $x + 2y - 3z = 4$ de $\mathbb{R}^3$ et soit G l'application linéaire du problème 5.57. Trouver :
(a) l'image $G(H)$; (b) l'antécédent $G^{-1}(H)$.

5.59 Soit W un sous-espace d'un espace vectoriel V. L'*application d'inclusion*, ou *inclusion*, notée $i : W \hookrightarrow V$, est définie par $i(w) = w$ pour tout $w \in W$. Montrer que l'inclusion est une application linéaire.

5.60 Soit $F : V \to U$ une application linéaire. Montrer que $F(-v) = -F(v)$.

NOYAU ET IMAGE D'UNE APPLICATION LINÉAIRE

5.61 Trouver une base et la dimension du noyau et de l'image de chacune des applications linéaires F ci-dessous :

(a) $F : \mathbb{R}^3 \to \mathbb{R}^3$ définie par $F(x, y, z) = (x + 2y - 3z,\ 2x + 5y - 4z,\ x + 4y + z)$;

(b) $F : \mathbb{R}^4 \to \mathbb{R}^3$ définie par $F(x, y, z, t) = (x+2y+3z+2t,\ 2x+4y+7z+5t,\ x+2y+6z+5t)$.

5.62 Trouver une base et la dimension du noyau et de l'image de chacune des applications linéaires G ci-dessous :

(a) $G : \mathbb{R}^3 \to \mathbb{R}^2$ définie par $G(x, y, z) = (x + y + z,\ 2x + 2y + 2z)$;

(b) $G : \mathbb{R}^3 \to \mathbb{R}^2$ définie par $G(x, y, z) = (x + y,\ y + z)$.

(c) $G : \mathbb{R}^5 \to \mathbb{R}^3$ définie par

$$G(x, y, z, s, t) = (x + 2y + 2z + s + t,\ x + 2y + 3z + 2s - t,\ 3x + 6y + 8z + 5s - t)$$

5.63 Chacune des matrices suivantes définit une application linéaire de $\mathbb{R}^4$ dans R^3 :

(a) $A = \begin{pmatrix} 1 & 2 & 0 & 1 \\ 2 & -1 & 2 & -1 \\ 1 & -3 & 2 & -2 \end{pmatrix}$; (b) $B = \begin{pmatrix} 1 & 0 & 2 & -1 \\ 2 & 3 & -1 & 1 \\ -2 & 0 & -5 & 3 \end{pmatrix}$

Trouver une base et la dimension du noyau et de l'image de chacune d'elles.

5.64 Trouver une application linéaire $F : \mathbb{R}^3 \to \mathbb{R}^3$ dont l'image soit engendrée par $(1, 2, 3)$ et $(4, 5, 6)$.

5.65 Trouver une application linéaire $G : \mathbb{R}^4 \to \mathbb{R}^3$ dont le noyau soit engendré par $(1, 2, 3, 4)$ et $(0, 1, 1, 1)$.

5.66 Soit $V = \mathbf{P}_{10}(t)$ l'espace vectoriel des polynômes de degré ≤ 10. Considérons l'application linéaire $\mathbf{D}^4 : V \to V$ qui consiste à écrire la dérivée quatrième d^4/dt^4. Trouver une base et la dimension de :

(a) l'image de $\mathbf{D}^4$; (b) le noyau de $\mathbf{D}^4$.

5.67 Soit une application linéaire $F : V \to U$; montrer que :

(a) l'image de tout sous-espace de V est un sous-espace de U ;

(b) l'antécédent de tout sous-espace de U est un sous-espace de V.

5.68 Montrer que si $F : V \to U$ est surjective, alors $\dim U \leq \dim V$. Déterminer toutes les applications linéaires surjectives $F : \mathbb{R}^3 \to \mathbb{R}^4$.

5.69 Soit l'application nulle $\mathbf{0} : V \to U$ définie par $\mathbf{0}(v) = 0$, $\forall v \in V$. Trouver le noyau et l'image de $\mathbf{0}$.

OPÉRATIONS SUR LES APPLICATIONS LINÉAIRES

5.70 Soient les applications linéaires $F : \mathbb{R}^3 \to \mathbb{R}^2$ et $G : \mathbb{R}^3 \to \mathbb{R}^2$ définies par $F(x, y, z) = (y,\ x+z)$ et $G(x, y, z) = (2z,\ x + y)$. Exprimer les applications $F + G$ et $3F - 2G$.

5.71 Soit l'application linéaire $H : \mathbb{R}^2 \to \mathbb{R}^2$ définie par $H(x, y) = (y,\ 2x)$. Avec les applications F et G du problème 5.70, exprimer les applications :

(a) $H \circ F$ et $H \circ G$;
(b) $F \circ H$ et $G \circ H$;
(c) $H \circ (F + G)$ et $H \circ F + H \circ G$.

5.72 Montrer que les applications F, G et H suivantes sont linéairement indépendantes :
(a) F, G et $H \in \mathcal{L}(\mathbb{R}^2, \mathbb{R}^2)$ définies par $F(x, y) = (x,\ 2y)$, $G(x, y) = (y,\ x + y)$ et $H(x, y) = (0,\ x)$;
(b) F, G et $H \in \mathcal{L}(\mathbb{R}^3, \mathbb{R})$ définies par $F(x, y, z) = x+y+z$, $G(x, y, z) = y+z$ et $H(x, y, z) = x-z$.

5.73 Pour F et $G \in \mathcal{L}(V, U)$, montrer que $\operatorname{rang}(F+G) \leq \operatorname{rang} F + \operatorname{rang} G$, si V est de dimension finie.

5.74 Soient $F : V \to U$ et $G : U \to V$ des applications linéaires. Montrer que si F et G sont régulières, alors $G \circ F$ est régulière. Donner un contre-exemple où $G \circ F$ est régulière, mais pas G.

5.75 Déterminer la dimension d de :

(a) $\mathcal{L}(\mathbb{R}^2, \mathbb{R}^8)$;
(b) $\mathcal{L}(\mathbf{P}_4(t), \mathbb{R}^3)$;
(c) $\mathcal{L}(\mathbf{M}_{2,4}(t), \mathbf{P}_2(t))$.

5.76 Déterminer si les applications linéaires suivantes sont régulières ; si elles ne le sont pas, exhiber un vecteur v non nul dont l'image est 0 ; sinon, exprimer l'application inverse :
(a) $F : \mathbb{R}^3 \to \mathbb{R}^3$ définie par $F(x, y, z) = (x + y + z,\ 2x + 3y + 5z,\ x + 3y + 7z)$;
(b) $G : \mathbb{R}^3 \to \mathbf{P}_2(t)$ définie par $G(x, y, z) = (x + y)t^2 + (x + 2y + 2z)t + (y + z)$;
(c) $H : \mathbb{R}^2 \to \mathbf{P}_2(t)$ définie par $H(x, y) = (x + 2y)t^2 + (x - y)t + (x + y)$.

5.77 À quelle(s) condition(s) la relation $\dim\big(\mathcal{L}(V, U)\big) = \dim V$ est-elle vraie ?

ALGÈBRE D'OPÉRATEURS LINÉAIRES

5.78 Soient F et G les endomorphismes de $\mathbb{R}^2$ définis par $F(x, y) = (x + y,\ 0)$ et $G(x, y) = (-y,\ x)$. Trouver l'expression des opérateurs suivants :

(a) $F + G$; (b) $5F - 3G$; (c) FG ; (d) GF ; (e) F^2 ; (f) G^2.

5.79 Montrer que les endomorphismes T de $\mathbb{R}^2$ suivants sont réguliers et donner l'expression de T^{-1} :

(a) $T(x, y) = (x + 2y,\ 2x + 3y)$; (b) $T(x, y) = (2x - 3y,\ 3x - 4y)$.

5.80 Montrer que les endomorphismes T de $\mathbb{R}^3$ suivants sont réguliers et donner l'expression de T^{-1} :

(a) $T(x, y, z) = (x - 3y - 2z,\ y - 4z,\ z)$; (b) $T(x, y, z) = (x + z,\ x - y,\ y)$.

5.81 Trouver la dimension de $\mathcal{A}(V)$, pour les espaces V suivants :

(a) $V = \mathbb{R}^7$; (b) $V = \mathbf{P}_5(t)$; (c) $V = \mathbf{M}_{3,4}$.

5.82 Parmi les entiers suivants, lesquels peuvent être la dimension d'une algèbre $\mathcal{A}(V)$ d'opérateurs linéaires :

5, 9, 12, 25, 28, 36, 45, 64, 88, 100 ?

5.83 Soit T l'endomorphisme de R^2 défini par $T(x, y) = (x + 2y,\ 3x + 4y)$. Déterminer l'expression de $f(t)$, pour :

(a) $f(t) = t^2 + 2t - 3$; (b) $f(t) = t^2 - 5t - 2$.

PROBLÈMES DIVERS

5.84 Soit $F : V \to U$ une application linéaire et k un scalaire non nul. Montrer que les applications F et kF ont le même noyau et la même image.

5.85 Soient F et G des endomorphismes de V tels que F soit régulière, et V de dimension finie. Montrer que $\text{rang}(FG) = \text{rang}(GF) = \text{rang}\, G$.

5.86 Soit $F : V \to U$ une application linéaire et W un sous-espace de V. La *restriction* de F à W est l'application $F|W : W \to U$ définie par $\forall v \in W, F|W(v) = F(v)$. Montrer que :

(a) $F|W$ est linéaire ; (b) $\ker(F|W) = (\ker F) \cap W$; (c) $\text{Im}(F|W) = F(W)$.

5.87 Soit V un espace vectoriel de dimension finie, et soit T un endomorphisme de V tel que $\text{rang}(T^2) = \text{rang}\, T$. Montrer que $\ker T \cap \text{Im}\, T = \{0\}$.

5.88 Supposons $V = U \oplus W$; soient E_1 et E_2 les endomorphismes de V définis par $E_1(v) = u$ et $E_2(v) = w$, où $v = u + w$, $u \in U$ et $w \in W$. Montrer que :

(a) $E_1^2 = E_1$ et $E_2^2 = E_2$; en d'autres termes E_1 et E_2 sont des opérateurs de projection ;
(b) $E_1 + E_2 = I$, l'application unité ;
(c) $E_1E_2 = E_2E_1 = \mathbf{0}$, l'application nulle.

5.89 Soient E_1 et E_2 des endomorphismes de V satisfaisant aux trois propriétés du problème 5.88. Montrer qu'alors $V = \text{Im}\, E_1 \oplus \text{Im}\, E_2$.

5.90 Soient v et w des vecteurs d'un espace vectoriel réel V. Le *segment affine* L joignant v à $v + w$ est par définition l'ensemble des vecteurs $v + tw$, où $0 \le t \le 1$ (figure 5.6).

(a) Montrer que le segment affine L joignant les vecteurs v et u est constitué des points suivants :
1. $(1 - t)v + tu$, $0 \le t \le 1$; 2. $t_1 v + t_2 u$, $t_1 + t_2 = 1$, $t_1 \ge 0$, $t_2 \ge 0$.

(b) Soit $F : V \to U$ une application linéaire ; montrer que l'image d'un segment affine de V est un segment affine de U.

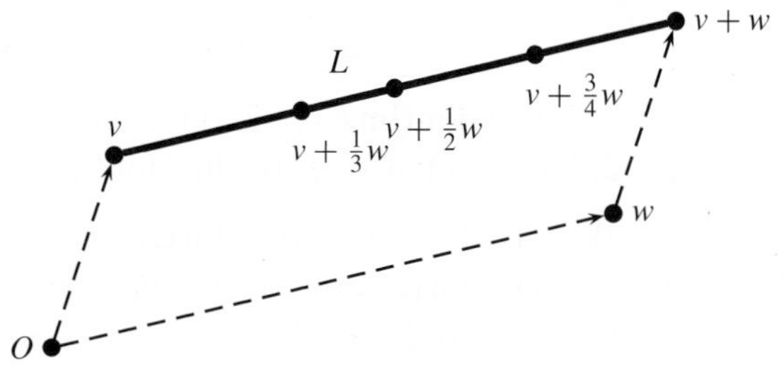

Figure 5.6 Segment affine.

5.91 Un sous-ensemble X d'un espace vectoriel V est dit *convexe* si le segment affine joignant deux points quelconques P et $Q \in X$ est contenu dans X :

(a) montrer que l'intersection de deux ensembles convexes est convexe ;
(b) soit $F : V \to U$ une application linéaire ; montrer que l'image $F(X)$ d'un convexe X est convexe.

¿ SOLUTIONS

5.45 Cinq.

5.46 (a) $(f \circ g)(x) = 4x^2 - 6x + 1$; (c) $(g \circ g)(x) = 4x - 9$;
(b) $(g \circ f)(x) = 2x^2 + 6x - 1$; (d) $(f \circ f)(x) = x^4 + 6x^3 + 14x^2 + 15x + 5$.

5.47 (a) $f^{-1}(x) = \frac{1}{3}(x + 7)$; (b) $f^{-1}(x) = \sqrt[3]{x - 2}$.

5.49 $F(x, y, z) = A(x, y, z)^T$, avec :
(a) $A = \begin{pmatrix} 1 & 2 & -3 \\ 4 & -5 & 6 \end{pmatrix}$; (b) $A = \begin{pmatrix} a & b \\ c & d \end{pmatrix}$.

5.50 (a) $u = (2, 2)$ et $k = 3$, puis $F(ku) = (36, 36)$ mais $kF(u) = (12, 12)$;
(b) $F(0) \neq 0$;
(c) $u = (1, 2)$ et $v = (3, 4)$, puis $F(u + v) = (24, 6)$ mais $F(u) + F(v) = (14, 6)$;
(d) $u = (1, 2, 3)$ et $k = -2$, puis $F(ku) = (2, -10)$ mais $kF(u) = (-2, -10)$.

5.51 $F(a, b) = (-a + 2b, -3a + b)$.

5.52 (a) $A = \begin{pmatrix} -17 & 5 \\ 23 & -6 \end{pmatrix}$;
(b) Aucun ; $(2, -4)$ et $(-1, 2)$ sont liés mais pas $(1, 1)$ et $(1, 3)$.

5.53 $B = \begin{pmatrix} 1 & 0 \\ 3 & 0 \end{pmatrix}$ (*Suggestion* : appliquer $(0, 1)^T$ sur $(0, 0)^T$).

5.55 $F(x, y) = (x^2, y^2)$.

5.56 (a) $13x^2 - 42xy + 34y^2 = 1$; (b) $13x^2 + 42xy + 24y^2 = 1$.

5.57 (a) $x^2 - 8xy + 26y^2 + 6xz - 38yz + 14z^2 = 1$; (b) $x^2 + 2xy + 3y^2 + 2xz - 8yz + 14z^2 = 1$.

5.58 (a) $x - y + 2z = 4$; (b) $x - 12z = 4$.

5.61 (a) $\dim(\ker F) = 1$, $\{(7, -2, 1)\}$; $\dim(\operatorname{Im} F) = 2$, $\{(1, 2, 1),\ (0, 1, 2)\}$;
(b) $\dim(\ker F) = 2$, $\{(-2, 1, 0, 0),\ (1, 0, -1, 1)\}$; $\dim(\operatorname{Im} F) = 2$, $\{(1, 2, 1),\ (0, 1, 3)\}$.

5.62 (a) $\dim(\ker G) = 2$, $\{(1, 0, -1),\ (1, -1, 0)\}$; $\dim(\operatorname{Im} G) = 1$, $\{(1, 2)\}$;
(b) $\dim(\ker G) = 1$, $\{(1, -1, 1)\}$; $\operatorname{Im} G = \mathbb{R}^2$, $\{(1, 0),\ (0, 1)\}$;
(c) $\dim(\ker G) = 3$, $\{(-2, 1, 0, 0, 0),\ (1, 0, -1, 1, 0),\ (-5, 0, 2, 0, 1)\}$; $\dim(\operatorname{Im} G) = 2$, $\{(1, 1, 3),\ (0, 1, 2)\}$.

5.63 (a) $\dim(\ker A) = 2$, $\{(4, -2, -5, 0),\ (1, -3, 0, 5)\}$; $\dim(\operatorname{Im} A) = 2$, $\{(1, 2, 1),\ (0, 1, 1)\}$;
(b) $\dim(\ker B) = 1$, $\left\{\left(-1, \frac{2}{3}, 1, 1\right)\right\}$; $\operatorname{Im} B = \mathbb{R}^3$.

5.64 $F(x, y, z) = (x + 4y,\ 2x + 5y,\ 3x + 6y)$.

5.65 $F(x, y, z, t) = (x + y - z,\ 2x + y - t,\ 0)$.

5.66 (a) $\{1, t, t^2, \ldots, t^6\}$; (b) $\{1, t, t^2, t^3\}$.

5.68 Aucun, puisque $\dim \mathbb{R}^4 > \dim \mathbb{R}^3$.

5.69 $\ker \mathbf{0} = V$, $\operatorname{Im} \mathbf{0} = \{0\}$.

5.70 $(F + G)(x, y, z) = (y + 2z,\ 2x - y + z)$; $(3F - 2G)(x, y, z) = (3y - 4z,\ x + 2y + 3z)$.

5.71 (a) $(H \circ F)(x, y, z) = (x + y,\ 2y)$, $(H \circ G)(x, y, z) = (x - y,\ 4z)$;
(b) non défini ;
(c) $\big(H \circ (F + G)\big)(x, y, z) = (H \circ F + H \circ G)(x, y, z) = (2x - y + z,\ 2y + 4z)$.

5.74 $F(x, y) = (x, y, y)$, $G(x, y, z) = (x, y)$.

5.75 (a) 16 ; (b) 15 ; (c) 24.

5.76 (a) $v = (2, 3, -1)$;
(b) $G^{-1}(at^2 + bt + c) = (b - 2c,\ a - b + 2c,\ -a + b - c)$;
(c) H est régulière, mais non inversible, puisque $\dim\big(\mathbf{P}_2(t)\big) > \dim(\mathbb{R}^2)$.

5.77 $\dim U = 1$, autrement dit, $U = \mathbb{K}$.

5.78 (a) $(F + G)(x, y) = (x, x)$;
(b) $(5F - 3G)(x, y) = (5x + 8y,\ -3x)$;
(c) $(FG)(x, y) = (x - y, 0)$;
(d) $(GF)(x, y) = (0, x + y)$;
(e) $F^2(x, y) = (x + y, 0)$ (on remarque que $F^2 = F$) ;
(f) $G^2(x, y) = (-x, -y)$ (on remarque que $G^2 + I = 0$, et par conséquent G est un zéro de $f(t) = t^2 + 1$).

5.79 (a) $T^{-1}(x, y) = (-3x + 2y,\ 2x - y)$;
(b) $T^{-1}(x, y) = (-4x + 3y,\ -3x + 2y)$.

5.80 (a) $T^{-1}(x, y, z) = (x + 3y + 14z,\ y - 4z,\ z)$;
(b) $T^{-1}(x, y, z) = (y + z,\ y,\ x - y - z)$.

5.81 (a) 49 ; (b) 36 ; (c) 144.

5.82 Les carrés : 9, 25, 36, 64, 100.

5.83 (a) $T(x, y) = (6x + 14y,\ 21x + 27y)$; (b) $T(x, y) = (0, 0)$, *i.e.* $f(T) = 0$.

Chapitre 6

Applications linéaires et matrices

6.1 INTRODUCTION

Soit une base $S = \{u_1, u_2, \ldots, u_n\}$ d'un espace vectoriel V sur un corps $\mathbb{K}$. Pour tout vecteur $v \in V$, il existe des scalaires a_i tels que :

$$v = a_1u_1 + a_2u_2 + \cdots + a_nu_n$$

Le vecteur des composantes de v sur la base S qui, sauf indication contraire, est un vecteur colonne, est défini et noté par :

$$[v]_S = (a_1, a_2, \ldots, a_n)^T$$

On se souvient (§ 4.11) que l'application $v \mapsto [v]_S$, entièrement caractérisée par la base S, est un isomorphisme entre V et $\mathbb{K}^n$.

Dans ce chapitre, nous montrons qu'il existe un autre isomorphisme, également déterminé par la base S, entre l'algèbre $\mathcal{A}(V)$ des endomorphismes de V et l'algèbre M des matrices carrées $n \times n$ sur $\mathbb{K}$. En conséquence, à toute application linéaire $F : V \to V$ est associée une matrice $[F]_S$ carrée $n \times n$ fonction de la base S. Nous montrons aussi que la représentation matricielle de l'application F change si l'on change de base.

6.2 REPRÉSENTATION MATRICIELLE D'UN ENDOMORPHISME

Soit T un opérateur linéaire d'un espace vectoriel V sur lui-même, et soit $S = \{u_1, u_2, \ldots, u_n\}$ une base de V. Alors $T(u_1), T(u_2), \ldots, T(u_n)$ sont des vecteurs de V, qui peuvent être exprimés comme combinaison linéaire des vecteurs de S :

$$\begin{aligned}
T(u_1) &= a_{11}u_1 + a_{12}u_2 + \cdots + a_{1n}u_n \\
T(u_2) &= a_{21}u_1 + a_{22}u_2 + \cdots + a_{2n}u_n \\
&\cdots\cdots\cdots\cdots\cdots\cdots\cdots\cdots\cdots\cdots \\
T(u_n) &= a_{n1}u_1 + a_{n2}u_2 + \cdots + a_{nn}u_n
\end{aligned}$$

◆ **Définition 6.1 :** La transposée de la matrice des coefficients ci-dessus, notée $m_S(T)$ ou $[T]_S$, est appelée *représentation matricielle* de l'endomorphisme T sur la base S, ou simplement la matrice de T sur la base S.

S'il n'y a pas d'ambiguïté, on pourra omettre l'indice S, la base S étant sous-entendue. Avec la notation vectorielle habituelle en colonnes, on peut écrire la représentation matricielle de T sous la forme :

$$m_S(T) = [T]_S = \big([T(u_1)]_S,\ [T(u_2)]_S,\ \ldots,\ [T(u_n)]_S\big)$$

En d'autres termes, les colonnes de $m(T)$ sont les vecteurs des composantes des $T(u_i)$.

Exemple 6.1

Soit $F : \mathbb{R}^2 \to \mathbb{R}^2$ l'endomorphisme défini par $F(x, y) = (2x + 3y,\ 4x - 5y)$.

(a) Cherchons la représentation matricielle de F sur la base $S = \{u_1, u_2\} = \{(1, 2),\ (2, 5)\}$:

1. Déterminons tout d'abord $F(u_1)$, et exprimons-le comme combinaison linéaire de u_1 et u_2, en écrivant les vecteurs en colonnes :

$$F(u_1) = F\begin{pmatrix}1\\2\end{pmatrix} = \begin{pmatrix}8\\-6\end{pmatrix} = x\begin{pmatrix}1\\2\end{pmatrix} + y\begin{pmatrix}2\\5\end{pmatrix} \quad \text{soit} \quad \begin{aligned} x + 2y &= 8 \\ 2x + 5y &= -6 \end{aligned}$$

La solution du système est $x = 52$ et $y = -22$, d'où $F(u_1) = 52u_1 - 22u_2$.

2. Effectuons les mêmes opérations avec le second vecteur :

$$F(u_2) = F\begin{pmatrix}2\\5\end{pmatrix} = \begin{pmatrix}19\\-17\end{pmatrix} = x\begin{pmatrix}1\\2\end{pmatrix} + y\begin{pmatrix}2\\5\end{pmatrix} \quad \text{soit} \quad \begin{aligned} x + 2y &= 19 \\ 2x + 5y &= -17 \end{aligned}$$

La solution du système est $x = 129$ et $y = -55$, d'où $F(u_2) = 129u_1 - 55u_2$.

La matrice cherchée s'obtient en écrivant successivement en colonnes $F(u_1)$ et $F(u_2)$:

$$[F]_S = \begin{pmatrix}52 & 129\\-22 & -55\end{pmatrix}$$

(b) Cherchons à présent la représentation matricielle de F sur la base canonique $E = \{e_1, e_2\} = \{(1, 0),\ (0, 1)\}$; appliquons la même méthode, en écrivant cette fois les vecteurs en ligne :

$$\begin{aligned} F(e_1) &= F(1,\ 0) = (2,\ 2) &&= 2e_1 + 4e_2 \\ F(e_2) &= F(0,\ 1) = (3,\ -5) &&= 3e_1 - 5e_2 \end{aligned} \quad \text{d'où} \quad [F]_E = \begin{pmatrix}2 & 3\\4 & -5\end{pmatrix}$$

On fera attention au fait que les composantes de $F(e_1)$ et $F(e_2)$ forment les colonnes, et non les lignes, de $[F]_E$. On notera aussi que les calculs sont beaucoup plus simples sur la base canonique de $\mathbb{R}^2$.

Exemple 6.2

Soit V un espace vectoriel de fonctions, muni de la base $S = \{\sin t,\ \cos t,\ e^{3t}\}$, et soit $\mathbf{D} : V \to V$ l'opérateur différentiel défini par $\mathbf{D}f(t) = \dfrac{df(t)}{dt}$. Exprimons la matrice représentant $\mathbf{D}$ sur la base S :

$$\begin{aligned}
\mathbf{D}(\sin t) &= \cos t = 0 \times \sin t + 1 \times \cos t + 0 \times e^{3t} \\
\mathbf{D}(\cos t) &= -\sin t = -1 \times \sin t + 0 \times \cos t + 0 \times e^{3t} \\
\mathbf{D}(e^{3t}) &= 3\,e^{3t} = 0 \times \sin t + 0 \times \cos t + 3 \times e^{3t}
\end{aligned}$$

d'où :

$$[\mathbf{D}]_S = \begin{pmatrix} 0 & -1 & 0 \\ 1 & 0 & 0 \\ 0 & 0 & 3 \end{pmatrix}$$

Insistons encore : les composantes de $\mathbf{D}(\sin t)$, $\mathbf{D}(\cos t)$ et $\mathbf{D}(e^{3t})$ sont les colonnes, et non les lignes, de la matrice $[\mathbf{D}]_S$.

6.2.1 Représentation matricielle des applications matricielles

Soit la matrice A suivante, considérée comme un opérateur linéaire de $\mathbb{R}^2$, et la base S suivante de $\mathbb{R}^2$:

$$A = \begin{pmatrix} 3 & -2 \\ 4 & -5 \end{pmatrix} \quad \text{et} \quad S = \{u_1, u_2\} = \left\{ \begin{pmatrix} 1 \\ 2 \end{pmatrix}, \begin{pmatrix} 2 \\ 5 \end{pmatrix} \right\}$$

Cherchons la représentation matricielle de A sur la base S :

(a) écrivons $A(u_1)$ comme combinaison linéaire de u_1 et u_2 :

$$A(u_1) = \begin{pmatrix} 3 & -2 \\ 4 & -5 \end{pmatrix} \begin{pmatrix} 1 \\ 2 \end{pmatrix} = \begin{pmatrix} -1 \\ -6 \end{pmatrix} = x \begin{pmatrix} 1 \\ 2 \end{pmatrix} + y \begin{pmatrix} 2 \\ 5 \end{pmatrix} \quad \text{d'où} \quad \begin{aligned} x + 2y &= -1 \\ 2x + 5y &= -6 \end{aligned}$$

La solution est $x = 7$ et $y = -4$, soit $A(u_1) = 7u_1 - 4u_2$.

(b) procédons de même avec u_2 :

$$A(u_2) = \begin{pmatrix} 3 & -2 \\ 4 & -5 \end{pmatrix} \begin{pmatrix} 2 \\ 5 \end{pmatrix} = \begin{pmatrix} -4 \\ -17 \end{pmatrix} = x \begin{pmatrix} 1 \\ 2 \end{pmatrix} + y \begin{pmatrix} 2 \\ 5 \end{pmatrix} \quad \text{d'où} \quad \begin{aligned} x + 2y &= -4 \\ 2x + 5y &= -17 \end{aligned}$$

La solution est $x = 14$ et $y = -9$, soit $A(u_2) = 14u_1 - 9u_2$. La matrice cherchée a pour colonnes $A(u_1)$ et $A(u_2)$:

$$[A]_S = \begin{pmatrix} 7 & 14 \\ -4 & -9 \end{pmatrix}$$

Remarque : supposons que nous voulions obtenir la représentation matricielle de A sur la base canonique $E = \{e_1, e_2\} = \{(1,0)^T,\ (0,1)^T\}$ de $\mathbb{R}^2$. On a :

$$A(e_1) = \begin{pmatrix} 3 & -2 \\ 4 & -5 \end{pmatrix}\begin{pmatrix} 1 \\ 0 \end{pmatrix} = \begin{pmatrix} 3 \\ 4 \end{pmatrix} = 3e_1 + 4e_2$$

$$A(e_2) = \begin{pmatrix} 3 & -2 \\ 4 & -5 \end{pmatrix}\begin{pmatrix} 0 \\ 1 \end{pmatrix} = \begin{pmatrix} -2 \\ -5 \end{pmatrix} = -2e_1 - 5e_2$$

$$\text{d'où } [A]_E = \begin{pmatrix} 3 & -2 \\ 4 & -5 \end{pmatrix}$$

On constate que $[A]_E$ est identique à la matrice A originale. Ce résultat est général :

> La représentation matricielle de toute matrice A carrée $n \times n$ sur un corps $\mathbb{K}$ par rapport à la base canonique E de $\mathbb{K}^n$ est la matrice elle-même :
>
> $$[A]_E = A$$

6.2.2 Algorithme de calcul des représentations matricielles

Nous présentons ici un algorithme de calcul des représentations matricielles. L'étape 0 est optionnelle, mais elle peut être utile à l'étape 1(b) , que l'on doit réitérer pour chacun des vecteur de la base.

∗ **Algorithme 6.1 :** L'entrée est un endomorphisme T sur un espace vectoriel et une base $S = \{u_1, u_2, \ldots, u_n\}$ de V. La sortie est la représentation matricielle $[T]_S$.

Étape 0 Établir une formule donnant les composantes d'un vecteur quelconque sur la base S.

Étape 1 Pour chacun des vecteurs u_k de la base S :

(a) calculer $T(u_k)$;

(b) écrire $T(u_k)$ comme combinaison linéaire des vecteurs $u_1, u_2, \ldots, u_n$ de la base.

Étape 2 Construire la matrice $[T]_S$ dont les colonnes sont les composantes des vecteurs de l'étape 1(b).

Exemple 6.3

Soit $F : \mathbb{R}^2 \to \mathbb{R}^2$ défini par $F(x, y) = (2x + 3y,\ 4x - 5y)$. Trouver la représentation matricielle $[F]_S$ de F sur la base $S = \{u_1,\ u_2\} = \{(1,\ -2),\ (2,\ -5)\}$

Étape 0 On exprime les coordonnées de $(a,\ b) \in \mathbb{R}^2$ sur la base S :

$$\begin{pmatrix} a \\ b \end{pmatrix} = x\begin{pmatrix} 1 \\ -2 \end{pmatrix} + y\begin{pmatrix} 2 \\ -5 \end{pmatrix} \quad \text{d'où} \quad \begin{aligned} x + 2y &= a \\ -2x - 5y &= b \end{aligned} \quad \text{ou} \quad \begin{aligned} x + 2y &= a \\ -y &= 2a + b \end{aligned}$$

La solution est $x = 5a + 2b$ et $y = -2a - b$, soit :

$$(a,\ b) = (5a + 2b)u_1 + (-2a - b)u_2$$

Étape 1 On détermine $F(u_1)$ et on l'écrit comme combinaison linéaire de u_1 et u_2, à l'aide de la formule de l'étape précédente, puis on répète le processus pour $F(u_2)$:

$$F(u_1) = F(1, -2) = (-4, 14) = 8u_1 - 6u_2$$
$$F(u_2) = F(2, -5) = (-11, 33) = 11u_1 - 11u_2$$

Étape 2 On écrit enfin les coordonnées de $F(u_1)$ et $F(u_2)$ en colonnes pour former la matrice cherchée :

$$[F]_S = \begin{pmatrix} 8 & 11 \\ -6 & -11 \end{pmatrix}$$

6.2.3 Propriétés des représentations matricielles

Dans ce paragraphe, nous présentons les principales propriétés des représentations matricielles des endomorphismes d'un espace vectoriel V. Insistons sur le fait que la représentation est fonction de la base utilisée.

Le premier théorème, démontré au problème 6.9, nous apprend que l'action d'un opérateur linéaire sur un vecteur v est conservée par la représentation matricielle.

*** Théorème 6.1 :** Soit $T : V \to V$ un endomorphisme sur un espace vectoriel V de dimension finie, et soit S une base de V. Alors, $\forall v \in V$, $[T]_S[v]_S = [T(v)]_S$.

Exemple 6.4

Soient l'endomorphisme et la base S de $\mathbb{R}^2$ de l'exemple 6.3 :

$$F(x, y) = (2x + 3y, 4x - 5y) \quad \text{et} \quad S = \{u_1, u_2\} = \{(1, -2), (2, -5)\}$$

Soit $v = (5, -7)$, d'où $F(v) = (-11, 55)$. En utilisant la formule de l'exemple 6.3, on trouve :

$$[v]_S = (11, -3)^T \quad \text{et} \quad [F(v)]_S = (55, -33)^T$$

Nous pouvons vérifier les prédictions du théorème 6.1 sur le vecteur v, en utilisant l'expression de $[F]_S$ de l'exemple 6.3 :

$$[F]_S[v]_S = \begin{pmatrix} 8 & 11 \\ -6 & -11 \end{pmatrix} \begin{pmatrix} 11 \\ -3 \end{pmatrix} = \begin{pmatrix} 55 \\ -33 \end{pmatrix} = [F(v)]_S$$

Étant donnée une base S d'un espace vectoriel V, nous avons associé une matrice $[T]$ à chaque endomorphisme de l'algèbre $\mathcal{A}(V)$. Nous savons avec le théorème 6.1 que l'action de l'opérateur est préservée par la représentation matricielle. Les deux théorèmes qui suivent (démontrés aux problèmes 6.10 et 6.11) nous apprennent que les trois opérations fondamentales de l'algèbre $\mathcal{A}(V)$, l'addition, la multiplication par un scalaire, et la composition, sont elles aussi préservées.

✻ Théorème 6.2 : Soient V un espace vectoriel de dimension n sur un corps $\mathbb{K}$, S une base de V, et $\mathbf{M}$ l'algèbre des matrices $n \times n$ sur $\mathbb{K}$. Alors, l'application :

$$m : \mathcal{A}(V) \to \mathbf{M} \quad \text{définie par} \quad m(T) = [T]_S$$

est un isomorphisme. Ainsi, $\forall F, G \in \mathcal{A}(V), \forall k \in \mathbb{K}$:
(a) $m(F + G) = m(F) + m(G)$ ou $[F + G] = [F] + [G]$;
(b) $m(kF) = km(F)$ ou $[kF] = k[F]$;
(c) m est bijective.

✻ Théorème 6.3 : Quels que soient les opérateurs $F, G \in \mathcal{A}(V)$:

$$m(G \circ F) = m(G)\, m(F) \quad \text{ou} \quad [G \circ F] = [G]\, [F]$$

6.3 CHANGEMENT DE BASE

Soit V un espace vectoriel de dimension n sur un corps $\mathbb{K}$. Nous avons vu que, étant donnée une base S de V, tout vecteur peut être représenté par un multiplet $[v]_S$ de $\mathbb{K}^n$, et que tout opérateur linéaire sur V peut être représenté par une matrice $n \times n$ sur $\mathbb{K}$. Alors se pose tout naturellement la question :

Comment se transforment ces représentations si l'on choisit une autre base ?

Il nous faut tout d'abord introduire la définition suivante :

◆ Définition 6.2 : Soit $S = \{u_1, u_2, \dots, u_n\}$ une base d'un espace vectoriel V, et soit $S' = \{v_1, v_2, \dots, v_n\}$ une autre base. S est désignée sous le nom d'« ancienne base », et S' sous le nom de « nouvelle base ». Puisque S est une base, tous les vecteurs de la nouvelle base S' peuvent être écrits de façon unique comme combinaison linéaire des vecteurs de l'ancienne :

$$\begin{aligned} v_1 &= a_{11}u_1 + a_{12}u_2 + \cdots + a_{1n}u_n \\ v_2 &= a_{21}u_1 + a_{22}u_2 + \cdots + a_{2n}u_n \\ &\dots\dots\dots\dots\dots\dots\dots\dots\dots \\ v_n &= a_{n1}u_1 + a_{n2}u_2 + \cdots + a_{nn}u_n \end{aligned}$$

Soit P la transposée de la matrice des coefficients ci-dessus, *i.e.* $P = (p_{ij})$, avec $p_{ij} = a_{ji}$. Alors P est appelée la *matrice de changement de base* de l'« ancienne base » S à la « nouvelle base » S'.

On peut faire trois remarques :
(a) Les colonnes de la matrice de changement de base P sont les vecteurs des composantes (écrits en colonne) des « nouveaux vecteurs » sur les « anciens » :

$$P = \big([v_1]_S, [v_2]_S, \dots, [v_n]_S\big)$$

(b) De façon analogue, on définit la matrice de changement de base Q de la « nouvelle base » S' à l'« ancienne base » S. Les colonnes de la matrice Q sont alors les vecteurs des composantes des « anciens vecteurs » sur les « nouveaux » :

$$Q = \left([u_1]_{S'}, [u_2]_{S'}, \ldots, [u_n]_{S'}\right)$$

(c) Les vecteurs $v_1, v_2, \ldots, v_n$ de la nouvelle base étant libres, la matrice P est inversible (problème 6.18) ; de même, Q est inversible, et nous avons la proposition suivante :

*** Proposition 6.4 :** Soient P et Q les matrices de changement de base ci-dessus ; alors $Q = P^{-1}$.

Soit $S = \{u_1, u_2, \ldots, u_n\}$ une base d'un espace vectoriel V, et soit $P = (p_{ij})$ une matrice régulière quelconque. Alors les n vecteurs :

$$v_i = p_{1i}u_1 + p_{2i}u_2 + \cdots + p_{ni}u_n \quad i = 1, 2, \ldots, n$$

correspondant aux colonnes de P, sont linéairement indépendants (problème 6.21(a)). Ils forment donc une nouvelle base S' de V, et la matrice P n'est autre que la matrice de changement de base de S à S'.

Exemple 6.5

Soient les deux bases suivantes de $\mathbb{R}^2$:

$$S = \{u_1, u_2\} = \{(1,2),\ (3,5)\} \quad \text{et} \quad S' = \{v_1, v_2\} = \{(1,-1),\ (1,-2)\}$$

(a) Déterminons la matrice de changement de base de S à la nouvelle base S' : écrivons chacun des nouveaux vecteurs de base de S' comme combinaison linéaire des vecteurs u_1 et u_2 de S :

$$\begin{pmatrix} 1 \\ -1 \end{pmatrix} = x\begin{pmatrix} 1 \\ 2 \end{pmatrix} + y\begin{pmatrix} 3 \\ 5 \end{pmatrix} \quad \text{d'où} \quad \begin{matrix} x + 3y = 1 \\ 2x + 5y = -1 \end{matrix} \quad \text{soit} \quad x = -8,\ y = 3$$

$$\begin{pmatrix} 1 \\ -2 \end{pmatrix} = x\begin{pmatrix} 1 \\ 2 \end{pmatrix} + y\begin{pmatrix} 3 \\ 5 \end{pmatrix} \quad \text{d'où} \quad \begin{matrix} x + 3y = 1 \\ 2x + 5y = -2 \end{matrix} \quad \text{soit} \quad x = -11,\ y = 4$$

Alors :

$$\begin{matrix} v_1 = -8u_1 + 3u_2 \\ v_2 = -11u_1 + 4u_2 \end{matrix} \quad \text{d'où la matrice} \quad P = \begin{pmatrix} -8 & -11 \\ 3 & 4 \end{pmatrix}$$

Encore une fois, les composantes de v_1 et v_2 sont les colonnes, et non les lignes, de la matrice P de changement de base.

(b) Cherchons à présent la matrice de changement de base Q de la nouvelle base S' à l'ancienne base S ; écrivons les vecteurs u_1 et u_2 de l'ancienne base S comme combinaison linéaire des vecteurs v_1 et v_2 de la nouvelle. Tous calculs faits, on trouve :

$$\begin{matrix} u_1 = 4v_1 - 3v_2 \\ u_2 = 11v_1 - 8v_2 \end{matrix} \quad \text{d'où la matrice} \quad Q = \begin{pmatrix} 4 & 11 \\ -3 & -8 \end{pmatrix}$$

Comme prévu par la proposition 6.4, on vérifie que $Q = P^{-1}$; on aurait donc pu obtenir directement Q en calculant l'inverse de P.

Exemple 6.6

Soient les deux bases suivantes de $\mathbb{R}^3$:

$$E = \{e_1, e_2, e_3\} = \{(1,0,0),\ (0,1,0),\ (0,0,1)\}$$
$$S = \{u_1, u_2, u_3\} = \{(1,0,1),\ (2,1,2), (1,2,2)\}$$

(a) Cherchons la matrice P de changement de base de E à S ; puisque E est la base canonique, on peut écrire directement les vecteurs de S comme combinaison linéaire de ceux de E :

$$\begin{aligned} u_1 &= (1,\ 0,\ 1) = e_1 + e_3 \\ u_2 &= (2,\ 1,\ 2) = 2e_1 + e_2 + 2e_3 \\ u_3 &= (1,\ 2,\ 2) = e_1 + 2e_2 + 2e_3 \end{aligned} \quad \text{d'où la matrice} \quad P = \begin{pmatrix} 1 & 2 & 1 \\ 0 & 1 & 2 \\ 1 & 2 & 2 \end{pmatrix}$$

Les composantes de u_1, u_2 et u_3 sont les colonnes de P : ce sont précisément les composantes données puisque E est la base canonique.

(b) Cherchons maintenant la matrice Q de changement de base de S à E ; écrivons les vecteurs de E comme combinaison linéaire de ceux de S :

$$\begin{aligned} e_1 &= (1,\ 0,\ 0) = -2u_1 + 2u_2 - u_3 \\ e_2 &= (0,\ 1,\ 0) = -2u_1 + u_2 \\ e_3 &= (0,\ 0,\ 1) = 3u_1 - 2u_2 + u_3 \end{aligned} \quad \text{d'où la matrice} \quad Q = \begin{pmatrix} -2 & -2 & 3 \\ 2 & 1 & -2 \\ -1 & 0 & 1 \end{pmatrix}$$

Pour trouver Q, nous avons eu à résoudre trois systèmes 3×3 d'équations linéaires, un pour chacun des e_i.

Une autre méthode consiste à calculer $Q = P^{-1}$, par exemple en construisant la matrice $M = (P,\ I)$ et en la réduisant à la forme canonique en lignes :

$$M = \begin{pmatrix} 1 & 2 & 1 & 1 & 0 & 0 \\ 0 & 1 & 2 & 0 & 1 & 0 \\ 1 & 2 & 2 & 0 & 0 & 1 \end{pmatrix} \sim \begin{pmatrix} 1 & 0 & 0 & -2 & -2 & 3 \\ 0 & 1 & 0 & 2 & 1 & -2 \\ 0 & 0 & 1 & -1 & 0 & 1 \end{pmatrix} = (I,\ P^{-1})$$

d'où :

$$Q = P^{-1} = \begin{pmatrix} -2 & -2 & 3 \\ 2 & 1 & -2 \\ -1 & 0 & 1 \end{pmatrix}$$

Le résultat de l'exemple 6.6(a) est tout-à-fait général, et nous pouvons l'ériger en proposition :

> ✻ **Proposition 6.5 :** La matrice de changement de base depuis la base canonique de $\mathbb{K}^n$ vers n'importe quelle autre base S de $\mathbb{K}^n$ est la matrice dont les colonnes sont les vecteurs de la base S.

6.3.1 Application aux matrices de changement de base

Examinons tout d'abord comment un changement de base modifie les composantes d'un vecteur d'un espace vectoriel V. Le théorème suivant sera démontré au problème 6.22 :

∗ Théorème 6.6 : Soit P la matrice de changement de base d'une base S à une base S' d'un espace vectoriel V ; pour tout vecteur $v \in V$, on a :

$$P[v]_{S'} = [v]_S \quad \text{et inversement} \quad P^{-1}[v]_S = [v]_{S'}$$

En d'autres termes, si l'on multiplie les composantes de v dans l'ancienne base S par P^{-1}, on obtient les composantes de v sur la nouvelle base. On peut faire les deux remarques suivantes :

(a) Bien que P soit la matrice de changement de base de l'ancienne base S vers la nouvelle base S', c'est en appliquant P^{-1} qu'on transforme les composantes d'un vecteur sur l'ancienne base S en les composantes sur la nouvelle base S'.

(b) À cause du théorème 6.6, maints ouvrages désignent par $Q = P^{-1}$, et non P, la matrice de changement de base de l'ancienne base S vers la nouvelle base S'. On trouve aussi dans la littérature l'appellation « matrice de transformation des composantes » pour désigner la matrice Q.

Nous allons donner la preuve du théorème 6.6 dans le cas particulier $\dim V = 3$. Soit P la matrice de changement de base de la base $S = \{u_1, u_2, u_3\}$ vers la base $S' = \{v_1, v_2, v_3\}$:

$$\begin{aligned} v_1 &= a_1u_1 + a_2u_2 + a_3u_3 \\ v_2 &= b_1u_1 + b_2u_2 + b_3u_3 \\ v_3 &= c_1u_1 + c_2u_2 + c_3u_3 \end{aligned} \quad \text{d'où} \quad P = \begin{pmatrix} a_1 & b_1 & c_1 \\ a_2 & b_2 & c_2 \\ a_3 & b_3 & c_3 \end{pmatrix}$$

Soit $v = k_1v_1 + k_2v_2 + k_3v_3$ un vecteur quelconque de V. En remplaçant v_1, v_2 et v_3 par leur expression, on obtient :

$$\begin{aligned} v &= k_1(a_1u_1 + a_2u_2 + a_3u_3) + k_2(b_1u_1 + b_2u_2 + b_3u_3) + k_3(c_1u_1 + c_2u_2 + c_3u_3) \\ &= (a_1k_1 + b_1k_2 + c_1k_3)u_1 + (a_2k_1 + b_2k_2 + c_2k_3)u_2 + (a_3k_1 + b_3k_2 + c_3k_3)u_3 \end{aligned}$$

Alors :

$$[v]_{S'} = \begin{pmatrix} k_1 \\ k_2 \\ k_3 \end{pmatrix} \quad \text{et} \quad [v]_S = \begin{pmatrix} a_1k_1 + b_1k_2 + c_1k_3 \\ a_2k_1 + b_2k_2 + c_2k_3 \\ a_3k_1 + b_3k_2 + c_3k_3 \end{pmatrix}$$

et donc :

$$P[v]_{S'} = \begin{pmatrix} a_1 & b_1 & c_1 \\ a_2 & b_2 & c_2 \\ a_3 & b_3 & c_3 \end{pmatrix} \begin{pmatrix} k_1 \\ k_2 \\ k_3 \end{pmatrix} = \begin{pmatrix} a_1k_1 + b_1k_2 + c_1k_3 \\ a_2k_1 + b_2k_2 + c_2k_3 \\ a_3k_1 + b_3k_2 + c_3k_3 \end{pmatrix} = [v]_S$$

En définitive, en multipliant à gauche l'équation $[v]_S = P[v]_{S'}$ par P^{-1}, on obtient :

$$P^{-1}[v]_S = P^{-1}P[v]_{S'} = I[v]_{S'} = [v]_{S'}$$

Le théorème qui suit, démontré au problème 6.26, nous montre comment se transforme la représentation matricielle d'un endomorphisme par un changement de base :

∗ Théorème 6.7 : Soit P la matrice de changement de base d'une base S à une base S' d'un espace vectoriel V. Alors, pour tout opérateur linéaire T sur V :

$$[T]_{S'} = P^{-1}[T]_S P$$

En d'autres termes, si A et B sont les matrices représentant T, respectivement, sur S et S' :

$$B = P^{-1}AP$$

Exemple 6.7

Soient les deux bases suivantes de $\mathbb{R}^3$:

$$E = \{e_1, e_2, e_3\} = \{(1,0,0),\ (0,1,0),\ (0,0,1)\}$$
$$S = \{u_1, u_2, u_3\} = \{(1,0,1),\ (2,1,2),\ (1,2,2)\}$$

déjà utilisées à l'exemple 6.6, où nous avions calculé l'expression de la matrice de changement de base P de E à S et son inverse P^{-1}.

(a) Écrivons $v = (1,3,5)$ comme combinaison linéaire de u_1, u_2 et u_3 ; autrement dit, cherchons $[v]_S$; une manière de faire consiste à résoudre l'équation vectorielle $v = xu_1 + yu_2 + zu_3$, soit :

$$\begin{pmatrix} 1 \\ 3 \\ 5 \end{pmatrix} = x\begin{pmatrix} 1 \\ 0 \\ 1 \end{pmatrix} + y\begin{pmatrix} 2 \\ 1 \\ 2 \end{pmatrix} + z\begin{pmatrix} 1 \\ 2 \\ 2 \end{pmatrix} \quad \text{soit} \quad \begin{aligned} x + 2y + \ \ z &= 1 \\ y + 2z &= 3 \\ x + 2y + 2z &= 5 \end{aligned}$$

dont la solution est $x = 7$, $y = -5$ et $z = 4$, soit $v = 7u_1 - 5u_2 + 4u_3$.

Par ailleurs, nous savons que $[v]_E = (1,3,5)^T$ puisque E est la base canonique, et nous connaissons déjà P^{-1} ; en appliquant le théorème 6.6 :

$$[v]_S = P^{-1}[v]_E = \begin{pmatrix} -2 & -2 & 3 \\ 2 & 1 & -2 \\ -1 & 0 & 1 \end{pmatrix}\begin{pmatrix} 1 \\ 3 \\ 5 \end{pmatrix} = \begin{pmatrix} 7 \\ -5 \\ 4 \end{pmatrix}$$

On trouve à nouveau $v = 7u_1 - 5u_2 + 4u_3$.

(b) Soit $A = \begin{pmatrix} 1 & 3 & -2 \\ 2 & -4 & 1 \\ 3 & -1 & 2 \end{pmatrix}$, qui peut être considérée comme un endomorphisme de $\mathbb{R}^3$. Cherchons la matrice B qui représente A sur la base S. Par définition de la représentation matricielle d'un opérateur linéaire sur une base S, nous devons écrire $A(u_1)$, $A(u_2)$ et $A(u_3)$ comme combinaison linéaire des vecteurs u_1, u_2 et u_3 de la base S :

$$\begin{aligned} A(u_1) &= (-1,3,5) = 11u_1 - 5u_2 + 6u_3 \\ A(u_2) &= (1,2,9) \ \ = 21u_1 - 14u_2 + 8u_3 \\ A(u_3) &= (3,-4,5) = 17u_1 - 8u_2 + 2u_3 \end{aligned} \quad \text{d'où} \quad B = \begin{pmatrix} 11 & 21 & 17 \\ -5 & -14 & -8 \\ 6 & 8 & 2 \end{pmatrix}$$

Pour trouver B, il nous a fallu ici résoudre trois systèmes d'équations 3×3, un pour chacun des $A(u_i)$.

Une autre méthode consiste, puisque nous connaissons déjà P et P^{-1}, à appliquer le théorème 6.7 :

$$B = P^{-1}AP = \begin{pmatrix} -2 & -2 & 3 \\ 2 & 1 & -2 \\ -1 & 0 & 1 \end{pmatrix}\begin{pmatrix} 1 & 3 & -2 \\ 2 & -4 & 1 \\ 3 & -1 & 2 \end{pmatrix}\begin{pmatrix} 1 & 2 & 1 \\ 0 & 1 & 2 \\ 1 & 2 & 2 \end{pmatrix} = \begin{pmatrix} 11 & 21 & 17 \\ -5 & -14 & -8 \\ 6 & 8 & 2 \end{pmatrix}$$

On trouve bien sûr le même résultat.

6.4 SIMILITUDE

Soient A et B deux matrices telles qu'il existe une matrice P inversible vérifiant $B = P^{-1}AP$; alors B est dite *semblable* à A, ou être obtenue à partir de A par une *transformation de similitude*, ou plus simplement *similitude*. Nous montrons au problème 6.29 que la similitude des matrices est une relation d'équivalence.

Le théorème 6.7 et cette définition nous conduisent au résultat fondamental suivant :

> **✻ Théorème 6.8 :** Deux matrices représentent le même endomorphisme si et seulement si elles sont semblables.

En d'autres termes, toutes les représentations matricielles d'un endomorphisme donné T forment une classe d'équivalence de matrices toutes semblables entre elles.

Un opérateur linéaire T sur un espace vectoriel V est dit *diagonalisable* s'il existe une base S de V sur laquelle T est représenté par une matrice diagonale ; on dit que la base S *diagonalise* l'opérateur T. On a le résultat suivant, conséquence du théorème 6.8 :

> **✻ Théorème 6.9 :** Soit A une représentation matricielle d'un endomorphisme T. Alors T est diagonalisable si et seulement s'il existe une matrice inversible P telle que $P^{-1}AP$ soit une matrice diagonale.

Autrement dit, T est diagonalisable si et seulement si sa représentation matricielle peut être rendue diagonale par une transformation de similitude.

Il est important de savoir qu'en général, un opérateur arbitraire n'est pas nécessairement diagonalisable. Nous montrerons au chapitre 10 que tout endomorphisme peut être représenté par certaines matrices dites « standards », que l'on appelle *forme canonique* de l'opérateur. Une telle discussion nécessite un outillage théorique que nous n'avons pas encore introduit.

6.4.1 Fonctions et matrices semblables

Soit f une fonction définie sur les matrices carrées, qui fait correspondre la même valeur à toutes les matrices semblables, soit $f(A) = f(B)$ ssi A est semblable à B. Alors f induit naturellement une fonction, également notée f, définie sur les opérateurs linéaires. Posons :

$$f(T) = f([T]_S)$$

où S est une base quelconque. Le théorème 6.8 nous assure que cette fonction est bien définie.

Le *déterminant*, que nous étudierons au chapitre 8, est sans doute l'exemple le plus important de ce type de fonction ; la *trace*, que nous avons définie au § 2.7, est un autre exemple important.

Exemple 6.8

Soit l'endomorphisme F et les bases S et S' suivants de $\mathbb{R}^2$:

$$F(x, y) = (2x + 3y,\ 4x - 5y), \quad E = \{(1, 0),\ (0, 1)\}, \quad S = \{(1, 2),\ (2, 5)\}$$

Comme nous l'avons vu dans l'exemple 6.1, les représentations matricielles de F sur E et S sont respectivement :

$$A = \begin{pmatrix} 2 & 3 \\ 4 & -5 \end{pmatrix} \quad \text{et} \quad B = \begin{pmatrix} 52 & 129 \\ -22 & -55 \end{pmatrix}$$

À partir de la matrice A, nous pouvons calculer :

(a) $\text{dét}\, F = \text{dét}\, A = -10 - 12 = -22$; (b) $\text{tr}\, F = \text{tr}\, A = 2 - 5 = -3$.

et à partir de la matrice B :

(a) $\text{dét}\, F = \text{dét}\, B = -2860 + 2838 = -22$; (b) $\text{tr}\, F = \text{tr}\, A = 52 - 55 = -3$.

Comme prévu, on trouve les mêmes résultats à partir des deux matrices.

6.5 MATRICES ET APPLICATIONS LINÉAIRES : CAS GÉNÉRAL

Nous examinons ici le cas général d'une application linéaire quelconque d'un espace vectoriel dans un autre, autrement dit le cas d'un *homomorphisme*. Plus précisément, soient V et U des espaces vectoriels sur un même corps $\mathbb{K}$, avec $\dim V = m$ et $\dim U = n$. Introduisons les deux bases arbitraires :

$$S = \{v_1, v_2, \ldots, v_m\} \quad \text{et} \quad S' = \{u_1, u_2, \ldots, u_n\}$$

respectivement, de V et de U. Considérons un homomorphisme quelconque $F : V \to U$. Alors les vecteurs $F(v_1), F(v_2), \ldots, F(v_m)$ appartiennent à U, et peuvent être exprimés comme combinaison linéaire des vecteurs u_i de la base S' :

$$\begin{aligned} F(v_1) &= a_{11}u_1 + a_{12}u_2 + \cdots + a_{1n}u_n \\ F(v_2) &= a_{21}u_1 + a_{22}u_2 + \cdots + a_{2n}u_n \\ &\cdots\cdots\cdots\cdots\cdots\cdots\cdots\cdots \\ F(v_m) &= a_{m1}u_1 + a_{m2}u_2 + \cdots + a_{mn}u_n \end{aligned}$$

◆ **Définition 6.3 :** La transposée de la matrice des coefficients ci-dessus, notée $m_{S,S'}(F)$, ou $[F]_{S,S'}$, est appelée *représentation matricielle* de F par rapport aux bases S et S'.

Nous simplifierons la notation en $m(F)$ ou $[F]$ s'il n'y a pas d'ambiguïté sur les bases, celles-ci étant sous-entendues. Nous avons le résultat suivant, analogue du théorème 6.1 pour les endomorphismes, que nous démontrerons au problème 6.67 :

* **Théorème 6.10 :** Pour tout vecteur $v \in V$, $[F]_{S,S'}[v]_S = [F(v)]_{S'}$

Autrement dit, en multipliant les composantes de v sur la base S de V par $[F]_{S,S'}$, on obtient les composantes de $F(v)$ sur la base S' de U.

On se souvient que pour deux espaces vectoriels V et U, la famille de toutes les applications linéaires de V dans U est un espace vectoriel noté $\mathcal{L}(V, U)$. Le théorème suivant est l'analogue du théorème 6.2 sur les endomorphismes, où la notation $\mathbf{M} = \mathbf{M}_{m,n}$ désigne l'espace vectoriel des matrices $m \times n$ (démonstration au problème 6.67) :

✻ Théorème 6.11 : L'application $m : \mathcal{L}(V, U) \to \mathbf{M}$ définie par $m(F) = [F]$ est un isomorphisme d'espaces vectoriels. Plus précisément, $\forall F, G \in \mathcal{L}(V, U)$ et $\forall k \in \mathbb{K}$:
(a) $m(F + G) = m(F) + m(G)$ ou $[F + G] = [F] + [G]$;
(b) $m(kF) = km(F)$ ou $[kF] = k[F]$;
(c) m est bijective.

Le théorème suivant est l'analogue du théorème 6.3 pour les endomorphismes, et sera aussi démontré au problème 6.67 :

✻ Théorème 6.12 : Soient S, S' et S'' des bases, respectivement, des espaces vectoriels V, U et W. Soient $F : V \to U$ et $G : U \to W$ des applications linéaires. Alors :

$$[G \circ F]_{S,S''} = [G]_{S',S''}[F]_{S,S'}$$

En d'autres termes, par rapport aux bases concernées, la représentation matricielle de la composée de deux applications linéaires est le produit des matrices représentant chacune des applications.

Nous étudions ensuite comment se transforme la représentation matricielle d'un homomorphisme lors d'un changement de base (démonstration au problème 6.67) :

✻ Théorème 6.13 : Soit P la matrice de changement de base d'une base e à une base e' de V, et soit Q la matrice de changement de base d'une base f à une base f' de U. Alors, pour toute application linéaire $F : V \to U$:

$$[F]_{e',f'} = Q^{-1}[F]_{e,f}P$$

En d'autres termes, si A est la représentation matricielle de F sur les bases e et f, et B la représentation matricielle de F sur les bases e' et f', alors :

$$B = Q^{-1}AP$$

Le dernier théorème, démontré au problème 6.36, nous apprend qu'une application linéaire d'un espace vectoriel V dans un espace vectoriel U peut être représentée par une matrice très simple. Ce théorème est l'analogue du théorème 3.21 pour les matrices $m \times n$:

✻ Théorème 6.14 : Soit une application linéaire $F : V \to U$ telle que rang $F = r$. Alors il existe des bases de V et de U telles que la représentation matricielle A de F soit de la forme :

$$A = \begin{pmatrix} I_r & 0 \\ 0 & 0 \end{pmatrix}$$

où I_r est la matrice unité $r \times r$.

La matrice A ci-dessus est appelée la *forme canonique* de l'application linéaire F.

? EXERCICES CORRIGÉS

REPRÉSENTATION MATRICIELLE DES ENDOMORPHISMES

6.1 Soit $F : \mathbb{R}^2 \to \mathbb{R}^2$, définie par $F(x, y) = (3x + 4y,\ 2x - 5y)$ et soient les bases de $\mathbb{R}^2$:

$$E = \{e_1, e_2\} = \{(1,0),\ (0,1)\} \quad \text{et} \quad S = \{u_1, u_2\} = \{(1,2),\ (2,3)\}$$

(a) Déterminer la représentation matricielle A de F sur la base E ;
(b) déterminer la représentation matricielle B de F sur la base S.

Solution :

(a) E étant la base canonique, les lignes de A sont simplement les coefficients des composantes de $F(x, y)$; avec la notation $(a, b) = ae_1 + be_2$, on peut écrire :

$$\begin{aligned} F(e_1) &= F(1,0) = (3,2) &&= 3e_1 + 2e_2 \\ F(e_2) &= F(0,1) = (4,-5) &&= 4e_1 - 5e_2 \end{aligned} \qquad \text{et donc} \quad A = \begin{pmatrix} 3 & 4 \\ 2 & -5 \end{pmatrix}$$

Les colonnes de la matrice A sont simplement construites à partir des coefficients définissant F.

(b) On peut proposer deux méthodes :

1. Déterminons $F(u_1)$ et exprimons-le sur les vecteurs de base u_1 et u_2 :

$$F(u_1) = F(1,2) = (11,-8) = x(1,2) + y(2,3) \quad \text{d'où} \quad \begin{aligned} x + 2y &= 11 \\ 2x + 3y &= -8 \end{aligned}$$

La solution du système est $x = -49$, $y = 30$, et donc :

$$F(u_1) = -49u_1 + 30u_2$$

On procède de même pour $F(u_2)$:

$$F(u_2) = F(2,3) = (18,-11) = x(1,2) + y(2,3) \quad \text{d'où} \quad \begin{aligned} x + 2y &= 18 \\ 2x + 3y &= -11 \end{aligned}$$

La solution du système est $x = -76$, $y = 47$, et donc :

$$F(u_2) = -76u_1 + 47u_2$$

La matrice B a pour colonnes $F(u_1)$ et $F(u_2)$, soit $B = \begin{pmatrix} -49 & -76 \\ 30 & 47 \end{pmatrix}$.

2. Exprimons les composantes d'un vecteur quelconque $(a, b) \in \mathbb{R}^2$ sur u_1 et u_2 :

$$(a,b) = x(1,2) + y(2,3) = (x + 2y,\ 2x + 3y) \quad \text{d'où} \quad \begin{aligned} x + 2y &= a \\ 2x + 3y &= b \end{aligned}$$

système dont la solution est $x = -3a + 2b$, $y = 2a - b$, soit :

$$(a,b) = (-3a + 2b)u_1 + (2a - b)u_2$$

En utilisant cette formule, on exprime aisément sur S les composantes de $F(u_1)$ et $F(u_2)$:

$$\begin{aligned} F(u_1) &= F(1,2) = (11,-8) &&= -49u_1 + 30u_2 \\ F(u_2) &= F(2,3) = (18,-11) &&= -76u_1 + 47u_2 \end{aligned} \qquad \text{et donc} \quad B = \begin{pmatrix} -49 & -76 \\ 30 & 47 \end{pmatrix}$$

6.2 Soit sur $\mathbb{R}^2$ l'endomorphisme G et la base S suivants :

$$G(x, y) = (2x - 7y,\ 4x + 3y) \quad \text{et} \quad S = \{u_1, u_2\} = \{(1, 3),\ (2, 5)\}$$

(a) Déterminer la représentation matricielle $[G]_S$ de G sur la base S.

(b) Vérifier la formule $[G]_S[v]_S = [G(v)]_S$ pour le vecteur $v = (4, -3) \in \mathbb{R}^2$.

Solution : exprimons les composantes d'un vecteur quelconque $(a, b) \in \mathbb{R}^2$ sur u_1 et u_2 :

$$\begin{pmatrix} a \\ b \end{pmatrix} = x \begin{pmatrix} 1 \\ 3 \end{pmatrix} + y \begin{pmatrix} 2 \\ 5 \end{pmatrix} \quad \text{d'où} \quad \begin{matrix} x + 2y = a \\ 3x + 5y = b \end{matrix}$$

La solution est $x = -5a + 2b$ et $y = 3a - b$, soit :

$$(a, b) = (-5a + 2b)u_1 + (3a - b)u_2 \Rightarrow [v]_S = (-5a + 2b,\ 3a - b)^T \tag{6.1}$$

(a) En utilisant la formule (6.1) donnant (a, b) et l'expression de $G(x, y)$, on obtient :

$$\begin{aligned} G(u_1) &= G(1, 3) = (-19, 13) = 121u_1 - 70u_2 \\ G(u_2) &= G(2, 5) = (-31, 23) = 201u_1 - 116u_2 \end{aligned} \quad \text{et donc} \quad [G]_S = \begin{pmatrix} 121 & 201 \\ -70 & -116 \end{pmatrix}$$

Attention à bien écrire les coefficients de u_1 et u_2 en colonnes, et non en lignes.

(b) La formule (6.1) permet d'exprimer v et $G(v)$:

$$\begin{aligned} v &= (4, -3) = -26u_1 + 15u_2 \\ G(v) &= G(4, -3) = (20, 7) = -131u_1 + 80u_2 \end{aligned}$$

d'où :

$$[v]_S = (-26,\ 15)^T \quad \text{et} \quad [G(v)]_S = (-131,\ 80)^T$$

En définitive :

$$[G]_S[v]_S = \begin{pmatrix} 121 & 201 \\ -70 & -116 \end{pmatrix} \begin{pmatrix} -26 \\ 15 \end{pmatrix} = \begin{pmatrix} -131 \\ 80 \end{pmatrix} = [G(v)]_S$$

comme prévu par le théorème 6.1.

6.3 Considérons la matrice 2×2 et la base S de $\mathbb{R}^2$ suivantes :

$$A = \begin{pmatrix} 2 & 4 \\ 5 & 6 \end{pmatrix} \quad \text{et} \quad S = \{u_1, u_2\} = \left\{ \begin{pmatrix} 1 \\ -2 \end{pmatrix}, \begin{pmatrix} 3 \\ -7 \end{pmatrix} \right\}$$

La matrice A définit un endomorphisme de $\mathbb{R}^2$; trouver la matrice B qui représente l'endomorphisme A sur la base S.

Solution : déterminons les composantes d'un vecteur arbitraire $(a,\ b)^T$ sur la base S :

$$\begin{pmatrix} a \\ b \end{pmatrix} = x\begin{pmatrix} 1 \\ -2 \end{pmatrix} + y\begin{pmatrix} 3 \\ -7 \end{pmatrix} \quad \text{d'où} \quad \begin{aligned} x + 3y &= a \\ -2x - 7y &= b \end{aligned}$$

La solution est $x = 7a + 3b$ et $y = -2a - b$, soit :

$$(a,\ b)^T = (7a + 3b)u_1 + (-2a - b)u_2$$

Cette formule va nous servir à calculer les composantes de Au_1 et Au_2 sur la base S :

$$Au_1 = \begin{pmatrix} 2 & 4 \\ 5 & 6 \end{pmatrix}\begin{pmatrix} 1 \\ -2 \end{pmatrix} = \begin{pmatrix} -6 \\ -7 \end{pmatrix} = -63u_1 + 19u_2$$
$$Au_2 = \begin{pmatrix} 2 & 4 \\ 5 & 6 \end{pmatrix}\begin{pmatrix} 3 \\ -7 \end{pmatrix} = \begin{pmatrix} -22 \\ -27 \end{pmatrix} = -235u_1 + 71u_2$$

La matrice B cherchée s'obtient en écrivant les composantes en colonnes :

$$B = \begin{pmatrix} -63 & -235 \\ 19 & 71 \end{pmatrix}$$

6.4 Trouver la représentation matricielle des opérateurs linéaires de $\mathbb{R}^3$ suivants, sur la base canonique $E = \{e_1, e_2, e_3\}$ de $\mathbb{R}^3$:

(a) F défini par : $F(x, y, z) = (x + 2y - 3z,\ 4x - 5y - 6z,\ 7x + 8y + 9z)$;

(b) F défini par la matrice 3×3 $\begin{pmatrix} 1 & 1 & 1 \\ 2 & 3 & 4 \\ 5 & 5 & 5 \end{pmatrix}$;

(c) F défini par $F(e_1) = (1, 3, 5)$, $F(e_2) = (2, 4, 6)$, $F(e_3) = (7, 7, 7)$ (on sait grâce au théorème 5.2 qu'une application linéaire est entièrement déterminée par son effet sur les vecteurs d'une base).

Solution :

(a) Puisque E est la base canonique, la représentation matricielle s'obtient simplement en écrivant les coefficients des composantes de $F(x, y, z)$ en lignes :

$$[F]_E = \begin{pmatrix} 1 & 2 & -3 \\ 4 & -5 & -6 \\ 7 & 8 & 9 \end{pmatrix}$$

(b) La représentation matricielle d'une matrice sur la base canonique est la matrice elle-même, soit $[F]_E = A$.

(c) On a :

$$\begin{aligned} F(e_1) &= (1, 3, 5) = e_1 + 3e_2 + 5e_3 \\ F(e_2) &= (2, 4, 6) = 2e_1 + 4e_2 + 6e_3 \\ F(e_3) &= (7, 7, 7) = 7e_1 + 7e_2 + 7e_3 \end{aligned} \quad \text{d'où} \quad [F]_E = \begin{pmatrix} 1 & 2 & 7 \\ 3 & 4 & 7 \\ 5 & 6 & 7 \end{pmatrix}$$

Les colonnes de $[F]_E$ sont les images des vecteurs de la base.

6.5 Soit G l'endomorphisme de $\mathbb{R}^3$ défini par $G(x, y, z) = (2y + z,\ x - 4y,\ 3x)$.

(a) Trouver la représentation matricielle de G sur la base

$$S = \{w_1, w_2, w_3\} = \{(1, 1, 1),\ (1, 1, 0),\ (1, 0, 0)\}$$

(b) Vérifier que $[G]_S[v]_S = [G(v)]_S$ pour tout vecteur $v \in \mathbb{R}^3$.

Solution : exprimons tout d'abord les composantes d'un vecteur (a, b, c) quelconque de $\mathbb{R}^3$ sur la base S, en écrivant (a, b, c) comme combinaison linéaire de w_1, w_2 et w_3 à coefficients inconnus x, y et z :

$$(a, b, c) = x(1, 1, 1) + y(1, 1, 0) + z(1, 0, 0) = (x + y + z,\ x + y,\ x)$$

d'où le système d'équations :

$$x + y + z = a, \quad x + y = b, \quad x = c$$

dont la solution est $x = c$, $y = b - c$, $z = a - b$; alors :

$$(a, b, c) = cw_1 + (b - c)w_2 + (a - b)w_3 \quad \text{ou} \quad [(a, b, c)]_S = (c,\ b - c,\ a - b)^T$$

(a) Avec $G(x, y, z) = (2y + z,\ x - 4y,\ 3x)$, on obtient :

$$\begin{aligned} G(w_1) &= G(1, 1, 1) = (3, -3, 3) = 3w_1 - 6w_2 + 6w_3 \\ G(w_2) &= G(1, 1, 0) = (2, -3, 3) = 3w_1 - 6w_2 + 5w_3 \\ G(w_3) &= G(1, 0, 0) = (0, 1, 3) = 3w_1 - 2w_2 - w_3 \end{aligned}$$

Écrivons les composantes de $G(w_1)$, $G(w_2)$ et $G(w_3)$ en colonnes :

$$[G]_S = \begin{pmatrix} 3 & 3 & 3 \\ -6 & -6 & -2 \\ 6 & 5 & -1 \end{pmatrix}$$

(b) Écrivons $G(v)$ comme combinaison linéaire de w_1, w_2 et w_3, où $v = (a, b, c)$ est un vecteur arbitraire de $\mathbb{R}^3$:

$$G(v) = G(a, b, c) = (2b + c,\ a - 4b,\ 3a) = 3aw_1 + (-2a - 4b)w_2 + (-a + 6b + c)w_3$$

soit :

$$[G(v)]_S = (3a,\ -2a - 4b,\ -a + 6b + c)^T$$

Alors :

$$[G]_S[v]_S = \begin{pmatrix} 3 & 3 & 3 \\ -6 & -6 & -2 \\ 6 & 5 & -1 \end{pmatrix} \begin{pmatrix} c \\ b - c \\ a - b \end{pmatrix} = \begin{pmatrix} 3a \\ -2a - 4b \\ -a + 6b + c \end{pmatrix} = [G(v)]_S$$

6.6 Soient A la matrice 3×3 et S la base de $\mathbb{R}^3$ suivantes :

$$A = \begin{pmatrix} 1 & -2 & 1 \\ 3 & -1 & 0 \\ 1 & 4 & -2 \end{pmatrix} \quad \text{et} \quad S = \{u_1,\ u_2,\ u_3\} = \left\{ \begin{pmatrix} 1 \\ 1 \\ 1 \end{pmatrix}, \begin{pmatrix} 0 \\ 1 \\ 1 \end{pmatrix}, \begin{pmatrix} 1 \\ 2 \\ 3 \end{pmatrix} \right\}$$

On sait que la matrice A représente un endomorphisme de $\mathbb{R}^3$. Trouver la matrice B qui représente l'application A sur la base S, en se souvenant que A se représente elle-même sur la base canonique.

Solution : cherchons tout d'abord les composantes d'un vecteur arbitraire $(a, b, c) \in \mathbb{R}^3$ sur la base S :

$$\begin{pmatrix} a \\ b \\ c \end{pmatrix} = x \begin{pmatrix} 1 \\ 1 \\ 1 \end{pmatrix} + y \begin{pmatrix} 0 \\ 1 \\ 1 \end{pmatrix} + z \begin{pmatrix} 1 \\ 2 \\ 3 \end{pmatrix} \quad \text{d'où} \quad \begin{aligned} x + z &= a \\ x + y + 2z &= b \\ x + y + 3z &= c \end{aligned}$$

système dont la solution est $x = a + b - c$, $y = -a + 2b - c$ et $z = c - b$:

$$(a, b, c)^T = (a + b - c)u_1 + (-a + 2b - c)u_2 + (c - b)u_3$$

Cette expression permet de trouver les composantes de Au_1, Au_2 et Au_3 sur la base S :

$$\begin{aligned} A(u_1) &= A(1,1,1)^T = (0,2,3)^T &&= -u_1 + u_2 + u_3 \\ A(u_2) &= A(1,1,0)^T = (-1,-1,2)^T &&= -4u_1 - 3u_2 + 3u_3 \\ A(u_3) &= A(1,2,3)^T = (0,1,3)^T &&= -2u_1 - u_2 + 2u_3 \end{aligned} \quad \text{d'où} \quad [B]_S = \begin{pmatrix} -1 & -4 & -2 \\ 1 & -3 & -1 \\ 1 & 3 & 2 \end{pmatrix}$$

6.7 Pour chacune des transformations linéaires de $\mathbb{R}^2$ suivantes, exprimer la matrice A qui les représente sur la base canonique (de $\mathbb{R}^2$) :

(a) L définie par $L(1, 0) = (2, 4)$ et $L(0, 1) = (5, 8)$;

(b) L est la rotation de 90° dans le sens direct ;

(c) L est la symétrie par rapport à la droite d'équation $y = -x$.

Solution :

(a) Les vecteurs $(0, 1)$ et $(1, 0)$ formant la base canonique de $\mathbb{R}^2$, leurs images sont les colonnes de la matrice cherchée :

$$A = \begin{pmatrix} 2 & 5 \\ 4 & 8 \end{pmatrix}$$

(b) Les transformés par la rotation L des vecteurs de la base canonique sont $L(1, 0) = (0, 1)$ et $L(0, 1) = (-1, 0)$ soit :

$$A = \begin{pmatrix} 0 & -1 \\ 1 & 0 \end{pmatrix}$$

(c) Les transformés par la symétrie L des vecteurs de la base canonique sont $L(1, 0) = (0, -1)$ et $L(0, 1) = (-1, 0)$ soit :

$$A = \begin{pmatrix} 0 & -1 \\ -1 & 0 \end{pmatrix}$$

6.8 L'ensemble $S = \{e^{3t},\ t\,e^{3t},\ t^2\,e^{3t}\}$ constitue une base d'un espace vectoriel V de fonctions $f : \mathbb{R} \to \mathbb{R}$. Soit $\mathbf{D}$ l'opérateur de dérivation sur V, soit $\mathbf{D}f = \dfrac{df}{dt}$. Trouver la représentation matricielle de $\mathbf{D}$ sur la base S.

Solution : cherchons les images des vecteurs de la base S :

$$\begin{aligned} \mathbf{D}(e^{3t}) &= 3e^{3t} &&= 3(e^{3t}) + 0(t\,e^{3t}) + 0(t^2\,e^{3t}) \\ \mathbf{D}(t\,e^{3t}) &= e^{3t} + 3t\,e^{3t} &&= 1(e^{3t}) + 3(t\,e^{3t}) + 0(t^2\,e^{3t}) \\ \mathbf{D}(t^2\,e^{3t}) &= 2t\,e^{3t} + 3t^2\,e^{3t} &&= 0(e^{3t}) + 2(t\,e^{3t}) + 3(t^2\,e^{3t}) \end{aligned} \quad \text{d'où} \quad [D]_S = \begin{pmatrix} 3 & 1 & 0 \\ 0 & 3 & 2 \\ 0 & 0 & 3 \end{pmatrix}$$

6.9 Démontrer le théorème 6.1 : *soit $T : V \to V$ un endomorphisme sur un espace vectoriel V de dimension finie, et soit S une base de V. Alors,* $\forall v \in V$, $[T]_S[v]_S = [T(v)]_S$.

Solution : soit $S = \{u_1, u_2, \ldots, u_n\}$ la base ; posons :

$$T(u_i) = a_{i1}u_1 + a_{i2}u_2 + \cdots + a_{in}u_n = \sum_{j=1}^{n} a_{ij}u_j, \quad i = 1, \ldots, n$$

On définit ainsi une matrice carrée $[T]_S$ dont la j-ème ligne est

$$(a_{1j}, a_{2j}, \ldots, a_{nj}) \tag{6.2}$$

Écrivons le vecteur v :

$$v = k_1u_1 + k_2u_2 + \cdots + k_nu_n = \sum_{i=1}^{n} k_iu_i$$

d'où :

$$[v]_S = (k_1, k_2, \ldots, k_n)^T \tag{6.3}$$

En utilisant la linéarité de T :

$$T(v) = T\left(\sum_{i=1}^{n} k_iu_i\right) = \sum_{i=1}^{n} k_iT(u_i) = \sum_{i=1}^{n} k_i\left(\sum_{j=1}^{n} a_{ij}u_j\right)$$
$$= \sum_{j=1}^{n}\left(\sum_{i=1}^{n} a_{ij}k_i\right)u_j = \sum_{j=1}^{n}(a_{1j}k_1 + a_{2j}k_2 + \cdots + a_{nj}k_n)u_j$$

Alors $[T(v)]_S$ est le vecteur colonne dont la j-ème composante est :

$$a_{1j}k_1 + a_{2j}k_2 + \cdots + a_{nj}k_n \tag{6.4}$$

Par ailleurs, on obtient la j-ème composante de $[T]_S[v]_S$ en multipliant la j-ème colonne de $[T]_S$ par $[v]_S$, autrement dit (6.2) par (6.3), ce qui donne (6.4). Les deux vecteurs, $[T]_S[v]_S$ et $[T(v)]_S$, ont les mêmes composantes et sont donc égaux.

6.10 Démontrer le théorème 6.2 : *soient V un espace vectoriel de dimension n sur un corps* $\mathbb{K}$, *S une base de V, et* **M** *l'algèbre des matrices* $n \times n$ *sur* $\mathbb{K}$. *Alors, l'application* $m(T) = [T]_S$ *est un isomorphisme. Ainsi,* $\forall F, G \in \mathcal{A}(V)$, $\forall k \in \mathbb{K}$:

(a) $[F + G] = [F] + [G]$; (b) $[kF] = k[F]$; (c) *m est bijective.*

Solution :

(a) Posons, pour $i = 1, \ldots, n$:

$$F(u_i) = \sum_{j=1}^{n} a_{ij}u_j \quad \text{et} \quad G(u_i) = \sum_{j=1}^{n} b_{ij}u_j$$

Les matrices $A = (a_{ij})$ et $B = (b_{ij})$ vérifient $[F] = A^T$ et $[G] = B^T$. on peut donc écrire, pour $i = 1, \ldots, n$:

$$(F + G)(u_i) = F(u_i) + G(u_i) = \sum_{j=1}^{n}(a_{ij} + b_{ij})u_j$$

La somme matricielle $A + B$ n'est autre que la matrice $(a_{ij} + b_{ij})$, et par conséquent :

$$[F + G] = (A + B)^T = A^T + B^T = [F] + [G]$$

(b) On a aussi, pour $i = 1, \ldots, n$:

$$(kF)(u_i) = kF(u_i) = k\sum_{j=1}^{n} a_{ij}u_j = \sum_{j=1}^{n}(ka_{ij})u_j$$

Puisque la matrice kA a pour éléments ka_{ij}, on déduit :

$$[kF] = (kA)^T = kA^T = k[F]$$

(c) L'application m est injective, puisqu'une application linéaire est complètement déterminée par son effet sur une base ; elle est également surjective, puisque la matrice $A = (a_{ij})$ est l'image de l'opérateur linéaire :

$$F(u_i) = \sum_{j=1}^{n} a_{ij}u_j, \quad i = 1, \ldots, n$$

Les trois affirmations du théorème sont démontrées.

6.11 Démontrer le théorème 6.3 : *pour tous opérateurs G, $F \in \mathcal{A}(V)$, $[G \circ F] = [G][F]$.*

Solution : utilisons les notations du problème 6.10 :

$$(G \circ F)(u_i) = G\big(F(u_i)\big) = G\left(\sum_{j=1}^{n} a_{ij}u_j\right) = \sum_{j=1}^{n} a_{ij}G(u_j)$$

$$= \sum_{j=1}^{n} a_{ij}\left(\sum_{k=1}^{n} b_{jk}u_k\right) = \sum_{k=1}^{n}\left(\sum_{j=1}^{n} a_{ij}b_{jk}\right)u_k$$

On sait que le produit des matrices A et B vaut $AB = (c_{ik})$ avec $c_{ik} = \sum_{j=1}^{n} a_{ij}b_{jk}$, et donc :

$$[G \circ F] = (AB)^T = B^T A^T = [G][F]$$

ce qui établit le théorème.

6.12 Soit A la représentation matricielle d'un endomorphisme T. Montrer que pour tout polynôme $f(t)$, $f(A)$ est la représentation matricielle de $f(T)$. En déduire que $f(T) = 0$ ssi $f(A) = 0$.

Solution : désignons par ϕ l'application qui à T fait correspondre sa représentation matricielle A. Il nous faut montrer que $\phi\big(f(T)\big) = f(A)$. Posons $f(t) = a_n t^n + \cdots + a_1 t + a_0$. Nous raisonnerons par récurrence sur n, le degré du polynôme.

Soit $n = 0$. On se souvient que $\phi(I') = I$, où I' est l'application identique et I la matrice unité. Alors :

$$\phi\big(f(T)\big) = \phi(a_0 I') = a_0\phi(I') = a_0 I = f(A)$$

Le théorème est vrai pour $n = 0$.

Supposons qu'il soit vrai pour $n - 1$; alors :

$$\begin{aligned}\phi\big(f(T)\big) &= \phi(a_n T^n + a_{n-1}T^{n-1} + \cdots + a_1 T + a_0 I') \\ &= a_n\phi(T)\phi(T^{n-1}) + \phi(a_{n-1}T^{n-1} + \cdots + a_1 T + a_0 I') \\ &= a_n A A^{n-1} + (a_{n-1}A^{n-1} + \cdots + a_1 A + a_0 I) = f(A)\end{aligned}$$

Le théorème est donc vrai pour tout polynôme.

CHANGEMENT DE BASE

Dans ce paragraphe, le vecteur des composantes $[v]_S$ désigne toujours un vecteur colonne, soit :

$$[v]_S = (a_1, a_2, \dots, a_n)^T$$

6.13 Considérons les deux bases de $\mathbb{R}^2$ suivantes :

$$E = \{e_1, e_2\} = \{(1,0),\ (0,1)\} \quad \text{et} \quad S = \{u_1, u_2\} = \{(1,3),\ (1,4)\}$$

(a) déterminer la matrice P de changement de base de la base canonique E à S ;
(b) inversement, déterminer la matrice Q de changement de base qui revient de S à E ;
(c) exprimer le vecteur des composantes $[v]$ de $v = (5,\ -3)$ sur la base S.

Solution :

(a) E étant la base canonique, il suffit pour obtenir P d'écrire les vecteurs de S en colonnes, soit $P = \begin{pmatrix} 1 & 1 \\ 3 & 4 \end{pmatrix}$.

(b) On peut utiliser deux méthodes pour répondre à la question :

1. On se sert de la définition de la matrice de changement de base, qui consiste à exprimer chacun des vecteurs de E comme combinaison linéaire des vecteurs de S. Nous avons besoin pour cela des composantes d'un vecteur quelconque $(a,\ b)$ sur S :

$$(a,b) = x(1,3) + y(1,4) = (x+y,\ 3x+4y) \quad \text{soit} \quad \begin{aligned} x + \ \ y &= a \\ 3x + 4y &= b \end{aligned}$$

dont la solution est $x = 4a - b$ et $y = -3a + b$, d'où :

$$v = (4a-b)u_1 + (-3a+b)u_2 \quad \text{et} \quad [v]_S = [(a,\ b)]_S = (4a-b,\ -3a+b)^T$$

L'usage de cette formule, puis l'écriture en colonnes des e_i ainsi trouvés donne :

$$\begin{aligned} e_1 &= (1,\ 0) = \ \ 4u_1 - 3u_2 \\ e_2 &= (0,\ 1) = -u_1 + \ \ u_2 \end{aligned} \quad \text{soit} \quad Q = \begin{pmatrix} 4 & -1 \\ -3 & 1 \end{pmatrix}$$

2. La 2e méthode utilise la propriété $Q = P^{-1}$, et l'on connaît depuis le chapitre 2, § 2.9.1, une formule d'inversion d'une matrice 2×2 :

$$Q = P^{-1} = \begin{pmatrix} 4 & -1 \\ -3 & 1 \end{pmatrix}$$

(c) Nous pouvons encore mettre en œuvre deux méthodes :

1. Écrire v comme combinaison linéaire des vecteurs de S en utilisant la formule de la question précédente ; on obtient $v = (5,\ -3) = 23u_1 - 18u_2$, d'où $[v]_S = (23,\ -18)^T$.
2. On a $[v]_E = (5,\ -3)$; le théorème 6.6 affirme que $[v]_S = P^{-1}[v]_E$:

$$[v]_S = P^{-1}[v]_E = \begin{pmatrix} 4 & -1 \\ -3 & 1 \end{pmatrix}\begin{pmatrix} 5 \\ -3 \end{pmatrix} = \begin{pmatrix} 23 \\ -18 \end{pmatrix}$$

6.14 Les vecteurs $u_1 = (1,2,0)$, $u_2 = (1,3,2)$ et $u_3 = (0,1,3)$ forment une base de $\mathbb{R}^3$. Déterminer :

(a) la matrice P de changement de base de la base canonique $E = \{e_1, e_2, e_3\}$ à S ;

(b) la matrice Q de changement de base inverse de S à E.

Solution :

(a) E étant la base canonique, il suffit pour obtenir P d'écrire en colonnes les vecteurs de S, soit

$$P = \begin{pmatrix} 1 & 1 & 0 \\ 2 & 3 & 1 \\ 0 & 2 & 3 \end{pmatrix}.$$

(b) Comme au problème précédent, deux méthodes permettent de parvenir à la réponse :

1. Écrire les vecteurs de E comme combinaisons linéaires de ceux de S, en cherchant d'abord les composantes d'un vecteur quelconque $v = (a, b, c)$ sur S :

$$\begin{pmatrix} a \\ b \\ c \end{pmatrix} = x \begin{pmatrix} 1 \\ 2 \\ 0 \end{pmatrix} + y \begin{pmatrix} 1 \\ 3 \\ 2 \end{pmatrix} + z \begin{pmatrix} 0 \\ 1 \\ 3 \end{pmatrix} \quad \text{d'où} \quad \begin{array}{rl} x + y & = a \\ 2x + 3y + z & = b \\ 2y + 3z & = c \end{array}$$

d'où $x = 7a - 3b + c$, $y = -6a + 3b - c$ et $z = 4a - 2b + c$, et donc :

$$[v]_S = [(a,b,c)]_S = (7a - 3b + c,\ -6a + 3b - c,\ 4a - 2b + c)^T$$

On écrit alors les composantes des e_i, puis on les met en colonnes pour obtenir Q :

$$\begin{array}{l} e_1 = (1,\ 0,\ 0) = 7u_1 - 6u_2 + 4u_3 \\ e_2 = (0,\ 1,\ 0) = -3u_1 + 3u_2 - 2u_3 \\ e_3 = (0,\ 0,\ 1) = u_1 - u_2 + u_3 \end{array} \quad \text{soit} \quad Q = \begin{pmatrix} 7 & -3 & 1 \\ -6 & 3 & -1 \\ 4 & -2 & 1 \end{pmatrix}$$

2. La 2e méthode consiste à déterminer P^{-1} en ramenant la matrice $M = (P,\ I)$ à la forme $(I,\ P^{-1})$:

$$M = \left(\begin{array}{ccc|ccc} 1 & 1 & 0 & 1 & 0 & 0 \\ 2 & 3 & 1 & 0 & 1 & 0 \\ 0 & 2 & 3 & 0 & 0 & 1 \end{array}\right) \sim \left(\begin{array}{ccc|ccc} 1 & 1 & 0 & 1 & 0 & 0 \\ 0 & 1 & 1 & -2 & 1 & 0 \\ 0 & 2 & 3 & 0 & 0 & 1 \end{array}\right)$$

$$\sim \left(\begin{array}{ccc|ccc} 1 & 1 & 0 & 1 & 0 & 0 \\ 0 & 1 & 1 & -2 & 1 & 0 \\ 0 & 0 & 1 & 4 & -2 & 1 \end{array}\right) \sim \left(\begin{array}{ccc|ccc} 1 & 0 & 0 & 7 & -3 & 1 \\ 0 & 1 & 0 & -6 & 3 & -1 \\ 0 & 0 & 1 & 4 & -2 & 1 \end{array}\right) = (I,\ P^{-1})$$

On en déduit $Q = P^{-1} = \begin{pmatrix} 7 & -3 & 1 \\ -6 & 3 & -1 \\ 4 & -2 & 1 \end{pmatrix}$.

6.15 On effectue une rotation des axes x et y du plan $\mathbb{R}^2$ dans le sens direct de 45°, de sorte que le nouvel axe x' soit le long de la droite $y = x$ et le nouvel axe y' le long de la droite $y = -x$.

(a) Déterminer la matrice P de changement de base ;

(b) Trouver les nouvelles coordonnées du point $A(5,\ 6)$ après rotation.

Solution :

(a) Les vecteurs unitaires le long des nouveaux axes sont :

$$u_1 = \left(\frac{1}{\sqrt{2}}, \frac{1}{\sqrt{2}}\right) \quad \text{et} \quad u_2 = \left(-\frac{1}{\sqrt{2}}, \frac{1}{\sqrt{2}}\right)$$

Sachant que les vecteurs unitaires le long des axes x et y initiaux ne sont autres que ceux de la base canonique de $\mathbb{R}^2$, il suffit pour obtenir la matrice P d'écrire les composantes de u_1 et u_2 en colonnes :

$$P = \begin{pmatrix} \frac{1}{\sqrt{2}} & -\frac{1}{\sqrt{2}} \\ \frac{1}{\sqrt{2}} & \frac{1}{\sqrt{2}} \end{pmatrix}$$

(b) La matrice P est orthogonale, par conséquent $P^{-1} = P^T$; il suffit alors de multiplier les coordonnées du point A par P^{-1} :

$$\begin{pmatrix} \frac{1}{\sqrt{2}} & \frac{1}{\sqrt{2}} \\ -\frac{1}{\sqrt{2}} & \frac{1}{\sqrt{2}} \end{pmatrix} \begin{pmatrix} 5 \\ 6 \end{pmatrix} = \begin{pmatrix} \frac{11}{\sqrt{2}} \\ \frac{1}{\sqrt{2}} \end{pmatrix}$$

6.16 Les vecteurs $u_1 = (1, 1, 0)$, $u_2 = (0, 1, 1)$ et $u_3 = (1, 2, 2)$ forment une base S de $\mathbb{R}^3$. Déterminer les composantes d'un vecteur arbitraire $v = (a, b, c)$ sur la base S.

Solution : on peut répondre à la question par deux approches :

(a) on exprime v sous forme de combinaison linéaire de u_1, u_2 et u_3 à coefficients inconnus x, y et z :

$$(a, b, c) = x(1, 1, 0) = y(0, 1, 1) + z(1, 2, 2) = (x + z,\ x + y + 2z,\ y + 2z)$$

d'où le système :

$$\begin{aligned} x + \quad\;\; z &= a \\ x + y + 2z &= b \\ y + 2z &= c \end{aligned} \quad \text{ou} \quad \begin{aligned} x + \quad\;\; z &= a \\ y + \;\; z &= -a + b \\ y + 2z &= c \end{aligned} \quad \text{ou} \quad \begin{aligned} x + \quad\;\; z &= a \\ y + z &= -a + b \\ z &= a - b + c \end{aligned}$$

dont la solution est

$$\begin{aligned} x &= b - c, \\ y &= -2a + 2b - c \\ \text{et} \quad z &= a - b + c, \end{aligned}$$

d'où :

$$[v]_S = (b - c,\ -2a + 2b - c,\ a - b + c)^T$$

(b) La 2e méthode consiste à réduire la matrice $M = (P, I)$ à la forme (I, P^{-1}), où P est la matrice de changement de base de la base canonique E à S, c'est-à-dire la matrice dont les colonnes sont les vecteurs u_1, u_2 et u_3 de S :

$$M = \left(\begin{array}{ccc|ccc} 1 & 0 & 1 & 1 & 0 & 0 \\ 1 & 1 & 2 & 0 & 1 & 0 \\ 0 & 1 & 2 & 0 & 0 & 1 \end{array}\right) \sim \left(\begin{array}{ccc|ccc} 1 & 0 & 1 & 1 & 0 & 0 \\ 0 & 1 & 1 & -1 & 1 & 0 \\ 0 & 1 & 2 & 0 & 0 & 1 \end{array}\right)$$

$$\sim \left(\begin{array}{ccc|ccc} 1 & 0 & 1 & 1 & 0 & 0 \\ 0 & 1 & 1 & -1 & 1 & 0 \\ 0 & 0 & 1 & 1 & -1 & 1 \end{array}\right) \sim \left(\begin{array}{ccc|ccc} 1 & 0 & 0 & 0 & 1 & -1 \\ 0 & 1 & 0 & -2 & 2 & -1 \\ 0 & 0 & 1 & 1 & -1 & 1 \end{array}\right) = (I, P^{-1})$$

En définitive :

$$P^{-1} = \begin{pmatrix} 0 & 1 & -1 \\ -2 & 2 & -1 \\ 1 & -1 & 1 \end{pmatrix}$$

et

$$[v]_S = P^{-1}[v]_E = \begin{pmatrix} 0 & 1 & -1 \\ -2 & 2 & -1 \\ 1 & -1 & 1 \end{pmatrix} \begin{pmatrix} a \\ b \\ c \end{pmatrix} = \begin{pmatrix} b-c \\ -2a+2b-c \\ a-b+c \end{pmatrix}$$

6.17 Soient les deux bases suivantes de $\mathbb{R}^2$:

$$S = \{u_1, u_2\} = \{(1,-2),\ (3,-4)\} \quad \text{et} \quad S' = \{v_1, v_2\} = \{(1,3),\ (3,8)\}$$

(a) Trouver les composantes de $v = (a,b)$ sur la base S ;
(b) trouver la matrice de changement de base P de S à S' ;
(c) trouver les composantes de $v = (a,b)$ sur la base S' ;
(d) trouver la matrice de changement de base Q de S' à S ;
(e) vérifier que $Q = P^{-1}$;
(f) montrer que pour tout vecteur $v = (a,b) \in \mathbb{R}^2$, $P^{-1}[v]_S = [v]_{S'}$ (théorème 6.6).

Solution :

(a) Posons $v = xu_1 + yu_2$, où x et y sont inconnus :

$$\begin{pmatrix} a \\ b \end{pmatrix} = x\begin{pmatrix} 1 \\ -2 \end{pmatrix} + y\begin{pmatrix} 3 \\ -4 \end{pmatrix} \quad \text{ou} \quad \begin{aligned} x+3y &= a \\ -2x-4y &= b \end{aligned} \quad \text{ou} \quad \begin{aligned} x+3y &= a \\ 2y &= 2a+b \end{aligned}$$

La solution est $x = -2a - \frac{3}{2}b$ et $y = a + \frac{1}{2}b$, soit :

$$(a,b) = \left(-2a - \frac{3}{2}b\right)u_1 + \left(a + \frac{1}{2}b\right)u_2 \quad \text{ou} \quad [(a,b)]_S = \left(-2a - \frac{3}{2}b,\ a + \frac{1}{2}b\right)^T$$

(b) Utilisons (a) pour décomposer les vecteurs v_1 et v_2 de S' sur la base S :

$$v_1 = (1,3) = \left(-2 - \frac{9}{2}\right)u_1 + \left(1 + \frac{3}{2}\right)u_2 = -\frac{13}{2}u_1 + \frac{5}{2}u_2$$
$$v_2 = (3,8) = (-6-12)u_1 + (3+4)u_2 = -18u_1 + 7u_2$$

La matrice de changement de base P a pour colonnes les composantes de v_1 et v_2 sur la base S :

$$P = \begin{pmatrix} -\frac{13}{2} & -18 \\ \frac{5}{2} & 7 \end{pmatrix}$$

(c) Posons $v = xv_1 + yv_2$, où x et y sont inconnus :

$$\begin{pmatrix} a \\ b \end{pmatrix} = x\begin{pmatrix} 1 \\ 3 \end{pmatrix} + y\begin{pmatrix} 3 \\ 8 \end{pmatrix} \quad \text{ou} \quad \begin{aligned} x + 3y &= a \\ 3x + 8y &= b \end{aligned} \quad \text{ou} \quad \begin{aligned} x + 3y &= a \\ -y &= b - 3a \end{aligned}$$

La solution est $x = -8a + 3b$ et $y = 3a - b$, soit :

$$(a,b) = (-8a+3b)v_1 + (3a-b)v_2$$

ou

$$[(a,b)]_{S'} = (-8a+3b,\ 3a-b)^T$$

(d) Utilisons (c) pour décomposer les vecteurs u_1 et u_2 de S sur la base S' :

$$u_1 = (1,-2) = (-8-6)v_1 + (3+2)v_2 = -14v_1 + 5v_2$$
$$u_2 = (3,-4) = (-24-12)v_1 + (9+4)v_2 = -36v_1 + 13v_2$$

La matrice de changement de base Q a pour colonnes les composantes de u_1 et u_2 sur la base S' :

$$Q = \begin{pmatrix} -14 & -36 \\ 5 & 13 \end{pmatrix}$$

(e) La vérification est immédiate :

$$QP = \begin{pmatrix} -14 & -36 \\ 5 & 13 \end{pmatrix}\begin{pmatrix} -\frac{13}{2} & -18 \\ \frac{5}{2} & 7 \end{pmatrix} = \begin{pmatrix} 1 & 0 \\ 0 & 1 \end{pmatrix} = I$$

(f) Avec (a), (c) et (d), on écrit aussitôt :

$$P^{-1}[v]_S = Q[v]_S = \begin{pmatrix} -14 & -36 \\ 5 & 13 \end{pmatrix}\begin{pmatrix} -2a - \frac{3}{2}b \\ a + \frac{1}{2}b \end{pmatrix}$$
$$= \begin{pmatrix} -8a + 3b \\ 3a - b \end{pmatrix}$$
$$= [v]_{S'}$$

6.18 Soient deux bases $\{u_i\}$ et $\{w_i\}$, et soit P la matrice de changement de base de $\{u_i\}$ à $\{w_i\}$. Montrer que P est inversible et que $Q = P^{-1}$, où Q est la matrice de changement de base de $\{w_i\}$ à $\{u_i\}$.

Solution : décomposons les vecteurs w_i sur la base $\{u_i\}$:

$$w_i = a_{i1}u_1 + a_{i2}u_2 + \cdots + a_{in}u_n = \sum_{j=1}^{n} a_{ij}u_j \quad i = 1, 2, \ldots, n \tag{6.5}$$

et inversement :

$$u_j = b_{j1}w_1 + b_{j2}w_2 + \cdots + b_{jn}w_n = \sum_{k=1}^{n} b_{jk}w_k \quad j = 1, 2, \ldots, n \tag{6.6}$$

Posons $A = (a_{ij})$ et $B = (b_{jk})$, avec donc $P = A^T$ et $Q = B^T$; remplaçons (6.6) dans (6.5) :

$$w_i = \sum_{j=1}^{n} a_{ij} \left(\sum_{k=1}^{n} b_{jk}w_k \right) = \sum_{k=1}^{n} \left(\sum_{j=1}^{n} a_{ij}b_{jk} \right) w_k$$

Puisque $\{w_i\}$ est une base, on a nécessairement $\sum_{j=1}^{n} a_{ij}b_{jk} = \delta_{ik}$, où δ_{ik} est le symbole de Kronecker, soit $\delta_{ik} = 1$ si $i = k$ et $\delta_{ik} = 0$ sinon. Il en résulte que $AB = I$, et donc :

$$QP = B^T A^T = (AB)^T = I^T = I \Rightarrow Q = P^{-1}$$

6.19 Considérons une suite finie de vecteurs $S = \{u_1, u_2, \ldots, u_n\}$, et soit S' la suite de vecteurs obtenue à partir de S par l'une des opérations élémentaires suivantes :

(a) permuter deux vecteurs ;

(b) multiplier un vecteur par un scalaire non nul ;

(c) ajouter à un vecteur un multiple d'un autre vecteur.

Montrer que S et S' engendrent le même sous-espace W. Montrer que S' est un ensemble libre si et seulement S l'est.

Solution : on constate que lors de chacune de ces opérations, les vecteurs de S' sont combinaison linéaire des vecteurs de S. On note aussi qu'à chacune de ces opérations est associée une opération inverse de même nature, et par conséquent tout vecteur de S est combinaison linéaire des vecteurs de S'. Il en résulte que S et S' engendrent le même sous-espace W. De plus, S' est libre si et seulement si $\dim W = n$, ce qui se produit si et seulement si S est un système libre de vecteurs.

6.20 Soient $A = (a_{ij})$ et $B = (b_{ij})$ deux matrices $m \times n$ sur un corps $\mathbb{K}$ équivalentes en lignes, et soient $v_1, v_2, \ldots, v_n$ des vecteurs quelconques d'un espace vectoriel V sur le même corps $\mathbb{K}$. Pour $i = 1, 2, \ldots, m$, on définit les vecteurs u_i et w_i par :

$$u_i = a_{i1}v_1 + a_{i2}v_2 + \cdots + a_{in}v_n \quad \text{et} \quad w_i = b_{i1}v_1 + b_{i2}v_2 + \cdots + b_{in}v_n$$

Montrer que $\{u_i\}$ et $\{w_i\}$ engendrent le même sous-espace de V.

Solution : appliquer l'une des opérations élémentaires du problème 6.19 aux $\{u_i\}$ revient à appliquer une opération élémentaire de lignes à la matrice A. Les deux matrices A et B étant équivalentes en lignes, B s'obtient à partir de A par une suite d'opérations élémentaires sur les lignes, et par conséquent $\{w_i\}$ s'obtient à partir de $\{u_i\}$ par la suite correspondante d'opérations : ils engendrent donc le même sous-espace.

6.21 Soient $u_1, u_2, \ldots, u_n$ des vecteurs d'un espace vectoriel V sur un corps $\mathbb{K}$, et soit $P = (a_{ij})$ une matrice $n \times n$ sur $\mathbb{K}$. Pour $i = 1, 2, \ldots, n$, on pose $v_i = a_{i1}u_1 + a_{i2}u_2 + \cdots + a_{in}u_n$.

(a) On suppose P inversible : montrer que les systèmes $\{u_i\}$ et $\{v_i\}$ engendrent le même sous-espace de V, et que par suite $\{u_i\}$ est libre si et seulement si $\{v_i\}$ l'est.

(b) On suppose P singulière, donc non inversible : montrer que les $\{v_i\}$ sont liés.

(c) On suppose le système $\{v_i\}$ libre : montrer que P est inversible.

Solution :

(a) Si la matrice P est inversible, elle est équivalente en lignes à la matrice unité I : d'après le problème 6.19, $\{u_i\}$ et $\{v_i\}$ engendrent le même sous-espace de V, et donc l'un est libre si et seulement si l'autre l'est.

(b) Si P n'est pas inversible, elle est équivalente en lignes à une matrice contenant une ligne nulle ; par conséquent $\{v_i\}$ engendre un sous-espace de dimension $< n$ et est nécessairement lié.

(c) Cette affirmation est la négation de celle de (b) ; elle est donc vraie puisque (b) l'est.

6.22 Démontrer le théorème 6.6 : *soit P la matrice de changement de base d'une base S à une base S' d'un espace vectoriel V ; pour tout vecteur $v \in V$, on a $P[v]_{S'} = [v]_S$ et inversement $P^{-1}[v]_S = [v]_{S'}$.*

Solution : posons $S = \{u_1, \ldots, u_n\}$ et $S' = \{w_1, \ldots, w_n\}$, et donc :

$$w_i = a_{i1}u_1 + a_{i2}u_2 + \cdots + a_{in}u_n = \sum_{j=1}^{n} a_{ij}u_j \quad i = 1, 2, \ldots, n$$

La i-ème ligne de la matrice de changement de base P est ainsi :

$$(a_{1j}, a_{2j}, \ldots, a_{nj}) \tag{6.7}$$

Si l'on pose $v = k_1w_1 + k_2w_2 + \cdots + k_nw_n = \sum_{i=1}^{n} k_iw_i$, alors :

$$[v]_{S'} = (k_1, k_2, \ldots, k_n)^T \tag{6.8}$$

En remplaçant les w_i dans l'expression de v, on trouve :

$$\begin{aligned} v &= \sum_{i=1}^{n} k_iw_i = \sum_{i=1}^{n} k_i \left(\sum_{j=1}^{n} a_{ij}u_j \right) = \sum_{j=1}^{n} \left(\sum_{i=1}^{n} a_{ij}k_i \right) u_j \\ &= \sum_{j=1}^{n} (a_{1j}k_1 + a_{2j}k_2 + \cdots + a_{nj}k_n)u_j \end{aligned}$$

Par conséquent, $[v]_S$ est le vecteur colonne dont la j-ème composante est :

$$a_{1j}k_1 + a_{2j}k_2 + \cdots + a_{nj}k_n \tag{6.9}$$

Par ailleurs, la j-ème composante de $P[v]_{S'}$ s'obtient en multipliant la j-ème ligne de P par $[v]_{S'}$, autrement dit (6.7) par (6.8), et l'on retrouve (6.9). En définitive, $P[v]_{S'}$ et $[v]_S$ ont les mêmes composantes, et sont donc égaux. Le dernier résultat du théorème s'obtient en multipliant par P^{-1} : $P^{-1}[v]_S = P^{-1}P[v]_{S'} = [v]_{S'}$.

OPÉRATEURS LINÉAIRES ET CHANGEMENT DE BASE

6.23 On considère l'endomorphisme de $\mathbb{R}^2$ défini par $F(x, y) = (5x - y,\ 2x + y)$ et les deux bases suivantes de $\mathbb{R}^2$:

$$E = \{e_1, e_2\} = \{(1,0),\ (0,1)\} \quad \text{et} \quad S = \{u_1, u_2\} = \{(1,4),\ (2,7)\}$$

(a) Déterminer la matrice de changement de base P de E vers S et inversement, la matrice de changement de base Q de S vers E ;
(b) déterminer la matrice A représentant F sur la base E ;
(c) déterminer la matrice B représentant F sur la base S.

Solution :

(a) Puisque E est la base canonique, la matrice de changement de base P a pour colonnes les composantes des vecteurs de S ; on sait aussi la matrice de changement de base dans l'autre sens est P^{-1} :

$$P = \begin{pmatrix} 1 & 2 \\ 4 & 7 \end{pmatrix} \quad \text{et} \quad Q = P^{-1} = \begin{pmatrix} -7 & 2 \\ 4 & -1 \end{pmatrix}$$

(b) Pour obtenir la matrice A, on écrit en lignes les coefficients de x et y tirés de l'expression de F :

$$A = \begin{pmatrix} 5 & -1 \\ 2 & 1 \end{pmatrix}$$

(c) Deux méthodes mènent au résultat :

1. Exprimons les composantes de $F(u_1)$ et $F(u_2)$ sur la base S ; il faut pour cela commencer par déterminer les composantes d'un vecteur (a, b) quelconque sur S :

$$(a, b) = x(1,4) + y(2,7) = (x + 2y,\ 4x + 7y) \quad \text{d'où} \quad \begin{matrix} x + 2y = a \\ 4x + 7y = b \end{matrix}$$

système dont la solution est $x = -7a + 2b$ et $y = 4a - b$, soit :

$$(a, b) = (-7a + 2b)u_1 + (4a - b)u_2$$

Cette formule permet d'écrire immédiatement :

$$\begin{matrix} F(u_1) = F(1,4) = (1,6) & = 5u_1 - 2u_2 \\ F(u_2) = F(2,7) = (3,11) = & u_1 + u_2 \end{matrix} \quad \text{d'où} \quad B = \begin{pmatrix} 5 & 1 \\ -2 & 1 \end{pmatrix}$$

2. La 2e méthode est beaucoup plus rapide et fait appel au théorème 6.7, qui affirme que $B = P^{-1}AP$:

$$B = P^{-1}AP = \begin{pmatrix} -7 & 2 \\ 4 & -1 \end{pmatrix} \begin{pmatrix} 5 & -1 \\ 2 & 1 \end{pmatrix} \begin{pmatrix} 1 & 2 \\ 4 & 7 \end{pmatrix} = \begin{pmatrix} 5 & 1 \\ -2 & 1 \end{pmatrix}$$

6.24 Soit $A = \begin{pmatrix} 2 & 3 \\ 4 & -1 \end{pmatrix}$. Déterminer la matrice représentant l'opérateur linéaire A sur la base $S = \{u_1, u_2\} = \{(1,3)^T,\ (2,5)^T\}$. On rappelle qu'une matrice 2×2 définit un opérateur $A : \mathbb{R}^2 \to \mathbb{R}^2$ et le représente sur la base canonique.

Solution : proposons deux méthodes :

(a) Écrivons les composantes de $A(u_1)$ et $A(u_2)$ sur S en déterminant tout d'abord les composantes d'un vecteur quelconque $(a, b)^T$ sur S ; d'après le problème 6.2 :

$$(a, b)^T = (-5a + 2b)u_1 + (3a - b)u_2$$

formule qui nous permet d'écrire :

$$A(u_1) = \begin{pmatrix} 2 & 3 \\ 4 & -1 \end{pmatrix}\begin{pmatrix} 1 \\ 3 \end{pmatrix} = \begin{pmatrix} 11 \\ 1 \end{pmatrix} = -53u_1 + 32u_2$$

$$A(u_2) = \begin{pmatrix} 2 & 3 \\ 4 & -1 \end{pmatrix}\begin{pmatrix} 2 \\ 5 \end{pmatrix} = \begin{pmatrix} 19 \\ 3 \end{pmatrix} = -89u_1 + 54u_2$$

$$\text{d'où} \quad B = \begin{pmatrix} -53 & -89 \\ 32 & 54 \end{pmatrix}$$

(b) La 2e méthode utilise la relation $B = P^{-1}AP$, où P est la matrice de changement de base de E vers S, qui s'obtient en écrivant en colonnes les vecteurs de S :

$$P = \begin{pmatrix} 1 & 2 \\ 3 & 5 \end{pmatrix} \quad \text{d'où} \quad P^{-1} = \begin{pmatrix} -5 & 2 \\ 3 & -1 \end{pmatrix}$$

et finalement :

$$B = P^{-1}AP = \begin{pmatrix} 1 & 2 \\ 3 & 5 \end{pmatrix}\begin{pmatrix} 2 & 3 \\ 4 & -1 \end{pmatrix}\begin{pmatrix} -5 & 2 \\ 3 & -1 \end{pmatrix} = \begin{pmatrix} -53 & -89 \\ 32 & 54 \end{pmatrix}$$

6.25 On donne $A = \begin{pmatrix} 1 & 3 & 1 \\ 2 & 5 & -4 \\ 1 & -2 & 2 \end{pmatrix}$. Déterminer la matrice B représentant l'opérateur linéaire A sur la base $S = \{u_1, u_2, u_3\} = \{(1, 1, 0)^T,\ (0, 1, 1)^T,\ (1, 2, 2)^T\}$. On rappelle qu'une matrice 3×3 définit un opérateur linéaire $A : \mathbb{R}^2 \to \mathbb{R}^2$ et le représente sur la base canonique.

Solution : nous proposons ici encore deux méthodes pour résoudre le problème :

(a) Écrivons les composantes de $A(u_1)$, $A(u_2)$ et $A(u_3)$ sur S en déterminant tout d'abord les composantes d'un vecteur quelconque $v = (a, b, c)^T$ sur S ; d'après le problème 6.16 :

$$[v]_S = (b - c)u_1 + (-2a + 2b - c)u_2 + (a - b + c)u_3$$

formule qui nous permet d'écrire :

$$A(u_1) = (4, 7, -1)^T = 8u_1 + 7u_2 - 4u_3, \quad A(u_2) = (4, 1, 0)^T = u_1 - 6u_2 + 3u_3,$$
$$A(u_3) = (9, 4, 1)^T = 3u_1 - 11u_2 + 6u_3$$

Écrivons les coefficients de u_1, u_2 et u_3 en colonnes pour obtenir B :

$$B = \begin{pmatrix} 8 & 1 & 3 \\ 7 & -6 & -11 \\ -4 & 3 & 6 \end{pmatrix}$$

(b) On se sert de la relation $B = P^{-1}AP$, où P est la matrice de changement de base de E vers S, déjà obtenue, ainsi que son inverse, au problème 6.16 :

$$B = P^{-1}AP = \begin{pmatrix} 0 & 1 & -1 \\ -2 & 2 & -1 \\ 1 & -1 & 1 \end{pmatrix}\begin{pmatrix} 1 & 3 & 1 \\ 2 & 5 & -4 \\ 1 & -2 & 2 \end{pmatrix}\begin{pmatrix} 1 & 0 & 1 \\ 1 & 1 & 2 \\ 0 & 1 & 2 \end{pmatrix} = \begin{pmatrix} 8 & 1 & 3 \\ 7 & -6 & -11 \\ -4 & 3 & 6 \end{pmatrix}$$

6.26 Démontrer le théorème 6.7 : *soit P la matrice de changement de base d'une base S à une base S' d'un espace vectoriel V. Alors, pour tout opérateur linéaire T sur V, $[T]_{S'} = P^{-1}[T]_S P$.*

Solution : soit v un vecteur de V. On sait d'après le théorème 6.6 que $P[v]_{S'} = [v]_S$. On en déduit :

$$P^{-1}[T]_S P[v]_{S'} = P^{-1}[T]_S[v]_S = P^{-1}[T(v)]_S = [T(v)]_{S'}$$

Mais $[T]_{S'}[v]_{S'} = [T(v)]_{S'}$, d'où :

$$P^{-1}[T]_S P[v]_{S'} = [T]_{S'}[v]_{S'}$$

L'application $v \mapsto [v]_{S'}$ étant surjective sur $\mathbb{K}^n$, on a $P^{-1}[T]_S PX = [T]_{S'}X$ pour tout $X \in \mathbb{K}^n$, et par conséquent $P^{-1}[T]_S P = [T]_{S'}$, comme annoncé.

SIMILITUDE DES MATRICES

6.27 Soient $A = \begin{pmatrix} 4 & -2 \\ 3 & 6 \end{pmatrix}$ et $P = \begin{pmatrix} 1 & 2 \\ 3 & 4 \end{pmatrix}$:

(a) calculer $B = P^{-1}AP$;
(b) vérifier que $\operatorname{tr} B = \operatorname{tr} A$;
(c) vérifier que $\operatorname{dét} B = \operatorname{dét} A$.

Solution :

(a) En utilisant la formule d'inversion d'une matrice 2×2, on trouve $P^{-1} = \begin{pmatrix} -2 & 1 \\ \frac{3}{2} & -\frac{1}{2} \end{pmatrix}$. Par conséquent :

$$B = P^{-1}AP = \begin{pmatrix} -2 & 1 \\ \frac{3}{2} & -\frac{1}{2} \end{pmatrix} \begin{pmatrix} 4 & -2 \\ 3 & 6 \end{pmatrix} \begin{pmatrix} 1 & 2 \\ 3 & 4 \end{pmatrix} = \begin{pmatrix} 25 & 30 \\ -\frac{27}{2} & -15 \end{pmatrix}$$

(b) On a $\operatorname{tr} A = 4 + 6 = 10$ et $\operatorname{tr} B = 25 - 15 = 10$, soit $\operatorname{tr} A = \operatorname{tr} B$.
(c) On a $\operatorname{dét} A = 24 + 6 = 30$ et $\operatorname{dét} B = -375 + 405 = 30$, soit $\operatorname{dét} A = \operatorname{dét} B$.

6.28 Calculer la trace de chacun des endomorphismes F de $\mathbb{R}^3$ du problème 6.4.

Solution : on calcule la trace, autrement dit la somme des éléments diagonaux, à partir de n'importe quelle représentation matricielle de l'opérateur ; d'après les données et les résultats du problème 6.4 :
(a) $\operatorname{tr} F = \operatorname{tr}[F] = 1 - 5 + 9 = 5$;
(b) $\operatorname{tr} F = \operatorname{tr}[F] = 1 + 3 + 5 = 9$;
(c) $\operatorname{tr} F = \operatorname{tr}[F] = 1 + 4 + 7 = 12$.

6.29 On rappelle que deux matrices A et B sont *semblables*, noté $A \approx B$, s'il existe une matrice P inversible telle que $B = P^{-1}AP$. Montrer que $\approx$ est une relation d'équivalence sur l'ensemble des matrices carrées ; autrement dit :

(a) $\forall A, A \approx A$;
(b) $A \approx B \Rightarrow B \approx A$;
(c) $A \approx B$ et $B \approx C \Rightarrow A \approx C$.

Solution :

(a) La matrice unité I est inversible, et $I^{-1} = I$; on en déduit que $A \approx A$, puisque $A = I^{-1}AI$.

(b) Si $A \approx B$, il existe une matrice inversible P telle que $A = P^{-1}BP$; on en déduit $B = PAP^{-1} = (P^{-1})^{-1}AP^{-1}$, et donc $B \approx A$ puisque P^{-1} est inversible.

(c) Si $A \approx B$, il existe une matrice inversible P telle que $A = P^{-1}BP$; de même, si $B \approx C$, il existe une matrice inversible Q telle que $B = Q^{-1}CQ$; alors :

$$A = P^{-1}BP = P^{-1}(Q^{-1}CQ)P = (P^{-1}Q^{-1})C(QP) = (QP)^{-1}C(QP)$$

ce qui entraîne $A \approx C$ puisque QP est inversible.

6.30 Supposons que B soit semblable à A, soit $B = P^{-1}AP$; montrer que :

(a) $B^n = P^{-1}A^nP$, et par conséquent B^n est semblable à A^n ;

(b) pour tout polynôme $f(x), f(B) = P^{-1}f(A)P$, et par conséquent $f(B)$ est semblable à $f(A)$;

(c) B est racine du polynôme $g(x)$ si et seulement si A est racine de $g(x)$.

Solution :

(a) La démonstration s'effectue par récurrence sur n. Le résultat est vrai pour $n = 1$. Supposons $n > 1$ et le résultat vrai pour $n - 1$:

$$B^n = BB^{n-1} = (P^{-1}AP)(P^{-1}A^{n-1}P) = P^{-1}A^nP$$

(b) Soit $f(x) = a_nx^n + \cdots + a_1x + a_0$. En utilisant la distributivité du produit de matrices à droite et à gauche par rapport à l'addition, et le point (a), on a :

$$\begin{aligned} P^{-1}f(A)P &= P^{-1}(a_nA^n + \cdots + a_1A + a_0I)P \\ &= P^{-1}(a_nA^n)P + \cdots + P^{-1}(a_1A)P + P^{-1}(a_0I)P \\ &= a_n(P^{-1}A^nP) + \cdots + a_1(P^{-1}AP) + a_0(P^{-1}IP) \\ &= a_nB^n + \cdots + a_1B + a_0I = f(B) \end{aligned}$$

(c) D'après le point (b), $g(B) = \mathbf{0}$ si et seulement si $P^{-1}g(A)P = \mathbf{0}$, soit si et seulement si $g(A) = P\mathbf{0}P^{-1} = \mathbf{0}$.

REPRÉSENTATION MATRICIELLE DES HOMOMORPHISMES

6.31 Soit $F : \mathbb{R}^3 \to \mathbb{R}^2$ l'homomorphisme défini par $F(x, y, z) = (3x + 2y - 4z,\ x - 5y + 3z)$.

(a) Trouver la matrice de F sur les bases suivantes de $\mathbb{R}^3$ et $\mathbb{R}^2$:

$$S = \{w_1, w_2, w_3\} = \{(1, 1, 1),\ (1, 1, 0),\ (1, 0, 0)\} \quad \text{et} \quad S' = \{u_1, u_2\} = \{(1, 3),\ (2, 5)\}$$

(b) Vérifier le théorème 6.10 : *pour tout vecteur* $v \in V$, $[F]_{S,S'}[v]_S = [F(v)]_{S'}$; autrement dit, l'action de F est conservée par toute représentation matricielle.

Solution :

(a) D'après le problème 6.2, $(a, b) = (-5a + 2b)u_1 + (3a - b)u_2$; alors :

$$\begin{aligned} F(w_1) &= F(1, 1, 1) = (1, -1) = -7u_1 + 4u_2 \\ F(w_2) &= F(1, 1, 0) = (5, -4) = -33u_1 + 19u_2 \\ F(w_3) &= F(1, 0, 0) = (3, 1) = -13u_1 + 8u_2 \end{aligned}$$

L'écriture en colonnes de $F(w_1)$, $F(w_2)$ et $F(w_3)$ donne la matrice cherchée :

$$[F]_{S,S'} = \begin{pmatrix} -7 & -33 & -13 \\ 4 & 19 & 8 \end{pmatrix}$$

(b) Soit $v = (x, y, z)$; alors, d'après le problème 6.5, $v = zw_1 + (y - z)w_2 + (x - y)w_3$; alors :

$$F(v) = (3x + 2y - 4z,\ x - 5y + 3z) = (-13x - 20y + 26z)u_1 + (8x + 11y - 15z)u_2$$

On en déduit :

$$[v]_S = (z,\ y - z,\ x - y)^T \quad \text{et} \quad [F(v)]_{S'} = \begin{pmatrix} -13x - 20y + 26z \\ 8x + 11y - 15z \end{pmatrix}$$

et par conséquent :

$$[F]_{S,S'}[v]_S = \begin{pmatrix} -7 & -33 & -13 \\ 4 & 19 & 8 \end{pmatrix} \begin{pmatrix} z \\ y - z \\ x - y \end{pmatrix} = \begin{pmatrix} -13x - 20y + 26z \\ 8x + 11y - 15z \end{pmatrix} = [F(v)]_{S'}$$

6.32 On définit l'homomorphisme $F : \mathbb{R}^n \to \mathbb{R}^m$ par :

$$F(x_1, x_2, \ldots, x_n) = (a_{11}x_1 + \cdots + a_{1n}x_n,\ a_{21}x_1 + \cdots + a_{2n}x_n,\ \ldots,\ a_{m1}x_1 + \cdots + a_{mn}x_n)$$

(a) Montrer que les lignes de la matrice $[F]$ représentant F sur les bases canoniques de $\mathbb{R}^n$ et $\mathbb{R}^m$ sont les coefficients de x_i des composantes de F ;

(b) trouver la représentation matricielle de chacun des endomorphismes suivants, sur les bases canoniques des $\mathbb{R}^n$ concernées :
1. $F : \mathbb{R}^2 \to \mathbb{R}^3$ défini par $F(x, y) = (3x - y,\ 2x + 4y,\ 5x - 6y)$;
2. $F : \mathbb{R}^4 \to \mathbb{R}^2$ défini par $F(x, y, s, t) = (3x - 4y + 2s - 5t,\ 5x + 7y - s - 2t)$;
3. $F : \mathbb{R}^3 \to \mathbb{R}^4$ défini par $F(x, y, z) = (2x + 3y - 8z,\ x + y + z,\ 4x - 5z,\ 6y)$.

Solution :

(a) On peut écrire :

$$\begin{aligned} F(1, 0, \ldots, 0) &= (a_{11}, a_{21}, \ldots, a_{m1}) \\ F(0, 1, \ldots, 0) &= (a_{12}, a_{22}, \ldots, a_{m2}) \\ &\ldots\ldots\ldots\ldots \\ F(0, 0, \ldots, 1) &= (a_{1n}, a_{2n}, \ldots, a_{mn}) \end{aligned} \quad \text{d'où} \quad F = \begin{pmatrix} a_{11} & a_{12} & \ldots & a_{1n} \\ a_{21} & a_{22} & \ldots & a_{2n} \\ & \ldots\ldots & & \\ a_{m1} & a_{m2} & \ldots & a_{mn} \end{pmatrix}$$

(b) D'après la partie (a), nous n'avons à considérer que les coefficients des variables x, y, ... dans l'expression de $F(x, y, \ldots)$, soit :

$$1.\ [F] = \begin{pmatrix} 3 & -1 \\ 2 & 4 \\ 5 & -6 \end{pmatrix}; \quad 2.\ [F] = \begin{pmatrix} 3 & -4 & 2 & -5 \\ 5 & 7 & -1 & -2 \end{pmatrix}; \quad 3.\ [F] = \begin{pmatrix} 2 & 3 & -8 \\ 1 & 1 & 1 \\ 4 & 0 & -5 \\ 0 & 6 & 0 \end{pmatrix}$$

6.33 Soit $A = \begin{pmatrix} 2 & 5 & -3 \\ 1 & -4 & 7 \end{pmatrix}$. On sait qu'une telle matrice définit une application $F : \mathbb{R}^3 \to \mathbb{R}^2$ définie par $F(v) = Av$, les vecteurs étant écrits en colonnes. Trouver la matrice $[F]$ qui représente F sur les bases suivantes de $\mathbb{R}^3$ et $\mathbb{R}^2$:

(a) Les bases canoniques de $\mathbb{R}^3$ et $\mathbb{R}^2$;

(b) $S = \{w_1, w_2, w_3\} = \{(1,1,1),\ (1,1,0),\ (1,0,0)\}$ et $S' = \{u_1, u_2\} = \{(1,3),\ (2,5)\}$.

Solution :

(a) Sur les bases canoniques, on a simplement $[F] = A$.

(b) D'après le problème 6.2, $(a,\ b) = (-5a + 2b)u_1 + (3a - b)u_2$, ce qui permet d'écrire :

$$F(w_1) = \begin{pmatrix} 2 & 5 & -3 \\ 1 & -4 & 7 \end{pmatrix} \begin{pmatrix} 1 \\ 1 \\ 1 \end{pmatrix} = \begin{pmatrix} 4 \\ 4 \end{pmatrix} = -12u_1 + 8u_2$$

$$F(w_2) = \begin{pmatrix} 2 & 5 & -3 \\ 1 & -4 & 7 \end{pmatrix} \begin{pmatrix} 1 \\ 1 \\ 0 \end{pmatrix} = \begin{pmatrix} 7 \\ -3 \end{pmatrix} = -41u_1 + 24u_2$$

$$F(w_3) = \begin{pmatrix} 2 & 5 & -3 \\ 1 & -4 & 7 \end{pmatrix} \begin{pmatrix} 1 \\ 0 \\ 0 \end{pmatrix} = \begin{pmatrix} 2 \\ 1 \end{pmatrix} = -8u_1 + 5u_2$$

On obtient la matrice cherchée en écrivant les composantes de $F(w_1)$, $F(w_2)$ et $F(w_1)$ en colonnes, soit $[F] = \begin{pmatrix} -12 & -41 & -8 \\ 8 & 24 & 5 \end{pmatrix}$

6.34 On considère l'endomorphisme de $\mathbb{R}^2$ défini par $T(x,\ y) = (2x - 3y,\ x + 4y)$, et les bases de $\mathbb{R}^2$ suivantes :

$$E = \{e_1, e_2\} = \{(1,0),\ (0,1)\}$$

et

$$S = \{u_1, u_2\} = \{(1,3),\ (2,5)\}$$

(a) Trouver la matrice A qui représente T sur les bases E et S ;

(b) Trouver la matrice B qui représente T sur les bases S et E.

On considère ici T comme une application d'un espace vectoriel dans un autre, chacun ayant sa propre base.

Solution :

(a) D'après le problème 6.2, $(a,\ b) = (-5a + 2b)u_1 + (3a - b)u_2$, d'où :

$$\begin{aligned} T(e_1) &= T(1,0) = (2,1) = -8u_1 + 5u_2 \\ T(e_2) &= T(0,1) = (-3,4) = 23u_1 - 13u_2 \end{aligned} \quad \text{d'où} \quad A = \begin{pmatrix} -8 & 23 \\ 5 & -13 \end{pmatrix}$$

(b) De la même manière :

$$\begin{aligned} T(u_1) &= T(1,3) = (-7,13) &= -7e_1 + 13e_2 \\ T(u_2) &= T(2,5) = (-11,22) &= -11e_1 + 22e_2 \end{aligned} \quad \text{d'où} \quad B = \begin{pmatrix} -7 & -11 \\ 13 & 22 \end{pmatrix}$$

6.35 Quelle est la relation entre les matrices A et B du problème 6.34 ?

Solution : d'après le théorème 6.13, les matrices A et B sont liées de la manière suivante : il existe deux matrices inversibles P et Q telles que $B = Q^{-1}AP$, où P est la matrice de changement de base de S à E, et Q est la matrice de changement de base de E à S :

$$P = \begin{pmatrix} 1 & 2 \\ 3 & 5 \end{pmatrix}, \quad Q = \begin{pmatrix} -5 & 2 \\ 3 & -1 \end{pmatrix}, \quad Q^{-1} = \begin{pmatrix} 1 & 2 \\ 3 & 5 \end{pmatrix}$$

et donc :

$$Q^{-1}AP = \begin{pmatrix} 1 & 2 \\ 3 & 5 \end{pmatrix} \begin{pmatrix} -8 & 23 \\ 5 & -13 \end{pmatrix} \begin{pmatrix} 1 & 2 \\ 3 & 5 \end{pmatrix} = \begin{pmatrix} -7 & -11 \\ 13 & 22 \end{pmatrix} = B$$

6.36 Démontrer le théorème 6.14 : *soit une application linéaire* $F : V \to U$ *telle que* $\operatorname{rang} F = r$. *Alors il existe des bases de* V *et de* U *telles que la représentation matricielle* A *de* F *soit de la forme :*

$$A = \begin{pmatrix} I_r & 0 \\ 0 & 0 \end{pmatrix}$$

où I_r *est la matrice unité* $r \times r$.

Solution : posons $\dim V = m$ et $\dim U = n$; soient W et U', respectivement, le noyau et l'image de F. Puisque par hypothèse $\operatorname{rang} F = r$, $\dim(\ker F) = m - r$. Choisissons une base $\{w_1, \ldots, w_{m-r}\}$ de $\ker F$ et complétons-la pour former une base de V :

$$\{v_1, \ldots, v_r, w_1, \ldots, w_{m-r}\}$$

Posons $u_1 = F(v_1), u_2 = F(v_2), \ldots, u_r = F(v_r)$. Alors $\{u_1, \ldots, u_r\}$ est une base de $U' = \operatorname{Im} F$; complétons-la pour former une base de U :

$$\{u_1, \ldots, u_r, u_{r+1}, \ldots, u_n\}$$

On a alors :

$$\begin{aligned}
F(v_1) &= u_1 = 1u_1 + 0u_2 + \cdots + 0u_r + 0u_{r+1} + \cdots + 0u_n \\
F(v_2) &= u_2 = 0u_1 + 1u_2 + \cdots + 0u_r + 0u_{r+1} + \cdots + 0u_n \\
&\cdots\cdots\cdots\cdots\cdots\cdots\cdots\cdots\cdots\cdots \\
F(v_r) &= u_r = 0u_1 + 0u_2 + \cdots + 1u_r + 0u_{r+1} + \cdots + 0u_n \\
F(w_1) &= 0 \ = 0u_1 + 0u_2 + \cdots + 0u_r + 0u_{r+1} + \cdots + 0u_n \\
&\cdots\cdots\cdots\cdots\cdots\cdots\cdots\cdots\cdots\cdots \\
F(w_{m-r}) &= 0 \ = 0u_1 + 0u_2 + \cdots + 0u_r + 0u_{r+1} + \cdots + 0u_n
\end{aligned}$$

La matrice de F, sur les bases ci-dessus, a bien la forme prévue.

EXERCICES SUPPLÉMENTAIRES

MATRICES ET OPÉRATEURS LINÉAIRES

6.37 Soit $F : \mathbb{R}^2 \to \mathbb{R}^2$ défini par $F(x, y) = (4x + 5y,\ 2x - y)$:

(a) trouver la matrice A représentant F sur la base canonique ;

(b) trouver la matrice B représentant F sur la base $S = \{u_1, u_2\} = \{(1,4),\ (2,9)\}$;

(c) trouver la matrice P telle que $B = P^{-1}AP$;

(d) si $v = (a,\ b)$, trouver $[v]_S$ et $[F(v)]_S$, puis vérifier que $[F]_S[v]_S = [F(v)]_S$.

6.38 Soit $A : \mathbb{R}^2 \to \mathbb{R}^2$ défini par la matrice $A = \begin{pmatrix} 5 & -1 \\ 2 & 4 \end{pmatrix}$:

(a) trouver la matrice B représentant A sur la base $S = \{u_1, u_2\} = \{(1,3),\ (2,8)\}$ (on se souviendra que la matrice A représente l'endomorphisme A sur la base canonique).

(b) si $v = (a,\ b)$, trouver $[v]_S$ et $[A(v)]_S$.

6.39 Pour chacun des endomorphismes L suivants de $\mathbb{R}^2$, déterminer la matrice qui le représente sur la base canonique :

(a) L est la rotation de 45° dans le sens direct ;

(b) L est la réflexion par rapport à la droite $y = x$;

(c) L est défini par $L(1,\ 0) = (3,\ 5)$ et $L(0,\ 1) = (7,\ -2)$;

(d) L est défini par $L(1,\ 1) = (3,\ 7)$ et $L(1,\ 2) = (5,\ -4)$.

6.40 Déterminer la matrice représentant les endomorphismes de $\mathbb{R}^3$ suivants sur la base canonique E :

(a) $T(x,y,z) = (x,y,0)$;

(b) $T(x,y,z) = (z,\ y+z,\ x+y+z)$;

(c) $T(x,y,z) = (2x - 7y - 4z,\ 3x + y + 4z,\ 6x - 8y + z)$.

6.41 Reprendre le problème 6.40, mais sur la base $S = \{u_1, u_2, u_3\} = \{(1,1,0),\ (1,2,3),\ (1,3,5)\}$.

6.42 Soit L l'endomorphisme de $\mathbb{R}^3$ défini par :

$$L(1,0,0) = (1,1,1), \quad L(0,1,0) = (1,3,5), \quad L(0,0,1) = (2,2,2)$$

(a) Écrire la matrice A représentant L sur la base canonique de $\mathbb{R}^3$;

(b) écrire la matrice B représentant L sur la base S du problème 6.41.

6.43 Soit $\mathbf{D}$ l'opérateur de dérivation, défini par $\mathbf{D}(f(t)) = df/dt$. Les ensembles suivants sont des bases d'espaces de fonctions ; exprimer la matrice représentant $\mathbf{D}$ sur chacune de ces bases :

(a) $\{e^t, e^{2t}, te^{2t}\}$; (b) $\{1, t, \sin 3t, \cos 3t\}$; (c) $\{e^{5t}, te^{5t}, t^2e^{5t}\}$.

6.44 Soit $\mathbf{D}$ l'opérateur de dérivation sur l'espace V de fonctions muni de la base $S = \{\sin\theta, \cos\theta\}$:

(a) trouver la matrice $A = [\mathbf{D}]_S$;

(b) utiliser A pour montrer que $\mathbf{D}$ est un zéro du polynôme $f(t) = t^2 + 1$.

6.45 Soit V l'espace vectoriel des matrices 2×2. On considère la matrice M et la base canonique E de V :

$$M = \begin{pmatrix} a & b \\ c & d \end{pmatrix} \quad \text{et} \quad E = \left\{ \begin{pmatrix} 1 & 0 \\ 0 & 0 \end{pmatrix}, \begin{pmatrix} 0 & 1 \\ 0 & 0 \end{pmatrix}, \begin{pmatrix} 0 & 0 \\ 1 & 0 \end{pmatrix}, \begin{pmatrix} 0 & 0 \\ 0 & 1 \end{pmatrix} \right\}$$

Déterminer la matrice représentant les endomorphismes suivants de V :

(a) $T(A) = MA$; (b) $T(A) = AM$; (c) $T(A) = MA - AM$.

6.46 On note respectivement par $\mathbb{I}_V$ et $\mathbf{0}_V$ l'opérateur unité et l'opérateur nul sur un espace vectoriel V. Montrer que sur toute base S de V :

(a) $[\mathbb{I}_V]_S = I$, la matrice unité ; (b) $[\mathbf{0}_V]_S = 0$, la matrice nulle.

CHANGEMENTS DE BASE

6.47 Trouver la matrice P de changement de base de la base canonique E de $\mathbb{R}^2$ à chacune des bases S suivantes, ainsi que la matrice Q de changement de base inverse de S vers E ; trouver également les composantes d'un vecteur arbitraire $v = (a, b)$ sur S :

(a) $S = \{(1,2),\ (3,5)\}$; (c) $S = \{(2,5),\ (3,7)\}$;

(b) $S = \{(1,-3),\ (3,-8)\}$; (d) $S = \{(2,3),\ (4,5)\}$.

6.48 Soient les bases $S = \{(1,2),\ (2,3)\}$ et $S' = \{(1,3),\ (1,4)\}$ de $\mathbb{R}^2$. Exprimer les matrices de changement de base :

(a) P de S à S' ; (b) Q de S' à S.

6.49 On effectue une rotation de 30° des axes x et y du plan $\mathbb{R}^2$ dans le sens direct, définissant ainsi deux nouveaux axes x' et y' ; déterminer :

(a) les vecteurs unitaires des nouveaux axes x' et y' ;

(b) la matrice de changement de base sur le nouveau système de coordonnées ;

(c) les nouvelles coordonnées des points $A(1,3)$, $B(2,-5)$ et $C(a,b)$.

6.50 Trouver la matrice P de changement de base de la base canonique E de $\mathbb{R}^3$ à la base S, la matrice Q de changement de base de la base S à la base E, et les composantes d'un vecteur quelconque $v = (a,b,c) \in \mathbb{R}^3$ sur S, si S est constituée des vecteurs suivants :

(a) $u_1 = (1,1,0)$, $u_2 = (0,1,2)$ et $u_3 = (0,1,1)$;

(b) $u_1 = (1,0,1)$, $u_2 = (1,1,2)$ et $u_3 = (1,2,4)$;

(c) $u_1 = (1,2,1)$, $u_2 = (1,3,4)$ et $u_3 = (2,5,6)$.

6.51 Soient S_1, S_2 et S_3 des bases de V ; soit P la matrice de changement de base de S_1 à S_2, et Q la matrice de changement de base de S_2 à S_3. Montrer que PQ est la matrice de changement de base de S_1 à S_3.

ENDOMORPHISMES ET CHANGEMENTS DE BASE

6.52 On considère l'endomorphisme F de $\mathbb{R}^2$ défini par $F(x, y) = (5x + y,\ 3x - 2y)$ et les bases de $\mathbb{R}^2$ suivants :

$$S = \{(1, 2),\ (2, 3)\} \quad \text{et} \quad S' = \{(1, 3),\ (1, 4)\}$$

(a) Trouver la matrice A représentant F sur la base S ;
(b) trouver la matrice B représentant F sur la base S' ;
(c) trouver la matrice de changement de base de S à S' ;
(d) quelle est la relation entre A et B ?

6.53 Soit $A : \mathbb{R}^2 \to \mathbb{R}^2$ défini par la matrice $A = \begin{pmatrix} 1 & -1 \\ 3 & 2 \end{pmatrix}$. Déterminer la matrice B représentant l'endomorphisme A sur les bases suivantes :

(a) $S = \{(1, 3)^T,\ (2, 5)^T\}$; (b) $S = \{(1, 3)^T,\ (2, 4)^T\}$.

6.54 Soit $F : \mathbb{R}^2 \to \mathbb{R}^2$ défini par $F(x, y) = (x - 3y,\ 2x - 4y)$. Trouver la matrice A représentant F sur les bases suivantes :

(a) $S = \{(2, 5),\ (3, 7)\}$; (b) $S = \{(2, 3),\ (4, 5)\}$.

6.55 Soit $A : \mathbb{R}^3 \to \mathbb{R}^3$ défini par la matrice $A = \begin{pmatrix} 1 & 3 & 1 \\ 2 & 7 & 4 \\ 1 & 4 & 3 \end{pmatrix}$. Déterminer la matrice B représentant l'endomorphisme A sur la base $S = \{(1, 1, 1)^T,\ (0, 1, 1)^T,\ (1, 2, 3)^T\}$.

SIMILITUDE DES MATRICES

6.56 Soient $A = \begin{pmatrix} 1 & 1 \\ 2 & -3 \end{pmatrix}$ et $P = \begin{pmatrix} 1 & -2 \\ 3 & -5 \end{pmatrix}$:

(a) trouver $B = P^{-1}AP$;
(b) vérifier que $\operatorname{tr} A = \operatorname{tr} B$;
(c) vérifier que $\det A = \det B$.

6.57 Trouver la trace et le déterminant des endomorphismes de $\mathbb{R}^2$ suivants :

(a) $F(x, y) = (2x - 3y,\ 5x + 4y)$; (b) $G(x, y) = (ax + by,\ cx + dy)$

6.58 Trouver la trace des endomorphismes de $\mathbb{R}^3$ suivants :
(a) $F(x, y, z) = (x + 3y,\ 3x - 2z,\ x - 4y - 3z)$;
(b) $G(x, y, z) = (y + 3z,\ 2x - 4z,\ 5x + 7y)$.

6.59 Soit $S = \{u_1, u_2\}$ une base de V et $T : V \to V$ défini par $T(u_1) = 3u_1 - 2u_2$ et $T(u_2) = u_1 + 4u_2$; soit $S' = \{w_1, w_2\}$ une base de V telle que $w_1 = u_1 + u_2$ et $w_2 = 2u_1 + 3u_2$:
(a) trouver les matrices A et B représentant T, respectivement, sur les bases S et S' ;
(b) trouver la matrice P telle que $B = P^{-1}AP$.

6.60 Soit A une matrice 2×2 qui ne soit semblable qu'à elle-même ; montrer que A est nécessairement une matrice scalaire, c'est-à-dire de la forme $A = \begin{pmatrix} a & 0 \\ 0 & a \end{pmatrix}$.

6.61 Montrer que toutes les matrices semblables à une matrice inversible sont inversibles ; plus généralement, montrer que des matrices semblables ont le même rang.

REPRÉSENTATION DES HOMOMORPHISMES ; CAS GÉNÉRAL

6.62 Trouver la représentation matricielle des applications linéaires suivantes sur les bases canoniques des $\mathbb{R}^n$ concernées :

(a) $F : \mathbb{R}^3 \to \mathbb{R}^2$ définie par $F(x, y, z) = (2x - 4y + 9z,\ 5x + 3y - 2z)$;

(b) $F : \mathbb{R}^2 \to \mathbb{R}^4$ définie par $F(x, y) = (3x + 4y,\ 5x - 2y,\ x + 7y,\ 4x)$;

(c) $F : \mathbb{R}^4 \to \mathbb{R}$ définie par $F(x_1, x_2, x_3, x_4) = (2x_1 + x_2 - 7x_3 - x_4)$.

6.63 Soit $G : \mathbb{R}^3 \to \mathbb{R}^2$ définie par $G(x, y, z) = (2x + 3y - z,\ 4x - y + 2z)$:

(a) trouver la matrice A représentant G sur les bases :

$$S = \{(1, 1, 0),\ (1, 2, 3),\ (1, 3, 5)\} \quad \text{et} \quad S' = \{(1, 2),\ (2, 3)\}$$

(b) $\forall v = (a, b, c) \in \mathbb{R}^3$, trouver $[v]_S$ et $[G(v)]_{S'}$;

(c) vérifier que $A[v]_S = [G(v)]_{S'}$.

6.64 Soit $H : \mathbb{R}^2 \to \mathbb{R}^2$ défini par $H(x, y) = (2x + 7y,\ x - 3y)$, et soient les bases suivantes de $\mathbb{R}^2$:

$$S = \{(1, 1),\ (1, 2)\} \quad \text{et} \quad S' = \{(1, 4),\ (1, 5)\}$$

(a) Trouver la matrice A représentant H sur les bases S et S' ;

(b) trouver la matrice B représentant H sur les bases S' et S.

6.65 Soit $F : \mathbb{R}^3 \to \mathbb{R}^2$ défini par $F(x, y, z) = (2x + y - z,\ 3x - 2y + 4z)$:

(a) trouver la matrice A représentant F sur les bases :

$$S = \{(1, 1, 1),\ (1, 1, 0),\ (1, 0, 0)\} \quad \text{et} \quad S' = \{(1, 3),\ (1, 4)\}$$

(b) vérifier que $\forall v = (a, b, c) \in \mathbb{R}^3$, $A[v]_S = [F(v)]_{S'}$.

6.66 Soient S et S' des bases de V, et soit $\mathbb{I}_V$ l'application identique sur V. Montrer que la matrice A représentant $\mathbb{I}_V$ sur les bases S et S' est l'inverse de la matrice de changement de base P de S à S', c'est-à-dire $A = P^{-1}$.

6.67 Démontrer les théorèmes 6.10, 6.11, 6.12 et 6.13 (*suggestion* : s'inspirer des démonstrations des théorèmes analogues 6.1 (problème 6.9), 6.2 (problème 6.10), 6.3 (problème 6.11), et 6.7 (problème 6.26)).

PROBLÈMES DIVERS

6.68 Soit un endomorphisme $F : V \to V$; un sous-espace $W \subseteq V$ est dit *invariant* par F ssi $F(W) \subseteq W$. Supposons que W, de dimension $\dim W = r$, soit invariant par F. Montrer que F peut être représenté par une matrice triangulaire par blocs de la forme $M = \begin{pmatrix} A & B \\ 0 & C \end{pmatrix}$, où A est une matrice carrée $r \times r$.

6.69 Soit $V = U + W$ tels que U et W soient tous deux invariants par un endomorphisme $F : V \to V$, avec $\dim U = r$ et $\dim W = s$. Montrer que F peut être représenté par une matrice diagonale par blocs de la forme $\begin{pmatrix} A & 0 \\ 0 & B \end{pmatrix}$, où A et B sont des matrices carrées, respectivement $r \times r$ et $s \times s$.

6.70 Deux endomorphismes F et G sur un espace vectoriel V sont dits *semblables* s'il existe un endomorphisme T de V inversible tel que $G = T^{-1} \circ F \circ T$; démontrer que :

(a) F et G sont semblables si et seulement si, pour toute base S de V, $[F]_S$ et $[G]_S$ sont des matrices semblables ;

(b) si F est diagonalisable (*i.e.* semblable à une matrice diagonale), alors toute matrice G semblable à F est également diagonalisable.

¿ SOLUTIONS

Notation : $M = [R_1;\ R_2;\ \ldots]$ désigne une matrice dont les lignes sont $R_1, R_2, \ldots$

6.37 (a) $A = [4, 5;\ 2, -1]$;
(b) $B = [220, 487;\ -98, -217]$;
(c) $P = [1, 2;\ 4, 9]$;
(d) $[v]_S = (9a - 2b,\ -4a + b)^T$ et $[F(v)] = (32a + 47b,\ -14a - 21b)^T$.

6.38 (a) $B = [-6, -28;\ 4, 15]$;
(b) $[v] = \left(4a - b,\ -\dfrac{3}{2}a + \dfrac{1}{2}b\right)^T$ et $[A(v)]_S = \left(18a - 8b,\ \dfrac{1}{2}(-13a + 7b)\right)^T$.

6.39 (a) $[\sqrt{2}, -\sqrt{2};\ \sqrt{2}, \sqrt{2}]$;
(b) $[0, 1;\ 1, 0]$;
(c) $[3, 7;\ 5, -2]$;
(d) $[1, 2;\ 18, -11]$.

6.40 (a) $[1, 0, 0;\ 0, 1, 0;\ 0, 0, 0]$;
(b) $[0, 0, 1;\ 0, 1, 1;\ 1, 1, 1]$;
(c) $[2, -7, -4;\ 3, 1, 4;\ 6, -8, 1]$.

6.41 (a) $[1, 3, 5;\ 0, -5, -10;\ 0, 3, 6]$;
(b) $[0, 1, 2;\ -1, 2, 3;\ 1, 0, 0]$;
(c) $[15, 51, 104;\ -49, -191, 351;\ 29, 116, 208]$.

6.42 (a) $[1, 1, 2;\ 1, 3, 2;\ 1, 5, 2]$;
(b) $[6, 17, 26;\ -4, -3, -4;\ 0, -5, -8]$.

6.43 (a) $[1, 0, 0;\ 0, 2, 1;\ 0, 0, 2]$;
(b) $[0, 1, 0, 0;\ 0;\ 0, 0, 0, -3;\ 0, 0, 3, 0]$;
(c) $[5, 1, 0;\ 0, 5, 2;\ 0, 0, 5]$.

6.44 (a) $[0, -1;\ 1, 0]$;
(b) $A^2 + I = 0$.

6.45 (a) $[a, 0, b, 0;\ 0, a, 0, b;\ c, 0, d, 0;\ 0, c, 0, d]$;
(b) $[a, c, 0, 0;\ b, d, 0, 0;\ 0, 0, a, c;\ 0, 0, b, d]$;
(c) $[0, -c, b, 0;\ -b, a - d, 0, b;\ c, 0, d - a, -c;\ 0, c, -b, 0]$.

6.47 (a) $[1,3;\ \ 2,5], [5,-3;\ \ 2,-1], [v] = (-5a+b,\ 2a-b)^T$;
(b) $[1,3;\ \ -3,-8], [-8,-3;\ \ 3,1], [v] = (-8a-3b,\ 3a-b)^T$;
(c) $[2,3;\ \ 5,7], [-7,3;\ \ 5,-2], [v] = (-7a+3b,\ 5a-2b)^T$;
(d) $[2,4;\ \ 3,5], \left[-\frac{5}{2},2;\ \ \frac{3}{2},-1\right], [v] = \left(-\frac{5}{2}a+2b,\ \frac{3}{2}a-b\right)^T$;

6.48 (a) $P = [3,5;\ \ -1,-1]$; (b) $Q = [2,5;\ \ -1,-3]$.

6.49 (a) $\left(\frac{\sqrt{3}}{2},\frac{1}{2}\right), \left(-\frac{1}{2},\frac{\sqrt{3}}{2}\right)$;
(b) $P = \left[\frac{\sqrt{3}}{2},-\frac{1}{2};\ \ \frac{1}{2},\frac{\sqrt{3}}{2}\right]$;
(c) $[A] = P^T(1,\ 3)^T, [B] = P^T(2,\ -5)^T, [C] = P^T(a,\ b)^T$.

6.50 P est la matrice de colonnes u_1, u_2 et u_3, $Q = P^{-1}$, $[v] = Q(a,b,c)^T$.
(a) $Q = [1,0,0;\ \ 1,-1,1;\ \ -2,2,-1], [v] = (a,\ a-b+c,\ -2a+2b-c)^T$;
(b) $Q = [0,-2,1;\ \ 2,3,-2;\ \ -1,-1,1], [v] = (-2b+c,\ 2a+3b-2c,\ -a-b+c)^T$;
(c) $Q = [-2,2,-1;\ \ -7,4,-1;\ \ 5,-3,1], [v] = (-2a+2b-c,\ -7a+4b-c,\ 5a-3b+c)^T$.

6.52 (a) $[-23,-39;\ \ 13,26]$; (b) $[35,41;\ \ -27,-32]$; (c) $[3,5;\ \ -1,-2]$; (d) $B = P^{-1}AP$.

6.53 (a) $[28,42;\ \ -15,-25]$; (b) $\left[13,18;\ \ -\frac{15}{2},-10\right]$.

6.54 (a) $[43,60;\ \ -33,-46]$; (b) $\left[-\frac{87}{2},-\frac{143}{2};\ \ \frac{49}{2},\frac{81}{2}\right]$.

6.55 $[10,8,20;\ \ 13,11,28;\ \ -5,-4,10]$.

6.56 (a) $[-34,57;\ \ -19,32]$; (b) $\operatorname{tr} B = \operatorname{tr} A = -2$; (c) $\text{dét}\, B = \text{dét}\, A = -5$.

6.57 (a) $\operatorname{tr} F = 6$, $\text{dét}\, F = 23$; (b) $\operatorname{tr} G = a+d$, $\text{dét}\, G = ad-bc$.

6.58 (a) $\operatorname{tr} F = -2$; (b) $\operatorname{tr} G = 0$.

6.59 (a) $A = [3,1;\ \ -2,4], B = [8,11;\ \ -2,-1]$;
(b) $P = [1,2;\ \ 1,3]$.

6.62 (a) $[2,-4,9;\ \ 5,3,-2]$; (b) $[3,5,1,4;\ \ 4,-2,7,0]$; (c) $[2,3,-7,-11]$.

6.63 (a) $[-9,1,4;\ \ 7,2,1]$;
(b) $[v]_S = (-a+2b-c,\ 5a-5b+2c,\ -3a+3b-c)^T$ et $[G(v)]_{S'} = (2a-11b+7c,\ 7b-4c)^T$.

6.64 (a) $A = [47,85;\ \ -38,-69]$; (b) $B = [71,88;\ \ -41,-51]$.

6.65 $A = [3,11,5;\ \ -1,-8,-3]$.

Chapitre 7

Produit scalaire – orthogonalité

7.1 INTRODUCTION

La définition d'un espace vectoriel, dans sa généralité, fait intervenir un corps arbitraire $\mathbb{K}$. Dans ce chapitre, le corps de base est $\mathbb{R}$, l'ensemble des nombres réels, et l'espace vectoriel V est alors appelé *espace vectoriel réel*. Toutefois, à la fin de l'exposé, nous généraliserons nos résultats au cas où le corps est $\mathbb{C}$, l'ensemble des nombres complexes ; l'espace vectoriel V est alors appelé *espace vectoriel complexe*. Nous continuons à utiliser les notations des chapitres précédents :

u, v, w sont des vecteurs de V

a, b, c, k sont des scalaires de $\mathbb{K}$

De plus, sauf indication contraire, les espaces vectoriels V sont ici de dimension finie.

Dans notre étude générale des espaces vectoriels, nous n'avons jusqu'à présent pas défini formellement les notions de « longueur » et d'« orthogonalité », bien que nous les ayons mentionnées au chapitre 1 à propos des espaces $\mathbb{R}^n$ et $\mathbb{C}^n$. Nous allons introduire ici le concept de *produit scalaire*, grâce auquel ces notions pourront être dégagées de façon satisfaisante.

7.2 PRODUIT SCALAIRE

◆ **Définition 7.1 :** Soit V un espace vectoriel réel. Associons à tout couple u, v de vecteurs de V un nombre réel noté $\langle u, v\rangle$; une telle fonction est appelée *produit scalaire euclidien*, ou simplement *produit scalaire*, s'il vérifie les trois axiomes suivants :

[I_1] ***Linéarité*** : $\langle au_1 + bu_2, v\rangle = a\langle u_1, v\rangle + b\langle u_2, v\rangle$;

[I_2] ***Commutativité*** : $\langle u, v\rangle = \langle v, u\rangle$;

[I_3] ***Positivité définie*** : $\langle u, u\rangle \geq 0$ et $\langle u, u\rangle = 0$ si et seulement si $u = 0$.

Un espace vectoriel muni d'un tel produit scalaire est appelé *espace vectoriel euclidien*.

On se souvient qu'une application linéaire $F : V \to \mathbb{K}$ d'un espace vectoriel V dans le corps de base $\mathbb{K}$ est appelée *forme linéaire*. L'axiome [I_1] affirme que le produit scalaire est une application linéaire pour le premier vecteur ; autrement dit $u \mapsto \langle u, v\rangle$ est une forme linéaire. À l'aide de [I_1] et de la commutativité (axiome [I_2]), on déduit :

$$\langle u, cv_1 + dv_2\rangle = \langle cv_1 + dv_2, u\rangle = c\langle v_1, u\rangle + d\langle v_2, u\rangle = c\langle u, v_1\rangle + d\langle u, v_2\rangle$$

et par conséquent le produit scalaire est linéaire aussi par rapport au deuxième vecteur. Une forme linéaire par rapport aux deux vecteurs est appelée *forme bilinéaire* : le produit scalaire est une forme bilinéaire symétrique $F : V \times V \to \mathbb{R}$. Par récurrence, ce résultat se généralise immédiatement à des combinaisons linéaires quelconques de vecteurs :

$$\left\langle \sum_{i=1}^{n} a_i u_i, \sum_{j=1}^{n} b_j v_j \right\rangle = \sum_{i=1}^{n}\sum_{j=1}^{n} a_i b_j \langle u_i, v_j\rangle$$

En d'autres termes, le produit scalaire de deux combinaisons linéaires de vecteurs est une combinaison linéaire des produits scalaires deux à deux des vecteurs.

Exemple 7.1

Soit V un espace vectoriel euclidien ; par linéarité :

$$\begin{aligned}\langle 3u_1 - 4u_2, 2v_1 - 5v_2 + 6v_3\rangle &= 6\langle u_1, v_1\rangle - 15\langle u_1, v_2\rangle + 18\langle u_1, v_3\rangle \\ &\quad - 8\langle u_2, v_1\rangle + 20\langle u_2, v_2\rangle - 24\langle u_2, v_3\rangle\end{aligned}$$

$$\begin{aligned}\langle 2u - 5v, 4u + 6v\rangle &= 8\langle u, u\rangle + 12\langle u, v\rangle - 20\langle v, u\rangle - 30\langle v, v\rangle \\ &= 8\langle u, u\rangle - 8\langle v, u\rangle - 30\langle v, v\rangle\end{aligned}$$

On remarque que dans la seconde équation, la simplification a pu être effectuée grâce à la commutativité : $\langle u, v\rangle = \langle v, u\rangle$.

Remarque : l'axiome [I_1] entraîne $\langle 0, 0\rangle = \langle 0v, 0\rangle = 0\langle v, 0\rangle = 0$. Par conséquent les axiomes [I_1], [I_2] et [I_3] sont équivalents aux axiomes [I_1], [I_2] et le 3e axiome suivant :
[I'_3] $u \neq 0 \Rightarrow \langle u, u\rangle > 0$.
En d'autres termes, une fonction satisfaisant à [I_1], [I_2] [I'_3] est un produit scalaire.

7.2.1 Norme d'un vecteur

D'après l'axiome [I_3], $\langle u, u\rangle$ est non négatif pour tout vecteur u, et par conséquent sa racine carrée existe ; nous utiliserons la notation :

$$\|u\| = \sqrt{\langle u, u\rangle}$$

Ce nombre non négatif est appelée la *norme*, ou *longueur*, du vecteur u, et nous emploierons souvent la relation $\|u\|^2 = \langle u, u\rangle$.

Remarque : si $\|u\| = 1$, ou de façon équivalente si $\langle u, u\rangle = 1$, u est appelé *vecteur unitaire*, et l'on dit alors qu'il est *normé*, ou *normalisé*. Tout vecteur non nul peut être multiplié par l'inverse de sa longueur pour donner un vecteur unitaire :

$$\hat{v} = \frac{1}{\|v\|}\, v$$

On appelle cette opération la *normalisation* de v.

7.3 EXEMPLES D'ESPACES VECTORIELS EUCLIDIENS

Nous allons donner dans ce paragraphe quelques exemples fondamentaux d'espaces vectoriels euclidiens, que nous utiliserons tout au long de l'exposé.

7.3.1 L'espace euclidien $\mathbb{R}^n$

Considérons l'espace vectoriel $\mathbb{R}^n$. Le produit scalaire euclidien dans $\mathbb{R}^n$ est défini par :

$$u \cdot v = a_1 b_1 + a_2 b_2 + \cdots + a_n b_n$$

où $u = (a_i)$ et $v = (b_i)$. On vérifie immédiatement que les trois axiomes de la définition sont satisfaits. La norme $\|u\|$ d'un vecteur u de l'espace euclidien $\mathbb{R}^n$ vaut :

$$\|u\| = \sqrt{u \cdot u} = \sqrt{a_1^2 + a_2^2 + \cdots + a_n^2}$$

Prenons l'exemple de $\mathbb{R}^3$: le théorème de Pythagore, introduit en géométrie élémentaire, nous apprend que la distance de l'origine O au point $P(a, b, c)$ est $\sqrt{a^2 + b^2 + c^2}$, soit précisément la norme du vecteur $v = (a, b, c) \in \mathbb{R}^3$ définie ci-dessus. Le fait que le théorème de Pythagore soit conséquence des axiomes d'Euclide de la géométrie classique est justement à l'origine du qualificatif *euclidien* donné à cette structure. Il existe beaucoup d'autres produits scalaires que l'on peut définir sur $\mathbb{R}^n$; sauf indication contraire, c'est le produit ci-dessus que nous appellerons produit scalaire, également appelé produit scalaire *ordinaire*, ou *usuel*, de $\mathbb{R}^n$.

Remarque : les vecteurs de $\mathbb{R}^n$ sont souvent représentés par des vecteurs colonne, c'est-à-dire par des matrices $n \times 1$; la formule :

$$\langle u,\ v\rangle = u^T v$$

correspond à la définition du produit scalaire usuel de $\mathbb{R}^n$.

Exemple 7.2

Soient dans $\mathbb{R}^4$ les vecteurs $u = (1, 3, -4, 2)$, $v = (4, -2, 2, 1)$ et $w = (5, -1, -2, 6)$.

(a) Par définition :

$$\langle u,\ w\rangle = 5 - 3 + 8 + 12 = 22 \quad \text{et} \quad \langle v,\ w\rangle = 20 + 2 - 4 + 6 = 24$$

Considérons le vecteur $3u - 2v = (-5, 13, -16, 4)$; alors :

$$\langle 3u - 2v,\ w\rangle = -25 - 13 + 32 + 24 = 18$$

mais aussi, comme on s'y attend, $3\langle u,\ w\rangle - 2\langle v,\ w\rangle = 3 \times 22 - 2 \times 24 = 18 = \langle 3u - 2v,\ w\rangle$.

(b) Par définition :

$$\|u\| = \sqrt{1 + 9 + 16 + 4} = \sqrt{30} \quad \text{et} \quad \|v\| = \sqrt{16 + 4 + 4 + 1} = \sqrt{25} = 5$$

On peut normaliser u et v pour obtenir les vecteurs unitaires suivants, respectivement dans la direction de u et de v :

$$\hat{u} = \frac{1}{\|u\|} u = \left(\frac{1}{\sqrt{30}}, \frac{3}{\sqrt{30}}, \frac{-4}{\sqrt{30}}, \frac{2}{\sqrt{30}}\right) \quad \text{et} \quad \hat{u} = \frac{1}{\|u\|} u = \left(\frac{4}{5}, \frac{-2}{5}, \frac{2}{5}, \frac{1}{5}\right)$$

7.3.2 L'espace fonctionnel $C_{[a,b]}$ et l'espace des polynômes P(t)

On désigne par la notation $C_{[a,b]}$ l'espace vectoriel de toutes les fonctions continues sur l'intervalle fermé $[a, b]$, soit $a \leq t \leq b$. L'expression suivante définit un produit scalaire sur $C_{[a,b]}$, où $f(t)$ et $g(t) \in C_{[a,b]}$:

$$\langle f, g \rangle = \int_a^b f(t)\, g(t)\, dt$$

C'est le produit scalaire *usuel* de $C_{[a,b]}$. L'espace vectoriel $\mathbf{P}(t)$ de tous les polynômes étant un sous-espace vectoriel de $C_{[a,b]}$, le produit scalaire ci-dessus définit aussi un produit scalaire sur $\mathbf{P}(t)$.

Exemple 7.3

Soient les polynômes $f(t) = 3t - 5$ et $g(t) = t^2$ de $\mathbf{P}(t)$, muni du produit scalaire :

$$\langle f, g \rangle = \int_0^1 f(t)\, g(t)\, dt$$

(a) Calculons $\langle f, g \rangle$:

$$\langle f, g \rangle = \int_0^1 (3t^3 - 5t^2)\, dt = \left[\frac{3}{4}\, t^4 - \frac{5}{3}\, t^3\right]_0^1 = \frac{3}{4} - \frac{5}{3} = -\frac{11}{12}$$

(b) Calculons $\|f\|$ et $\|g\|$: on a $\big(f(t)\big)^2 = 9t^2 - 30t + 25$ et $\big(g(t)\big)^2 = t^4$, d'où :

$$\|f\|^2 = \int_0^1 (9t^2 - 30t + 25)\, dt = \left[3t^3 - 15t^2 + 25t\right]_0^1 = 13$$

$$\|g\|^2 = \int_0^1 t^4\, dt = \left[\frac{1}{5}\, t^5\right]_0^1 = \frac{1}{5}$$

On en déduit $\|f\| = \sqrt{13}$ et $\|g\| = \dfrac{1}{\sqrt{5}}$

7.3.3 Espace matriciel $\mathbf{M} = \mathbf{M}_{m,n}$

Soit $\mathbf{M} = \mathbf{M}_{m,n}$ l'espace vectoriel des matrices $m \times n$. On définit un produit scalaire sur $\mathbf{M}$ par :

$$\langle A, B \rangle = \operatorname{tr}(B^T A)$$

où la trace est définie, rappelons-le, par la somme des éléments diagonaux. Posons $A = (a_{ij})$ et $B = (b_{ij})$, d'où :

$$\langle A, B \rangle = \operatorname{tr}(B^T A) = \sum_{i=1}^{m} \sum_{j=1}^{n} a_{ij} b_{ij} \quad \text{et} \quad \|A\|^2 = \langle A, A \rangle = \sum_{i=1}^{m} \sum_{j=1}^{n} a_{ij}^2$$

Autrement dit, le produit scalaire $\langle A, B \rangle$ est la somme des produits des éléments de même indice de A et de B ; en particulier, $\langle A, A \rangle$ est la somme des carrés des éléments de A.

7.3.4 Espace de Hilbert

Soit V l'espace vectoriel de toutes les suites infinies de nombres réels $(a_1, a_2, a_3, \dots)$ telles que :

$$\sum_{i=1}^{\infty} a_i^2 = a_1^2 + a_2^2 + \cdots < +\infty$$

La somme infinie des carrés des termes de la suite est une série convergente. La somme et la multiplication scalaire sont définies, si $u = (a_1, a_2, \dots)$ et $v = (b_1, b_2, \dots) \in V$, par :

$$u + v = (a_1 + b_1,\ a_2 + b_2,\ \dots) \quad \text{et} \quad ku = (ka_1,\ ka_2, \dots)$$

On définit le produit scalaire sur V par :

$$\langle u,\ v\rangle = a_1 b_1 + a_2 b_2 + \cdots$$

On montre, grâce à l'inégalité de Cauchy-Schwarz présentée au § suivant, que cette somme est absolument convergente pour tout couple d'éléments de V, et par conséquent ce produit scalaire est bien défini, et donne à V une structure d'*espace de Hilbert*. Cet espace est usuellement noté l_2.

7.4 INÉGALITÉ DE CAUCHY-SCHWARZ – APPLICATIONS

La relation suivante, démontrée au problème 7.8, est appelée inégalité de Cauchy-Schwarz, ou inégalité de Schwarz. Elle est largement utilisée dans de nombreux domaines des mathématiques et de la physique :

> **✻ Théorème 7.1 (Cauchy-Schwarz) :** Pour tout couple $(u,\ v)$ de vecteurs d'un espace euclidien V :
>
> $$\langle u,\ v\rangle^2 \leq \langle u,\ u\rangle\langle v,\ v\rangle \quad \text{ou} \quad |\langle u,\ v\rangle| \leq \|u\|\|v\|$$

Examinons les deux cas particuliers suivants :

Exemple 7.4

(a) Soient les nombres réels $a_1, \dots, a_n, b_1, \dots, b_n$; par application de l'inégalité de Cauchy-Schwarz :

$$(a_1 b_1 + a_2 b_2 + \cdots + a_n b_n)^2 \leq (a_1^2 + \cdots + a_n^2)(b_1^2 + \cdots + b_n^2)$$

En d'autres termes, $(u \cdot v)^2 \leq \|u\|^2\|v\|^2$, si $u = (a_i)$ et $v = (v_i)$.

(b) Soient f et g deux fonctions continues sur l'intervalle $[0,\ 1]$; l'inégalité de Cauchy-Schwarz entraîne :

$$\left(\int_0^1 f(t)g(t)\,dt\right)^2 \leq \int_0^1 f^2(t)\,dt \int_0^1 g^2(t)\,dt$$

soit $\langle f,\ g\rangle^2 \leq \|f\|^2\|g\|^2$. V est ici l'espace préhilbertien[1] $C_{[0,\,1]}$ des fonctions continues sur $[0,\ 1]$.

1. On réserve en général le mot *euclidien* aux espaces de dimension finie, et on qualifie de *préhilbertien* un espace vectoriel de dimension infinie muni d'un produit scalaire.

Le théorème suivant, démontré au problème 7.9, précise les propriétés fondamentales de la norme définie à partir du produit scalaire. La preuve de la 3e propriété fait intervenir l'inégalité de Schwarz.

> *** Théorème 7.2 :** Soit V un espace euclidien. Alors la norme vérifie les propriétés suivantes :
> $[N_1]$ $\|v\| \geq 0$, $\|v\| = 0$ si et seulement si $v = 0$;
> $[N_2]$ $\|kv\| = |k|\|v\|$;
> $[N_3]$ $\|u + v\| \leq \|u\| + \|v\|$.

La propriété $[N_3]$ est appelée *inégalité triangulaire*. En géométrie élémentaire plane, autrement dit dans l'espace euclidien $\mathbb{R}^2$, elle signifie que dans un triangle, la longueur d'un côté ne peut être supérieure à la somme des longueurs des deux autres (figure 7.1).

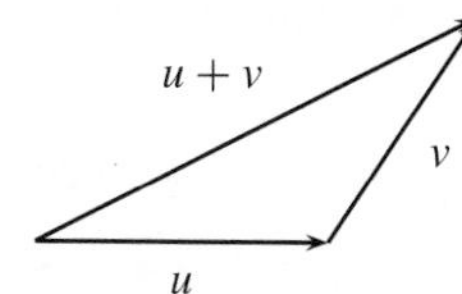

Figure 7.1 Inégalité triangulaire.

7.4.1 Angle formé par deux vecteurs

Pour tout couple de vecteurs u et v d'un espace euclidien V, l'angle θ, $0 \leq \theta \leq \pi$, entre u et v est défini par :

$$\cos\theta = \frac{\langle u, v\rangle}{\|u\|\|v\|}$$

D'après l'inégalité de Schwarz, $-1 \leq \cos\theta \leq 1$, par conséquent cet angle existe et est unique.

Exemple 7.5

(a) Soient les vecteurs $u = (2, 3, 5)$ et $v = (1, -4, 3)$ de $\mathbb{R}^3$; alors :

$$\langle u, v\rangle = 2 - 12 + 15 = 5, \quad \|u\| = \sqrt{4+9+25} = \sqrt{38} \quad \|v\| = \sqrt{1+16+9} = \sqrt{26}$$

et par conséquent :

$$\cos\theta = \frac{5}{\sqrt{38}\sqrt{26}}$$

On peut remarquer que θ est un angle aigu, puisque $\cos\theta > 0$.

(b) Soient $f(t) = 3t - 5$ et $g(t) = t^2$ deux polynômes de $\mathbf{P}(t)$ muni du produit scalaire $\langle f, g\rangle = \int_0^1 f(t)g(t)\,dt$. D'après l'exemple 7.3 :

$$\langle f, g\rangle = -\frac{11}{12}, \quad \|f\| = \sqrt{13}, \quad \|g\| = \frac{1}{\sqrt{5}}$$

et par conséquent l'« angle » entre les deux polynômes f et g est donné par :

$$\cos\theta = \frac{-\dfrac{11}{12}}{\left(\sqrt{13}\right)\left(\dfrac{1}{\sqrt{5}}\right)} = -\frac{11\sqrt{5}}{12\sqrt{13}}$$

Cet angle est obtus, puisque $\cos\theta < 0$.

7.5 ORTHOGONALITÉ

Soit V un espace euclidien, et soient u et $v \in V$. On dit que u est orthogonal à v si :

$$\langle u, v\rangle = 0$$

Cette relation est manifestement symétrique, puisque si u est orthogonal à v, alors $\langle v, u\rangle = 0$ et v est orthogonal à u. On dit alors que les vecteurs u et $v \in V$ sont orthogonaux entre eux, ou simplement orthogonaux.

On remarque que le vecteur nul 0 est orthogonal à tout vecteur $v \in V$:

$$\langle 0, v\rangle = \langle 0v, v\rangle = 0\langle v, v\rangle = 0$$

Réciproquement, si u est orthogonal à tout vecteur $v \in V$, alors $\langle u, u\rangle = 0$ et u est le vecteur nul. On remarque aussi que si deux vecteurs sont orthogonaux, alors l'angle qu'ils forment vaut 90°, ou $\frac{\pi}{2}$. En géométrie, on dit aussi que les deux vecteurs sont *perpendiculaires*.

Exemple 7.6

(a) Soient les vecteurs $(1, 1, 1)$, $(1, 2, -3)$ et $(1, -4, 3)$ de $\mathbb{R}^3$; on peut écrire :

$$\langle u, v\rangle = 1 + 2 - 3 = 0, \quad \langle u, w\rangle = 1 - 4 + 3 = 0, \quad \langle v, w\rangle = 1 - 8 - 9 = -16$$

On voit que u est orthogonal à v et à w, mais v et w ne sont pas orthogonaux entre eux.

(b) Soient les fonctions $\sin t$ et $\cos t \in C_{[-\pi, \pi]}$; alors :

$$\langle \sin t, \cos t\rangle = \int_{-\pi}^{+\pi} \sin t \cos t \, dt = \frac{1}{2}\left[\sin^2 t\right]_{-\pi}^{+\pi} = 0$$

$\sin t$ et $\cos t$ sont deux fonctions orthogonales de $C_{[-\pi, \pi]}$.

Remarque : un vecteur $w = (x_1, x_2, \ldots, x_n)$ est orthogonal à $u = (a_1, a_2, \ldots, a_n) \in \mathbb{R}^n$ si :

$$\langle u, w\rangle = a_1x_1 + a_2x_2 + \cdots + a_nx_n = 0$$

Le vecteur w est orthogonal à u s'il obéit à une équation homogène dont les coefficients sont les composantes de u.

Exemple 7.7

Trouver un vecteur $w \in \mathbb{R}^3$ non nul orthogonal à $u_1 = (1, 2, 1)$ et à $u_2 = (2, 5, 4)$.

Solution : posons $w = (x, y, z)$. Les deux équations $\langle u_1, w\rangle = 0$ et $\langle u_2, w\rangle = 0$ sont équivalentes au système homogène :

$$\begin{aligned} x + 2y + z &= 0 \\ 2x + 5y + 4z &= 0 \end{aligned} \quad \text{ou} \quad \begin{aligned} x + 2y + z &= 0 \\ y + 2z &= 0 \end{aligned}$$

La forme échelon montre qu'il y a une variable libre, z, et que par conséquent le système possède une solution non nulle. Posons $z = 1$; nous obtenons, par substitutions successives, $y = -2$ et $x = 3$. Par conséquent $w = (3, -2, 1)$, étant orthogonal à u_1 et à u_2, est un vecteur répondant à la question. Tout multiple de w répond manifestement aussi à la question. On peut en normalisant w obtenir un vecteur unitaire orthogonal à u_1 et u_2 :

$$\hat{w} = \frac{w}{\|w\|} = \left(\frac{3}{\sqrt{14}}, -\frac{2}{\sqrt{14}}, \frac{1}{\sqrt{14}}\right)$$

7.5.1 Compléments orthogonaux

Soit S un sous-ensemble d'un espace euclidien V. Le *complément orthogonal* de S, noté $S^\perp$ (lire « S perpendiculaire »), est l'ensemble de tous les vecteurs orthogonaux à chacun des vecteurs de S :

$$S^\perp = \{v \in V \mid \forall u \in S,\ \langle v, u\rangle = 0\}$$

En particulier, si S est réduit à un seul vecteur $u \in V$:

$$u^\perp = \{v \in V \mid \langle v, u\rangle = 0\}$$

est l'ensemble de tous les vecteurs de V orthogonaux à u.

Montrons que $S^\perp$ est un sous-espace vectoriel de V : le vecteur nul 0 appartient à $S^\perp$, puisqu'il est orthogonal à tout vecteur. Supposons que v et w appartiennent à $S^\perp$. Alors, quels que soient les les scalaires a et b, et quel que soit le vecteur $u \in S$:

$$\langle av + bw,\ u\rangle = a\langle v,\ u\rangle + b\langle w,\ u\rangle = a0 + b0 = 0$$

$av + bw \in S^\perp$, qui est donc bien un sous-espace vectoriel. Ce résultat s'exprime par la proposition suivante :

> *** Proposition 7.3 :** Soit S un sous-ensemble d'un espace vectoriel V ; alors $S^\perp$ est un sous-espace vectoriel de V.

On peut faire les deux remarques suivantes :

(a) Si $u \in \mathbb{R}^3$ est un vecteur non nul, on peut donner une description géométrique simple de $u^\perp$: c'est le plan passant par l'origine O et perpendiculaire à u (figure 7.2).

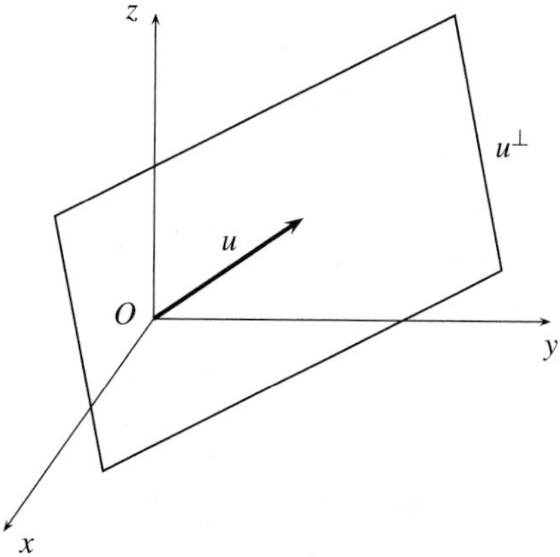

Figure 7.2 Complément orthogonal $u^\perp$ d'un vecteur $u \in \mathbb{R}^3$.

(b) Soit W l'espace des solutions d'un système homogène $m \times n$ d'équations linéaires $AX = 0$, avec $A = (a_{ij})$ et $X = (x_i)$. On se souvient que W peut être considéré comme le noyau de l'application linéaire $A : \mathbb{R}^n \to \mathbb{R}^m$. Avec la notion d'orthogonalité, on peut donner une autre interprétation de W : chaque vecteur $w = (x_1, x_2, \ldots, x_n)$ solution du système est orthogonal à chacune des lignes de la matrice A. Par conséquent W est le complément orthogonal de l'espace ligne de A.

Exemple 7.8
Déterminer une base du sous-espace $u^\perp$ de $\mathbb{R}^3$, où $u = (1, 3, -4)$.

Solution : l'ensemble $u^\perp$ contient tous les vecteurs w dont les composantes x, y et z vérifient $\langle u, w\rangle = 0$, soit $x + 3y - 4z = 0$; il y a deux variables libres y et z :

(a) posons $y = 1$ et $z = 0$, d'où la solution $w_1 = (-3, 1, 0)$;

(b) posons $y = 0$ et $z = 1$, d'où la solution $w_2 = (4, 0, 1)$.

Les vecteurs w_1 et w_2 forment une base de l'espace des solutions, et donc de l'espace $u^\perp$.

Si W est un sous-espace vectoriel de V, alors les deux sous-ensembles W et $W^\perp$ sont des sous-espaces vectoriels de V. Le théorème suivant, résultat fondamental de l'algèbre linéaire, mais dont la preuve fait appel à des notions introduites aux prochains paragraphes, sera démontré au problème 7.28.

∗ Théorème 7.4 : Soit W un sous-espace vectoriel de V. Alors V est la somme directe de W et $W^\perp$, soit $V = W \oplus W^\perp$.

Le complément orthogonal d'un sous-espace vectoriel W est appelé le *supplémentaire orthogonal*, ou *supplémentaire*, de W.

7.6 ENSEMBLES ORTHOGONAUX ET BASES

Considérons un ensemble $S = \{u_1, u_2, \ldots, u_r\}$ de vecteurs non nuls d'un espace euclidien V. L'ensemble S est dit *orthogonal* si les vecteurs qui le composent sont orthogonaux deux à deux, et *orthonormal*, ou *orthonormé*, si de plus ils sont tous de norme 1 :

(a) S *orthogonal* $\Leftrightarrow \langle u_i, u_j\rangle = 0$ si $i \neq j$;

(b) S *orthonormé* $\Leftrightarrow \langle u_i, u_j\rangle = \begin{cases} 0 & i \neq j \\ 1 & i = j \end{cases}$

Normaliser un ensemble orthogonal consiste à multiplier chaque vecteur par l'inverse de sa longueur, le transformant ainsi en un ensemble orthonormal. On a les résultats suivants :

∗ Théorème 7.5 : Soit S un ensemble orthogonal ; alors S est un ensemble libre.

∗ Théorème 7.6 (Pythagore) : Soit $\{u_1, u_2, \ldots, u_r\}$ un ensemble orthogonal de vecteurs ; alors

$$\|u_1 + u_2 + \cdots + u_r\|^2 = \|u_1\|^2 + \|u_2\|^2 + \cdots + \|u_r\|^2$$

Ces théorèmes sont démontrés respectivement aux problèmes 7.15 et 7.16. Nous nous contentons ici d'établir le théorème de Pythagore dans le cas particulier – et familier – de deux vecteurs ; soient u et v deux vecteurs vérifiant $\langle u, v\rangle = 0$; alors :

$$\begin{aligned}\|u + v\|^2 &= \langle u + v,\ u + v\rangle = \langle u, u\rangle + 2\langle u, v\rangle + \langle v, v\rangle = \langle u, u\rangle + \langle v, v\rangle \\ &= \|u\|^2 + \|v\|^2\end{aligned}$$

Exemple 7.9

(a) Soit $E = \{e_1, e_2, e_3\} = \{(1,0,0),\ (0,1,0),\ (0,0,1)\}$ la base canonique de $\mathbb{R}^3$. On vérifie immédiatement que :

$$\langle e_1, e_2\rangle = \langle e_1, e_3\rangle = \langle e_2, e_3\rangle = 0 \quad \text{et} \quad \langle e_1, e_1\rangle = \langle e_2, e_2\rangle = \langle e_3, e_3\rangle = 1$$

et par conséquent, E est une base orthonormée de $\mathbb{R}^3$. Plus généralement, la base canonique de $\mathbb{R}^n$ est orthonormale pour tout n.

(b) Soit $V = C_{[-\pi,\pi]}$ l'espace vectoriel des fonctions continues sur l'intervalle $-\pi \leq t \leq \pi$, muni du produit scalaire $\langle f, g\rangle = \int_{-\pi}^{+\pi} f(t)g(t)\,dt$. Voici un ensemble classique orthogonal de V :

$$\{1,\ \cos t,\ \cos 2t,\ \cos 3t,\ \ldots,\ \sin t,\ \sin 2t,\ \sin 3t,\ \ldots\}$$

Cet ensemble joue un rôle clé dans la théorie des séries de Fourier.

7.6.1 Base orthogonale et combinaisons linéaires, coefficients de Fourier

On considère la base S suivante de $\mathbb{R}^3$:

$$u_1 = (1,2,1), \quad u_2 = (2,1,-4), \quad u_3 = (3,-2,1).$$

On vérifie sans difficulté que ces trois vecteurs sont orthogonaux ; ils sont par conséquent linéairement indépendants, et S est une base orthogonale de $\mathbb{R}^3$.

Supposons que nous voulions écrire le vecteur $v = (7,1,9)$ comme combinaison linéaire de u_1, u_2 et u_3. Posons :

$$v = x_1u_1 + x_2u_2 + x_3u_3 \quad \text{ou} \quad (7,1,9) = x_1(1,2,1) + x_2(2,1,-4) + x_3(3,-2,1) \tag{7.1}$$

où les coefficients x_1, x_2 et x_3 sont inconnus. Il y a deux manières de procéder :

Méthode 1 Développer (7.1) et identifier les composantes correspondantes, d'où le système :

$$x_1 + 2x_2 + 3x_3 = 7, \quad 2x_1 + x_2 - 2x_3 = 1, \quad x_1 - 4x_2 + x_3 = 9.$$

dont la solution est $x_1 = 3$, $x_2 = -1$ et $x_3 = 2$, d'où $v = 3u_1 - u_2 + 2u_3$.

Méthode 2 Cette méthode met à profit l'orthogonalité des vecteurs, et donne lieu à des calculs beaucoup plus simples. Écrivons le produit scalaire de chaque membre de (7.1) avec u_i, pour $i = 1, 2, 3$:

$$\langle v, u_i\rangle = \langle x_1u_1 + x_2u_2 + x_3u_3,\ u_i\rangle \Rightarrow \langle v, u_i\rangle = x_i\langle u_i, u_i\rangle \Rightarrow x_i = \frac{\langle v, u_i\rangle}{\langle u_i, u_i\rangle}$$

Deux produits scalaires sont en effet nuls puisque les u_i sont orthogonaux. En définitive :

$$x_1 = \frac{\langle v, u_1\rangle}{\langle u_1, u_1\rangle} = \frac{7+2+9}{1+4+1} = \frac{18}{6} = 3, \qquad x_2 = \frac{\langle v, u_2\rangle}{\langle u_2, u_2\rangle} = \frac{14+1-36}{4+1+16} = \frac{-21}{21} = -1,$$

$$x_3 = \frac{\langle v, u_3\rangle}{\langle u_3, u_3\rangle} = \frac{21-2+9}{9+4+1} = \frac{28}{14} = 2.$$

On trouve à nouveau $v = 3u_1 - u_2 + 2u_3$.

La procédure décrite dans la 2e méthode est générale. Nous l'exprimons sous la forme du théorème suivant, démontré au problème 7.17 :

∗ Théorème 7.7 : Soit $\{u_1, u_1, \dots, u_n\}$ une base orthogonale d'un espace euclidien V. Alors, $\forall v \in V$:

$$v = \frac{\langle v, u_1\rangle}{\langle u_1, u_1\rangle} u_1 + \frac{\langle v, u_2\rangle}{\langle u_2, u_2\rangle} u_2 + \cdots + \frac{\langle v, u_n\rangle}{\langle u_n, u_n\rangle} u_n$$

Remarque : le scalaire $k_i \equiv \dfrac{\langle v, u_i\rangle}{\langle u_i, u_i\rangle}$ est appelé *coefficient de Fourier* de v par rapport à u_i, par analogie avec les coefficients de la série de Fourier d'une fonction. On peut aussi, comme nous allons voir, lui donner une interprétation géométrique.

7.6.2 Projections

Soit V un espace euclidien, et soit $w \in V$ un vecteur donné non nul. On appelle *projection sur* w d'un vecteur $v \in V$ quelconque le vecteur cw, où c est un scalaire tel que $v' = v - cw$ soit orthogonal à w (figure 7.3(a)) :

$$\langle v - cw,\ w\rangle = 0 \quad \text{ou} \quad \langle v,\ w\rangle - c\langle w,\ w\rangle = 0 \quad \text{ou} \quad c = \frac{\langle v,\ w\rangle}{\langle w,\ w\rangle}$$

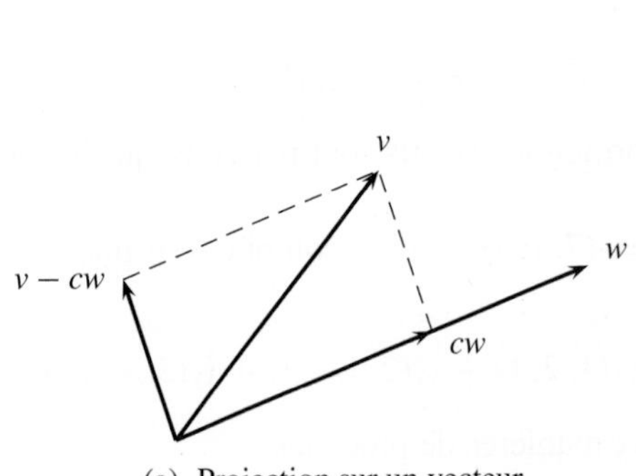

(a) Projection sur un vecteur

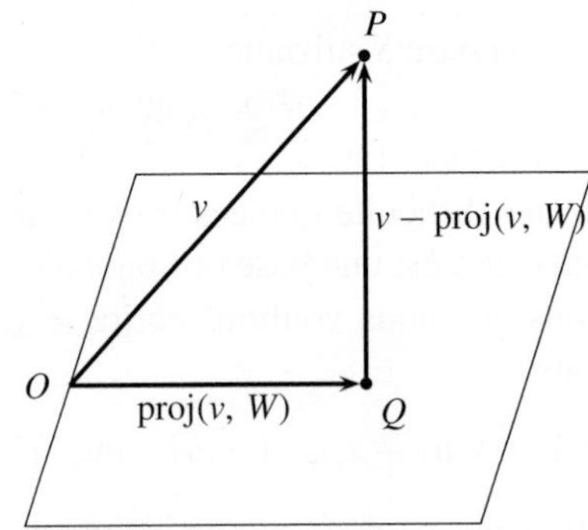

(b) Projection sur un sous-espace

Figure 7.3 Projections.

La *projection de v sur w* est un vecteur défini et noté par :

$$\text{proj}(v,\ w) = cw = \frac{\langle v,\ w\rangle}{\langle w,\ w\rangle} w$$

Le scalaire c est unique, et est appelé *coefficient de Fourier* de v par rapport à w, ou la *composante* de v sur w.

Cette notion se généralise de la façon suivante (voir problème 7.25) :

∗ Théorème 7.8 : Soit $\{w_1, w_2, \dots, w_r\}$ un ensemble orthogonal de vecteurs non nuls de V, et soit $v \in V$ un vecteur arbitraire. On pose :

$$v' = v - (c_1 w_1 + c_2 w_2 + \cdots + c_r w_r)$$

avec :

$$c_1 = \frac{\langle v,\ w_1\rangle}{\langle w_1,\ w_1\rangle}, \quad c_2 = \frac{\langle v,\ w_2\rangle}{\langle w_2,\ w_2\rangle}, \quad \dots, \quad c_r = \frac{\langle v,\ w_r\rangle}{\langle w_r,\ w_r\rangle}$$

Alors v' est orthogonal à $w_1, w_2, \dots, w_r$.

Les c_i ci-dessus sont les coefficients de Fourier de v par rapport aux w_i.

Remarque : la notion de projection d'un vecteur $v \in V$ sur un sous-espace $W \subset V$ est défini comme suit : d'après le théorème 7.4, $V = W \oplus W^{\perp}$, et par suite v peut être mis d'une façon et d'une seule sous la forme :

$$v = w + w' \quad \text{avec} \quad w \in W \text{ et } w' \in W^{\perp}$$

Par définition, w est la *projection de v sur W*, notée $\text{proj}(v, W)$ (voir le shema figure 7.3b, page ci-contre). En particulier, si $W = \text{Vect}(w_1, w_2, \ldots, w_r)$, les w_i formant un système orthogonal, on a :

$$\text{proj}(v, W) = c_1 w_1 + c_2 w_2 + \cdots + c_r w_r$$

Comme précédemment, c_i est la composante, ou coefficient de Fourier, de v sur w_i.

7.7 PROCÉDÉ D'ORTHOGONALISATION DE GRAM-SCHMIDT

Soit $S = \{v_1, v_2, \ldots, v_n\}$ une base quelconque d'un espace euclidien V. On peut construire à partir de S une base orthogonale $\{w_1, w_2, \ldots, w_n\}$ de V de la manière suivante ; posons :

$$\begin{aligned}
w_1 &= v_1 \\
w_2 &= v_2 - \frac{\langle v_2, w_1 \rangle}{\langle w_1, w_1 \rangle} w_1 \\
w_3 &= v_3 - \frac{\langle v_3, w_1 \rangle}{\langle w_1, w_1 \rangle} w_1 - \frac{\langle v_3, w_2 \rangle}{\langle w_2, w_2 \rangle} w_2 \\
&\cdots\cdots\cdots\cdots\cdots\cdots \\
w_n &= v_n - \frac{\langle v_n, w_1 \rangle}{\langle w_1, w_1 \rangle} w_1 - \frac{\langle v_n, w_2 \rangle}{\langle w_2, w_2 \rangle} w_2 - \cdots - \frac{\langle v_n, w_{n-1} \rangle}{\langle w_{n-1}, w_{n-1} \rangle} w_{n-1}
\end{aligned}$$

En d'autres termes, on définit, pour $k = 2, 3, \ldots, n$:

$$w_k = v_k - c_{k1} w_1 - c_{k2} w_2 - \cdots - c_{k,k-1} w_{k-1}$$

où c_{ki} est la composante de v_k sur w_i. D'après le théorème 7.8, chaque w_k est orthogonal à ceux qui le précèdent. Par conséquent, comme prévu, le système $\{w_i\}$ est une base orthogonale de V. On peut en déduire, en normalisant chaque w_i, une base orthonormée de V.

La construction ci-dessus porte le nom de *procédé d'orthogonalisation de Gram-Schmidt.* On peut faire les trois remarques suivantes :

(a) Chacun des w_k est combinaison linéaire de v_k et de ses prédécesseurs. On en déduit aisément, par récurrence, que tout w_k est combinaison linéaire de $v_1, v_2, \ldots, v_n$.

(b) Puisque l'orthogonalité n'est pas affectée si l'on change la longueur des vecteurs, on peut lors des calculs ci-dessus se débarrasser des dénominateurs en multipliant chaque w_k par un facteur approprié, avant de procéder au calcul de w_{k+1}.

(c) Soient des vecteurs $u_1, u_2, \ldots, u_r$ linéairement indépendants, de sorte qu'ils forment une base de $U = \text{Vect}(u_i)$. La méthode de Gram-Schmidt permet d'en déduire une base orthogonale de U.

Les théorèmes suivants, démontrés aux problèmes 7.26 et 7.27, utilisent l'algorithme et les remarques ci-dessus.

∗ Théorème 7.9 : Soit $\{v_1, v_2, \ldots, v_n\}$ une base quelconque d'un espace euclidien V. Alors il existe une base orthonormée $\{u_1, u_2, \ldots, u_n\}$ de V telle que la matrice de changement de base de $\{v_i\}$ à $\{u_i\}$ soit triangulaire ; en d'autres termes :

$$u_k = a_{k1}v_1 + a_{k2}v_2 + \cdots + a_{kk}v_k \quad k = 1, 2, \ldots, n$$

∗ Théorème 7.10 : Soit $S = \{w_1, w_2, \ldots, w_r\}$ une base orthogonale d'un sous-espace W d'un espace euclidien V. Alors on peut compléter la base S pour obtenir une base orthogonale de V ; autrement dit, il existe des vecteurs $w_{r+1}, \ldots, w_n$ tels que $\{w_1, w_2, \ldots, w_n\}$ soit une base orthogonale de V.

Exemple 7.10

Utiliser le procédé d'orthogonalisation de Gram-Schmidt pour déterminer une base orthogonale, puis une base orthonormale du sous-espace $U \subset \mathbb{R}^4$ engendré par les vecteurs :

$$v_1 = (1, 1, 1, 1), \quad v_2 = (1, 2, 4, 5), \quad v_1 = (1, -3, -4, -2)$$

Solution :

(a) En premier lieu, on pose $w_1 = v_1 = (1, 1, 1, 1)$.

(b) On calcule :

$$v_2 - \frac{\langle v_2, w_1\rangle}{\langle w_1, w_1\rangle} w_1 = v_2 - \frac{12}{4} w_1 = (-2, -1, 1, 2)$$

et on pose $w_2 = (-2, -1, 1, 2)$.

(c) On calcule :

$$v_3 - \frac{\langle v_3, w_1\rangle}{\langle w_1, w_1\rangle} w_1 - \frac{\langle v_3, w_2\rangle}{\langle w_2, w_2\rangle} w_2 = v_3 - \frac{-8}{4} w_1 - \frac{-7}{10} w_2 = \left(\frac{8}{5}, -\frac{17}{10}, -\frac{13}{10}, \frac{7}{5}\right)$$

On se débarrasse des fractions pour poser $w_3 = (16, -17, -13, 14)$.

Les trois vecteurs w_1, w_2 et w_3 forment une base orthogonale de U. Par normalisation, on obtient une base orthonormée ; on calcule $\|w_1\|^2 = 4$, $\|w_2\|^2 = 10$ et $\|w_3\|^2 = 910$, d'où :

$$u_1 = \frac{1}{2}(1, 1, 1, 1), \quad u_2 = \frac{1}{\sqrt{10}}(-2, -1, 1, 2), \quad u_3 = \frac{1}{\sqrt{910}}(16, -17, -13, 14)$$

Exemple 7.11

Soit V l'espace vectoriel des polynômes muni du produit scalaire $\langle f, g\rangle = \int_{-1}^{+1} f(t)g(t)\,dt$. Appliquer la méthode de Gram-Schmidt à $\{1, t, t^2, t^3\}$ pour trouver une base orthogonale $\{f_0, f_1, f_2, f_3\}$, à coefficients entiers, de $\mathbf{P}_3(t)$.

Solution : nous utilisons le résultat suivant, pour $n = r + s$:

$$\langle t^r, t^s\rangle = \int_{-1}^{+1} t^n\,dt = \left[\frac{t^{n+1}}{n+1}\right]_{-1}^{+1} = \begin{cases} \frac{2}{n+1} & \text{pour } n \text{ pair} \\ 0 & \text{pour } n \text{ impair} \end{cases} \tag{7.2}$$

(a) On pose en premier $f_0 = 1$.

(b) On calcule $t - \dfrac{\langle t,\, 1\rangle}{\langle 1,\, 1\rangle} 1 = t - 0 = t$; on pose $f_1 = t$.

(c) On calcule :

$$t^2 - \frac{\langle t^2,\, 1\rangle}{\langle 1,\, 1\rangle} 1 - \frac{\langle t^2,\, t\rangle}{\langle t,\, t\rangle} t = t^2 - \frac{2/3}{2} 1 - 0\, t = t^2 - \frac{1}{3}$$

On multiplie par 3, et on pose $f_2 = 3t^2 - 1$.

(d) On calcule :

$$\begin{aligned} t^3 - \frac{\langle t^3,\, 1\rangle}{\langle 1,\, 1\rangle} 1 - \frac{\langle t^3,\, t\rangle}{\langle t,\, t\rangle} t - \frac{\langle t^3,\, 3t^2 - 1\rangle}{\langle 3t^2 - 1,\, 3t^2 - 1\rangle} (3t^2 - 1) \\ = t^3 - 0 \cdot 1 - \frac{2/5}{2/3} t - 0\,(3t^2 - 1) = t^3 - \frac{3}{5} t \end{aligned}$$

On multiplie par 5, d'où $f_3 = 5t^3 - 3t$.

En définitive, $\{1,\ t,\ 3t^2 - 1,\ 5t^3 - 3t\}$ est la base orthogonale cherchée.

Remarque : si l'on normalise les polynômes de l'exemple précédent, on trouve :

$$1, \quad t, \quad \frac{1}{2}\left(3t^2 - 1\right), \quad \frac{1}{2}\left(5t^3 - 3t\right)$$

Ce sont les quatre premiers *polynômes de Legendre*, qui interviennent dans l'étude des équations différentielles.

7.8 MATRICES ORTHOGONALES ET MATRICES DÉFINIES POSITIVES

Dans ce paragraphe, nous discutons de deux types de matrices intimement liées à la théorie des espaces euclidiens. Les vecteurs de $\mathbb{R}^n$ sont écrits ici en colonnes, et le produit scalaire de $\mathbb{R}^n$ s'écrit alors $\langle u,\, v\rangle = u^T v$.

7.8.1 Matrices orthogonales

Comme nous l'avons vu au chapitre 2, une matrice P est dite *orthogonale* si elle est régulière et vérifie $P^{-1} = P^T$. Rappelons le résultat suivant (théorème 2.6), qui permet de caractériser ces matrices :

✻ Théorème 7.11 : Soit P une matrice réelle ; les trois propositions suivantes sont équivalentes :

(a) P est orthogonale ;

(b) les lignes de P forment un système orthonormé ;

(c) les colonnes de P forment un système orthonormé.

Attention, ce théorème n'est vrai que pour le produit scalaire usuel de $\mathbb{R}^n$. Il tombe en défaut si l'on définit sur $\mathbb{R}^n$ un autre produit scalaire.

Exemple 7.12

(a) Soit $P = \begin{pmatrix} 1/\sqrt{3} & 1/\sqrt{3} & 1/\sqrt{3} \\ 0 & 1/\sqrt{2} & 1/\sqrt{2} \\ 2/\sqrt{6} & -1/\sqrt{6} & -1/\sqrt{6} \end{pmatrix}$. Les lignes de P sont orthogonales entre elles et sont des vecteurs unitaires. P est donc une matrice orthogonale.

(b) Soit P une matrice 2×2 orthogonale ; il existe alors un nombre réel θ tel que :

$$P = \begin{pmatrix} \cos\theta & \sin\theta \\ -\sin\theta & \cos\theta \end{pmatrix} \quad \text{ou} \quad P = \begin{pmatrix} \cos\theta & \sin\theta \\ \sin\theta & -\cos\theta \end{pmatrix}$$

Les deux théorèmes suivants, démontrés aux problèmes 7.37 et 7.38, mettent en évidence certaines relations importantes entre matrices orthogonales et bases orthonormées dans un espace réel euclidien.

✻ Théorème 7.12 : Soient $E = \{e_i\}$ et $E' = \{e_i'\}$ deux bases orthonormées de V. Alors la matrice de changement de base de E à E' est une matrice orthogonale.

✻ Théorème 7.13 : Soit $\{e_1, \dots, e_n\}$ une base orthonormée d'un espace euclidien V, et soit $P = (a_{ij})$ une matrice orthogonale. Alors les n vecteurs suivants forment une base orthonormée de V :

$$e_i' = a_{1i}e_1 + a_{2i}e_2 + \cdots + a_{ni}e_n \quad i = 1, 2, \dots, n$$

7.8.2 Matrices définies positives

◆ Définition 7.2 : Soit A une matrice réelle symétrique (elle vérifie $A^T = A$). On dit que A est *définie positive* si, pour tout vecteur non nul $u \in \mathbb{R}^n$:

$$\langle u, Au \rangle = u^T A u > 0$$

Nous donnerons au chapitre 12 des algorithmes généraux permettant d'établir la définie positivité d'une matrice. Cependant, pour une matrice 2×2, il existe le critère simple suivant (démonstration au problème 7.43) :

✻ Théorème 7.14 : Une matrice 2×2 réelle symétrique $A = \begin{pmatrix} a & b \\ b & d \end{pmatrix}$ est définie positive si et seulement si ses éléments diagonaux sont positifs et son déterminant $|A| = ad - b^2$ est positif.

Exemple 7.13

Considérons les matrices symétriques suivantes :

$$A = \begin{pmatrix} 1 & 3 \\ 3 & 4 \end{pmatrix}, \quad B = \begin{pmatrix} 1 & -2 \\ -2 & -3 \end{pmatrix}, \quad C = \begin{pmatrix} 1 & -2 \\ -2 & 5 \end{pmatrix}$$

A n'est pas définie positive, son déterminant $|A| = 4 - 9 = -5$ étant négatif. B ne l'est pas non plus, puisque l'un de ses éléments diagonaux, -3, est négatif ; en revanche, C est définie positive, ses éléments diagonaux 1 et 5 étant tous deux positifs, ainsi que son déterminant $|C| = 5 + 4 = 9$.

On a le résultat suivant, démontré au problème 7.44 :

∗ Théorème 7.15 : Soit A une matrice réelle définie positive ; alors la fonction $\langle u, Av\rangle = u^T Av$ définit un produit scalaire sur $\mathbb{R}^n$.

7.8.3 Représentation matricielle d'un produit scalaire

Le théorème 7.15 affirme qu'à toute matrice définie positive correspond un produit scalaire sur $\mathbb{R}^n$. Nous allons voir ici la réciproque de ce résultat.

Soit V un espace euclidien muni d'une base $S = \{u_1, u_2, \ldots, u_n\}$. La matrice :

$$A = (a_{ij}) \quad \text{avec} \quad a_{ij} = \langle u_i, u_j\rangle$$

est appelée *représentation matricielle* sur la base S du produit scalaire de V.

On note que la matrice A est symétrique, puisque le produit scalaire est commutatif, *i.e.* $\langle u_i, u_j\rangle = \langle u_j, u_i\rangle$. On note aussi que la matrice A dépend à la fois de la base S et du produit scalaire défini sur V. De plus, si S est une base orthogonale, alors A est une matrice diagonale, et si S est orthonormée, alors A n'est autre que la matrice unité I.

Exemple 7.14

Les vecteurs $u_1 = (1, 1, 0)$, $u_2 = (1, 2, 3)$ et $u_3 = (1, 3, 5)$ forment une base S de l'espace euclidien $\mathbb{R}^3$. Déterminer la matrice A qui représente le produit scalaire usuel de $\mathbb{R}^3$ sur la base S.

Solution : calculons tout d'abord les divers produits scalaires :

$$\langle u_1, u_1\rangle = 1 + 1 + 0 = 2 \qquad \langle u_1, u_2\rangle = 1 + 2 + 0 = 3 \qquad \langle u_1, u_3\rangle = 1 + 3 + 0 = 4$$
$$\langle u_2, u_2\rangle = 1 + 4 + 9 = 14 \qquad \langle u_2, u_3\rangle = 1 + 6 + 15 = 22 \qquad \langle u_3, u_3\rangle = 1 + 9 + 25 = 35$$

Alors $A = \begin{pmatrix} 2 & 3 & 4 \\ 3 & 14 & 22 \\ 4 & 22 & 35 \end{pmatrix}$. Comme prévu, la matrice A est symétrique.

On a les deux théorèmes suivants, démontrés aux problèmes 7.45 et 7.46 :

∗ Théorème 7.16 : Soit A la représentation matricielle d'un produit scalaire sur une base S d'un espace euclidien V. Alors, $\forall u, v \in V$, on a :

$$\langle u, v\rangle = [u]^T A[v]$$

où $[u]$ et $[v]$ sont les vecteurs (colonnes) des composantes de u et v, respectivement, sur la base S.

∗ Théorème 7.17 : Soit A la représentation matricielle d'un produit scalaire arbitraire défini sur V. Alors A est une matrice définie positive.

7.9 ESPACES EUCLIDIENS COMPLEXES

Nous nous intéressons ici aux espaces vectoriels sur le corps $\mathbb{C}$ des nombres complexes. Rappelons tout d'abord quelques propriétés des nombres complexes (voir § 1.7, page 15), et plus particulièrement la relation entre un nombre complexe $z = a + ib$, avec a et $b \in \mathbb{R}$, et son complexe conjugué $\bar{z} = a - ib$:

$$z\bar{z} = a^2 + b^2, \quad |z| = \sqrt{a^2 + b^2}, \quad \overline{z_1 + z_2} = \overline{z_1} + \overline{z_2}, \quad \overline{z_1 z_2} = \overline{z_1}\,\overline{z_2}, \quad \bar{\bar{z}} = z$$

et bien sûr, z est est réel si et seulement si $\bar{z} = z$. Posons la définition suivante :

◆ **Définition 7.3 :** Soit V un espace vectoriel complexe. À chaque couple de vecteurs u et $v \in V$, associons un nombre complexe noté $\langle u, v\rangle$. Une telle fonction est appelée *produit scalaire complexe*, ou *produit hermitien*, s'il satisfait aux trois axiomes suivants :
[I_1^*] ***Linéarité*** : $\langle au_1 + bu_2, v\rangle = a\langle u_1, v\rangle + b\langle u_2, v\rangle$;
[I_2^*] ***Symétrie hermitienne*** : $\langle u, v\rangle = \overline{\langle v, u\rangle}$;
[I_3^*] ***Positivité définie*** : $\langle u, u\rangle \geq 0$ et $\langle u, u\rangle = 0$ si et seulement si $u = 0$.
L'espace vectoriel V muni d'un produit hermitien est appelé *espace euclidien complexe*, ou *espace hermitien*.

On remarque que la seule différence avec le cas réel (définition 7.1) apparaît à l'axiome [I_2^*]. L'axiome [I_1^*] (linéarité) est équivalent aux deux conditions suivantes :

(a) $\langle u_1 + u_2, v\rangle = \langle u_1, v\rangle + \langle u_2, v\rangle$; (b) $\langle ku, v\rangle = k\langle u, v\rangle$.

Mais, par application de [I_1^*] et [I_2^*], on obtient :

$$\langle u, kv\rangle = \overline{\langle kv, u\rangle} = \overline{k\langle v, u\rangle} = \bar{k}\langle u, v\rangle$$

Autrement dit, on doit prendre le complexe conjugué d'un scalaire qui multiplie le second vecteur dans le produit scalaire. En fait (voir problème 7.47), le produit hermitien est *antilinéaire* par rapport au second vecteur, soit :

$$\langle u, av_1 + bv_2\rangle = \bar{a}\langle u, v_1\rangle + \bar{b}\langle u, v_2\rangle$$

Par récurrence, en combinant la linéarité par rapport au premier vecteur et l'antilinéarité par rapport au second, on obtient la formule générale :

$$\left\langle \sum_i a_i u_i, \sum_j b_j v_j \right\rangle = \sum_{i,j} a_i \overline{b_j} \langle u_i, v_j\rangle$$

On peut faire les trois remarques suivantes :

(a) L'axiome [I_1^*] entraîne $\langle 0, 0\rangle = \langle 0v, 0\rangle = 0\langle v, 0\rangle = 0$. En conséquence, [$I_1^*$], [$I_2^*$] et [$I_3^*$] sont équivalents à [$I_1^*$], [$I_2^*$] et l'axiome [$I_3^{*'}$] suivant :

$$[I_3^{*'}] \qquad u \neq 0 \Rightarrow \langle u, u\rangle > 0$$

En d'autres termes, une application vérifiant [I_1^*], [I_2^*] et [$I_3^{*'}$] définit un produit hermitien sur V.

(b) D'après [I_2^*], $\langle u, u\rangle = \overline{\langle u, u\rangle}$, et par conséquent $\langle u, u\rangle$ est réel. D'après [I_3^*], il doit être non négatif, et par conséquent sa racine carrée existe. Comme pour le produit scalaire réel, on définit la norme, ou longueur, d'un vecteur par $\|u\| = \sqrt{\langle u, u\rangle}$.

(c) En plus de la norme, on peut définir les notions d'orthogonalité, de complément orthogonal et de systèmes de vecteurs orthonormés exactement de la même manière que dans le cas réel. Les notions de distance, de coefficient de Fourier et de projection sont identiques au cas réel.

Exemple 7.15

L'espace hermitien $\mathbb{C}^n$. Soit $V = \mathbb{C}^n$, et soient deux vecteurs $u = (z_i)$ et $v = (w_i) \in \mathbb{C}^n$. Alors :

$$\langle u, v \rangle = \sum_{k=1}^{n} z_k \overline{w_k} = z_1\overline{w_1} + z_2\overline{w_2} + \cdots + z_n\overline{w_n}$$

définit un produit hermitien sur $\mathbb{C}^n$, appelé produit hermitien *usuel*, ou *standard*, de $\mathbb{C}^n$. Muni de ce produit, $\mathbb{C}^n$ est appelé *espace hermitien à n dimensions*. Sauf indication contraire, nous considérons dans la suite que $\mathbb{C}^n$ est par défaut muni de ce produit scalaire. Si les vecteurs u et v sont représentés par des vecteurs colonne, alors le produit hermitien peut s'écrire :

$$\langle u, v \rangle = u^T \overline{v}$$

où, comme pour les matrices, $\bar{v}$ est le vecteur dont chaque composante est complexe conjuguée de la composante correspondante de v. Si u et v sont réels, alors $\overline{w_i} = w_i$ et le produit hermitien se confond avec le produit scalaire usuel de $\mathbb{R}^n$.

Exemple 7.16

(a) Soit V l'espace vectoriel des fonctions continues sur l'intervalle (réel) $a \leq t \leq b$, et à valeurs complexes. Le produit hermitien usuel sur V est défini par :

$$\langle f, g \rangle = \int_a^b f(t)\overline{g(t)}\, dt$$

(b) Soit U l'espace vectoriel des matrices rectangulaires $m \times n$ sur $\mathbb{C}$; soient $A = (z_{ij})$ et $B = (w_{ij})$ deux matrices de U. Le produit hermitien usuel de U est défini par :

$$\langle A, B \rangle = \mathrm{tr}(B^H A) = \sum_{i=1}^{m}\sum_{j=1}^{n} \overline{w_{ij}} z_{ij}$$

On rappelle que $B^H = (\overline{B})^T$ est la transposée de la matrice dont les éléments sont les complexes conjugués de ceux de B.

Voici plusieurs théorèmes sur les espaces hermitiens, présentant des propriétés analogues au cas réel. En particulier, le rôle d'une matrice symétrique (cas réel) est joué par une matrice hermitienne ($A^H = A$) dans le cas complexe ; le théorème 7.18 est démontré au problème 7.50.

✻ Théorème 7.18 (Cauchy-Schwarz) : Soit V un espace hermitien ; alors, $\forall u, v \in V$:

$$|\langle u, v \rangle| \leq \|u\|\,\|v\|$$

✻ Théorème 7.19 : Soit W un sous-espace vectoriel d'un espace V hermitien. Alors $V = W \oplus W^{\perp}$.

✻ Théorème 7.20 : Soit $\{u_1, u_2, \ldots, u_n\}$ une base d'un espace hermitien V. Alors, $\forall v \in V$:

$$v = \frac{\langle v, u_1 \rangle}{\langle u_1, u_1 \rangle} u_1 + \frac{\langle v, u_2 \rangle}{\langle u_2, u_2 \rangle} u_2 + \cdots + \frac{\langle v, u_n \rangle}{\langle u_n, u_n \rangle} u_n$$

✻ Théorème 7.21 : Soit $\{u_1, u_2, \ldots, u_n\}$ une base d'un espace hermitien V. Soit $A = (a_{ij})$ la matrice (complexe) définie par $a_{ij} = \langle u_i, u_j \rangle$. Alors, $\forall u, v \in V$:

$$\langle u, v \rangle = [u]^T A \overline{[v]}$$

où $[u]$ et $[v]$ sont les vecteurs des composantes de u et v sur les u_i. On dit que la matrice A *représente* le produit scalaire sur la base $\{u_i\}$.

✻ Théorème 7.22 : Soit A une matrice hermitienne ($A^H = A$) telle que pour tout vecteur non nul $X \in \mathbb{C}^n$, $X^T A \bar{X}$ soit réel positif. Alors $\langle u, v \rangle = u^T A \bar{v}$ définit un produit hermitien sur $\mathbb{C}^n$.

✻ Théorème 7.23 : Soit A une matrice représentant un produit hermitien sur V. Alors A est hermitienne, et $X^T A \bar{X}$ est réel et positif pour tout vecteur X de $\mathbb{C}^n$.

7.10 ESPACES VECTORIELS NORMÉS

Considérons la définition suivante :

◆ Définition 7.4 : Soit V un espace vectoriel, réel ou complexe. À chaque vecteur $v \in V$, on fait correspondre un nombre réel noté $\|v\|$. La fonction $\|\cdot\|$ est appelée *norme* sur V si elle obéit aux trois axiomes suivants :
[N$_1$] $\|v\| \geq 0$, $\|v\| = 0$ si et seulement si $v = 0$;
[N$_2$] $\|kv\| = |k|\|v\|$;
[N$_3$] $\|u + v\| \leq \|u\| + \|v\|$.
Un espace vectoriel muni d'une norme est appelé *espace vectoriel normé.*

Soit V un espace vectoriel normé. La *distance* entre deux vecteurs u et v de V est définie par :

$$d(u, v) = \|u - v\|$$

Le théorème suivant, démontré au problème 7.56, justifie le nom « distance » donné à la fonction ci-dessus :

✻ Théorème 7.24 : Soit V un espace vectoriel normé. Alors la fonction $d(u, v) = \|u - v\|$ satisfait aux trois axiomes de définition d'un espace métrique :
[M$_1$] $d(u, v) \geq 0$, $d(u, v) = 0$ si et seulement si $u = v$;
[M$_2$] $d(u, v) = d(v, u)$;
[M$_3$] $d(u, v) \leq d(u, w) + d(w, v)$.

7.10.1 Espaces vectoriels normés et espaces euclidiens

Soit V un espace euclidien ou hermitien. On sait que la norme d'un vecteur $v \in V$ est définie à partir du produit scalaire par :

$$\|v\| = \sqrt{\langle v, v \rangle}$$

On montre (théorème 7.2) que cette norme satisfait aux axiomes [N_1], [N_2] et [N_3]. Il en résulte que tout espace euclidien ou hermitien possède automatiquement une structure d'espace vectoriel normé. La réciproque est fausse, et la norme d'un espace normé ne provient pas nécessairement d'un produit scalaire, comme nous allons le voir.

7.10.2 Normes sur $\mathbb{R}^n$ et C^n

Voici trois normes importantes définies sur $\mathbb{R}^n$ et $\mathbb{C}^n$:

$$\begin{aligned} \|(a_1, \dots, a_n)\|_\infty &= \max(|a_i|) \\ \|(a_1, \dots, a_n)\|_1 &= |a_1| + |a_2| + \dots + |a_n| \\ \|(a_1, \dots, a_n)\|_2 &= \sqrt{|a_1|^2 + |a_2|^2 + \dots + |a_n|^2} \end{aligned}$$

Les indices ∞, 1 et 2 ont été introduits pour distinguer ces normes entre elles. Les normes $\|\cdot\|_\infty$, $\|\cdot\|_1$ et $\|\cdot\|_2$ sont appelées, respectivement, comme leur nom l'indique, la *norme infinie*, ou *norme du « sup »*, la *norme* 1 et la *norme* 2. On remarque que la norme 2 est la norme usuelle de $\mathbb{R}^n$ (respectivement $\mathbb{C}^n$), induite par le produit scalaire euclidien usuel de $\mathbb{R}^n$ (respectivement le produit hermitien usuel de $\mathbb{C}^n$). On désigne par d_∞, d_1 et d_2 les distances correspondantes.

Exemple 7.17

Soient les vecteurs $u = (1, -5, 3)$ et $v = (4, 2, -3)$ de $\mathbb{R}^n$:

(a) La norme infinie choisit la plus grande valeur absolue des composantes :

$$\|u\|_\infty = 5 \quad \text{et} \quad \|v\|_\infty = 4$$

(b) La norme 1 additionne les valeurs absolues des composantes :

$$\|u\|_1 = 1 + 5 + 3 = 9 \quad \text{et} \quad \|v\|_1 = 4 + 2 + 3 = 9$$

(c) La norme 2 est la racine carrée de la somme des carrés des composantes, autrement dit la racine carrée du produit scalaire (usuel) du vecteur par lui-même :

$$\|u\|_2 = \sqrt{1 + 25 + 9} = \sqrt{35} \quad \text{et} \quad \|v\|_2 = \sqrt{16 + 4 + 9} = \sqrt{29}$$

(d) Avec $u - v = (1 - 4,\ -5 - 2,\ 3 + 3) = (-3, -7, 6)$, on déduit :

$$d_\infty(u, v) = 7, \quad d_1(u, v) = 3 + 7 + 6 = 16, \quad d_2(u, v) = \sqrt{9 + 49 + 36} = \sqrt{94}$$

Exemple 7.18

Considérons le plan cartésien $\mathbb{R}^2$ (voir figure 7.4, page suivante).

(a) Soit D_1 l'ensemble des points $u = (x, y) \in \mathbb{R}^2$ tels que $\|u\|_2 = 1$. D_1 est donc l'ensemble des points vérifiant $\|u\|_2^2 = x^2 + y^2 = 1$; c'est le cercle unité (voir figure 7.4, page suivante).

(b) Soit D_2 l'ensemble des points $u = (x, y) \in \mathbb{R}^2$ tels que $\|u\|_1 = 1$. D_2 est donc l'ensemble des points vérifiant $\|u\|_1 = |x| + |y| = 1$; c'est le carré inscrit dans le cercle unité représenté sur la figure 7.4, page suivante.

(c) Soit enfin D_3 l'ensemble des points $u = (x, y) \in \mathbb{R}^2$ tels que $\|u\|_\infty = 1$. D_1 est donc l'ensemble des points vérifiant $\|u\|_\infty = \max(|x|, |y|) = 1$; c'est le carré exinscrit au cercle unité représenté sur la figure 7.4, page suivante.

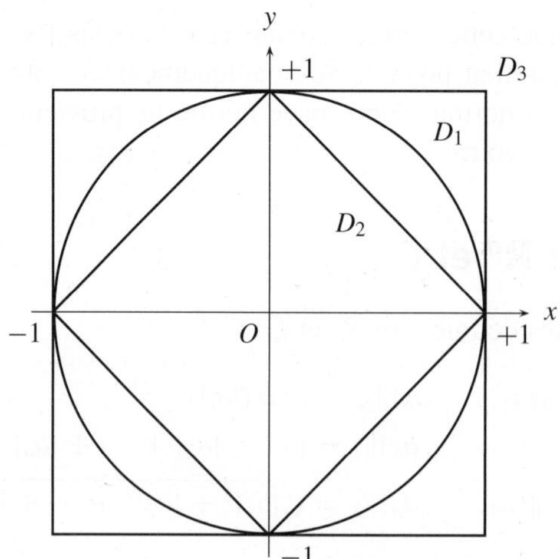

Figure 7.4 Illustration des normes $\| \cdot \|_\infty$, $\| \cdot \|_1$ et $\| \cdot \|_2$ dans $\mathbb{R}^2$.

7.10.3 Normes sur $C_{[a,\,b]}$

On considère l'espace vectoriel $V = C_{[a,\,b]}$ des fonctions continues à valeurs réelles sur l'intervalle $a \leq t \leq b$. On se souvient que produit scalaire usuel sur $C_{[a,\,b]}$ est défini par :

$$\langle f,\, g\rangle = \int_a^b f(t)g(t)\,dt$$

Ce produit scalaire induit une norme sur V, analogue à la norme $\| \cdot \|_2$ de $\mathbb{R}^n$:

$$\|f\|_2 = \sqrt{\int_a^b f^2(t)\,dt}$$

Mais on peut définir d'autres normes sur V :

$$\|f\|_1 = \int_a^b |f(t)|\,dt \quad \text{et} \quad \|f\|_\infty = \max(|f(t)|)$$

On peut interpréter géométriquement ces deux normes et les distances associées, de la manière suivante : sur la figure 7.5, page ci-contre, on a représenté la norme $\| \cdot \|_1$ et la distance $d_1(\cdot,\, \cdot)$ associée :

$$\|f\|_1 = \text{aire comprise entre la courbe de } |f(t)| \text{ et l'axe des } t$$
$$d_1(f,\, g) = \text{aire comprise entre les courbes de } f(t) \text{ et de } g(t)$$

Cette norme est analogue à la norme $\| \cdot \|_1$ de $\mathbb{R}^n$. On fera attention sur la figure 7.5, page ci-contre à ajouter les valeurs absolues des surfaces grisées.

Sur la figure 7.6, page ci-contre, on a représenté la norme $\| \cdot \|_\infty$ et la distance $d_\infty(\cdot,\, \cdot)$ associée :

$$\|f\|_\infty = \text{distance maximum entre la courbe de } f(t) \text{ et l'axe des } t$$
$$d_\infty(f,\, g) = \text{distance maximum entre les courbes de } f(t) \text{ et de } g(t)$$

Cette norme est analogue à la norme $\| \cdot \|_\infty$ définie sur $\mathbb{R}^n$.

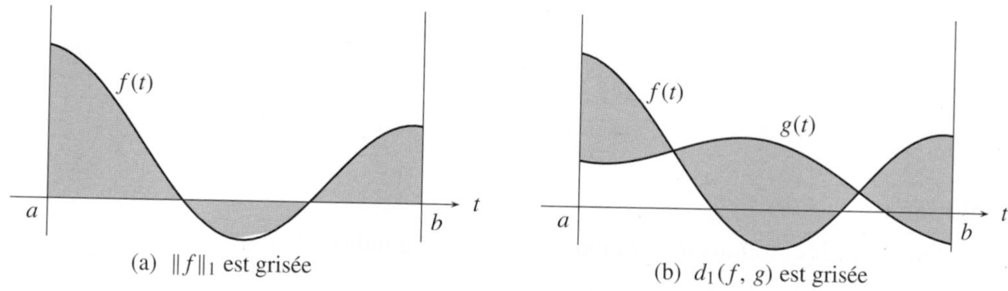

Figure 7.5 Illustration de la norme $\|\cdot\|_1$ de $C_{[a,b]}$.

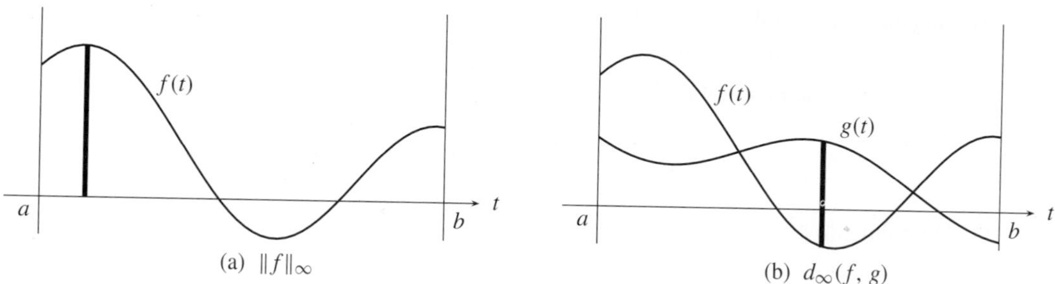

Figure 7.6 Illustration de la norme $\|\cdot\|_\infty$ de $C_{[a,b]}$.

? EXERCICES CORRIGÉS

PRODUITS SCALAIRES

7.1 Développer :

(a) $\langle 5u_1 + 8u_2,\ 6v_1 - 7v_2\rangle$; (b) $\langle 3u + 5v,\ 4u - 6v\rangle$; (c) $\|2u - 3v\|^2$.

Solution : on utilise la linéarité par rapport aux deux positions, et la commutativité $\langle u, v\rangle = \langle v, u\rangle$:

(a) Le résultat s'écrit en fonction des produits scalaires entre chaque vecteur de gauche et chaque vecteur de droite :

$$\begin{aligned}\langle 5u_1 + 8u_2,\ 6v_1 - 7v_2\rangle &= \langle 5u_1, 6v_1\rangle + \langle 5u_1, -7v_2\rangle + \langle 8u_2, 6v_1\rangle + \langle 8u_2, -7v_2\rangle \\ &= 30\langle u_1, v_1\rangle - 35\langle u_1, v_2\rangle + 48\langle u_2, v_1\rangle - 56\langle u_2, v_2\rangle\end{aligned}$$

On constate une parfaite analogie entre ce développement et le développement de $(5a + 8b)(6c - 7d)$ en calcul ordinaire.

(b) $$\begin{aligned}\langle 3u + 5v,\ 4u - 6v\rangle &= 12\langle u, u\rangle - 18\langle u, v\rangle + 20\langle v, u\rangle - 30\langle v, v\rangle \\ &= 12\langle u, u\rangle + 2\langle u, v\rangle - 30\langle v, v\rangle\end{aligned}$$

(c) $$\begin{aligned}\|2u - 3v\|^2 = \langle 2u - 3v,\ 2u - 3v\rangle &= 4\langle u, u\rangle - 6\langle u, v\rangle - 6\langle v, u\rangle + 9\langle v, v\rangle \\ &= 4\|u\|^2 - 12\langle u, v\rangle + 9\|v\|^2\end{aligned}$$

7.2 Soient les vecteurs $u = (1, 2, 4)$, $u = (2, -3, 5)$ et $u = (4, 2, -3)$ de $\mathbb{R}^3$. Calculer :

(a) $u \cdot v$;
(b) $u \cdot w$;
(c) $v \cdot w$;
(d) $(u + v) \cdot w$;
(e) $\|u\|$;
(f) $\|v\|$.

Solution :

(a) On ajoute les produits des composantes de même indice, d'où $u \cdot v = 2 - 6 + 20 = 16$.

(b) $u \cdot w = 4 + 4 - 12 = -4$.

(c) $v \cdot w = 8 - 6 - 15 = -13$.

(d) On calcule d'abord $u + v = (3, -1, 9)$, d'où $(u + v) \cdot w = 12 - 2 - 27 = -17$. On peut aussi utiliser la linéarité, soit $(u + v) \cdot w = u \cdot w + v \cdot w = -4 - 13 = -17$.

(e) $\|u\|^2$ se calcule en ajoutant les carrés de ses composantes :

$$\|u\|^2 = 1^2 + 2^2 + 4^2 = 1 + 4 + 16 = 21 \Rightarrow |u\| = \sqrt{21}$$

(f) De même, $\|v\|^2 = 4 + 9 + 25 = 38 \Rightarrow |v\| = \sqrt{38}$.

7.3 Vérifier que l'expression suivante définit un produit scalaire sur $\mathbb{R}^2$:

$$\langle u, v\rangle = x_1y_1 - x_1y_2 - x_2y_1 + 3x_2y_2 \quad \text{avec} \quad u = (x_1, x_2) \text{ et } v = (y_1, y_2)$$

Solution : nous raisonnerons à l'aide du formalisme matriciel, en écrivant $\langle u, v\rangle$ sous la forme :

$$\langle u, v\rangle = u^T A v = (x_1,\ x_2) \begin{pmatrix} 1 & -1 \\ -1 & 3 \end{pmatrix} \begin{pmatrix} y_1 \\ y_2 \end{pmatrix}$$

La matrice A est réelle et symétrique. Il nous faut vérifier qu'elle est définie positive : ses éléments diagonaux 1 et 3 sont positifs, et son déterminant $|A| = 3 - 1 = 2$ l'est aussi. En vertu du théorème 7.14, A est une matrice définie positive. Le théorème 7.15 nous assure alors que $\langle u, v\rangle$ est un produit scalaire.

7.4 Considérons les vecteurs $u = (1,\ 5)$ et $v = (3,\ 4)$ de $\mathbb{R}^2$. Déterminer :

(a) $\langle u,\ v\rangle$, pour le produit scalaire usuel de $\mathbb{R}^2$;

(b) $\langle u,\ v\rangle$, pour le produit scalaire défini sur $\mathbb{R}^2$ au problème 7.3 ;

(c) $\|v\|$, pour la norme induite par le produit scalaire usuel de $\mathbb{R}^2$;

(d) $\|v\|$, pour la norme induite par le produit scalaire du problème 7.3.

Solution :

(a) $\langle u,\ v\rangle = 3 + 20 = 23$;

(b) $\langle u,\ v\rangle = 1 \cdot 3 - 1 \cdot 4 - 5 \cdot 3 + 3 \cdot 5 \cdot 4 = 3 - 4 - 15 + 60 = 44$;

(c) $\|v\|^2 = \langle v,\ v\rangle = \langle (3, 4),\ (3, 4)\rangle = 9 + 16 = 25$, d'où $\|v\| = 5$;

(d) $\|v\|^2 = \langle v,\ v\rangle = \langle (3, 4),\ (3, 4)\rangle = 9 - 12 - 12 + 48 = 33$, d'où $\|v\| = \sqrt{33}$.

7.5 On considère l'espace des polynômes $\mathbf{P}(t)$ muni du produit scalaire $\langle f, g\rangle = \int_0^1 f(t)g(t)\,dt$. Soient les polynômes :

$$f(t) = t + 2, \quad g(t) = 3t - 2, \quad h(t) = t^2 - 2t - 3$$

(a) Déterminer $\langle f, g\rangle$ et $\langle f, h\rangle$;
(b) déterminer $\|f\|$ et $\|g\|$;
(c) normaliser f et g.

Solution :

(a) Calculons les produits scalaires :

$$\langle f, g\rangle = \int_0^1 (t+2)(3t-2)\,dt = \int_0^1 (3t^2 + 4t - 4)\,dt = \left[t^3 + 2t^2 - 4\right]_0^1 = -1$$

$$\langle f, h\rangle = \int_0^1 (t+2)(t^2 - 2t - 3)\,dt = \left[\frac{t^4}{4} - \frac{7t^2}{2} - 6t\right]_0^1 = -\frac{37}{4}$$

(b) $$\langle f, f\rangle = \int_0^1 (t+2)(t+2)\,dt = \frac{19}{3}, \text{ d'où } \|f\| = \sqrt{\frac{19}{3}}$$

$$\langle g, g\rangle = \int_0^1 (3t-2)(3t-2)\,dt = 1, \quad \text{d'où} \quad \|g\| = \sqrt{1} = 1$$

(c) Puisque $\|f\| = \sqrt{\dfrac{19}{3}}$ et que g est déjà unitaire, on a :

$$\hat{f} = \frac{1}{\|f\|} f = \sqrt{\frac{19}{3}}\,(t+2) \quad \text{et} \quad \hat{g} = g = 3t - 2$$

7.6 Calculer $\cos\theta$, où θ est l'angle formé par les vecteurs :

(a) $u = (1, 3, -5, 4)$ et $v = (2, -3, 4, 1)$ dans $\mathbb{R}^4$;
(b) $A = \begin{pmatrix} 9 & 8 & 7 \\ 6 & 5 & 4 \end{pmatrix}$ et $B = \begin{pmatrix} 1 & 2 & 3 \\ 4 & 5 & 6 \end{pmatrix}$, avec $\langle A, B\rangle = \operatorname{tr}(B^T A)$.

Solution : on utilise $\cos\theta = \dfrac{\langle u, v\rangle}{\|u\|\,\|v\|}$:

(a) calculons successivement :

$\langle u, v\rangle = 2-9-20+4 = -23, \quad \|u\|^2 = 1+9+25+16 = 51, \quad \|v\|^2 = 4+9+16+1 = 30$

et par conséquent :

$$\cos\theta = \frac{-23}{\sqrt{51}\sqrt{30}} = \frac{-23}{3\sqrt{170}}$$

(b) On a $\langle A, B\rangle = \operatorname{tr}(B^T A) = \displaystyle\sum_{i=1}^{m}\sum_{j=1}^{n} a_{ij}b_{ij}$:

$$\langle A, B\rangle = 9 + 16 + 21 + 24 + 25 + 24 = 119$$

On écrit ensuite $\|A\|^2 = \langle A, A\rangle = \sum_{i=1}^m \sum_{j=1}^n a_{ij}^2$, la somme des carrés des éléments de A :

$$\|A\|^2 = 9^2 + 8^2 + 7^2 + 6^2 + 5^2 + 4^2 = 271 \Rightarrow |A\| = \sqrt{271}$$

$$\|B\|^2 = 1^2 + 2^2 + 3^2 + 4^2 + 5^2 + 6^2 = 91 \Rightarrow |B\| = \sqrt{91}$$

et finalement :

$$\cos\theta = \frac{119}{\sqrt{271}\sqrt{91}}$$

7.7 Vérifier les propositions suivantes :

(a) *Règle du parallélogramme* (voir figure 7.7) : $\|u+v\|^2 + \|u-v\|^2 = 2\|u\|^2 + 2\|v\|^2$.

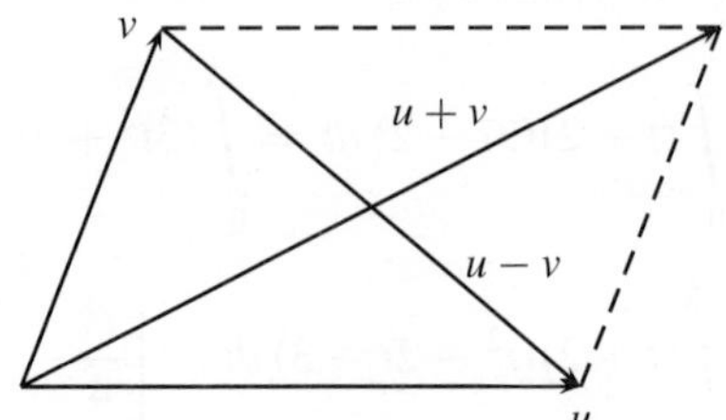

Figure 7.7 Règle du parallélogramme.

(b) *Forme polaire de* $\langle u, v\rangle$:

$$\langle u, v\rangle = \frac{1}{4}(\|u+v\|^2 - \|u-v\|^2) \tag{7.3}$$

Cette expression montre que le produit scalaire peut à son tour être déduit de la norme, mais attention : en général, une norme n'induit pas un produit scalaire. On montre que pour qu'une norme provienne d'un produit scalaire, il faut et il suffit qu'elle vérifie la règle du parallélogramme.

Solution : développons :

$$\|u+v\|^2 = \langle u+v, u+v\rangle = \|u\|^2 + 2\langle u, v\rangle + \|v\|^2 \tag{7.4}$$

$$\|u-v\|^2 = \langle u-v, u-v\rangle = \|u\|^2 - 2\langle u, v\rangle + \|v\|^2 \tag{7.5}$$

(a) Ajoutons (7.4) et (7.5) pour obtenir la règle du parallélogramme ;
(b) retranchons (7.5) de (7.4), puis divisons par 4 pour obtenir (7.3).

7.8 Démontrer le théorème 7.1 (inégalité de Cauchy-Schwarz) : *pour tout couple de vecteurs d'un espace euclidien V :*

$$\langle u, v\rangle^2 \leq \langle u, u\rangle\langle v, v\rangle \quad \text{ou} \quad |\langle u, v\rangle| \leq \|u\|\|v\|$$

Solution : pour $t \in \mathbb{R}$ arbitraire, calculons le carré scalaire suivant :

$$\langle tu+v, tu+v\rangle = t^2\langle u, u\rangle + 2t\langle u, v\rangle + \langle v, v\rangle = t^2\|u\|^2 + 2t\langle u, v\rangle + \|v\|^2 = \|tu+v\|^2$$

Posons $a = \|u\|^2$, $b = 2\langle u, v\rangle$ et $c = \|v\|^2$. Puisque $\|tu+v\|^2 \geq 0$, on a :

$$\forall t, \quad at^2 + bt + c \geq 0$$

Le polynôme $at^2 + bt + c$ ne peut avoir deux racines réelles, et par conséquent son discriminant $\Delta = b^2 - 4ac$ doit être négatif ou nul :

$$4\langle u, v\rangle^2 \leq 4\|u\|^2\|v\|^2$$

On obtient l'inégalité cherchée en divisant par 4 et en prenant la racine carrée.

7.9 Démontrer le théorème 7.2 : *soit V un espace euclidien. Alors la norme vérifie les propriétés suivantes :*

(a) $[N_1]$: $\|v\| \geq 0$, $\|v\| = 0$ si et seulement si $v = 0$;

(b) $[N_2]$: $\|kv\| = |k|\|v\|$;

(c) $[N_3]$: $\|u + v\| \leq \|u\| + \|v\|$.

Solution :

(a) Si $v \neq 0$, alors $\langle v, v\rangle > 0$ et par conséquent $\|v\| = \sqrt{\langle v, v\rangle} > 0$. Si $v = 0$, alors $\langle 0, 0\rangle = 0$. Par conséquent $\|0\| = \sqrt{0} = 0$. $[N_1]$ est démontrée.

(b) On a $\|kv\|^2 = \langle kv, kv\rangle = k^2\langle v, v\rangle = k^2\|v\|^2$. On trouve $[N_2]$ en prenant la racine carrée des deux membres.

(c) L'inégalité de Cauchy-Schwarz permet d'écrire :

$$\begin{aligned}\|u + v\|^2 &= \langle u + v, u + v\rangle = \langle u, u\rangle + 2\langle u, v\rangle + \langle v, v\rangle \\ &\leq \|u\|^2 + 2\|u\|\|v\| + \|v\|^2 = (\|u\| + \|v\|)^2\end{aligned}$$

On démontre $[N_3]$ en prenant la racine carrée des deux membres.

ORTHOGONALITÉ, COMPLÉMENTS ET ENSEMBLES ORTHOGONAUX

7.10 Déterminer k pour que les vecteurs $u = (1, 2, k, 3)$ et $v = (3, k, 7, -5)$ de $\mathbb{R}^4$ soient orthogonaux.

Solution : on écrit que le produit scalaire de u et de v est nul :

$$\langle u, v\rangle = (1, 2, k, 3) \cdot (3, k, 7, -5) = 3 + 2k + 7k - 15 = 9k - 12 = 0$$

Les vecteurs u et v sont orthogonaux pour $k = \frac{4}{3}$.

7.11 Soit W le sous-espace de $\mathbb{R}^5$ engendré par $u = (1, 2, 3, -1, 2)$ et $v = (2, 4, 7, 2, -1)$. Trouver une base du complément orthogonal $W^\perp$ de W.

Solution : nous devons déterminer l'ensemble des vecteurs w orthogonaux à u et v; posons $w = (x, y, z, s, t)$:

$$\begin{aligned}\langle w, u\rangle &= x + 2y + 3z - s + 2t = 0 \\ \langle w, v\rangle &= 2x + 4y + 7z + 2s - t = 0\end{aligned}$$

Mettons ce système sous forme échelon :

$$\begin{aligned}x + 2y + 3z - s + 2t &= 0 \\ z + 4s - 5t &= 0\end{aligned}$$

Il y a trois variables libres, y, s et t, indiquant, comme on s'y attend, que $W^\perp$ est de dimension 3. Exprimons-en une base :

(a) posons $y = -1$, $s = 0$ et $t = 0$ d'où $w_1 = (2, -1, 0, 0, 0)$;

(b) posons $y = 0$, $s = 1$ et $t = 0$ d'où $w_2 = (13, 0, -4, 1, 0)$;

(c) posons $y = 0$, $s = 0$ et $t = 1$ d'où $w_3 = (-17, 0, 5, 0, 1)$.

L'ensemble $\{w_1, w_2, w_3\}$ est une base de $W^\perp$.

7.12 Soit le vecteur $w = (1, 2, 3, 1) \in \mathbb{R}^4$. Déterminer une base orthogonale de $w^\perp$.

Solution : exprimons une solution non nulle de $x+2y+3z+t = 0$, par exemple $v_1 = (0, 0, 1, -3)$. Exprimons ensuite une solution non nulle du système :

$$x + 2y + 3z + t = 0, \quad z - 3t = 0$$

soit par exemple $v_2 = (0, -5, 3, 1)$. Exprimons enfin une solution non nulle du système :

$$x + 2y + 3z + t = 0, \quad -5y + 3z + t = 0, \quad z - 3t = 0$$

par exemple $v_3 = (-14, 2, 3, 1)$. Les vecteurs v_1, v_2 et v_3 forment une base orthogonale de $w^\perp$.

7.13 On considère le système S de vecteurs de $\mathbb{R}^4$ suivant :

$$u_1 = (1, 1, 0, -1), \quad u_2 = (1, 2, 1, 3), \quad u_3 = (1, 1, -9, 2), \quad u_4 = (16, -13, 1, 3)$$

(a) Montrer que S est orthogonal et forme une base de $\mathbb{R}^4$;

(b) trouver les composantes d'un vecteur arbitraire $v = (a, b, c, d) \in \mathbb{R}^4$ sur S.

Solution :

(a) Calculons les produits scalaires des vecteurs de S :

$$u_1 \cdot u_2 = 1 + 2 + 0 - 3 = 0 \quad u_1 \cdot u_3 = 1 + 1 + 0 - 2 = 0 \quad u_1 \cdot u_4 = 16 - 13 + 0 - 3 = 0$$

$$u_2 \cdot u_3 = 1 + 2 - 9 + 6 = 0 \quad u_2 \cdot u_4 = 16 - 26 + 1 + 9 = 0 \quad u_3 \cdot u_4 = 16 - 13 - 9 + 6 = 0$$

Le système S est orthogonal, il est par conséquent linéairement indépendant et, puisqu'il comporte quatre vecteurs, il forme une base de $\mathbb{R}^4$.

(b) Le système S étant orthogonal, les composantes sont données par les coefficients de Fourier par rapport aux vecteurs de la base (théorème 7.7) :

$$k_1 = \frac{\langle v, u_1 \rangle}{\langle u_1, u_1 \rangle} = \frac{a + b - d}{3} \qquad k_3 = \frac{\langle v, u_3 \rangle}{\langle u_3, u_3 \rangle} = \frac{a + b - 9c + 2d}{87}$$

$$k_2 = \frac{\langle v, u_2 \rangle}{\langle u_2, u_2 \rangle} = \frac{a + 2b + c + 3d}{15} \qquad k_4 = \frac{\langle v, u_4 \rangle}{\langle u_4, u_4 \rangle} = \frac{16a - 13b + c + 3d}{435}$$

d'où $[v]_S = (k_1, k_2, k_3, k_4)$.

7.14 Soient S_1, S_2 et S_3 des sous-ensembles de V. Établir les propositions suivantes :

(a) $S \subseteq S^{\perp\perp}$:

(b) $S_1 \subseteq S_2 \Rightarrow S_2^\perp \subseteq S_1^\perp$;

(c) $S^\perp = (\operatorname{Vect} S)^\perp$.

Solution :

(a) Soit $w \in S$; alors, $\forall v \in S^\perp$, $\langle w, v \rangle = 0$, et par conséquent $w \in S^{\perp\perp}$. Il en résulte que $S \subseteq S^{\perp\perp}$.

(b) Soit $w \in S_2^\perp$; alors, $\forall v \in S_2$, $\langle w, v \rangle = 0$. Puisque $S_1 \subseteq S_2$, $\langle w, v \rangle = 0$ $\forall v \in S_1$. On en déduit que $w \in S_1^\perp$, et donc $S_2^\perp \subseteq S_1^\perp$.

(c) Puisque $S \subseteq \operatorname{Vect} S$, la proposition (b) implique $(\operatorname{Vect} S)^\perp \subseteq S$. Soit $u \in S^\perp$ et $v \in \operatorname{Vect} S$. Il existe alors $w_1, w_2, \ldots, w_k \in S$ tels que $v = a_1w_1 + a_2w_2 + \cdots + a_kw_k$. Puisque $u \in S^\perp$, on peut écrire :

$$\begin{aligned}\langle u, v \rangle &= \langle u, a_1w_1 + a_2w_2 + \cdots + a_kw_k \rangle = a_1\langle u, w_1 \rangle + a_2\langle u, w_2 \rangle + \cdots + a_k\langle u, w_k \rangle \\ &= a_1 \times 0 + a_2 \times 0 + \cdots + a_k \times 0 = 0\end{aligned}$$

d'où il résulte que $u \in (\operatorname{Vect} S)^\perp$, et par conséquent $S^\perp \subseteq (\operatorname{Vect} S)^\perp$; l'inclusion dans les deux sens entraîne l'égalité $S^\perp = (\operatorname{Vect} S)^\perp$.

7.15 Démontrer le théorème 7.5 : *si S est un ensemble orthogonal de vecteurs non nuls, alors S est libre.*

Solution : posons $S = \{u_1, u_2, \ldots, u_r\}$ et considérons une combinaison linéaire nulle :

$$a_1 u_1 + a_2 u_2 + \cdots + a_r u_r = 0 \tag{7.6}$$

Le produit scalaire de (7.6) avec u_1 donne :

$$\begin{aligned} 0 = \langle 0,\, u_1\rangle &= \langle a_1 u_1 + a_2 u_2 + \cdots + a_r u_r,\, u_1\rangle \\ &= a_1\langle u_1,\, u_1\rangle + a_2\langle u_2,\, u_1\rangle + \cdots + a_r\langle u_r,\, u_1\rangle \\ &= a_1\langle u_1,\, u_1\rangle + a_2\cdot 0 + \cdots + a_r\cdot 0 = a_1\langle u_1,\, u_1\rangle \end{aligned}$$

Puisque $u_1 \neq 0$, $\langle u_1,\, u_1\rangle \neq 0$ et par conséquent $a_1 = 0$. De proche en proche, en prenant le produit scalaire de (7.6) avec u_i, $i = 2, \ldots, r$:

$$\begin{aligned} 0 = \langle 0,\, u_i\rangle &= \langle a_1 u_1 + a_2 u_2 + \cdots + a_r u_r,\, u_i\rangle \\ &= a_1\langle u_1,\, u_i\rangle + \cdots + a_i\langle u_i,\, u_i\rangle + \cdots + a_r\langle u_r,\, u_i\rangle = a_i\langle u_i,\, u_i\rangle \end{aligned}$$

$\langle u_i,\, u_i\rangle \neq 0 \Rightarrow a_i = 0$: le système S est linéairement indépendant.

7.16 Démontrer le théorème 7.6 (Pythagore) : *soit* $\{u_1, u_2, \ldots, u_r\}$ *un ensemble orthogonal de vecteurs ; alors :*

$$\|u_1 + u_2 + \cdots + u_r\|^2 = \|u_1\|^2 + \|u_2\|^2 + \cdots + \|u_r\|^2$$

Solution : développons le membre de gauche :

$$\begin{aligned} \|u_1 + u_2 + \cdots + u_r\|^2 &= \langle u_1 + u_2 + \cdots + u_r,\, u_1 + u_2 + \cdots + u_r\rangle \\ &= \langle u_1,\, u_1\rangle + \langle u_2,\, u_2\rangle + \cdots + \langle u_r,\, u_r\rangle + \sum_{i\neq j}\langle u_i,\, u_j\rangle \end{aligned}$$

Le théorème résulte de ce que $\langle u_i,\, u_i\rangle = \|u_i\|^2$ et $\langle u_i,\, u_j\rangle = 0$ si $i \neq j$.

7.17 Démontrer le théorème 7.7 : *soit* $\{u_1, u_2, \ldots, u_n\}$ *une base orthogonale d'un espace euclidien V. Alors,* $\forall v \in V$:

$$v = \frac{\langle v, u_1\rangle}{\langle u_1, u_1\rangle}u_1 + \frac{\langle v, u_2\rangle}{\langle u_2, u_2\rangle}u_2 + \cdots + \frac{\langle v, u_n\rangle}{\langle u_n, u_n\rangle}u_n \tag{7.7}$$

Solution : posons $v = k_1 u_1 + k_2 u_2 + \cdots + k_n u_n$, et effectuons le produit scalaire des deux membres de (7.7) avec u_1 :

$$\begin{aligned} \langle v,\, u_1\rangle &= \langle k_1 u_1 + k_2 u_2 + \cdots + k_n u_n,\, u_1\rangle \\ &= k_1\langle u_1,\, u_1\rangle + k_2\langle u_2,\, u_1\rangle + \cdots + k_n\langle u_n,\, u_1\rangle \\ &= k_1\langle u_1,\, u_1\rangle + k_2\cdot 0 + \cdots + k_n\cdot 0 = k_1\langle u_1,\, u_1\rangle \end{aligned}$$

d'où $k_1 = \dfrac{\langle v,\, u_1\rangle}{\langle u_1,\, u_1\rangle}$. On procède de même pour $i = 2, \ldots, n$:

$$\begin{aligned} \langle v,\, u_i\rangle &= \langle k_1 u_1 + k_2 u_2 + \cdots + k_n u_n,\, u_i\rangle \\ &= k_1\langle u_1,\, u_i\rangle + k_2\langle u_2,\, u_i\rangle + \cdots + k_i\langle u_i,\, u_i\rangle + \cdots + k_n\langle u_n,\, u_i\rangle \\ &= k_1\cdot 0 + \cdots + k_i\langle u_i,\, u_i\rangle + \cdots + k_n\cdot 0 = k_i\langle u_i,\, u_i\rangle \end{aligned}$$

d'où $k_i = \dfrac{\langle v,\, u_i\rangle}{\langle u_i,\, u_i\rangle}$. On remplace les k_i dans l'expression de v et on obtient le résultat cherché.

7.18 Soit $E = \{e_1, e_2, \ldots, e_n\}$ une base orthonormée de V. Montrer les résultats suivants :

(a) $\forall u \in V, u = \langle u, e_1\rangle e_1 + \langle u, e_2\rangle e_2 + \cdots + \langle u, e_n\rangle e_n$;

(b) $\langle a_1e_1 + \cdots + a_ne_n, b_1e_1 + \cdots + b_ne_n\rangle = a_1b_1 + a_2b_2 + \cdots + a_nb_n$;

(c) $\forall u, v \in V, \langle u, v\rangle = \langle u, e_1\rangle\langle v, e_1\rangle + \cdots + \langle u, e_n\rangle\langle v, e_n\rangle$.

Solution :

(a) Posons $u = k_1e_1 + k_2e_2 + \cdots + k_eu_n$, et effectuons le produit scalaire $\langle u, e_1\rangle$:

$$\begin{aligned}\langle u, e_1\rangle = \langle k_1e_1 + k_2e_2 + \cdots + k_ne_n, e_1\rangle &= k_1\langle e_1, e_1\rangle + k_2\langle e_2, e_1\rangle + \cdots + k_n\langle e_n, e_1\rangle \\ &= k_1 \cdot 1 + k_2 \cdot 0 + \cdots + k_n \cdot 0 = k_1\end{aligned}$$

Procédons de même pour $i = 2, \ldots, n$:

$$\begin{aligned}\langle u, e_i\rangle = \langle k_1e_1 + k_2e_2 + \cdots + k_ne_n, e_i\rangle &= k_1\langle e_1, e_i\rangle + \cdots + k_i\langle e_i, e_i\rangle + \cdots + k_n\langle e_n, e_i\rangle \\ &= k_1 \cdot 0 + \cdots + k_i \cdot 1 + \cdots + k_n \cdot 0 = k_i\end{aligned}$$

Il reste à remplacer k_i par $\langle u, e_i\rangle$ dans l'expression de u pour trouver la formule cherchée.

(b) On a :

$$\left\langle \sum_{i=1}^{n} a_ie_i, \sum_{j=1}^{n} b_je_j \right\rangle = \sum_{i,j=1}^{n} a_ib_j\langle e_i, e_j\rangle = \sum_{i=1}^{n} a_ib_i\langle e_i, e_i\rangle = \sum_{i\neq j} a_ib_j\langle e_i, e_j\rangle$$

Puisque $\langle e_i, e_j\rangle = 0$ si $i \neq j$ et $\langle e_i, e_j\rangle = 1$ si $i = j$, on obtient le résultat cherché :

$$\left\langle \sum_{i=1}^{n} a_ie_i, \sum_{j=1}^{n} b_je_j \right\rangle = \sum_{i=1}^{n} a_ib_i = a_1b_1 + a_2b_2 + \cdots + a_nb_n$$

(c) D'après (a), on peut écrire :

$$u = \langle u, e_1\rangle e_1 + \langle u, e_2\rangle e_2 + \cdots + \langle u, e_n\rangle e_n \quad \text{et} \quad v = \langle v, e_1\rangle e_1 + \langle v, e_2\rangle e_2 + \cdots + \langle v, e_n\rangle e_n$$

Il résulte alors de (b) que :

$$\langle u, v\rangle = \langle u, e_1\rangle\langle v, e_1\rangle + \langle u, e_2\rangle\langle v, e_2\rangle + \cdots + \langle u, e_n\rangle\langle v, e_n\rangle$$

PROJECTIONS, PROCÉDÉ DE SCHMIDT, APPLICATIONS

7.19 Soit $w \neq 0$ donné, et soit v un vecteur quelconque de V ; montrer que :

$$c = \frac{\langle v, w\rangle}{\langle w, w\rangle} = \frac{\langle v, w\rangle}{\|w\|^2}$$

est le seul scalaire pour lequel $v' = v - cw$ est orthogonal à w.

Solution : pour que v' soit orthogonal à w, il faut que :

$$\langle v - cw, w\rangle = 0 \quad \text{ou} \quad \langle v, w\rangle - c\langle w, w\rangle = 0 \quad \text{ou} \quad \langle v, w\rangle = c\langle w, w\rangle$$

d'où $c = \dfrac{\langle v, w\rangle}{\langle w, w\rangle}$. Réciproquement, posons $c = \dfrac{\langle v, w\rangle}{\langle w, w\rangle}$; alors :

$$\langle v - cw, w\rangle = \langle v, w\rangle - c\langle w, w\rangle = \langle v, w\rangle - \frac{\langle v, w\rangle}{\langle w, w\rangle}\langle w, w\rangle = 0$$

7.20 Trouver le coefficient de Fourier c et la projection de $v = (1, -2, 3, -4) \in \mathbb{R}^4$ sur $w = (1, 2, 1, 2)$.

Solution : calculons $\langle v, w\rangle = 1 - 4 + 3 - 8 = -8$ et $\|w\|^2 = 1 + 4 + 1 + 4 = 10$. Alors :

$$c = -\frac{8}{10} = -\frac{4}{5} \quad \text{et} \quad \text{proj}(v, w) = cw = \left(-\frac{4}{5}, -\frac{8}{5}, -\frac{4}{5}, -\frac{8}{5}\right)$$

7.21 Soit U le sous-espace de $\mathbb{R}^4$ engendré par les vecteurs :

$$v_1 = (1, 1, 1, 1), \quad v_2 = (1, 1, 2, 4), \quad v_3 = (1, 2, -4, -3)$$

Trouver :

(a) une base orthogonale de U ; (b) une base orthonormée de U.

Solution :

(a) Nous utilisons le procédé d'orthogonalisation de Gram-Schmidt. Posons tout d'abord $w_1 = v_1 = (1, 1, 1, 1)$, puis calculons :

$$v_2 - \frac{\langle v_2, w_1\rangle}{\|w_1\|^2} w_1 = (1, 1, 2, 4) - \frac{8}{4}(1, 1, 1, 1) = (-1, -1, 0, 2)$$

Posons $w_2 = (-1, -1, 0, 2)$. Calculons ensuite :

$$v_3 - \frac{\langle v_3, w_1\rangle}{\|w_1\|^2} w_1 - \frac{\langle v_3, w_2\rangle}{\|w_2\|^2} w_2 = (1, 1, 2, 4) - \frac{(-4)}{4}(1, 1, 1, 1) - \frac{(-9)}{6}(-1, -1, 0, 2)$$
$$= \left(\frac{1}{2}, \frac{3}{2}, -3, 1\right)$$

Débarrassons-nous des fractions et posons $w_3 = (1, 3, -6, 2)$. Les vecteurs w_1, w_2 et w_3 forment une base orthogonale de U.

(b) Pour obtenir une base orthonormée à partir d'une base orthogonale, il suffit de normer les vecteurs. Avec $\|w_1\|^2 = 4$, $\|w_2\|^2 = 6$ et $\|w_3\|^2 = 6$, la base orthonormée cherchée s'écrit :

$$u_1 = \frac{1}{2}(1, 1, 1, 1), \quad u_2 = \frac{1}{\sqrt{6}}(-1, -1, 0, 2), \quad u_1 = \frac{1}{5\sqrt{2}}(1, 3, -6, 2)$$

7.22 Soit l'espace vectoriel $\mathbf{P}(t)$ muni du produit scalaire $\langle f, g\rangle = \displaystyle\int_0^1 f(t)g(t)\,dt$. À l'aide de l'algorithme de Gram-Schmidt, déterminer un ensemble orthogonal $\{f_0, f_1, f_2\}$, à coefficients entiers, à partir du système $\{1, t, t^2\}$.

Solution : posons tout d'abord $f_0 = 1$. Déterminons ensuite :

$$t - \frac{\langle t, 1\rangle}{\langle 1, 1\rangle} \cdot 1 = t - \frac{1/2}{1} \cdot 1 = t - \frac{1}{2}$$

Éliminons les fractions et posons $f_1 = 2t - 1$. Déterminons enfin :

$$t^2 - \frac{\langle t^2, 1\rangle}{\langle 1, 1\rangle} \cdot 1 - \frac{\langle t^2, 2t-1\rangle}{\langle 2t-1, 2t-1\rangle}(2t-1) = t^2 - \frac{1/3}{1} \cdot 1 - \frac{1/6}{1/3}(2t-1) = t^2 - t + \frac{1}{6}$$

Multiplions par 6, d'où $f_3 = 6t^2 - 6t + 1$. L'ensemble orthogonal cherché s'écrit donc :

$$\{1,\ 2t-1,\ 6t^2 - 6t + 1\}.$$

7.23 Soit $v = (1, 3, 5, 7)$. Trouver la projection de v sur W, le sous-espace de $\mathbb{R}^4$ engendré par :

(a) $u_1 = (1, 1, 1, 1)$ et $u_2 = (1, -3, 4, -2)$;

(b) $v_1 = (1, 1, 1, 1)$ et $u_2 = (1, 2, 3, 2)$.

On rappelle que chercher la projection d'un vecteur v sur un sous-espace W revient à déterminer le vecteur $w \in W$ qui minimise $\|v - w\|$.

Solution :

(a) On remarque que u_1 et u_2 sont orthogonaux. Il suffit donc de calculer les coefficients de Fourier :

$$c_1 = \frac{\langle v, u_1\rangle}{\langle u_1, u_1\rangle} = \frac{1+3+5+7}{1+1+1+1} = \frac{16}{4} = 4$$
$$c_2 = \frac{\langle v, u_2\rangle}{\langle u_2, u_2\rangle} = \frac{1-9+20-14}{1+9+16+4} = \frac{-2}{30} = -\frac{1}{15}$$

Alors

$$\begin{aligned} w = \text{proj}(v, W) &= c_1u_1 + c_2u_2 \\ &= 4(1, 1, 1, 1) - \frac{1}{15}(1, -3, 4, -2) \\ &= \left(\frac{59}{15}, \frac{21}{5}, -\frac{56}{15}, \frac{62}{15}\right) \end{aligned}$$

(b) Les vecteurs v_1 et v_2 ne sont pas orthogonaux ; utilisons-les pour construire un système orthogonal. Posons $w_1 = v_1 = (1, 1, 1, 1)$, puis écrivons :

$$v_2 - \frac{\langle v_2, w_1\rangle}{\langle w_1, w_1\rangle} = (1, 2, 3, 2) - \frac{8}{4}(1, 1, 1, 1) = (-1, 0, 1, 0)$$

d'où $w_2 = (-1, 0, 1, 0)$. Calculons sur cette nouvelle base les coefficients de Fourier :

$$c_1 = \frac{\langle v, w_1\rangle}{\langle w_1, w_1\rangle} = \frac{1+3+5+7}{1+1+1+1} = \frac{16}{4} = 4$$
$$c_2 = \frac{\langle v, w_2\rangle}{\langle w_2, w_2\rangle} = \frac{-1+0+5+0}{1+0+1+0} = \frac{4}{2} = 2$$

En définitive $w = \text{proj}(v, W) = c_1w_1 + c_2w_2 = 4(1, 1, 1, 1) + 2(-1, 0, 1, 0) = (2, 4, 6, 4)$.

7.24 Soient w_1 et w_2 deux vecteurs donnés, orthogonaux et non nuls, et soit $v \in V$ un vecteur quelconque. Trouver c_1 et c_2 de telle sorte que $v' = v - c_1w_1 - c_2w_2$ soit orthogonal à w_1 et w_2.

Solution : écrivons que v' est orthogonal à w_1 :

$$\begin{aligned} 0 = \langle v - c_1w_1 - c_2w_2, w_1\rangle &= \langle v, w_1\rangle - c_1\langle w_1, w_1\rangle - c_2\langle w_2, w_1\rangle \\ &= \langle v, w_1\rangle - c_1\langle w_1, w_1\rangle - c_2 \cdot 0 = \langle v, w_1\rangle - c_1\langle w_1, w_1\rangle \end{aligned}$$

On en déduit $c_1 = \langle v, w_1\rangle / \langle w_1, w_1\rangle$; autrement dit, c_1 est la composante de v sur w_1. De même, si v' est orthogonal à w_2, on a :

$$0 = \langle v - c_1w_1 - c_2w_2, w_2\rangle = \langle v, w_2\rangle - c_2\langle w_2, w_2\rangle$$

et donc $c_2 = \langle v, w_2\rangle / \langle w_2, w_2\rangle$ est la composante de v sur w_2.

7.25 Démontrer le théorème 7.8 : *soit* $\{w_1, w_2, \ldots, w_r\}$ *un ensemble orthogonal de vecteurs non nuls de* V, *et soit* $v \in V$ *un vecteur arbitraire. On pose :*

$$v' = v - (c_1w_1 + c_2w_2 + \cdots + c_rw_r) \quad \text{avec} \quad c_i = \frac{\langle v, w_i\rangle}{\langle w_i, w_i\rangle}$$

Alors v' *est orthogonal à* $w_1, w_2, \ldots, w_r$.

Solution : pour $i = 1, 2, \ldots, r$, et sachant que $\langle w_i, w_j\rangle = 0$ si $i \neq j$, on a :

$$\begin{aligned}\langle v - c_1w_1 - c_2w_2 - \cdots - c_rw_r, w_i\rangle &= \langle v, w_i\rangle - c_1\langle w_1, w_i\rangle - \cdots - c_i\langle w_i, w_i\rangle - \cdots - c_r\langle w_r, w_i\rangle\\ &= \langle v, w_i\rangle - c_1 \cdot 0 - \cdots - c_i\langle w_i, w_i\rangle - \cdots - c_r \cdot 0\\ &= \langle v, w_i\rangle - c_i\langle w_i, w_i\rangle = \langle v, w_i\rangle - \frac{\langle v, w_i\rangle}{\langle w_i, w_i\rangle}\langle w_i, w_i\rangle = 0\end{aligned}$$

ce qui établit le théorème.

7.26 Démontrer le théorème 7.9 : *soit* $\{v_1, v_2, \ldots, v_n\}$ *une base quelconque d'un espace euclidien* V. *Alors il existe une base orthonormée* $\{u_1, u_2, \ldots, u_n\}$ *de* V *telle que la matrice de changement de base de* $\{v_i\}$ *à* $\{u_i\}$ *soit triangulaire ; en d'autres termes :*

$$u_k = a_{k1}v_1 + a_{k2}v_2 + \cdots + a_{kk}v_k \quad k = 1, 2, \ldots, n$$

Solution : la démonstration utilise l'algorithme de Gram-Schmidt (§ 7.7 p. 297), et les remarques (a) et (c) qui suivent son exposé : on applique le procédé aux $\{v_i\}$ pour construire une base orthogonale $\{w_1, w_2, \ldots, w_n\}$, que l'on normalise pour former une base orthonormée $\{u_i\}$ de V. L'algorithme utilisé assure que chacun des w_k, et par suite chacun des u_k, n'est combinaison linéaire que de $v_1, v_2, \ldots, v_k$.

7.27 Démontrer le théorème 7.10 : *soit* $S = \{w_1, w_2, \ldots, w_r\}$ *une base orthogonale d'un sous-espace* W *d'un espace euclidien* V. *Alors on peut compléter la base* S *pour obtenir une base orthogonale de* V *; autrement dit, il existe des vecteurs* $w_{r+1}, \ldots, w_n$ *tels que* $\{w_1, w_2, \ldots, w_n\}$ *soit une base orthogonale de* V.

Solution : on commence par compléter S pour former une base $S' = \{w_1, w_2, \ldots, w_r, v_{r+1}, \ldots, v_n\}$ de V. On applique ensuite le procédé de Schmidt à S' ; les premiers vecteurs sont $w_1, \ldots, w_r$, puisqu'ils sont déjà orthogonaux, et l'on construit ensuite $w_{r+1}, \ldots, w_n$. On obtient en définitive une base orthogonale $w_1, \ldots, w_n$, ce qui établit le théorème.

7.28 Démontrer le théorème 7.4 : *soit* W *un sous-espace vectoriel de* V. *Alors* V *est la somme directe de* W *et* $W^\perp$, *soit* $V = W \oplus W^\perp$.

Solution : le théorème 7.9 affirme l'existence d'une base orthogonale $\{u_1, u_2, \ldots, u_r\}$ de W, et le théorème 7.10 nous permet de la compléter en une base $\{u_1, u_2, \ldots, u_n\}$ de V : les vecteurs supplémentaires $u_{r+1}, \ldots, u_n$ appartiennent donc à $W^\perp$. Soit $v \in V$; on peut écrire :

$$v = a_1u_1 + \cdots + a_nu_n, \text{ où } a_1u_1 + \cdots + a_ru_r \in W, \text{ et } a_{r+1}u_{r+1} + \cdots + a_nu_n \in W^\perp$$

Par conséquent $V = W + W^\perp$. D'autre part, si $w \in W \cap W^\perp$, alors $\langle w, w\rangle = 0$ et $w = 0$. On en déduit que $W \cap W^\perp = \{0\}$.

Les deux propriétés, $V = W + W^\perp$ et $W \cap W^\perp = \{0\}$, entraînent $V = W \oplus W^\perp$, qui est le résultat demandé.

Remarque : nous avons établi le théorème pour des espaces de dimension finie. On montre qu'il reste vrai pour des espaces de dimension infinie.

7.29 Soit W un sous-espace d'un espace V de dimension finie. Montrer que $W = W^{\perp\perp}$.

Solution : d'après le théorème 7.4, $V = W \oplus W^{\perp}$, d'où l'on déduit $V = W^{\perp} \oplus W^{\perp\perp}$. Alors :

$$\dim W = \dim V - \dim W^{\perp} \quad \text{et} \quad \dim W^{\perp\perp} = \dim V - \dim W^{\perp}$$

ce qui implique $\dim W = \dim W^{\perp\perp}$; mais on sait (problème 7.14) que $W \subseteq W^{\perp\perp}$, et par conséquent $W = W^{\perp\perp}$.

7.30 Démontrer le résultat suivant : soit $w_1, w_2 \ldots, w_r \in V$ un ensemble orthogonal de vecteurs non nuls. Soit $v \in V$ un vecteur quelconque, de composante c_i sur w_i. Alors, quels que soient les scalaires $a_1, a_2, \ldots, a_r$, on a :

$$\left\| v - \sum_{k=1}^{r} c_k w_k \right\| \leq \left\| v - \sum_{k=1}^{r} a_k w_k \right\|$$

En d'autres termes, $\sum c_i w_i$ est la combinaison linéaire représentant la meilleure approximation de v.

Solution : d'après le théorème 7.8, $v - \sum c_k w_k$ est orthogonal à tous les w_i et en conséquence à toute combinaison linéaire des w_i. Écrivons $v - \sum a_k w_k = v - \sum c_k w_k + \sum (c_k - a_k) w_k$ et appliquons le théorème de Pythagore :

$$\begin{aligned}\left\| v - \sum a_k w_k \right\|^2 &= \left\| v - \sum c_k w_k + \sum (c_k - a_k) w_k \right\|^2 \\ &= \left\| v - \sum c_k w_k \right\|^2 + \left\| \sum (c_k - a_k) w_k \right\|^2 \\ &\geq \left\| v - \sum c_k w_k \right\|^2\end{aligned}$$

On obtient le résultat cherché en prenant la racine carrée des deux membres.

7.31 On considère un ensemble orthonormé $\{e_1, e_2, \ldots, e_r\}$ de vecteurs de V. Soit $v \in V$ un vecteur arbitraire, de composante c_i sur e_i. Démontrer l'inégalité de Bessel-Parseval :

$$\sum_{k=1}^{r} c_k^2 \leq \|v\|^2$$

Solution : puisque $\|e_i\| = 1$, on a $c_i = \langle v, e_i \rangle$. En utilisant $\langle e_i, e_j \rangle = \delta_{ij}$, on obtient en sommant de $k = 1$ à r :

$$\begin{aligned}0 &\leq \left\langle v - \sum c_k e_k,\ v - \sum c_k e_k \right\rangle \\ &= \langle v, v \rangle - 2\left\langle v, \sum c_k e_k \right\rangle + \sum c_k^2 \\ &= \langle v, v \rangle - \sum 2 c_k \langle v, e_k \rangle + \sum c_k^2 \\ &= \langle v, v \rangle - \sum 2 c_k^2 + \sum c_k^2 \\ &= \langle v, v \rangle - \sum c_k^2\end{aligned}$$

soit l'inégalité cherchée.

MATRICES ORTHOGONALES

7.32 Trouver une matrice orthogonale P dont la première ligne soit donnée par $u_1 = \left(\frac{1}{3}, \frac{2}{3}, \frac{2}{3}\right)$.

Solution : cherchons tout d'abord un vecteur non nul $w_2 = (x, y, z)$ orthogonal à u_1 :

$$0 = \langle u_1, w_2\rangle = \frac{x}{3} + \frac{2y}{3} + \frac{2z}{3} \quad \text{soit} \quad x + 2y + 2z = 0$$

Choisissons par exemple $w_2 = (0, 1, -1)$. La 2e ligne de P s'obtient en normalisant ce vecteur, soit :

$$u_2 = \left(0, \frac{1}{\sqrt{2}}, -\frac{1}{\sqrt{2}}\right)$$

Cherchons à présent un vecteur non nul $w_3 = (x, y, z)$ qui soit orthogonal à u_1 et u_2 :

$$0 = \langle u_1, w_3\rangle = \frac{x}{3} + \frac{2y}{3} + \frac{2z}{3} \quad \text{soit} \quad x + 2y + 2z = 0$$
$$0 = \langle u_2, w_3\rangle = \frac{y}{\sqrt{2}} - \frac{z}{\sqrt{2}} \quad \text{soit} \quad y - z = 0$$

Posons $z = -1$, d'où la solution $w_3 = (4, -1, -1)$. Par normalisation, la 3e ligne de P s'écrit :

$$u_3 = \left(\frac{4}{\sqrt{18}}, -\frac{1}{\sqrt{18}}, -\frac{1}{\sqrt{18}}\right)$$

On trouve en définitive la matrice :

$$P = \begin{pmatrix} \frac{1}{3} & \frac{2}{3} & \frac{2}{3} \\ 0 & \frac{1}{\sqrt{2}} & -\frac{1}{\sqrt{2}} \\ \frac{4}{3\sqrt{2}} & -\frac{1}{3\sqrt{2}} & -\frac{1}{3\sqrt{2}} \end{pmatrix}$$

Insistons sur le fait que la matrice ci-dessus n'est pas unique.

7.33 Soit $A = \begin{pmatrix} 1 & 1 & -1 \\ 1 & 3 & 4 \\ 7 & -5 & 2 \end{pmatrix}$. Les affirmations suivantes sont-elles vraies ?

(a) Les lignes de A sont orthogonales ;

(b) la matrice A est orthogonale ;

(c) Les colonnes de A sont orthogonales.

Solution :

(a) Oui : $(1, 1, -1) \cdot (1, 3, 4) = 1 + 3 - 4 = 0$, $(1, 1, -1) \cdot (7, -5, 2) = 7 - 5 - 2 = 0$, $(1, 3, 4) \cdot (7, -5, 2) = 7 - 15 + 8 = 0$.

(b) Non : les lignes de A ne sont pas unitaires ; par exemple, $(1, 1, -1)^2 = 1 + 1 + 1 = 3 \neq 1$.

(c) Non : par exemple, $(1, 1, 7) \cdot (1, 3, -5) = 1 + 3 - 35 = -31 \neq 1$.

7.34 Soit B la matrice obtenue en normalisant les lignes de la matrice A du problème 7.33 :

(a) Déterminer B ;

(b) B est-elle une matrice orthogonale ?

(c) Les colonnes de A sont-elles orthogonales ?

Solution :

(a) Calculons les normes des lignes de A :

$$\|(1,1,-1)\|^2 = 1+1+1 = 3, \quad \|(1,3,4)\|^2 = 1+9+16 = 26,$$
$$\|(7,-5,2)\|^2 = 49+25+4 = 78$$

d'où :

$$B = \begin{pmatrix} \dfrac{1}{\sqrt{3}} & \dfrac{1}{\sqrt{3}} & -\dfrac{1}{\sqrt{3}} \\ \dfrac{1}{\sqrt{26}} & \dfrac{3}{\sqrt{26}} & \dfrac{4}{\sqrt{26}} \\ \dfrac{7}{\sqrt{78}} & -\dfrac{5}{\sqrt{78}} & \dfrac{2}{\sqrt{78}} \end{pmatrix}$$

(b) Les lignes de B sont orthogonales (comme celles de A), mais sont de plus des vecteurs unitaires.

(c) Les lignes de B formant un système orthonormé, il résulte du théorème 7.11 que les colonnes de B doivent également former un système orthonormé.

7.35 Démontrer chacune des propositions suivantes :

(a) P est orthogonale si et seulement si P^T est orthogonale ;

(b) si P est orthogonale, alors P^{-1} est orthogonale ;

(c) si P et Q sont orthogonales, alors le produit PQ est orthogonal.

Solution :

(a) On sait que $(P^T)^T = P$; Par définition d'une matrice orthogonale, $PP^T = I$, d'où $(P^T)^T P^T = I$, et P^T est orthogonale. Chaque étape étant une équivalence, la réciproque est vraie.

(b) Puisque P est orthogonale, $P^{-1} = P^T$; d'après la proposition précédente, P^{-1} est orthogonale.

(c) $P^T = P^{-1}$ et $Q^T = Q^{-1} \Rightarrow (PQ)(PQ)^T = PQQ^TP^T = PQQ^{-1}P^{-1} = I$. Par conséquent $(PQ)^T = (PQ)^{-1}$, et PQ est une matrice orthogonale.

7.36 Soit P une matrice orthogonale. Montrer que :

(a) $\forall u, v \in V, \langle Pu, Pv\rangle = \langle u, v\rangle$;

(b) $\forall u \in V, \|Pu\| = \|u\|$.

On pourra utiliser $P^TP = I$ et $\langle u, v\rangle = u^Tv$.

Solution :

(a) $\langle Pu, Pv\rangle = (Pu)^T(Pv) = u^TP^TPv = u^Tv = \langle u, v\rangle$.

(b) On a $\|Pu\|^2 = \langle Pu, Pu\rangle = u^TP^TPu = u^Tu = \langle u, u\rangle = \|u\|^2$, d'où le résultat en prenant la racine carrée.

7.37 Démontrer le théorème 7.12 : *soient $E = \{e_i\}$ et $E' = \{e'_i\}$ deux bases orthonormées de V. Alors la matrice de changement de base de E à E' est une matrice orthogonale.*

Solution : posons

$$e'_i = b_{i1}e_1 + b_{i2}e_2 + \cdots + b_{in}e_n, \quad i = 1, 2, \ldots, n \tag{7.8}$$

D'après le problème 7.18(b), et puisque E' est orthonormée, on a :

$$\delta_{ij} = \langle e'_i, e'_j \rangle = b_{i1}b_{j1} + b_{i2}b_{j2} + \cdots + b_{in}b_{jn}$$

Soit $B = (b_{ij})$ la matrice des coefficients de l'équation (7.8). On a donc $P = B^T$; posons $BB^T = (c_{ij})$. Il vient :

$$c_{ij} = b_{i1}b_{j1} + b_{i2}b_{j2} + \cdots + b_{in}b_{jn} \tag{7.9}$$

Les relations (7.8) et (7.9) entraînent $c_{ij} = \delta_{ij}$, et donc $BB^T = I$. Il en résulte que B est orthogonale, et en définitive la matrice $P = B^T$ est orthogonale.

7.38 Démontrer le théorème 7.13 : *soit $\{e_1, \ldots, e_n\}$ une base orthonormée d'un espace euclidien V, et soit $P = (a_{ij})$ une matrice orthogonale. Alors les n vecteurs suivants forment une base orthonormée de V :*

$$e'_i = a_{1i}e_1 + a_{2i}e_2 + \cdots + a_{ni}e_n \quad n = 1, 2, \ldots, n$$

Solution : Les e_i étant orthonormés, le problème 7.18(b) permet d'écrire :

$$\langle e'_i, e'_j \rangle = a_{1i}a_{1j} + a_{2i}a_{2j} + \cdots + a_{ni}a_{nj} = \langle C_i, C_j \rangle$$

où C_i désigne la i-ème colonne de la matrice orthogonale $P = (a_{ij})$. P étant orthogonale, ses colonnes forment un système orthonormé, d'où $\langle e'_i, e'_j \rangle = \langle C_i, C_j \rangle = \delta_{ij}$. Les $\{e'_i\}$ forment donc une base orthonormée.

PRODUITS SCALAIRES ET MATRICES DÉFINIES POSITIVES

7.39 Parmi les matrices suivantes, lesquelles sont définies positives ?

(a) $A = \begin{pmatrix} 3 & 4 \\ 4 & 5 \end{pmatrix}$; (b) $B = \begin{pmatrix} 8 & -3 \\ -3 & 2 \end{pmatrix}$; (c) $C = \begin{pmatrix} 2 & 1 \\ 1 & -3 \end{pmatrix}$; (d) $D = \begin{pmatrix} 3 & 5 \\ 5 & 9 \end{pmatrix}$

Solution :

(a) Non : $|A| = 15 - 16 = -1$ est négatif.
(b) Oui.
(c) Non, puisque l'un des éléments diagonaux, -3, est négatif.
(d) Oui.

7.40 Déterminer les valeurs de k qui rendent les matrices suivantes définies positives :

(a) $A = \begin{pmatrix} 2 & -4 \\ -4 & k \end{pmatrix}$; (b) $B = \begin{pmatrix} 4 & k \\ k & 9 \end{pmatrix}$; (c) $B = \begin{pmatrix} k & 5 \\ 5 & -2 \end{pmatrix}$.

Solution :

(a) En premier lieu, k doit être positif. Le déterminant $|A| = 2k - 16$ doit également être positif, d'où $k > 8$.

(b) On doit avoir $|B| = 36 - k^2 > 0$, d'où $k^2 < 36 \Rightarrow -6 < k < 6$.

(c) Aucune valeur de k ne peut rendre C définie positive, puisque l'un des éléments diagonaux, -2, est négatif.

7.41 Trouver la matrice A qui représente le produit scalaire usuel de $\mathbb{R}^2$ sur les bases suivantes :

(a) $\{v_1 = (1,3),\ v_2 = (2,5)\}$; (b) $\{w_1 = (1,2),\ w_2 = (4,-2)\}$.

Solution :

(a) Calculons $\langle v_1, v_1\rangle = 1 + 9 = 10$, $\langle v_1, v_2\rangle = 2 + 15 = 17$, $\langle v_2, v_2\rangle = 4 + 25 = 29$, d'où $A = \begin{pmatrix} 10 & 17 \\ 17 & 29 \end{pmatrix}$.

(b) Calculons $\langle w_1, w_1\rangle = 1 + 4 = 5$, $\langle w_1, w_2\rangle = 4 - 4 = 0$, $\langle w_2, w_2\rangle = 16 + 4 = 20$, d'où $A = \begin{pmatrix} 5 & 0 \\ 0 & 20 \end{pmatrix}$. Puisque les vecteurs de la base sont orthogonaux, la matrice A est diagonale.

7.42 On considère l'espace vectoriel $\mathbf{P}_2(t)$, muni du produit scalaire $\displaystyle\int_{-1}^{+1} f(t)g(t)\,dt$.

(a) Calculer $\langle f, g\rangle$, avec $f(t) = t + 2$ et $g(t) = t^2 - 3t + 4$;

(b) trouver la matrice A représentant le produit scalaire sur la base $\{1, t, t^2\}$ de $\mathbf{P}_2(t)$;

(c) vérifier le théorème 7.16 en montrant que sur la base $\{1, t, t^2\}$, on a $\langle f, g\rangle = [f]^T A[g]$.

Solution :

(a) $\langle f, g\rangle = \displaystyle\int_{-1}^{+1} (t+2)(t^2 - 3t + 4)\,dt = \int_{-1}^{+1} (t^3 - t^2 - 2t + 8)\,dt = \left[\frac{t^4}{4} - \frac{t^3}{3} - t^2 + 8t\right]_{-1}^{+1} = \frac{46}{3}$.

(b) On utilise le résultat (7.2), p. 298 :

$$\langle 1, 1\rangle = 2,\ \langle 1, t\rangle = 0,\ \langle 1, t^2\rangle = \frac{2}{3},\ \langle t, t\rangle = \frac{2}{3},\ \langle t, t^2\rangle = 0,\ \langle t^2, t^2\rangle = \frac{2}{5}$$

et la matrice A cherchée s'écrit :

$$A = \begin{pmatrix} 2 & 0 & \frac{2}{3} \\ 0 & \frac{2}{3} & 0 \\ \frac{2}{3} & 0 & \frac{2}{5} \end{pmatrix}$$

(c) Sur la base $\{1, t, t^2\}$, on a $[f]^T = (2, 1, 0)$ et $[g]^T = (4, -3, 1)$; par conséquent :

$$[f]^T A[g] = (2,1,0) \begin{pmatrix} 2 & 0 & \frac{2}{3} \\ 0 & \frac{2}{3} & 0 \\ \frac{2}{3} & 0 & \frac{2}{5} \end{pmatrix} \begin{pmatrix} 4 \\ -3 \\ 1 \end{pmatrix} = \left(4, \frac{2}{3}, \frac{4}{3}\right) \begin{pmatrix} 4 \\ -3 \\ 1 \end{pmatrix} = \frac{46}{3} = \langle f, g\rangle$$

7.43 Démontrer le théorème 7.14 : *une matrice* 2×2 *réelle symétrique* $A = \begin{pmatrix} a & b \\ b & d \end{pmatrix}$ *est définie positive si et seulement si ses éléments diagonaux sont positifs et son déterminant* $|A| = ad - b^2$ *est positif.*

Solution : posons $u = (x, y)^T$; on définit $f(u)$ par :

$$f(u) = u^T A u = (x, y) \begin{pmatrix} a & b \\ b & d \end{pmatrix} \begin{pmatrix} x \\ y \end{pmatrix} = ax^2 + 2bxy + dy^2$$

Supposons que, $\forall u \neq 0, f(u) > 0$; alors $f(1, 0) = a > 0, f(0, 1) = d > 0$ et $f(b, -a) = a(ad - b^2) > 0$. Puisque $a > 0$, on déduit $ad - b^2 = |A| > 0$.
Réciproquement, supposons $a > 0, b > 0$ et $ad - b^2 > 0$. Récrivons $f(u)$ sous la forme :

$$f(u) = a\left(x^2 + \frac{2b}{a}xy + \frac{b^2}{a^2}y^2\right) + dy^2 - \frac{b^2}{a}y^2 = a\left(x + \frac{b}{a}y\right)^2 + \frac{ad - b^2}{a}y^2$$

Par conséquent, $\forall u \neq 0, f(u) > 0$.

7.44 Démontrer le théorème 7.15 : *soit A une matrice réelle définie positive ; alors la fonction* $\langle u, Av \rangle = u^T Av$ *définit un produit scalaire sur* $\mathbb{R}^n$.

Solution : quels que soient les vecteurs u_1, u_2 et v :

$$\langle (u_1 + u_2), v \rangle = (u_1 + u_2)^T Av = (u_1^T + u_2^T)Av = u_1^T Av + u_2^T Av = \langle u_1, v \rangle + \langle u_2), v \rangle$$

et pour tout scalaire k :

$$\langle ku, v \rangle = (ku)^T Av = ku^T Av = k\langle u, v \rangle$$

L'axiome $[I_1]$ est satisfait.
Puisque $u^T Av$ est une quantité scalaire, $(u^T Av)^T = u^T Av$; de même, $A^T = A$, puisque A est symétrique par hypothèse. Par conséquent :

$$\langle u, v \rangle = u^T Av = (u^T Av)^T = v^T A^T u^{TT} = v^T Au = \langle v, u \rangle$$

L'axiome $[I_2]$ est satisfait.
Enfin, puisque A est définie positive, $X^T AX > 0$ pour tout vecteur $X \in \mathbb{R}^n$ non nul. Autrement dit, $\forall v \neq 0, \langle v, v \rangle = v^T Av > 0$. Puisqu'on a aussi $\langle 0, 0 \rangle = 0^T A0 = 0$, l'axiome $[I_3]$ est satisfait : $\langle u, Av \rangle = u^T Av$ définit bien un produit scalaire sur $\mathbb{R}^n$.

7.45 Démontrer le théorème 7.16 : *soit A la représentation matricielle d'un produit scalaire sur une base S d'un espace euclidien V. Alors,* $\forall u, v \in V$, *on a :*

$$\langle u, v \rangle = [u]^T A[v]$$

Solution : posons $S = \{w_1, w_2, \ldots, w_n\}$ et $A = (k_{ij})$, soit $k_{ij} = \langle w_i, w_j \rangle$; posons encore :

$$u = a_1 w_1 + a_2 w_2 + \cdots + a_n w_n \quad \text{et} \quad v = b_1 w_1 + b_2 w_2 + \cdots + b_n w_n$$

Alors :

$$\langle u, v\rangle = \sum_{i=1}^{n}\sum_{j=1}^{n} a_i b_j \langle w_i, w_j\rangle \tag{7.10}$$

D'autre part :

$$[u]^T A[v] = (a_1, a_2, \dots, a_n)\begin{pmatrix} k_{11} & k_{12} & \dots & k_{1n} \\ k_{21} & k_{22} & \dots & k_{2n} \\ \vdots & \vdots & \vdots & \vdots \\ k_{n1} & k_{n2} & \dots & k_{nn} \end{pmatrix}\begin{pmatrix} b_1 \\ b_2 \\ \vdots \\ b_n \end{pmatrix}$$

$$= \left(\sum_{i=1}^{n} a_i k_{i1}, \sum_{i=1}^{n} a_i k_{i2}, \dots, \sum_{i=1}^{n} a_i k_{in}\right)\begin{pmatrix} b_1 \\ b_2 \\ \vdots \\ b_n \end{pmatrix} = \sum_{i=1}^{n}\sum_{j=1}^{n} a_i b_j k_{ij} \tag{7.11}$$

La comparaison des équations (7.10) et (7.11) prouve le résultat.

7.46 Démontrer le théorème 7.17 : *soit A la représentation matricielle d'un produit scalaire arbitraire défini sur V. Alors A est une matrice définie positive.*

Solution : quels que soient les vecteurs w_i et w_j de la base, on a $\langle w_i, w_j\rangle = \langle w_j, w_i\rangle$, la matrice A est donc symétrique. Soit X un vecteur quelconque non nul de $\mathbb{R}^n$; il existe alors $u \in V$ tel que $[u] = X$. D'après le théorème 7.16, $X^T AX = [u]^T A[u] = \langle u, u\rangle > 0$, impliquant que la matrice A est définie positive.

ESPACES EUCLIDIENS COMPLEXES

7.47 Soit V un espace hermitien ; vérifier la relation :

$$\langle u, av_1 + bv_2\rangle = \bar{a}\langle u, v_1\rangle + \bar{b}\langle u, v_2\rangle$$

Solution : en appliquant $[I_2^*]$, $[I_1^*]$, puis à nouveau $[I_2^*]$, on écrit successivement :

$$\langle u, av_1 + bv_2\rangle = \overline{\langle av_1 + bv_2, u\rangle} = \overline{a\langle v_1, u\rangle + b\langle v_2, u\rangle} = \bar{a}\overline{\langle v_1, u\rangle} + \bar{b}\,\overline{\langle v_2, u\rangle} = \bar{a}\langle u, v_1\rangle + \bar{b}\langle u, v_2\rangle$$

7.48 Soient $u, v \in V$ hermitien tels que $\langle u, v\rangle = 3 + 2i$; calculer :

(a) $\langle (2-4i)u, v\rangle$; (b) $\langle u, (4+3i)v\rangle$; (c) $\langle (3-6i)u, (5-2i)v\rangle$.

Solution :

(a) $\langle (2-4i)u, v\rangle = (2-4i)\langle u, v\rangle = (2-4i)(3+2i) = 14 - 8i$.

(b) $\langle u, (4+3i)v\rangle = \overline{(4+3i)}\langle u, v\rangle = (4-3i)(3+2i) = 18 - i$.

(c) $\langle (3-6i)u, (5-2i)v\rangle = (3-6i)\overline{(5-2i)}\langle u, v\rangle = (3-6i)(5+2i)(3+2i) = 129 - 18i$.

7.49 Trouver le coefficient de Fourier c et la projection cw de $v = (3+4i,\ 2-3i)$ sur $w = (5+i,\ 2i)$ dans $\mathbb{C}^2$.

Solution : on sait que $c = \langle v,\ w\rangle / \langle w,\ w\rangle$; calculons ces produits scalaires :

$$\begin{aligned}\langle v,\ w\rangle &= (3+4i)\overline{(5+i)} + (2-3i)\overline{(2i)} = (3+4i)(5-i) + (2-3i)(-2i)\\ &= 19 + 17i - 6 - 4i = 13 + 13i\\ \langle w,\ w\rangle &= 25 + 1 + 4 = 30\end{aligned}$$

On en déduit $c = \dfrac{13+13i}{30} = \dfrac{13}{30} + \dfrac{13}{30}i$ et $\operatorname{proj}(v,\ w) = cw = \left(\dfrac{26}{15} + \dfrac{13}{5}i,\ -\dfrac{13}{15} + \dfrac{13}{15}i\right)$.

7.50 Démontrer le théorème 7.18 (Cauchy-Schwarz) : *Soit V un espace hermitien ; alors* $|\langle u,\ v\rangle| \leq \|u\|\,\|v\|$.

Solution : si $v = 0$, l'inégalité devient $0 \leq 0$ et est vraie. Supposons donc $v \neq 0$; sachant que $\forall z,\ z\bar{z} = |z|^2$, et que $\langle v,\ u\rangle = \overline{\langle u,\ v\rangle}$, développons $\|u - \langle u,\ v\rangle tv\|^2$, où t est un réel quelconque :

$$\begin{aligned}0 \leq \|u - \langle u,\ v\rangle tv\|^2 &= \langle u - \langle u,\ v\rangle tv,\ u - \langle u,\ v\rangle tv\rangle\\ &= \langle u,\ u\rangle - \overline{\langle u,\ v\rangle} t\langle u,\ v\rangle - \langle u,\ v\rangle t\langle v,\ u\rangle + \langle u,\ v\rangle\overline{\langle u,\ v\rangle} t^2\langle v,\ v\rangle\\ &= \|u\|^2 - 2t|\langle u,\ v\rangle|^2 + |\langle u,\ v\rangle|^2 t^2\|v\|^2\end{aligned}$$

Choisissons $t = 1/\|v\|^2$, d'où $0 \leq \|u\|^2 - \dfrac{|\langle u,\ v\rangle|^2}{\|v\|^2}$, et par conséquent $|\langle u,\ v\rangle|^2 \leq \|u\|^2\|v\|^2$. Il suffit de prendre la racine carrée des deux membres pour obtenir la relation cherchée.

7.51 Déterminer une base orthogonale de $u^\perp \subset \mathbb{C}^3$, où $u = (1,\ i,\ 1+i)$.

Solution : le sous-espace $u^\perp$ est l'ensemble des vecteurs $w = (x, y, z) \in \mathbb{C}^3$ tels que :

$$\langle w,\ u\rangle = x - iy + (1-i)z = 0$$

Une première solution est, par exemple, $w_1 = (0,\ 1-i,\ i)$. Cherchons une solution du système :

$$x - iy + (1-i)z = 0, \quad (1+i)y - iz = 0$$

z est une variable libre. Posons $z = 1$, d'où $y = i/(1+i) = (1+i)/2$ et $x = (3i-3)/2$: écrivons la solution en multipliant par 2, soit $w_3 = (3i-3,\ 1+i,\ 2)$: les vecteurs w_1 et w_2 forment une base orthogonale de $u^\perp$.

7.52 Trouver une base orthonormée du sous-espace W de $\mathbb{C}^3$ engendré par :

$$v_1 = (1, i, 0) \quad \text{et} \quad v_2 = (1,\ 2,\ 1-i)$$

Solution : mettons en œuvre le procédé de Gram-Schmidt, et prenons $w_1 = v_1 = (1, i, 0)$ comme premier vecteur. Calculons :

$$v_2 - \frac{\langle v_2,\ w_1\rangle}{\|w_1\|^2} = (1,\ 2,\ 1-i) - \frac{1-2i}{2}(1,\ i,\ 0) = \left(\frac{1}{2} + i,\ 1 - \frac{1}{2}i,\ 1-i\right)$$

multiplions par 2, d'où $w_2 = (1+2i,\ 2-i,\ 2-2i)$. Les normes sont $\|w_1\| = \sqrt{2}$ et $\|w_2\| = \sqrt{18}$. La base orthonormée de W cherchée s'écrit donc :

$$\left\{u_1 = \left(\frac{1}{\sqrt{2}},\ \frac{i}{\sqrt{2}},\ 0\right),\ u_2 = \left(\frac{1+2i}{3\sqrt{2}},\ \frac{2-i}{3\sqrt{2}},\ \frac{2-2i}{3\sqrt{2}}\right)\right\}$$

7.53 Déterminer la matrice P qui représente le produit hermitien usuel de $\mathbb{C}^3$ sur la base $\{1,\ i,\ 1-i\}$.

Solution : calculons les six produits scalaires :

$$\langle 1,\ 1\rangle = 1 \qquad \langle 1,\ i\rangle = \bar{\imath} = -i \qquad \langle 1,\ 1-i\rangle = \overline{1-i} = 1+i$$
$$\langle i,\ i\rangle = i\bar{\imath} = 1 \qquad \langle i,\ 1-i\rangle = i(\overline{1-i}) = -1+i \qquad \langle 1-i,\ 1-i\rangle = 2$$

Puisque $\overline{\langle v,\ u\rangle} = \langle u,\ v\rangle$, la matrice cherchée s'écrit :

$$P = \begin{pmatrix} 1 & -i & 1+i \\ i & 1 & -1+i \\ 1-i & -1-i & 2 \end{pmatrix}$$

Comme prévu, la matrice P est hermitienne, *i.e.* $P^H = P$.

ESPACES VECTORIELS NORMÉS

7.54 On considère les vecteurs $u = (1, 3, -6, 4)$ et $v = (3, -5, 1, -2)$ de $\mathbb{R}^4$. Trouver :

(a) $\|u\|_\infty$ et $\|v\|_\infty$;
(b) $\|u\|_1$ et $\|v\|_1$;
(c) $\|u\|_2$ et $\|v\|_2$;
(d) $d_\infty(u,\ v)$, $d_1(u,\ v)$ et $d_2(u,\ v)$.

Solution :

(a) La norme infinie est la plus grande valeur absolue des composantes :

$$\|u\|_\infty = 6 \quad \text{et} \quad \|v\|_\infty = 5$$

(b) La norme 1 est la somme des valeurs absolues des composantes :

$$\|u\|_1 = 1+3+6+4 = 14 \quad \text{et} \quad \|v\|_1 = 3+5+1+2 = 11$$

(c) La norme 2 est la racine carrée de la somme des carrés des composantes ; c'est la norme induite par le produit scalaire usuel de $\mathbb{R}^4$:

$$\|u\|_2 = \sqrt{1+9+36+16} = \sqrt{62} \quad \text{et} \quad \|v\|_2 = \sqrt{9+25+1+4} = \sqrt{39}$$

(d) Exprimons le vecteur $u - v = (-2, 8, -7, 6)$; alors :

$$d_\infty(u,\ v) = \|u-v\|_\infty = 8$$
$$d_1(u,\ v) = \|u-v\|_1 = 2+8+7+6 = 23$$
$$d_2(u,\ v) = \|u-v\|_2 = \sqrt{4+64+49+36} = \sqrt{153}$$

7.55 Soit la fonction $f(t) = t^2 - 4t \in C_{[0,3]}$.

(a) Trouver $\|f\|_\infty$;

(b) tracer $f(t)$;

(c) trouver $\|f\|_1$;

(d) trouver $\|f\|_2$.

Solution :

(a) Cherchons $\|f\|_\infty = \max(|f(t)|)$. La fonction $f(t)$ étant différentiable sur [0, 3], $|f(t)|$ ne peut présenter d'extrema qu'aux points singuliers, c'est-à-dire aux extrémités du segment et lorsque la dérivée est nulle. On a $f'(t) = 2t - 4 = 0$ pour $t = 2$. Calculons :

$$f(2) = 4 - 8 = -4, \quad f(0) = 0 - 0 = 0, \quad f(3) = 9 - 12 = -3$$

On en déduit $\|f\|_\infty = |f(2)| = |-4| = 4$.

(b) Calculons $f(t)$ pour divers points de l'intervalle, par exemple :

t	0	1	2	3
$f(t)$	0	-3	-4	-3

Dessinons ces points sur le plan et joignons-les par une courbe continue lisse (figure 7.8).

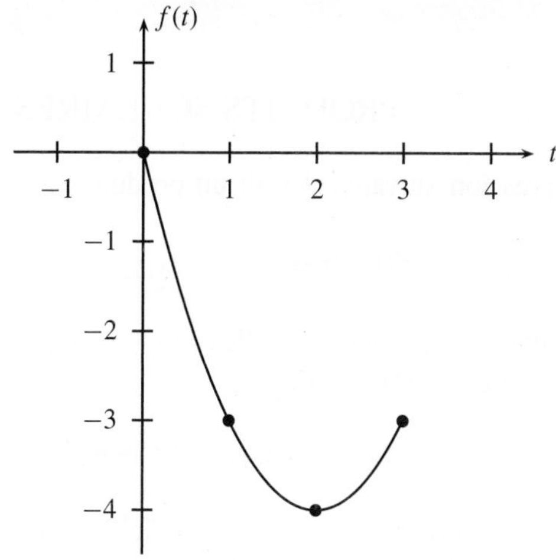

Figure 7.8 Courbe représentative de $f(t) = t^2 - 4t$ sur [0, 3].

(c) Calculons $\|f\|_1 = \int_0^3 |f(t)|\, dt$. Comme le montre la figure 7.8, la fonction est négative ou nulle sur tout l'intervalle [0, 3] et par conséquent $|f(t)| = -f(t) = 4t - t^2$, d'où :

$$\|f\|_1 = \int_0^3 (4t - t^2)\, dt = \left[2t^2 - \frac{t^3}{3}\right]_0^3 = 18 - 9 = 9$$

(d) Calculons la norme 2 :

$$\|f\|_2 = \int_0^3 (t^2 - 4t)^2\, dt = \int_0^3 \left(t^4 - 8t^3 + 16t^2\right)\, dt = \left[\frac{t^5}{5} - 2t^4 + \frac{16t^3}{3}\right]_0^3 = \frac{153}{5}$$

7.56 Démontrer le théorème 7.24 *soit V un espace vectoriel normé. Alors la fonction* $d(u, v) = \|u - v\|$ *satisfait aux trois axiomes de définition d'un espace métrique :*

$[M_1]$ $d(u, v) \geq 0$, $d(u, v) = 0$ *si et seulement si* $u = v$;

$[M_2]$ $d(u, v) = d(v, u)$;

$[M_3]$ $d(u, v) \leq d(u, w) + d(w, v)$.

Solution : si $u \neq v$, alors $u - v \neq 0$ et $d(u, v) = \|u - v\| > 0$. On a aussi $d(u, u) = \|u - u\| = \|0\| = 0$: l'axiome $[M_1]$ est satisfait. On peut aussi écrire :

$$d(u, v) = \|u - v\| = \| - 1(v - u)\| = | - 1|\|v - u\| = \|v - u\| = d(u, v)$$

et : $d(u, v) = \|u - v\| = \|(u - w) + (w - v)\| \leq \|(u - w)\| + \|(w - v)\| = d(u, w) + d(w, v)$.
Les axiomes $[M_2]$ et $[M_3]$ sont satisfaits.

EXERCICES SUPPLÉMENTAIRES

PRODUITS SCALAIRES

7.57 Vérifier que l'expression suivante définit un produit scalaire sur $\mathbb{R}^2$, avec $u = (x_1, x_2)$ et $v = (y_1, y_2)$:

$$f(u, v) = x_1y_1 - 2x_1y_2 - 2x_2y_1 + 5x_2y_2$$

7.58 Déterminer les valeurs de k pour lesquelles l'expression suivante définit un produit scalaire sur $\mathbb{R}^2$, avec $u = (x_1, x_2)$ et $v = (y_1, y_2)$:

$$f(u, v) = x_1y_1 - 3x_1y_2 - 3x_2y_1 + kx_2y_2$$

7.59 Soient les vecteurs $u = (1, -3)$ et $v = (2, 5) \in \mathbb{R}^2$. Calculer :

(a) $\langle u, v\rangle$ pour le produit scalaire usuel de $\mathbb{R}^2$;

(b) $\langle u, v\rangle$ pour le produit scalaire de $\mathbb{R}^2$ défini au problème 7.57 ;

(c) $\|v\|$, pour la norme induite par le produit scalaire usuel de $\mathbb{R}^2$;

(d) $\|v\|$, pour la norme induite par le produit scalaire de $\mathbb{R}^2$ défini au problème 7.57.

7.60 Montrer que les expressions suivantes ne définissent pas un produit scalaire sur $\mathbb{R}^3$, où $u = (x_1, x_2, x_3)$ et $v = (y_1, y_2, y_3)$:

(a) $= x_1y_1 + x_2y_2$; (b) $\langle u, v\rangle = x_1y_2x_3 + y_1x_2y_3$.

7.61 Soit V l'espace vectoriel des matrices $m \times n$ à éléments réels. Montrer que $\langle A, B\rangle = \mathrm{tr}(B^TA)$ définit un produit scalaire sur V.

7.62 Supposons que $|\langle u, v\rangle| = \|u\|\|v\|$; en d'autres termes, l'inégalité de Cauchy-Schwarz devient une égalité : montrer qu'alors u et v sont liés.

7.63 Soient $f(u, v)$ et $g(u, v)$ deux produits scalaires sur un espace vectoriel réel. Démontrer les propositions suivantes :

(a) la somme $f + g$, définie par $(f + g)(u, v) = f(u, v) + g(u, v)$, est un produit scalaire sur V ;
(b) le produit kf par un scalaire, défini par $(kf)(u, v) = kf(u, v)$, est un produit scalaire sur V.

ORTHOGONALITÉ, COMPLÉMENTS ET ENSEMBLES ORTHOGONAUX

7.64 Soit V l'espace vectoriel des polynômes sur $\mathbb{R}$ de degré ≤ 2, muni du produit scalaire $\langle f, g\rangle = \int_0^1 f(t)g(t)\,dt$. Trouver une base du sous-espace W orthogonal à $h(t) = 2t + 1$.

7.65 Trouver une base du sous-espace W de $\mathbb{R}^4$ orthogonal à $u_1 = (1, -2, 3, 4)$ et $u_2 = (3, -5, 7, 8)$.

7.66 Trouver une base du sous-espace W de $\mathbb{R}^5$ orthogonal à $u_1 = (1, 1, 3, 4, 1)$ et $u_2 = (1, 2, 1, 2, 1)$.

7.67 Soit le vecteur $w = (1, -2, -1, 3) \in \mathbb{R}^4$. Déterminer :

(a) une base orthogonale de $w^\perp$;
(b) une base orthonormée de $w^\perp$.

7.68 Soit W le sous-espace de $\mathbb{R}^4$ orthogonal à $u_1 = (1, 1, 2, 2)$ et $u_2 = (0, 1, 2, -1)$. Trouver :

(a) une base orthogonale de W ;
(b) une base orthonormée de W ; on comparera avec le problème 7.65.

7.69 Soit l'ensemble S constitué des vecteurs de $\mathbb{R}^4$ suivants :

$$u_1 = (1, 1, 1, 1), \quad u_2 = (1, 1, -1, -1), \quad u_3 = (1, -1, 1, -1), \quad u_4 = (1, -1, -1, 1)$$

(a) Montrer que S est orthogonal et forme une base de $\mathbb{R}^4$;
(b) écrire $v = (1, 3, -5, 6)$ comme combinaison linéaire des vecteurs de S ;
(c) trouver les composantes d'un vecteur quelconque $v = (a, b, c, d) \in \mathbb{R}^4$ sur la base S ;
(d) normaliser S pour en faire un base orthonormée de $\mathbb{R}^4$.

7.70 Soit $\mathbf{M} = \mathbf{M}_{2,2}$, muni du produit scalaire $\langle A, B\rangle = \mathrm{tr}(B^T A)$. Montrer que l'ensemble suivant est une base orthonormée de $\mathbf{M}$:

$$\left\{\begin{pmatrix}1 & 0\\ 0 & 0\end{pmatrix}, \begin{pmatrix}0 & 1\\ 0 & 0\end{pmatrix}, \begin{pmatrix}0 & 0\\ 1 & 0\end{pmatrix}, \begin{pmatrix}0 & 0\\ 0 & 1\end{pmatrix}\right\}$$

7.71 Soit $\mathbf{M} = \mathbf{M}_{2,2}$, muni du produit scalaire $\langle A, B\rangle = \mathrm{tr}(B^T A)$. Trouver une base du complément orthogonal des ensembles suivants :

(a) les matrices diagonales ; (b) les matrices symétriques.

7.72 Soit $\{u_1, u_2, \ldots, u_r\}$ un ensemble orthogonal de vecteurs. Montrer que, quels que soient les scalaires $k_1, k_2, \ldots, k_r$, l'ensemble $\{k_1u_1, k_2u_2, \ldots, k_ru_r\}$ est orthogonal.

7.73 Soient U et W deux sous-espaces d'un espace euclidien V de dimension finie. Montrer que :

(a) $(U + W)^\perp = U^\perp \cap W^\perp$; (b) $(U \cap W)^\perp = U^\perp + W^\perp$.

PROJECTIONS, ALGORITHME DE GRAM-SCHMIDT, APPLICATIONS

7.74 Trouver le coefficient de Fourier c et la projection cw de v sur w, pour :
(a) $v = (2, 3, -5)$ et $w = (1, -5, 2)$ dans $\mathbb{R}^3$;
(b) $v = (1, 3, 1, 2)$ et $w = (1, -2, 7, 4)$ dans $\mathbb{R}^4$;
(c) $v = t^2$ et $w = t + 3$ dans $\mathbf{P}(t)$, pour le produit scalaire $\langle f, g\rangle = \int_0^1 f(t)g(t)\,dt$;
(d) $v = \begin{pmatrix} 1 & 2 \\ 3 & 4 \end{pmatrix}$ et $w = \begin{pmatrix} 1 & 1 \\ 5 & 5 \end{pmatrix}$ dans $\mathbf{M} = \mathbf{M}_{2,2}$, avec le produit scalaire $\langle A, B\rangle = \mathrm{tr}(B^T A)$.

7.75 Soit U le sous-espace de $\mathbb{R}^4$ engendré par :

$$v_1 = (1, 1, 1, 1), \quad v_2 = (1, -1, 2, 2), \quad v_3 = (1, 2, -3, -4)$$

(a) Appliquer l'algorithme de Gram-Schmidt pour trouver une base orthogonale, puis une base orthonormale de U ;
(b) trouver la projection de $v = (1, 2, -3, 4)$ sur U.

7.76 Soit $v = (1, 2, 3, 4, 6)$. Déterminer la projection de v sur W, autrement dit chercher $w \in W$ qui minimise $\|v - w\|$, W étant le sous-espace de $\mathbb{R}^5$ engendré par :
(a) $u_1 = (1, 2, 1, 2, 1)$ et $u_2 = (1, -1, 2, -1, 1)$;
(b) $v_1 = (1, 2, 1, 2, 1)$ et $v_2 = (1, 0, 1, 5, -1)$.

7.77 Considérons le sous-espace $W = \mathbf{P}_2(t)$ de $\mathbf{P}(t)$ muni du produit scalaire $\langle f, g\rangle = \displaystyle\int_0^1 f(t)g(t)\,dt$. Trouver la projection de $f(t) = t^3$ sur W (*suggestion* : utiliser les polynômes orthogonaux 1, $2t-1$ et $6t^2 - 6t + 1$ du problème 7.22).

7.78 Soit l'espace $\mathbf{P}(t)$ muni du produit scalaire $\langle f, g\rangle = \displaystyle\int_{-1}^{+1} f(t)g(t)\,dt$, et son sous-espace $W = \mathbf{P}_3(t)$.
(a) Trouver une base orthogonale de W en appliquant le procédé de Gram-Schmidt au système $\{1, t, t^2, t^3\}$;
(b) trouver la projection de $f(t) = t^5$ sur W.

MATRICES ORTHOGONALES

7.79 Trouver le nombre de matrices 2×2 orthogonales de la forme $\begin{pmatrix} \frac{1}{3} & x \\ y & z \end{pmatrix}$, et les écrire toutes.

7.80 Trouver une matrice P orthogonale 3×3 dont les deux premières lignes sont proportionnelles, respectivement, à $u = (1, 1, 1)$ et $v = (1, -2, 3)$.

7.81 Trouver une matrice symétrique orthogonale P dont la première ligne est $\left(\frac{1}{3}, \frac{2}{3}, \frac{2}{3}\right)$; comparer avec le problème 7.32.

7.82 Deux matrices réelles A et B sont dites *équivalentes orthogonales* s'il existe une matrice P orthogonale telle que $B = P^T AP$. Montrer que cette relation est une relation d'équivalence.

MATRICES DÉFINIES POSITIVES ET PRODUIT SCALAIRE

7.83 Déterminer la matrice A représentant le produit scalaire usuel de $\mathbb{R}^2$ sur les bases suivantes :
(a) $\{v_1 = (1, 4), \quad v_2 = (2, -3)\}$; (b) $\{w_1 = (1, -3), \quad v_2 = (6, 2)\}$.

7.84 On considère le produit scalaire suivant défini sur $\mathbb{R}^2$:

$$f(u, v) = x_1y_1 - 2x_1y_2 - 2x_2y_1 + 5x_2y_2 \quad \text{avec} \quad u = (x_1, x_2),\ v = (y_1, y_2)$$

Trouver la matrice B représentant ce produit scalaire sur chacune des bases du problème 7.83.

7.85 Trouver la matrice C représentant le produit scalaire usuel de $\mathbb{R}^3$ sur la base S constituée des vecteurs $u_1 = (1, 1, 1)$, $u_2 = (1, 2, 1)$ et $u_3 = (1, -1, 3)$.

7.86 Soit $V = \mathbf{P}_2(t)$ avec le produit scalaire $\langle f, g\rangle = \int_0^1 f(t)g(t)\,dt$.

(a) Calculer $\langle f, g\rangle$, où $f(t) = t + 2$ et $g(t) = t^2 - 3t + 4$;
(b) trouver la matrice A qui représente ce produit scalaire sur la base $\{1, t, t^2\}$ de V ;
(c) vérifier le théorème 7.16 : $\langle f, g\rangle = [f]^T A[g]$, où les composantes sont prises sur la base $\{1, t, t^2\}$.

7.87 Parmi les matrices suivantes, lesquelles sont définies positives ?

(a) $\begin{pmatrix} 1 & 3 \\ 3 & 5 \end{pmatrix}$; (b) $\begin{pmatrix} 3 & 4 \\ 4 & 7 \end{pmatrix}$; (c) $\begin{pmatrix} 4 & 2 \\ 2 & 1 \end{pmatrix}$; (d) $\begin{pmatrix} 6 & -7 \\ -7 & 9 \end{pmatrix}$.

7.88 Soient A et B deux matrices définies positives. Montrer que :
(a) $A + B$ est définie positive ;
(b) kA est définie positive pour $k > 0$.

7.89 Soit B une matrice réelle non singulière. Montrer que :
(a) B^TB est symétrique ; (b) B^TB est définie positive.

ESPACES HERMITIENS

7.90 Vérifier que :

$$\langle a_1u_1 + a_2u_2,\ b_1v_1 + b_2v_2\rangle = a_1\overline{b_1}\langle u_1, v_1\rangle + a_1\overline{b_2}\langle u_1, v_2\rangle + a_2\overline{b_1}\langle u_2, v_1\rangle + a_2\overline{b_2}\langle u_2, v_2\rangle$$

et plus généralement, montrer que :

$$\left\langle \sum_{i=1}^{n} a_iu_i,\ \sum_{j=1}^{n} b_jv_j \right\rangle = \sum_{i,j=1}^{n} a_i\overline{b_j}\langle u_i, v_j\rangle$$

7.91 On considère les vecteurs $u = (1 + i,\ 3,\ 4 - i)$ et $v = (3 - 4i,\ 1 + i,\ 2i)$ de $\mathbb{C}^3$. Déterminer :
(a) $\langle u, v\rangle$; (b) $\langle v, u\rangle$; (c) $\|u\|$; (d) $\|v\|$; (e) $d(u, v)$.

7.92 Trouver le coefficient de Fourier c et la projection cw de :
(a) $u = (3 + i,\ 5 - 2i)$ sur $w = (5 + i,\ 1 + i)$ dans $\mathbb{C}^2$;
(b) $u = (1 - i,\ 3i,\ 1 + i)$ sur $w = (1,\ 2 - i,\ 3 + 2i)$ dans $\mathbb{C}^3$.

7.93 Soient $u = (z_1, z_2)$ et $w = (w_1, w_2)$ deux vecteurs arbitraires de $\mathbb{C}^2$. Montrer que l'expression suivante définit un produit scalaire sur $\mathbb{C}^2$:

$$f(u, w) = z_1\overline{w_1} + (1 + i)z_1\overline{w_2} + (1 - i)z_2\overline{w_1} + 3z_2\overline{w_2}$$

7.94 Trouver une base orthogonale et une base orthonormale du sous-espace W de $\mathbb{C}^3$ engendré par $u_1 = (1, i, 1)$ et $u_2 = (1+i, 0, 2)$.

7.95 Soient $u = (z_1, z_2)$ et $w = (w_1, w_2)$ deux vecteurs arbitraires de $\mathbb{C}^2$. Pour quelles valeurs de a, b, c et $d \in \mathbb{C}$ l'expression suivante définit-elle un produit scalaire sur $\mathbb{C}^2$?

$$f(u, w) = az_1\overline{w_1} + bz_1\overline{w_2} + cz_2\overline{w_1} + dz_2\overline{w_2}$$

7.96 Montrer que la formule suivante est un produit scalaire sur un espace hermitien V :

$$\langle u, v\rangle = \frac{1}{4}\left(\|u+v\|^2 - \|u-v\|^2 + \|u+iv\|^2 - \|u-iv\|^2\right)$$

Comparer avec le problème 7.7(b).

7.97 Soit V un espace euclidien réel. Montrer que :
(a) $\|u\| = \|v\|$ si et seulement si $\langle u+v, u-v\rangle = 0$;
(b) $\|u+v\|^2 = \|u\|^2\|v\|^2$ si et seulement si $\langle u, v\rangle = 0$.
Exhiber des contre-exemples montrant que les deux affirmations ci-dessus sont fausses dans $\mathbb{C}^2$ (et par conséquent dans tout espace euclidien complexe).

7.98 Déterminer la matrice P représentant le produit hermitien usuel de $\mathbb{C}^3$ sur la base $\{1, 1+i, 1-2i\}$.

7.99 Une matrice complexe A est dite *unitaire* si elle est inversible et vérifie $A^{-1} = A^H$. De manière équivalente, A est unitaire si ses lignes (ou ses colonnes) forment un ensemble orthonormé de vecteurs (pour le produit scalaire hermitien usuel de $\mathbb{C}^n$). Trouver une matrice unitaire dont la première ligne est :

(a) multiple de $(1, 1-i)$; (b) multiple de $\left(\frac{1}{2}, \frac{i}{2}, \frac{1-i}{2}\right)$.

ESPACES VECTORIELS NORMÉS

7.100 On considère les vecteurs $u = (1, -3, 4, 1, -2)$ et $v = (3, 1, -2, -3, 1)$ de $\mathbb{R}^5$. Déterminer :

(a) $\|u\|_\infty$ et $\|v\|_\infty$;
(b) $\|u\|_1$ et $\|v\|_1$;
(c) $\|u\|_2$ et $\|v\|_2$;
(d) $d_\infty(u, v)$, $d_1(u, v)$ et $d_2(u, v)$.

7.101 Refaire le problème 7.100 avec les vecteurs $u = (1+i, 2-4i)$ et $v = (1-i, 2+3i)$ de $\mathbb{C}^2$.

7.102 On considère les fonctions $f(t) = 5t - t^2$ et $g(t) = 3t - t^2$ de $C_{[0,4]}$. Calculer :

(a) $d_\infty(f, g)$; (b) $d_1(f, g)$; (c) $d_2(f, g)$.

7.103 Démontrer les propositions suivantes :

(a) $\|\cdot\|_1$ est une norme sur $\mathbb{R}^n$; (b) $\|\cdot\|_\infty$ est une norme sur $\mathbb{R}^n$.

7.104 Démontrer les propositions suivantes :

(a) $\|\cdot\|_1$ est une norme sur $C_{[a,b]}$; (b) $\|\cdot\|_\infty$ est une norme sur $C_{[a,b]}$.

SOLUTIONS

Notation : $M = [R_1;\ \ R_2;\ \ \ldots]$ désigne une matrice dont les lignes sont $R_1, R_2, \ldots$

7.58 $k > 9$.

7.59 (a) -13 ; (b) -71 ; (c) $\sqrt{29}$; (d) $\sqrt{89}$.

7.60 Poser $u = (0, 0, 1)$; alors $\langle u, u\rangle = 0$ dans les deux cas.

7.64 $\{7t^2 - 5t,\ 12t^2 - 5\}$.

7.65 $\{(1, 2, 1, 0),\ (4, 4, 0, 1)\}$.

7.66 $(-1, 0, 0, 0, 1), (-6, 2, 0, 1, 0), (-5, 2, 1, 0, 0)$.

7.67 (a) $(0, 0, 3, 1), (0, 3, -3, 1), (2, 10, -9, 3)$;
(b) $(0, 0, 3, 1)/\sqrt{10}, (0, 3, -3, 1)/\sqrt{19}, (2, 10, -9, 3)/\sqrt{194}$.

7.68 (a) $(0, 2, -1, 0), (-15, 1, 2, 5)$;
(b) $(0, 2, -1, 0)/\sqrt{5}, (-15, 1, 2, 5)/\sqrt{255}$.

7.69 (b) $v = \frac{1}{4}(5u_1 + 3u_2 - 13u_3 + 9u_4)$;
(c) $[v] = \frac{1}{4}(a + b + c + d,\ a + b - c - d,\ a - b + c - d,\ a - b - c + d)$.

7.71 (a) $[0, 1;\ \ 0, 0], [0, 0;\ \ 1, 0]$; (b) $[0, -1;\ \ 1, 0]$.

7.74 (a) $c = -\frac{22}{30}$; (b) $c = \frac{1}{7}$; (c) $c = \frac{15}{148}$; (d) $c = \frac{19}{26}$.

7.75 (a) $w_1 = (1, 1, 1, 1), w_2 = (0, -2, 1, 1), w_1 = (12, -4, -1, -7)$;
(b) $\mathrm{proj}(v, U) = \frac{1}{70}(-14, 158, 47, 89)$.

7.76 (a) $\mathrm{proj}(v, W) = \frac{1}{8}(21, 27, 26, 27, 21)$;
(b) on cherche une base orthogonale de W, par exemple $w_1 = (1, 2, 1, 2, 1)$ et $w_2 = (0, 2, 0, -3, 2)$; alors $\mathrm{proj}(v, W) = \frac{1}{17}(34, 76, 34, 56, 42)$.

7.77 $\mathrm{proj}(f, W) = \frac{3}{2}t^2 - \frac{3}{5}t + \frac{1}{20}$.

7.78 (a) $\{1,\ t,\ 3t^2 - 1,\ 5t^3 - 3t\}$; (b) $\mathrm{proj}(f, W) = \frac{10}{9}t^3 - \frac{5}{21}t$.

7.79 Quatre : $[a, b;\ \ b, -a], [a, b;\ \ -b, -a], [a, -b;\ \ b, a], [a, -b;\ \ -b, -a]$, avec $a = \frac{1}{3}$ et $b = \frac{1}{3}\sqrt{8}$.

7.80 $P = [1/a, 1/a, 1/a;\ \ 1/b, -2/b, 3/b;\ \ 5/c, -2/c, -3/c]$, avec $a = \sqrt{3}$, $b = \sqrt{14}$ et $c = \sqrt{38}$.

7.81 $[1, 2, 1;\ \ 2, -2, 1;\ \ 2, 1, -2]$.

7.83 (a) $[17, -10;\ \ -10, 13]$; (b) $[10, 0;\ \ 0, 40]$.

7.84 (a) $[65, -68;\ \ -68, 25]$; (b) $[58, 16;\ \ 16, 8]$.

7.85 $[3, 4, 3;\ \ 4, 6, 2;\ \ 3, 2, 11]$.

7.86 (a) $\dfrac{83}{12}$;

(b) $[1, a, b;\ \ a, b, c;\ \ b, c, d]$, avec $a = \dfrac{1}{2}, b = \dfrac{1}{3}, c = \dfrac{1}{4}$ et $d = \dfrac{1}{5}$.

7.87 (a) Non ; (b) oui ; (c) non ; (d) oui.

7.91 (a) $-4i$; (b) $4i$; (c) $\sqrt{28}$; (d) $\sqrt{31}$; (e) $\sqrt{59}$.

7.92 (a) $c = \dfrac{1}{28}(19 - 5i)$; (b) $c = \dfrac{1}{19}(3 + 6i)$.

7.94 $\{v_1 = (1, i, 1)/\sqrt{3},\ v_2 = (2i,\ 1 - 3i,\ 3 - i)/\sqrt{24}\}$.

7.95 a et d réels positifs, $c = \bar{b}$ et $ad - bc$ réel positif.

7.97 $u = (1,\ 2)$ et $v = (i,\ 2i)$.

7.98 $P = [1,\ 1 - i,\ 1 + 2i;\ \ 1 + i,\ 2,\ -2 + 3i;\ \ 1 - 2i,\ -2 - 3i,\ 5]$.

7.99 (a) $P = [1,\ 1 - i;\ \ 1 + i,\ -1]/\sqrt{3}$;

(b) $[a,\ ai,\ a - ai;\ \ bi,\ -b,\ 0;\ \ a,\ -ai,\ -a + ai]$, avec $a = \dfrac{1}{2}$ et $b = \dfrac{1}{\sqrt{2}}$.

7.100 (a) 4 et 3 ; (b) 11 et 13 ; (c) $\sqrt{31}$ et $\sqrt{24}$; (d) 6, 19, 9.

7.101 (a) $\sqrt{20}$ et $\sqrt{13}$; (c) $\sqrt{22}$ et $\sqrt{15}$;
(b) $\sqrt{2} + \sqrt{20}$ et $\sqrt{2} + \sqrt{13}$; (d) 7, 9, $\sqrt{53}$.

7.102 (a) 8 ; (b) 16 ; (c) $\dfrac{256}{3}$.

Chapitre 8

Déterminants

8.1 INTRODUCTION

À toute matrice carrée $n \times n$, $A = (a_{ij})$, on associe une quantité scalaire particulière, appelée *déterminant de* A, désignée par dét A ou $|A|$, ou encore :

$$\begin{vmatrix} a_{11} & a_{12} & \cdots & a_{1n} \\ a_{21} & a_{22} & \cdots & a_{2n} \\ \vdots & \vdots & \vdots & \vdots \\ a_{n1} & a_{n2} & \cdots & a_{nn} \end{vmatrix}$$

L'expression ci-dessus, représentant un tableau $n \times n$ de scalaires encadré par deux barres verticales, est la notation habituelle pour le *déterminant d'ordre n* associé à la matrice $n \times n$ correspondante, avec laquelle il ne faut pas le confondre.

La fonction « déterminant » a été mise en œuvre pour la première fois lors de l'étude des systèmes d'équations linéaires. Comme nous allons le voir, le déterminant est un outil indispensable à l'étude des propriétés des matrices carrées.

La définition et la plupart des propriétés du déterminant sont encore valables lorsque les éléments de la matrice appartiennent à un anneau commutatif.

Nous commencerons par le cas particulier des déterminants d'ordre 1, 2 et 3, avant de définir un déterminant d'ordre quelconque. Il est en effet nécessaire, avant d'aborder la définition générale, d'introduire et d'étudier la notion de *permutation*.

8.2 DÉTERMINANTS D'ORDRE 1 ET 2

Les déterminants d'ordre 1 et 2 sont définis comme suit :

$$|a_{11}| = a_{11} \quad \text{et} \quad \begin{vmatrix} a_{11} & a_{12} \\ a_{21} & a_{22} \end{vmatrix} = a_{11}a_{22} - a_{12}a_{21}$$

Le déterminant de la matrice 1×1, $A = (a_{11})$, est le scalaire a_{11} lui-même, soit $\text{dét} A = |a_{11}| = a_{11}$. On peut aisément se souvenir de la formule donnant le déterminant d'ordre 2 en examinant le diagramme suivant :

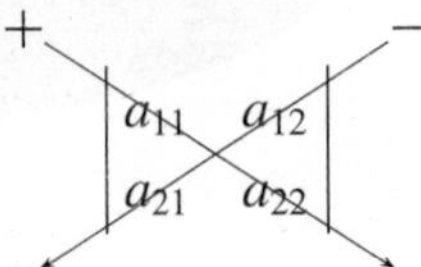

On calcule le produit des éléments le long de la flèche « + », auquel on retranche le produit des éléments le long de la flèche « − ». Nous verrons que l'on peut établir un diagramme de même nature pour les déterminants d'ordre 3, mais qu'il n'en existe pas pour les ordres supérieurs.

Exemple 8.1

(a) Puisqu'un déterminant d'ordre 1 est le scalaire lui-même, on a :

$$\text{dét}(27) = 27, \quad \text{dét}(-7) = -7, \quad \text{dét}(t-3) = t-3$$

(b) $\begin{vmatrix} 5 & 3 \\ 4 & 6 \end{vmatrix} = 5 \cdot 6 - 3 \cdot 4 = 30 - 12 = 18, \qquad \begin{vmatrix} 3 & 2 \\ -5 & 7 \end{vmatrix} = 21 + 10 = 31$

8.2.1 Application aux équations linéaires

Soit un système arbitraire de deux équations à deux inconnues :

$$a_1 x + b_1 y = c_1$$
$$a_2 x + b_2 y = c_2$$

Désignons par $D = a_1 b_2 - a_2 b_1$ le déterminant de la matrice des coefficients. Alors le système a une solution et une seule si et seulement si $D \neq 0$. Dans ce cas, la solution peut être entièrement explicitée à l'aide des déterminants, de la manière suivante :

$$x = \frac{N_x}{D} = \frac{b_2 c_1 - b_1 c_2}{a_1 b_2 - a_2 b_1} = \frac{\begin{vmatrix} c_1 & b_1 \\ c_2 & b_2 \end{vmatrix}}{\begin{vmatrix} a_1 & b_1 \\ a_2 & b_2 \end{vmatrix}}, \quad y = \frac{N_y}{D} = \frac{a_1 c_2 - a_2 c_1}{a_1 b_2 - a_2 b_1} = \frac{\begin{vmatrix} a_1 & c_1 \\ a_2 & c_2 \end{vmatrix}}{\begin{vmatrix} a_1 & b_1 \\ a_2 & b_2 \end{vmatrix}}$$

On voit apparaître D au dénominateur des deux quotients. Les numérateurs N_x et N_y des quotients donnant respectivement x et y s'obtiennent en substituant dans D la colonne des seconds membres à la colonne des coefficients de l'inconnue correspondante. D'autre part, il est clair que si $D = 0$, le système peut soit être sans solution (système impossible), soit avoir plus d'une solution.

Exemple 8.2

Résoudre par les déterminants le système $\begin{cases} 4x - 3y = 15 \\ 2x + 5y = 1 \end{cases}$.

Solution : calculons tout d'abord le déterminant D de la matrice des coefficients :

$$D = \begin{vmatrix} 4 & -3 \\ 2 & 5 \end{vmatrix} = 4 \cdot 5 - (-3) \cdot 2 = 20 + 6 = 26$$

D étant non nul, le système a une solution unique. Pour obtenir les numérateurs N_x et N_y, il suffit de remplacer dans la matrice des coefficients la colonne des coefficients de x et y, respectivement, par la colonne des seconds membres, puis de calculer les déterminants :

$$N_x = \begin{vmatrix} 15 & -3 \\ 1 & 5 \end{vmatrix} = 75 + 3 = 78, \quad N_y = \begin{vmatrix} 4 & 15 \\ 2 & 1 \end{vmatrix} = 4 - 30 = -26$$

La solution (et la seule) du système s'écrit donc :

$$x = \frac{N_x}{D} = \frac{78}{26} = 3 \quad \text{et} \quad y = \frac{N_y}{D} = \frac{-26}{26} = -1$$

8.3 DÉTERMINANTS D'ORDRE 3

Soit une matrice 3×3 quelconque ; son déterminant est défini comme suit :

$$\text{dét}\, A = \begin{vmatrix} a_{11} & a_{12} & a_{13} \\ a_{21} & a_{22} & a_{23} \\ a_{31} & a_{32} & a_{33} \end{vmatrix} = a_{11}a_{22}a_{33} + a_{12}a_{23}a_{31} + a_{13}a_{21}a_{32} - a_{13}a_{22}a_{31} - a_{12}a_{21}a_{33} - a_{11}a_{23}a_{32}$$

Il y a six produits de trois éléments de la matrice originale ; trois de ces produits sont comptés avec le signe « + », et les trois autres avec le signe « − ».

Les diagrammes de la figure 8.1 peuvent aider à se souvenir de la formule : le déterminant est égal à la somme des produits le long des flèches « + », et de la somme des opposés des produits le long des flèches « − ». Répétons qu'il n'existe pas de diagramme de ce genre pour les déterminants d'ordre supérieur à 3.

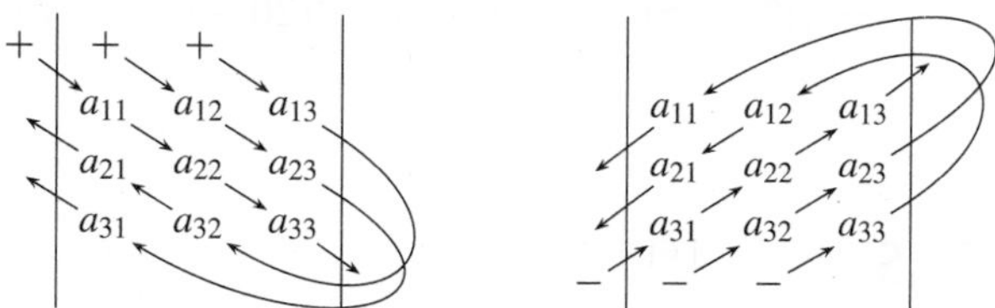

Figure 8.1 Calcul d'un déterminant 3×3.

Exemple 8.3

Soient les matrices $A = \begin{pmatrix} 2 & 1 & 1 \\ 0 & 5 & -2 \\ 1 & -3 & 4 \end{pmatrix}$ et $B = \begin{pmatrix} 3 & 2 & 1 \\ -4 & 5 & -1 \\ 2 & -3 & 4 \end{pmatrix}$. Calculons leurs déterminants.

À l'aide des diagrammes de la figure 8.1, on peut écrire :

$$\begin{aligned} \text{dét}\, A &= 2 \cdot 5 \cdot 4 + 1 \cdot (-2) \cdot 1 + 1 \cdot (-3) \cdot 0 - 1 \cdot 5 \cdot 1 - (-3) \cdot (-2) \cdot 2 - 4 \cdot 1 \cdot 0 \\ &= 40 - 2 + 0 - 5 - 12 - 0 = 21 \\ \text{dét}\, B &= 60 - 4 + 12 - 10 - 9 + 32 = 81 \end{aligned}$$

8.3.1 Autre expression du déterminant d'ordre 3

On peut récrire le déterminant de la matrice 3×3, $A = (a_{ij})$, de la manière suivante :

$$\begin{aligned}\text{dét}\, A &= a_{11}(a_{22}a_{33} - a_{23}a_{32}) - a_{12}(a_{21}a_{33} - a_{23}a_{31}) + a_{13}(a_{21}a_{32} - a_{22}a_{31}) \\ &= a_{11}\begin{vmatrix} a_{22} & a_{23} \\ a_{32} & a_{33} \end{vmatrix} - a_{12}\begin{vmatrix} a_{21} & a_{23} \\ a_{31} & a_{33} \end{vmatrix} + a_{13}\begin{vmatrix} a_{21} & a_{22} \\ a_{31} & a_{32} \end{vmatrix}\end{aligned}$$

qui est une combinaison linéaire de trois déterminants d'ordre 2 dont les coefficients constituent, en alternant les signes, la première ligne de la matrice donnée. On peut représenter cette combinaison linéaire sous la forme :

$$a_{11}\begin{vmatrix} a_{11} & a_{12} & a_{13} \\ a_{21} & a_{22} & a_{23} \\ a_{31} & a_{32} & a_{33} \end{vmatrix} - a_{12}\begin{vmatrix} a_{11} & a_{12} & a_{13} \\ a_{21} & a_{22} & a_{23} \\ a_{31} & a_{32} & a_{33} \end{vmatrix} + a_{13}\begin{vmatrix} a_{11} & a_{12} & a_{13} \\ a_{21} & a_{22} & a_{23} \\ a_{31} & a_{32} & a_{33} \end{vmatrix}$$

Chacun des déterminants 2×2 s'obtient en supprimant de la matrice originale la ligne et la colonne de son coefficient.

Exemple 8.4

$$\begin{vmatrix} 1 & 2 & 3 \\ 4 & -2 & 3 \\ 0 & 5 & -1 \end{vmatrix} = 1\begin{vmatrix} 1 & 2 & 3 \\ 4 & -2 & 3 \\ 0 & 5 & -1 \end{vmatrix} - 2\begin{vmatrix} 1 & 2 & 3 \\ 4 & -2 & 3 \\ 0 & 5 & -1 \end{vmatrix} + 3\begin{vmatrix} 1 & 2 & 3 \\ 4 & -2 & 3 \\ 0 & 5 & -1 \end{vmatrix}$$

$$= 1\begin{vmatrix} -2 & 3 \\ 5 & -1 \end{vmatrix} - 2\begin{vmatrix} 4 & 3 \\ 0 & -1 \end{vmatrix} + 3\begin{vmatrix} 4 & -2 \\ 0 & 5 \end{vmatrix}$$

$$= 1(2 - 15) - 2(-4 + 0) + 3(20 + 0) = -13 + 8 + 60 = 55$$

8.4 PERMUTATIONS

Par définition, une permutation σ de l'ensemble $\{1, 2, \ldots, n\}$ est une bijection de l'ensemble sur lui-même ou, de façon équivalente, un réarrangement de ses termes. Une telle permutation est notée par :

$$\sigma = \begin{pmatrix} 1 & 2 & \ldots & n \\ j_1 & j_2 & \ldots & j_n \end{pmatrix} \quad \text{ou} \quad \sigma = j_1 j_2 \ldots j_n \quad \text{avec} \quad j_i = \sigma(i)$$

L'ensemble de toutes ces permutations est noté S_n, et leur nombre est $n!$. Si $\sigma \in S_n$, alors l'application inverse $\sigma^{-1} \in S_n$, et si $\sigma, \tau \in S_n$, l'application composée $\sigma \circ \tau \in S_n$. L'application identique $\varepsilon = \sigma \circ \sigma^{-1} \in S_n$, et l'on a simplement $\varepsilon = 123 \ldots n$.

Exemple 8.5

(a) Il y a $2! = 2 \cdot 1 = 2$ permutations dans S_2, qui sont 12 et 21 ;

(b) Il y a $3! = 3 \cdot 2 \cdot 1 = 6$ permutations dans S_3, qui sont 123, 132, 213, 231, 312 et 321.

8.4.1 Signe (parité) d'une permutation

Considérons une permutation quelconque $\sigma \in S_n$, soit $\sigma = j_1 j_2 \dots j_n$. On dit que σ est une permutation paire ou impaire selon la parité du nombre d'inversions qui s'y trouvent. Une *inversion* est un couple d'entiers (i, k) tels que $i > k$, mais i précède k dans σ. Le signe de σ, ou parité, noté $\operatorname{sgn} \sigma$, est défini par :

$$\operatorname{sgn} \sigma = \begin{cases} +1 & \text{si } \sigma \text{ est paire} \\ -1 & \text{si } \sigma \text{ est impaire} \end{cases}$$

Exemple 8.6

(a) Déterminer le signe de $\sigma = 35142 \in S_5$.

Pour chaque élément k, on doit compter le nombre d'éléments i tels que $i > k$ et i précède k :

- il y a deux éléments (3 et 5) supérieurs à 1 et qui le précèdent ;
- il y a trois éléments (3, 5 et 4) supérieurs à 2 et qui le précèdent ;
- il y a un élément (5) supérieur à 4 et qui le précède ;
- enfin, aucun élément n'est supérieur ni à 3 ni à 5 tout en le précédant.

On a donc en tout six inversions, et par par conséquent σ est paire : $\operatorname{sgn} \sigma = 1$.

(b) La permutation identité $\varepsilon = 12 \dots n$ est paire, puisqu'elle ne comporte aucune inversion.

(c) Dans S_2, la permutation 12 est paire et la permutation 21 est impaire. Dans S_3, les permutations 123, 231 et 312 sont paires, tandis que les permutations 132, 213 et 321 sont impaires.

(d) Soit τ la permutation qui échange les deux éléments i et j, en laissant tous les autres à leur place, soit :

$$\tau(i) = j, \quad \tau(j) = i, \quad \tau(k) = k \text{ si } k \neq i, j$$

Une telle permutation est désignée sous le nom de *transposition*. Si $i < j$, il y a $2(j - i) + 1$ inversions dans τ, par conséquent la transposition τ est impaire.

Remarque : on peut montrer que, $\forall n$, la moitié des permutations de S_n sont paires, et l'autre moitié est impaire. Nous avons vu par exemple que trois des permutations de S_3 sont paires, et que les trois autres sont impaires.

8.5 DÉTERMINANTS D'ORDRE QUELCONQUE

Soit $A = (a_{ij})$ une matrice carrée de taille n sur un corps $\mathbb{K}$. Considérons un produit de n éléments de A tel qu'il n'y ait qu'un élément et un seul qui appartienne à une ligne donnée, et un élément et un seul qui appartienne à une colonne donnée. Un tel produit peut s'écrire sous la forme :

$$a_{1j_1} a_{2j_2} \dots a_{nj_n}$$

Les éléments venant de lignes différentes, on peut écrire le 1er indice, l'indice de ligne, dans l'ordre naturel $1, 2, \dots, n$. Puisqu'ils viennent aussi de colonnes différentes, les indices de colonnes forment une permutation $\sigma = j_1 j_2 \dots j_n \in S_n$. Inversement, chaque permutation de S_n caractérise un produit de cette forme. À partir des éléments de la matrice A, on peut donc former $n!$ tels produits.

◆ **Définition 8.1 :** Le déterminant $|A| = \text{dét}\,A$ d'une matrice carrée $A = (a_{ij})$ de dimension n est la somme des $n!$ produits ci-dessus, chacun étant multiplié par le signe de la permutation correspondante des indices de colonne :

$$|A| = \sum_{\sigma \in S_n} \operatorname{sgn} \sigma \; a_{1j_1} a_{2j_2} \ldots a_{nj_n}$$
$$= \sum_{\sigma \in S_n} \operatorname{sgn} \sigma \; a_{1\sigma(1)} a_{2\sigma(2)} \ldots a_{n\sigma(n)}$$

Un tel déterminant est dit d'ordre n.

Dans l'exemple suivant, nous montrons que cette définition coïncide, pour $n = 1$, 2 et 3, avec celles des § 8.2 et 8.3.

Exemple 8.7

(a) Soit $A = (a_{11})$ une matrice 1×1. S_1 ne comportant qu'une seule permutation, et celle-ci étant paire, on a $\text{dét}\,A = a_{11}$, l'élément lui-même.

(b) Soit $A = (a_{ij})$ une matrice 2×2. Dans S_2, la permutation 12 est paire et la permutation 21 est impaire. On a donc :

$$\text{dét}\,A = \begin{vmatrix} a_{11} & a_{12} \\ a_{21} & a_{22} \end{vmatrix} = a_{11}a_{22} - a_{12}a_{21}$$

(c) Soit enfin $A = (a_{ij})$ une matrice 3×3. Dans S_3, les permutations 123, 231 et 312 sont paires, et les permutations 132, 213 et 321 impaires. Alors :

$$\text{dét}\,A = \begin{vmatrix} a_{11} & a_{12} & a_{13} \\ a_{21} & a_{22} & a_{23} \\ a_{31} & a_{32} & a_{33} \end{vmatrix} = a_{11}a_{22}a_{33} + a_{12}a_{23}a_{31} + a_{13}a_{21}a_{32} - a_{13}a_{22}a_{31} - a_{12}a_{21}a_{33} - a_{11}a_{23}a_{32}$$

Remarque : lorsque n croît, le nombre de termes du déterminant devient rapidement rédhibitoire, et il convient d'utiliser des méthodes indirectes pour le calculer plutôt que la définition. Dans la suite, nous allons établir nombre de propriétés du déterminant qui nous permettront de réduire considérablement les calculs. En particulier, nous montrerons qu'un déterminant d'ordre n peut s'écrire comme combinaison linéaire de déterminants d'ordre $n - 1$, généralisant ce que nous avons vu plus haut pour $n = 3$.

8.6 PROPRIÉTÉS DES DÉTERMINANTS

Nous présentons ici quelques propriétés élémentaires des déterminants.

✻ **Théorème 8.1 :** Le déterminant d'une matrice A et celui de sa transposée A^T sont égaux : $\text{dét}\,A^T = \text{dét}\,A$.

Grâce à ce théorème, démontré au problème 8.22, tout théorème sur le déterminant, relatif aux lignes d'une matrice A, a son équivalent pour les colonnes de A.

Le théorème suivant, démontré au problème 8.24, montre que dans certains cas, la valeur du déterminant s'obtient immédiatement.

✻ Théorème 8.2 : Soit A une matrice carrée.

(a) Si A a une ligne (ou une colonne) nulle, alors $|A| = 0$.

(b) Si A a deux lignes (ou colonnes) identiques, alors $|A| = 0$.

(c) Si A est triangulaire, autrement dit si tous les éléments au-dessus ou au-dessous de la diagonale sont nuls, alors $|A|$ est égal au produit des éléments diagonaux. En particulier, $|I| = 1$, où I est la matrice unité.

Le théorème suivant, démontré aux problèmes 8.23 et 8.25, montre comment se transforme le déterminant par une opération élémentaire sur les lignes ou les colonnes.

✻ Théorème 8.3 : Considérons une matrice B obtenue à partir d'une matrice A par une opération élémentaire sur les lignes (resp. colonnes).

(a) Si l'on échange deux lignes (resp. colonnes) de A, alors $|B| = -|A|$;

(b) si l'on multiplie une ligne (resp. colonne) de A par un scalaire k, alors $|B| = k|A|$;

(c) si l'on ajoute un multiple d'une ligne (resp. colonne) de A à une autre ligne (resp. colonne) de A, alors $|B| = |A|$.

8.6.1 Propriétés fondamentales des déterminants

Voici deux des propriétés les plus importantes, mais aussi les plus utiles, des déterminants.

✻ Théorème 8.4 : Le déterminant du produit AB de deux matrices A et B est égal au produit des déterminants :

$$\text{dét}(AB) = \text{dét}\, A \,\text{dét}\, B$$

En d'autres termes, le déterminant est une fonction multiplicative.

✻ Théorème 8.5 : Soit A une matrice carrée ; les trois propositions suivantes sont équivalentes :

(a) A est inversible ;

(b) le système $AX = 0$ n'a que la solution nulle $X = 0$;

(c) $\text{dét}\, A \neq 0$.

Remarque : selon l'auteur ou l'ouvrage, une matrice régulière est définie comme une matrice inversible, ou bien comme une matrice de déterminant non nul, ou encore une matrice telle que le système homogène associé $AX = 0$ n'admette que la solution nulle. Le théorème ci-dessus établit l'équivalence entre toutes ces définitions.

Les théorèmes 8.4 et 8.5 seront démontrés respectivement aux problèmes 8.29 et 8.28, grâce à la théorie des matrices élémentaires et du lemme suivant, démontré au problème 8.26, qui est lui-même un cas particulier du théorème 8.4.

> ✻ **Lemme 8.6 :** Soit E une matrice élémentaire. Alors, pour toute matrice A, $|EA| = |E||A|$.

Rappelons que deux matrices A et B sont semblables s'il existe une matrice régulière P telle que $B = P^{-1}AP$. En utilisant la propriété multiplicative du déterminant (théorème 8.4), on montre facilement (problème 8.31) le théorème suivant :

> ✻ **Théorème 8.7 :** Soient A et B deux matrices semblables. Alors $|A| = |B|$.

8.7 MINEURS ET COFACTEURS

Considérons une matrice carrée $A = (a_{ij})$ de taille n. Désignons par M_{ij} la matrice carrée de taille $n-1$ obtenue en supprimant de A sa i-ème ligne et sa j-ème colonne. On appelle *mineur* de l'élément a_{ij} le déterminant $|M_{ij}|$, et on appelle *cofacteur* de a_{ij}, noté A_{ij}, le mineur « signé » :

$$A_{ij} = (-1)^{i+j}|M_{ij}|$$

On remarque que les signes $(-1)^{i+j}$ multipliant les mineurs forment un damier, avec des « + » sur la diagonale :

$$\begin{pmatrix} + & - & + & - & \cdots \\ - & + & - & + & \cdots \\ + & - & + & - & \cdots \\ \vdots & \vdots & \vdots & \vdots & \vdots \end{pmatrix}$$

On fera attention aux notations : M_{ij} est une matrice, mais le cofacteur A_{ij} est un scalaire.

> **Remarque :** le signe $(-1)^{i+j}$ du cofacteur s'obtient aisément avec l'image du damier ; plus précisément, on part d'un « + » de la diagonale, et on alterne les signes en se déplaçant de la diagonale à la case appropriée.

Exemple 8.8

soit $A = \begin{pmatrix} 1 & 2 & 3 \\ 4 & 5 & 6 \\ 7 & 8 & 9 \end{pmatrix}$. Déterminer les mineurs et cofacteurs suivants :

(a) $|M_{23}|$ et A_{23} ; (b) $|M_{31}|$ et A_{31}.

Solution :

(a) $|M_{23}| = \begin{vmatrix} 1 & 2 & 3 \\ 4 & 5 & 6 \\ 7 & 8 & 9 \end{vmatrix} = \begin{vmatrix} 1 & 2 \\ 7 & 8 \end{vmatrix} = 8 - 14 = -6$, d'où $A_{23} = (-1)^{2+3}|M_{23}| = -(-6) = 6$.

(b) $|M_{31}| = \begin{vmatrix} 1 & 2 & 3 \\ 4 & 5 & 6 \\ 7 & 8 & 9 \end{vmatrix} = \begin{vmatrix} 2 & 3 \\ 5 & 6 \end{vmatrix} = 12 - 15 = -3,$

d'où $A_{31} = (-1)^{1+3}|M_{31}| = +(-3) = -3.$

8.7.1 Développement de Laplace

Le théorème suivant est démontré au problème 8.32.

*** Théorème 8.8 (Laplace) :** Le déterminant d'une matrice carrée $A = (a_{ij})$ est égal à la somme des produits obtenus en multipliant les éléments d'une ligne (resp. colonne) quelconque par leurs cofacteurs respectifs :

$$|A| = a_{i1}A_{i1} + a_{i2}A_{i2} + \cdots + a_{in}A_{in} = \sum_{j=1}^{n} a_{ij}A_{ij}$$

$$|A| = a_{1j}A_{1j} + a_{2j}A_{2j} + \cdots + a_{nj}A_{nj} = \sum_{i=1}^{n} a_{ij}A_{ij}$$

Les relations ci-dessus sont appelées *développements de Laplace* du déterminant de A selon, respectivement, la i-ème ligne et la j-ème colonne. Conjuguées avec les opérations élémentaires sur les lignes (colonnes), elles permettent, comme nous allons le voir, des simplifications substantielles des calculs.

8.8 CALCUL PRATIQUE DES DÉTERMINANTS

L'algorithme suivant permet de ramener le calcul d'un déterminant d'ordre n à celui d'un déterminant d'ordre $n - 1$.

*** Algorithme 8.1 (réduction de l'ordre d'un déterminant) :** L'entrée est une matrice carrée $n \times n$, $A = (a_{ij})$, avec $n > 1$.

Étape 1 Choisir un élément $a_{ij} = 1$, ou à défaut, $a_{ij} \neq 0$.

Étape 2 En se servant de a_{ij} comme pivot, appliquer des opérations élémentaires sur les lignes (colonnes) afin de rendre nuls tous les éléments de la colonne (ligne) de a_{ij}.

Étape 3 Développer le déterminant selon la colonne (ligne) de a_{ij}.

On peut faire les deux remarques suivantes :

(a) L'algorithme 8.1 est essentiellement utilisé pour calculer des déterminants d'ordre supérieur ou égal à 4. Pour un déterminant d'ordre 3 ou inférieur, on utilise les techniques vues aux § 8.2 et 8.3.

(b) L'algorithme d'élimination de Gauss, ou l'itération de l'algorithme 8.1, combiné avec des permutations de lignes, peut être utilisé pour transformer une matrice A en une matrice triangulaire dont le déterminant est le produit des éléments diagonaux. Il convient néanmoins de garder trace des permutations effectuées, puisque le signe du déterminant change à chaque permutation.

Exemple 8.9

Utilisons l'algorithme 8.1 pour calculer le déterminant de la matrice $A = \begin{pmatrix} 5 & 4 & 2 & 1 \\ 2 & 3 & 1 & -2 \\ -5 & -7 & -3 & 9 \\ 1 & -2 & -1 & 4 \end{pmatrix}$.

Prenons $a_{23} = 1$ comme pivot pour annuler tous les autres éléments de la 2e colonne : appliquons les transformations $-2R_2 + R_1 \to R_1$, $2R_2 + R_3 \to R_3$ et $R_2 + R_4 \to R_4$. D'après le théorème 8.3(c), de telles opérations laissent le déterminant inchangé :

$$|A| = \begin{vmatrix} 5 & 4 & 2 & 1 \\ 2 & 3 & 1 & -2 \\ -5 & -7 & -3 & 9 \\ 1 & -2 & -1 & 4 \end{vmatrix} = \begin{vmatrix} 1 & -2 & 0 & 5 \\ 2 & 3 & 1 & -2 \\ 1 & 2 & 0 & 3 \\ 3 & 1 & 0 & 2 \end{vmatrix}$$

Développons selon la 3e colonne ; ce développement ne contient qu'un seul terme, celui de a_{21}, dont le signe est donné par $(-1)^{2+3} = -1$:

$$|A| = \begin{vmatrix} 1 & 2 & 0 & 5 \\ 2 & 3 & 1 & -2 \\ 1 & 2 & 0 & 3 \\ 3 & 1 & 0 & 2 \end{vmatrix} = -\begin{vmatrix} 1 & -2 & 5 \\ 1 & 2 & 3 \\ 3 & 1 & 2 \end{vmatrix} = -(4 - 18 + 5 - 30 - 3 + 4) = -(-38) = 38$$

8.9 MATRICE ADJOINTE

Soit $A = (a_{ij})$ une matrice carrée sur un corps $\mathbb{K}$, et soit A_{ij} le cofacteur de l'élément a_{ij}. On appelle *matrice adjointe* de A, notée $\operatorname{adj} A$, la matrice transposée de la matrice des cofacteurs de A :

$$\operatorname{adj} A = (A_{ij})^T$$

Remarque : nous verrons au chapitre 13 que le nom « adjoint » est également utilisé pour une notion totalement différente. On devra donc être attentif au contexte dans lequel le mot « adjoint » est employé pour lever l'ambiguïté.

Exemple 8.10

Soit $A = \begin{pmatrix} 2 & 3 & -4 \\ 0 & -4 & 2 \\ 1 & -1 & 5 \end{pmatrix}$. Les cofacteurs de chacun des neuf éléments sont les suivants :

$$A_{11} = +\begin{vmatrix} -4 & 2 \\ -1 & 5 \end{vmatrix} = -18 \qquad A_{12} = -\begin{vmatrix} 0 & 2 \\ 1 & 5 \end{vmatrix} = 2 \qquad A_{13} = +\begin{vmatrix} 0 & -4 \\ 1 & -1 \end{vmatrix} = 4$$

$$A_{21} = -\begin{vmatrix} 3 & -4 \\ -1 & 5 \end{vmatrix} = -11 \qquad A_{22} = +\begin{vmatrix} 2 & -4 \\ 1 & 5 \end{vmatrix} = 14 \qquad A_{23} = -\begin{vmatrix} 2 & 3 \\ 1 & -1 \end{vmatrix} = 5$$

$$A_{31} = +\begin{vmatrix} 3 & -4 \\ -4 & 2 \end{vmatrix} = -10 \qquad A_{32} = -\begin{vmatrix} 2 & -4 \\ 0 & 2 \end{vmatrix} = -4 \qquad A_{33} = +\begin{vmatrix} 2 & 3 \\ 0 & -4 \end{vmatrix} = -8$$

L'adjointe de A est la transposée de la matrice des cofacteurs ci-dessus, soit :

$$\operatorname{adj} A = \begin{pmatrix} -18 & -11 & -10 \\ 2 & 14 & -4 \\ 4 & 5 & -8 \end{pmatrix}$$

Le théorème suivant est démontré au problème 8.34 :

*** Théorème 8.9 :** Soit A une matrice carrée arbitraire. Alors :

$$A(\operatorname{adj} A) = (\operatorname{adj} A)A = |A|I$$

où I est la matrice unité. On en déduit, si $|A| \neq 0$:

$$A^{-1} = \frac{1}{|A|} \operatorname{adj} A$$

Exemple 8.11

Soit A la matrice de l'exemple 8.10 ; calculons son déterminant :

$$\text{dét} A = -40 + 6 + 0 - 16 + 4 + 0 = -46$$

$|A| \neq 0$, par conséquent A a un inverse ; d'après le théorème 8.9 :

$$A^{-1} = \frac{1}{|A|} \operatorname{adj} A = -\frac{1}{46} \begin{pmatrix} -18 & -11 & -10 \\ 2 & 14 & -4 \\ 4 & 5 & -8 \end{pmatrix} = \begin{pmatrix} \frac{9}{23} & \frac{11}{46} & \frac{5}{23} \\ -\frac{1}{23} & -\frac{7}{23} & \frac{2}{23} \\ -\frac{2}{23} & -\frac{5}{46} & \frac{4}{23} \end{pmatrix}$$

8.10 APPLICATION AUX ÉQUATIONS LINÉAIRES, RÈGLE DE CRAMER

Considérons un système $AX = B$ de n équations linéaires à n inconnues. $A = (a_{ij})$ désigne la matrice (carrée) des coefficients et $B = (b_i)$ le vecteur colonne des seconds membres. Soit A_i la matrice obtenue en remplaçant dans A la i-ème colonne par B. Posons :

$$D = \text{dét} A, \quad N_1 = \text{dét} A_1, \quad N_2 = \text{dét} A_2, \quad \ldots, \quad N_n = \text{dét} A_n$$

La relation fondamentale entre ces déterminants et la solution du système $AX = B$ est la suivante :

*** Théorème 8.10 :** Le système (carré) d'équations linéaires $AX = B$ a une solution si et seulement si $D \neq 0$. Alors, la solution est unique et est donnée par :

$$x_1 = \frac{N_1}{D}, \quad x_2 = \frac{N_2}{D}, \quad \ldots, \quad x_n = \frac{N_n}{D}$$

Ce théorème, démontré au problème 8.35, est connu sous le nom de *méthode de Cramer* de résolution des systèmes d'équations linéaires par les déterminants. Insistons sur le fait que ce théorème ne s'applique qu'aux systèmes ayant le même nombre d'inconnues que d'équations, et ne permet d'obtenir la solution que si $D \neq 0$. Si $D = 0$, le théorème ne permet pas de conclure à l'existence, ou non, d'une solution. Mais dans le cas d'un système homogène, nous avons le résultat suivant, démontré au problème 8.54 :

*** Théorème 8.11 :** Un système homogène carré $AX = 0$ d'équations linéaires a une solution non nulle si et seulement si $D = |A| = 0$.

Exemple 8.12

Résoudre par les déterminants le système $\begin{cases} x + y + z = 5 \\ x - 2y - 3z = -1 \\ 2x + y - z = 3 \end{cases}$.

Calculons le déterminant D de la matrice des coefficients :

$$\begin{vmatrix} 1 & 1 & 1 \\ 1 & -2 & -3 \\ 2 & 1 & -1 \end{vmatrix} = 2 - 6 + 1 + 4 + 3 + 1 = 5$$

D étant non nul, le système a une solution et une seule. Calculons alors les déterminants N_x, N_y et N_z obtenus en remplaçant respectivement dans D les coefficients de x, y et z par les seconds membres :

$$N_x = \begin{vmatrix} 5 & 1 & 1 \\ -1 & -2 & -3 \\ 3 & 1 & -1 \end{vmatrix} = 20, \quad N_y = \begin{vmatrix} 1 & 5 & 1 \\ 1 & -1 & -3 \\ 2 & 3 & -1 \end{vmatrix} = -10, \quad N_z = \begin{vmatrix} 1 & 1 & 5 \\ 1 & -2 & -1 \\ 2 & 1 & 3 \end{vmatrix} = 15$$

La solution unique du système est donc $x = N_x/D = 4$, $y = N_y/D = -2$ et $z = N_z/D = 3$, soit le vecteur $u = (4, -2, 3)$.

8.11 SOUS-MATRICES, MINEURS ET MINEURS PRINCIPAUX

Soit $A = (a_{ij})$ une matrice carrée de taille n. Considérons r lignes et r colonnes arbitraires de A ; en d'autres termes, considérons un ensemble quelconque $I = (i_1, i_2, \ldots, i_r)$ d'indices de ligne et un ensemble quelconque $J = (j_1, j_2, \ldots, j_r)$ d'indices de colonne. I et J définissent une sous-matrice $r \times r$ de A, que l'on note $A(I;\ J)$, obtenue en supprimant de A les lignes dont les indices n'appartiennent pas à I, et les colonnes dont les indices n'appartiennent pas à J :

$$A(I;\ J) = (a_{st} \mid s \in I,\ t \in J)$$

Le déterminant $|A(I;\ J)|$ est appelé *mineur d'ordre r* de la matrice A, et :

$$(-1)^{i_1+i_2+\cdots+i_r+j_1+j_2+\cdots+j_r}|A(I;\ J)|$$

est le mineur signé correspondant. On note qu'un mineur d'ordre $n - 1$ est un mineur au sens du § 8.7, et le mineur signé correspondant est un cofacteur. De plus, si I' et J' désignent respectivement les indices des lignes et des colonnes restantes, alors :

$$|A(I';\ J')|$$

est appelé le *mineur complémentaire* de $|A(I;\ J)|$, et on montre (problème 8.74) qu'il est de même signe.

Exemple 8.13

Soit $A = (a_{ij})$ une matrice carrée de dimension 5, et soit $I = \{1, 2, 4\}$ et $J = \{2, 3, 5\}$. Alors $I' = \{3, 5\}$ et $J' = \{1, 4\}$; le mineur correspondant $|M|$ et son complémentaire $|M'|$ sont donnés par :

$$|M| = |A(I;\ J)| = \begin{vmatrix} a_{12} & a_{13} & a_{15} \\ a_{22} & a_{23} & a_{25} \\ a_{42} & a_{43} & a_{45} \end{vmatrix}$$

et

$$|M'| = |A(I';\ J')| = \begin{vmatrix} a_{31} & a_{34} \\ a_{51} & a_{54} \end{vmatrix}$$

Puisque $1 + 2 + 4 + 2 + 3 + 5 = 17$ est impair, $-|M|$ est le mineur signé, et $-|M'|$ le mineur signé complémentaire.

8.11.1 Mineurs principaux

Un mineur est dit *principal* si les indices de ligne et de colonne sont les mêmes, autrement dit si les éléments diagonaux du mineur sont des éléments diagonaux de la matrice elle-même. Le signe d'un mineur principal vaut toujours $+1$, puisque les deux ensembles d'indices sont identiques, et par conséquent la somme est toujours paire.

Exemple 8.14

Considérons la matrice $A = \begin{pmatrix} 1 & 2 & -1 \\ 3 & 5 & 4 \\ -3 & 1 & -2 \end{pmatrix}$. Calculons les sommes C_1, C_2 et C_3 des mineurs principaux de A d'ordre 1, 2 et 3, respectivement.

(a) Il y a trois mineurs principaux d'ordre 1, qui sont :

$$|1| = 1, \quad |5| = 5, \quad |-2| = -2, \quad \text{d'où} \quad C_1 = 1 + 5 - 2 = 4$$

On remarque que C_1 n'est autre que la trace de A, soit $C_1 = \operatorname{tr} A$.

(b) Il y a trois façons de choisir deux éléments diagonaux parmi les trois, et à chacun des choix correspond un mineur d'ordre 2 :

$$\begin{vmatrix} 1 & 2 \\ 3 & 5 \end{vmatrix} = -1, \quad \begin{vmatrix} 1 & -1 \\ -3 & -2 \end{vmatrix} = -5, \quad \begin{vmatrix} 5 & 4 \\ 1 & -2 \end{vmatrix} = -14$$

Ces mineurs signés d'ordre 2 sont respectivement les cofacteurs A_{33}, A_{22} et A_{11} de la matrice A. On en déduit :

$$C_2 = -1 - 5 - 14 = -20$$

(c) Il n'y a qu'un choix possible de l'ensemble des trois éléments diagonaux. Il n'y a donc qu'un seul mineur d'ordre 3, qui est le déterminant de A lui-même :

$$C_3 = |A| = -10 - 24 - 3 - 15 - 4 + 12 = -44$$

8.12 DÉTERMINANTS DES MATRICES PAR BLOCS

Le théorème suivant, démontré au problème 8.36, est le principal résultat de ce paragraphe.

∗ Théorème 8.12 : Soit M une matrice triangulaire supérieure (resp. inférieure) par blocs, dont les blocs diagonaux sont désignés par $A_1, A_2, \ldots, A_n$. Alors :

$$\text{dét}\, M = \text{dét}\, A_1 \ \text{dét}\, A_2 \ \ldots \ \text{dét}\, A_n$$

Exemple 8.15

Calculer le déterminant de $M = \left(\begin{array}{cc|ccc} 2 & 3 & 4 & 7 & 8 \\ -1 & 5 & 3 & 2 & 1 \\ \hline 0 & 0 & 2 & 1 & 5 \\ 0 & 0 & 3 & -1 & 4 \\ 0 & 0 & 5 & 2 & 6 \end{array}\right)$.

M est une matrice triangulaire supérieure par blocs. Calculons le déterminant de chacun des blocs diagonaux :

$$\begin{vmatrix} 2 & 3 \\ -1 & 5 \end{vmatrix} = 10 + 3 = 13, \quad \begin{vmatrix} 2 & 1 & 5 \\ 3 & -1 & 4 \\ 5 & 2 & 6 \end{vmatrix} = -12 + 20 + 30 + 25 - 16 - 18 = 29$$

On en déduit $|M| = 13 \cdot 29 = 377$.

Remarque : si M est une matrice par blocs de la forme $M = \begin{pmatrix} A & B \\ C & D \end{pmatrix}$, il est en général faux d'écrire $|M| = |A||D| - |B||C|$ (voir problème 8.68).

8.13 DÉTERMINANTS ET VOLUME

La notion de déterminant est intimement liée à celle de surface ou de volume : soient $u_1, u_2, \ldots, u_n$ des vecteurs de $\mathbb{R}^n$. Considérons le solide parallélépipédique S qu'ils engendrent :

$$S = \{a_1 u_1 + a_2 u_2 + \cdots + a_n u_n \mid 0 \le a_i \le 1, \ i = 1, 2, \ldots, n\}$$

Pour $n = 2$, la construction se réduit à celle d'un parallélogramme. On désigne par $V(S)$ le volume (la surface pour $n = 2$) de S. Alors :

$$V(S) = |\,\text{dét}\, A|$$

la valeur absolue du déterminant[1] de A, où A est la matrice de lignes $u_1, u_2, \ldots, u_n$. De manière générale, $V(S) = 0$ si et seulement si les vecteurs forment un système lié de $\mathbb{R}^n$.

1. Le déterminant $\text{dét}\, A = |A|$ d'une matrice est écrit avec la même notation « $|\cdot|$ » que la valeur absolue : il convient d'être attentif pour éviter les confusions.

Exemple 8.16

Soient $u_1 = (1, 1, 0)$, $u_2 = (1, 1, 1)$ et $u_3 = (0, 2, 3)$. Calculons le volume du parallélépipède S de $\mathbb{R}^3$ formé par ces trois vecteurs (figure 8.2).

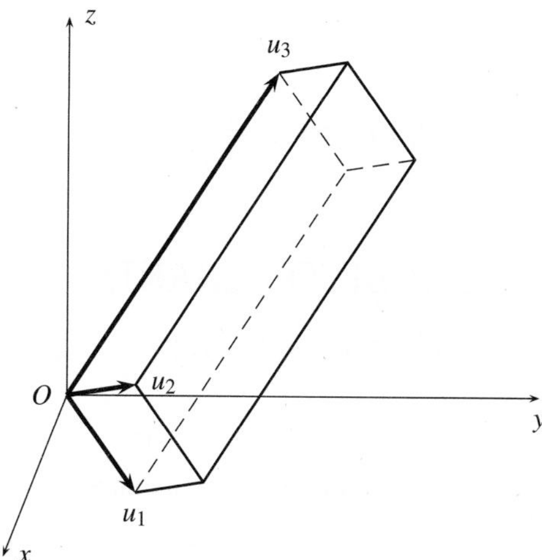

Figure 8.2 Déterminant et volume dans $\mathbb{R}^3$.

$$\begin{vmatrix} 1 & 1 & 0 \\ 1 & 1 & 1 \\ 0 & 2 & 3 \end{vmatrix} = 3 + 0 + 0 - 0 - 2 - 3 = -2$$

En définitive, $V(S) = |-2| = 2$.

8.14 DÉTERMINANT D'UN OPÉRATEUR LINÉAIRE

Soit F un endomorphisme d'un espace vectoriel V de dimension finie, et soit A la représentation matricielle de F sur une base quelconque S de V. Le déterminant de F, noté $\text{dét}\, F$, est défini par :

$$\text{dét}\, F = |A|$$

Si B est la matrice représentant F sur une autre base S', alors A et B sont des matrices semblables (théorème 6.7), et donc $|A| = |B|$ en vertu du théorème 8.7. En d'autres termes, le déterminant de F ainsi défini est indépendant de la base particulière choisie.

Le théorème suivant, démontré au problème 8.62, résulte des théorèmes analogues sur les matrices :

*** Théorème 8.13 :** Soient F et G deux endomorphismes d'un espace vectoriel V. Alors :

(a) $\text{dét}(F \circ G) = \text{dét}\, F\, \text{dét}\, G$;

(b) F est inversible si et seulement si $\text{dét}\, F \neq 0$.

Exemple 8.17
Soit F l'endomorphisme de $\mathbb{R}^3$ suivant, et A la matrice qui le représente sur la base canonique :

$$F(x, y, z) = (2x - 4y + z,\ x - 2y + 3z,\ 5x + y - z) \quad \text{et} \quad A = \begin{pmatrix} 2 & -4 & 1 \\ 1 & -2 & 3 \\ 5 & 1 & -1 \end{pmatrix}$$

Alors $\text{dét}\, F = |A| = 4 - 60 + 1 + 10 - 6 - 4 = -55$.

8.15 MULTILINÉARITÉ ET DÉTERMINANTS

Soit V un espace vectoriel sur un corps $\mathbb{K}$. Considérons l'ensemble $\mathcal{A} = V^n$, dont les éléments sont les multiplets A d'ordre n suivants :

$$A = (A_1, A_2, \ldots, A_n)$$

où les A_i sont des vecteurs de V. Posons les définitions suivantes :

◆ **Définition 8.2 :** Une application $D : \mathcal{A} \to \mathbb{K}$ est appelée *forme multilinéaire* si elle est linéaire par rapport à chacune des composantes :
(a) si $A_i = B + C$, alors :

$$D(A) = D(\ldots,\ B + C,\ \ldots) = D(\ldots,\ B,\ \ldots) + D(\ldots,\ C,\ \ldots)$$

(b) et si $A_i = kB$, $k \in \mathbb{K}$, alors :

$$D(A) = D(\ldots,\ kB,\ \ldots) = kD(\ldots,\ B,\ \ldots)$$

On utilise aussi la notation n-linéaire pour indiquer la multilinéarité par rapport à n composantes.

◆ **Définition 8.3 :** Une application $D : \mathcal{A} \to \mathbb{K}$ est dite *alternée* si $D(A) = 0$ lorsque A contient deux éléments identiques :

$$D(A_1, A_2, \ldots, A_n) = 0 \quad \text{s'il existe un couple (i, j) tel que} \quad A_i = A_j$$

Soit $\mathbf{M}$ l'ensemble des matrices carrées de taille n sur $\mathbb{K}$. Chaque matrice $A \in \mathbf{M}$ peut être considérée comme un multiplet d'ordre n constitué de ses lignes $A_1, A_2, \ldots, A_n$, c'est-à-dire $A = (A_1, A_2, \ldots, A_n)$. Le théorème suivant (démontré au problème 8.37) fournit une caractérisation de la fonction « déterminant » :

* **Théorème 8.14 :** Il existe une fonction et une seule $D : \mathbf{M} \to \mathbb{K}$ telle que :
(a) D est multilinéaire ;
(b) D est alternée ;
(c) $D(I) = 1$.

Cette forme multilinéaire alternée D est le *déterminant* : $\forall A \in \mathbf{M}$, $D(A) = |A|$.

EXERCICES CORRIGÉS

CALCUL DE DÉTERMINANTS

8.1 Calculer le déterminant des matrices suivantes :

(a) $A = \begin{pmatrix} 6 & 5 \\ 2 & 3 \end{pmatrix}$; (b) $B = \begin{pmatrix} 2 & -3 \\ 4 & 7 \end{pmatrix}$; (c) $C = \begin{pmatrix} 4 & -5 \\ -1 & -2 \end{pmatrix}$; (d) $D = \begin{pmatrix} t-5 & 6 \\ 3 & t+2 \end{pmatrix}$.

Solution : on utilise la relation $D = \begin{vmatrix} a & b \\ c & d \end{vmatrix} = ad - bc$:

(a) $|A| = 6 \times 3 - 5 \times 2 = 18 - 10 = 8$;

(b) $|B| = 14 + 12 = 26$;

(c) $|C| = -8 - 5 = -13$;

(d) $|D| = (t-5)(t+2) - 18 = t^2 - 3t - 10 - 18 = t^2 - 3t - 28$.

8.2 Calculer le déterminant des matrices suivantes :

(a) $A = \begin{pmatrix} 2 & 3 & 4 \\ 5 & 4 & 3 \\ 1 & 2 & 1 \end{pmatrix}$; (b) $B = \begin{pmatrix} 1 & -2 & 3 \\ 2 & 4 & -1 \\ 1 & 5 & -2 \end{pmatrix}$; (c) $C = \begin{pmatrix} 1 & 3 & -5 \\ 3 & -1 & 2 \\ 1 & -2 & 1 \end{pmatrix}$.

Solution : on se sert du diagramme de la figure 8.1, page 337 pour écrire puis sommer les six produits :

(a) $|A| = 2\cdot4\cdot1 + 3\cdot3\cdot1 + 4\cdot2\cdot5 - 1\cdot4\cdot4 - 2\cdot3\cdot2 - 1\cdot3\cdot5 = 8 + 9 + 40 - 16 - 12 - 15 = 14$;

(b) $|B| = -8 + 2 + 30 - 12 + 5 - 8 = 9$;

(c) $|C| = -1 + 6 + 30 - 5 + 4 - 9 = 25$.

8.3 Calculer le déterminant des matrices suivantes :

(a) $A = \begin{pmatrix} 2 & 3 & 4 \\ 5 & 6 & 7 \\ 8 & 9 & 1 \end{pmatrix}$; (b) $B = \begin{pmatrix} 4 & -6 & 8 & 9 \\ 0 & -2 & 7 & -3 \\ 0 & 0 & 5 & 6 \\ 0 & 0 & 0 & 3 \end{pmatrix}$; (c) $C = \begin{pmatrix} \frac{1}{2} & -1 & -\frac{1}{3} \\ \frac{3}{4} & \frac{1}{2} & -1 \\ 1 & -4 & 1 \end{pmatrix}$.

Solution :

(a) On peut simplifier la matrice, par exemple appliquant l'opération sur les lignes $-2R_1 + R_2 \to R_2$, ce qui ne change pas le déterminant :

$$|A| = \begin{vmatrix} 2 & 3 & 4 \\ 5 & 6 & 7 \\ 8 & 9 & 1 \end{vmatrix} = \begin{vmatrix} 2 & 3 & 4 \\ 1 & 0 & -1 \\ 8 & 9 & 1 \end{vmatrix} = 0 - 24 + 36 - 0 + 18 - 3 = 27$$

(b) B étant une matrice triangulaire, le déterminant est égal au produit des éléments diagonaux : $|B| = -120$.

(c) Les calculs sont plus simples si l'on se débarrasse des fractions ; multiplions la première ligne par 6 et la deuxième par 4 :

$$24|C| = \begin{vmatrix} 3 & -6 & -2 \\ 3 & 2 & -4 \\ 1 & -4 & 1 \end{vmatrix} = 6 + 24 + 24 + 4 - 48 + 18 = 28 \Rightarrow |C| = \frac{28}{24} = \frac{7}{6}$$

8.4 Calculer le déterminant des deux matrices suivantes :

(a) $A = \begin{pmatrix} 2 & 5 & -3 & -2 \\ -2 & -3 & 2 & -5 \\ 1 & 3 & -2 & 2 \\ -1 & -6 & 4 & 3 \end{pmatrix}$; (b) $B = \begin{pmatrix} 6 & 2 & 1 & 0 & 5 \\ 2 & 1 & 1 & -2 & 1 \\ 1 & 1 & 2 & -2 & 3 \\ 3 & 0 & 2 & 3 & -1 \\ -1 & -1 & -3 & 4 & 2 \end{pmatrix}$.

Solution :

(a) L'élément $a_{31} = 1$ est utilisé comme pivot pour annuler les autres éléments de la première colonne, en appliquant les opérations $-2R_3 + R_1 \to R_1$, $2R_3 + R_2 \to R_2$ et $R_3 + R_4 \to R_4$:

$$|A| = \begin{vmatrix} 2 & 5 & -3 & -2 \\ -2 & -3 & 2 & -5 \\ 1 & 3 & -2 & 2 \\ -1 & -6 & 4 & 3 \end{vmatrix} = \begin{vmatrix} 0 & -1 & 1 & -6 \\ 0 & 3 & -2 & -1 \\ 1 & 3 & -2 & 2 \\ 0 & -3 & 2 & 5 \end{vmatrix} = \begin{vmatrix} -1 & 1 & -6 \\ 3 & -2 & -1 \\ -3 & 2 & 5 \end{vmatrix}$$
$$= 10 + 3 - 36 + 36 - 2 - 15 = -4$$

(b) On réduit $|B|$ à un déterminant d'ordre 4, puis à un déterminant d'ordre 3, que l'on calcule alors par les diagrammes de la figure 8.1, page 337. Le passage de 5 à 4 s'effectue grâce au pivot $b_{22} = 1$ et les opérations $-2R_2 + R_1 \to R_1$, $-R_2 + R_3 \to R_3$ et $R_2 + R_5 \to R_5$; le passage de 4 à 3 utilise le nouveau pivot $b_{22} = 1$ et les opérations $C_2 + C_1 \to C_1$ et $-2C_2 + C_4 \to C_4$:

$$|B| = \begin{vmatrix} 2 & 0 & -1 & 4 & 3 \\ 2 & 1 & 1 & -2 & 1 \\ -1 & 0 & 1 & 0 & 2 \\ 3 & 0 & 2 & 3 & -1 \\ 1 & 0 & -2 & 2 & 3 \end{vmatrix} = \begin{vmatrix} 2 & -1 & 4 & 3 \\ -1 & 1 & 0 & 2 \\ 3 & 2 & 3 & -1 \\ 1 & -2 & 2 & 3 \end{vmatrix} = \begin{vmatrix} 1 & 1 & 4 & 5 \\ 0 & 1 & 0 & 0 \\ 5 & 2 & 3 & -5 \\ -1 & -2 & 2 & 7 \end{vmatrix}$$

$$= \begin{vmatrix} 1 & 4 & 5 \\ 5 & 3 & -5 \\ -1 & 2 & 7 \end{vmatrix} = 21 + 20 + 50 + 15 + 10 - 140 = -24$$

COFACTEURS, MATRICE ADJOINTE, MINEURS ET MINEURS PRINCIPAUX

8.5 Soit $A = \begin{pmatrix} 2 & 1 & -3 & 4 \\ 5 & -4 & 7 & -2 \\ 4 & 0 & 6 & -3 \\ 3 & -2 & 5 & 2 \end{pmatrix}$.

(a) Déterminer le cofacteur (mineur signé) A_{32} de l'élément 7 de A ;

(b) calculer le mineur et le mineur signé de la sous-matrice $M = A(2, 4;\quad 2, 3)$;

(c) Trouver le mineur principal déterminé par les premier et troisième éléments diagonaux, c'est-à-dire $M = A(1, 3;\quad 1, 3)$.

Solution :

(a) On calcule le déterminant de la sous-matrice de A obtenue en supprimant la 2e ligne et la 3e colonne, à l'intersection desquelles se trouve l'élément $a_{23} = 7$ considéré, et on le multiplie par $(-1)^{2+3} = -1$:

$$A_{23} = -\begin{vmatrix} 2 & 1 & 4 \\ 4 & 0 & -3 \\ 3 & -2 & 2 \end{vmatrix} = -(-61) = 61$$

(b) Les indices de ligne sont 2 et 4, et les indices de colonne sont 2 et 3 ; le mineur cherché est donc le déterminant :

$$|M| = \begin{vmatrix} a_{22} & a_{23} \\ a_{42} & a_{43} \end{vmatrix} = \begin{vmatrix} -4 & 7 \\ -2 & 5 \end{vmatrix} = -20 + 14 = -6$$

Le mineur signé correspondant est $(-1)^{2+4+2+3}|M| = -|M| = -(-6) = 6$.

(c) Le mineur principal cherché est :

$$|M| = \begin{vmatrix} a_{11} & a_{13} \\ a_{31} & a_{33} \end{vmatrix} = \begin{vmatrix} 2 & -3 \\ 4 & 6 \end{vmatrix} = 12 + 12 = 24$$

Les éléments diagonaux de la sous-matrice étant ceux de la matrice elle-même, le signe du mineur principal est positif.

8.6 On considère la matrice $B = \begin{pmatrix} 1 & 1 & 1 \\ 2 & 3 & 4 \\ 5 & 8 & 9 \end{pmatrix}$. Déterminer :

(a) $|B|$; (b) $\operatorname{adj} B$; (c) B^{-1} à l'aide de $\operatorname{adj} B$.

Solution :

(a) $|B| = 27 + 20 + 16 - 15 - 32 - 18 = -2$.

(b) L'adjointe de B est la transposée de la matrice des cofacteurs :

$$\begin{pmatrix} \begin{vmatrix} 3 & 4 \\ 8 & 9 \end{vmatrix} & -\begin{vmatrix} 2 & 4 \\ 5 & 9 \end{vmatrix} & \begin{vmatrix} 2 & 3 \\ 5 & 8 \end{vmatrix} \\ -\begin{vmatrix} 1 & 1 \\ 8 & 9 \end{vmatrix} & \begin{vmatrix} 1 & 1 \\ 5 & 9 \end{vmatrix} & -\begin{vmatrix} 1 & 1 \\ 5 & 8 \end{vmatrix} \\ \begin{vmatrix} 1 & 1 \\ 3 & 4 \end{vmatrix} & -\begin{vmatrix} 1 & 1 \\ 2 & 4 \end{vmatrix} & \begin{vmatrix} 1 & 1 \\ 2 & 3 \end{vmatrix} \end{pmatrix}^T = \begin{pmatrix} -5 & 2 & 1 \\ -1 & 4 & -3 \\ 1 & -2 & 1 \end{pmatrix}^T = \begin{pmatrix} -5 & -1 & 1 \\ 2 & 4 & -2 \\ 1 & -3 & 1 \end{pmatrix}$$

(c) Puisque $|B| \neq 0$, $B^{-1} = \dfrac{1}{|B|} \operatorname{adj} B = \dfrac{1}{-2} \begin{pmatrix} -5 & -1 & 1 \\ 2 & 4 & -2 \\ 1 & -3 & 1 \end{pmatrix} = \begin{pmatrix} \frac{5}{2} & \frac{1}{2} & -\frac{1}{2} \\ -1 & -2 & 1 \\ -\frac{1}{2} & \frac{3}{2} & -\frac{1}{2} \end{pmatrix}$

8.7 Soit la matrice $A = \begin{pmatrix} 1 & 2 & 3 \\ 4 & 5 & 6 \\ 0 & 7 & 8 \end{pmatrix}$. On désigne par S_k la somme des mineurs principaux d'ordre k. Calculer S_k pour :

(a) $k = 1$; (b) $k = 2$; (c) $k = 3$.

Solution :

(a) Les mineurs principaux d'ordre 1 sont les éléments diagonaux ; S_1 n'est autre que la trace de A, soit :

$$S_1 = \operatorname{tr} A = 1 + 5 + 8 = 14$$

(b) Les mineurs principaux d'ordre 2 sont les cofacteurs des éléments diagonaux, soit :

$$S_2 = A_{11} + A_{22} + A_{33} = \begin{vmatrix} 5 & 6 \\ 7 & 8 \end{vmatrix} + \begin{vmatrix} 1 & 3 \\ 0 & 8 \end{vmatrix} + \begin{vmatrix} 1 & 2 \\ 4 & 5 \end{vmatrix} = -2 + 8 - 3 = 3$$

(c) Il n'y a qu'un mineur principal d'ordre 3, qui est le déterminant de A :

$$S_3 = |A| = 40 + 0 + 84 - 0 - 42 - 64 = 18$$

8.8 Soit la matrice $A = \begin{pmatrix} 1 & 3 & 0 & -1 \\ -4 & 2 & 5 & 1 \\ 1 & 0 & 3 & -2 \\ 3 & -2 & 1 & 4 \end{pmatrix}$. Trouver le nombre N_k et la somme S_k des mineurs principaux d'ordre :

(a) $k = 1$; (b) $k = 2$; (c) $k = 3$; (d) $k = 4$.

Solution : chaque sous-ensemble non vide de l'ensemble des éléments diagonaux (de manière équivalente, chaque sous-ensemble non vide de $\{1, 2, 3, 4\}$) définit un mineur principal de A. Il y a donc $N_k = C_n^k = \dfrac{n!}{k!(n-k)!}$ mineurs principaux d'ordre k :

$$N_1 = C_4^1 = 4, \quad N_2 = C_4^2 = 6, \quad N_3 = C_4^3 = 4, \quad N_4 = C_4^4 = 1$$

(a) $S_1 = |1| + |2| + |3| + |4| = 1 + 2 + 3 + 4 = 10$;

(b) $S_2 = \begin{vmatrix} 1 & 3 \\ -4 & 2 \end{vmatrix} + \begin{vmatrix} 1 & 0 \\ 1 & 3 \end{vmatrix} + \begin{vmatrix} 1 & -1 \\ 3 & 4 \end{vmatrix} + \begin{vmatrix} 2 & 5 \\ 0 & 3 \end{vmatrix} + \begin{vmatrix} 2 & 1 \\ -2 & 4 \end{vmatrix} + \begin{vmatrix} 3 & -2 \\ 1 & 4 \end{vmatrix}$
$= 14 + 3 + 7 + 6 + 10 + 14 = 54$

(c) $S_3 = \begin{vmatrix} 1 & 3 & 0 \\ -4 & 2 & 5 \\ 1 & 0 & 3 \end{vmatrix} + \begin{vmatrix} 1 & 3 & -1 \\ -4 & 2 & 1 \\ 3 & -2 & 4 \end{vmatrix} + \begin{vmatrix} 1 & 0 & -1 \\ 1 & 3 & -2 \\ 3 & 1 & 4 \end{vmatrix} + \begin{vmatrix} 2 & 5 & 1 \\ 0 & 3 & -2 \\ -2 & 1 & 4 \end{vmatrix}$
$= 57 + 65 + 22 + 54 = 198$

(d) $S_4 = \text{dét} A = 378$.

DÉTERMINANTS ET SYSTÈMES D'ÉQUATIONS LINÉAIRES

8.9 À l'aide des déterminants, résoudre le système $\begin{cases} 3y - 2x = z + 1 \\ 3x + 2z = 8 - 5y \\ 3z - 1 = x - 2y \end{cases}$.

Solution : mettons d'abord le système sous la forme standard, puis calculons le déterminant D de la matrice des coefficients :

$$\begin{aligned} 2x + 3y - z &= 1 \\ 3x + 5y + 2z &= 8 \\ x - 2y - 3z &= -1 \end{aligned} \quad \text{d'où} \quad D = \begin{vmatrix} 2 & 3 & -1 \\ 3 & 5 & 2 \\ 1 & -2 & -3 \end{vmatrix} = -30 + 6 + 6 + 5 + 8 + 27 = 22$$

Le déterminant étant non nul, le système a une solution et une seule. Pour calculer N_x, N_y et N_z, il convient de remplacer dans la matrice des coefficients la colonne correspondant, respectivement, à x, y et z par la colonne des seconds membres :

$$N_x = \begin{vmatrix} 1 & 3 & -1 \\ 8 & 5 & 2 \\ -1 & -2 & -3 \end{vmatrix} = 66, \quad N_y = \begin{vmatrix} 2 & 1 & -1 \\ 3 & 8 & 2 \\ 1 & -1 & -3 \end{vmatrix} = -22, \quad N_z = \begin{vmatrix} 2 & 3 & 1 \\ 3 & 5 & 8 \\ 1 & -2 & -1 \end{vmatrix} = 44$$

En définitive, $x = \dfrac{N_x}{D} = \dfrac{66}{22} = 3$, $y = \dfrac{N_y}{D} = \dfrac{-22}{22} = -1$ et $z = \dfrac{N_z}{D} = \dfrac{44}{22} = 2$.

8.10 Considérons le système $\begin{cases} kx + y + z = 1 \\ x + ky + z = 1 \\ x + y + kz = 1 \end{cases}$. En utilisant les déterminants, déterminer les valeurs de k pour lesquelles le système a :

(a) une solution unique ; (b) plus d'une solution ; (c) zéro solution.

Solution :

(a) Le système a une solution et une seule si le déterminant D de la matrice des coefficients est non nul :

$$D = \begin{vmatrix} k & 1 & 1 \\ 1 & k & 1 \\ 1 & 1 & k \end{vmatrix} = k^3 + 1 + 1 - k - k - k = k^3 - 3k + 2 = (k-1)^2(k+2)$$

Le système a une solution unique pour $|D| \neq 0$, c'est-à-dire pour tout k différent de 1 et de -2.

(b) Si $D = 0$, la méthode des déterminants ne permet pas de conclure ; il faut utiliser une technique d'élimination, par exemple celle de Gauss. On trouve que le système a plus d'une solution si $k = 1$.

(c) De même, on trouve que le système n'admet aucune solution si $k = -2$.

PROBLÈMES DIVERS

8.11 Trouver le volume du parallélépipède S de $\mathbb{R}^3$ construit sur les vecteurs :

(a) $u_1 = (1, 1, 1)$, $u_2 = (1, 3, -4)$ et $u_3 = (1, 2, -5)$;

(b) $u_1 = (1, 2, 4)$, $u_2 = (2, 1, -3)$ et $u_3 = (5, 7, 9)$.

Solution : le volume $V(S)$ est la valeur absolue du déterminant de la matrice M dont les lignes sont les vecteurs donnés :

(a) $|M| = \begin{vmatrix} 1 & 1 & 1 \\ 1 & 3 & -4 \\ 1 & 2 & -5 \end{vmatrix} = -15 - 4 + 2 - 3 + 8 + 5 = -7$, d'où $V(S) = |-7| = 7$.

(b) $|M| = \begin{vmatrix} 1 & 2 & 4 \\ 2 & 1 & -3 \\ 5 & 7 & 9 \end{vmatrix} = 9 - 30 + 56 - 20 + 21 - 36 = 0$, d'où $V(S) = 0$: les vecteurs sont coplanaires, et sont donc linéairement dépendants.

8.12 Calculer $\det M$, avec $M = \begin{pmatrix} 3 & 4 & 0 & 0 & 0 \\ 2 & 5 & 0 & 0 & 0 \\ 0 & 9 & 2 & 0 & 0 \\ 0 & 5 & 0 & 6 & 7 \\ 0 & 0 & 4 & 3 & 4 \end{pmatrix} = \left(\begin{array}{cc|c|cc} 3 & 4 & 0 & 0 & 0 \\ 2 & 5 & 0 & 0 & 0 \\ \hline 0 & 9 & 2 & 0 & 0 \\ \hline 0 & 5 & 0 & 6 & 7 \\ 0 & 0 & 4 & 3 & 4 \end{array}\right)$.

Solution : la matrice M est triangulaire inférieure par blocs. Calculons le déterminant de chacun des blocs diagonaux :

$$\begin{vmatrix} 3 & 4 \\ 2 & 5 \end{vmatrix} = 15 - 8 = 7, \quad |2| = 2, \quad \begin{vmatrix} 6 & 7 \\ 3 & 4 \end{vmatrix} = 24 - 21 = 3$$

En définitive, $|M| = 7 \times 2 \times 3 = 42$.

8.13 Calculer le déterminant de l'endomorphisme $F : \mathbb{R}^3 \to \mathbb{R}^3$ défini par :

$$F(x, y, z) = (x + 3y - 4z,\ 2y + 7z,\ x + 5y - 3z)$$

Solution : le déterminant d'un opérateur linéaire est égal au déterminant de toute matrice qui le représente. Le plus simple est d'écrire la matrice A qui le représente sur la base canonique, matrice dont les lignes sont respectivement les coefficients de x, y et z dans l'expression de F :

$$A = \begin{pmatrix} 1 & 3 & -4 \\ 0 & 2 & 7 \\ 1 & 5 & -3 \end{pmatrix} \quad \text{d'où} \quad \text{dét}\, F = |A| = -6 + 21 + 0 + 8 - 35 - 0 = -12$$

8.14 Écrire explicitement la fonction $g = g(x_1, x_2, x_3, x_4)$ définie par :

$$g(x_1, x_2, x_3, x_4) = \prod_{i<j} (x_i - x_j)$$

Solution : le symbole $\prod$ s'utilise pour désigner un produit de termes, de la même manière que le symbole $\sum$ désigne une somme. L'expression ci-dessus, $\prod_{i<j} (x_i - x_j)$, désigne le produit de toutes les différences $(x_i - x_j)$ pour lesquelles $i < j$. Il vient donc :

$$g = g(x_1, x_2, x_3, x_4) = (x_1 - x_2)(x_1 - x_3)(x_1 - x_4)(x_2 - x_3)(x_2 - x_4)(x_3 - x_4)$$

8.15 Soit D une forme bilinéaire alternée ; montrer que $D(A, B) = -D(B, A)$.

Solution : puisque D est alternée, on a par définition $D(A, A) = D(B, B) = 0$, d'où :

$$D(A + B,\ A + B) = D(A, A) + D(A, B) + D(B, A) + D(B, B) = D(A, B) + D(B, A)$$

Puisque $D(A + B,\ A + B) = 0$, on trouve bien $D(A, B) = -D(B, A)$.

PERMUTATIONS

8.16 Déterminer la parité (le signe) de la permutation $\sigma = 364152$.

Solution : comptons le nombre d'inversions : pour chaque k, comptons le nombres de chiffres i tels que $i > k$ et i précède k :

$k = 1$: 3 chiffres (3, 6, 4)
$k = 2$: 4 chiffres (3, 6, 4, 5)
$k = 3$: 0 chiffre
$k = 4$: 1 chiffre (6)
$k = 5$: 1 chiffre (6)
$k = 6$: 0 chiffre

additionnons : $3 + 4 + 0 + 1 + 1 + 0 = 9$ est un nombre impair ; σ est donc une permutation impaire, et $\operatorname{sgn} \sigma = -1$.

8.17 Soient les deux permutations $\sigma = 24513$ et $\tau = 41352$ de S_5. Déterminer :

(a) $\tau \circ \sigma$; (b) σ^{-1}.

Solution : on se souvient que $\sigma = 24513$ et $\tau = 41352$ sont les expressions abrégées de :

$$\sigma = \begin{pmatrix} 1 & 2 & 3 & 4 & 5 \\ 2 & 4 & 5 & 1 & 3 \end{pmatrix} \quad \text{ou} \quad \sigma(1) = 2,\ \sigma(2) = 4,\ \sigma(3) = 5,\ \sigma(4) = 1,\ \sigma(5) = 3$$

$$\tau = \begin{pmatrix} 1 & 2 & 3 & 4 & 5 \\ 4 & 1 & 3 & 5 & 2 \end{pmatrix} \quad \text{ou} \quad \tau(1) = 4,\ \tau(2) = 1,\ \tau(3) = 3,\ \tau(4) = 5,\ \tau(5) = 2$$

(a) L'application de σ puis de τ à $\{1, 2, 3, 4, 5\}$ s'écrit :

$$1 \to 2 \to 1, \quad 2 \to 4 \to 5, \quad 3 \to 5 \to 2, \quad 4 \to 1 \to 4, \quad 5 \to 3 \to 3$$

c'est-à-dire, par exemple, $(\tau \circ \sigma)(1) = \tau(\sigma(1)) = \tau(2) = 1$. On trouve donc $\tau \circ \sigma = 15243$.

(b) Par définition, $\sigma^{-1}(j) = k$ si et seulement si $\sigma(k) = j$. On a donc :

$$\sigma^{-1} = \begin{pmatrix} 2 & 4 & 5 & 1 & 3 \\ 1 & 2 & 3 & 4 & 5 \end{pmatrix} = \begin{pmatrix} 1 & 2 & 3 & 4 & 5 \\ 4 & 1 & 5 & 2 & 3 \end{pmatrix} \quad \text{ou} \quad \sigma^{-1} = 41523$$

8.18 Soit $\sigma = j_1 j_2 \ldots j_n$ une permutation quelconque de S_n. Montrer que pour toute inversion (i, k), où $i > k$ mais où i précède k dans σ, il existe un couple (i^*, k^*) tel que :

$$i^* < k^* \quad \text{et} \quad \sigma(i^*) > \sigma(k^*) \tag{8.1}$$

et *vice-versa*. Alors, σ est paire ou impaire selon qu'il existe un nombre pair ou impair de couples vérifiant (8.1).

Solution : choisissons i^* et k^* tels que $\sigma(i^*) = i$ et $\sigma(k^*) = k$. Alors $i > k$ si et seulement si $\sigma(i^*) > \sigma(k^*)$, et i précède k dans σ si et seulement si $i^* < k^*$.

8.19 Considérons le polynôme $g = g(x_1, x_2, \ldots, x_n)$ et la fonction $\sigma(g)$, définis par :

$$g(x_1, x_2, x_3, x_4) = \prod_{i<j} (x_i - x_j) \quad \text{et} \quad \sigma(g) = \prod_{i<j} (x_{\sigma(i)} - x_{\sigma(j)})$$

(voir problème 8.14). Montrer que $\sigma(g) = g$ si σ est une permutation paire, et que $\sigma(g) = -g$ si σ est une permutation impaire. Autrement dit, $\sigma(g) = g \operatorname{sgn} \sigma$.

Solution : σ étant bijective, on a :

$$\sigma(g) = \prod_{i<j} (x_{\sigma(i)} - x_{\sigma(j)}) = \prod_{i<j \text{ ou } i>j} (x_i - x_j)$$

Par conséquent, $\sigma(g) = g$ ou $\sigma(g) = -g$ selon qu'il y a un nombre pair ou impair de termes de la forme $x_i - x_j$ tels que $i > j$. On remarque que pour tout couple (i, j) tel que :

$$i < j \quad \text{et} \quad \sigma(i) > \sigma(j)$$

il existe un terme $(x_{\sigma(i)} - x_{\sigma(j)})$ dans $\sigma(g)$ tel que $\sigma(i) > \sigma(j)$. Puisque σ est paire si et seulement si il y a un nombre pair de de termes vérifiant (8.1), on a $\sigma(g) = g$ si et seulement si σ est une permutation paire, et donc $\sigma(g) = -g$ si et seulement si σ est une permutation impaire.

8.20 Soient $\sigma, \tau \in S_n$; montrer que $\operatorname{sgn}(\sigma \circ \tau) = \operatorname{sgn} \tau \operatorname{sgn} \sigma$; par conséquent, le produit de deux permutations paires ou impaires est pair, et le produit d'une permutation paire par une permutation impaire est impair.

Solution : d'après le problème 8.19, on peut écrire :

$$\operatorname{sgn}(\tau \circ \sigma) g = (\tau \circ \sigma)(g) = \tau\big(\sigma(g)\big) = \tau\,(g \operatorname{sgn} \sigma) = g \operatorname{sgn} \tau \operatorname{sgn} \sigma$$

8.21 Considérons la permutation $\sigma = j_1 j_2 \ldots j_n$. Montrer que $\operatorname{sgn}(\sigma^{-1}) = \operatorname{sgn} \sigma$ et que, pour des scalaires a_{ij}, on a :

$$a_{j_1 1} a_{j_2 2} \ldots a_{j_n n} = a_{1k_1} a_{2k_2} \ldots a_{nk_n}$$

où $\sigma^{-1} = k_1 k_2 \ldots k_n$.

Solution : on a $\sigma \circ \sigma^{-1} = \varepsilon$, où ε est la permutation identité. ε étant paire, σ et σ^{-1} sont toutes les deux paires ou impaires, et par conséquent $\operatorname{sgn} \sigma^{-1} = \operatorname{sgn} \sigma$.
Puisque $\sigma = j_1 j_2 \ldots j_n$ est une permutation, $a_{j_1 1} a_{j_2 2} \ldots a_{j_n n} = a_{1k_1} a_{2k_2} \ldots a_{nk_n}$. On en déduit que $k_1, k_2, \ldots, k_n$ vérifient :

$$\sigma(k_1) = 1, \quad \sigma(k_2) = 2, \quad \ldots, \quad \sigma(k_n) = n$$

Posons $\tau = k_1 k_2 \ldots k_n$; alors, pour $i = 1, 2, \ldots, n$:

$$(\sigma \circ \tau)(i) = \sigma\,(\tau(i)) = \sigma(k_i) = i$$

Il en résulte $\sigma \circ \tau = \varepsilon$, la permutation identique, et donc $\tau = \sigma^{-1}$.

DÉMONSTRATION DES THÉORÈMES

8.22 Démontrer le théorème 8.1 : *le déterminant d'une matrice A et celui de sa transposée A^T sont égaux :* $\det A^T = \det A$.

Solution : posons $A = (a_{ij})$; alors $A^T = (b_{ij})$, avec $b_{ij} = a_{ji}$, d'où :

$$|A^T| = \sum_{\sigma \in S_n} \operatorname{sgn} \sigma\, b_{1\sigma(1)} b_{2\sigma(2)} \ldots b_{n\sigma(n)} = \sum_{\sigma \in S_n} \operatorname{sgn} \sigma\, a_{\sigma(1),1} a_{\sigma(2),2} \ldots a_{\sigma(n),n}$$

Posons $\tau = \sigma^{-1}$. D'après le problème 8.21, $\operatorname{sgn} \tau = \operatorname{sgn} \sigma$, et $a_{\sigma(1),1} a_{\sigma(2),2} \ldots a_{\sigma(n),n} = a_{1\tau(1)} a_{2\tau(2)} \ldots a_{n\tau(n)}$. Par conséquent :

$$|A^T| = \sum_{\sigma \in S_n} \operatorname{sgn} \tau\, a_{1\tau(1)} a_{2\tau(2)} \ldots a_{n\tau(n)}$$

Mais puisque la permutation σ parcourt S_n tout entier, $\tau = \sigma^{-1}$ parcourt également S_n, et donc $|A^T| = |A|$.

8.23 Démontrer le théorème 8.3(a) : *si l'on échange deux lignes (resp. colonnes) de A, alors* $|B| = -|A|$, *où B est la matrice résultant de cet échange.*

Solution : nous effectuerons la démonstration dans le cas de l'échange de deux colonnes. Appelons τ la transformation qui échange les indices des deux colonnes de A concernées. Si l'on pose $A = (a_{ij})$ et $B = (b_{ij})$, alors $b_{ij} = a_{i\tau(j)}$. On peut écrire, pour toute permutation σ :

$$b_{1\sigma(1)} b_{2\sigma(2)} \ldots b_{n\sigma(n)} = a_{1,(\tau\circ\sigma)(1)} a_{2,(\tau\circ\sigma)(2)} \ldots a_{n,(\tau\circ\sigma)(n)}$$

Par conséquent :

$$|B| = \sum_{\sigma \in S_n} \operatorname{sgn} \sigma \; b_{1\sigma(1)} b_{2\sigma(2)} \ldots b_{n\sigma(n)} = \sum_{\sigma \in S_n} \operatorname{sgn} \sigma \; a_{1,(\tau\circ\sigma)(1)} a_{2,(\tau\circ\sigma)(2)} \ldots a_{n,(\tau\circ\sigma)(n)}$$

La permutation τ étant impaire, $\operatorname{sgn}(\tau \circ \sigma) = (\operatorname{sgn} \tau)(\operatorname{sgn} \sigma) = -\operatorname{sgn} \sigma$, et donc :

$$\operatorname{sgn} \sigma = -\operatorname{sgn}(\tau \circ \sigma)$$

d'où :

$$|B| = -\sum_{\sigma \in S_n} \operatorname{sgn}(\tau \circ \sigma) \; a_{1,(\tau\circ\sigma)(1)} a_{2,(\tau\circ\sigma)(2)} \ldots a_{n,(\tau\circ\sigma)(n)}$$

Puisque σ parcourt S_n, $\tau \circ \sigma$ parcourt aussi S_n, ce qui établit que $|B| = -|A|$.

8.24 Démontrer le théorème 8.2 : *soit A une matrice carrée.*

(a) *Si A a une ligne (ou une colonne) nulle, alors* $|A| = 0$.

(b) *Si A a deux lignes (ou colonnes) identiques, alors* $|A| = 0$.

(c) *Si A est triangulaire, alors* $|A|$ *est égal au produit des éléments diagonaux. En particulier,* $|I| = 1$, *où I est la matrice unité.*

Solution :

(a) Chaque terme de $|A|$ contient un élément de chacune des lignes de A, donc chaque terme contient un zéro de la ligne nulle, et est par conséquent nul, d'où $|A| = 0$.

(b) Si l'on échange les deux lignes identiques de A, on obtient à nouveau la matrice A ; d'après le théorème 8.3(a) (problème 8.23), on a $|A| = -|A|$, d'où $|A| = 0$.

(c) Supposons que la matrice A soit triangulaire inférieure, c'est-à-dire $a_{ij} = 0$ pour $i < j$: les éléments au-dessus de la diagonale sont nuls. Considérons un terme quelconque du déterminant de A :

$$t = \operatorname{sgn} \sigma \; a_{1i_1} a_{2i_2} \ldots a_{ni_n} \quad \text{avec} \quad \sigma = i_1 i_2 \ldots i_n$$

Supposons $i_1 \neq 1$. Alors $1 < i_1$, donc $a_{1i_1} = 0$ et $t = 0$: tout terme t tel que $i_1 \neq 1$ est nul. Supposons $i_1 = 1$ et $i_2 \neq 1$: alors $2 < i_2$, d'où $a_{2i_2} = 0$ et donc $t = 0$: tout terme t tel que $i_1 \neq 1$ ou $i_2 \neq 1$ est nul. De proche en proche, on montre que tout terme tel que $i_1 \neq 1$, ou $i_2 \neq 1, \ldots$, ou $i_n \neq n$, est nul. Il ne reste donc que le produit des éléments diagonaux : $|A| = a_{11} a_{22} \ldots a_{nn}$.

8.25 Démontrer le théorème 8.3 : *considérons une matrice B obtenue à partir d'une matrice A par une opération élémentaire sur les lignes (resp. colonnes).*

(a) *Si l'on échange deux lignes (resp. colonnes) de A, alors* $|B| = -|A|$;

(b) *si l'on multiplie une ligne (resp. colonne) de A par un scalaire k, alors* $|B| = k|A|$;

(c) *si l'on ajoute un multiple d'une ligne (resp. colonne) de A à une autre ligne (resp. colonne) de A, alors* $|B| = |A|$.

Solution :

(a) Ce point a déjà été montré au problème 8.23.

(b) Si la j-ème ligne de A est multipliée par k, tout terme de $|A|$ est alors multiplié par k :

$$|B| = \sum_{\sigma} \operatorname{sgn} \sigma \; a_{1i_1} a_{2i_2} \ldots (k a_{ji_j}) \ldots a_{ni_n} = k \sum_{\sigma} \operatorname{sgn} \sigma \; a_{1i_1} a_{2i_2} \ldots a_{ni_n} = k|A|$$

(c) Supposons que l'on ait ajouté c fois la k-ème colonne à la j-ème colonne ; utilisons le symbole ^ pour repérer la j-ème position dans les termes du déterminant :

$$|B| = \sum_{\sigma} \operatorname{sgn}\sigma\, a_{1i_1}a_{2i_2}\ldots\widehat{(ca_{ki_k} + a_{ji_j})}\ldots a_{ni_n}$$

$$= c\sum_{\sigma} \operatorname{sgn}\sigma\, a_{1i_1}a_{2i_2}\ldots\widehat{a_{ki_k}}\ldots a_{ni_n} + \sum_{\sigma} \operatorname{sgn}\sigma\, a_{1i_1}a_{2i_2}\ldots\widehat{a_{ji_j}}\ldots a_{ni_n}$$

Le premier terme de la dernière ligne est la déterminant d'une matrice à deux lignes identiques ; d'après le théorème 8.2(b), il est nul. Le 2e terme est précisément le déterminant de A, soit $|B| = c \cdot 0 + |A| = |A|$.

8.26 Démontrer le lemme 8.6 : *soit E une matrice élémentaire. Alors, pour toute matrice A, $|EA| = |E||A|$.*

Solution : considérons les opérations élémentaires sur les lignes suivantes :

(a) $kR_i \to R_i$; (b) $R_i \leftrightarrow R_j$; (c) $kR_j + R_i \to R_i$.

Désignons par E_1, E_2 et E_3 les matrices élémentaires correspondantes, obtenues en appliquant les opérations ci-dessus à la matrice unité I. D'après le problème 8.25 :

$$|E_1| = k|I| = k, \quad |E_2| = -|I| = -1, \quad |E_3| = |I| = 1$$

D'après le théorème 3.16, la matrice E_iA est la matrice obtenue en appliquant à A l'opération élémentaire correspondante. Le théorème 8.3 nous permet d'écrire :

$$|E_1A| = k|A| = |E_1||A|, \quad |E_2A| = -|A| = |E_2||A|, \quad |E_3A| = |A| = |E_3||A|$$

ce qui établit le lemme.

8.27 Soit B une matrice équivalente en lignes à une matrice carrée A. Montrer que $|B| = 0$ si et seulement si $|A| = 0$.

Solution : d'après le théorème 8.3, l'application d'une opération élémentaire sur les lignes change le signe du déterminant ou le multiplie par un scalaire (non nul). Par conséquent $|B| = 0$ si et seulement si $|A| = 0$.

8.28 Démontrer le théorème 8.5 : *soit A une matrice carrée ; les trois propositions suivantes sont équivalentes :*

(a) A^{-1} *existe* ; (b) $AX = 0 \Rightarrow X = 0$; (c) $\det A \neq 0$.

Solution : si la matrice A est inversible, elle est équivalente en lignes à la matrice unité. Puisque $|I| \neq 0$, il résulte du problème 8.27 que $|A| \neq 0$. Si A n'est pas inversible, elle est équivalente en lignes à une matrice dont une ligne au moins est nulle, et donc $|A| = 0$: (a) et (c) sont équivalents. Si le système $AX = 0$ n'admet que la solution nulle, A est équivalente en lignes à la matrice unité, et est donc inversible. Réciproquement, si A est inversible, alors :

$$X = IX = (A^{-1}A)X = A^{-1}(AX) = A^{-1}0 = 0$$

est la seule solution de $AX = 0$: (a) et (b) sont équivalents.

8.29 Démontrer le théorème 8.4 : $|AB| = |A||B|$.

Solution : si A est singulière, le produit AB est aussi une matrice singulière, et $|AB| = 0 = |A||B|$. Si A est régulière, on peut l'écrire sous forme d'un produit de matrices élémentaires : $A = E_n \dots E_2 E_1$. En utilisant le lemme 8.6 et en raisonnant par récurrence, on obtient :

$$|AB| = |E_n \dots E_2 E_1 B| = |E_n| \dots |E_2||E_1||B| = |A||B|$$

8.30 Soit une matrice P inversible ; montrer que $|P^{-1}| = |P|^{-1}$.

Solution : $P^{-1}P = I \Rightarrow 1 = |I| = |P^{-1}P| = |P^{-1}||P|$, d'où $|P^{-1}| = |P|^{-1}$.

8.31 Démontrer le théorème 8.7 : *soient A et B deux matrices semblables. Alors* $|A| = |B|$.

Solution : A et B étant semblables, il existe une matrice P inversible telle que $B = P^{-1}AP$. D'après le problème 8.30, on écrit $|B| = |P^{-1}AP| = |P^{-1}||A||P| = |A||P^{-1}||P| = |A|$. On remarque que bien que les matrices A et P ne commutent pas en général, leurs déterminants commutent, puisque ce sont des scalaires de $\mathbb{K}$.

8.32 Démontrer le théorème 8.8 (Laplace) : *soit une matrice carrée* $A = (a_{ij})$ *; on désigne par* A_{ij} *le cofacteur de l'élément* a_{ij}*. Alors,* $\forall i$ *et* $\forall j$ *:*

$$|A| = a_{i1}A_{i1} + \cdots + a_{in}A_{in} = \sum_{j=1}^{n} a_{ij}A_{ij} \quad \text{ou} \quad |A| = a_{1j}A_{1j} + \cdots + a_{nj}A_{nj} = \sum_{i=1}^{n} a_{ij}A_{ij}$$

Solution : puisque $|A| = |A^T|$, il nous suffit d'établir un seul de ces développements, par exemple le premier, le développement selon une ligne. Chaque terme du déterminant $|A|$ contient un élément et un seul de la i-ème ligne $(a_{i1}, a_{i2}, \dots, a_{in})$ de A. On peut donc écrire $|A|$ sous la forme :

$$|A| = a_{i1}A^*_{i1} + a_{i2}A^*_{i2} + \cdots + a_{in}A^*_{in}$$

où les facteurs A^*_{ij} ne contiennent aucun élément de la i-ème ligne de A. Le théorème est démontré si nous prouvons que :

$$A^*_{ij} = A_{ij} = (-1)^{i+j}|M_{ij}|$$

où M_{ij} est la matrice[(1)] obtenue en supprimant dans A la ligne et la colonne de a_{ij}.
Considérons tout d'abord le cas $i = j = n$. La somme des termes de $|A|$ contenant a_{nn} s'écrit :

$$a_{nn}A^*_{nn} = a_{nn} \sum_{\sigma} \operatorname{sgn}\sigma \; a_{1\sigma(1)}a_{2\sigma(2)} \dots a_{n-1,\sigma(n-1)}$$

où la sommation est étendue à toutes les permutations de S_n telles que $\sigma(n) = n$, c'est-à-dire à toutes les permutations de $\{1, 2, \dots, n-1\}$. Par conséquent $A^*_{nn} = (-1)^{n+n}|M_{nn}|$.
Considérons à présent i et j arbitraires. Permutons successivement la i-ème ligne avec les lignes $i+1$, $i+2$, n, puis successivement la i-ème colonne avec les colonnes $i+1$, $i+2$, n, ce qui ne modifie pas le déterminant $|M_{ij}|$ puisque les autres lignes et colonnes ne sont pas affectées. Mais les signes de $|A|$ et de A^*_{ij} changent $n-i$ fois, puis $n-j$ fois. Par conséquent :

$$A^*_{ij} = (-1)^{n-i+n-j}|M_{ij}| = (-1)^{i+j}|M_{ij}|$$

---

1. Historiquement, l'expression A^*_{ij} était définie comme le cofacteur de a_{ij}. La démonstration du théorème revient donc à établir l'équivalence de ces deux définitions du cofacteur.

8.33 Soit une matrice $A = (a_{ij})$ et B la matrice obtenue en remplaçant dans A la i-ème ligne par le vecteur (ligne) $(b_{i1}, b_{i2}, \ldots, b_{in})$. Montrer que :

$$|B| = b_{i1}A_{i1} + b_{i2}A_{i2} + \cdots + b_{in}A_{in}$$

Montrer de plus que, si $j \neq i$:

$$a_{j1}A_{i1} + a_{j2}A_{i2} + \cdots + a_{jn}A_{in} = 0 \quad \text{et} \quad a_{1j}A_{1i} + a_{2j}A_{2i} + \cdots + a_{nj}A_{ni} = 0$$

Solution : posons $B = (b_{ij})$. D'après le théorème 8.8 :

$$|B| = b_{i1}B_{i1} + b_{i2}B_{i2} + \cdots + b_{in}B_{in}$$

Les B_{ij} ne dépendent pas de la i-ème ligne de B, donc $B_{ij} = A_{ij}$ pour $j = 1, 2, \ldots, n$, et :

$$|B| = b_{i1}A_{i1} + b_{i2}A_{i2} + \cdots + b_{in}A_{in}$$

Considérons la matrice A' déduite de A en remplaçant la i-ème ligne par la j-ème ligne. A' ayant deux lignes identiques, son déterminant $|A'|$ est nul. En appliquant le résultat précédent :

$$|A'| = a_{j1}A_{i1} + a_{j2}A_{i2} + \cdots + a_{jn}A_{in} = 0$$

Sachant que $|A^T| = |A|$, on déduit aussitôt : $a_{1j}A_{1i} + a_{2j}A_{2i} + \cdots + a_{nj}A_{ni} = 0$.

8.34 Démontrer le théorème 8.9 : $A(\operatorname{adj} A) = (\operatorname{adj} A)A = |A|I$.

Solution : posons $A = (a_{ij})$ et $A(\operatorname{adj} A) = (b_{ij})$. La i-ème ligne de A s'écrit :

$$(a_{i1}, a_{i2}, \ldots, a_{in}) \tag{8.2}$$

La matrice $\operatorname{adj} A$ étant la transposée de la matrice des cofacteurs, la j-ème colonne de $\operatorname{adj} A$ est la transposée des cofacteurs de la j-ème ligne de A :

$$(A_{j1}, A_{j2}, \ldots, A_{jn})^T \tag{8.3}$$

L'élément b_{ij} de $A(\operatorname{adj} A)$ est le produit de (8.2) par (8.3) :

$$a_{i1}A_{j1} + a_{i2}A_{j2} + \cdots + a_{in}A_{jn}$$

D'après le théorème 8.8 et le problème 8.33 :

$$b_{ij} = \begin{cases} |A| & \text{si } i = j \\ 0 & \text{si } i \neq j \end{cases}$$

On en déduit que $A(\operatorname{adj} A)$ est une matrice diagonale dont chaque élément vaut $|A|$, soit $A(\operatorname{adj} A) = |A|I$. On montre de même que $(\operatorname{adj} A)A = |A|I$.

8.35 Démontrer le théorème 8.10 (règle de Cramer) : *Le système (carré) d'équations linéaires $AX = B$ a une solution si et seulement si $D = 0$. Alors, la solution est unique et est donnée par $\forall i, x_i = \dfrac{N_i}{D}$.*

Solution : on sait que le système $AX = B$ a une solution et une seule si et seulement si la matrice A est inversible, et que A est inversible si et seulement si $D = |A| \neq 0$. Supposons donc $D \neq 0$; d'après le théorème 8.9, $A^{-1} = \frac{1}{D}\,\mathrm{adj}\,A$. En multipliant $AX = B$ par A^{-1}, on obtient :

$$X = A^{-1}AX = \frac{1}{D}(\mathrm{adj}\,A)B \tag{8.4}$$

La i-ème ligne de $\frac{1}{D}\,\mathrm{adj}\,A$ est $\frac{1}{D}(A_{1i}, A_{2i}, \dots, A_{ni})$; si $B = (b_1, b_2, \dots, b_n)$, (8.4) permet d'écrire :

$$x_i = \frac{1}{D}(b_1A_{1i} + b_2A_{2i} + \cdots + b_nA_{ni})$$

Mais, comme au problème 8.33, $b_1A_{1i} + b_2A_{2i} + \cdots + b_nA_{ni} = N_i$, le déterminant de la matrice obtenue en remplaçant dans A la i-ème colonne par le vecteur des seconds membres B, d'où $x_i = \frac{N_i}{D}$.

8.36 Démontrer le théorème 8.12 : *soit M une matrice triangulaire supérieure (resp. inférieure) par blocs, dont les blocs diagonaux sont désignés par $A_1, A_2, \dots, A_n$. Alors :*

$$\mathrm{dét}\,M = \mathrm{dét}\,A_1\ \mathrm{dét}\,A_2\ \dots\ \mathrm{dét}\,A_n$$

Solution : il suffit de démontrer le théorème pour $n = 2$, lorsque M est une matrice carrée de la forme $M = \begin{pmatrix} A & C \\ 0 & B \end{pmatrix}$, la généralisation à n quelconque s'effectuant aisément par récurrence.

Posons $M = (m_{ij})$, $A = (a_{ij})$, $B = (b_{ij})$, M, A et B étant des matrices carrées de tailles respectives n, r et s, avec $r + s = n$. Par définition :

$$\mathrm{dét}\,M = \sum_{\sigma \in S_n} \mathrm{sgn}\,\sigma\ m_{1\sigma(1)}m_{2\sigma(2)}\dots m_{n\sigma(n)}$$

avec $m_{ij} = 0$ si $i > r$ et $j \leq r$. Il suffit donc de sommer sur les permutations σ telles que :

$$\sigma\{r+1,\ r+2,\ \dots,\ r+s\} = \{r+1,\ r+2,\ \dots,\ r+s\} \quad \text{et} \quad \sigma\{1, 2, \dots, r\} = \{1, 2, \dots, r\}$$

Posons $\sigma_1(k) = \sigma(k)$ pour $k \leq r$, et $\sigma_2(k) = \sigma(r+k) - r$ pour $k \leq s$. Alors :

$$\mathrm{sgn}\,\sigma\ m_{1\sigma(1)}m_{2\sigma(2)}\dots m_{n\sigma(n)} = \mathrm{sgn}\,\sigma_1\ a_{1\sigma_1(1)}a_{2\sigma_1(2)}\dots a_{r\sigma_1(r)}\ \mathrm{sgn}\,\sigma_2\ b_{1\sigma_2(1)}b_{2\sigma_2(2)}\dots b_{s\sigma_2(s)}$$

Il en résulte aussitôt $\mathrm{dét}\,M = \mathrm{dét}\,A\ \mathrm{dét}\,B$.

8.37 Démontrer le théorème 8.14 : *il existe une fonction et une seule $D : \mathbf{M} \to \mathbb{K}$ telle que :*

(a) *D est multilinéaire ;* (b) *D est alternée ;* (c) $D(I) = 1$.

Cette forme multilinéaire alternée D est le déterminant *: $\forall A \in \mathbf{M}$, $D(A) = |A|$.*

Solution : Soit D la fonction déterminant $D(A) = A$. Il nous faut montrer que D satisfait (a), (b) et (c), et qu'il n'existe pas d'autre fonction qui y satisfasse.
Le théorème 8.2 assure que D vérifie (b) et (c). Il reste à montrer que le déterminant est multilinéaire. Supposons que la i-ème ligne de $A = (a_{ij})$ soit de la forme $(b_{i1}+c_{i1},\ b_{i2}+c_{i2},\ \ldots,\ b_{in}+c_{in})$. Alors :

$$\begin{aligned}D(A) &= D(A_1,\ \ldots,\ B_i + C_i,\ \ldots,\ A_n)\\ &= \sum_{\sigma\in S_n} \operatorname{sgn}\sigma\ a_{1\sigma(1)}\ldots a_{i-1\sigma(i-1)}(b_{i\sigma(i)} + c_{i\sigma(i)})\ldots a_{n\sigma(n)}\\ &= \sum_{\sigma\in S_n} \operatorname{sgn}\sigma\ a_{1\sigma(1)}\ldots b_{i\sigma(i)}\ldots a_{n\sigma(n)} + \sum_{\sigma\in S_n} \operatorname{sgn}\sigma\ a_{1\sigma(1)}\ldots c_{i\sigma(i)}\ldots a_{n\sigma(n)}\\ &= D(A_1,\ \ldots,\ B_i,\ \ldots,\ A_n) + D(A_1,\ \ldots,\ C_i,\ \ldots,\ A_n)\end{aligned}$$

Le théorème 8.3(b) permet d'écrire également :

$$D(A_1,\ \ldots,\ kA_i,\ \ldots,\ A_n) = kD(A_1,\ \ldots,\ A_i,\ \ldots,\ A_n)$$

Il en résulte que D est multilinéaire, et satisfait (a).
Montrons à présent l'unicité. Soit D une fonction satisfaisant (a), (b) et (c). Si $\{e_1, e_2, \ldots, e_n\}$ est la base canonique de $\mathbb{K}^n$, (c) implique $D(e_1, e_2, \ldots, e_n) = D(I) = 1$. Grâce à (b), on a aussi :

$$D(e_{i_1}, e_{i_2}, \ldots, e_{i_n}) = \operatorname{sgn}\sigma \quad \text{où} \quad \sigma = i_1 i_2 \ldots i_n \tag{8.5}$$

Soit une matrice $A = (a_{ij})$; la k-ème ligne de A s'écrit :

$$A_k = (a_{k1}, a_{k2}, \ldots, a_{kn}) = a_{k1}e_1 + a_{k2}e_2 + \cdots + a_{kn}e_n$$

Par conséquent :

$$D(A) = D(a_{11}e_1 + \cdots + a_{1n}e_n,\ a_{21}e_1 + \cdots + a_{2n}e_n,\ \ldots,\ a_{n1}e_1 + \cdots + a_{nn}e_n)$$

La multilinéarité de D permet de récrire $D(A)$ comme somme de termes de la forme :

$$\begin{aligned}D(A) &= \sum D(a_{1i_1}e_{i_1}, a_{2i_2}e_{i_2}, \ldots, a_{ni_n}e_{i_n})\\ &= \sum (a_{1i_1}a_{2i_2}\ldots a_{ni_n})D(e_{i_1}, e_{i_2}, \ldots, e_{i_n})\end{aligned} \tag{8.6}$$

où la sommation s'effectue sur toutes les suites $i_1,\ i_2, \ldots, i_n$, avec $i_k \in \{1, 2, \ldots, n\}$. Si deux indices sont égaux, par exemple $i_j = i_k$ avec $j \neq k$, (b) nous donne :

$$D(e_{i_1}, e_{i_2}, \ldots, e_{i_n}) = 0$$

par conséquent la sommation dans (8.6) ne doit être effectuée que sur les permutations $\sigma = i_1 i_2 \ldots i_n$. En utilisant (8.5), on trouve en définitive :

$$\begin{aligned}D(A) &= \sum_{\sigma} (a_{1i_1}a_{2i_2}\ldots a_{ni_n})D(e_{i_1}, e_{i_2}, \ldots, e_{i_n})\\ &= \sum_{\sigma} \operatorname{sgn}\sigma\ a_{1i_1}a_{2i_2}\ldots a_{ni_n} \quad \text{avec} \quad \sigma = i_1 i_2 \ldots i_n\end{aligned}$$

On retrouve bien la fonction déterminant, ce qui prouve le théorème.

EXERCICES SUPPLÉMENTAIRES

CALCUL DE DÉTERMINANTS

8.38 Calculer :

(a) $\begin{vmatrix} 2 & 6 \\ 4 & 1 \end{vmatrix}$; (b) $\begin{vmatrix} 5 & 1 \\ 3 & -2 \end{vmatrix}$; (c) $\begin{vmatrix} -2 & 8 \\ -5 & -3 \end{vmatrix}$; (d) $\begin{vmatrix} 4 & 9 \\ 1 & -3 \end{vmatrix}$; (e) $\begin{vmatrix} a-b & a \\ b & a+b \end{vmatrix}$.

8.39 Trouver toutes les valeurs de t pour lesquelles :

(a) $\begin{vmatrix} t-4 & 3 \\ 2 & t-9 \end{vmatrix} = 0$; (b) $\begin{vmatrix} t-1 & 4 \\ 3 & t-2 \end{vmatrix} = 0$.

8.40 Calculer le déterminant des matrices suivantes :

(a) $\begin{pmatrix} 2 & 1 & 1 \\ 0 & 5 & -2 \\ 1 & -3 & 4 \end{pmatrix}$; (b) $\begin{pmatrix} 3 & -2 & -4 \\ 2 & 5 & -1 \\ 0 & 6 & 1 \end{pmatrix}$; (c) $\begin{pmatrix} -2 & -1 & 4 \\ 6 & -3 & -2 \\ 4 & 1 & 2 \end{pmatrix}$; (d) $\begin{pmatrix} 7 & 6 & 5 \\ 1 & 2 & 1 \\ 3 & -2 & 1 \end{pmatrix}$.

8.41 Calculer le déterminant des matrices suivantes :

(a) $\begin{pmatrix} 1 & 2 & 2 & 3 \\ 1 & 0 & -2 & 0 \\ 3 & -1 & 1 & -2 \\ 4 & -3 & 0 & 2 \end{pmatrix}$; (b) $\begin{pmatrix} 2 & 1 & 3 & 2 \\ 3 & 0 & 1 & -2 \\ 1 & -1 & 4 & 3 \\ 2 & 2 & -1 & 1 \end{pmatrix}$.

8.42 Calculer les déterminants suivants :

(a) $\begin{vmatrix} 2 & -1 & 3 & -4 \\ 2 & 1 & -2 & 1 \\ 3 & 3 & -5 & 4 \\ 5 & 2 & -1 & 4 \end{vmatrix}$; (b) $\begin{vmatrix} 2 & -1 & 4 & -3 \\ -1 & 1 & 0 & 2 \\ 3 & 2 & 3 & -1 \\ 1 & -2 & 2 & -3 \end{vmatrix}$; (c) $\begin{vmatrix} 1 & -2 & 3 & -1 \\ 1 & 1 & -2 & 0 \\ 2 & 0 & 4 & -5 \\ 1 & 4 & 4 & -6 \end{vmatrix}$.

8.43 Calculer les déterminants suivants :

(a) $\begin{vmatrix} 1 & 2 & -1 & 3 & 1 \\ 2 & -1 & 1 & -2 & 3 \\ 3 & 1 & 0 & 2 & -1 \\ 5 & 1 & 2 & -3 & 4 \\ -2 & 3 & -1 & 1 & -2 \end{vmatrix}$; (b) $\begin{vmatrix} 1 & 3 & 5 & 7 & 9 \\ 2 & 4 & 2 & 4 & 2 \\ 0 & 0 & 1 & 2 & 3 \\ 0 & 0 & 5 & 6 & 2 \\ 0 & 0 & 2 & 3 & 1 \end{vmatrix}$; (c) $\begin{vmatrix} 1 & 2 & 3 & 4 & 5 \\ 5 & 4 & 3 & 2 & 1 \\ 0 & 0 & 6 & 5 & 1 \\ 0 & 0 & 0 & 7 & 4 \\ 0 & 0 & 0 & 2 & 3 \end{vmatrix}$.

COFACTEURS, MATRICES ADJOINTES ET INVERSES

8.44 Calculer le déterminant, l'adjointe et l'inverse des matrices suivantes :

(a) $\begin{pmatrix} 1 & 1 & 0 \\ 1 & 1 & 1 \\ 0 & 2 & 1 \end{pmatrix}$; (b) $\begin{pmatrix} 1 & 2 & 2 \\ 3 & 1 & 0 \\ 1 & 1 & 1 \end{pmatrix}$.

8.45 Déterminer l'adjointe des matrices du problème 8.41.

8.46 Soit $A = \begin{pmatrix} a & b \\ c & d \end{pmatrix}$.

(a) Trouver $\operatorname{adj} A$;
(b) montrer que $\operatorname{adj}(\operatorname{adj} A) = A$;
(c) quand a-t-on $A = \operatorname{adj} A$?

8.47 Montrer que si A est diagonale (resp. triangulaire), alors $\operatorname{adj} A$ est diagonale (resp. triangulaire).

8.48 Soit une matrice $A = (a_{ij})$ triangulaire. Montrer que :
(a) A est inversible si et seulement si tous les éléments diagonaux sont non nuls, soit $\forall i$, $a_{ii} \neq 0$;
(b) les éléments diagonaux de A^{-1}, s'ils existent, sont les inverses a_{ii}^{-1} des éléments diagonaux de A.

MINEURS, MINEURS PRINCIPAUX

8.49 Soient $A = \begin{pmatrix} 1 & 2 & 3 & 2 \\ 1 & 0 & -2 & 3 \\ 3 & -1 & 2 & 5 \\ 4 & -3 & 0 & 1 \end{pmatrix}$ et $B = \begin{pmatrix} 1 & 3 & -1 & 5 \\ 2 & -3 & 1 & 4 \\ 0 & -5 & 2 & 1 \\ 3 & 0 & 5 & -2 \end{pmatrix}$. Déterminer le mineur et le mineur signé correspondant aux sous-matrices suivantes :

(a) $A(1,4;\ 3,4)$; (b) $B(1,4;\ 3,4)$; (c) $A(2,3;\ 2,4)$; (d) $B(2,3;\ 2,4)$.

8.50 Pour $k = 1, 2$ et 3, calculer la somme S_k des mineurs principaux d'ordre k des matrices suivantes :

(a) $A = \begin{pmatrix} 1 & 3 & 2 \\ 2 & -4 & 3 \\ 5 & -2 & 1 \end{pmatrix}$; (b) $B = \begin{pmatrix} 1 & 5 & -4 \\ 2 & 6 & 1 \\ 3 & -2 & 0 \end{pmatrix}$; (c) $A = \begin{pmatrix} 1 & -4 & 3 \\ 2 & 1 & 5 \\ 4 & -7 & 11 \end{pmatrix}$.

8.51 Pour $k = 1, 2, 3$ et 4, calculer la somme S_k des mineurs principaux d'ordre k des matrices suivantes :

(a) $A = \begin{pmatrix} 1 & 2 & 3 & -1 \\ 1 & -2 & 0 & 5 \\ 0 & 1 & -2 & 2 \\ 4 & 0 & -1 & 3 \end{pmatrix}$; (b) $B = \begin{pmatrix} 1 & 2 & 1 & 2 \\ 0 & 1 & 2 & 3 \\ 1 & 3 & 0 & 4 \\ 2 & 7 & 4 & 5 \end{pmatrix}$.

DÉTERMINANTS ET ÉQUATIONS LINÉAIRES

8.52 Résoudre par les déterminants les systèmes suivants :

(a) $\begin{cases} 3x+5y=8 \\ 4x-2y=1 \end{cases}$; (b) $\begin{cases} 2x-3y=-1 \\ 4x+7y=-1 \end{cases}$; (c) $\begin{cases} ax-2by=c \\ 3ax-5by=2c\ (ab\neq 0) \end{cases}$.

8.53 Résoudre par les déterminants les systèmes suivants :

(a) $\begin{cases} 2x-5y+2z=7 \\ x+2y-4z=3 \\ 3x-4y-6z=5 \end{cases}$; (b) $\begin{cases} 2z+3=y+3x \\ x-3z=2y+1 \\ 3y+z=2-2x \end{cases}$.

8.54 Démontrer le théorème 8.11 : *le système homogène carré $AX=0$ d'équations linéaires a une solution non nulle si et seulement si $D=|A|=0$.*

PERMUTATIONS

8.55 Trouver la parité des permutations de S_5 suivantes : $\sigma=32154$, $\tau=13524$ et $\pi=42531$.

8.56 Avec les permutations du problème 8.55, déterminer :

(a) $\tau\circ\sigma$; (b) $\pi\circ\sigma$; (c) σ^{-1}; (d) τ^{-1}.

8.57 Soit $\tau\in S_n$; montrer que lorsque σ parcourt S_n, $\tau\circ\sigma$ parcourt également S_n. En d'autre termes, montrer que $S_n=\{\tau\circ\sigma \mid \sigma\in S_n\}$.

8.58 Soit $\sigma\in S_n$ tel que $\sigma(n)=n$, et soit $\sigma^*\in S_{n-1}$ tel que $\sigma^*(x)=\sigma(x)$.
(a) Montrer que $\operatorname{sgn}\sigma^*=\operatorname{sgn}\sigma$;
(b) montrer que lorsque σ parcourt S_n, σ^* parcourt S_{n-1} :

$$S_{n-1}=\{\sigma^* \mid \sigma\in S_n,\ \sigma(n)=n\}$$

8.59 On considère une permutation $\sigma=j_1j_2\ldots j_n$. Soit $\{e_i\}$ la base canonique de $\mathbb{K}^n$, et soit A la matrice dont la i-ème ligne est e_{j_i}, soit $A=(e_{j_1},e_{j_2},\ldots,e_{j_n})$. Montrer que $|A|=\operatorname{sgn}\sigma$.

DÉTERMINANTS DES OPÉRATEURS LINÉAIRES

8.60 Trouver le déterminant des endomorphismes suivants :
(a) $T:\mathbb{R}^2\to\mathbb{R}^2$ défini par $T(x,y)=(2x-9y,\ 3x-5y)$;
(b) $T:\mathbb{R}^3\to\mathbb{R}^3$ défini par $T(x,y,z)=(3x-2z,\ 5y+7z,\ x+y+z)$;
(c) $T:\mathbb{R}^3\to\mathbb{R}^2$ défini par $T(x,y,z)=(2x+7y-4z,\ 4x-6y+2z)$.

8.61 Soit $\mathbf{D}:V\to V$ l'opérateur de dérivation, défini par $\mathbf{D}(f(t))=\dfrac{df}{dt}$. Trouver dét $\mathbf{D}$ si V est l'espace vectoriel des fonctions muni des bases suivantes :

(a) $\{1,t,\ldots,t^5\}$; (b) $\{e^t,e^{2t},e^{3t}\}$; (c) $\{\sin t,\ \cos t\}$.

8.62 Démontrer le théorème 8.13 : *soient F et G deux endomorphismes d'un espace vectoriel V. Alors :*

(a) $\text{dét}(F \circ G) = \text{dét}\, F\, \text{dét}\, G$;

(b) *F est inversible si et seulement si* $\text{dét}\, F \neq 0$.

8.63 Démontrer :

(a) $\text{dét}\, \mathbb{I}_V = 1$, où $\mathbb{I}_V$ est l'opérateur identité sur V ;

(b) $\text{dét}(T^{-1}) = (\text{dét}\, T)^{-1}$, où T est un opérateur inversible.

PROBLÈMES DIVERS

8.64 Déterminer le volume $V(S)$ du parallélépipède S de $\mathbb{R}^3$ construit sur les vecteurs suivants :

(a) $u_1 = (1, 2, -3)$, $u_2 = (3, 4, -1)$ et $u_3 = (2, -1, 5)$;

(b) $u_1 = (1, 1, 3)$, $u_2 = (1, -2, -4)$ et $u_3 = (4, 1, 2)$.

8.65 Déterminer le volume $V(S)$ du parallélépipède S de $\mathbb{R}^4$ construit sur les vecteurs suivants :

$$u_1 = (1, -2, 5, -1), \quad u_2 = (2, 1, -2, 1), \quad u_3 = (3, 0, 1, -2), \quad u_4 = (1, -1, 4, -1)$$

8.66 Soit V l'espace des matrices 2×2 à éléments réels, de la forme $M = \begin{pmatrix} a & b \\ c & d \end{pmatrix}$. Dire si les applications $D : V \to \mathbb{R}$ suivantes sont des formes bilinéaires (par rapport aux lignes) :

(a) $D(M) = a + d$;

(b) $D(M) = ad$;

(c) $D(M) = ac - bd$;

(d) $D(M) = ab - cd$;

(e) $D(M) = 0$;

(f) $D(M) = 1$.

8.67 Soit A une matrice carrée de taille n ; montrer que $|kA| = k^n |A|$.

8.68 Soient A, B, C et D des matrices carrées $n \times n$ qui commutent entre elles. On considère la matrice de taille $2n$, carrée par blocs, définie par $M = \begin{pmatrix} A & B \\ C & D \end{pmatrix}$. Montrer que $|M| = |A||D| - |B||C|$. Montrer que ce résultat peut être mis en défaut si les matrices ne commutent pas.

8.69 Si A est une matrice orthogonale, soit $A^T A = I$, montrer que $\text{dét}\, A = \pm 1$.

8.70 Soit V l'espace vectoriel des matrices carrées $m \times m$, considérées comme comme des multiplets de vecteurs ligne à m composantes. Soit $D : V \to \mathbb{K}$ une forme m-linéaire alternée ; montrer que :

(a) $D(\ldots, A, \ldots, B, \ldots) = -D(\ldots, B, \ldots, A, \ldots)$: le signe change si l'on permute deux lignes ;

(b) si les lignes $A_1, A_2, \ldots, A_n$ sont linéairement dépendantes, alors $D(A_1, A_2, \ldots, A_n) = 0$.

8.71 Considérons l'espace vectoriel V du problème 8.70, et soit une forme $D : V \to \mathbb{K}$. Montrer que l'énoncé (plus faible) suivant est équivalent à : « D est une forme alternée » :

$$D(A_1, A_2, \ldots, A_n) = 0 \quad \text{s'il existe } i \text{ tel que} \quad A_i = A_{i+1}$$

8.72 Soit V l'espace vectoriel des matrices carrées $n \times n$ sur $\mathbb{K}$. Supposons que la matrice $B \in V$ soit inversible, et donc $\text{dét}\, B \neq 0$. On définit $D : V \to \mathbb{K}$ par $D(A) = \dfrac{\text{dét}(AB)}{\text{dét}\, B}$, où $A \in V$:

$$D(A_1, A_2, \ldots, A_n) = \frac{\text{dét}\,(A_1B, A_2B, \ldots, A_nB)}{\text{dét}\, B}$$

où A_i est la i-ème ligne de A, de sorte que A_iB est la i-ème ligne de AB. Montrer[(1)] que D est une forme multilinéaire alternée, avec $D(I) = 1$.

8.73 Montrer que $g = g(x_1, \ldots, x_n) = (-1)^n V_{n-1}(x)$, où $g = g(x_i)$ est le produit des différences du problème 8.19, $x = x_n$, et V_{n-1} est le *déterminant de Vandermonde* défini par :

$$V_{n-1}(x) = \begin{vmatrix} 1 & 1 & \ldots & 1 & 1 \\ x_1 & x_2 & \ldots & x_{n-1} & x \\ x_1^2 & x_2^2 & \ldots & x_{n-1}^2 & x^2 \\ \vdots & \vdots & \vdots & \vdots & \vdots \\ x_1^{n-1} & x_2^{n-1} & \ldots & x_{n-1}^{n-1} & x^{n-1} \end{vmatrix}$$

8.74 Soit A une matrice quelconque. Montrer que les signes d'un mineur $A(I, J)$ et de son mineur complémentaire $A(I', J')$ sont égaux.

8.75 Soit A une matrice carrée $n \times n$. On définit le *rang* de A comme l'ordre de la plus grande sous-matrice de A, obtenue en supprimant des lignes et des colonnes de A, dont le déterminant est non nul. Montrer que cette définition du rang est identique aux précédentes : en particulier, le rang d'une matrice est le plus grand nombre de lignes (ou de colonnes) linéairement indépendantes.

¿ SOLUTIONS

Notation : $M = [R_1;\ R_2;\ \ldots]$ désigne une matrice de lignes $R_1, R_2, \ldots$

8.38 (a) -22 ; (b) -13 ; (c) 46 ; (d) -21 ; (e) $a^2 + ab + b^2$.

8.39 (a) $3, 10$; (b) $5, -2$.

8.40 (a) 21 ; (b) -11 ; (c) 100 ; (d) 0.

8.41 (a) -131 ; (b) -55.

8.42 (a) 33 ; (b) 0 ; (c) 45.

8.43 (a) -12 ; (b) -42 ; (c) -468.

1. On utilise parfois cette propriété pour montrer que $|AB| = |A||B|$.

8.44 (a) $|A| = -\frac{1}{2}$, $\operatorname{adj} A = [-1, -1, 1;\ \ -1, 1, -1;\ \ 2, -2, 0]$;

(b) $|A| = -1$, $\operatorname{adj} A = [1, 0, -2;\ \ -3, -1, 6;\ \ 2, 1, -5]$. On a $A^{-1} = \frac{1}{|A|} \operatorname{adj} A$.

8.45 (a) $[-16, -29, -26, -2;\ \ -30, -38, -16, 29;\ \ -8, 51, -13, -1;\ \ -13, 1, 28, -18]$;
(b) $[21, -14, -17, -19;\ \ -44, 11, 33, 11;\ \ -29, 1, 13, 21;\ \ 17, 7, -19, -18]$.

8.46 (a) $\operatorname{adj} A = [d, -b;\ \ -c, a]$; (c) $A = kI$.

8.49 (a) $-3, -3$; (b) $-23, -23$; (c) $3, -3$; (d) $17, -17$.

8.50 (a) $-2, -17, 73$; (b) $7, 10, 105$; (c) $13, 54, 0$.

8.51 (a) $6, 13, 62, -219$; (b) $7, -39, 29, 20$

8.52 (a) $x = \frac{21}{26}, y = \frac{29}{26}$; (b) $x = -\frac{5}{13}, y = \frac{1}{13}$; (c) $x = -\frac{c}{a}, y = -\frac{c}{b}$.

8.53 (a) $x = 5$, $y = 1$ et $z = 1$;
(b) $D = 0$: le système ne peut être résolu par les déterminants.

8.55 $\operatorname{sgn} \sigma = 1$, $\operatorname{sgn} \tau = -1$, $\operatorname{sgn} \pi = -1$.

8.56 (a) $\tau \circ \sigma = 53142$; (b) $\pi \circ \sigma = 52413$; (c) $\sigma^{-1} = 32154$; (d) $\tau^{-1} = 14253$.

8.60 (a) $\text{dét}\, T = 17$; (b) $\text{dét}\, T = 4$; (c) non défini.

8.61 (a) 0 ; (b) 6 ; (c) 1.

8.64 (a) 30 ; (b) 0.

8.65 17.

8.66 (a) non ; (b) oui ; (c) oui ; (d) non ; (e) oui ; (f) non.

Diagonalisation : valeurs propres et vecteurs propres

9.1 INTRODUCTION

Les concepts présentés dans ce chapitre peuvent être abordés selon deux points de vue.

9.1.1 Point de vue « matriciel »

Soit une matrice carrée $n \times n$ donnée. On dit qu'elle est *diagonalisable* s'il existe une matrice P régulière telle que la matrice :

$$B = P^{-1}AP$$

soit diagonale. Dans ce chapitre, nous examinons le problème de la diagonalisation d'une matrice A. En particulier, nous donnons un algorithme permettant de trouver, si elle existe, la matrice P.

9.1.2 Point de vue « opérateur linéaire »

Donnons-nous un endomorphisme $T : V \to V$. Il est dit *diagonalisable* s'il existe une base S de V telle que T soit représenté sur S par une matrice D diagonale. Nous discutons ici des conditions sous lesquelles un opérateur linéaire est diagonalisable.

9.1.3 Équivalence des deux points de vue

Les deux points de vue exposés ci-dessus sont essentiellement les mêmes ; une matrice carrée A peut être considérée comme un opérateur linéaire F défini par :

$$F(X) = AX$$

où X est un vecteur colonne, et la matrice $B = P^{-1}AP$ représente F sur une nouvelle base S dont les vecteurs sont les colonnes de P. Inversement, tout opérateur linéaire T peut être représenté par une matrice A sur une base S donnée et, si l'on change de base, par une autre matrice B définie par :

$$B = P^{-1}AP$$

P étant la matrice de changement de base.

En conséquence, la plupart des théorèmes seront énoncés sous deux formes : une forme matricielle, et une forme en termes d'opérateur linéaire.

9.1.4 Rôle du corps $\mathbb{K}$ sous-jacent

Au cours des chapitres précédents, le corps $\mathbb{K}$ des scalaires n'a pas joué de rôle particulier dans l'exposé des propriétés des espaces vectoriels ou des applications linéaires. Il en va autrement ici, la diagonalisation d'une matrice A ou d'un opérateur linéaire T étant fonction des racines d'un certain polynôme $\Delta(t)$, ces racines dépendant de $\mathbb{K}$. Considérons, par exemple, le polynôme $\Delta(t) = t^2 + 1$. Il n'a aucune racine si le corps est $\mathbb{R}$, mais il a deux racines, $t = \pm i$, sur le corps $\mathbb{C}$ des nombres complexes. De plus, la recherche des racines d'un polynôme de degré supérieur à deux est un sujet en soi, discuté en particulier dans les cours d'analyse numérique. Dans la suite, nous nous limiterons pour nos exemples à des polynômes dont les racines peuvent être facilement déterminées.

9.2 POLYNÔMES DE MATRICES

Considérons un polynôme $f(t) = a_n t^n + \cdots + a_1 t + a_0$ sur un corps $\mathbb{K}$. On rappelle (§ 2.8) que si A est une matrice quelconque, on peut définir :

$$f(A) = a_n A^n + \cdots + a_1 A + a_0 I$$

où I est la matrice unité. On dit en particulier que la matrice A est une *racine*, ou un *zéro*, de $f(t)$ si $f(A) = 0$, la matrice nulle.

Exemple 9.1

Soit $A = \begin{pmatrix} 1 & 2 \\ 3 & 4 \end{pmatrix}$. Alors $A^2 = \begin{pmatrix} 7 & 10 \\ 15 & 22 \end{pmatrix}$. Posons :

$$f(t) = 2t^2 - 3t + 5 \quad \text{et} \quad g(t) = t^2 - 5t - 2$$

Alors :

$$f(A) = 2A^2 - 3A + 5I = \begin{pmatrix} 14 & 20 \\ 30 & 44 \end{pmatrix} + \begin{pmatrix} -3 & -6 \\ -9 & -12 \end{pmatrix} + \begin{pmatrix} 5 & 0 \\ 0 & 5 \end{pmatrix} = \begin{pmatrix} 16 & 14 \\ 21 & 37 \end{pmatrix}$$

et :

$$g(A) = A^2 - 5A - 2I = \begin{pmatrix} 7 & 10 \\ 15 & 22 \end{pmatrix} + \begin{pmatrix} -5 & -10 \\ -15 & -20 \end{pmatrix} + \begin{pmatrix} -2 & 0 \\ 0 & -2 \end{pmatrix} = \begin{pmatrix} 0 & 0 \\ 0 & 0 \end{pmatrix}$$

La matrice A est un zéro de $g(t)$.

Le théorème qui suit sera démontré au problème 9.7 :

✻ Théorème 9.1 : Soient deux polynômes f et g. Pour toute matrice carrée A et pour tout scalaire k :

(a) $(f + g)(A) = f(A) + g(A)$;
(b) $(fg)(A) = f(A)g(A)$;
(c) $(kf)(A) = kf(A)$;
(d) $f(A)g(A) = g(A)f(A)$.

On note que (d) assure que deux polynômes de A sont commutatifs.

9.2.1 Matrices et opérateurs linéaires

Soit un opérateur linéaire $T : V \to V$ sur un espace vectoriel V. Les puissances de T se définissent à l'aide de l'opération de composition des applications :

$$T^2 = T \circ T, \quad T^3 = T^2 \circ T, \quad \ldots$$

Pour tout polynôme $f(t) = a_n t^n + \cdots + a_1 t + a_0$, on définit $f(T)$ de la même manière que pour une matrice :

$$f(T) = a_n T^n + \cdots + a_1 T + a_0 I$$

où I est cette fois l'opérateur unité, mais que nous notons avec le même symbole que la matrice unité. À nouveau, l'opérateur T est dit être un *zéro*, ou une *racine*, du polynôme $f(t)$ si $f(T) = 0$, l'application nulle. Les affirmations du théorèmes 9.1 s'appliquent à un opérateur linéaire exactement de la même manière qu'à une matrice.

9.3 POLYNÔME CARACTÉRISTIQUE, THÉORÈME DE CAYLEY-HAMILTON

Soit A une matrice carrée $n \times n$. Considérons la matrice $M = A - tI_n$, où I_n est la matrice unité de taille n et t un paramètre (scalaire) indéterminé ; la matrice M s'obtient simplement en soustrayant t à tous les éléments diagonaux de A. L'opposée de M est la matrice $tI_n - A$ et son déterminant :

$$\Delta(t) = \text{dét}(tI_n - A) = (-1)^n \,\text{dét}(A - tI_n)$$

est un polynôme de degré n, appelé *polynôme caractéristique* de la matrice A.

Voici l'un des théorèmes les plus importants de l'algèbre linéaire (démonstration au problème 9.8) :

*** Théorème 9.2 (Cayley-Hamilton) :** Toute matrice A est racine de son polynôme caractéristique.

Remarque : si $A = (a_{ij})$ est une matrice triangulaire, $tI - A$ est encore une matrice triangulaire, dont les éléments diagonaux sont $t - a_{ii}$; son déterminant est donné par :

$$\Delta(t) = \text{dét}(tI - A) = (t - a_{11})(t - a_{22}) \cdots (t - a_{nn})$$

Les racines du polynôme $\Delta(t)$ ne sont autres que les éléments diagonaux de A.

Exemple 9.2

Soit la matrice $A = \begin{pmatrix} 1 & 3 \\ 4 & 5 \end{pmatrix}$. Son polynôme caractéristique est :

$$\Delta(t) = |tI - A| = \begin{vmatrix} t-1 & -3 \\ -4 & t-5 \end{vmatrix} = (t-1)(t-5) - 12 = t^2 - 6t - 7$$

Comme prévu par le théorème de Cayley-Hamilton, A est racine de $\Delta(t)$:

$$\Delta(A) = A^2 - 6A - 7I = \begin{pmatrix} 13 & 18 \\ 24 & 37 \end{pmatrix} + \begin{pmatrix} -6 & -18 \\ -24 & -30 \end{pmatrix} + \begin{pmatrix} -7 & 0 \\ 0 & -7 \end{pmatrix} = \begin{pmatrix} 0 & 0 \\ 0 & 0 \end{pmatrix}$$

Considérons deux matrices semblables A et B, vérifiant $B = P^{-1}AP$, où P est une matrice inversible. Montrons que A et B ont le même polynôme caractéristique ; utilisons l'identité $tI = P^{-1}tIP$:

$$\begin{aligned}\Delta_B(t) &= \text{dét}(tI - B) = \text{dét}(tI - P^{-1}AP) = \text{dét}(P^{-1}tIP - P^{-1}AP)\\ &= \text{dét}\left[P^{-1}(tI - A)P\right] = \text{dét}(P^{-1})\,\text{dét}(tI - A)\,\text{dét}\,P\end{aligned}$$

Les déterminants sont des quantités scalaires, on peut donc les permuter ; on sait aussi que les déterminants de deux matrices inverses sont inverses l'un de l'autre, soit $\text{dét}(P^{-1})\,\text{dét}\,P = 1$, d'où :

$$\Delta_B(t) = \text{dét}(tI - B) = \text{dét}(tI - A) = \Delta_A(t)$$

Nous venons de démontrer que :

> ✻ **Théorème 9.3 :** Deux matrices semblables ont le même polynôme caractéristique.

9.3.1 Polynômes caractéristiques de degré 2 et 3

À l'ordre 2 et à l'ordre 3, il existe des formules simples donnant le polynôme caractéristique.

(a) Si $A = \begin{pmatrix} a_{11} & a_{12} \\ a_{21} & a_{22} \end{pmatrix}$, alors :

$$\Delta(t) = t^2 - (a_{11} + a_{22})t + \text{dét}\,A = t^2 - \text{tr}\,A\,t + \text{dét}\,A$$

où $\text{tr}\,A$ est la trace de A, c'est-à-dire la somme de ses éléments diagonaux.

(b) Si $A = \begin{pmatrix} a_{11} & a_{12} & a_{13} \\ a_{21} & a_{22} & a_{23} \\ a_{31} & a_{32} & a_{33} \end{pmatrix}$, alors :

$$\Delta(t) = t^3 - \text{tr}\,A\,t^2 + (A_{11} + A_{22} + A_{33})t - \text{dét}\,A$$

où A_{11}, A_{22} et A_{33} sont respectivement les cofacteurs des éléments a_{11}, a_{22} et a_{33} de A.

Exemple 9.3

Calculons le polynôme caractéristique des matrices suivantes :

(a) $A = \begin{pmatrix} 5 & 3 \\ 2 & 10 \end{pmatrix}$; (b) $B = \begin{pmatrix} 7 & -1 \\ 6 & 2 \end{pmatrix}$; (c) $C = \begin{pmatrix} 5 & -2 \\ 4 & -4 \end{pmatrix}$.

(a) Calculons $\text{tr}\,A = 5 + 10 = 15$ et $|A| = 50 - 6 = 44$, d'où $\Delta(t) = t^2 - 15t + 44$.
(b) De même, $\text{tr}\,B = 7 + 2 = 9$ et $|B| = 14 + 6 = 20$, d'où $\Delta(t) = t^2 - 9t + 20$.
(c) Enfin, $\text{tr}\,C = 5 - 4 = 1$ et $|C| = -20 + 8 = -12$, d'où $\Delta(t) = t^2 - t - 12$.

Exemple 9.4

Cherchons le polynôme caractéristique de $A = \begin{pmatrix} 1 & 1 & 2 \\ 0 & 3 & 2 \\ 1 & 3 & 9 \end{pmatrix}$.

La trace de A vaut $\text{tr}\,A = 1 + 3 + 9 = 13$; les cofacteurs des termes diagonaux sont donnés par :

$$A_{11} = \begin{vmatrix} 3 & 2 \\ 3 & 9 \end{vmatrix} = 21, \quad A_{22} = \begin{vmatrix} 1 & 2 \\ 1 & 9 \end{vmatrix} = 7, \quad A_{33} = \begin{vmatrix} 1 & 1 \\ 0 & 3 \end{vmatrix} = 3.$$

Par conséquent $A_{11} + A_{22} + A_{33} = 31$. Le déterminant de A est $|A| = 27 + 2 + 0 - 6 - 6 - 0 = 17$. En définitive :

$$\Delta(t) = t^3 - 13t^2 + 31t - 17$$

Remarque : les coefficients du polynôme caractéristique $\Delta(t)$ d'une matrice 3×3 sont donnés, en alternant les signes, par :

$$S_1 = \operatorname{tr} A, \quad S_2 = A_{11} + A_{22} + A_{33}, \quad S_3 = \text{dét} A$$

On reconnaît dans chacun des S_k la somme des mineurs principaux d'ordre k.

Nous admettrons le théorème suivant, qui généralise la remarque précédente, mais dont la démonstration dépasse le cadre de ce cours :

*** Théorème 9.4 :** Soit A une matrice carrée $n \times n$. Son polynôme caractéristique est donné par :

$$\Delta(t) = t^n - S_1 t^{n-1} + S_2 t^{n-2} + \cdots + (-1)^n S_n$$

où S_k est la somme des mineurs principaux d'ordre k.

9.3.2 Polynôme caractéristique d'un opérateur linéaire

Soit $T : V \to V$ un endomorphisme d'un espace vectoriel V de dimension finie. On définit le *polynôme caractéristique* $\Delta(t)$ de T comme le polynôme caractéristique de toute matrice représentant T. On rappelle que si A et B sont deux matrices représentant T sur deux bases différentes, alors $B = P^{-1}AP$, où P est la matrice de changement de base. A et B sont donc semblables, et le théorème 9.3 assure qu'elles ont le même polynôme caractéristique. On en déduit que le polynôme caractéristique d'un opérateur T est indépendant de la base particulière sur laquelle la représentation matricielle est établie.

Puisque $f(T) = 0$ si et seulement si $f(A) = 0$, où $f(t)$ est un polynôme arbitraire et A une représentation matricielle quelconque de T, le théorème de Cayley-Hamilton a un énoncé analogue pour les opérateurs :

*** Théorème 9.2′ (Cayley-Hamilton) :** Un opérateur linéaire est un zéro de son polynôme caractéristique.

9.4 DIAGONALISATION, VALEURS PROPRES ET VECTEURS PROPRES

Soit A une matrice carrée $n \times n$. La matrice A peut être représentée par une matrice diagonale[1] $D = \operatorname{diag}(k_1, k_2, \ldots, k_n)$ si et seulement si il existe une base S, constituée des vecteurs (colonne) $u_1, u_2, \ldots, u_n$, telle que :

$$\begin{aligned} Au_1 &= k_1 u_1 \\ Au_2 &= \quad k_2 u_2 \\ &\cdots\cdots\cdots\cdots \\ Au_n &= \quad\quad k_n u_n \end{aligned}$$

1. Il est équivalent de dire que la matrice A est semblable à une matrice diagonale.

On dit que A est *diagonalisable*. De plus, on peut écrire $D = P^{-1}AP$, où la matrice P est régulière, et ses colonnes sont, respectivement, les composantes des vecteurs $u_1, u_2, \ldots, u_n$.

Ce qui précède suggère la définition suivante :

◆ **Définition 9.1 :** Soit A une matrice carrée arbitraire. Un scalaire λ est appelé *valeur propre* de A s'il existe un vecteur (colonne) non nul v tel que :

$$Av = \lambda v$$

Le vecteur v vérifiant cette relation est appelé *vecteur propre* correspondant à la valeur propre λ.

On remarque que tout multiple kv d'un vecteur propre est encore vecteur propre pour la même valeur propre λ :

$$A(kv) = k(Av) = k(\lambda v) = \lambda(kv)$$

L'ensemble E_λ des vecteurs propres correspondant à une même valeur propre λ est un sous-espace vectoriel de V (problème 9.19) appelé *espace propre* de λ. Si $\dim E_\lambda = 1$, le sous-espace propre de la valeur propre λ est réduit à une droite, appelée *droite propre* de λ.

Les valeurs propres et vecteurs propres sont parfois désignés sous le nom de *valeurs caractéristiques* et *vecteurs caractéristiques*.

On a le théorème suivant :

✻ **Théorème 9.5 :** Une matrice carrée $n \times n$ est diagonalisable, donc représentable par une matrice diagonale D, si et et seulement si elle possède n vecteurs propres linéairement indépendants. La matrice diagonale D ainsi définie a pour éléments les valeurs propres de A, et la matrice P telle que $D = P^{-1}AP$ a pour colonnes les composantes des vecteurs propres correspondants.

Si une matrice A est diagonalisable, soit $P^{-1}AP = D$, où la matrice D est diagonale, la formule suivante est particulièrement utile pour mettre A sous forme diagonale, et est appelée *décomposition diagonale* de A :

$$A = PDP^{-1}$$

On peut alors remplacer tout calcul où intervient la matrice A par un calcul sur une matrice diagonale, qui est beaucoup plus simple. Par exemple, en posant $D = \operatorname{diag}(k_1, k_2, \ldots, k_n)$:

$$A^m = (PDP^{-1})^m = PD^mP^{-1} = P\operatorname{diag}(k_1^m, k_2^m, \ldots, k_n^m)P^{-1}$$

et plus généralement, pour tout polynôme $f(t)$:

$$f(A) = f(PDP^{-1}) = Pf(D)P^{-1} = P\operatorname{diag}\big(f(k_1), f(k_2), \ldots, f(k_n)\big)P^{-1}$$

De plus, si les éléments de D sont non négatifs, posons :

$$B = P\operatorname{diag}(\sqrt{k_1}, \sqrt{k_2}, \ldots, \sqrt{k_n})P^{-1}$$

On dit que la matrice B, dont les valeurs propres sont non négatives, est une *racine carrée non négative* de A, autrement dit $B^2 = A$.

Exemple 9.5

Soit $A = \begin{pmatrix} 3 & 1 \\ 2 & 2 \end{pmatrix}$. Considérons les vecteurs $v_1 = \begin{pmatrix} 1 \\ -2 \end{pmatrix}$ et $v_2 = \begin{pmatrix} 1 \\ 1 \end{pmatrix}$. Alors :

$$Av_1 = \begin{pmatrix} 3 & 1 \\ 2 & 2 \end{pmatrix}\begin{pmatrix} 1 \\ -2 \end{pmatrix} = \begin{pmatrix} 1 \\ -2 \end{pmatrix} = v_1 \quad \text{et} \quad Av_2 = \begin{pmatrix} 3 & 1 \\ 2 & 2 \end{pmatrix}\begin{pmatrix} 1 \\ 1 \end{pmatrix} = \begin{pmatrix} 4 \\ 4 \end{pmatrix} = 4v_2$$

Les vecteurs v_1 et v_2 sont vecteurs propres de A correspondant respectivement aux valeurs propres $\lambda_1 = 1$ et $\lambda_2 = 4$. On peut remarquer que v_1 et v_2 sont linéairement indépendants et forment une base de $\mathbb{R}^2$: on en déduit que A est diagonalisable. Construisons la matrice P dont les colonnes sont formées des composantes des vecteurs v_1 et v_2 :

$$P = \begin{pmatrix} 1 & 1 \\ -2 & 1 \end{pmatrix} \quad \text{d'où} \quad P^{-1} = \begin{pmatrix} \frac{1}{3} & -\frac{1}{3} \\ \frac{2}{3} & \frac{1}{3} \end{pmatrix}$$

A est alors semblable à la matrice diagonale D suivante :

$$D = P^{-1}AP = \begin{pmatrix} \frac{1}{3} & -\frac{1}{3} \\ \frac{2}{3} & \frac{1}{3} \end{pmatrix}\begin{pmatrix} 3 & 1 \\ 2 & 2 \end{pmatrix}\begin{pmatrix} 1 & 1 \\ -2 & 1 \end{pmatrix} = \begin{pmatrix} 1 & 0 \\ 0 & 4 \end{pmatrix}$$

Comme prévu, les éléments (diagonaux) de D sont les valeurs propres correspondant respectivement aux vecteurs propres v_1 et v_2, qui forment les colonnes de P. Inversement, A s'écrit :

$$A = PDP^{-1} = \begin{pmatrix} 1 & 1 \\ -2 & 1 \end{pmatrix}\begin{pmatrix} 1 & 0 \\ 0 & 4 \end{pmatrix}\begin{pmatrix} \frac{1}{3} & -\frac{1}{3} \\ \frac{2}{3} & \frac{1}{3} \end{pmatrix} = \begin{pmatrix} 3 & 1 \\ 2 & 2 \end{pmatrix}$$

Calculons par exemple A^4 :

$$A^4 = PD^4P^{-1} = \begin{pmatrix} 1 & 1 \\ -2 & 1 \end{pmatrix}\begin{pmatrix} 1 & 0 \\ 0 & 256 \end{pmatrix}\begin{pmatrix} \frac{1}{3} & -\frac{1}{3} \\ \frac{2}{3} & \frac{1}{3} \end{pmatrix} = \begin{pmatrix} 171 & 85 \\ 170 & 86 \end{pmatrix}$$

Soit le polynôme $f(t) = t^3 - 5t^2 + 3t + 6$. Alors $f(1) = 5$ et $f(4) = 2$, et l'on a :

$$f(A) = Pf(D)P^{-1} = \begin{pmatrix} 1 & 1 \\ -2 & 1 \end{pmatrix}\begin{pmatrix} 5 & 0 \\ 0 & 2 \end{pmatrix}\begin{pmatrix} \frac{1}{3} & -\frac{1}{3} \\ \frac{2}{3} & \frac{1}{3} \end{pmatrix} = \begin{pmatrix} 3 & -1 \\ -2 & 4 \end{pmatrix}$$

Calculons enfin une « racine carrée positive » de A. En posant $\sqrt{1} = 1$ et $\sqrt{4} = 2$, on peut obtenir la matrice :

$$B = P\sqrt{D}P^{-1} = \begin{pmatrix} 1 & 1 \\ -2 & 1 \end{pmatrix}\begin{pmatrix} 1 & 0 \\ 0 & 2 \end{pmatrix}\begin{pmatrix} \frac{1}{3} & -\frac{1}{3} \\ \frac{2}{3} & \frac{1}{3} \end{pmatrix} = \begin{pmatrix} \frac{5}{3} & \frac{1}{3} \\ \frac{2}{3} & \frac{4}{3} \end{pmatrix}$$

Elle vérifie $B^2 = A$ et a deux valeurs propres positives, 1 et 2.

Remarque : tout au long de ce chapitre, nous utilisons l'expression suivante pour l'inverse d'une matrice 2×2 :

$$P = \begin{pmatrix} a & b \\ c & d \end{pmatrix} \Rightarrow P^{-1} = \begin{pmatrix} \dfrac{d}{|P|} & -\dfrac{b}{|P|} \\ -\dfrac{c}{|P|} & \dfrac{a}{|P|} \end{pmatrix}$$

P^{-1} s'obtient en en échangeant les éléments diagonaux a et d, en prenant les opposés des éléments non diagonaux b et c, et en divisant chacun d'eux par le déterminant $|P| = ad - bc$.

9.4.1 Propriétés des valeurs propres et des vecteurs propres

L'exemple 9.5 ci-dessus montre l'intérêt de la représentation diagonale d'une matrice carrée. Le théorème suivant, démontré au problème 9.20, présente plusieurs propriétés utiles à la détermination d'une telle représentation.

*** Théorème 9.6 :** Soit A une matrice carrée. Les trois énoncés suivants sont équivalents :
(a) le scalaire λ est valeur propre de M ;
(b) la matrice $M = A - \lambda I$ est singulière ;
(c) le scalaire λ est racine du polynôme caractéristique $\Delta(t)$ de A.

L'espace propre E_λ correspondant à une valeur propre λ est l'espace des solutions du système homogène d'équations linéaires $MX = 0$, avec $M = A - \lambda I$, matrice obtenue en retranchant λ aux éléments diagonaux de A.

Il existe des matrices n'ayant pas de valeurs propres et donc pas de vecteurs propres. Néanmoins, en utilisant le théorème 9.6 et le théorème fondamental de l'algèbre, qui stipule que tout polynôme possède au moins une racine sur $\mathbb{C}$, on établit le résultat suivant :

*** Théorème 9.7 :** Soit A une matrice carrée sur le corps $\mathbb{C}$ des nombres complexes. Alors A possède au moins une valeur propre.

Les théorèmes suivants seront utilisés dans la suite. L'équivalent du théorème 9.8 pour les opérateurs linéaires est démontré au problème 9.21, et le théorème 9.9 est démontré au problème 9.22.

*** Théorème 9.8 :** Soient $v_1, v_2, \ldots, v_n$ des vecteurs propres non nuls correspondant à des valeurs propres distinctes $\lambda_1, \lambda_2, \ldots, \lambda_n$ d'une matrice A. Alors les vecteurs $v_1, v_2, \ldots, v_n$ sont linéairement indépendants.

*** Théorème 9.9 :** Si le polynôme caractéristique $\Delta(t)$ d'une matrice carrée $n \times n$ s'écrit comme produit de n facteurs distincts, soit $\Delta(t) = (t - a_1)(t - a_2) \cdots (t - a_n)$, alors A est semblable à la matrice diagonale $D = \text{diag}(a_1, a_2, \ldots, a_n)$.

On définit la *multiplicité algébrique* d'une valeur propre λ d'une matrice A comme la multiplicité de λ en tant que racine du polynôme caractéristique, et on définit sa *multiplicité géométrique* comme la dimension de son espace propre E_λ. On a le théorème suivant, dont l'équivalent pour les opérateurs linéaires est démontré au problème 9.23 :

*** Théorème 9.10 :** La multiplicité géométrique d'une valeur propre λ d'une matrice A n'est pas supérieure à sa multiplicité algébrique.

9.4.2 Diagonalisation d'un opérateur linéaire

Considérons un opérateur linéaire $T : V \to V$. Alors T est dit *diagonalisable* s'il peut être représenté par une matrice diagonale. Par conséquent T est diagonalisable s'il existe une base $S = \{u_1, u_2, \ldots, u_n\}$ de V telle que :

$$\begin{aligned} T(u_1) &= k_1 u_1 \\ T(u_2) &= \quad k_2 u_2 \\ &\cdots\cdots\cdots\cdots \\ T(u_n) &= \qquad k_n u_n \end{aligned}$$

T est alors représenté sur la base S par la matrice diagonale :

$$D = \operatorname{diag}(k_1, k_2, \ldots, k_n)$$

Ceci nous permet d'introduire la définition et les théorèmes suivants, analogues à ceux présentés plus haut pour les matrices :

◆ Définition 9.2 : Soit T un opérateur linéaire. Le scalaire λ est appelé *valeur propre* de T s'il existe un vecteur v non nul tel que :

$$T(v) = \lambda v$$

Tout vecteur vérifiant cette relation est appelé *vecteur propre* de T correspondant à la valeur propre λ.

L'ensemble E_λ de tous les vecteurs propres correspondant à une valeur propre λ donnée est un sous-espace de V, appelé l'*espace propre* de λ. De manière équivalente, λ est une valeur propre de T si l'opérateur $\lambda I - T$ est singulier, d'où il résulte que E_λ est le noyau de l'opérateur $\lambda I - T$. Les multiplicités algébrique et géométrique de λ sont définies de la même manière que pour les valeurs propres d'une matrice.

Pour un opérateur linéaire T sur un espace vectoriel V de dimension finie, nous avons les théorèmes suivants :

*** Théorème 9.5′ :** T peut être représenté par une matrice diagonale D si et seulement si il existe une base S de V constituée de vecteurs propres de T. Les éléments (diagonaux) de D sont alors les valeurs propres correspondantes.

*** Théorème 9.6′ :** Soit T un opérateur linéaire. Les trois affirmations suivantes sont équivalentes :
(a) le scalaire λ est valeur propre de T ;
(b) l'opérateur $\lambda I - T$ est singulier ;
(c) le scalaire λ est racine du polynôme caractéristique $\Delta(t)$ de T.

*** Théorème 9.7′ :** Si V est un espace vectoriel complexe, alors T possède au moins une valeur propre.

*** Théorème 9.8′ :** Soient $v_1, v_2, \ldots, v_n$ des vecteurs propres non nuls correspondant à des valeurs propres distinctes $\lambda_1, \lambda_2, \ldots, \lambda_n$ d'un opérateur linéaire T. Alors les vecteurs $v_1, v_2, \ldots, v_n$ sont linéairement indépendants.

*** Théorème 9.9′ :** Si le polynôme caractéristique $\Delta(t)$ d'un opérateur linéaire T s'écrit comme produit de n facteurs distincts, soit $\Delta(t) = (t - a_1)(t - a_2) \cdots (t - a_n)$, alors T peut être représenté par une matrice diagonale $D = \mathrm{diag}(a_1, a_2, \ldots, a_n)$.

*** Théorème 9.10′ :** La multiplicité géométrique d'une valeur propre λ d'un opérateur linéaire T n'est pas supérieure à sa multiplicité algébrique.

Le théorème suivant ramène le problème de la diagonalisation d'un opérateur linéaire T à celui de la diagonalisation d'une matrice A :

*** Théorème 9.11 :** Soit A une représentation matricielle d'un opérateur linéaire T. Alors T est diagonalisable si et seulement si A est diagonalisable.

9.5 CALCUL DES VALEURS PROPRES ET DES VECTEURS PROPRES, DIAGONALISATION D'UNE MATRICE

Ce paragraphe fournit un algorithme de calcul des valeurs propres et des vecteurs propres d'une matrice, et établit, ou non, l'existence d'une matrice régulière P telle que la matrice $P^{-1}AP$ soit diagonale.

*** Algorithme 9.1 (algorithme de diagonalisation) :** L'entrée est une matrice carrée $n \times n$.

Étape 1 Trouver le polynôme caractéristique $\Delta(t)$ de A.

Étape 2 Déterminer les racines de $\Delta(t)$, qui sont les valeurs propres λ_i de A.

Étape 3 Pour chacune des valeurs propres λ_i de A, réitérer les deux points suivants :

(a) construire la matrice $M_i = A - \lambda_i I$ en soustrayant λ_i à chacun des éléments diagonaux ;

(b) déterminer une base de l'espace des solutions du système homogène d'équations linéaires $M_iX = 0$: ces vecteurs sont les vecteurs propres de A linéairement indépendants correspondant à la valeur propre λ_i.

Étape 4 Examiner le système de vecteurs $S = \{v_1, v_2, \ldots, v_m\}$ obtenu à l'étape 3 :

(a) si $m \neq n$, A n'est pas diagonalisable ;

(b) si $m = n$, A est diagonalisable. Construire alors la matrice P dont les colonnes sont les composantes des vecteurs $v_1, v_2, \ldots, v_n$, d'où :

$$D = P^{-1}AP = \operatorname{diag}\{\lambda_1, \lambda_2, \ldots, \lambda_n\}$$

où λ_i est la valeur propre correspondant au vecteur propre v_i.

Exemple 9.6

Appliquons l'algorithme de diagonalisation à la matrice $A = \begin{pmatrix} 4 & 2 \\ 3 & -1 \end{pmatrix}$.

(a) *Calcul du polynôme caractéristique ;* on a :

$$\operatorname{tr} A = 4 - 1 = 3, \quad |A| = -4 - 6 = -10$$

Par conséquent :

$$\Delta(t) = t^2 - 3t - 10 = (t-5)(t+2)$$

(b) *Recherche des racines de* $\Delta(t)$; on pose $\Delta(t) = (t-5)(t+2) = 0$. Les racines $\lambda_1 = 5$ et $\lambda_2 = -2$ sont les valeurs propres de A.

(c) *Détermination des vecteurs propres* :

1. Chercher un vecteur propre correspondant à la valeur propre $\lambda_1 = 5$. On soustrait $\lambda_1 = 5$ aux éléments diagonaux de A, et l'on obtient la matrice $M = A - \lambda_1 I = \begin{pmatrix} -1 & 2 \\ 3 & -6 \end{pmatrix}$. Les vecteurs cherchés sont solutions du système homogène $MX = 0$:

$$\begin{pmatrix} -1 & 2 \\ 3 & -6 \end{pmatrix}\begin{pmatrix} x \\ y \end{pmatrix} = 0 \quad \text{ou} \quad \begin{aligned} -x + 2y &= 0 \\ 3x - 6y &= 0 \end{aligned} \quad \text{ou} \quad -x + 2y = 0$$

Le système a une variable libre et donc des solutions non nulles. Une telle solution est par exemple $v_1 = (2, 1)$ qui engendre l'espace propre E_{λ_1} correspondant à la valeur propre $\lambda_1 = 5$.

2. Chercher un vecteur propre correspondant à la valeur propre $\lambda_2 = -2$. On soustrait $\lambda_2 = -2$ aux éléments diagonaux de A, et l'on obtient la matrice $M = A - \lambda_2 I = \begin{pmatrix} 6 & 2 \\ 3 & 1 \end{pmatrix}$. Les vecteurs cherchés sont solutions du système homogène $MX = 0$:

$$\begin{pmatrix} 6 & 2 \\ 3 & 1 \end{pmatrix}\begin{pmatrix} x \\ y \end{pmatrix} = 0 \quad \text{ou} \quad \begin{aligned} 6x + 2y &= 0 \\ 3x + \ y &= 0 \end{aligned} \quad \text{ou} \quad 3x + y = 0$$

Le système a une variable libre et donc des solutions non nulles. Une telle solution est par exemple $v_2 = (-1, 3)$ qui engendre l'espace propre E_{λ_2} correspondant à la valeur propre $\lambda_2 = -2$.

(d) *Diagonalisation de A* ; soit P la matrice dont les colonnes sont les composantes de v_1 et v_2 :

$$P = \begin{pmatrix} 2 & -1 \\ 1 & 3 \end{pmatrix} \quad \text{d'où} \quad P^{-1} = \begin{pmatrix} \frac{3}{7} & \frac{1}{7} \\ -\frac{1}{7} & \frac{2}{7} \end{pmatrix}$$

La matrice $D = P^{-1}AP$ est la matrice diagonale dont les éléments sont les valeurs propres λ_1 et λ_2 :

$$D = P^{-1}AP = \begin{pmatrix} \frac{3}{7} & \frac{1}{7} \\ -\frac{1}{7} & \frac{2}{7} \end{pmatrix} \begin{pmatrix} 4 & 2 \\ 3 & -1 \end{pmatrix} \begin{pmatrix} 2 & -1 \\ 1 & 3 \end{pmatrix}$$
$$= \begin{pmatrix} 5 & 0 \\ 0 & -2 \end{pmatrix}$$

Exemple 9.7

Soit la matrice $B = \begin{pmatrix} 5 & -1 \\ 1 & 3 \end{pmatrix}$. On a :

$$\operatorname{tr} B = 5 + 3 = 8 \quad \text{et} \quad |B| = 15 + 1 = 16 \Rightarrow \Delta(t) = t^2 - 8t + 16 = (t-4)^2$$

On en déduit que $\lambda = 4$ est la seule valeur propre de B. Retranchons 4 des éléments diagonaux de A, d'où la matrice $M = A - \lambda I$ et le système homogène associé $MX = 0$:

$$M = A - \lambda I = B = \begin{pmatrix} 1 & -1 \\ 1 & -1 \end{pmatrix} \Rightarrow MX = 0 \ : \ \begin{matrix} x - y = 0 \\ x - y = 0 \end{matrix} \quad \text{ou} \quad x - y = 0$$

On n'a ici qu'une seule solution indépendante, par exemple $x = 1$ et $y = 1$: le vecteur $v = (1,\ 1)$ et ses multiples sont les seuls vecteurs propres de B. La matrice B n'est donc pas diagonalisable, puisque l'ensemble des vecteurs propres de B ne forme pas une base de $\mathbb{R}^2$.

Exemple 9.8

Soit la matrice $A = \begin{pmatrix} 3 & -5 \\ 2 & -3 \end{pmatrix}$. On a $\operatorname{tr} A = 3 - 3 = 0$ et $|A| = -9 + 10 = 1$, d'où le polynôme caractéristique $\Delta(t) = t^2 + 1$. Deux cas sont à considérer :

(a) A est une matrice réelle : le polynôme caractéristique $\Delta(t)$ n'a pas de racines (réelles). A n'a donc ni valeurs propres, ni vecteurs propres, et n'est pas diagonalisable.

(b) A est une matrice complexe : le polynôme caractéristique $\Delta(t) = (t - i)(t + i)$ a deux racines. A a deux valeurs propres distinctes $\lambda_1 = i$ et $\lambda_2 = -i$, et donc deux vecteurs propres linéairement indépendants. Il existe par conséquent une matrice régulière P sur $\mathbb{C}$ telle que :

$$P^{-1}AP = \begin{pmatrix} i & 0 \\ 0 & -i \end{pmatrix}$$

La matrice A est diagonalisable sur le corps $\mathbb{C}$ des nombres complexes.

9.6 DIAGONALISATION DES MATRICES RÉELLES SYMÉTRIQUES

Beaucoup de matrices réelles ne sont pas diagonalisables ; il existe en particulier des matrices réelles n'ayant aucune valeur propre. Mais ce n'est jamais le cas si la matrice est symétrique :

> ✻ **Théorème 9.12 :** Soit A une matrice réelle symétrique. Alors toutes les racines de son polynôme caractéristique sont réelles.

> ✻ **Théorème 9.13 :** Soit A une matrice réelle symétrique. Si u et v sont deux vecteurs propres de A correspondant à deux valeurs propres distinctes λ_1 et λ_2, alors u et v sont orthogonaux : $\langle u, v\rangle = 0$.

Ces deux théorèmes conduisent au résultat fondamental suivant :

> ✻ **Théorème 9.14 :** Soit A une matrice réelle symétrique. Alors il existe une matrice orthogonale P telle que la matrice $D = P^{-1}AP$ soit diagonale.

Comme nous allons le voir, la matrice orthogonale P s'obtient en normalisant une base de vecteurs propres orthogonaux. On dit que la matrice est « orthogonalement diagonalisable ».

Exemple 9.9

Soit la matrice réelle symétrique $A = \begin{pmatrix} 2 & -2 \\ -2 & 5 \end{pmatrix}$. Trouver une matrice orthogonale P telle que $P^{-1}AP$ soit diagonale.

Solution : écrivons d'abord le polynôme caractéristique $\Delta(t)$ de A. On a :

$$\operatorname{tr} A = 2 + 5 = 7, \quad |A| = 10 - 4 = 6 \quad \text{d'où} \quad \Delta(t) = t^2 - 7t + 6 = (t-6)(t-1)$$

Les valeurs propres de A sont $\lambda_1 = 6$ et $\lambda_2 = 1$.

(a) En retranchant $\lambda_1 = 6$ des éléments diagonaux de A, on obtient la matrice $M = A - 6I$, puis on écrit le système homogène $MX = 0$:

$$M = \begin{pmatrix} -4 & -2 \\ -2 & -1 \end{pmatrix} \quad \text{et} \quad \begin{array}{l} -4x - 2y = 0 \\ -2x - y = 0 \end{array} \quad \text{ou} \quad 2x + y = 0$$

Une solution non nulle est $u_1 = (1, -2)$.

(b) On effectue les mêmes opérations avec la 2e valeur propre $\lambda_2 = 1$:

$$M = \begin{pmatrix} 1 & -2 \\ -2 & 4 \end{pmatrix} \quad \text{d'où} \quad x - 2y = 0$$

On a omis la deuxième équation du système homogène, multiple de la première ; une solution non nulle est $u_2 = (2, 1)$.

Comme prévu par le théorème 9.13, les vecteurs u_1 et u_2 sont orthogonaux. Par normalisation, on obtient :

$$\hat{u}_1 = \left(\frac{1}{\sqrt{5}}, -\frac{2}{\sqrt{5}}\right) \quad \text{et} \quad \hat{u}_2 = \left(\frac{2}{\sqrt{5}}, \frac{1}{\sqrt{5}}\right)$$

La matrice P a pour colonnes les vecteurs $\hat{u}_1$ et $\hat{u}_2$:

$$P = \begin{pmatrix} \frac{1}{\sqrt{5}} & \frac{2}{\sqrt{5}} \\ -\frac{2}{\sqrt{5}} & \frac{1}{\sqrt{5}} \end{pmatrix} \quad \text{et} \quad P^{-1}AP = \begin{pmatrix} 6 & 0 \\ 0 & 1 \end{pmatrix}$$

Comme attendu, la matrice diagonale a pour éléments les valeurs propres de A.

Nous allons généraliser la méthode illustrée dans l'exemple 9.9 sous la forme d'un algorithme :

*** Algorithme 9.2 (diagonalisation d'une matrice réelle symétrique) :** L'entrée est une matrice A symétrique à éléments réels.

Étape 1 Écrire le polynôme caractéristique $\Delta(t)$ de A.

Étape 2 Calculer les racines de $\Delta(t)$, qui sont les valeurs propres de A.

Étape 3 Déterminer une base orthogonale de l'espace propre de chacune des valeurs propres trouvées à l'étape 2 précédente.

Étape 4 Normaliser les vecteurs de l'étape 3.

Étape 5 Écrire la matrice P dont les colonnes sont les vecteurs unitaires de l'étape 4.

9.6.1 Application aux formes quadratiques

Soit q un polynôme réel des variables $x_1, x_2, \ldots, x_n$, dont chaque terme est de degré 2 :

$$q(x_1, x_2, \ldots, x_n) = \sum_i c_i x_i^2 + \sum_{i<j} d_{ij} x_i x_j, \quad c_i,\ d_{ij} \in \mathbb{R} \tag{9.1}$$

Un tel polynôme q est appelé *forme quadratique*. Si dans l'expression (9.1) il n'y a aucun produit croisé, autrement dit si tous les d_{ij} sont nuls, la forme quadratique est dite *diagonale*.

La forme quadratique (9.1) définit une matrice réelle symétrique $A = (a_{ij})$, avec $a_{ii} = c_i$ et $a_{ij} = a_{ji} = \frac{1}{2}d_{ij}$. On peut en effet l'écrire sous la forme :

$$q(X) = X^T AX$$

où $X = (x_1, x_2, \ldots, x_n)$ est le vecteur colonne formé par les variables. Supposons que l'on effectue un changement de variables linéaire $X = PY$. La substitution dans la forme quadratique $q(X)$ s'écrit :

$$q(Y) = (PY)^T A(PY) = Y^T (P^T AP)Y$$

et par conséquent la représentation matricielle de q sur les nouvelles variables est $P^T AP$.

Nous cherchons à déterminer une matrice P orthogonale telle que le changement de variables orthogonal $X = PY$ correspondant conduise à une expression diagonale de la forme quadratique q, et la matrice $P^T AP$ est alors diagonale. Puisque P est orthogonale, $P^T = P^{-1}$, et donc $P^T AP = P^{-1}AP$. La théorie exposée ci-dessus permet d'obtenir une telle matrice orthogonale.

Exemple 9.10

Considérons la forme quadratique :

$$q(x, y) = 2x^2 - 4xy + 5y^2 = X^T AX \quad \text{où} \quad A = \begin{pmatrix} 2 & -2 \\ -2 & 5 \end{pmatrix} \quad \text{et} \quad X = \begin{pmatrix} x \\ y \end{pmatrix}$$

D'après l'exemple 9.9 :

$$P^{-1}AP = \begin{pmatrix} 6 & 0 \\ 0 & 1 \end{pmatrix} = P^T AP, \quad \text{avec} \quad P = \begin{pmatrix} \frac{1}{\sqrt{5}} & \frac{2}{\sqrt{5}} \\ -\frac{2}{\sqrt{5}} & \frac{1}{\sqrt{5}} \end{pmatrix}$$

La matrice P correspond au changement de variables linéaire orthogonal $(x, y) \to (s, t)$ suivant :

$$x = \frac{1}{\sqrt{5}}s + \frac{2}{\sqrt{5}}t, \quad y = -\frac{2}{\sqrt{5}}s + \frac{1}{\sqrt{5}}t$$

En fonction des nouvelles variables s et t, la forme quadratique s'écrit $q(s, t) = 6s^2 + t^2$.

9.7 POLYNÔME MINIMAL

Soit A une matrice carrée. On note $J(A)$ l'ensemble des polynômes dont A est une racine, c'est-à-dire tels que $f(A) = 0$. De tels polynômes sont appelés *polynômes annulateurs* de A. Le théorème de Cayley-Hamilton (théorème 9.1) assure que cet ensemble n'est pas vide, puisque A est racine de son polynôme caractéristique, et donc $\Delta_A(t) \in J(A)$. On désigne par $m(t) \in J(A)$ le polynôme de plus bas degré dont le coefficient directeur[1] soit égal à 1. On montre que ce polynôme existe et est unique. Il est appelé *polynôme minimal* de la matrice A. On a le théorème suivant, démontré au problème 9.33 :

∗ Théorème 9.15 : Le polynôme minimal $m(t)$ d'une matrice (ou d'un opérateur linéaire) A divise tout polynôme dont A est racine. En particulier, c'est un diviseur du polynôme caractéristique $\Delta(t)$ de A.

Il existe une relation plus forte entre $m(t)$ et $\Delta(t)$:

∗ Théorème 9.16 : Le polynôme caractéristique $\Delta(t)$ et le polynôme minimal $m(t)$ d'une matrice A sont composés des mêmes facteurs irréductibles.

Ce théorème, démontré au problème 9.35, ne dit pas que $m(t) = \Delta(t)$, mais seulement que tout facteur irréductible de l'un divise l'autre. En particulier, puisqu'un facteur linéaire est irréductible, $m(t)$ et $\Delta(t)$ ont les mêmes termes linéaires. Ils ont par conséquent les mêmes racines, et l'on a le théorème suivant :

∗ Théorème 9.17 : Un scalaire λ est valeur propre d'une matrice A si et seulement si il est racine du polynôme minimal $m(t)$ de A.

1. On rappelle que le coefficient directeur d'un polynôme est le coefficient de son terme de plus haut degré. Un polynôme dont le coefficient directeur vaut 1 est appelé *polynôme unitaire*.

Exemple 9.11

Trouver le polynôme minimal $m(t)$ de la matrice $A = \begin{pmatrix} 2 & 2 & -5 \\ 3 & 7 & -15 \\ 1 & 2 & -4 \end{pmatrix}$.

Solution : déterminons tout d'abord le polynôme caractéristique $\Delta(t)$ de A ; nous avons :

$$\operatorname{tr} A = 5, \quad A_{11} + A_{22} + A_{33} = 2 - 3 + 8 = 7 \quad \text{et} \quad |A| = 3$$

d'où :

$$\Delta(t) = t^3 - 5t^2 + 7t - 3 = (t-1)^2(t-3)$$

Le polynôme minimal $m(t)$ doit diviser $\Delta(t)$. De plus, chacun des facteurs irréductibles de $\Delta(t)$, $(t-1)$ et $(t-3)$, doit être facteur de $m(t)$. Le polynôme $m(t)$ est donc nécessairement l'un ou l'autre des deux polynômes suivants :

$$f(t) = (t-3)(t-1) \quad \text{ou} \quad g(t) = (t-3)(t-1)^2$$

Nous savons, grâce au théorème de Cayley-Hamilton, que $g(A) = \Delta(A) = 0$. Puisque f et g ont les mêmes racines, il suffit de tester $f(t)$:

$$f(A) = (A-I)(A-3I) = \begin{pmatrix} 1 & 2 & -5 \\ 3 & 6 & -15 \\ 1 & 2 & -5 \end{pmatrix} \begin{pmatrix} -1 & 2 & -5 \\ 3 & 4 & -15 \\ 1 & 2 & -7 \end{pmatrix} = \begin{pmatrix} 0 & 0 & 0 \\ 0 & 0 & 0 \\ 0 & 0 & 0 \end{pmatrix}$$

Le polynôme minimal $m(t)$ de A est donc $f(t) = (t-3)(t-1) = t^2 - 4t + 3$.

Exemple 9.12

(a) Considérons les deux matrices carrées $r \times r$ suivantes, où $a \neq 0$:

$$J(\lambda, r) = \begin{pmatrix} \lambda & 1 & 0 & \cdots & 0 & 0 \\ 0 & \lambda & 1 & \cdots & 0 & 0 \\ \vdots & \vdots & \vdots & \vdots & \vdots & \vdots \\ 0 & 0 & 0 & \cdots & \lambda & 1 \\ 0 & 0 & 0 & \cdots & 0 & \lambda \end{pmatrix} \quad \text{et} \quad A = \begin{pmatrix} \lambda & a & 0 & \cdots & 0 & 0 \\ 0 & \lambda & a & \cdots & 0 & 0 \\ \vdots & \vdots & \vdots & \vdots & \vdots & \vdots \\ 0 & 0 & 0 & \cdots & \lambda & a \\ 0 & 0 & 0 & \cdots & 0 & \lambda \end{pmatrix}$$

La première matrice, appelée *matrice bloc de Jordan*, ou *bloc de Jordan*, a des « λ » sur la diagonale, des « 1 » sur la sur-diagonale, c'est-à-dire la diagonale située juste au-dessus de la diagonale principale, et des « 0 » partout ailleurs. La deuxième matrice, A, se déduit de la première en remplaçant tous les « 1 » par des « a ». C'est donc une généralisation de $J(\lambda, r)$. On peut montrer que :

$$f(t) = (t-\lambda)^r$$

est à la fois le polynôme caractéristique et le polynôme minimal des deux matrices, $J(\lambda, r)$ et A.

(b) Considérons un polynôme arbitraire de coefficient directeur égal à 1 :

$$f(t) = t^n + a_{n-1}t^{n-1} + \cdots + a_1 t + a_0$$

Soit $C(f)$ la matrice carrée $n \times n$ composée de « 1 » sur la sous-diagonale (la diagonale située juste au-dessous de la diagonale principale), des opposés des coefficients du polynôme $f(t)$ sur la dernière colonne, et de « 0 » partout ailleurs :

$$C(f) = \begin{pmatrix} 0 & 0 & \cdots & 0 & -a_0 \\ 1 & 0 & \cdots & 0 & -a_1 \\ 0 & 1 & \cdots & 0 & -a_2 \\ \vdots & \vdots & \vdots & \vdots & \vdots \\ 0 & 0 & \cdots & 1 & -a_{n-1} \end{pmatrix}$$

La matrice $C(f)$ est appelée *matrice compagnon* du polynôme $f(t)$. On montre que le polynôme caractéristique $\Delta(t)$ et le polynôme minimal $m(t)$ de $C(f)$ sont tous deux égaux à $f(t)$.

9.7.1 Polynôme minimal d'un opérateur linéaire

Le *polynôme minimal* $m(t)$ d'un opérateur linéaire T est défini comme le polynôme unitaire, annulateur de T, de plus bas degré. Pour tout polynôme $f(t)$, on a :

$$f(T) = 0 \quad \text{si et seulement si} \quad f(A) = 0$$

où A est une représentation matricielle quelconque de T. Il en résulte que A et T ont le même polynôme minimal. Les théorèmes établis pour les matrices s'appliquent donc aux opérateurs linéaires, et nous les énoncerons ainsi :

✻ Théorème 9.15′ : Le polynôme minimal $m(t)$ d'un opérateur linéaire T divise tout polynôme annulateur de T. En particulier, c'est un diviseur du polynôme caractéristique $\Delta(t)$ de T.

✻ Théorème 9.16′ : Le polynôme caractéristique $\Delta(t)$ et le polynôme minimal $m(t)$ d'un opérateur linéaire T ont les mêmes facteurs irréductibles.

✻ Théorème 9.17′ : Un scalaire λ est valeur propre d'un opérateur linéaire T si et seulement si il est racine du polynôme minimal $m(t)$ de T.

9.8 POLYNÔMES CARACTÉRISTIQUE ET MINIMAL D'UNE MATRICE PAR BLOCS

Nous examinons ici les propriétés particulières du polynôme caractéristique et du polynôme minimal de certaines matrices carrées par blocs.

9.8.1 Polynôme caractéristique d'une matrice triangulaire par blocs

Soit $M = \begin{pmatrix} A_1 & B \\ 0 & A_2 \end{pmatrix}$ une matrice triangulaire par blocs, où A_1 et A_2 sont des matrices carrées. La matrice $tI - M$ est encore triangulaire par blocs, de blocs diagonaux $tI - A_1$ et $tI - A_2$. Alors :

$$|tI - M| = \begin{vmatrix} tI - A_1 & -B \\ 0 & tI - A_2 \end{vmatrix} = |tI - A_1||tI - A_2|$$

Le polynôme caractéristique de M est le produit des polynômes caractéristiques des blocs diagonaux A_1 et A_2. Par récurrence, on obtient le résultat suivant :

> *** Théorème 9.18 :** Si M est une matrice triangulaire par blocs, de blocs diagonaux carrés A_1, $A_2, \ldots, A_r$, le polynôme caractéristique de M est le produit des polynômes caractéristiques des blocs diagonaux :
>
> $$\Delta_M(t) = \Delta_{A_1}(t)\Delta_{A_2}(t)\ldots\Delta_{A_r}(t)$$

Exemple 9.13

Soit la matrice $M = \left(\begin{array}{cc:cc} 9 & -1 & 5 & 7 \\ 8 & 3 & 2 & -4 \\ \hdashline 0 & 0 & 3 & 6 \\ 0 & 0 & -1 & 8 \end{array}\right)$.

M est triangulaire supérieure par blocs, de blocs diagonaux $A = \begin{pmatrix} 9 & -1 \\ 8 & 3 \end{pmatrix}$ et $B = \begin{pmatrix} 3 & 6 \\ -1 & 8 \end{pmatrix}$. On peut écrire :

$$\operatorname{tr} A = 9 + 3 = 12 \qquad \text{dét} A = 27 + 8 = 35 \qquad \Rightarrow \Delta_A(t) = t^2 - 12t + 35 = (t-5)(t-7)$$
$$\operatorname{tr} B = 3 + 8 = 11 \qquad \text{dét} B = 24 + 6 = 30 \qquad \Rightarrow \Delta_B(t) = t^2 - 11t + 30 = (t-5)(t-6)$$

et le polynôme caractéristique de M est le produit :

$$\Delta_M(t) = \Delta_A(t)\Delta_B(t) = (t-5)^2(t-6)(t-7)$$

9.8.2 Polynôme minimal d'une matrice diagonale par blocs

On a le résultat suivant, démontré au problème 9.36 :

> *** Théorème 9.19 :** Soit M une matrice diagonale par blocs, de blocs diagonaux $A_1, A_2, \ldots, A_r$. Le polynôme minimal de M est égal au plus petit commun multiple (PPCM) des polynômes minimaux des blocs diagonaux A_i.

Remarque : attirons l'attention sur le fait que le théorème 9.19 s'applique aux matrices diagonales et leur polynôme minimal, alors que le théorème 9.18 s'applique aux matrices triangulaires et leur polynôme caractéristique.

Exemple 9.14

Cherchons le polynôme caractéristique $\Delta(t)$ et le polynôme minimal $m(t)$ de la matrice suivante, diagonale par blocs :

$$M = \left(\begin{array}{cc|cc|c} 2 & 5 & 0 & 0 & 0 \\ 0 & 2 & 0 & 0 & 0 \\ \hline 0 & 0 & 4 & 2 & 0 \\ 0 & 0 & 3 & 5 & 0 \\ \hline 0 & 0 & 0 & 0 & 7 \end{array}\right) = \mathrm{diag}(A_1, A_2, A_3) \quad \text{avec} \quad A_1 = \begin{pmatrix} 2 & 5 \\ 0 & 2 \end{pmatrix}, \ A_2 = \begin{pmatrix} 4 & 2 \\ 3 & 5 \end{pmatrix}, \ A_3 = (7)$$

Le polynôme caractéristique $\Delta(t)$ est le produit des polynômes caractéristiques $\Delta_1(t)$, $\Delta_2(t)$, $\Delta_3(t)$, respectivement, de A_1, A_2 et A_3. On trouve :

$$\Delta_1(t) = (t-2)^2, \quad \Delta_2(t) = (t-2)(t-7), \quad \Delta_3(t) = t-7$$

Par conséquent $\Delta(t) = (t-2)^3(t-7)^2$. On vérifie que, comme prévu, le polynôme $\Delta(t)$ est de degré 5.

Les polynômes minimaux $m_1(t)$, $m_2(t)$ et $m_3(t)$, respectivement, des blocs diagonaux A_1, A_2 et A_3, sont égaux aux polynômes caractéristiques, soit :

$$m_1(t) = (t-2)^2, \quad m_2(t) = (t-2)(t-7), \quad m_3(t) = t-7$$

mais $m(t)$ est le PPCM de $m_1(t)$, $m_2(t)$ et $m_3(t)$, soit $m(t) = (t-2)^2(t-7)$.

? EXERCICES CORRIGÉS

POLYNÔMES DE MATRICES, POLYNÔME CARACTÉRISTIQUE

9.1 On considère la matrice $A = \begin{pmatrix} 1 & -2 \\ 4 & 5 \end{pmatrix}$. Déterminer $f(A)$, avec :

(a) $f(t) = t^2 - 3t + 7$; (b) $f(t) = t^2 - 6t + 13$.

Solution : on a $A^2 = \begin{pmatrix} 1 & -2 \\ 4 & 5 \end{pmatrix}\begin{pmatrix} 1 & -2 \\ 4 & 5 \end{pmatrix} = \begin{pmatrix} -7 & -12 \\ 24 & 17 \end{pmatrix}$, d'où :

(a) $f(A) = A^2 - 3A + 7I = \begin{pmatrix} -7 & -12 \\ 24 & 17 \end{pmatrix} + \begin{pmatrix} -3 & 6 \\ -12 & -15 \end{pmatrix} + \begin{pmatrix} 7 & 0 \\ 0 & 7 \end{pmatrix} = \begin{pmatrix} -3 & -6 \\ 12 & 9 \end{pmatrix}$;

(b) $f(A) = A^2 - 6A + 13I = \begin{pmatrix} -7 & -12 \\ 24 & 17 \end{pmatrix} + \begin{pmatrix} -6 & 12 \\ -24 & -30 \end{pmatrix} + \begin{pmatrix} 13 & 0 \\ 0 & 13 \end{pmatrix} = \begin{pmatrix} 0 & 0 \\ 0 & 0 \end{pmatrix}$.

La matrice A est racine de $f(t)$ ou, de façon équivalente, $f(t)$ est un polynôme annulateur de A.

9.2 Trouver le polynôme caractéristique $\Delta(t)$ des matrices suivantes :

(a) $A = \begin{pmatrix} 2 & 5 \\ 4 & 1 \end{pmatrix}$; (b) $B = \begin{pmatrix} 7 & -3 \\ 5 & -2 \end{pmatrix}$; (c) $C = \begin{pmatrix} 3 & -2 \\ 9 & -3 \end{pmatrix}$.

Solution : pour une matrice 2×2, on peut utiliser la formule $\Delta(t) = t^2 - \operatorname{tr} M\, t + |M|$:

(a) $\operatorname{tr} A = 2 + 1 = 3$, $|A| = 2 - 20 = -18 \Rightarrow \Delta(t) = t^2 - 3t - 18$.

(b) $\operatorname{tr} B = 7 - 2 = 5$, $|B| = -14 + 15 = 1 \Rightarrow \Delta(t) = t^2 - 5t + 1$.

(c) $\operatorname{tr} C = 3 - 3 = 0$, $|C| = -9 + 18 = 9 \Rightarrow \Delta(t) = t^2 + 9$.

9.3 Trouver le polynôme caractéristique $\Delta(t)$ des matrices suivantes :

(a) $A = \begin{pmatrix} 1 & 2 & 3 \\ 3 & 0 & 4 \\ 6 & 4 & 5 \end{pmatrix}$; (b) $B = \begin{pmatrix} 1 & 6 & -2 \\ -3 & 2 & 0 \\ 0 & 3 & -4 \end{pmatrix}$.

Solution : on utilise la formule étalie pour les matrices 3×3, $\Delta(t) = t^3 - \operatorname{tr} A\, t^2 + (A_{11} + A_{22} + A_{33})t - |A|$, où A_{ii} est le cofacteur de l'élément a_{ii}.

(a) On a $\operatorname{tr} A = 1 + 0 + 5 = 6$, et :

$$A_{11} = \begin{vmatrix} 0 & 4 \\ 4 & 5 \end{vmatrix} = -16, \quad A_{22} = \begin{vmatrix} 1 & 3 \\ 6 & 5 \end{vmatrix} = -13, \quad A_{33} = \begin{vmatrix} 1 & 2 \\ 3 & 0 \end{vmatrix} = -6$$

soit $A_{11} + A_{22} + A_{33} = -35$; de plus, $|A| = 48 + 36 - 16 - 30 = 38$, d'où :

$$\Delta(t) = t^3 - 6t^2 - 35t - 38$$

(b) On a $\operatorname{tr} B = 1 + 2 - 4 = -1$, et :

$$B_{11} = \begin{vmatrix} 2 & 0 \\ 3 & -4 \end{vmatrix} = -8, \quad B_{22} = \begin{vmatrix} 1 & -2 \\ 0 & -4 \end{vmatrix} = -4, \quad B_{33} = \begin{vmatrix} 1 & 6 \\ -3 & 2 \end{vmatrix} = 20$$

soit $B_{11} + B_{22} + B_{33} = 8$; de plus, $|B| = -8 + 18 - 72 = -62$, d'où :

$$\Delta(t) = t^3 + t^2 + 8t + 62$$

9.4 Trouver le polynôme caractéristique $\Delta(t)$ des matrices suivantes :

(a) $A = \begin{pmatrix} 2 & 5 & 1 & 1 \\ 1 & 4 & 2 & 2 \\ 0 & 0 & 6 & -5 \\ 0 & 0 & 2 & 3 \end{pmatrix}$; (b) $B = \begin{pmatrix} 1 & 1 & 2 & 2 \\ 0 & 3 & 3 & 4 \\ 0 & 0 & 5 & 5 \\ 0 & 0 & 0 & 6 \end{pmatrix}$.

Solution :

(a) La matrice A est triangulaire par blocs ; ses blocs diagonaux sont :

$$A_1 = \begin{pmatrix} 2 & 5 \\ 1 & 4 \end{pmatrix} \quad \text{et} \quad A_2 = \begin{pmatrix} 6 & -5 \\ 2 & 3 \end{pmatrix}$$

d'où $\Delta(t) = \Delta_{A_1}(t)\Delta_{A_2}(t) = (t^2 - 6t + 3)(t^2 + 9t + 28)$.

(b) B est triangulaire, son polynôme caractéristique n'est fonction que des termes diagonaux : $\Delta(t) = (t - 1)(t - 3)(t - 5)(t - 6)$.

9.5 Trouver le polynôme caractéristique $\Delta(t)$ des endomorphismes suivants :

(a) $F : \mathbb{R}^2 \to \mathbb{R}^2$ défini par $F(x, y) = (3x + 5y,\ 2x - 7y)$;

(b) $\mathbf{D} : V \to V$ défini par $\mathbf{D}(f) = \dfrac{df}{dt}$, où V est l'espace vectoriel des fonctions muni de la base $S = \{\sin t,\ \cos t\}$.

Solution : le polynôme caractéristique $\Delta(t)$ d'un opérateur linéaire est égal au polynôme caractéristique de toute matrice qui le représente.

(a) Exprimons la matrice A qui représente F sur la base canonique de $\mathbb{R}^2$:

$$A = \begin{pmatrix} 3 & 5 \\ 2 & -7 \end{pmatrix} \quad \text{d'où} \quad \Delta(t) = t^2 - \operatorname{tr} A\, t + |A| = t^2 + 4t - 31$$

(b) Cherchons la matrice A représentant $\mathbf{D}$ sur la base S ; on a :

$$\begin{aligned} \mathbf{D}(\sin t) &= \cos t \quad = 0 \cdot \sin t + 1 \cdot \cos t \\ \mathbf{D}(\cos t) &= -\sin t = -1 \cdot \sin t + 0 \cdot \cos t \end{aligned} \qquad \text{d'où} \quad A = \begin{pmatrix} 0 & -1 \\ 1 & 0 \end{pmatrix}$$

On en déduit $\Delta(t) = t^2 - \operatorname{tr} A\, t + |A| = t^2 + 1$.

9.6 Montrer qu'une matrice A et sa transposée A^T ont le même polynôme caractéristique.

Solution : on peut écrire $(tI - A)^T = tI^T - A^T = tI - A^T$. Puisque les matrices A et A^T ont le même déterminant :

$$\Delta_A(t) = |tI - A| = |(tI - A)^T| = |tI - A^T| = \Delta_{A^T}(t)$$

9.7 Démontrer le théorème 9.1 : *soient deux polynômes f et g. Pour toute matrice carrée A et pour tout scalaire k :*

(a) $(f + g)(A) = f(A) + g(A)$;

(b) $(fg)(A) = f(A)g(A)$;

(c) $(kf)(A) = kf(A)$;

(d) $f(A)g(A) = g(A)f(A)$.

Solution : posons $f(t) = a_n t^n + \cdots + a_1 t + a_0$ et $g(t) = b_m t^m + \cdots + b_1 t + b_0$. Par définition :

$$f(A) = a_n A^n + \cdots + a_1 A + a_0 I \quad \text{et} \quad g(A) = b_m A^m + \cdots + b_1 A + b_0 I$$

(a) On peut supposer, sans perte de généralité, que $m \leq n$; posons alors $b_i = 0$ si $i > m$:

$$f + g = (a_n + b_n)t^n + \cdots + (a_1 + b_1)t + (a_0 + b_0)$$

et par conséquent :

$$\begin{aligned} (f + g)(A) &= (a_n + b_n)A^n + \cdots + (a_1 + b_1)A + (a_0 + b_0)I \\ &= a_n A^n + b_n A^n + \cdots + a_1 A + b_1 A + a_0 I + b_0 I = f(A) + g(A) \end{aligned}$$

(b) Le produit fg s'écrit $(fg)(t) = c_{n+m}t^{n+m} + \cdots + c_1 t + c_0 = \sum_{k=0}^{n+m} c_k t^k$, avec :

$$c_k = a_0 b_k + a_1 b_{k-1} + \cdots + a_k b_0 = \sum_{i=0}^{k} a_i b_{k-i}$$

Alors $(fg)(A) = \sum_{k=0}^{n+m} c_k A^k$. D'autre part :

$$f(A)g(A) = \left(\sum_{i=0}^{n} a_i A^i\right)\left(\sum_{j=0}^{m} b_j A^j\right) = \sum_{i=0}^{n}\sum_{j=0}^{m} a_i b_j A^{i+j} = \sum_{k=0}^{n+m} c_k A^k = (fg)(A)$$

(c) On a $(kf)(t) = ka_n t^n + \cdots + ka_1 t + ka_0$ d'où :

$$(kf)(A) = ka_n A^n + \cdots + ka_1 A + ka_0 I = k(a_n A^n + \cdots + a_1 A + a_0 I) = kf(A)$$

(d) D'après (b), $g(A)f(A) = (gf)(A) = (fg)(A) = f(A)g(A)$.

9.8 Démontrer le théorème 9.2 (Cayley-Hamilton) : *toute matrice A est racine de son polynôme caractéristique.*

Solution : soit A une matrice carrée $n \times n$ arbitraire et soit $\Delta(t)$ son polynôme caractéristique :

$$\Delta(t) = |tI - A| = t^n + a_{n-1}t^{n-1} + \cdots + a_1 t + a_0$$

Notons $B(t)$ la matrice adjointe de la matrice $tI - A$; les éléments de $B(t)$ sont les cofacteurs des éléments de $tI - A$, et sont donc des polynômes dont le degré n'est pas supérieur à $n - 1$, d'où :

$$B(t) = B_{n-1}t^{n-1} + \cdots + B_1 t + B_0$$

où les B_i sont des matrices carrées $n \times n$ indépendantes de t. La propriété fondamentale de l'adjointe (théorème 8.9) nous permet d'écrire $(tI - A)B(t) = |tI - A|I$, soit :

$$(tI - A)(B_{n-1}t^{n-1} + \cdots + B_1 t + B_0) = (t^n + a_{n-1}t^{n-1} + \cdots + a_1 t + a_0)I$$

En développant puis en identifiant les termes de même puissance de t, on obtient :

$$B_{n-1} = I, \quad B_{n-2} - AB_{n-1} = a_{n-1}I, \quad \ldots, \quad B_0 - AB_1 = a_1 I, \quad -AB_0 = a_0 I$$

Multiplions ces équations, respectivement, par $A^n, A^{n-1}, \ldots, A, I$:

$$A^n B_{n-1} = A^n I, \quad A^{n-1}B_{n-2} - A^n B_{n-1} = a_{n-1}A^{n-1}, \quad \ldots, \quad AB_0 - A^2 B_1 = a_1 A, \quad -AB_0 = a_0 I$$

La somme de toutes ces équations donne 0 au membre de gauche et $\Delta(A)$ au membre de droite, soit :

$$0 = A^n + a_{n-1}A^{n-1} + \cdots + a_1 A + a_0 I$$

qui est l'affirmation du théorème de Cayley-Hamilton.

VALEURS PROPRES ET VECTEURS PROPRES D'UNE MATRICE 2×2

9.9 Soit $A = \begin{pmatrix} 3 & -4 \\ 2 & -6 \end{pmatrix}$.

(a) Trouver les valeurs propres et les vecteurs propres correspondants ;

(b) trouver une matrice régulière P et une matrice diagonale D telles que $D = P^{-1}AP$.

Solution :

(a) Le polynôme caractéristique $\Delta(t)$ de A s'écrit :

$$\Delta(t) = t^2 - \operatorname{tr} A\, t + |A| = t^2 + 3t - 10 = (t-2)(t+5)$$

Les racines $\lambda = 2$ et $\lambda = -5$ sont les valeurs propres de A. Déterminons les vecteurs propres correspondants :

1. Le système homogène $MX = 0$ associé à la matrice $M = A - 2I$ obtenue en retranchant $\lambda = 2$ des éléments diagonaux de A a pour solutions les vecteurs propres associés à la valeur propre $\lambda = 2$:

$$M = \begin{pmatrix} 1 & -4 \\ 2 & -8 \end{pmatrix} \Rightarrow \begin{array}{r} x - 4y = 0 \\ 2x - 8y = 0 \end{array} \quad \text{ou} \quad x - 4y = 0$$

Le système a une variable libre, et le vecteur $v_1 = (4,\ 1)$ en est une solution non nulle : c'est un vecteur propre correspondant à la valeur propre $\lambda = 2$, dont il engendre l'espace propre.

2. Renouvelons le processus pour la seconde valeur propre $\lambda = -5$:

$$M = \begin{pmatrix} 8 & -4 \\ 2 & -1 \end{pmatrix} \Rightarrow \begin{array}{r} 8x - 4y = 0 \\ 2x - y = 0 \end{array} \quad \text{ou} \quad 2x - y = 0$$

Le système a une variable libre, et le vecteur solution $v_1 = (1,\ 2)$ est un vecteur propre engendrant l'espace propre de la valeur propre $\lambda = -5$.

(b) Construisons la matrice P dont les colonnes sont les composantes des vecteurs v_1 et v_2 :

$$P = \begin{pmatrix} 4 & 1 \\ 1 & 2 \end{pmatrix} \quad \text{et} \quad D = P^{-1}AP = \begin{pmatrix} 2 & 0 \\ 0 & -5 \end{pmatrix}$$

On reconnaît les valeurs propres de A dans les éléments de la matrice diagonale D.

Remarque : P est la matrice de changement de base de la base canonique de $\mathbb{R}^2$ à la nouvelle base S, et la matrice D est la représentation de A sur la base S.

9.10 Soit la matrice $A = \begin{pmatrix} 2 & 2 \\ 1 & 3 \end{pmatrix}$.

(a) Déterminer les valeurs propres et les vecteurs propres correspondants.

(b) Trouver une matrice régulière P et son inverse P^{-1}, telles que la matrice $D = P^{-1}AP$ soit diagonale.

(c) Exprimer A^6 et $f(A)$, pour $f(t) = t^4 - 3t^3 - 6t^2 + 7t + 3$.

(d) Trouver une racine carrée positive de A, autrement dit une matrice B à valeurs propres positives telle que $B^2 = A$.

Solution :

(a) Calculons tout d'abord le polynôme caractéristique $\Delta(t)$ de A :

$$\Delta(t) = t^2 - \operatorname{tr} A\, t + |A| = t^2 - 5t + 4 = (t-1)(t-4)$$

Les racines $\lambda = 1$ et $\lambda = 4$ sont les valeurs propres de A, dont nous allons chercher les vecteurs propres.

1. Pour $\lambda = 1$, construisons la matrice $M = A - I$, le système homogène associé donnant les vecteurs propres correspondants :

$$M = \begin{pmatrix} 1 & 2 \\ 1 & 2 \end{pmatrix} \Rightarrow \begin{matrix} x + 2y = 0 \\ x + 2y = 0 \end{matrix} \quad \text{ou} \quad x + 2y = 0$$

$x = 2$ et $y = -1$ est une solution non nulle : le vecteur $v_1 = (2, -1)$ est un vecteur propre correspondant à la valeur propre $\lambda = 1$.

2. Effectuons les mêmes opérations pour l'autre valeur propre $\lambda = 4$:

$$M = \begin{pmatrix} -2 & 2 \\ 1 & -1 \end{pmatrix} \Rightarrow \begin{matrix} -2x + 2y = 0 \\ x - y = 0 \end{matrix} \quad \text{ou} \quad x - y = 0$$

$x = 1$ et $y = 1$ est une solution non nulle : le vecteur $v_1 = (1, 1)$ est un vecteur propre correspondant à la valeur propre $\lambda = 4$.

(b) La matrice P dont les colonnes sont les composantes des vecteurs v_1 et v_2 répond à la question :

$$P = \begin{pmatrix} 2 & 1 \\ -1 & 1 \end{pmatrix} \quad \text{d'où} \quad P^{-1} = \begin{pmatrix} \frac{1}{3} & -\frac{1}{3} \\ \frac{1}{3} & \frac{2}{3} \end{pmatrix} \quad \text{et} \quad D = P^{-1}AP = \begin{pmatrix} 1 & 0 \\ 0 & 4 \end{pmatrix}$$

(c) Utilisons la décomposition diagonale $A = PDP^{-1}$ de A, et les résultats $1^6 = 1$, $4^6 = 4\,096$:

$$A^6 = PD^6P^{-1} = \begin{pmatrix} 2 & 1 \\ -1 & 1 \end{pmatrix} \begin{pmatrix} 1 & 0 \\ 0 & 4\,096 \end{pmatrix} \begin{pmatrix} \frac{1}{3} & -\frac{1}{3} \\ \frac{1}{3} & \frac{2}{3} \end{pmatrix} = \begin{pmatrix} 1\,366 & 2\,730 \\ 1\,365 & 2\,731 \end{pmatrix}$$

On calcule $f(1) = 2$ et $f(4) = -1$, d'où :

$$f(A) = Pf(D)P^{-1} = \begin{pmatrix} 2 & 1 \\ -1 & 1 \end{pmatrix} \begin{pmatrix} 2 & 0 \\ 0 & -1 \end{pmatrix} \begin{pmatrix} \frac{1}{3} & -\frac{1}{3} \\ \frac{1}{3} & \frac{2}{3} \end{pmatrix} = \begin{pmatrix} 1 & -2 \\ -1 & 0 \end{pmatrix}$$

(d) Les racines carrées de D s'écrivent $\begin{pmatrix} \pm 1 & 0 \\ 0 & \pm 2 \end{pmatrix}$. La racine carrée positive B de A est donc :

$$B = P\sqrt{D}P^{-1} = \begin{pmatrix} 2 & 1 \\ -1 & 1 \end{pmatrix} \begin{pmatrix} 1 & 0 \\ 0 & 2 \end{pmatrix} \begin{pmatrix} \frac{1}{3} & -\frac{1}{3} \\ \frac{1}{3} & \frac{2}{3} \end{pmatrix} = \begin{pmatrix} \frac{4}{3} & \frac{2}{3} \\ \frac{1}{3} & \frac{5}{3} \end{pmatrix}$$

9.11 Les matrices suivantes définissent une transformation linéaire de $\mathbb{R}^2$:

(a) $A = \begin{pmatrix} 5 & 6 \\ 3 & -2 \end{pmatrix}$; (b) $B = \begin{pmatrix} 1 & -1 \\ 2 & -1 \end{pmatrix}$; (c) $C = \begin{pmatrix} 5 & -1 \\ 1 & 3 \end{pmatrix}$.

Déterminer pour chacune d'elles les valeurs propres et un ensemble maximal de vecteurs propres linéairement indépendants. Quelles sont les matrices diagonalisables ? Autrement dit, lesquelles parmi elles peuvent être représentées par des matrices diagonales ?

Solution :

(a) Le polynôme caractéristique de la matrice A s'écrit $\Delta(t) = t^2 - 3t - 28 = (t-7)(t+4)$; les valeurs propres de A sont donc $\lambda_1 = 7$ et $\lambda_2 = -4$. Cherchons les vecteurs propres correspondants.

1. Le système homogène $M_1X = 0$ associé à la matrice $M_1 = A - \lambda_1 I$ a pour solutions les vecteurs propres correspondant à λ_1 :

$$M_1 = A - 7I = \begin{pmatrix} -2 & 6 \\ 3 & -9 \end{pmatrix} \quad \text{d'où} \quad \begin{matrix} -2x + 6y = 0 \\ 3x - 9y = 0 \end{matrix} \quad \text{ou} \quad x - 3y = 0$$

Un vecteur propre correspondant à la valeur propre $\lambda_1 = 7$ est $v_1 = (3,\ 1)$.

2. De même pour la deuxième valeur propre $\lambda_2 = -4$:

$$M_2 = A + 4I = \begin{pmatrix} 9 & 6 \\ 3 & 2 \end{pmatrix} \quad \text{d'où} \quad \begin{matrix} 9x + 6y = 0 \\ 3x + 2y = 0 \end{matrix} \quad \text{ou} \quad 3x + 2y = 0$$

Un vecteur propre correspondant à la valeur propre $\lambda_2 = -4$ est $v_2 = (2,\ -3)$.

Le système $S = \{v_1,\ v_2\} = \{(3,\ 1),\ (2,\ -3)\}$ est un ensemble maximal de vecteurs propres linéairement indépendants. On vérifie qu'il forme une base de $\mathbb{R}^2$, et A est par conséquent diagonalisable ; sur la base S, A est représentée par la matrice diagonale $D = \text{diag}(7,\ -4)$.

(b) Le polynôme caractéristique de la matrice B est $\Delta(t) = t^2 + 1$, qui n'admet aucune solution réelle. Par conséquent la matrice réelle B, qui représente une transformation linéaire de $\mathbb{R}^2$, n'admet ni valeurs propres ni vecteurs propres : elle n'est pas diagonalisable.

(c) Le polynôme caractéristique de C est $\Delta(t) = t^2 - 8t + 16 = (t-4)^2$. La matrice C possède une seule valeur propre $\lambda = 4$, et les composantes des vecteurs propres correspondants sont solutions du système $MX = 0$, avec $M = C - 4I$:

$$M = C - 4I = \begin{pmatrix} 1 & -1 \\ 1 & -1 \end{pmatrix} \quad \text{d'où} \quad x - y = 0$$

On peut choisir $v = (1,\ 1)$ comme vecteur propre de C pour la valeur propre $\lambda = 4$. Puisqu'il n'y a pas d'autre valeur propre ni d'autre vecteur propre, le système $S = \{v_1\}$ formé du seul vecteur v_1 est un ensemble maximal de vecteurs propres. Puisqu'il ne forme pas une base de $\mathbb{R}^2$, la matrice C n'est pas diagonalisable.

9.12 On suppose que la matrice B du problème 9.11 représente une transformation linéaire de $\mathbb{C}^2$. Montrer qu'alors B est diagonalisable, et trouver une base de $\mathbb{C}^2$ formée de vecteurs propres de B.

Solution : le polynôme caractéristique de B a été calculé au problème 9.11 et est $\Delta(t) = t^2 + 1$. Sur $\mathbb{C}$, il se factorise sous la forme $\Delta(t) = (t-i)(t+i)$ et possède donc deux racines ; par conséquent la matrice B a deux valeurs propres, $\lambda_1 = i$ et $\lambda_2 = -i$. Déterminons les vecteurs propres :

(a) Les composantes des vecteurs propres correspondant à $\lambda_1 = i$ sont solutions du système homogène $MX = 0$, avec $M = B - iI$:

$$\begin{matrix} (1-i)x - y = 0 \\ 2x + (-1-i)y = 0 \end{matrix} \quad \text{ou} \quad (1-i)x - y = 0$$

Le vecteur $v_1 = (1,\ 1-i)$ est un vecteur propre correspondant à la valeur propre $\lambda_1 = i$, dont il engendre l'espace propre.

(b) On procède de même pour la valeur propre $\lambda_2 = -i$:

$$\begin{aligned} (1+i)x - \quad\quad y &= 0 \\ 2x + (-1+i)y &= 0 \end{aligned} \quad \text{ou} \quad (1+i)x - y = 0$$

Le vecteur $v_2 = (1,\ 1+i)$ est un vecteur propre correspondant à la valeur propre $\lambda_2 = -i$, dont il engendre l'espace propre.

En tant que matrice complexe, B est diagonalisable ; le système $S = \{v_1,\ v_2\} = \{(1,\ 1-i),\ (1,\ 1+i)\}$ est un ensemble maximal de vecteurs propres de B et forme une base de $\mathbb{C}^2$. Sur cette base S, B est représenté par la matrice diagonale $D = \text{diag}(i,\ -i)$.

9.13 Soit L la transformation linéaire de $\mathbb{R}^2$ définie par la symétrie par rapport à la droite $y = kx$, $k > 0$ (figure 9.1).

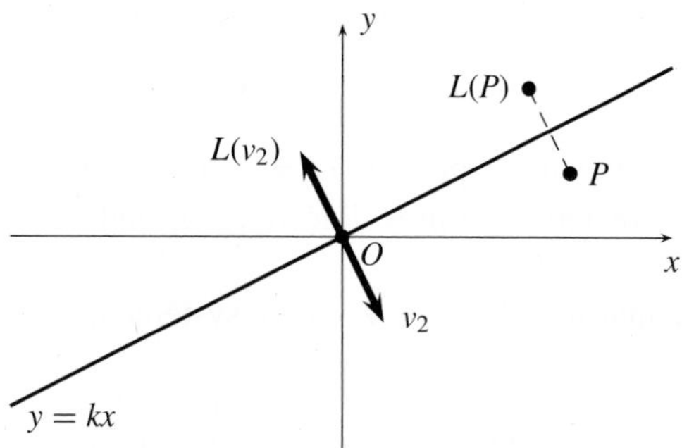

Figure 9.1 Symétrie dans $\mathbb{R}^2$.

(a) Montrer que les vecteurs $v_1 = (k,\ 1)$ et $v_2 = (1,\ -k)$ sont vecteurs propres de L ;
(b) montrer que L est diagonalisable, et en donner une représentation diagonale D.

Solution :

(a) Le vecteur $v_1 = (k,\ 1)$ est situé sur la droite $y = kx$, et donc invariant par symétrie ; on a par conséquent $L(v_1) = v_1$, et v_1 est vecteur propre de L pour la valeur propre $\lambda_1 = 1$.
Le vecteur $v_2 = (1,\ -k)$ est perpendiculaire à la droite $y = kx$, et est changé en son opposé par symétrie ; on a donc $L(v_2) = -v_2$, et v_2 est vecteur propre de L pour la valeur propre $\lambda_2 = -1$.

(b) L'ensemble $S = \{v_1,\ v_2\}$ des vecteurs propres de L forme une base de $\mathbb{R}^2$. La transformation linéaire L est donc diagonalisable, et représentée sur la base S par la matrice diagonale $D = \begin{pmatrix} 1 & 0 \\ 0 & -1 \end{pmatrix}$ dont les éléments sont les valeurs propres.

VALEURS PROPRES ET VECTEURS PROPRES

9.14 Considérons la matrice $A = \begin{pmatrix} 4 & 1 & -1 \\ 2 & 5 & -2 \\ 1 & 1 & 2 \end{pmatrix}$.

(a) Trouver les valeurs propres de A ;
(b) trouver un ensemble maximal de vecteurs propres linéairement indépendants de A ;
(c) A est-elle diagonalisable ? Si oui, déterminer une matrice P telle que la matrice $D = P^{-1}AP$ soit diagonale.

Solution :

(a) Déterminons le polynôme caractéristique de A, avec :

$$\operatorname{tr} A = 4 + 5 + 2 = 11, \quad \text{et} \quad |A| = 40 - 2 - 2 + 5 + 8 - 4 = 45$$

Calculons les cofacteurs des termes diagonaux :

$$A_{11} = \begin{pmatrix} 5 & -2 \\ 1 & 2 \end{pmatrix} = 12, \quad A_{22} = \begin{pmatrix} 4 & -1 \\ 1 & 2 \end{pmatrix} = 9, \quad A_{33} = \begin{pmatrix} 4 & 1 \\ 2 & 5 \end{pmatrix} = 18$$

Alors $\Delta(t) = t^3 - \operatorname{tr} A\, t^2 + (A_{11} + A_{22} + A_{33})t - |A| = t^3 - 11t^2 + 39t - 45$. En supposant que $\Delta(t)$ ait une racine entière, cette racine doit diviser le terme constant -45, puisque celui-ci est au signe près le produit des racines. Ni 1 ni -1 ne sont racines, et on vérifie que 3 l'est ; on met $(t - 3)$ en facteur, d'où, par division euclidienne :

$$\Delta(t) = (t - 3)(t^2 - 8t + 15) = (t - 3)^2(t - 5)$$

La matrice A a deux valeurs propres $\lambda_1 = 3$ et $\lambda_2 = 5$.

(b) Cherchons des vecteurs propres linéairement indépendants pour chacune des valeurs propres :

1. Écrivons la matrice $M = A - \lambda_1 I$ et le système homogène $MX = 0$ associé :

$$M = \begin{pmatrix} 1 & 1 & -1 \\ 2 & 2 & -2 \\ 1 & 1 & -1 \end{pmatrix} \quad \text{d'où} \quad x + y - z = 0$$

Il y a deux variables libres, on peut donc trouver deux solutions linéairement indépendantes, par exemple $u = (1, -1, 0)$ et $v = (1, 0, 1)$, qui sont vecteurs propres pour la valeur propre $\lambda_1 = 3$.

2. Écrivons à présent la matrice $M = A - \lambda_2 I$ et le système homogène $MX = 0$ associé :

$$M = \begin{pmatrix} -1 & 1 & -1 \\ 2 & 0 & -2 \\ 1 & 1 & -3 \end{pmatrix} \quad \text{d'où} \quad \begin{array}{r} -x + y - z = 0 \\ 2x - 2z = 0 \\ x + y - 3z = 0 \end{array} \quad \text{ou} \quad \begin{array}{r} x - z = 0 \\ y - 2z = 0 \end{array}$$

Seule z est une variable libre, il n'y a qu'une solution linéairement indépendante ; choisissons le vecteur $w = (1, 2, 1)$.

En définitive, le système $S = \{u, v, w\} = \{(1, -1, 0),\ (1, 0, 1),\ (1, 2, 1)\}$ forme un ensemble maximal de vecteurs propres linéairement indépendants de A.

Remarque : les vecteurs u et v ont été choisis comme solutions linéairement indépendantes du système $x + y - z = 0$. Mais le vecteur w, correspondant à une valeur propre différente, est automatiquement linéairement indépendant de u et v.

(c) A est diagonalisable, puisque le système maximal de vecteurs propres linéairement indépendants forme une base de $\mathbb{R}^3$. Soit P la matrice dont les colonnes sont les vecteurs u, v et w ; on a alors :

$$P = \begin{pmatrix} 1 & 1 & 1 \\ -1 & 0 & 2 \\ 0 & 1 & 1 \end{pmatrix} \quad \text{et} \quad D = P^{-1}AP = \begin{pmatrix} 3 & & \\ & 3 & \\ & & 5 \end{pmatrix}$$

9.15 Répondre aux questions du problème 9.14 pour la matrice $B = \begin{pmatrix} 3 & -1 & 1 \\ 7 & -5 & 1 \\ 6 & -6 & 2 \end{pmatrix}$.

Solution :

(a) Calculons le polynôme caractéristique de B, avec :

$$\operatorname{tr} B = 0, \quad |B| = -16, \quad B_{11} = -4, \quad B_{22} = 0, \quad B_{33} = -8 \Rightarrow \sum_i B_{ii} = -12$$

d'où $\Delta(t) = t^3 - 12t + 16 = (t-2)^2(t+4)$. Les valeurs propres de B sont $\lambda_1 = 2$ et $\lambda_2 = -4$.

(b) Déterminons l'espace propre de chacune de ces valeurs propres.

1. Le système homogène $MX = 0$, avec $M = B - \lambda_1 I$ a pour solutions les composantes des vecteurs propres correspondant à λ_1 :

$$M = \begin{pmatrix} 1 & -1 & 1 \\ 7 & -7 & 1 \\ 6 & -6 & 0 \end{pmatrix} \quad \text{d'où} \quad \begin{aligned} x - y + z &= 0 \\ 7x - 7y + z &= 0 \\ 6x - 6y &= 0 \end{aligned} \quad \text{ou} \quad \begin{aligned} x - y + z &= 0 \\ z &= 0 \end{aligned}$$

Il n'y a qu'une variable libre, y, et donc un seul vecteur linéairement indépendant, par exemple $u = (1, 1, 0)$, qui engendre l'espace propre de $\lambda_1 = 2$.

2. Le même processus est mis en œuvre pour $\lambda_2 = -4$:

$$M = \begin{pmatrix} 7 & -1 & 1 \\ 7 & -1 & 1 \\ 6 & -6 & 6 \end{pmatrix} \quad \text{d'où} \quad \begin{aligned} 7x - y + z &= 0 \\ 7x - y + z &= 0 \\ 6x - 6y + z &= 0 \end{aligned} \quad \text{ou} \quad \begin{aligned} x - y + z &= 0 \\ 6y - 6z &= 0 \end{aligned}$$

Il n'y a qu'une variable libre, d'où un seul vecteur propre, par exemple $v = (0, 1, 1)$, qui engendre l'espace propre de $\lambda_2 = -4$.

L'ensemble maximal de vecteurs propres linéairement indépendants de B est donc $S = \{u, v\}$.

(c) Le système maximal de vecteurs propres linéairement indépendants de B ne comprend que deux vecteurs et ne forme pas une base de $\mathbb{R}^3$: la matrice B n'est pas diagonalisable.

9.16 Déterminer la multiplicité algébrique et la multiplicité géométrique de la valeur propre $\lambda = 2$ de la matrice B du problème 9.15.

Solution : la multiplicité algébrique de la valeur propre $\lambda = 2$ est 2, puisque $(t-2)$ apparaît à la puissance 2 dans l'expression de $\Delta(t)$. Mais la multiplicité géométrique n'est que de 1, puisque la dimension de l'espace propre E_{λ_1}, engendré par l'unique vecteur u, vaut 1.

9.17 Soit $T : \mathbb{R}^3 \to \mathbb{R}^3$ défini par $T(x, y, z) = (2x + t - 2z,\ 2x + 3y - 4z,\ x + y - z)$. Trouver les valeurs propres de T, et une base de l'espace propre de chacune d'elles. L'endomorphisme T est-il diagonalisable ? Si oui, déterminer une base S de $\mathbb{R}^3$ qui diagonalise T, ainsi qu'une représentation diagonale D de T.

Solution : la représentation matricielle A de T sur la base canonique s'obtient en écrivant en lignes les coefficients de T :

$$A = [T] = \begin{pmatrix} 2 & 1 & -2 \\ 2 & 3 & -4 \\ 1 & 1 & -1 \end{pmatrix} \quad \text{et} \quad \begin{cases} \operatorname{tr} A = 4, \quad |A| = 2, \\ A_{11} = 1,\ A_{22} = 0,\ A_{33} = 4 \\ \Rightarrow \sum_{i=1}^{3} A_{ii} = 5 \end{cases}$$

On en déduit $\Delta(t) = t^3 - 4t^2 + 5t - 2 = (t-1)^2(t-2)$: $\lambda_1 = 1$ et $\lambda_2 = 2$ sont les valeurs propres de A et donc de T. Cherchons les vecteurs propres.

(a) Écrivons la matrice $M = A - \lambda_1 I$ et le système homogène associé :

$$M = \begin{pmatrix} 1 & 1 & -2 \\ 2 & 2 & -4 \\ 1 & 1 & -2 \end{pmatrix} \quad \text{d'où} \quad x + y - 2z = 0$$

Il y a deux variables libres et donc deux vecteurs propres linéairement indépendants, par exemple $u = (1, -1, 0)$ et $v = (2, 0, 1)$.

(b) De même pour la deuxième valeur propre λ_2 :

$$M = \begin{pmatrix} 0 & 1 & -2 \\ 2 & 1 & -4 \\ 1 & 1 & -3 \end{pmatrix} \quad \text{d'où} \quad \begin{aligned} y - 2z &= 0 \\ 2x + y - 4z &= 0 \\ x + y - 3z &= 0 \end{aligned} \quad \text{ou} \quad \begin{aligned} x + y - 3z &= 0 \\ y - 2z &= 0 \end{aligned}$$

Il y a une seule variable libre, d'où une seule solution linéairement indépendante, par exemple $w = (1, 2, 1)$.

Il y a trois vecteurs propres linéairement indépendants, et donc T est diagonalisable. Sur la base des vecteurs propres :

$$S = \{u, v, w\} = \{(1, -1, 0),\ (2, 0, 1),\ (1, 2, 1)\}$$

T est représenté par la matrice diagonale $D = \operatorname{diag}(1, 1, 2)$.

9.18 Montrer qu'un opérateur linéaire T (ou une matrice) vérifie les propriétés suivantes :

(a) le scalaire 0 est valeur propre de T si et seulement si T est singulier ;

(b) si λ est valeur propre de T, alors, si T est inversible, λ^{-1} est valeur propre de T^{-1}.

Solution :

(a) Par définition, 0 est valeur propre si et seulement si il existe un vecteur v non nul tel que $T(v) = 0v = 0$, autrement dit si et seulement si T est singulier.

(b) Si T est inversible, il n'est pas singulier, et la propriété ci-dessus assure qu'aucune valeur propre n'est nulle. Soit une telle valeur propre $\lambda \neq 0$, et soit un vecteur propre correspondant v tel que $Tv = \lambda v$; appliquons T^{-1} aux deux membres :

$$v = T^{-1}(\lambda v) = \lambda T^{-1}(v) \Rightarrow T^{-1}(v) = \frac{1}{\lambda} v$$

ce qui prouve que v est vecteur propre de T^{-1} avec la valeur propre λ^{-1} : λ^{-1} est valeur propre de T^{-1}.

9.19 Soit λ une valeur propre d'un opérateur linéaire $T : V \to V$. Rappelons que l'espace propre E_λ de λ est l'ensemble des vecteurs propres correspondant à la valeur propre λ. Montrer que E_λ est un sous-espace vectoriel de V, autrement dit :

(a) $\forall k,\ u \in E_\lambda \Rightarrow ku \in E_\lambda$; (b) $u, v \in E_\lambda \Rightarrow u + v \in E_\lambda$.

Solution :

(a) Si $u \in E_\lambda$, alors $T(u) = \lambda u$. Par conséquent $T(ku) = kT(u) = k(\lambda u) = \lambda(ku)$, prouvant que ku est vecteur propre de T pour la valeur propre λ.

(b) Si u et v appartiennent à E_λ, on a $T(u) = \lambda u$ et $T(v) = \lambda v$, d'où $T(u+v) = T(u) + T(v) = \lambda u + \lambda v = \lambda(u+v)$: $u+v$ est bien vecteur propre de T pour la valeur propre λ.

Remarque : en toute rigueur, il nous faut aussi vérifier que le vecteur nul 0 appartient à E_λ pour que E_λ soit un sous-espace ; c'est effectivement le cas, puisque $T(0) = 0 = \lambda 0$: 0 est vecteur propre pour la valeur propre λ.

9.20 Démontrer le théorème 9.6 : *soit A une matrice carrée. Les trois énoncés suivants sont équivalents :*

(a) *le scalaire λ est valeur propre de M ;*

(b) *la matrice $M = A - \lambda I$ est singulière ;*

(c) *le scalaire λ est racine du polynôme caractéristique $\Delta(t)$ de A.*

Solution : par définition, le scalaire λ est valeur propre de A si et seulement si il existe un vecteur v non nul tel que :

$$Av = \lambda v \quad \text{ou} \quad (\lambda I)v - Av = 0 \quad \text{ou} \quad (\lambda I - A)v = 0$$

On en déduit que la matrice $\lambda I - A$ est singulière ; on en déduit aussi que λ est racine de $\Delta(t) = |tI - A|$. De plus, $v \in E_\lambda$, l'espace propre de λ, si et seulement si les relations ci-dessus sont vérifiées, et v solution de $(\lambda I - A)X = 0$: l'équivalence entre les trois propositions est établie.

9.21 Démontrer le théorème 9.8′ : *soient $v_1, v_2, \dots, v_n$ des vecteurs propres non nuls correspondant à des valeurs propres distinctes $\lambda_1, \lambda_2, \dots, \lambda_n$ d'un opérateur linéaire T. Alors les vecteurs $v_1, v_2, \dots, v_n$ sont linéairement indépendants.*

Solution : supposons que le théorème soit faux. Soit $v_1, v_2, \dots, v_s$ un ensemble minimal de vecteurs pour lesquels le théorème soit en défaut ; on a $s > 1$, puisque $v_1 \neq 0$. Le fait que l'ensemble soit minimal implique que les vecteurs $v_2, \dots, v_s$ sont linéairement indépendants. Par conséquent v_1 est combinaison linéaire de $v_2, \dots, v_s$:

$$v_1 = a_2 v_2 + a_3 v_3 + \cdots + a_s v_s \tag{9.2}$$

où les a_k ne sont pas tous nuls. En appliquant T à (9.2), il vient, T étant linéaire :

$$T(v_1) = T(a_2 v_2 + a_3 v_3 + \cdots + a_s v_s) = a_2 T(v_2) + a_3 T(v_3) + \cdots + a_s T(v_s) \tag{9.3}$$

Le vecteur v_j étant vecteur propre de T pour la valeur propre λ_j, il vérifie $T(v_j) = \lambda_j v_j$. En remplaçant dans (9.3), on obtient :

$$\lambda_1 v_1 = a_2 \lambda_2 v_2 + a_3 \lambda_3 v_3 + \cdots + a_s \lambda_s v_s \tag{9.4}$$

Multiplions (9.2) par λ_1 :

$$\lambda_1 v_1 = a_2 \lambda_1 v_2 + a_3 \lambda_1 v_3 + \cdots + a_s \lambda_1 v_s \tag{9.5}$$

La comparaison des membres de droite de (9.4) et (9.5) donne :

$$a_2(\lambda_1 - \lambda_2)v_2 + a_3(\lambda_1 - \lambda_3)v_3 + \cdots + a_s(\lambda_1 - \lambda_s)v_s = 0 \tag{9.6}$$

Puisque les vecteurs $v_2, v_3, \ldots, v_s$ sont linéairement indépendants, les coefficients de la combinaison linéaire (9.6) sont tous nuls :

$$a_2(\lambda_1 - \lambda_2) = 0, \quad a_3(\lambda_1 - \lambda_3) = 0, \quad \ldots, \quad a_s(\lambda_1 - \lambda_s) = 0$$

Les λ_i étant distincts, on a $\lambda_1 - \lambda_j \neq 0$ pour $j > 1$, et par conséquent $a_2 = a_3 = \cdots = a_s$, en contradiction avec l'hypothèse que certains des a_k sont non nuls : le théorème est démontré.

9.22 Démontrer le théorème 9.9 : *soit $\Delta(t) = (t - a_1)(t - a_2) \cdots (t - a_n)$ le polynôme caractéristique d'une matrice A carrée $n \times n$, tel que les racines $a_1, a_2, \ldots, a_n$ soient distinctes. Alors A est semblable à la matrice diagonale $D = \operatorname{diag}(a_1, a_2, \ldots, a_n)$.*

Solution : soient $v_1, v_2, \ldots, v_n$ des vecteurs propres non nuls correspondant respectivement aux valeurs propres $a_1, a_2, \ldots, a_n$. Ces n vecteurs sont linéairement indépendants (théorème 9.8) et forment par conséquent une base de $\mathbb{K}^n$. Il en résulte que A est diagonalisable, et est donc semblable à une matrice diagonale D, dont les éléments sont les valeurs propres a_i.

9.23 Démontrer le théorème 9.10′ : *la multiplicité géométrique d'une valeur propre λ d'un opérateur linéaire T n'est pas supérieure à sa multiplicité algébrique.*

Solution : désignons par r la multiplicité géométrique de λ. Son espace propre E_λ contient donc r vecteurs $v_1, v_2, \ldots, v_r$ linéairement indépendants ; complétons l'ensemble $\{v_i\}$ pour former une base de V, soit $\{v_1, \ldots, v_r, w_1, \ldots, w_s\}$. On a :

$$\begin{aligned}
&T(v_1) = \lambda v_1, \quad T(v_2) = \lambda v_2, \quad \ldots, \quad T(v_r) = \lambda v_r \\
&T(w_1) = a_{11}v_1 + \cdots + a_{1r}v_r + b_{11}w_1 + \cdots + b_{1s}w_s \\
&T(w_2) = a_{21}v_1 + \cdots + a_{2r}v_r + b_{21}w_1 + \cdots + b_{2s}w_s \\
&\cdots\cdots\cdots\cdots\cdots\cdots\cdots\cdots\cdots\cdots\cdots\cdots \\
&T(w_s) = a_{s1}v_1 + \cdots + a_{sr}v_r + b_{s1}w_1 + \cdots + b_{ss}w_s
\end{aligned}$$

La matrice $M = \begin{pmatrix} \lambda I_r & A \\ 0 & B \end{pmatrix}$ représente T sur la base ci-dessus, avec $A = (a_{ij})^T$ et $B = (b_{ij})^T$.

M étant une matrice triangulaire supérieure par blocs, le polynôme caractéristique $(t - \lambda)^r$ du bloc λI_r doit diviser le polynôme caractéristique de M, donc celui de T. Il en résulte que la multiplicité algébrique de la valeur propre λ de T est au moins égale à r, ce qui démontre le théorème.

DIAGONALISATION D'UNE MATRICE RÉELLE SYMÉTRIQUE

9.24 Soit $A = \begin{pmatrix} 7 & 3 \\ 3 & -1 \end{pmatrix}$. Trouver une matrice orthogonale P telle que la matrice $D = P^{-1}AP$ soit diagonale.

Solution : écrivons tout d'abord le polynôme caractéristique de A :

$$\Delta(t) = t^2 - \operatorname{tr} A t + |A| = t^2 - 6t - 16 = (t - 8)(t + 2)$$

Les valeurs propres sont $\lambda_1 = 8$ et $\lambda_2 = -2$. Cherchons les vecteurs propres correspondants.

(a) Les composantes des vecteurs propres correspondant à λ_1 sont solutions du système homogène $MX = 0$ associé à la matrice $M = A - \lambda_1 I$:

$$M = \begin{pmatrix} -1 & 3 \\ 3 & -9 \end{pmatrix} \quad \text{d'où} \quad \begin{aligned} -x + 3y &= 0 \\ 3x - 9y &= 0 \end{aligned} \quad \text{ou} \quad x - 3y = 0$$

On choisit le vecteur $u_1 = (3,\ 1)$.

(b) Pour λ_2 :

$$M = \begin{pmatrix} 9 & 3 \\ 3 & 1 \end{pmatrix} \quad \text{d'où} \quad \begin{aligned} 9x + 3y &= 0 \\ 3x + \ \ y &= 0 \end{aligned} \quad \text{ou} \quad 3x + y = 0$$

On choisit le vecteur $u_2 = (1,\ -3)$.

La matrice A étant symétrique, les vecteurs u_1 et u_2 sont orthogonaux ; normalisons-les :

$$\hat{u}_1 = \left(\frac{3}{\sqrt{10}},\ \frac{1}{\sqrt{10}}\right) \quad \text{et} \quad \hat{u}_2 = \left(\frac{1}{\sqrt{10}},\ -\frac{3}{\sqrt{10}}\right)$$

La matrice orthogonale P cherchée a pour colonnes les composantes des vecteurs unitaires $\hat{u}_1$ et $\hat{u}_2$:

$$P = \begin{pmatrix} \dfrac{3}{\sqrt{10}} & \dfrac{1}{\sqrt{10}} \\ \dfrac{1}{\sqrt{10}} & -\dfrac{3}{\sqrt{10}} \end{pmatrix} \quad \text{d'où} \quad D = P^{-1}AP = \begin{pmatrix} 8 & 0 \\ 0 & -2 \end{pmatrix}$$

Comme prévu, les éléments de D sont les valeurs propres de A.

9.25 Soit $B = \begin{pmatrix} 11 & -8 & 4 \\ -8 & -1 & -2 \\ 4 & -2 & -4 \end{pmatrix}$.

(a) Trouver les valeurs propres de B ;

(b) trouver un ensemble maximal S de vecteurs propres de B orthogonaux (et non nuls) ;

(c) trouver une matrice P orthogonale telle que la matrice $D = P^{-1}AP$ soit diagonale.

Solution :

(a) Déterminons le polynôme caractéristique de B, avec :

$$\operatorname{tr} B = 6, \quad |B| = 400, \quad B_{11} = 0,\ B_{22} = -60,\ B_{33} = -75, \quad \text{d'où} \quad \sum_{i=1}^{3} B_{ii} = -135$$

soit $\Delta(t) = t^3 - 6t^2 - 135t - 400$. Si $\Delta(t)$ admet une racine entière, elle doit diviser 400. On vérifie que $\Delta(-5) = 0$; par division euclidienne, on obtient :

$$\Delta(t) = (t+5)(t^2 - 11t - 80) = (t+5)^2(t-16)$$

Les valeurs propres de A sont $\lambda_1 = -5$, de multiplicité 2, et $\lambda_2 = 16$, de multiplicité 1.

(b) Cherchons les vecteurs propres :

1. Soit $M = A - \lambda_1 I$; les vecteurs propres sont solutions de $MX = 0$:

$$16x - 8y + 4z = 0, \quad -8x + 4y - 2z = 0, \quad 4x - 2y + z = 0 \qquad (9.7)$$

soit $4x - 2y + z = 0$. Il y a deux variables libres, donc deux solutions linéairement indépendantes. Choisissons $v_1 = (0, 1, 2)$ comme premier vecteur. Le second, soit $v_2 = (a, b, c)$, doit être à la fois solution de (9.7) et orthogonal à v_1 ; il vérifie donc les deux équations :

$$4a - 2b + c = 0 \quad \text{et} \quad b + 2c = 0$$

Choisissons $v_2 = (-5, -8, 4)$.

2. Le système $MX = 0$ associé à $M = A - \lambda_2 I$ s'écrit :

$$-5x - 8y + 4z = 0, \quad -8x - 17y - 2z = 0, \quad 4x - 2y - 20z = 0$$

Ce système n'a qu'une seule variable libre et donc une seule solution linéairement indépendante. Choisissons $v_3 = (4, -2, 1)$. Comme prévu par le théorème 9.13, v_3 est orthogonal à v_1 et à v_2.

Le système maximal cherché est donc l'ensemble formé par v_1, v_2 et v_3.

(c) En normalisant v_1, v_2 et v_3, on obtient une base orthonormée de $\mathbb{R}^3$:

$$\hat{v}_1 = \frac{v_1}{\sqrt{5}}, \quad \hat{v}_2 = \frac{v_2}{\sqrt{105}}, \quad \hat{v}_3 = \frac{v_3}{\sqrt{21}}$$

La matrice orthogonale P cherchée a pour colonnes les composantes de $\hat{v}_1$, $\hat{v}_2$ et $\hat{v}_3$:

$$P = \begin{pmatrix} 0 & -\frac{5}{\sqrt{105}} & \frac{4}{\sqrt{21}} \\ \frac{1}{\sqrt{5}} & -\frac{8}{\sqrt{105}} & -\frac{2}{\sqrt{21}} \\ \frac{2}{\sqrt{5}} & \frac{4}{\sqrt{105}} & \frac{1}{\sqrt{21}} \end{pmatrix} \quad \text{d'où} \quad D = P^{-1}BP = \begin{pmatrix} -5 & & \\ & -5 & \\ & & 16 \end{pmatrix}$$

9.26 Soit la forme quadratique $q(x, y) = x^2 + 6xy - 7y^2$. Trouver un changement de variables orthogonal qui diagonalise q.

Solution : écrivons la matrice diagonale qui représente q, puis son polynôme caractéristique :

$$A = \begin{pmatrix} 1 & 3 \\ 3 & -7 \end{pmatrix} \quad \text{et} \quad \Delta(t) = t^2 + 6t - 16 = (t - 2)(t + 8)$$

Les valeurs propres de A sont $\lambda_1 = 2$ et $\lambda_2 = -8$. Il existe donc deux nouvelles variables s et t avec lesquelles q s'écrit :

$$q(s, t) = 2s^2 - 8t^2$$

Pour exprimer le changement de variables correspondant, déterminons un ensemble orthogonal de vecteurs propres de A :

(a) L'espace propre de $\lambda_1 = 2$ est engendré par les solutions du système $MX = 0$, avec $M = A - \lambda_1 I$:

$$M = \begin{pmatrix} -1 & 3 \\ 3 & -9 \end{pmatrix} \quad \text{d'où} \quad \begin{matrix} -x + 3y = 0 \\ 3x - 9y = 0 \end{matrix} \quad \text{ou} \quad -x + 3y = 0$$

Une solution non nulle est $u_1 = (3,\ 1)$.

(b) De même, l'espace propre de $\lambda_2 = -8$ est engendré par les solutions du système $MX = 0$, avec $M = A - \lambda_2 I$:

$$M = \begin{pmatrix} 9 & 3 \\ 3 & 1 \end{pmatrix} \quad \text{d'où} \quad \begin{array}{c} 9x + 3y = 0 \\ 3x + y = 0 \end{array} \quad \text{ou} \quad -x + 3y = 0$$

Une solution non nulle est $u_2 = (-1,\ 3)$.

Comme on s'y attend, la matrice A étant symétrique, les vecteurs u_1 et u_2 sont orthogonaux. Il convient de les normaliser :

$$\hat{u}_1 = \left(\frac{3}{\sqrt{10}},\ \frac{1}{\sqrt{10}}\right) \quad \text{et} \quad \hat{u}_2 = \left(-\frac{1}{\sqrt{10}},\ \frac{3}{\sqrt{10}}\right)$$

La matrice P de changement de base orthogonale cherchée a pour colonnes les composantes des vecteurs $\hat{u}_1$ et $\hat{u}_2$, et le changement de variables s'écrit $(x,\ y)^T = P(s,\ t)^T$:

$$P = \begin{pmatrix} \dfrac{3}{\sqrt{10}} & -\dfrac{1}{\sqrt{10}} \\ \dfrac{1}{\sqrt{10}} & \dfrac{3}{\sqrt{10}} \end{pmatrix} \quad \text{et} \quad x = \frac{3s - t}{\sqrt{10}}, \quad y = \frac{s + 3t}{\sqrt{10}}$$

On peut aussi, inversement, exprimer s et t en fonction de x et de y à l'aide de la matrice $P^{-1} = P^T$, soit :

$$s = \frac{3x + y}{\sqrt{10}}, \quad t = \frac{-x + 3y}{\sqrt{10}}$$

POLYNÔME MINIMAL

9.27 Soient les matrices $A = \begin{pmatrix} 4 & -2 & 2 \\ 6 & -3 & 4 \\ 3 & -2 & 3 \end{pmatrix}$ et $B = \begin{pmatrix} 3 & -2 & 2 \\ 4 & -4 & 6 \\ 2 & -3 & 5 \end{pmatrix}$. Le polynôme caractéristique des deux matrices est $\Delta(t) = (t-2)(t-1)^2$. Déterminer le polynôme minimal de chacune d'elles.

Solution : le polynôme minimal $m(t)$ doit diviser le polynôme caractéristique $\Delta(t)$; il contient donc les facteurs $(t-1)$ et $(t-2)$, et est par conséquent l'un ou l'autre des deux polynômes suivants :

$$f(t) = (t-2)(t-1) \quad \text{ou} \quad g(t) = (t-2)(t-1)^2$$

(a) D'après le théorème de Cayley-Hamilton, on doit avoir $g(A) = \Delta(A) = 0$; il suffit donc de vérifier si $f(A) = 0$:

$$f(A) = (A - 2I)(A - I) = \begin{pmatrix} 2 & -2 & 2 \\ 6 & -5 & 4 \\ 3 & -2 & 1 \end{pmatrix}\begin{pmatrix} 3 & -2 & 2 \\ 6 & -4 & 4 \\ 3 & -2 & 2 \end{pmatrix} = \begin{pmatrix} 0 & 0 & 0 \\ 0 & 0 & 0 \\ 0 & 0 & 0 \end{pmatrix}$$

On en déduit que $m(t) = f(t) = (t-2)(t-1)$ est le polynôme minimal de A.

(b) On sait de même que $g(B) = \Delta(B) = 0$; il suffit donc de vérifier si $f(B) = 0$:

$$f(B) = (B - 2I)(B - I) = \begin{pmatrix} 1 & -2 & 2 \\ 4 & -4 & 6 \\ 2 & -3 & 3 \end{pmatrix} \begin{pmatrix} 2 & -2 & 2 \\ 4 & -5 & 6 \\ 2 & -3 & 4 \end{pmatrix} = \begin{pmatrix} -2 & 2 & -2 \\ -4 & 4 & -4 \\ -2 & 2 & -2 \end{pmatrix} \neq 0$$

On en déduit que $m(t) \neq f(t)$, et par conséquent $m(t) = g(t) = (t-2)(t-1)^2$. Insistons sur le fait qu'il n'y a pas besoin de vérifier que $g(B) = 0$: le théorème de Cayley-Hamilton nous l'assure.

9.28 Trouver le polynôme minimal $m(t)$ des matrices suivantes :

(a) $A = \begin{pmatrix} 5 & 1 \\ 3 & 7 \end{pmatrix}$; (b) $B = \begin{pmatrix} 1 & 2 & 3 \\ 0 & 2 & 3 \\ 0 & 0 & 3 \end{pmatrix}$; (c) $C = \begin{pmatrix} 4 & -1 \\ 1 & 2 \end{pmatrix}$.

Solution :

(a) Le polynôme caractéristique de A est $\Delta(t) = t^2 - 12t + 32 = (t-4)(t-8)$. Il est composé de deux facteurs, chacun de multiplicité 1. Alors le polynôme minimal $m(t)$ est égal à $\Delta(t)$: $m(t) = t^2 - 12t + 32$.

(b) La matrice B est triangulaire ; ses valeurs propres sont les éléments diagonaux et le polynôme caractéristique s'écrit $\Delta(t) = (t-1)(t-2)(t-3)$. Il est constitué de facteurs linéaires distincts, d'où $m(t) = \Delta(t) = (t-1)(t-2)(t-3)$.

(c) Le polynôme caractéristique de C est $\Delta(t) = t^2 - 6t + 9 = (t-3)^2$. Le polynôme minimal $m(t)$ de C est donc soit $f(t) = t - 3$, soit $g(t) = (t-3)^2$. On vérifie immédiatement que $f(C) = C - 3I \neq 0$, par conséquent $m(t) = g(t) = \Delta(t) = (t-3)^2$.

9.29 Soit $S = \{u_1, u_2, \ldots, u_n\}$ une base de V. On considère deux endomorphismes F et G de V tels que $[F]$ ait des « 0 » sur et au-dessous de la diagonale, et $[G]$ ait des « a », $a \neq 0$, sur la sur-diagonale et des « 0 » partout ailleurs :

$$\begin{pmatrix} 0 & a_{21} & a_{31} & \cdots & a_{n1} \\ 0 & 0 & a_{32} & \cdots & a_{n2} \\ \vdots & \vdots & \vdots & & \vdots \\ 0 & 0 & 0 & \cdots & a_{n,n-1} \\ 0 & 0 & 0 & 0 & 0 \end{pmatrix}, \quad \begin{pmatrix} 0 & a & 0 & \cdots & 0 \\ 0 & 0 & a & \cdots & 0 \\ \vdots & \vdots & \vdots & & \vdots \\ 0 & 0 & 0 & \cdots & a \\ 0 & 0 & 0 & 0 & 0 \end{pmatrix}$$

Montrer que :

(a) $F^n = 0$; (b) $G^{n-1} \neq 0$, mais $G^n = 0$.

(Noter que ces propriétés sont vérifiées aussi par $[F]$ et $[G]$.)

Solution :

(a) On a $F(u_1) = 0$, et pour $r > 1$, $F(u_r)$ est combinaison linéaire des vecteurs qui précèdent u_r dans S :

$$F(u_r) = a_{r1}u_1 + a_{r2}u_2 + \cdots + a_{r,r-1}u_{r-1}$$

On en déduit que $F^2(u_r) = F\big(F(u_r)\big)$ est combinaison linéaire des vecteurs qui précèdent u_{r-1}. De proche en proche, on montre que $\forall r$, $F^r(u_r) = 0$. En définitive, $\forall r$, $F^n(u_r) = F^r(u_r) = 0$, et donc $F^n = 0$.

(b) On a $G(u_1) = 0$, et pour tout $k > 1$, $G(u_k) = au_{k-1}$; par conséquent, $G^r(u_k) = a^r u_{k-r}$ pour $r < k$, et finalement $G^{n-1}(u_n) = a^{n-1}u_1 \neq 0$, de sorte que $G^{n-1} \neq 0$. Mais d'autre part, on sait par la question précédente que $G^n = 0$.

9.30 Considérons la matrice A de l'exemple 9.12(a), dont les éléments sont des « λ » sur la diagonale, des « a », $a \neq 0$, sur la sur-diagonale, et des « 0 » ailleurs. Montrer que $f(t) = (t - \lambda)^n$ est à la fois le polynôme caractéristique $\Delta(t)$ et le polynôme minimal $m(t)$ de la matrice A.

Solution : A étant triangulaire avec des « λ » sur la diagonale, son polynôme caractéristique est $\Delta(t) = (t - \lambda)^n$. Le polynôme minimal $m(t)$ est donc une puissance de $t - \lambda$. On sait par le problème 9.29 que $(A - \lambda I)^{r-1} \neq 0$: par conséquent $m(t) = \Delta(t) = (t - \lambda)^n$.

9.31 Déterminer le polynôme caractéristique $\Delta(t)$ et le polynôme minimal $m(t)$ des matrices suivantes :

$$\text{(a) } M = \begin{pmatrix} 4 & 1 & 0 & 0 & 0 \\ 0 & 4 & 1 & 0 & 0 \\ 0 & 0 & 4 & 0 & 0 \\ 0 & 0 & 0 & 4 & 1 \\ 0 & 0 & 0 & 0 & 4 \end{pmatrix}; \qquad \text{(b) } M' = \begin{pmatrix} 2 & 7 & 0 & 0 \\ 0 & 2 & 0 & 0 \\ 0 & 0 & 1 & 1 \\ 0 & 0 & -2 & 4 \end{pmatrix}.$$

Solution :

(a) La matrice M est diagonale par blocs, de blocs diagonaux :

$$A = \begin{pmatrix} 4 & 1 & 0 \\ 0 & 4 & 1 \\ 0 & 0 & 4 \end{pmatrix} \quad \text{et} \quad B = \begin{pmatrix} 4 & 1 \\ 0 & 4 \end{pmatrix}$$

Le polynôme à la fois caractéristique et minimal de A est $f(t) = (t - 4)^3$ et celui de B est $g(t) = (t - 4)^2$. Alors :

$$\Delta(t) = f(t)g(t) = (t - 4)^5 \quad \text{mais} \quad m(t) = \text{PPCM}[f(t), g(t)] = (t - 4)^3$$

où PPCM désigne le plus petit commun multiple. Insistons sur le fait que l'exposant de $(t - 4)$ dans $m(t)$ correspond à la taille du plus grand bloc de M.

(b) La matrice M' est également diagonale par blocs, de blocs diagonaux $A' = \begin{pmatrix} 2 & 7 \\ 0 & 2 \end{pmatrix}$ et $B' = \begin{pmatrix} 1 & 1 \\ -2 & 4 \end{pmatrix}$. A' a pour polynôme à la fois caractéristique et minimal $f(t) = (t - 2)^2$, et le polynôme caractéristique de B' est $g(t) = t^2 - 5t + 6 = (t - 2)(t - 3)$. Puisqu'il est composé de deux facteurs distincts, c'est aussi le polynôme minimal. Alors :

$$\Delta(t) = f(t)g(t) = (t - 2)^3(t - 3) \quad \text{mais} \quad m(t) = \text{PPCM}[f(t), g(t)] = (t - 2)^2(t - 3)$$

9.32 Trouver une matrice dont le polynôme minimal soit $f(t) = t^3 - 8t^2 + 5t + 7$.

Solution : on construit la matrice compagnon A de $f(t)$ (exemple 9.12(b)), $A = \begin{pmatrix} 0 & 0 & -7 \\ 1 & 0 & -5 \\ 0 & 1 & 8 \end{pmatrix}$.

9.33 Démontrer le théorème 9.15 : *le polynôme minimal $m(t)$ d'une matrice (ou d'un opérateur linéaire) A divise tout polynôme annulateur de A. En particulier (théorème de Cayley-Hamilton), c'est un diviseur du polynôme caractéristique $\Delta(t)$ de A.*

Solution : soit $f(t)$ un polynôme tel que $f(A) = 0$. L'algorithme de division euclidienne permet de déterminer deux polynômes $q(t)$ et $r(t)$ tels que $f(t) = q(t)m(t) + r(t)$, avec soit $r(t) = 0$, soit $\deg r(t) < \deg m(t)$. En remplaçant dans cette relation t par A, sachant que $f(A) = m(A) = 0$, il vient $r(A) = 0$. Si $r(t) \neq 0$, $r(t)$ est un polynôme annulateur de A de degré inférieur à celui de $m(t)$, en contradiction avec la définition du polynôme minimal. On en déduit que $r(t) = 0$, et par conséquent $f(t) = m(t)q(t)$, autrement dit $m(t)$ divise $f(t)$.

9.34 Soit $m(t)$ le polynôme minimal d'une matrice A carrée $n \times n$. Montrer que le polynôme caractéristique $\Delta(t)$ de A divise $\big(m(t)\big)^n$.

Solution : posons $m(t) = t^r + c_1 t^{r-1} + \cdots + c_{r-1}t + c_0$, et définissons les matrices B_j comme suit :

$$
\begin{array}{lcr}
B_0 = I & \text{d'où} & I = B_0 \\
B_1 = A + c_1 I & \text{d'où} & c_1 I = B_1 - A = B_1 - AB_0 \\
B_2 = A^2 + c_1 A + c_2 I & \text{d'où} & c_2 I = B_2 - A(A + c_1 I) = B_2 - AB_1 \\
\dots\dots\dots\dots & \dots & \dots\dots\dots\dots \\
B_{r-1} = A^{r-1} + c_1 A^{r-2} + \cdots + c_{r-1} I & \text{d'où} & c_{r-1} I = B_{r-1} - AB_{r-2}
\end{array}
$$

Alors :

$$-AB_{r-1} = c_r I - (A^r + c_1 A^{r-1} + \cdots + c_{r-1}A + c_r I) = c_r I - m(A) = c_r I$$

Posons $B(t) = t^{r-1}B_0 + t^{r-2}B_1 + \cdots + tB_{r-2} + B_{r-1}$. Alors :

$$
\begin{aligned}
(tI - A)B(t) &= (t^r B_0 + t^{r-1}B_1 + \cdots + tB_{r-1}) - (t^{r-1}AB_0 + t^{r-2}AB_1 + \cdots + AB_{r-1}) \\
&= t^r B_0 + t^{r-1}(B_1 - AB_0) + t^{r-2}(B_2 - AB_1) + \cdots + t(B_{r-1} - AB_{r-2}) - AB_{r-1} \\
&= t^r I + c_1 t^{r-1} I + c_2 t^{r-2} I + \cdots + c_{r-1} tI + c_r I = m(t)I
\end{aligned}
$$

Prenons le déterminant des deux membres, soit $|tI - A||B(t)| = |m(t)I| = \big(m(t)\big)^n$. Puisque $|B(t)|$ est un polynôme, $|tI - A|$ est un diviseur de $\big(m(t)\big)^n$; en d'autres termes, le polynôme caractéristique $\Delta(t)$ de A divise $\big(m(t)\big)^n$.

9.35 Démontrer le théorème 9.16 : *le polynôme caractéristique $\Delta(t)$ et le polynôme minimal $m(t)$ d'une matrice A ont les mêmes facteurs irréductibles.*

Solution : soit $f(t)$ un polynôme irréductible. Si $f(t)$ divise $m(t)$, il divise aussi $\Delta(t)$, puisque $m(t)$ est lui-même diviseur de $\Delta(t)$. Mais si $f(t)$ divise $\Delta(t)$, d'après le problème 9.34, il divise également $\big(m(t)\big)^n$. Puisque $f(t)$ est irréductible, c'est aussi un diviseur de $m(t)$. Par conséquent, $m(t)$ et $\Delta(t)$ ont les mêmes facteurs irréductibles.

9.36 Démontrer le théorème 9.19 : *le polynôme minimal $m(t)$ d'une matrice M diagonale par blocs, de blocs diagonaux A_i, est égal au plus petit commun multiple (PPCM) des polynômes minimaux des blocs diagonaux A_i.*

Solution : effectuons la démonstration pour $n = 2$, la généralisation pour n quelconque s'en déduisant aisément par récurrence. Posons $M = \begin{pmatrix} A & 0 \\ 0 & B \end{pmatrix}$, où A et B sont des matrices carrées. Il nous faut montrer que le polynôme minimal $m(t)$ de M est le plus petit multiple commun de $g(t)$ et $h(t)$, les polynômes minimaux respectifs de A et B.

Puisque $m(t)$ est le polynôme minimal de M, $m(M) = \begin{pmatrix} m(A) & 0 \\ 0 & m(B) \end{pmatrix} = 0$, et par conséquent $m(A) = m(B) = 0$. On en déduit que le polynôme minimal $g(t)$ de A divise $m(t)$, et de même le polynôme minimal $h(t)$ de B divise $m(t)$. Le polynôme $m(t)$ est donc un multiple commun de $g(t)$ et $h(t)$.

Considérons un autre multiple commun $f(t)$ de $g(t)$ et $h(t)$. Alors

$$f(M) = \begin{pmatrix} f(A) & 0 \\ 0 & f(B) \end{pmatrix} = \begin{pmatrix} 0 & 0 \\ 0 & 0 \end{pmatrix} = 0$$

Sachant que $m(t)$ est le polynôme minimal de M, il doit donc diviser $f(t)$, c'est donc bien le plus petit des multiples communs de $g(t)$ et $h(t)$.

9.37 Soit $m(t) = t^r + a_{r-1}t^{r-1} + \cdots + a_1 t + a_0$ le polynôme minimal d'une matrice A carrée $n \times n$. Démontrer les propositions suivantes :

(a) A est régulière si et seulement si le terme constant a_0 est non nul ;

(b) Si A est régulière, A^{-1} est un polynôme en A de degré $r - 1 < n$.

Solution :

(a) Les trois affirmations suivantes sont équivalentes :

1. A est régulière ; 2. $m(0) \neq 0$; 3. $a_0 \neq 0$.

Par conséquent, la proposition est vraie.

(b) Si A est régulière, $a_0 \neq 0$ d'après la question précédente. On a alors :

$$m(A) = A^r + a_{r-1}A^{r-1} + \cdots + a_1 A + a_0 I = 0$$

d'où

$$-\frac{1}{a_0}(A^{r-1} + a_{r-1}A^{r-2} + \cdots + a_1 I)A = I$$

et donc :

$$A^{-1} = -\frac{1}{a_0}(A^{r-1} + a_{r-1}A^{r-2} + \cdots + a_1 I)$$

EXERCICES SUPPLÉMENTAIRES

POLYNÔMES DE MATRICES

9.38 Soit $A = \begin{pmatrix} 2 & -3 \\ 5 & 1 \end{pmatrix}$ et $B = \begin{pmatrix} 1 & 2 \\ 0 & 3 \end{pmatrix}$. Calculer $f(A)$, $g(A)$, $f(B)$ et $g(B)$, si $f(t) = 2t^2 - 5t + 6$ et $g(t) = t^3 - 2t^2 + t + 3$.

9.39 Soit $A = \begin{pmatrix} 1 & 2 \\ 0 & 1 \end{pmatrix}$. Déterminer A^2, A^3, A^n, avec $n > 3$, et A^{-1}.

9.40 Soit $B = \begin{pmatrix} 8 & 12 & 0 \\ 0 & 8 & 12 \\ 0 & 0 & 8 \end{pmatrix}$. Trouver une matrice réelle A telle que $B = A^3$.

9.41 Déterminer un polynôme annulateur de chacune des matrices suivantes :

(a) $A = \begin{pmatrix} 2 & 5 \\ 1 & -3 \end{pmatrix}$; (b) $B = \begin{pmatrix} 2 & -3 \\ 7 & -4 \end{pmatrix}$; (c) $C = \begin{pmatrix} 1 & 1 & 2 \\ 1 & 2 & 3 \\ 2 & 1 & 4 \end{pmatrix}$.

9.42 Soit A une matrice carrée quelconque et $f(t)$ un polynôme. Démontrer les propriétés suivantes :

(a) $(P^{-1}AP)^n = P^{-1}A^nP$;
(b) $f(P^{-1}AP) = P^{-1}f(A)P$;
(c) $f(A^T) = \big(f(A)\big)^T$;
(d) A symétrique $\Rightarrow f(A)$ symétrique.

9.43 Soit $M = \mathrm{diag}(A_1, \ldots, A_r)$ une matrice diagonale par blocs, et soit $f(t)$ un polynôme quelconque. Montrer que $f(M)$ est diagonale par blocs et que $f(M) = \mathrm{diag}\big(f(A_1), \ldots, f(A_r)\big)$.

9.44 Soit M une matrice triangulaire par blocs, de blocs diagonaux $A_1, A_2, \ldots, A_r$, et $f(t)$ un polynôme. Montrer que $f(M)$ est triangulaire par blocs, de blocs diagonaux $f(A_1), f(A_2), \ldots, f(A_r)$.

VALEURS PROPRES ET VECTEURS PROPRES

9.45 Chercher les valeurs propres et les vecteurs propres linéairement indépendants correspondants, pour chacune des matrices suivantes :

(a) $A = \begin{pmatrix} 2 & -3 \\ 2 & -5 \end{pmatrix}$; (b) $B = \begin{pmatrix} 2 & 4 \\ -1 & 6 \end{pmatrix}$; (c) $C = \begin{pmatrix} 1 & -4 \\ 3 & -7 \end{pmatrix}$.

Déterminer, lorsque c'est possible, une matrice régulière P qui diagonalise la matrice.

9.46 Soit $A = \begin{pmatrix} 2 & -1 \\ -2 & 3 \end{pmatrix}$.

(a) Trouver les valeurs propres et les vecteurs propres correspondants ;
(b) trouver une matrice régulière P telle que $D = P^{-1}AP$ soit diagonale ;
(c) trouver A^6 et $f(A)$, pour $f(t) = t^4 - 5t^3 + 7t^2 - 2t + 5$;
(d) trouver une matrice B telle que $B^2 = A$.

9.47 Reprendre les questions du problème 9.46 pour la matrice $A = \begin{pmatrix} 5 & 6 \\ -2 & -2 \end{pmatrix}$.

9.48 Déterminer les valeurs propres, puis un ensemble maximal S de vecteurs propres linéairement indépendants, pour chacune des matrices suivantes :

(a) $A = \begin{pmatrix} 1 & -3 & 3 \\ 3 & -5 & 3 \\ 6 & -6 & 4 \end{pmatrix}$; (b) $B = \begin{pmatrix} 3 & -1 & 1 \\ 7 & -5 & 1 \\ 6 & -6 & 2 \end{pmatrix}$; (c) $B = \begin{pmatrix} 1 & 2 & 2 \\ 1 & 2 & -1 \\ -1 & 1 & 4 \end{pmatrix}$.

Quelles sont les matrices diagonalisables, et pourquoi ?

9.49 Pour les opérateurs linéaires $T : \mathbb{R}^2 \to \mathbb{R}^2$ suivants, trouver les valeurs propres, et une base de l'espace propre correspondant :

(a) $T(x, y) = (3x + 3y, x + 5y)$; (b) $T(x, y) = (3x - 13y, x - 3y)$.

9.50 Soit $A = \begin{pmatrix} a & b \\ c & d \end{pmatrix}$ une matrice réelle. Trouver des conditions nécessaires et suffisantes sur a, b, c et d pour que A soit diagonalisable, autrement dit pour que A ait deux vecteurs propres (réels) linéairement indépendants.

9.51 Montrer que les matrices A et A^T ont les mêmes valeurs propres. Donner un exemple de matrice 2×2 telle que A et A^T n'aient pas les mêmes vecteurs propres.

9.52 Soit v un vecteur propre commun aux opérateurs linéaires F et G. Montrer que v est également vecteur propre de l'opérateur $kF + k'G$, où k et k' sont des scalaires quelconques.

9.53 Soit v un vecteur propre d'un opérateur linéaire T, correspondant à la valeur propre λ. Montrer que :

(a) pour $n > 0$, v est vecteur propre de T^n pour la valeur propre λ^n ;
(b) pour tout polynôme $f(t), f(\lambda)$ est valeur propre de $f(T)$.

9.54 Soit $\lambda \neq 0$ une valeur propre du composé $F \circ G$ de deux opérateurs linéaires F et G. Montrer que λ est aussi valeur propre du composé $G \circ F$. (*Suggestion* : montrer que $G(v)$ est vecteur propre de $G \circ F$.)

9.55 Soit $E : V \to V$ un opérateur de projection (il vérifie $E^2 = E$). Montrer que E est diagonalisable, et qu'on peut le représenter par la matrice diagonale $A = \begin{pmatrix} I_r & 0 \\ 0 & 0 \end{pmatrix}$, où r est le rang de E.

DIAGONALISATION D'UNE MATRICE RÉELLE SYMÉTRIQUE

9.56 Déterminer une matrice P orthogonale telle que $D = P^{-1}AP$ soit diagonale, pour chacune des matrices A suivantes :

(a) $A = \begin{pmatrix} 5 & 4 \\ 4 & -1 \end{pmatrix}$; (b) $A = \begin{pmatrix} 4 & -1 \\ -1 & 4 \end{pmatrix}$; (c) $A = \begin{pmatrix} 7 & 3 \\ 3 & -1 \end{pmatrix}$.

9.57 Pour chacune des matrices symétriques suivantes, trouver les valeurs propres, un ensemble maximal S de vecteurs propres orthogonaux, et une matrice orthogonale P qui les diagonalise :

(a) $B = \begin{pmatrix} 0 & 1 & 1 \\ 1 & 0 & 1 \\ 1 & 1 & 0 \end{pmatrix}$; (b) $B = \begin{pmatrix} 2 & 2 & 4 \\ 2 & 5 & 8 \\ 4 & 8 & 17 \end{pmatrix}$.

9.58 Déterminer un changement de variables orthogonal qui diagonalise les formes quadratiques suivantes :

(a) $q(x, y) = 4x^2 + 8xy - 11y^2$; (b) $q(x, y) = 2x^2 - 6xy + 10y^2$.

9.59 Trouver un changement de variables r, s, t orthogonal qui diagonalise les formes quadratiques suivantes ; exprimer x, y, z en fonction de r, s, t, et donner l'expression de $q(r, s, t)$:

(a) $q(x, y, z) = 5x^2 + 3y^2 + 12xz$;
(b) $q(x, y, z) = 3x^2 - 4xy + 6y^2 + 2xz - 4yz + 3z^2$.

9.60 Déterminer une matrice 2×2 symétrique ayant les valeurs propres et vecteurs propres suivants :

(a) $\lambda = 1$, $\lambda = 4$, et le vecteur propre $u = (1, 1)$ correspondant à $\lambda = 1$;

(b) $\lambda = 2$, $\lambda = 3$, et le vecteur propre $u = (1, 2)$ correspondant à $\lambda = 2$.

Dans chacun des deux cas, trouver une matrice B telle que $B^2 = A$.

POLYNÔME CARACTÉRISTIQUE ET POLYNÔME MINIMAL

9.61 Trouver le polynôme caractéristique et le polynôme minimal des matrices suivantes :

(a) $A = \begin{pmatrix} 3 & 1 & -1 \\ 2 & 4 & -2 \\ -1 & -1 & 3 \end{pmatrix}$; (b) $B = \begin{pmatrix} 3 & 2 & -1 \\ 3 & 8 & -3 \\ 3 & 6 & -1 \end{pmatrix}$.

9.62 Déterminer le polynôme caractéristique et le polynôme minimal des matrices suivantes :

(a) $A = \begin{pmatrix} 2 & 5 & 0 & 0 & 0 \\ 0 & 2 & 0 & 0 & 0 \\ 0 & 0 & 4 & 2 & 0 \\ 0 & 0 & 3 & 5 & 0 \\ 0 & 0 & 0 & 0 & 7 \end{pmatrix}$; (b) $B = \begin{pmatrix} 4 & -1 & 0 & 0 & 0 \\ 1 & 2 & 0 & 0 & 0 \\ 0 & 0 & 3 & 1 & 0 \\ 0 & 0 & 0 & 3 & 1 \\ 0 & 0 & 0 & 0 & 3 \end{pmatrix}$;

(c) $C = \begin{pmatrix} 3 & 2 & 0 & 0 & 0 \\ 1 & 4 & 0 & 0 & 0 \\ 0 & 0 & 3 & 1 & 0 \\ 0 & 0 & 1 & 3 & 0 \\ 0 & 0 & 0 & 0 & 4 \end{pmatrix}$.

9.63 Soient les matrices $A = \begin{pmatrix} 1 & 1 & 0 \\ 0 & 2 & 0 \\ 0 & 0 & 1 \end{pmatrix}$ et $B = \begin{pmatrix} 2 & 0 & 0 \\ 0 & 2 & 2 \\ 0 & 0 & 1 \end{pmatrix}$. Montrer que A et B n'ont pas le même polynôme caractéristique, et ne sont donc pas semblables, mais ont le même polynôme minimal (deux matrices non semblables peuvent par conséquent avoir le même polynôme minimal).

9.64 Soit A une matrice carrée $n \times n$ vérifiant $A^k = 0$, pour un certain $k > n$. Montrer que $A^n = 0$.

9.65 Montrer qu'une matrice A et sa transposée A^T ont le même polynôme minimal.

9.66 Soit $f(t)$ un polynôme unitaire irréductible, et A une matrice telle que $f(A) = 0$. Montrer que $f(t)$ est le polynôme minimal de A.

9.67 Montrer qu'une matrice A est une matrice scalaire, soit $A = kI$, où k est un scalaire, si et seulement si son polynôme minimal est donné par $m(t) = t - k$.

9.68 Trouver une matrice A dont le polynôme minimal est :

(a) $t^3 - 5t^2 + 6t + 8$; (b) $t^4 - 5t^3 - 2t^2 + 7t + 4$.

9.69 Soient $f(t)$ et $g(t)$ deux polynômes unitaires (de coefficient directeur égal à 1) de degré minimal qui soient annulateurs d'une matrice A. Montrer que $f(t) = g(t)$, ce qui établit l'unicité du polynôme minimal.

SOLUTIONS

Notation : $M = [R_1;\ \ R_2;\ \ \ldots]$ désigne une matrice de lignes $R_1, R_2, \ldots$

9.38 $f(A) = [-26, -3;\ \ 5, -27]$, $g(A) = [-40, 39;\ \ -65, -27]$, $f(B) = [3, 6;\ \ 0, 9]$, $g(B) = [3, 12;\ \ 0, 15]$.

9.39 $A^2 = [1, 4;\ \ 0, 1]$, $A^3 = [1, 6;\ \ 0, 1]$, $A^n = [1, 2n;\ \ 0, 1]$, $A^{-1} = [1, -2;\ \ 0, 1]$.

9.40 Poser $A = [2, a, b;\ \ 0, 2, c;\ \ 0, 0, 2]$; poser $B = A^3$ puis $a = 1$, $b = -\dfrac{1}{2}$ et $c = 1$.

9.41 Écrire le polynôme caractéristique $\Delta(t)$:

(a) $t^2 + t - 11$; (b) $t^2 + 2t + 13$; (c) $t^3 - 7t^2 + 6t - 1$.

9.45 (a) $\lambda = 1$, $u = (3,\ 1)$; $\lambda = -4$, $v = (1,\ 2)$;
(b) $\lambda = 4$, $u = (2,\ 1)$;
(c) $\lambda = -1$, $u = (2,\ 1)$; $\lambda = -5$, $v = (2,\ 3)$.
Seules A et C sont diagonalisables (choisir $P = (u,\ v)$).

9.46 (a) $\lambda = 1$, $u = (1,\ 1)$; $\lambda = 4$, $v = (1,\ -2)$;
(b) $P = (u,\ v)$;
(c) $f(A) = [19, -13;\ \ -26, 32]$, $A^6 = [21\,846, -21\,845;\ \ -43\,690, 43\,691]$;
(d) $B = \left[\dfrac{4}{3}, -\dfrac{1}{3};\ \ -\dfrac{2}{3}, \dfrac{5}{3}\right]$.

9.47 (a) $\lambda = 1$, $u = (3,\ -2)$; $\lambda = 2$, $v = (2,\ -1)$;
(b) $P = (u,\ v)$;
(c) $f(A) = [2, -6;\ \ -2, 9]$, $A^6 = [1\,021, 1\,530;\ \ -510, -764]$;
(d) $B = [-3 + 4\sqrt{2},\ -6 + 6\sqrt{2};\ \ 2 - 2\sqrt{2},\ 4 - 3\sqrt{2}]$.

9.48 (a) $\lambda = -2$, $u = (1, 1, 0)$, $v = (1, 0, -1)$; $\lambda = 4$, $w = (1, 1, 2)$;
(b) $\lambda = 2$, $u = (1, 1, 0)$, $\lambda = -4$, $v = (0, 1, 1)$;
(c) $\lambda = 3$, $u = (1, 1, 0)$, $v = (1, 0, 1)$; $\lambda = 1$, $w = (2, -1, 1)$.
Seules A et C peuvent être diagonalisées, grâce à $P = (u, v, w)$.

9.49 (a) $\lambda = 2$, $u = (3,\ -1)$; $\lambda = 6$, $v = (1, 1)$;
(b) Il n'y a aucune valeur propre réelle.

9.50 Il faut $(\operatorname{tr} A)^2 - 4|A| \geq 0$, soit $(a - d)^2 + 4bc \geq 0$.

9.51 $A = [1, 1;\ \ 0, 1]$.

9.56 (a) $P = [2, -1;\ \ -1, 2]/\sqrt{5}$;
(b) $P = [1, 1;\ \ 1, -1]/\sqrt{2}$;
(c) $P = [3, -1;\ \ 1, 3]/\sqrt{10}$.

9.57 (a) $\lambda = -1$, $u = (1, -1, 0)$, $v = (1, 1, -2)$; $\lambda = 2$, $w = (1, 1, 1)$;
(b) $\lambda = 1$, $u = (2, 1, -1)$, $v = (2, -3, 1)$; $\lambda = 22$, $w = (1, 2, 4)$.
Normaliser u, v et w, d'où $\hat{u}$, $\hat{v}$ et $\hat{w}$, puis poser $P = (\hat{u}, \hat{v}, \hat{w})$. Remarquer que u et v ne sont pas uniques.

9.58 (a) $x = \dfrac{4s+t}{\sqrt{17}}$, $y = \dfrac{-s+4t}{\sqrt{17}}$, $q(s, t) = 5s^2 - 12t^2$;
(b) $x = \dfrac{3s-t}{\sqrt{10}}$, $y = \dfrac{s+3t}{\sqrt{10}}$, $q(s, t) = s^2 + 11t^2$.

9.59 (a) $x = \dfrac{3s+2t}{\sqrt{13}}$, $y = r$, $z = \dfrac{2s-3t}{\sqrt{13}}$, $q(r, s, t) = 3r^2 + 9s^2 - 4t^2$;
(b) $x = 5Ks + Lt$, $y = Jr + 2Ks - 2Lt$, $z = 2Jr - Ks - Lt$, avec $J = \dfrac{1}{\sqrt{5}}$, $K = \dfrac{1}{\sqrt{30}}$, $L = \dfrac{1}{\sqrt{6}}$ et $q(r, s, t) = 2r^2 + 2s^2 + 8t^2$.

9.60 (a) $A = \frac{1}{2}[5, -3;\ \ -3, 5]$, $B = \frac{1}{2}[3, -1;\ \ -1, 3]$;
(b) $A = \frac{1}{5}[14, -2;\ \ -2, 11]$, $B = \left[\sqrt{2}+4\sqrt{3},\ 2\sqrt{2}+2\sqrt{3};\ \ 2\sqrt{2}+\sqrt{3},\ 4\sqrt{2}+\sqrt{3}\right]$.

9.61 (a) $\Delta(t) = m(t) = (t-2)^2(t-6)$;
(b) $\Delta(t) = (t-2)^2(t-6)$, $m(t) = (t-2)(t-6)$.

9.62 (a) $\Delta(t) = (t-2)^3(t-7)^2$, $m(t) = (t-2)^2(t-7)$;
(b) $\Delta(t) = (t-3)^5$, $m(t) = (t-3)^3$;
(c) $\Delta(t) = (t-2)^2(t-4)^2(t-5)$, $m(t) = (t-2)(t-4)(t-5)$.

9.68 Prendre pour A la matrice compagnon (exemple 9.12(b)) avec pour dernière colonne :
(a) $(-8, -6, 5)^T$; (b) $(-4, -7, 2, 5)^T$.

9.69 *Suggestion* : A est racine de $h(t) = f(t) - g(t)$, avec soit $h(t) \equiv 0$, soit $\deg h(t) < \deg f(t)$.

Chapitre 10

Formes canoniques

10.1 INTRODUCTION

Soit T un endomorphisme défini sur un espace vectoriel de dimension finie. Comme nous l'avons vu au chapitre 6, T ne peut pas toujours être représenté par une matrice diagonale. On peut cependant trouver des moyens de « simplifier » la représentation matricielle, et c'est essentiellement l'objet de ce chapitre. Nous établissons en particulier le théorème de décomposition primaire, et présentons plusieurs formes canoniques : forme triangulaire, forme de Jordan et forme rationnelle.

Précisons que les formes canoniques triangulaire et de Jordan n'existent que si le polynôme caractéristique $\Delta(t)$ de T a toutes ses racines sur le corps de base $\mathbb{K}$. C'est toujours le cas si $\mathbb{K} = \mathbb{C}$, mais pas si $\mathbb{K} = \mathbb{R}$.

Nous introduisons également la notion d'*espace quotient*, outil particulièrement efficace, utilisé ici pour montrer l'existence des formes canoniques triangulaire et rationnelle.

10.2 FORME TRIANGULAIRE

Soit T un opérateur linéaire sur un espace vectoriel V de dimension n. Supposons que T puisse être représenté par une matrice triangulaire :

$$A = \begin{pmatrix} a_{11} & a_{12} & \cdots & a_{1n} \\ & a_{22} & \cdots & a_{2n} \\ & & \cdots & \cdots \\ & & & a_{nn} \end{pmatrix}$$

On sait qu'alors le polynôme caractéristique $\Delta(t)$ de T est un produit de facteurs linéaires :

$$\Delta(t) = \text{dét}(tI - A) = (t - a_{11})(t - a_{22}) \cdots (t - a_{nn})$$

L'inverse est vrai et donne lieu à un théorème important, démontré au problème 10.28 :

> ∗ **Théorème 10.1 :** Soit $T : V \to V$ un opérateur linéaire dont le polynôme caractéristique se décompose en produit de termes linéaires. Il existe alors une base S de V sur laquelle T est représenté par une matrice triangulaire.

Il existe un énoncé équivalent pour une matrice :

> *** Théorème 10.1′ :** Soit A une matrice carrée dont le polynôme caractéristique se décompose en produit de termes linéaires. A est alors semblable à une matrice triangulaire ; en d'autres termes, il existe une matrice inversible P telle que $P^{-1}AP$ soit triangulaire.

On dit qu'un opérateur T peut être *mis sous forme triangulaire*[1] s'il peut être représenté par une matrice triangulaire. Les valeurs propres de T sont alors précisément les éléments apparaissant sur la diagonale de la matrice triangulaire. Voici une application :

Exemple 10.1

Soit A une matrice carrée sur $\mathbb{C}$. Montrons que si λ est une valeur propre de A^2, alors $\sqrt{\lambda}$ et $-\sqrt{\lambda}$ sont valeurs propres de A.

D'après le théorème 10.1, A et A^2 sont respectivement semblables à des matrices triangulaires de la forme :

$$B = \begin{pmatrix} \mu_1 & * & \cdots & * \\ & \mu_2 & \cdots & * \\ & & \cdots & \cdots \\ & & & \mu_n \end{pmatrix} \quad \text{et} \quad B^2 = \begin{pmatrix} \mu_1^2 & * & \cdots & * \\ & \mu_2^2 & \cdots & * \\ & & \cdots & \cdots \\ & & & \mu_n^2 \end{pmatrix}$$

Des matrices semblables ayant les mêmes valeurs propres, $\exists i$ tel que $\lambda = \mu_i^2$, et par conséquent $\mu_i = \sqrt{\lambda}$ et $\mu_i = -\sqrt{\lambda}$ sont valeurs propres de A.

10.3 SOUS-ESPACES INVARIANTS

Soit $T : V \to V$ un opérateur linéaire. Un sous-espace vectoriel $W \subset V$ est dit *invariant par T*, ou *T-invariant*, si T applique W sur lui-même[2], c'est à-dire $v \in W \Rightarrow T(v) \in W$. La restriction de T à W définit alors un opérateur linéaire sur W. On dit que T induit un opérateur linéaire $\hat{T} : W \to W$ défini par $\hat{T}(w) = T(w)$ pour tout $w \in W$.

Exemple 10.2

(a) Soit $T : \mathbb{R}^3 \to \mathbb{R}^3$ l'opérateur de rotation d'un angle θ autour de l'axe z (figure 10.1, page ci-contre) :

$$T(x, y, z) = (x\cos\theta - y\sin\theta,\ x\sin\theta + y\cos\theta,\ z)$$

L'image par la rotation T de tout vecteur $w = (a, b, 0)$ du plan $W = (x, y)$ est dans W ; W est donc invariant. De même, tout point de l'axe $U = (z)$ n'est pas déplacé par T : U est également un sous-espace invariant par T. Plus précisément, la restriction de T à W est la rotation d'angle θ autour de l'origine O, et la restriction de T à U est l'identité sur U.

(b) Les vecteurs propres (non nuls) d'un opérateur linéaire $T : V \to V$ peuvent être considérés comme générateurs de sous-espaces unidimensionnels T-invariants. Soit en effet $T(v) = \lambda v$, $v \neq 0$. Le sous-espace $W = \{kv \mid k \in \mathbb{K}\}$, l'espace unidimensionnel engendré par v, est invariant par T :

$$T(kv) = kT(v) = k(\lambda v) = (k\lambda)v \in W$$

1. On dit qu'il est *triangulisable*, ou *trigonalisable*.
2. On dit encore que W est *stable* par T, ou *T-stable*.

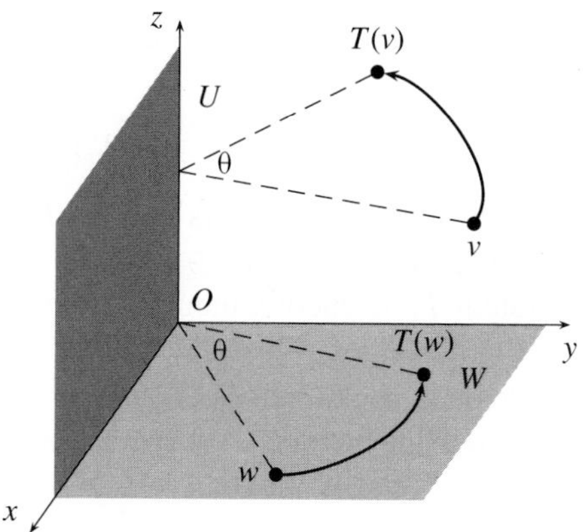

Figure 10.1 Rotation autour de l'axe z dans $\mathbb{R}^3$.

Inversement, soit un sous-espace U de dimension 1, stable par T, engendré par un vecteur $u \neq 0$. Alors $T(u) \in U$, et donc $T(u)$ est un multiple de u, soit $T(u) = \mu u$: u est vecteur propre de T.

Le théorème suivant, démontré au problème 10.3, caractérise une famille importante de sous-espaces invariants :

✻ Théorème 10.2 : Soit un opérateur linéaire quelconque $T : V \to V$, et $f(t)$ un polynôme arbitraire. Alors le noyau de $f(T)$ est invariant par T.

La notion d'invariance est liée aux représentations matricielles de la manière suivante (problème 10.5) :

✻ Théorème 10.3 : Soit W un sous espace invariant par $T : V \to V$. T peut alors être représenté par une matrice triangulaire supérieure par blocs $\begin{pmatrix} A & B \\ 0 & C \end{pmatrix}$, où A est une représentation matricielle de de la restriction $\hat{T}$ de T à W.

10.4 DÉCOMPOSITION EN SOMME DIRECTE INVARIANTE

On dit qu'un espace vectoriel V est *somme directe* des sous-espaces $W_1, W_2, \ldots, W_r$, que l'on note :

$$V = W_1 \oplus W_2 \oplus \cdots \oplus W_r$$

si tout vecteur $v \in W$ peut s'écrire d'une façon et d'une seule sous la forme :

$$v = w_1 + w_2 + \cdots + w_r \quad \text{où} \quad \forall i,\ w_i \in W_i$$

On a le théorème suivant, démontré au problème 10.7 :

✻ Théorème 10.4 : Soient des sous-espaces $W_1, W_2, \ldots, W_r$ de V, et soient :

$$B_1 = \{w_{11}, w_{12}, \ldots, w_{1n_1}\}, \quad \ldots, \quad B_r = \{w_{r1}, w_{r2}, \ldots, w_{rn_r}\}$$

des bases, respectivement, de $W_1, W_2, \ldots, W_r$. Alors V est la somme directe des W_i si et seulement si la réunion $B = B_1 \cup B_2 \cup \ldots \cup B_r$ est une base de V.

Soit $T : V \to V$ un opérateur linéaire. Supposons que V s'écrive comme somme directe de sous-espaces T-invariants $W_1, W_2, \ldots, W_r$:

$$V = W_1 \oplus W_2 \oplus \cdots \oplus W_r \quad \text{avec} \quad T(W_i) \subseteq W_i,\ i = 1, \ldots, r$$

Désignons par T_i la restriction de T à W_i. On dit alors que les T_i forment une *décomposition* de T, ou bien que T est la *somme directe* des T_i, notée $T = T_1 \oplus T_2 \oplus \cdots \oplus T_r$. On dit aussi que les sous-espaces $W_1, W_2, \ldots, W_r$ *réduisent* l'opérateur T, ou encore, induisent une décomposition de V en somme directe T-invariante.

Examinons le cas particulier de deux sous-espaces U et W réduisant l'opérateur T, avec par exemple $\dim U = 2$ et $\dim W = 3$. Soit $\{u_1, u_2\}$ une base de U, et $\{w_1, w_2, w_3\}$ une base de W ; si T_1 et T_2 désignent respectivement les restrictions de T à U et à W, on a :

$$\begin{aligned} T_1(u_1) &= a_{11}u_1 + a_{12}u_2 \\ T_1(u_2) &= a_{21}u_1 + a_{22}u_2 \end{aligned} \qquad \begin{aligned} T_2(w_1) &= b_{11}w_1 + b_{12}w_2 + b_{13}w_3 \\ T_2(w_2) &= b_{21}w_1 + b_{22}w_2 + b_{23}w_3 \\ T_2(w_3) &= b_{31}w_1 + b_{32}w_2 + b_{33}w_3 \end{aligned}$$

Les matrices A, B et M suivantes sont respectivement les représentations matricielles de T_1, T_2 et T :

$$A = \begin{pmatrix} a_{11} & a_{12} \\ a_{21} & a_{22} \end{pmatrix}, \quad B = \begin{pmatrix} b_{11} & b_{12} & b_{13} \\ b_{21} & b_{22} & b_{23} \\ b_{31} & b_{32} & b_{33} \end{pmatrix}, \quad M = \begin{pmatrix} A & 0 \\ 0 & B \end{pmatrix}$$

On obtient une matrice diagonale par blocs M puisque $\{u_1, u_2, w_1, w_2, w_3\}$ est une base de V (théorème 10.4), et que $T(u_i) = T_1(u_i)$, $T(w_j) = T_2(w_j)$.

Ce résultat se généralise de la façon suivante :

*** Théorème 10.5 :** Soit $T : V \to V$ un opérateur linéaire. Supposons que V s'écrive comme somme directe de sous-espaces T-invariants $W_1, W_2, \ldots, W_r$. Si A_i est une représentation matricielle de la restriction de T à W_i, T est représenté par la matrice diagonale par blocs :

$$M = \mathrm{diag}(A_1, A_2, \ldots, A_r)$$

10.5 DÉCOMPOSITION PRIMAIRE

Le théorème suivant montre que tout opérateur $T : V \to V$ est décomposable en opérateurs dont les polynômes minimaux sont des puissances de polynômes irréductibles. C'est la première étape dans la recherche de formes canoniques.

*** Théorème 10.6 (de décomposition primaire) :** Soit $T : V \to V$ un opérateur linéaire de polynôme minimal :

$$m(t) = f_1(t)^{n_1} f_2(t)^{n_2} \ldots f_r(t)^{n_r}$$

où les $f_i(t)$ sont des polynômes unitaires irréductibles distincts. Alors V est la somme directe de sous-espaces T-invariants $W_1, W_2, \ldots, W_r$, où W_i est le noyau de $f_i(T)^{n_i}$. De plus, $f_i(t)^{n_i}$ est le polynôme minimal de la restriction de T à W_i.

Les polynômes ci-dessus sont premiers entre eux. Le théorème précédent est alors (problème 10.11) une conséquence des deux suivants, démontrés respectivement aux problèmes 10.9 et 10.10 :

✻ Théorème 10.7 : Soit $T : V \to V$ un opérateur linéaire. Considérons trois polynômes $f(t) = g(t)h(t)$ tels que $f(T) = 0$, avec $g(t)$ et $h(t)$ premiers entre eux. Alors V est la somme directe des sous-espaces T-invariants U et W, où $U = \ker g(T)$ et $W = \ker h(T)$.

✻ Théorème 10.8 : Si le polynôme $f(t)$ du théorème 10.7 est le polynôme minimal de T, et que $g(t)$ et $h(t)$ sont unitaires, alors $g(t)$ et $h(t)$ sont respectivement les polynômes minimaux des restrictions de T à U et à W.

Le théorème de décomposition primaire est utilisé pour démontrer le résultat suivant, qui fournit une condition nécessaire et suffisante très utile en pratique pour savoir si un opérateur est diagonalisable (démonstration au problème 10.12) :

✻ Théorème 10.9 : Un opérateur linéaire $T : V \to V$ est diagonalisable si et seulement si son polynôme minimal $m(t)$ est un produit de facteurs linéaires distincts[(1)].

On peut aussi l'énoncer pour une matrice :

✻ Théorème : Une matrice A est diagonalisable si et seulement si son polynôme minimal $m(t)$ est un produit de facteurs linéaires distincts.

Exemple 10.3

Soit $A \neq I$ telle que $A^3 = I$. Cherchons si A est diagonalisable :

(a) sur le corps $\mathbb{R}$ des nombres réels ;

(b) sur le corps $\mathbb{C}$ des nombres complexes.

Puisque $A^3 = I$, A est un zéro du polynôme :

$$f(t) = t^3 - 1 = (t-1)(t^2 + t + 1)$$

Le polynôme minimal de A ne peut pas être $t - 1$, puisque $A \neq I$. C'est donc l'un des polynômes suivants :

$$m(t) = t^2 + t + 1$$

ou

$$m(t) = t^3 - 1$$

Aucun de ces deux polynômes ne se décompose sur $\mathbb{R}$ en facteurs premiers linéaires, par conséquent A n'est pas diagonalisable sur $\mathbb{R}$. Chacun d'eux s'écrit en revanche sous forme d'un produit de facteurs linéaires différents sur $\mathbb{C}$, et A est diagonalisable sur $\mathbb{C}$.

1. On dit que le polynôme $m(t)$ est *scindé*.

10.6 OPÉRATEURS NILPOTENTS

Un opérateur linéaire $T : V \to V$ est dit *nilpotent* s'il existe un entier $n > 0$ tel que $T^n = 0$. On dit qu'il est nilpotent d'ordre k, ou à l'ordre k, si $T^k = 0$, mais $T^{k-1} \neq 0$; l'entier k est appelé *ordre*, ou *indice*, de nilpotence. On dit de même qu'une matrice est *nilpotente* s'il existe un entier $n > 0$ tel que $A^n = 0$, et on dit qu'elle est nilpotente d'ordre k si $A^k = 0$, mais $A^{k-1} \neq 0$. On vérifie immédiatement que le polynôme minimal d'un opérateur (resp. d'une matrice) nilpotent(e) d'ordre k est $m(t) = t^k$, et par conséquent la seule valeur propre est 0.

Exemple 10.4
Les deux matrices carrées $r \times r$ ci-dessous seront utilisées tout au long de ce chapitre :

$$N = N(r) = \begin{pmatrix} 0 & 1 & 0 & \cdots & 0 & 0 \\ 0 & 0 & 1 & \cdots & 0 & 0 \\ \vdots & \vdots & \vdots & \vdots & \vdots & \vdots \\ 0 & 0 & 0 & \cdots & 0 & 1 \\ 0 & 0 & 0 & \cdots & 0 & 0 \end{pmatrix} \quad \text{et} \quad J(\lambda) = \begin{pmatrix} \lambda & 1 & 0 & \cdots & 0 & 0 \\ 0 & \lambda & 1 & \cdots & 0 & 0 \\ \vdots & \vdots & \vdots & \vdots & \vdots & \vdots \\ 0 & 0 & 0 & \cdots & \lambda & 1 \\ 0 & 0 & 0 & \cdots & 0 & \lambda \end{pmatrix}$$

N, la première matrice, appelée *bloc de Jordan nilpotent*, est formée de « 1 » sur la surdiagonale, et de « 0 » partout ailleurs : c'est une matrice nilpotente d'ordre r ; la matrice N d'ordre 1 est simplement la matrice 1×1 nulle $N = (0)$.

$J(\lambda)$, la deuxième matrice, appelée *bloc de Jordan de valeur propre* λ, est composée de « λ » sur la diagonale, de « 1 » sur la surdiagonale, et de « 0 » ailleurs. On peut remarquer que :

$$J(\lambda) = \lambda I + N$$

Nous allons montrer que tout opérateur linéaire T se décompose en opérateurs dont chacun est de cette forme, somme d'un opérateur scalaire et d'un opérateur nilpotent.

Le théorème suivant, démontré au problème 10.16, décrit une propriété fondamentale des opérateurs nilpotents :

*** Théorème 10.10 :** Soit $T : V \to V$ un opérateur nilpotent d'ordre k. Alors T possède une représentation et une seule par une matrice diagonale par blocs dont les éléments diagonaux sont des blocs de Jordan nilpotents N. Il y a au moins un tel bloc d'ordre k, tous les autres étant d'ordre $\leq k$. Le nombre de N pour un ordre donné est déterminé de manière unique par T, et le nombre total des N de tous ordres est égal à la nullité de T.

Nous verrons au cours de la démonstration du théorème 10.10 que le nombre de blocs N d'ordre i vaut $2m_i - m_{i+1} - m_{i-1}$, où m_i est la nullité de T^i.

10.7 FORME CANONIQUE DE JORDAN

Un opérateur T peut être mis sous forme canonique de Jordan si son polynôme caractéristique et son polynôme minimal se factorisent en termes linéaires, autrement dit sont scindés, ce qui est toujours vérifié sur $\mathbb{C}$. Il est en fait toujours possible de trouver un corps, dont $\mathbb{K}$ soit un sous-corps, tel que le polynôme caractéristique et le polynôme minimal se factorisent en termes linéaires : en ce sens, tout opérateur possède une forme canonique de Jordan. De même, toute matrice est semblable à une matrice sous forme canonique de Jordan.

Le théorème suivant, démontré au problème 10.18, décrit la forme canonique de Jordan J d'un opérateur linéaire T :

✻ Théorème 10.11 : Soit $T : V \to V$ un opérateur linéaire dont le polynôme caractéristique et le polynôme minimal sont, respectivement :

$$\Delta(t) = (t - \lambda_1)^{n_1} \dots (t - \lambda_r)^{n_r} \quad \text{et} \quad m(t) = (t - \lambda_1)^{m_1} \dots (t - \lambda_r)^{m_r}$$

où les λ_i sont des scalaires distincts. Alors T peut être représenté par une matrice diagonale par blocs J dont chaque élément est un bloc de Jordan $J_{ij} = J(\lambda_i)$. Pour chaque λ_i, les J_{ij} correspondants ont les propriétés suivantes :

(a) Il y a au moins un J_{ij} d'ordre m_i ; tous les autres J_{ij} sont d'ordre $\leq m_i$;

(b) la somme des ordres des J_{ij} est n_i ;

(c) le nombre de J_{ij} est égal à la multiplicité géométrique de λ_i ;

(d) le nombre de J_{ij} de chaque ordre est déterminé de manière unique par T.

Exemple 10.5

Supposons que le polynôme caractéristique et le polynôme minimal d'un opérateur linéaire T s'écrivent, respectivement :

$$\Delta(t) = (t - 2)^4 (t - 5)^3 \quad \text{et} \quad m(t) = (t - 2)^2 (t - 5)^3$$

La représentation de T sous forme canonique de Jordan est alors l'une des deux matrices diagonales par blocs suivantes :

$$\operatorname{diag}\left(\begin{pmatrix} 2 & 1 \\ 0 & 2 \end{pmatrix}, \begin{pmatrix} 2 & 1 \\ 0 & 2 \end{pmatrix}, \begin{pmatrix} 5 & 1 & 0 \\ 0 & 5 & 1 \\ 0 & 0 & 5 \end{pmatrix} \right) \quad \text{ou} \quad \operatorname{diag}\left(\begin{pmatrix} 2 & 1 \\ 0 & 2 \end{pmatrix}, (2), (2), \begin{pmatrix} 5 & 1 & 0 \\ 0 & 5 & 1 \\ 0 & 0 & 5 \end{pmatrix} \right)$$

On a la première forme si T admet deux vecteurs propres linéairement indépendants pour la valeur propre $\lambda = 2$, et la deuxième s'il en admet trois.

10.8 SOUS-ESPACES CYCLIQUES

Soit T un endomorphisme d'un espace vectoriel V de dimension finie. Considérons un vecteur $v \in V$ non nul. L'ensemble de tous les vecteurs de la forme $\big(f(T)\big)(v)$, où $f(t)$ parcourt l'ensemble des polynômes sur $\mathbb{K}$, est un sous-espace T-invariant de V, appelé le *sous-espace T-cyclique engendré par v*. On le note $Z(v, T)$, et la restriction de T à $Z(v, T)$ est notée T_v ; nous verrons au problème 10.56 qu'on peut également le définir comme l'intersection de tous les sous-espaces T-invariants contenant v.

Considérons la suite :

$$v, \; T(v), \; T^2(v), \; T^3(v), \; \dots$$

composée des images de v par les puissances successives de T. Soit k le plus petit entier pour lequel $T^k(v)$ soit combinaison linéaire des vecteurs qui le précèdent dans la suite :

$$T^k(v) = -a_{k-1} T^{k-1}(v) - \dots - a_1 T(v) - a_0 v$$

Le polynôme :

$$m_v(t) = t^k + a_{k-1} t^{k-1} + \dots + a_1 t + a_0$$

est le seul polynôme unitaire, de degré le plus bas, tel que $\big(m_v(T)\big)(v) = 0$. Il est appelé *polynôme T-annulateur de v et de $Z(v, T)$*.

Le théorème suivant est démontré au problème 10.29 :

✻ Théorème 10.12 : Soient $Z(v, T)$, T_v et $m_v(T)$ tels que définis ci-dessus. Alors :

(a) l'ensemble $\{v, T(v), \ldots ; T^{k-1}(v)\}$ est une base de $Z(v, T)$, et donc $\dim Z(v, T) = k$;

(b) le polynôme minimal de T_v est $m_v(t)$;

(c) la représentation matricielle de T_v sur la base ci-dessus est la *matrice compagnon* $C(m_v)$ de $m_v(t)$:

$$C(m_v) = \begin{pmatrix} 0 & 0 & 0 & \cdots & 0 & -a_0 \\ 1 & 0 & 0 & \cdots & 0 & -a_1 \\ 0 & 1 & 0 & \cdots & 0 & -a_2 \\ \vdots & \vdots & \vdots & \vdots & \vdots & \vdots \\ 0 & 0 & 0 & \cdots & 0 & -a_{k-2} \\ 0 & 0 & 0 & \cdots & 1 & -a_{k-1} \end{pmatrix}$$

10.9 FORME CANONIQUE RATIONNELLE

Nous présentons dans ce paragraphe la forme canonique rationnelle d'un opérateur linéaire $T : V \to V$. Rappelons que la forme rationnelle existe même si le polynôme minimal ne se factorise pas en termes linéaires, ce qui n'est pas vrai pour la forme canonique de Jordan.

✻ Lemme 10.13 : Soit $T : V \to V$ un opérateur linéaire dont le polynôme minimal s'écrit $(f(t))^n$, où $f(t)$ est un polynôme unitaire irréductible. Alors V se décompose en la somme directe :

$$V = Z(v_1, T) \oplus Z(v_2, T) \oplus \cdots \oplus Z(v_r, T)$$

de sous-espaces T-cycliques $Z(v_i, T)$, dont les polynômes T-annulateurs sont, respectivement :

$$(f(t))^{n_1},\ (f(t))^{n_2},\ \ldots,\ (f(t))^{n_r}, \quad n = n_1 \geq n_2 \geq \ldots \geq n_r$$

Toute autre décomposition de V en sous-espaces T-cycliques a le même nombre de composantes et le même ensemble de polynômes T-annulateurs.

Le lemme 10.13 est démontré au problème 10.31. Il est important de remarquer qu'il affirme pas que l'ensemble des v_i, ou des sous-espaces T-cycliques $Z(v_i, T)$, est déterminé de façon unique par T, mais seulement que l'ensemble des polynômes T-annulateurs est entièrement déterminé par T. Il en résulte que la représentation de T par une matrice diagonale par blocs est unique :

$$M = \operatorname{diag}(C_1, C_2, \ldots, C_r)$$

où les C_i sont les matrices compagnons des polynômes T-annulateurs $(f(t))^{n_i}$.

Le théorème de décomposition primaire et le lemme 10.13 nous permettent d'établir le théorème suivant :

✻ Théorème 10.14 : Soit $T : V \to V$ un opérateur linéaire de polynôme minimal :

$$m(t) = (f_1(t))^{m_1} (f_2(t))^{m_2} \ldots (f_s(t))^{m_s}$$

où les $f_i(t)$ sont des polynômes unitaires irréductibles. Alors T est représenté par une matrice diagonale par blocs unique :

$$M = \operatorname{diag}(C_{11}, C_{12}, \ldots, C_{1r_1}, \ldots, C_{s1}, C_{s2}, \ldots, C_{sr_s})$$

où les C_{ij} sont des matrices compagnon. Plus précisément, les C_{ij} sont les matrices compagnon des polynômes $\big(f_i(t)\big)^{n_{ij}}$, avec :

$$m_1 = n_{11} \geq n_{12} \geq \cdots \geq n_{1r_1}, \quad \ldots, \quad m_s = n_{s1} \geq n_{s2} \geq \cdots \geq n_{sr_s}$$

Cette représentation matricielle de T est appelée *forme canonique rationnelle*. Les polynômes $\big(f_i(t)\big)^{n_{ij}}$ sont appelés *diviseurs élémentaires* de T.

Exemple 10.6

Soit V un espace vectoriel de dimension 8 sur le corps $\mathbb{Q}$ des nombres rationnels, et soit T l'opérateur linéaire sur V dont le polynôme minimal est :

$$m(t) = f_1(t)\big(f_2(t)\big)^2 = (t^4 - 4t^3 + 6t^2 - 4t - 7)(t-3)^2$$

La forme canonique rationnelle M de T doit alors comporter un bloc formé par la matrice compagnon de $f_1(t)$ et un bloc formé par la matrice compagnon de $\big(f_2(t)\big)^2$. Il y a deux possibilités :

(a) $\operatorname{diag}\Big(C(t^4 - 4t^3 + 6t^2 - 4t - 7),\ C\big((t-3)^2\big),\ C\big((t-3)^2\big)\Big)$;

(b) $\operatorname{diag}\Big(C(t^4 - 4t^3 + 6t^2 - 4t - 7),\ C\big((t-3)^2\big),\ C(t-3),\ C(t-3)\Big)$;

soit précisément :

$$\text{(a)}\ \operatorname{diag}\left(\begin{pmatrix} 0 & 0 & 0 & 7 \\ 1 & 0 & 0 & 4 \\ 0 & 1 & 0 & -6 \\ 0 & 0 & 1 & 4 \end{pmatrix}, \begin{pmatrix} 0 & -9 \\ 1 & 6 \end{pmatrix}, \begin{pmatrix} 0 & -9 \\ 1 & 6 \end{pmatrix}\right);$$

$$\text{(b)}\ \operatorname{diag}\left(\begin{pmatrix} 0 & 0 & 0 & 7 \\ 1 & 0 & 0 & 4 \\ 0 & 1 & 0 & -6 \\ 0 & 0 & 1 & 4 \end{pmatrix}, \begin{pmatrix} 0 & -9 \\ 1 & 6 \end{pmatrix}, (3), (3)\right).$$

10.10 ESPACES QUOTIENTS

Soit V un espace vectoriel sur un corps $\mathbb{K}$, et soit W un sous-espace de V. Étant donné un vecteur quelconque $v \in V$, on note $v + W$ l'ensemble des vecteurs $v + w$, avec $w \in W$:

$$v + W = \{v + w \mid w \in W\}$$

En remarquant que la relation $\mathcal{R}_W : w \sim v \Leftrightarrow w - v \in W$ est une relation d'équivalence, l'ensemble $v + W$ est la *classe d'équivalence* du vecteur $v \in V$, définie par W, ou *modulo* W. Nous montrons au problème 10.22 que ces classes partitionnent V en sous-ensembles disjoints.

Exemple 10.7

Soit W le sous-espace de $\mathbb{R}^2$ défini par :

$$W = \{(a, b) \mid a = b\}$$

Autrement dit, W est la droite d'équation $y = x$. L'ensemble $v + W$ s'obtient à partir de W par translation, en ajoutant le vecteur v à chacun des points de W. Comme on le voit sur la figure 10.2, c'est une droite du plan parallèle à W : les classes définies par W sont donc toutes les droites parallèles à W.

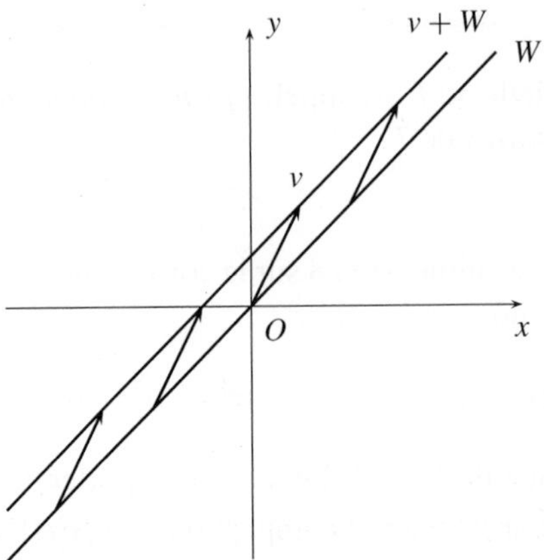

Figure 10.2 Classes d'équivalence modulo W dans $\mathbb{R}^2$.

Dans le théorème suivant, la notion de classes d'équivalence associées à un sous-espace W permet de définir un nouvel espace vectoriel, appelé l'*espace quotient* de V par W, et noté V/W.

✻ Théorème 10.15 : Soit un sous-espace W d'un espace vectoriel sur un corps $\mathbb{K}$. Les classes d'équivalence modulo W forment un espace vectoriel sur $\mathbb{K}$, si on le munit de l'addition vectorielle et de la multiplication scalaire suivantes :

(a) $(u + W) + (v + W) = (u + v) + W$; (b) $k(u + W) = ku + W, k \in \mathbb{K}$.

Nous verrons dans la démonstration de ce théorème (problème 10.24) qu'il est nécessaire de vérifier d'abord que ces opérations sont bien définies ; autrement dit, si $u + W = u' + W$ et $v + W = v' + W$, alors :

(a) $(u + v) + W = (u' + v') + W$;

(b) $ku + W = ku' + W, \forall k \in \mathbb{K}$.

Si de plus W est un sous-espace invariant, nous avons le résultat suivant, démontré au problème 10.27 :

✻ Théorème 10.16 : Soit $W \subset V$ un sous-espace invariant par un opérateur linéaire $T : V \to V$. T induit alors un opérateur $\bar{T}$ sur V/W, défini par $\bar{T}(v + W) = T(v) + W$. De plus, si $f(t)$ est un polynôme annulateur de T, il est aussi annulateur de $\bar{T}$. On en déduit que que le polynôme minimal de $\bar{T}$ est un diviseur du polynôme minimal de T.

? EXERCICES CORRIGÉS

SOUS-ESPACES INVARIANTS

10.1 Soit un opérateur linéaire $T : V \to V$; montrer que les sous-espaces suivants sont invariants par T :

(a) $\{0\}$; (b) V ; (c) $\ker T$; (d) $\operatorname{Im} T$.

Solution :

(a) Puisque $T(0) = 0 \in \{0\}$, $\{0\}$ est invariant par T.
(b) $\forall v \in V$, $T(v) \in V$, et donc V est invariant par T.
(c) Soit $u \in \ker T$; alors $T(u) = 0 \in \ker T$ puisque $\ker T$ est un sous-espace de V. Par conséquent $\ker T$ est invariant par T.
(d) Puisque $T(v) \in \operatorname{Im} T$ quelque soit $v \in V$, c'est *a fortiori* vrai si $v \in \operatorname{Im} T$: l'image de T est donc invariante par T.

10.2 On considère une famille $\{W_i\}$ de sous-espaces T-invariants d'un espace vectoriel V. Montrer que l'intersection $W = \cap_i W_i$ est également T-invariante.

Solution : soit un vecteur $v \in W$; par définition de l'intersection, $v \in W_i$ pour tout i. Il en résulte que $T(v) \in W$, et le sous-espace W est donc T-invariant.

10.3 Démontrer le théorème 10.2 : *soit un opérateur linéaire quelconque $T : V \to V$, et $f(t)$ un polynôme arbitraire. Alors le noyau de $f(T)$ est invariant par T.*

Solution : si $v \in \ker f(T)$, alors $\big(f(T)\big)(v) = 0$. Il nous faut montrer que $T(v)$ appartient aussi au noyau de $f(T)$, c'est-à-dire $\big(f(T)\big)\big(T(v)\big) = \big(f(T) \circ T\big)(v) = 0$. Puisque $f(t)t = tf(t)$, on déduit $f(T) \circ T = T \circ f(T)$, d'où :

$$\big(f(T) \circ T\big)(v) = \big(T \circ f(T)\big)(v) = T\Big(\big(f(T)\big)(v)\Big) = T(0) = 0$$

10.4 Trouver tous les sous-espaces invariants de la matrice $A = \begin{pmatrix} 2 & -5 \\ 1 & -2 \end{pmatrix}$, considérée comme opérateur linéaire sur $\mathbb{R}^2$.

Solution : d'après le problème 10.1, les sous-espaces $\mathbb{R}^2$ et $\{0\}$ sont invariants par A. Si A possède d'autres sous-espaces invariants, il sont donc nécessairement de dimension 1. Écrivons le polynôme caractéristique de A :

$$\Delta(t) = t^2 - \operatorname{tr} A\, t + |A| = t^2 + 1$$

A n'a pas de valeurs propres réelles et par conséquent pas de vecteurs propres. Puisque tout sous-espace invariant de dimension 1 est nécessairement engendré par un vecteur propre, A ne possède pas de tel sous-espace. En définitive, $\mathbb{R}^2$ et $\{0\}$ sont les seuls sous-espaces invariants de A.

10.5 Démontrer le théorème 10.3 : *soit W un sous espace invariant par $T : V \to V$. T peut alors être représenté par une matrice par blocs $\begin{pmatrix} A & B \\ 0 & C \end{pmatrix}$, où A est une représentation matricielle de la restriction $\hat{T}$ de T à W.*

Solution : soit une base $\{w_1, \ldots, w_r\}$ de W ; prolongeons-la en une base $\{w_1, \ldots, w_r, v_1, \ldots, v_s\}$ de V. On peut écrire :

$$\begin{aligned}
\hat{T}(w_1) = T(w_1) &= a_{11}w_1 + \cdots + a_{1r}w_r \\
\hat{T}(w_2) = T(w_2) &= a_{21}w_1 + \cdots + a_{2r}w_r \\
&\cdots\cdots\cdots\cdots \\
\hat{T}(w_r) = T(w_r) &= a_{r1}w_1 + \cdots + a_{rr}w_r \\
T(v_1) &= b_{11}w_1 + \cdots + b_{1r}w_r + c_{11}v_1 + \cdots + c_{1s}v_s \\
T(v_2) &= b_{21}w_1 + \cdots + b_{2r}w_r + c_{21}v_1 + \cdots + c_{2s}v_s \\
&\cdots\cdots\cdots\cdots \\
T(v_s) &= b_{s1}w_1 + \cdots + b_{sr}w_r + c_{s1}v_1 + \cdots + c_{ss}v_s
\end{aligned}$$

La matrice de T sur cette base est la transposée de la matrice des coefficients du système d'équations ci-dessus (définition 6.1). Elle est donc de la forme $\begin{pmatrix} A & B \\ 0 & C \end{pmatrix}$, où A est la transposée de la matrice des coefficients du sous-système formé par les coefficients a_{ij}, qui est aussi la matrice de $\hat{T}$ sur la base $\{w_i\}$ de W.

10.6 Soit $\hat{T}$ la restriction d'un opérateur linéaire T à un sous-espace invariant W. Montrer les deux propositions suivantes :

(a) pour tout polynôme $f(t)$, $\big(f(\hat{T})\big)(w) = \big(f(T)\big)(w)$;

(b) le polynôme minimal de $\hat{T}$ est un diviseur du polynôme minimal de T.

Solution :

(a) Si $f(t)$ est de degré 1, autrement dit si $f(t)$ est constant ou nul, le théorème est vrai. Soit alors $\deg f = n > 1$; posons $f(t) = a_nt^n + a_{n-1}t^{n-1} + \cdots + a_1t + a_0$, et supposons le théorème vrai pour $n - 1$. Alors :

$$\begin{aligned}
\big(f(\hat{T})\big)(w) &= (a_n\hat{T}^n + a_{n-1}\hat{T}^{n-1} + \cdots + a_1\hat{T} + a_0I)(w) \\
&= (a_n\hat{T}^{n-1})\big(\hat{T}(w)\big) + (a_{n-1}\hat{T}^{n-1} + \cdots + a_1\hat{T} + a_0I)(w) \\
&= (a_nT^{n-1})\big(T(w)\big) + (a_{n-1}T^{n-1} + \cdots + a_1 + a_0I)(w) = \big(f(T)\big)(w)
\end{aligned}$$

(b) Appelons $m(t)$ le polynôme minimal de T. D'après la question précédente, $\big(m(\hat{T})\big)(w) = \big(m(T)\big)(w) = \mathbf{0}(w) = 0$ pour tout vecteur $w \in W$. $\hat{T}$ est donc racine de $m(t)$, et par conséquent le polynôme minimal de $\hat{T}$ divise $m(t)$.

DÉCOMPOSITION EN SOMME DIRECTE INVARIANTE

10.7 Démontrer le théorème 10.4 : *soient des sous-espaces $W_1, W_2, \ldots, W_r$ de V, et soient :*

$$B_1 = \{w_{11}, w_{12}, \ldots, w_{1n_1}\}, \quad \ldots, \quad B_r = \{w_{r1}, w_{r2}, \ldots, w_{rn_r}\}$$

des bases, respectivement, de $W_1, W_2, \ldots, W_r$. Alors V est la somme directe des W_i si et seulement si la réunion $B = B_1 \cup B_2 \cup \ldots \cup B_r$ est une base de V.

Solution : supposons que B soit une base de V. Pour tout $v \in V$:

$$v = a_{11}w_{11} + \cdots + a_{1n_1}w_{1n_1} + \cdots + a_{r1}w_{r1} + \cdots + a_{rn_r}w_{rn_r} = w_1 + w_2 + \cdots + w_r$$

où $w_i = a_{i1}w_{i1} + \cdots + a_{in_i}w_{in_i} \in W_i$. Pour montrer que cette décomposition est unique, supposons qu'il en existe une autre :

$$v = w'_1 + w'_2 + \cdots + w'_r \quad \text{avec} \quad w'_i \in W_i$$

Puisque $\{w_{i1}, \ldots, w_{in_i}\}$ est une base de W_i, on peut écrire $w'_i = b_{i1}w_{i1} + \cdots + b_{in_i}w_{in_i}$, soit :

$$v = b_{11}w_{11} + \cdots + b_{1n_1}w_{1n_1} + \cdots + b_{r1}w_{r1} + \cdots + b_{rn_r}w_{rn_r}$$

B étant une base de V, les composantes de v sont uniques et donc, $\forall i, j$, $a_{ij} = b_{ij}$. On en déduit que pour tout i, $w_i = w'_i$, ce qui démontre l'unicité de la décomposition, et V est bien la somme directe des W_i.
Réciproquement, supposons que V soit la somme directe des W_i : $\forall v \in V$, $v = w_1 + w_2 + \cdots + w_r$, avec $w_i \in W_i$. Puisque $\{w_{ij_i}\}$ est une base de W_i, chacun des w_i est combinaison linéaire des w_{ij_i}, de sorte que v est combinaison linéaire des vecteurs de B, ce qui assure que B engendre V. Il reste à montrer que B est libre ; considérons une combinaison linéaire nulle :

$$a_{11}w_{11} + \cdots + a_{1n_1}w_{1n_1 1} + \cdots + a_{r1}w_{r1} + \cdots + a_{rn_r}w_{rn_r} = 0$$

Pour chaque i, la combinaison linéaire $a_{i1}w_{i1} + \cdots + a_{in_i}w_{in_i}$ appartient à W_i, et le vecteur nul $0 = 0 + \cdots + 0 \in W_i$. La décomposition de 0 étant unique, il vient, pour tout $i = 1, \ldots, r$:

$$a_{i1}w_{i1} + \cdots + a_{in_i}w_{in_i} = 0$$

L'indépendance des bases $\{w_{ij_i}\}$ implique que tous les a_{ij} sont nuls : B est libre, et forme une base de V.

10.8 Soit $T : V \to V$ un opérateur linéaire, et soit $V = U \oplus W$ une décomposition de V ; T s'écrit alors $T = T_1 \oplus T_2$, où T_1 et T_2 sont les restrictions de T, respectivement, à U et W. Montrer que :

(a) si $m(t)$, $m_1(t)$ et $m_2(t)$ désignent respectivement les polynômes minimaux de T, T_1 et T_2, $m(t)$ est le plus petit multiple commun de $m_1(t)$ et $m_2(t)$.

(b) si $\Delta(t)$, $\Delta_1(t)$ et $\Delta_2(t)$ désignent respectivement les polynômes caractéristiques de T, T_1 et T_2, $\Delta(t) = \Delta_1(t)\Delta_2(t)$.

Solution :

(a) D'après le problème 10.6, $m_1(t)$ et $m_2(t)$ sont des diviseurs de $m(t)$. Considérons un multiple quelconque $f(t)$ de $m_1(t)$ et $m_2(t)$; alors $\big(f(T_1)\big)(U) = 0$ et $\big(f(T_2)\big)(W) = 0$. Soit $v \in V$; v s'écrit de façon unique $v = u + w$, où $u \in U$ et $v \in W$. On a :

$$\big(f(T)\big)(v) = \big(f(T)\big)(u) + \big(f(T)\big)(w) = \big(f(T_1)\big)(u) + \big(f(T_2)\big)(w) = 0 + 0 = 0$$

T est une racine de $f(t)$, et donc $m(t)$ divise $f(t)$. Puisqu'il divise tout multiple de $m_1(t)$ et de $m_2(t)$, c'est le plus petit multiple commun aux deux.

(b) D'après le théorème 10.5, T peut être représenté par une matrice diagonale par blocs $M = \begin{pmatrix} A & 0 \\ 0 & B \end{pmatrix}$, où A et B représentent respectivement T_1 et T_2. Alors :

$$\Delta(t) = |tI - M| = \begin{vmatrix} tI - A & 0 \\ 0 & tI - B \end{vmatrix} = |tI - A||tI - B| = \Delta_1(t)\Delta_2(t)$$

10.9 Démontrer le théorème 10.7 : *soit* $T : V \to V$ *un opérateur linéaire. Considérons trois polynômes* $f(t) = g(t)h(t)$ *tels que* $f(T) = 0$, *avec* $g(t)$ *et* $h(t)$ *premiers entre eux. Alors* V *est la somme directe des sous-espaces* T*-invariants* U *et* W, *où* $U = \ker g(T)$ *et* $W = \ker h(T)$.

Solution : U et W sont tous deux stables par T, en conséquence du théorème 10.2. Puisque $g(t)$ et $h(t)$ sont premiers entre eux, il existe deux polynômes $r(t)$ et $s(t)$ tels que :

$$r(t)g(t) + s(t)h(t) = 1$$

et cette équation est vérifiée par l'opérateur T :

$$r(T)g(T) + s(T)h(T) = I \tag{10.1}$$

Appliquons (10.1) à un vecteur $v \in V$ arbitraire :

$$v = \big(r(T)g(T)\big)(v) + \big(s(T)h(T)\big)(v)$$

Le premier terme de cette somme appartient à $W = \ker h(T)$, puisque :

$$\big(h(T)r(T)g(T)\big)(v) = \big(r(T)g(T)h(T)\big)(v) = \big(r(T)f(T)\big)(v) = \big(r(T)\mathbf{0}\big)(v) = 0$$

On montre de même que le second terme appartient à U, et par conséquent $V = U + W$. Pour montrer que $V = U \oplus W$, il faut montrer que la décomposition $u = v + w$, où $u \in U$ et $w \in W$, est unique. En appliquant l'opérateur $r(T)g(T)$ à $v = u + w$, et sachant que $\big(g(T)\big)(u) = 0$, on obtient :

$$\big(r(T)g(T)\big)(v) = \big(r(T)g(T)\big)(u) + \big(r(T)g(T)\big)(w) = \big(r(T)g(T)\big)(w)$$

Appliquant (10.1) à w, et sachant que $\big(h(T)\big)(w) = 0$, il vient :

$$w = \big(r(T)g(T)\big)(w) + \big(s(T)h(T)\big)(w) = \big(r(T)g(T)\big)(w)$$

Ces deux équations nous donnent $w = \big(r(T)g(T)\big)(v)$, et donc w est unique. On montre de même que u est unique, par conséquent $V = U \oplus W$.

10.10 Démontrer le théorème 10.8 : *si le polynôme* $f(t)$ *du théorème 10.7 est le polynôme minimal de* T, *et que* $g(t)$ *et* $h(t)$ *sont unitaires, alors* $g(t)$ *et* $h(t)$ *sont respectivement les polynômes minimaux des restrictions* T_1 *et* T_2 *de* T *à* U *et à* W.

Solution : soient respectivement $m_1(t)$ et $m_2(t)$ les polynômes minimaux de T_1 et T_2. Puisque $U = \ker g(T)$ et $W = \ker h(T)$, on a $g(T_1) = 0$ et $h(T_2) = 0$; par conséquent :

$$m_1(t) \text{ divise } g(t) \quad \text{et} \quad m_2(t) \text{ divise } h(t) \tag{10.2}$$

D'après le problème 10.9, $f(t)$ est le plus petit multiple commun à $m_1(t)$ et $m_2(t)$. Les polynômes $f(t)$ et $g(t)$ étant par hypothèse premiers entre eux, $m_1(t)$ et $m_2(t)$ sont également premiers entre eux. On a donc $f(t) = m_1(t)m_2(t)$ et $f(t) = g(t)h(t)$. Ces deux équations, combinées à (10.2), et au fait que tous ces polynômes sont unitaires, entraînent $g(t) = m_1(t)$ et $h(t) = m_2(t)$, ce qui démontre le théorème.

10.11 Démontrer le théorème 10.6 (décomposition primaire) : *soit* $T : V \to V$ *un opérateur linéaire de polynôme minimal :*

$$m(t) = f_1(t)^{n_1} f_2(t)^{n_2} \dots f_r(t)^{n_r}$$

où les $f_i(t)$ *sont des polynômes unitaires irréductibles distincts. Alors* V *est la somme directe de sous-espaces* T*-invariants* $W_1, W_2, \dots, W_r$, *où* W_i *est le noyau de* $f_i(T)^{n_i}$. *De plus,* $f_i(T)^{n_i}$ *est le polynôme minimal de la restriction de* T *à* W_i.

Solution : la démonstration s'effectue par récurrence sur r, et le cas $r = 1$ est évident. Supposons le théorème vrai pour $r - 1$; le théorème 10.7 nous permet d'écrire V comme somme directe de deux sous-espaces T-invariants W_1 et V_1, où W_1 est le noyau de $f_1(t)^{n_1}$, et V_1 le noyau de $f_2(t)^{n_2} \ldots f_r(t)^{n_r}$. D'après le théorème 10.8, les polynômes minimaux des restrictions de T à W_1 et à V_1 sont respectivement $f_1(t)^{n_1}$ et $f_2(t)^{n_2} \ldots f_r(t)^{n_r}$.
Désignons par $\hat{T}_1$ la restriction de T à V_1. L'hypothèse de récurrence entraîne que V_1 est somme directe de sous-espaces $W_2, \ldots, W_r$, tels que W_i soit le noyau de $f_i(T_1)^{n_i}$, et que $f_i(t)^{n_i}$ soit le polynôme minimal de la restriction de $\hat{T}_1$ à W_i. Le noyau de $f_i(T)^{n_i}, i = 2, \ldots, r$, est nécessairement inclus dans V_1, puisque $f_i(t)^{n_i}$ est un diviseur de $f_2(t)^{n_2} \ldots f_r(t)^{n_r}$. Par conséquent le noyau de $f_i(T)^{n_i}$ est le même que celui de $f_i(T_1)^{n_i}$, autrement dit W_i. De même, les restrictions de T et T_1 à W_i sont identiques, pour $i = 2, \ldots, r$. $f_i(t)^{n_i}$ est donc également le polynôme minimal de la restriction de T à W_i. On décompose donc V comme somme directe $V = W_1 \oplus W_2 \oplus \cdots \oplus W_r$.

10.12 Démontrer le théorème 10.9 : *un opérateur linéaire $T : V \to V$ est diagonalisable si et seulement si son polynôme minimal $m(t)$ est un produit de facteurs linéaires distincts.*

Solution : supposons que $m(t)$ s'écrive comme produit de facteurs linéaires distincts :

$$m(t) = (t - \lambda_1)(t - \lambda_2) \cdots (t - \lambda_r)$$

où les racines λ_i sont toutes différentes. D'après le théorème de décomposition primaire, V est somme directe de sous-espaces $W_1, \ldots, W_r$, avec $W_i = \ker(T - \lambda_i I)$. Par conséquent, si $v \in W_i$, $(T - \lambda_i I)(v) = 0$ ou encore $T(v) = \lambda_i v$. En d'autres termes, tout vecteur de W_i est vecteur propre pour la valeur propre λ_i. Le théorème 10.4 assure que la réunion des bases de $W_1, \ldots, W_r$ est une base de V. Cette base étant constituée de vecteurs propres, l'opérateur T est diagonalisable.
Réciproquement, supposons T diagonalisable. Il existe donc une base de V formée de vecteurs propres de T. Soient $\lambda_1, \lambda_2, \ldots, \lambda_s$ des valeurs propres distinctes de T. L'opérateur :

$$f(T) = (T - \lambda_1 I)(T - \lambda_2 I) \cdots (T - \lambda_s I)$$

applique chacun des vecteurs de la base sur le vecteur nul. On en déduit que $f(T) = 0$, et par conséquent le polynôme minimal $m(t)$ de T est un diviseur du polynôme :

$$f(t) = (t - \lambda_1)(t - \lambda_2) \cdots (t - \lambda_s)$$

$m(t)$ s'écrit bien comme produit de termes linéaires distincts.

OPÉRATEURS NILPOTENTS, FORME CANONIQUE DE JORDAN

10.13 Soit $T : V \to V$ un opérateur linéaire, et soit un vecteur $v \in V$ tel que $T^k(v) = 0$, mais $T^{k-1}(v) \neq 0$. Montrer que :

(a) l'ensemble $S = \{v, T(v), \ldots, T^{k-1}(v)\}$ est libre ;
(b) le sous-espace W engendré par S est invariant par T ;
(c) la restriction $\hat{T}$ de T à W est un opérateur nilpotent d'ordre k ;
(d) la matrice représentant T sur la base S de W est le bloc de Jordan nilpotent N_k d'ordre k (voir exemple 10.4).

Solution :

(a) Écrivons une combinaison linéaire nulle :

$$av + a_1 T(v) + a_2 T^2(v) + \cdots + a_{k-1} T^{k-1}(v) = 0 \tag{10.3}$$

Appliquons T^{k-1} à (10.3) ; puisque $T^k(v) = 0$, il vient $aT^{k-1}(v) = 0$, et $T^{k-1}(v) \neq 0 \Rightarrow a = 0$. Appliquons ensuite T^{k-2} à (10.3) ; $T^k(v) = 0$ et $a = 0 \Rightarrow a_1 T^{k-1}(v) = 0$, d'où $a_1 = 0$. De proche en proche, on montre que tous les a_i sont nuls : le système S est libre.

(b) Le système S est libre et engendre W ; il forme donc une base de W. Soit un vecteur arbitraire $w \in W$; décomposons-le sur la base S :

$$w = bv + b_1 T(v) + b_2 T^2(v) + \cdots + b_{k-1} T^{k-1}(v)$$

Puisque $T^k(v) = 0$, il vient :

$$T(w) = bT(v) + b_1 T^2(v) + b_2 T^3(v) + \cdots + b_{k-2} T^{k-1}(v) \in W$$

ce qui prouve que W est stable par T.

(c) Par hypothèse, $T^k(v) = 0$. Pour $i = 0, 1, \ldots, k-1$:

$$\hat{T}^k\big(T^i(v)\big) = T^{k+i}(v) = 0$$

L'opérateur $\hat{T}^k$ applique chaque vecteur générateur de W sur le vecteur nul, par conséquent $\hat{T}^k = \mathbf{0}$ et $\hat{T}$ est nilpotent d'ordre au plus égal à k. Mais on sait aussi que $\hat{T}^{k-1}(v) = T^{k-1}(v) \neq 0$, et donc l'indice de nilpotence de T vaut exactement k.

(d) Sur la base $\{T^{k-1}(v), T^{k-2}(v), \ldots, T(v), v\}$ de W, on a :

$$\begin{aligned}
\hat{T}\big(T^{k-1}(v)\big) &= T^k(v) = 0 \\
\hat{T}\big(T^{k-2}(v)\big) &= T^{k-1}(v) \\
\hat{T}\big(T^{k-3}(v)\big) &= T^{k-2}(v) \\
&\cdots\cdots\cdots\cdots \\
\hat{T}\big(T(v)\big) &= T^2(v) \\
\hat{T}(v) &= T(v)
\end{aligned}$$

La matrice représentant T sur cette base est bien un bloc nilpotent N_k de Jordan.

10.14 Soit un opérateur linéaire $T : V \to V$. Posons $U = \ker T^i$ et $W = \ker T^{i+1}$; montrer que :

(a) $U \subseteq W$; (b) $T(W) \subseteq U$.

Solution :

(a) Considérons un vecteur quelconque $u \in U = \ker T^i$. On a donc $T^i(u) = 0$, et par conséquent $T^{i+1}(u) = T\big(T^i(u)\big) = T(0) = 0$. Il en résulte que u appartient à $\ker T^{i+1} = W$. Puisque u est arbitraire, $U \subseteq W$.

(b) De même, si $w \in W = \ker T^{i+1}$, $T^{i+1}(w) = 0$. Mais $T^{i+1}(w) = T^i\big(T(w)\big) = 0$: $T(w) \in \ker T^i = U \Rightarrow T(W) \subseteq U$.

10.15 Soit $T : V \to V$ un opérateur linéaire. On pose $X = \ker T^{i-2}$, $Y = \ker T^{i-1}$ et $Z = \ker T^i$. D'après le problème 10.14, $X \subseteq Y \subseteq Z$. Soient respectivement :

$$\{u_1, \ldots, u_r\}, \quad \{u_1, \ldots, u_r, v_1, \ldots, v_s\}, \quad \{u_1, \ldots, u_r, v_1, \ldots, v_s, w_1, \ldots, w_t\}$$

des bases de X, Y et Z. Montrer que le système :

$$S = \{u_1, \ldots, u_r, T(w_1), \ldots, T(w_t)\}$$

est libre et est contenu dans Y.

Solution : d'après le problème 10.14, $T(Z) \subseteq Y$, d'où $S \subseteq Y$. Supposons que S soit lié ; on peut alors trouver une combinaison linéaire nulle :

$$a_1u_1 + \cdots + a_ru_r + b_1T(w_1) + \cdots + b_tT(w_t) = 0$$

dans laquelle au moins un coefficient est non nul. Puisque les u_i sont libres, l'un au moins des b_k doit être différent de 0. Récrivons l'expression précédente sous la forme :

$$b_1T(w_1) + \cdots + b_tT(w_t) = -a_1u_1 - \cdots - a_ru_r \in X = \ker T^{i-2}$$

On en déduit :

$$T^{i-2}\big(b_1T(w_1) + \cdots + b_tT(w_t)\big) = 0 \Rightarrow T^{i-1}\big(b_1w_1 + \cdots + b_tw_t\big) = 0$$
$$\Rightarrow b_1w_1 + \cdots + b_tw_t \in Y = \ker T^{i-1}$$

L'ensemble $\{u_i, v_j\}$ engendrant Y, on obtient une relation entre les u_i, v_j et w_k dans laquelle l'un des coefficients, plus précisément l'un des b_k, est non nul, ce qui est en contradiction avec l'indépendance linéaire des $\{u_i, v_j, w_k\}$. Par conséquent S est libre.

10.16 Démontrer le théorème 10.10 : *soit $T : V \to V$ un opérateur nilpotent d'ordre k. Alors T possède une unique représentation par une matrice diagonale par blocs dont les éléments diagonaux sont des blocs de Jordan nilpotents N. Il y a au moins un tel bloc d'ordre k, et tous les autres sont d'ordre $\leq k$. Le nombre des N d'ordre donné est déterminé de manière unique par T, et le nombre total des N de tous ordres est égal à la nullité de T.*

Solution : posons $n = \dim V$. Soient $W_1 = \ker T$, $W_2 = \ker T^2, \ldots, W_k = \ker T^k$. Posons encore $m_i = \dim W_i$, $i = 1, 2, \ldots, k$. T étant nilpotent d'ordre k, on a $W_k = V$ et $W_{k-1} \neq V$, d'où $m_{k-1} < m_k = n$. D'après le problème 10.14 :

$$W_1 \subseteq W_2 \subseteq \cdots \subseteq W_k = V$$

Par récurrence, on peut donc choisir une base $\{u_1, \ldots, u_n\}$ de V telle que $\{u_1, \ldots, u_{m_i}\}$ soit une base de W_i.

Nous allons déterminer une nouvelle base de V telle que T ait la forme voulue. Chaque vecteur de cette base sera indexé par une paire d'indices, de la façon suivante ; posons :

$$v(1,k) = u_{m_{k-1}+1}, \quad v(2,k) = u_{m_{k-1}+2}, \quad \ldots, \quad v(m_k - m_{k-1},\, k) = u_{m_k}$$

puis :

$$v(1,\, k-1) = Tv(1,k), \quad v(2,\, k-1) = Tv(2,k), \quad \ldots, \quad v(m_k - m_{k-1},\, k-1) = Tv(m_k - m_{k-1},\, k)$$

D'après le problème 10.15 :

$$S_1 = \{u_1, \ldots, u_{m_{k-2}}, v(1,\, k-1), \ldots, v(m_k - m_{k-1},\, k-1)\}$$

est un système libre de W_{k-1}. On peut compléter S_1 pour en faire une base de W_{k-1} en ajoutant, si nécessaire, des vecteurs :

$$v(m_k - m_{k-1} + 1,\, k-1) \quad v(m_k - m_{k-1} + 2,\, k-1), \quad \ldots, \quad v(m_{k-1} - m_{k-2},\, k-1)$$

Posons ensuite :

$$v(1,\, k-2) = Tv(1, k-1), \quad v(2,\, k-2) = Tv(2, k-1), \quad \ldots,$$
$$v(m_{k-1} - m_{k-2},\, k-2) = Tv(m_{k-1} - m_{k-2},\, k-1)$$

Toujours d'après le problème 10.15 :

$$S_2 = \{u_1, \dots, u_{m_{k-s}},\ v(1,\ k-2),\ \dots,\ v(m_{k-1} - m_{k-2},\ k-2)\}$$

est un système libre de W_{k-2} que l'on peut compléter en une base de W_{k-2} en ajoutant des vecteurs :

$$v(m_{k-1} - m_{k-2} + 1,\ k-2) \quad v(m_{k-1} - m_{k-2} + 2,\ k-2), \quad \dots, \quad v(m_{k-2} - m_{k-3},\ k-2)$$

En poursuivant ce processus, nous obtenons une nouvelle base de V, qu'il est commode d'écrire sous la forme :

$$\begin{array}{lllll}
v(1,\ k) & \dots,\ v(m_k - m_{k-1},\ k) & & & \\
v(1,\ k-1) & \dots,\ v(m_k - m_{k-1},\ k-1) & \dots,\ v(m_{k-1} - m_{k-2},\ k-1) & & \\
\dots\dots & \dots\dots & \dots\dots & \dots\dots & \\
v(1,\ 2) & \dots,\ v(m_k - m_{k-1},\ 2) & \dots,\ v(m_{k-1} - m_{k-2},\ 2) & \dots,\ v(m_2 - m_1,\ 2) & \\
v(1,\ 1) & \dots,\ v(m_k - m_{k-1},\ 1) & \dots,\ v(m_{k-1} - m_{k-2},\ 1) & \dots,\ v(m_2 - m_1,\ 1) & \dots,\ v(m_1,\ 1)
\end{array} \tag{10.4}$$

La dernière ligne est une base de W_1, les deux dernières forment une base de W_2, etc. Par application de T à chacun des vecteurs de (10.4), on obtient le vecteur situé immédiatement au-dessous, et le vecteur nul 0, s'il appartient à la dernière ligne :

$$Tv(i,\ j) = \begin{cases} v(i,\ j-1) & \text{si } j > 1 \\ 0 & \text{si } j = 1 \end{cases}$$

Il apparaît alors (problème 10.13(d)) que T a la forme souhaitée si les $v(i,\ j)$ sont ordonnés de la manière suivante : on commence à $v(1,\ 1)$ et on remonte la 1re colonne jusqu'à $v(1,\ k)$; on se place à $v(2,\ 1)$, au bas de la 2e colonne, que l'on remonte jusqu'au dernier élément non nul, et ainsi de suite. Comme on peut le lire sur le tableau (10.4), on a $m_k - m_{k-1}$ éléments diagonaux à l'ordre k, et :

$$(m_{k-1} - m_{k-2}) - (m_k - m_{k-1}) = 2m_{k-1} - m_k - m_{k-2} \text{ éléments diagonaux à l'ordre } k-1$$

$$\dots\dots\dots\dots$$

$$2m_2 - m_1 - m_3 \text{ éléments diagonaux à l'ordre } 2$$

$$2m_1 - m_2 \text{ éléments diagonaux à l'ordre } 1$$

Les nombres $m_1, \dots, m_k$ étant entièrement déterminés par T, les nombres d'éléments diagonaux à chaque ordre sont également entièrement déterminés par T. Enfin, l'identité :

$$m_1 = (m_k - m_{k-1}) + (2m_{k-1} - m_k - m_{k-2}) + \cdots + (2m_2 - m_1 - m_3) + (2m_1 - m_2)$$

montre que la nullité de T, qui n'est autre que m_1, est égale au nombre total d'éléments diagonaux de T.

10.17 Soient $A = \begin{pmatrix} 0 & 1 & 1 & 0 & 1 \\ 0 & 0 & 1 & 1 & 1 \\ 0 & 0 & 0 & 0 & 0 \\ 0 & 0 & 0 & 0 & 0 \\ 0 & 0 & 0 & 0 & 0 \end{pmatrix}$ et $B = \begin{pmatrix} 0 & 1 & 1 & 0 & 0 \\ 0 & 0 & 1 & 1 & 1 \\ 0 & 0 & 0 & 1 & 1 \\ 0 & 0 & 0 & 0 & 0 \\ 0 & 0 & 0 & 0 & 0 \end{pmatrix}$. On vérifie que ces deux matrices sont nilpotentes à l'ordre 3 ; autrement dit, $A^3 = 0$ mais $A^2 \neq 0$, et $B^3 = 0$ mais $B^2 \neq 0$. Trouver les matrices M_A et M_B nilpotentes, sous forme canonique, semblables respectivement à A et à B.

Solution : puisque A et B sont nilpotentes à l'ordre 3, M_A et M_B doivent contenir un bloc de Jordan nilpotent d'ordre 3, mais aucun autre d'ordre supérieur. En remarquant que $\text{rang}(A) = 2$ et que $\text{rang}(B) = 3$, on a $\text{nullité}(A) = 5 - 2 = 3$ et $\text{nullité}(B) = 5 - 3 = 2$. M_A contient donc trois blocs diagonaux, un d'ordre 3 et deux d'ordre 1, et B contient deux blocs diagonaux, un d'ordre 3 et un d'ordre 2 :

$$M_A = \begin{pmatrix} 0 & 1 & 0 & 0 & 0 \\ 0 & 0 & 1 & 0 & 0 \\ 0 & 0 & 0 & 0 & 0 \\ 0 & 0 & 0 & 0 & 0 \\ 0 & 0 & 0 & 0 & 0 \end{pmatrix} \quad \text{et} \quad M_B = \begin{pmatrix} 0 & 1 & 0 & 0 & 0 \\ 0 & 0 & 1 & 0 & 0 \\ 0 & 0 & 0 & 0 & 0 \\ 0 & 0 & 0 & 0 & 1 \\ 0 & 0 & 0 & 0 & 0 \end{pmatrix}$$

10.18 Démontrer le théorème 10.11, qui décrit la forme canonique de Jordan d'un opérateur T.

Solution : d'après le théorème de décomposition primaire, T est décomposable sous la forme $T = T_1 \oplus \cdots \oplus T_r$, où $(t - \lambda_i)^{m_i}$ est le polynôme minimal de T_i. On a donc :

$$(T_1 - \lambda_1 I)^{m_i} = \mathbf{0}, \quad \ldots, \quad (T_r - \lambda_r I)^{m_r} = \mathbf{0}$$

Posons $N_i = T_i - \lambda_i I$; alors, pour $i = 1, \ldots, r$:

$$T_i = N_i + \lambda_i I, \quad \text{avec} \quad N_i^{m_i} = \mathbf{0}$$

T_i est la somme de l'opérateur scalaire $\lambda_i I$ et de l'opérateur nilpotent N_i d'ordre m_i.
D'après le théorème 10.10, on peut trouver une base sur laquelle N_i est sous forme canonique. Sur cette base, $T_i = N_i + \lambda_i I$ est est représenté par une matrice diagonale par blocs M_i dont les blocs diagonaux sont les matrices J_{ij}. La somme directe J des matrices M_i est sous forme canonique de Jordan, et le théorème 10.5 assure qu'elle représente T.
Nous devons encore montrer que les blocs J_{ij} ont les propriétés requises. N_i est d'ordre m_i, ce qui entraîne la propriété (a) ; T et J ont le même polynôme caractéristique, ce qui entraîne la propriété (b) ; la nullité de $N_i = T_i - \lambda_i I$ est égale à la multiplicité géométrique de la valeur propre λ_i, d'où la propriété (c) ; enfin, la propriété (d) résulte de ce que T_i, et donc N_i, est entièrement déterminé par T.

10.19 Trouver toutes les formes canoniques de Jordan possibles J d'un endomorphisme $T : V \to V$ dont le polynôme caractéristique est $\Delta(t) = (t-2)^5$ et le polynôme minimal est $m(t) = (t-2)^2$.

Solution : puisque $\Delta(t)$ est de degré 5, J est une matrice 5×5, dont tous les éléments diagonaux valent 2, $\lambda = 2$ étant la seule valeur propre. L'exposant de $t - 2$ dans $m(t)$ est égal à 2, il y a donc un bloc de Jordan d'ordre 2, les autres devant être d'ordre 1 ou 2. Il y a donc deux cas de figure (et seulement deux) :

$$J = \text{diag}\left(\begin{pmatrix} 2 & 1 \\ & 2 \end{pmatrix}, \begin{pmatrix} 2 & 1 \\ & 2 \end{pmatrix}, (2)\right) \quad \text{ou} \quad J = \text{diag}\left(\begin{pmatrix} 2 & 1 \\ & 2 \end{pmatrix}, (2), (2), (2)\right)$$

10.20 Déterminer toutes les formes canoniques de Jordan possibles d'un endomorphisme $T : V \to V$ dont le polynôme caractéristique est $\Delta(t) = (t-2)^3(t-5)^2$; dans chaque cas, exprimer le polynôme minimal $m(t)$.

Solution : étant donnés les exposants de $t-2$ et de $t-5$ dans $\Delta(t)$, 2 doit apparaître 3 fois sur la diagonale, et 5 doit apparaître 2 fois. Il y a en tout six possibilités :

(a) $\operatorname{diag}\left(\begin{pmatrix} 2 & 1 & \\ & 2 & 1 \\ & & 2 \end{pmatrix}, \begin{pmatrix} 5 & 1 \\ & 5 \end{pmatrix}\right)$;

(b) $\operatorname{diag}\left(\begin{pmatrix} 2 & 1 & \\ & 2 & 1 \\ & & 2 \end{pmatrix}, (5), (5)\right)$;

(c) $\operatorname{diag}\left(\begin{pmatrix} 2 & 1 \\ & 2 \end{pmatrix}, (2), \begin{pmatrix} 5 & 1 \\ & 5 \end{pmatrix}, (2)\right)$;

(d) $\operatorname{diag}\left(\begin{pmatrix} 2 & 1 \\ & 2 \end{pmatrix}, (2), (5), (5)\right)$;

(e) $\operatorname{diag}\left((2), (2), (2), \begin{pmatrix} 5 & 1 \\ & 5 \end{pmatrix}\right)$;

(f) $\operatorname{diag}\big((2), (2), (2), (5), (5)\big)$.

L'exposant dans le polynôme minimal est la taille du plus grand bloc :

(a) $m(t) = (t-2)^3(t-5)^2$;
(b) $m(t) = (t-2)^3(t-5)$;
(c) $m(t) = (t-2)^2(t-5)^2$;
(d) $m(t) = (t-2)^3(t-5)$;
(e) $m(t) = (t-2)(t-5)^2$;
(f) $m(t) = (t-2)(t-5)$.

ESPACE QUOTIENT, FORME TRIANGULAIRE

10.21 Soit W un sous-espace d'un espace vectoriel V ; montrer l'équivalence de ces trois énoncés :

(a) $u \in v + W$; (b) $u - v \in W$; (c) $v \in u + W$.

Solution : soit $u \in v + W$; il existe alors $w_0 \in W$ tel que $u = v + w_0$, et par conséquent $u - v = w_0 \in W$. Réciproquement, soit $u - v \in W$, et donc $u - v = w_0$, $w_0 \in W$. Par conséquent $u = v + w_0 \in v + W$: (a) et (b) sont équivalents.

On peut aussi écrire $u - v \in W \Leftrightarrow -(u-v) = v - u \in W \Leftrightarrow v \in u + W$: (b) et (c) sont équivalents.

10.22 Démontrer la propriété suivante : les classes d'équivalence modulo W partagent V en sous-ensembles disjoints :

(a) deux classes $u + W$ et $v + W$ sont soit identiques, soit disjointes ;
(b) tout vecteur $v \in V$ appartient à une classe (il suffit de montrer que $v \in v + W$).

De plus, $u + W = v + W$ si et seulement si $u - v \in W$, et donc $\forall w \in W$, $(v + w) + W = v + W$.

Solution : soit $v \in V$. Le vecteur nul 0 appartenant à W, on a $v = v + 0 \in v + W$, ce qui montre (b). Supposons que deux classes $u + W$ et $v + W$ ne soient pas disjointes ; il existe alors un vecteur x tel que $x \in u + W$ et $x \in v + W$. On en déduit que $u - x \in W$ et $x - v \in W$. Montrons qu'il en résulte nécessairement que $u + W = v + W$: soit $u + w_0$ un vecteur quelconque de $u + W$. Puisque $u - x$, $x - v$ et w_0 appartiennent tous les trois à W, on peut écrire :

$$(u + w_0) - v = (u - x) + (x - v) + w_0 \in W$$

Par conséquent $u + w_0 \in v + W$, et la classe $u + W$ est contenue dans la classe $v + W$. On montre de même que $v + W$ est contenue dans $u + W$; d'après le problème 10.21, ce résultat est équivalent à $u - v \in W$.

10.23 Soit W l'espace des solutions de l'équation linéaire homogène $2x + 3y + 4z = 0$. Décrire les classes d'équivalence définies dans $\mathbb{R}^3$ par W.

Solution : W est un plan passant par l'origine $O(0,0,0)$; les classes modulo W sont les plans parallèles à W. De façon équivalente, les classes définies par W sont les ensembles des solutions de la famille d'équations :

$$2x + 3y + 4z = k, \quad k \in \mathbb{R}$$

Plus précisément, la classe $v + W$, avec $v = (a, b, c)$, est l'ensemble des solutions de l'équation linéaire :

$$2x + 3y + 4z = 2a + 3b + 4c \quad \text{ou} \quad 2(x-a) + 3(y-b) + 4(z-c) = 0$$

10.24 Soit W un sous-espace d'un espace vectoriel V. Montrer que les opérations définies au théorème 10.15 ont bien un sens ; autrement dit, si $u + W = u' + W$ et $v + W = v' + W$, montrer que :

(a) $(u+v) + W = (u'+v') + W$; (b) $\forall k \in \mathbb{K}, ku + W = ku' + W$.

Solution :

(a) Puisque $u + W = u' + W$ et $v + W = v' + W$, les deux vecteurs $u - u'$ et $v - v'$ appartiennent à W. On en déduit que $(u+v) - (u'+v') = (u-u') + (v-v') \in W$. Par conséquent $(u+v) + W = (u'+v') + W$.

(b) De même, puisque $u - u' \in W$ implique $k(u-u') \in W$, $ku - ku' = k(u-u') \in W$, et donc $ku + W = ku' + W$.

10.25 Soient V un espace vectoriel et W l'un de ses sous-espaces. Montrer que l'application « naturelle » $\eta : V \to V/W$, définie par $\eta(v) = v + W$, est linéaire.

Solution : pour tous vecteurs $u, v \in V$, et pour tout scalaire $k \in \mathbb{K}$, on a :

$$\eta(u+v) = u + v + W = u + W + v + W = \eta(u) + \eta(v)$$
$$\eta(kv) = kv + W = k(v + W) = k\eta(v)$$

ce qui prouve que l'application η est linéaire.

10.26 Considérons un sous-espace W d'un espace vectoriel V. Soit $\{w_1, \ldots, w_r\}$ une base de W, et soit le système de classes $\{\overline{v_1}, \ldots, \overline{v_s}\}$, avec $\overline{v_j} = v_j + W$, formant une base de V/W. Montrer que l'ensemble de vecteurs $B = \{v_1, \ldots, v_s, w_1, \ldots, w_r\}$ est une base de V, et que $\dim V = \dim W + \dim(V/W)$.

Solution : soit $u \in V$. Puisque $\{\overline{v_j}\}$ est une base de V/W :

$$\overline{u} = u + W = a_1\overline{v_1} + a_2\overline{v_2} + \cdots + a_s\overline{v_s}$$

On peut donc écrire $u = a_1v_1 + \cdots + a_sv_s + w$ où $w \in W$. $\{w_i\}$ étant une base de W :

$$u = a_1v_1 + \cdots + a_sv_s + b_1w_1 + \cdots + b_rw_r \tag{10.5}$$

Le système B est générateur de V. Montrons qu'il est libre ; construisons une combinaison linéaire nulle :

$$c_1v_1 + \cdots + c_sv_s + d_1w_1 + \cdots + d_rw_r = 0$$

Il en résulte :

$$c_1\overline{v_1} + \cdots + c_s\overline{v_s} = \overline{0}$$

Les $\{\overline{v_j}\}$ étant libres, tous les c_j sont nuls. En remplaçant dans (10.5), on obtient $d_1w_1 + \cdots + d_rw_r = 0$. Les $\{w_j\}$ étant linéairement indépendants, les coefficients d_i sont tous nuls, et par conséquent B est libre.

10.27 Démontrer le théorème 10.16 : *soit $W \subset V$ un sous-espace invariant par un opérateur linéaire $T : V \to V$. T induit alors un opérateur $\bar{T}$ sur V/W défini par $\bar{T}(v+W) = T(v) + W$. De plus, si $f(t)$ est un polynôme annulateur de T, il l'est aussi de $\bar{T}$. On en déduit que que le polynôme minimal de $\bar{T}$ est un diviseur du polynôme minimal de T.*

Solution : montrons tout d'abord que $\bar{T}$ est bien défini : si $u + W = v + W$, alors $\bar{T}(u+W) = \bar{T}(v+W)$. En effet, si $u + W = v + W$, $u - v \in W$ et , puisque W est stable par T, $T(u-v) = T(u) - T(v) \in W$. On en déduit :

$$\bar{T}(u+W) = T(u) + W = T(v) + W = \bar{T}(v+W)$$

Montrons ensuite que $\bar{T}$ est linéaire :

$$\begin{aligned}\bar{T}\big((u+W)+(v+W)\big) &= \bar{T}(u+v+W) = T(u+v) + W = T(u) + T(v) + W \\ &= T(u) + W + T(v) + W = \bar{T}(u+W) + \bar{T}(v+W)\end{aligned}$$

On a aussi :

$$\bar{T}\big(k(u+W)\big) = \bar{T}(ku+W) = T(ku) + W = kT(u) + W = k\big(T(u)+W\big) = k\bar{T}(u+W)$$

Pour toute classe $u + W \in V/W$:

$$\overline{T^2}(u+W) = T^2(u) + W = T\big(T(u)\big) + W = \bar{T}\big(T(u)+W\big) = \bar{T}\big(\bar{T}(u)+W\big) = \bar{T}^2(u+W)$$

d'où $\overline{T^2} = \bar{T}^2$, résultat qui se généralise immédiatement à $\overline{T^n} = \bar{T}^n$ pour tout n, et par conséquent à un polynôme $f(t) = a_n t^n + \cdots + a_0 = \sum_{i=0}^{n} a_i t^i$ quelconque :

$$\begin{aligned}\overline{f(T)}(u+W) &= \big(f(T)\big)(u) + W = \sum_{i=0}^{n} a_i T^i(u) + W = \sum_{i=0}^{n} a_i\big(T^i(u) + W\big) \\ &= \sum_{i=0}^{n} a_i \overline{T^i}(u+W) = \sum_{i=0}^{n} a_i \bar{T}^i(u+W) = \left(\sum_{i=0}^{n} a_i \bar{T}^i\right)(u+W) = f(\bar{T})(u+W)\end{aligned}$$

d'où $\overline{f(T)} = f(\bar{T})$. Il en résulte que si T est racine de $f(t)$, alors $\overline{f(T)} = \mathbf{\bar{0}} = f(\bar{T})$, et $\bar{T}$ est racine de $f(t)$, ce qui démontre le théorème.

10.28 Démontrer le théorème 10.1 : *soit $T : V \to V$ un opérateur linéaire dont le polynôme caractéristique se décompose en produit de termes linéaires. Il existe alors une base S de V sur laquelle T est représenté par une matrice triangulaire.*

Solution : la démonstration s'effectue par récurrence sur n, la dimension de l'espace vectoriel V. Si $n = 1$, toute représentation matricielle de T est une matrice 1×1, qui est triangulaire.

Soit $n > 1$, et supposons le théorème vrai pour $\dim V < n$. Puisque le polynôme caractéristique de T se décompose par hypothèse en facteurs linéaires, T a au moins une valeur propre a_{11}, et donc au moins un vecteur propre non nul v, tel que $T(v) = a_{11}v$. Désignons par W l'espace propre de dimension 1 engendré par v, et posons $\bar{V} = V/W$. D'après le problème 10.26, $\dim \bar{V} = \dim V - \dim W = n - 1$. On sait aussi que W est stable par T ; d'après le théorème 10.16, T induit un opérateur $\bar{T}$ sur $\bar{V}$ dont le polynôme minimal divise celui de T. Le polynôme caractéristique de T étant un produit de polynômes linéaires, il en est de même pour le polynôme minimal, et cette propriété reste vraie pour le polynôme caractéristique et le polynôme minimal de $\bar{T}$: les opérateurs $\bar{T}$ et $\bar{V}$ satisfont aux hypothèses du théorème. Par récurrence, il existe donc une base $\{\overline{v_2}, \ldots, \overline{v_n}\}$ de $\bar{V}$ telle que :

$$\begin{aligned}
&\bar{T}(\overline{v_2}) = a_{22}\overline{v_2} \\
&\bar{T}(\overline{v_3}) = a_{32}\overline{v_2} + a_{33}\overline{v_3} \\
&\ldots\ldots\ldots\ldots\ldots\ldots\ldots\ldots \\
&\bar{T}(\overline{v_n}) = a_{n2}\overline{v_2} + a_{n3}\overline{v_3} + \cdots + a_{nn}\overline{v_n}
\end{aligned}$$

Soient $v_2, \ldots, v_n$ des vecteurs de V appartenant respectivement aux classes $\overline{v_2}, \ldots, \overline{v_n}$. Alors $\{v, v_2, \ldots, v_n\}$ est, d'après le problème 10.26, une base de V. Grâce à $\bar{T}(\overline{v_2}) = a_{22}\overline{v_2}$, on a :

$$\bar{T}(\overline{v_2}) - a_{22}\overline{v_2} = 0 \Rightarrow T(v_2) - a_{22}v_2 \in W$$

W étant engendré par v, $T(v_2) - a_{22}v_2$ est nécessairement un multiple de v :

$$T(v_2) - a_{22}v_2 = a_{21}v \Rightarrow T(v_2) = a_{21}v + a_{22}v_2$$

On procède de même pour $i = 3, \ldots, n$:

$$T(v_i) - a_{i2}v_2 - a_{i3}v_3 - \cdots - a_{ii}v_i \in W \Rightarrow T(v_i) = a_{i1}v + a_{i2}v_2 + \cdots + a_{ii}v_i$$

En définitive :

$$\begin{aligned}
&T(v) = a_{11}v \\
&T(v_2) = a_{21}v + a_{22}v_2 \\
&\ldots\ldots\ldots\ldots\ldots\ldots\ldots\ldots \\
&T(v_n) = a_{n1}v + a_{n2}v_2 + \cdots + a_{nn}v_n
\end{aligned}$$

La matrice de T sur cette base est bien triangulaire.

SOUS-ESPACES CYCLIQUES, FORME CANONIQUE RATIONNELLE

10.29 Démontrer le théorème 10.12 : *soit $Z(v, T)$ le sous-espace cyclique engendré par v et ses itérés par T, T_v la restriction de T à $Z(v, T)$, et $m_v(t) = t^k + a_{k-1}t^{k-1} + \cdots + a_1 + a_0$ le polynôme T-annulateur de v. Alors :*

(a) *l'ensemble $\{v, T(v), \ldots; T^{k-1}(v)\}$ est une base de $Z(v, T)$, et donc* $\dim Z(v, T) = k$;

(b) *le polynôme minimal de T_v est $m_v(t)$;*

(c) *la représentation matricielle de T_v sur la base ci-dessus est la* matrice compagnon $C(m_v)$ *de $m_v(t)$, formée de 1 sur la diagonale, des opposés des coefficients $a_0, a_1, \ldots, a_{k-1}$ de $m_v(t)$ à la dernière colonne, et de 0 ailleurs.*

Solution :

(a) Par définition de $m_v(t)$, $T^k(v)$ est le premier vecteur de la suite $\{v, T(v), T^2(v), \ldots\}$ combinaison linéaire de ses prédécesseurs : l'ensemble $B = \{v, T(v), \ldots, T^{k-1}(v)\}$ est donc libre. Il reste à montrer qu'il engendre $Z(v, T)$, *i.e.* $Z(v, T) = \operatorname{Vect} B$. Nous venons de voir que $T^k(v) \in \operatorname{Vect} B$; par récurrence, on montre que pour tout entier n, $T^n(v) \in \operatorname{Vect} B$: supposons $n > k$ et $T^{n-1}(v) \in \operatorname{Vect} B$, ce qui signifie que $T^{n-1}(v)$ est combinaison linéaire de $v, \ldots, T^{k-1}(v)$. Alors $T^n(v) = T\big(T^{n-1}(v)\big)$ est combinaison linéaire de $T(v), \ldots, T^k(v)$.

Puisque par construction $T^k(v) \in \operatorname{Vect} B$, $T^n(v) \in \operatorname{Vect} B$ pour tout n. On en déduit aussitôt que pour tout polynôme $f(t)$, $f(T)(v) \in \operatorname{Vect} B$. Par conséquent, $Z(v, T) = \operatorname{Vect} B$, et B en est une base.

(b) Soit $m(t) = t^s + b_{s-1}t^{s-1} + \cdots + b_0$ le polynôme minimal de T_v. Puisque $v \in Z(v, T)$:

$$0 = m(T_v)(v) = m(T)(v) = T^s(v) + b_{s-1}T^{s-1}(v) + \cdots + b_0 v$$

Par conséquent $T^s(v)$ est une combinaison linéaire de $v, T(v), \ldots, T^{s-1}(v)$, et donc $k \leq s$. Mais $m_v(T) = \mathbf{0}$ entraîne $m_v(T_v) = \mathbf{0}$: $m(t)$ est un diviseur de $m_v(t)$ et donc $s \leq k$. En définitive, $k = s$ et $m_v(t) = m(t)$.

(c) On a :

$$\begin{aligned}
T_v(v) &= T(v) \\
T_v\big(T(v)\big) &= T^2(v) \\
&\cdots\cdots\cdots\cdots \\
T_v\big(T^{k-2}(v)\big) &= T^{k-1}(v) \\
T_v\big(T^{k-1}(v)\big) &= T^k(v) = -a_0 v - a_1\, T(v) - a_2 T^2(v) - \cdots - a^{k-1}\, T^{k-1}(v)
\end{aligned}$$

Par définition, la matrice de T_v sur cette base est la transposée de la matrice des coefficients du système d'équations ci-dessus : on reconnaît la matrice compagnon C.

10.30 Soit $T : V \to V$ un opérateur linéaire. On considère un sous-espace W invariant par T et $\bar{T}$ l'opérateur induit sur V/W. Démontrer les propriétés suivantes :

(a) le T-annulateur de $v \in V$ divise le polynôme minimal de T ;

(b) le $\bar{T}$-annulateur de $\bar{v} \in V/W$ divise le polynôme minimal de T.

Solution :

(a) Le T-annulateur de $v \in V$ est le polynôme minimal de la restriction de T à $Z(v, T)$; d'après le problème 10.6, c'est un diviseur du polynôme minimal de T.

(b) Le $\bar{T}$-annulateur de $\bar{v} \in V/W$ divise le polynôme minimal de $\bar{T}$, qui lui-même, d'après le théorème 10.16, divise le polynôme minimal de T.

Remarque : si le polynôme minimal de T est $\big(f(t)\big)^n$, où $f(t)$ est un polynôme unitaire irréductible, alors le T-annulateur de $v \in V$ et le $\bar{T}$-annulateur de $\bar{v} \in V/W$ sont de la forme $\big(f(t)\big)^m$, où $m \leq n$.

10.31 Démontrer le lemme 10.13 : *soit $T : V \to V$ un opérateur linéaire dont le polynôme minimal est $\big(f(t)\big)^n$, où $f(t)$ est un polynôme unitaire irréductible. Alors V s'écrit comme la somme directe de sous-espaces T-cycliques $Z(v_i, T)$, $i = 1, \ldots, r$, de polynômes T-annulateurs :*

$$\big(f(t)\big)^{n_1},\ \big(f(t)\big)^{n_2},\ \ldots,\ \big(f(t)\big)^{n_r}, \quad n = n_1 \geq n_2 \geq \ldots \geq n_r$$

Toute autre décomposition de V en sous-espaces T-cycliques a le même nombre de composantes et le même ensemble de T-annulateurs.

Solution : la démonstration s'effectue par récurrence sur la dimension de V. Si $\dim V = 1$, V est lui-même T-cyclique et le lemme est vrai. Supposons $\dim V > 1$, et le lemme vrai pour les dimensions inférieures à $\dim V$.

Puisque le polynôme minimal de T est $\big(f(t)\big)^n$, il existe un vecteur $v_1 \in V$ pour lequel $\big(f(T)\big)^{n-1}(v_1) \neq 0$, et le polynôme annulateur de v_1 est $\big(f(t)\big)^n$. Posons $Z_1 = Z(v_1, T)$, et rappelons que Z_1 est T-invariant. Posons encore $\bar{V} = V/Z_1$, et soit $\bar{T}$ l'opérateur induit par T sur $\bar{V}$. D'après le théorème 10.16, le polynôme minimal de $\bar{T}$ est un diviseur de $\big(f(t)\big)^n$. Notre hypothèse est valable aussi pour $\bar{V}$ et $\bar{T}$. Par récurrence, $\bar{V}$ est la somme directe de sous-espaces $\bar{T}$-cycliques :

$$\bar{V} = Z(\overline{v_2}, \bar{T}), \oplus \cdots \oplus Z(\overline{v_r}, \bar{T})$$

dont les polynômes annulateurs sont respectivement $\big(f(T)\big)^{n_2}, \ldots, \big(f(T)\big)^{n_r}$, $n \geq n_2 \geq \cdots \geq n_r$. Montrons qu'il existe alors un vecteur v_2, appartenant à la classe $\overline{v_2}$, dont le T-annulateur est $\big(f(t)\big)^{n_2}$, le $\bar{T}$-annulateur de $\overline{v_2}$. Soit w un vecteur quelconque de $\overline{v_2}$; il vérifie $\big(f(T)\big)^{n_2}(w) \in Z_1$. On peut par conséquent trouver un polynôme $g(t)$ tel que :

$$\big(f(T)\big)^{n_2}(w) = g(T)(v_1) \tag{10.6}$$

Puisque $\big(f(t)\big)^n$ est le polynôme minimal de T, (10.6) implique :

$$0 = \big(f(T)\big)^n(w) = \big(f(T)\big)^{n-n_2} g(T)(v_1)$$

$\big(f(t)\big)^n$ est aussi le polynôme annulateur de v_1, il divise donc $\big(f(t)\big)^{n-n_2} g(t)$, et il existe un polynôme $h(t)$ tel que $g(t) = \big(f(t)\big)^{n_2} h(t)$. Posons :

$$v_2 = w - h(T)(v_1)$$

Puisque $w - v_2 = h(T)(v_1) \in Z_1$, v_2 appartient aussi à la classe $\overline{v_2}$, et le T-annulateur de v_2 est multiple du $\bar{T}$-annulateur de $\overline{v_2}$. Mais aussi, d'après (10.6) :

$$\big(f(T)\big)^{n_2}(v_2) = \big(f(T)\big)^{n_2}\big(w - h(T)(v_1)\big) = \big(f(T)\big)^{n_2}(w) - g(T)(v_1) = 0$$

Le T-annulateur de v_2 est bien $\big(f(t)\big)^{n_2}$, comme prévu.

De même, il existe des vecteurs $v_3, \ldots, v_r \in V$ tels que $v_i \in \overline{v_i}$, et dont le T-annulateur est $\big(f(t)\big)^{n_i}$. Posons :

$$Z_2 = Z(v_2, T), \quad \ldots, \quad Z_r = Z(v_r, T)$$

Désignons par d le degré de $f(t)$, d'où $\deg\big(f(t)\big)^{n_i} = dn_i$. Puisque $\big(f(t)\big)^{n_i}$ est à la fois le T-annulateur de v_i et le $\bar{T}$-annulateur de $\overline{v_i}$, on déduit que :

$$\{v_i, T(v_i), \ldots, T^{dn_i-1}(v_i)\} \quad \text{et} \quad \{\overline{v_i}, \bar{T}(\overline{v_i}), \ldots, \bar{T}^{dn_i-1}(\overline{v_i})\}$$

sont des bases, respectivement, de $Z(v_i, T)$ et de $Z(\overline{v_i}, \bar{T})$, pour $i = 2, \ldots, r$. Puisque $\bar{V} = Z(\overline{v_2}, \bar{T}) \oplus \cdots \oplus Z(\overline{v_r}, \bar{T})$, le système :

$$\{\overline{v_2}, \ldots, \bar{T}^{dn_2-1}(\overline{v_2}), \ldots, \overline{v_r}, \ldots, \bar{T}^{dn_r-1}(\overline{v_r})\}$$

est une base de $\bar{V}$. Par conséquent, d'après le problème 10.26 et la relation $\bar{T}^i(\bar{v}) = \overline{T^i(v)}$ (voir problème 10.27), le système :

$$\{v_1, \ldots, T^{dn_1-1}(v_1), v_2, \ldots, T^{dn_2-1}(v_2), \ldots, v_r, \ldots, T^{dn_r-1}(v_r)\}$$

est une base de V. Le théorème 10.4 assure alors que $V = Z(v_1, T) \oplus \cdots \oplus Z(v_r, T)$.

Il reste à démontrer que les exposants $n_1, \ldots, n_r$ sont déterminés de manière unique par T. On a :

$$\dim V = d(n_1 + \cdots + n_r) \quad \text{et} \quad \dim Z_i = dn_i, \ i = 1, \ldots, r$$

où, rappelons-le, d est le degré de $f(t)$. Si s est un entier positif quelconque, $\big(f(T)\big)^s(Z_i)$ est un sous-espace cyclique engendré par $\big(f(T)\big)^s(v_i)$, de dimension $d(n_i - s)$ si $n_i > s$, et de dimension 0 si $n_i \leq s$ (démonstration au problème 10.59).

Tout vecteur v a une décomposition unique de la forme $v = w_1 + w_2 + \cdots + w_r$, où $w_i \in Z_i$. Par conséquent tout vecteur de $\big(f(T)\big)^s(V)$ s'écrit d'une manière et d'une seule :

$$\big(f(T)\big)^s(v) = \big(f(T)\big)^s(w_1) + \cdots + \big(f(T)\big)^s(w_r)$$

où $\big(f(T)\big)^s(w_i) \in \big(f(T)\big)^s(Z_i)$. Soit t un entier, dépendant de s, tel que :

$$n_1 > s, \quad \ldots, \quad n_t > s, \quad n_{t+1} \geq s$$

Alors $\big(f(T)\big)^s(V) = \big(f(T)\big)^s(Z_1) \oplus \big(f(T)\big)^s(Z_t)$, et donc :

$$\dim\Big(\big(f(T)\big)^s(V)\Big) = d\big((n_1 - s) + \cdots + (n_t - s)\big) \tag{10.7}$$

Les nombres au membre de gauche de (10.7) sont déterminés par T de manière unique ; si $s = n - 1$, (10.7) donne le nombre des n_i égaux à n ; si $s = n - 2$, (10.7) donne le nombre des n_i égaux à $n - 1$, et ainsi de suite jusqu'à $s = 0$, pour lequel (10.7) donne le nombre des n_i égaux à 1. Les n_i sont donc bien déterminés par T, ce qui établit le lemme.

10.32 Soit V un espace vectoriel de dimension 7 sur $\mathbb{R}$, et soit $T : V \to V$ un opérateur linéaire dont le polynôme minimal est $m(t) = (t^2 - 2t + 5)(t - 3)^3$. Trouver toutes les matrices M représentant T sous forme canonique rationnelle.

Solution : la somme des tailles des matrices compagnons formant les blocs diagonaux doit être égale à 7. L'une des matrices est nécessairement $C(t^2 - 2t + 5)$ et l'autre $C\big((t-3)^3\big) = C(t^3 - 9t^2 + 27t - 27)$. M est donc l'une des matrices diagonales par blocs suivantes :

(a) $\operatorname{diag}\left(\begin{pmatrix} 0 & -5 \\ 1 & 2 \end{pmatrix}, \begin{pmatrix} 0 & -5 \\ 1 & 2 \end{pmatrix}, \begin{pmatrix} 0 & 0 & 27 \\ 1 & 0 & -27 \\ 0 & 1 & 9 \end{pmatrix}\right)$;

(b) $\operatorname{diag}\left(\begin{pmatrix} 0 & -5 \\ 1 & 2 \end{pmatrix}, \begin{pmatrix} 0 & 0 & 27 \\ 1 & 0 & -27 \\ 0 & 1 & 9 \end{pmatrix}, \begin{pmatrix} 0 & -9 \\ 1 & 6 \end{pmatrix}\right)$;

(c) $\operatorname{diag}\left(\begin{pmatrix} 0 & -5 \\ 1 & 2 \end{pmatrix}, \begin{pmatrix} 0 & 0 & 27 \\ 1 & 0 & -27 \\ 0 & 1 & 9 \end{pmatrix}, (3), (3)\right)$.

PROJECTIONS

10.33 Soit $V = W_1 \oplus \cdots \oplus W_r$. La *projection* de V sur son sous-espace W_k est l'application $E : V \to V$ définie par $E(v) = w_k$, avec $v = w_1 + \cdots + w_k$, $w_i \in W_i$. Montrer que :

(a) E est linéaire ; (b) $E^2 = E$.

Solution :

(a) La décomposition $v = w_1 + \cdots + w_k$ est unique, par conséquent l'application E est bien définie. Soit $u \in V$; il peut s'écrire $u = w'_1 + \cdots + w'_r$, $w'_i \in W_i$. Alors :

$$v + u = (w_1 + w'_1) + \cdots + (w_r + w'_r)$$

et

$$kv = kw_1 + \cdots + kw_r, \ \ kw_i, \ w_i + w'_i \in W_i$$

sont les décompositions uniques correspondant à $u + v$ et kv. On a donc :

$$E(v+u) = w_k + w'_k = E(v) + E(u) \quad \text{et} \quad E(kv) = kw_k = kE(v)$$

ce qui entraîne la linéarité de E.

(b) La somme :

$$w_k = 0 + \cdots + 0 + w_k + 0 + \cdots + 0$$

est la décomposition unique d'un vecteur $w_k \in W_k$; on a alors $E(w_k) = w_k$. Par conséquent :

$$E^2(v) = E\big(E(v)\big) = E(w_k) = w_k = E(v)$$

Cette équation étant vraie pour tout $v \in V$, $E^2 = E$.

10.34 Soit un opérateur linéaire $E : V \to V$ vérifiant $E^2 = E$. Montrer que :

(a) $\forall u \in \operatorname{Im} E$, $E(u) = u$: la restriction de E à son image est l'identité.

(b) $V = \operatorname{Im} E \oplus \ker E$: V est la somme directe de l'image et du noyau de E.

(c) E est l'opérateur de projection de V sur l'image de E.

Remarque : d'après le problème 10.33, un opérateur linéaire $T : V \to V$ est un projecteur si et seulement si $T^2 = T$. On utilise souvent la caractérisation ci-dessus pour définir un projecteur.

Solution :

(a) Si $u \in \operatorname{Im} E$, il existe $v \in V$ tel que $E(v) = u$; alors :

$$E(u) = E\big(E(v)\big) = E^2(v) = u$$

On fera attention au fait que v n'est pas unique.

(b) Soit $v \in V$. On peut l'écrire $v = E(v) + v - E(v)$, où $E(v) \in \operatorname{Im} E$. Puisque :

$$E\big(v - E(v)\big) = E(v) - E^2(v) = E(v) - E(v) = 0$$

le vecteur $v - E(v) \in \ker E$, et par conséquent $V = \operatorname{Im} E + \ker E$.
Supposons $w \in \operatorname{Im} E \cap \ker E$. $w \in \operatorname{Im} E \Rightarrow E(w) = w$ et $w \in \ker E \Rightarrow E(w) = 0$; il en résulte $w = 0$ et donc $\operatorname{Im} E \cap \ker E = \{0\}$: on a bien $V = \operatorname{Im} E \oplus \ker E$.

(c) Soit $v \in V$ tel que $v = u + w$, où $u \in \operatorname{Im} E$ et $w \in \ker E$. $u \in \operatorname{Im} E \Rightarrow E(u) = u$ et $w \in \ker E \Rightarrow E(w) = 0$:

$$E(v) = E(u) + E(w) = U + 0 = u$$

E est l'opérateur de projection de V sur son image $\operatorname{Im} E$.

10.35 Soit $V = U \oplus W$ et soit $T : V \to V$ un opérateur linéaire. Montrer que U et W sont tous deux stables par T si et seulement si $TE = ET$, où E est le projecteur de V sur U.

Solution : pour tout $v \in V$, on a $E(v) \in U$; de plus, $E(v) = v$ ssi $v \in U$, et $E(v) = 0$ ssi $v \in W$. Supposons que $ET = TE$, et soit $u \in U$; alors, puisque $E(u) = u$:

$$T(u) = T\big(E(u)\big) = (TE)(u) = (ET)(u) = E\big(T(u)\big) \in U$$

de sorte que U est stable par T. Soit à présent $w \in W$; puisque $E(w) = 0$:

$$E\big(T(w)\big) = (ET)(w) = (TE)(w) = T\big(E(w)\big) = T(0) = 0 \Rightarrow T(w) \in W$$

W est également stable par T.
Réciproquement, supposons U et W stables par T. Soit $v \in V$ tel que $v = u+w$, $u \in U$ et $w \in W$; alors $T(u) \in U$ et $T(w) \in W$, d'où $E\big(T(u)\big) = T(u)$ et $E\big(T(w)\big) = 0$. Alors :

$$(ET)(v) = (ET)(u+w) = (ET)(u) + (ET)(w) = E\big(T(u)\big) + E\big(T(w)\big) = T(u)$$
$$(TE)(v) = (TE)(u+w) = T\big(E(u+w)\big) = T(u)$$

$\forall v \in V$, $(ET)(v) = (TE)(v)$, d'où $ET = TE$.

? EXERCICES SUPPLÉMENTAIRES

SOUS-ESPACES INVARIANTS

10.36 Soit un sous-espace W invariant par $T : V \to V$. Montrer que W est invariant par $f(T)$, où $f(t)$ est un polynôme quelconque.

10.37 Montrer que tout sous-espace est invariant par l'opérateur identité I et l'opérateur nul $\mathbf{0}$.

10.38 Soit W invariant par $T_1 : V \to V$ et $T_2 : V \to V$. Montrer que W est invariant par $T_1 + T_2$ et T_1T_2.

10.39 Soit $T : V \to V$ un opérateur linéaire. Montrer que tout sous-espace propre E_λ de T est T-invariant.

10.40 Soit V un espace vectoriel sur $\mathbb{R}$, de dimension impaire strictement supérieure à 1. Montrer que tout opérateur linéaire sur V possède au moins un sous-espace invariant, différent de V et de $\{0\}$.

10.41 Déterminer le sous-espace invariant de la matrice $A = \begin{pmatrix} 2 & -4 \\ 5 & -2 \end{pmatrix}$, considérée comme opérateur linéaire sur :

(a) $\mathbb{R}^2$; (b) $\mathbb{C}^2$.

10.42 Soit $\dim V = n$. Montrer que $T : V \to V$ possède une représentation matricielle triangulaire si et seulement si il existe des sous-espaces T-invariants $W_1 \subset W_2 \subset \cdots \subset W_n = V$ tels que $\dim W_k = k$, $k = 1, 2, \ldots, n$.

SOMMES DIRECTES INVARIANTES

10.43 Les sous-espaces $W_1, \ldots, W_r$ sont dits *indépendants* si toute combinaison linéaire nulle $w_1 + \cdots + w_r = 0$, $w_i \in W_i$, entraîne $w_i = 0$ pour tout i. Montrer que $\mathrm{Vect}(W_i) = W_1 \oplus \cdots \oplus W_r$ si et seulement si les W_i sont indépendants.

10.44 Montrer que $V = W_1 \oplus \cdots \oplus W_r$ si et seulement si :
(a) $V = \mathrm{Vect}(W_i)$;
(b) $\forall k = 1, 2, \ldots, r$, $W_k \cap \mathrm{Vect}(W_1, \ldots, W_{k-1}, W_{k+1}, \ldots, W_r) = \{0\}$.

10.45 Montrer que $\mathrm{Vect}(W_i) = W_1 \oplus \cdots \oplus W_r$ si et seulement si les $\dim(\mathrm{Vect}\, W_i) = \dim W_1 + \cdots + \dim W_r$.

10.46 Soit $\Delta(t) = \big(f_1(t)\big)^{n_1}\big(f_2(t)\big)^{n_2} \ldots \big(f_r(t)\big)^{n_r}$ le polynôme caractéristique de $T : V \to V$, où les $f_i(t)$ sont des polynômes unitaires irréductibles distincts. Soit $V = W_1 \oplus \cdots \oplus W_r$ la décomposition primaire de V en sous-espaces T-invariants ; montrer que $\big(f_i(t)\big)^{n_i}$ est le polynôme caractéristique de la restriction de T à W_i.

OPÉRATEURS NILPOTENTS

10.47 Soient T_1 et T_2 deux opérateurs nilpotents commutatifs : $T_1T_2 = T_2T_1$. Montrer que $T_1 + T_2$ et T_2T_1 sont également nilpotents.

10.48 Montrer qu'une matrice triangulaire supérieure, *i.e.* dont tous les éléments au-dessous de la diagonale sont nuls, est nilpotente.

10.49 Soit V l'espace vectoriel des polynômes de degré $\leq n$. Montrer que l'opérateur de dérivation sur V est nilpotent à l'ordre $n + 1$.

10.50 Montrer que tout bloc de Jordan nilpotent N est semblable à son transposé N^T, bloc constitué de 1 sur la sous-diagonale et de 0 ailleurs.

10.51 Montrer que deux matrices nilpotentes 3×3 sont semblables si et et seulement si elles ont le même ordre de nilpotence. Montrer par un contre-exemple que ce résultat est faux pour des matrices nilpotentes 4×4.

FORME CANONIQUE DE JORDAN

10.52 Trouver toutes les formes canoniques de Jordan possibles des matrices dont les polynômes caractéristique et minimal sont les suivants :
(a) $\Delta(t) = (t-2)^4(t-3)^2$, $m(t) = (t-2)^2(t-3)^2$;
(b) $\Delta(t) = (t-7)^5$, $m(t) = (t-7)^2$;
(c) $\Delta(t) = (t-2)^7$, $m(t) = (t-2)^3$.

10.53 Montrer que toute matrice complexe est semblable à sa transposée. (*Suggestion* : utiliser la forme canonique de Jordan.)

10.54 Montrer que toutes les matrices complexes $n \times n$ telles que $A^n = I$ et $A^k \neq I$ pour $k < n$ sont semblables entre elles.

10.55 Montrer qu'une matrice complexe dont toutes les valeurs propres sont réelles est semblable à une matrice dont tous les éléments sont réels.

SOUS-ESPACES CYCLIQUES

10.56 Soit $T : V \to V$ un opérateur linéaire. Montrer que $Z(v, T)$ est l'intersection de tous les sous-espaces T-invariants qui contiennent v.

10.57 Soient $f(t)$ et $g(t)$ les polynômes T-annulateurs, respectivement, de u et de v. Montrer que si $f(t)$ et $g(t)$ sont premiers entre eux, alors $f(t)g(t)$ est l'annulateur de $u + v$.

10.58 Montrer que $Z(u, T) = Z(v, T)$ si et seulement si $g(T)(u) = v$, où le polynôme $g(t)$ et le T-annulateur de u sont premiers entre eux.

10.59 Soit $W = Z(v, T)$; supposons que le polynôme T-annulateur de v s'écrive $\big(f(t)\big)^n$, où $f(t)$ est un polynôme irréductible unitaire de degré d. Montrer que $\big(f(T)\big)^s(W)$ est un sous-espace cyclique engendré par $\big(f(T)\big)^s(v)$, de dimension $d(n - s)$ si $n > s$, et de dimension 0 si $n \leq s$.

FORME CANONIQUE RATIONNELLE

10.60 Trouver toutes les formes canoniques rationnelles d'une matrice 6×6 réelle de polynôme minimal :

(a) $m(t) = (t^2 - 2t + 3)(t + 1)^2$; (b) $m(t) = (t - 2)^3$.

10.61 Soit A une matrice 4×4 de polynôme minimal $m(t) = (t^2 + 1)(t^2 - 3)$. Trouver les formes canoniques rationnelles de A si A est une matrice :

(a) à éléments rationnels ; (b) à éléments réels ; (c) à éléments complexes.

10.62 Déterminer la forme canonique rationnelle d'un bloc de Jordan 4×4 dont les éléments diagonaux sont tous égaux à λ.

10.63 Montrer que le polynôme caractéristique d'un opérateur $T : V \to V$ est un produit de ses diviseurs élémentaires.

10.64 Montrer que deux matrices 3×3 dont les polynômes caractéristique et minimal sont identiques sont semblables.

10.65 On désigne par $C\big(f(t)\big)$ la matrice compagnon d'un polynôme quelconque $f(t)$. Montrer que $f(t)$ est le polynôme caractéristique de $C\big(f(t)\big)$.

PROJECTIONS

10.66 Soit $V = W_1 \oplus \cdots \oplus W_r$. On appelle E_i l'opérateur de projection de V sur W_i. Montrer que :

(a) $E_iE_j = \mathbf{0}$ si $i \neq j$; (b) $I = E_1 + \cdots + E_r$.

10.67 On considère des opérateurs linéaires $E_1, \ldots, E_r$ sur V tels que :

(a) $E_i^2 = E_i$; (b) $E_iE_j = \mathbf{0}$ si $i \neq j$; (c) $I = E_1 + \cdots + E_r$.

Montrer que $V = \operatorname{Im} E_1 \oplus \cdots \oplus \operatorname{Im} E_r$.

10.68 Soit $E : V \to V$ un opérateur de projection. Montrer que E a une représentation matricielle de la forme $\begin{pmatrix} I_r & 0 \\ 0 & 0 \end{pmatrix}$, où r est le rang de E et I_r la matrice identité $r \times r$.

10.69 Montrer que deux opérateurs de projection de même rang sont semblables. (*Suggestion* : utiliser le résultat du problème 10.68.)

10.70 Soit $E : V \to V$ un opérateur de projection. Démontrer que :
(a) $I - E$ est un projecteur, et $V = \operatorname{Im} E + \operatorname{Im}(I - E)$;
(b) $I + E$ est inversible.

ESPACES QUOTIENTS

10.71 Soit W un sous-espace de V. On suppose que les classes $\{v_1 + W, v_2 + W, \ldots, v_n + W\}$ forment un système libre de V/W. Montrer que les vecteurs $\{v_1, v_2, \ldots, v_n\}$ forment un système libre de V.

10.72 Soit W un sous-espace de V. On suppose que l'ensemble de vecteurs $\{u_1, u_2, \ldots, u_n\}$ de V est libre, et que $\operatorname{Vect}(u_i) \cap W = \{0\}$. Montrer que le système de classes $\{u_1 + W, u_2 + W, \ldots, u_n + W\}$ est libre dans V/W.

10.73 Soit $V = U \oplus W$, et soit $\{u_1, u_2, \ldots, u_n\}$ une base de U. Montrer que $\{u_1 + W, u_2 + W, \ldots, u_n + W\}$ est une base de l'espace quotient V/W. (Remarquer qu'aucune condition n'est requise pour les dimensions de V ou W.)

10.74 Soit W l'espace des solutions de l'équation linéaire :

$$a_1x_1 + a_2x_2 + \cdots + a_nx_n = 0, \quad a_i \in \mathbb{K}$$

et soit $v = (b_1, b_2, \ldots, b_n) \in \mathbb{K}^n$. Montrer que la classe $v + W$ définie par W dans $\mathbb{K}^n$ est l'ensemble des solutions de l'équation linéaire :

$$a_1x_1 + a_2x_2 + \cdots + a_nx_n = b \quad \text{avec} \quad b = a_1b_1 + a_2b_2 + \cdots + a_nb_n$$

10.75 Soit V l'espace vectoriel des polynômes sur $\mathbb{R}$, et soit W l'espace des polynômes divisibles par t^4, *i.e.* de la forme $a_0t^4 + a_1t^5 + \cdots + a_{n-4}t^n$. Montrer que l'espace quotient V/W est de dimension 4.

10.76 Soient U et W deux sous-espaces de V vérifiant $W \subset U \subset V$. On remarque que toute classe $u + W$ définie par W dans U peut être aussi considéré comme une classe définie par W dans V, puisque $u \in U$ implique $u \in V$, et donc U/W est un sous-ensemble de V/W. Montrer que :
(a) U/W est un sous-espace de V/W ;
(b) $\dim(V/W) - \dim(U/W) = \dim(V/U)$.

10.77 Soient U et W deux sous-espaces de V. Montrer que les classes définies par $U \cap W$ dans V s'obtiennent en prenant l'intersection de chacune des classes définies par U dans V et de chacune des classes définies par W dans V :

$$V/(U \cap W) = \{(v + U) \cap (v' + W) \mid v, v' \in V\}$$

10.78 Soit $T : V \to V'$ une application linéaire, avec $\operatorname{Im} T = U$ et $\ker T = W$. Montrer que l'application $\theta : V/W \to U$ définie par $\theta(v + W) = T(v)$ établit un isomorphisme entre l'espace quotient V/W et U. Montrer de plus que $T = i \circ \theta \circ \eta$, où $\eta : V \to V/W$ est l'application naturelle de V dans V/W, définie par $\eta(v) = v + W$, et $i : U \hookrightarrow V'$ est l'application d'inclusion, définie par $i(u) = u$ (voir diagramme ci-contre).

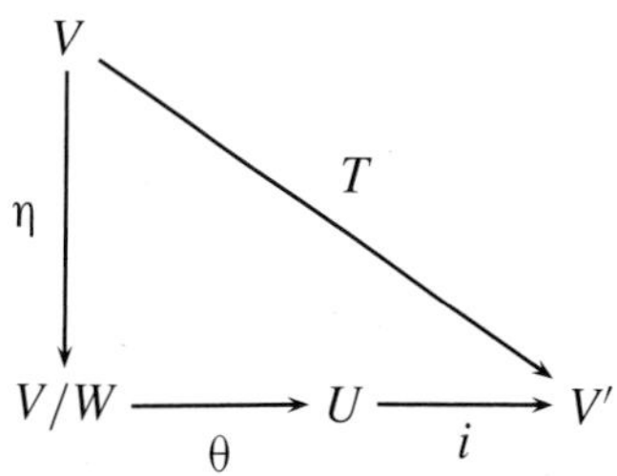

SOLUTIONS

10.41 (a) $\mathbb{R}^2$ et $\{0\}$;
(b) $\mathbb{C}^2$, $\{0\}$, $W_1 = \text{Vect}(2,\ 1-2i)$ et $W_2 = \text{Vect}(2,\ 1+2i)$.

10.52 (a) $\text{diag}\left(\begin{pmatrix} 2 & 1 \\ & 2 \end{pmatrix}, \begin{pmatrix} 2 & 1 \\ & 2 \end{pmatrix}, \begin{pmatrix} 3 & 1 \\ & 3 \end{pmatrix}\right)$, $\text{diag}\left(\begin{pmatrix} 2 & 1 \\ & 2 \end{pmatrix}, (2), (2), \begin{pmatrix} 3 & 1 \\ & 3 \end{pmatrix}\right)$;

(b) $\text{diag}\left(\begin{pmatrix} 7 & 1 \\ & 7 \end{pmatrix}, \begin{pmatrix} 7 & 1 \\ & 7 \end{pmatrix}, (7)\right)$, $\text{diag}\left(\begin{pmatrix} 7 & 1 \\ & 7 \end{pmatrix}, (7), (7), (7)\right)$;

(c) Désignons par M_k un bloc de Jordan d'ordre k, avec $\lambda = 2$. On trouve alors : $\text{diag}(M_3, M_3, M_1)$, $\text{diag}(M_3, M_2, M_2)$, $\text{diag}(M_3, M_2, M_1, M_1)$, $\text{diag}(M_3, M_1, M_1, M_1, M_1)$.

10.60 Soient $A = \begin{pmatrix} 0 & -3 \\ 1 & 2 \end{pmatrix}$, $B = \begin{pmatrix} 0 & -1 \\ 1 & -2 \end{pmatrix}$, $C = \begin{pmatrix} 0 & 0 & 8 \\ 1 & 0 & -12 \\ 0 & 1 & 6 \end{pmatrix}$ et $D = \begin{pmatrix} 0 & -4 \\ 1 & 4 \end{pmatrix}$.

(a) $\text{diag}(A, A, B)$, $\text{diag}(A, B, B)$, $\text{diag}(A, B, -1, -1)$;
(b) $\text{diag}(C, C)$, $\text{diag}(C, D, 2)$, $\text{diag}(C, 2, 2, 2)$.

10.61 Soient $A = \begin{pmatrix} 0 & -1 \\ 1 & 0 \end{pmatrix}$ et $B = \begin{pmatrix} 0 & 3 \\ 1 & 0 \end{pmatrix}$.

(a) $\text{diag}(A, B)$; (b) $\text{diag}(A, \sqrt{3}, -\sqrt{3})$; (c) $\text{diag}(i, -i, \sqrt{3}, -\sqrt{3})$.

10.62 La matrice compagnon, avec pour dernière colonne $(-\lambda^4, 4\lambda^3, -6\lambda^2, 4\lambda)^T$.

Chapitre 11

Formes linéaires, espace dual

11.1 INTRODUCTION

Nous étudions dans ce chapitre le cas particulier des applications linéaires d'un espace vectoriel dans le corps des scalaires[1] $\mathbb{K}$. Même si les théorèmes et résultats établis pour une application linéaire quelconque définie sur V s'appliquent à ce cas particulier, il est néanmoins nécessaire de le traiter séparément, compte tenu d'une part de son importance intrinsèque, et d'autre part du fait de la relation particulière existant entre V et $\mathbb{K}$, d'où certaines spécificités nouvelles par rapport au cas général.

11.2 FORMES LINÉAIRES ET ESPACE DUAL

◆ **Définition 11.1 :** Soit V un espace vectoriel sur un corps $\mathbb{K}$. Une application $\phi : V \to \mathbb{K}$ est appelée *forme linéaire*, ou *fonctionnelle linéaire*, si elle vérifie, $\forall u, v \in V$, et $\forall a, b \in \mathbb{K}$:

$$\phi(au + bv) = a\phi(u) + b\phi(v)$$

Il apparaît clairement qu'une forme linéaire ϕ est une application linéaire de V dans $\mathbb{K}$.

Exemple 11.1

(a) Soit $\pi_i : \mathbb{K}^n \to \mathbb{K}$ l'opérateur de projection, défini par $\pi_i(a_1, a_2, \ldots, a_n) = a_i$. Le projecteur π_i est linéaire, et définit une forme linéaire sur $\mathbb{K}^n$.

(b) Soit V l'espace vectoriel des polynômes sur $\mathbb{R}$, et soit $\mathbf{J} : V \to \mathbb{R}$ l'opérateur intégral défini par $\mathbf{J}\big(p(t)\big) = \int_0^1 p(t)\,dt$. Puisque $\mathbf{J}$ est linéaire, il définit une forme linéaire sur V.

(c) Soit V l'espace vectoriel des matrices $n \times n$ sur $\mathbb{K}$. Soit $T : V \to \mathbb{K}$ l'opérateur « trace » :

$$T(A) = a_{11} + a_{22} + \cdots + a_{nn} \quad \text{avec} \quad A = (a_{ij})$$

T fait correspondre à la matrice A la somme de ses éléments diagonaux. Cette application est linéaire (problème 11.24) et définit une forme linéaire sur V.

1. Sauf indication contraire, $\mathbb{K}$ est considéré comme un espace vectoriel sur lui-même, de dimension 1.

D'après le théorème 5.10, l'ensemble des formes linéaires sur un espace vectoriel V sur un corps $\mathbb{K}$ est lui-même un espace vectoriel sur $\mathbb{K}$, sur lequel l'addition vectorielle et la multiplication scalaire sont définis par :

$$(\phi + \sigma)(v) = \phi(v) + \sigma(v) \quad \text{et} \quad (k\phi)(v) = k\phi(v)$$

où ϕ et σ sont des formes linéaires et $k \in \mathbb{K}$ un scalaire. Cet espace vectoriel est appelé *espace dual* de V et est noté V^*.

Exemple 11.2

Considérons $V = \mathbb{K}^n$, l'espace des vecteurs colonne à n composantes. L'espace dual V^* peut être identifié avec l'espace des vecteurs ligne, et toute forme linéaire $\phi = (a_1, a_2, \ldots, a_n) \in V^*$ s'exprime par :

$$\phi(u) = \phi(x_1, x_2, \ldots, x_n) = (a_1, a_2, \ldots, a_n)(x_1, x_2, \ldots, x_n)^T = a_1x_1 + a_2x_2 + \cdots + a_nx_n$$

11.3 BASE DUALE

Soit un espace vectoriel de dimension n sur un corps $\mathbb{K}$. D'après le théorème 5.11, la dimension de l'espace dual V^* est également n, puisque la dimension de $\mathbb{K}$ vaut 1. Le résultat suivant montre que toute base de V définit une base de V^* (démonstration au problème 11.3) :

*** Théorème 11.1 :** Soit $\{v_1, \ldots, v_n\}$ une base de V. Définissons les formes linéaires $\phi_1, \ldots, \phi_n$ de V^* par :

$$\phi_i(v_j) = \delta_{ij} = \begin{cases} 1 & \text{si } i = j \\ 0 & \text{si } i \neq j \end{cases} \tag{11.1}$$

Alors $\{\phi_1, \ldots, \phi_n\}$ est une base de V^*.

La base $\{\phi_i\}$ ci-dessus est appelée *base duale* de la base $\{v_j\}$. L'équation (11.1), exprimée à l'aide du symbole de Kronecker δ, est une écriture abrégée de l'ensemble des relations suivantes :

$$\begin{array}{lllll} \phi_1(v_1) = 1, & \phi_1(v_2) = 0, & \phi_1(v_3) = 0, & \ldots, & \phi_1(v_n) = 0 \\ \phi_2(v_1) = 0, & \phi_2(v_2) = 1, & \phi_2(v_3) = 0, & \ldots, & \phi_2(v_n) = 0 \\ \multicolumn{5}{c}{\dotfill} \\ \phi_n(v_1) = 0, & \phi_n(v_2) = 0, & \phi_n(v_3) = 0, & \ldots, & \phi_n(v_n) = 1 \end{array}$$

Le théorème 5.2 assure que ces applications linéaires ϕ_i sont bien définies et uniques.

Exemple 11.3

Soit la base $\{v_1 = (1, 2),\ v_2 = (3, 1)\}$ de $\mathbb{R}^2$. Exprimons la base duale $\{\phi_1,\ \phi_2\}$.

La forme linéaire la plus générale sur $\mathbb{R}^2$ s'écrit $\phi(x, y) = ax + by$, où $a, b \in \mathbb{R}$. Nous cherchons donc deux formes linéaires $\phi_1(x, y) = ax + by$ et $\phi_2(x, y) = cx + dy$ telles que :

$$\phi_1(v_1) = 1, \quad \phi_1(v_2) = 0, \quad \phi_2(v_1) = 0, \quad \phi_2(v_2) = 1$$

Ces quatre conditions sont équivalentes aux deux systèmes d'équations linéaires :

$$\begin{cases} \phi_1(v_1) = \phi_1(2,\ 1) = 2a + b = 1 \\ \phi_1(v_2) = \phi_1(3,\ 1) = 3a + b = 0 \end{cases} \quad \text{et} \quad \begin{cases} \phi_2(v_1) = \phi_2(2,\ 1) = 2c + d = 0 \\ \phi_2(v_2) = \phi_2(3,\ 1) = 3c + d = 1 \end{cases}$$

dont les solutions sont $a = -1$, $b = 3$, $c = 1$ et $d = -2$. Les formes linéaires cherchées, constituant la base duale de v_1 et v_2, sont donc $\phi_1(x, y) = -x + 3y$ et $\phi_2(x, y) = x - 2y$.

Les deux théorèmes suivants, démontrés respectivement aux problèmes 11.4 et 11.5, précisent les relations entre une base et sa base duale :

✻ Théorème 11.2 : Soit $\{v_1, \ldots, v_n\}$ une base de V et soit $\{\phi_1, \ldots, \phi_n\}$ sa base duale dans V^* ; alors :
(a) $\forall u \in V$, $u = \phi_1(u)v_1 + \phi_2(u)v_2 + \cdots + \phi_n(u)v_n$;
(b) $\forall \sigma \in V^*$, $\sigma = \sigma(v_1)\phi_1 + \sigma(v_2)\phi_2 + \cdots + \sigma(v_n)\phi_n$.

✻ Théorème 11.3 : Soient $\{v_1, \ldots, v_n\}$ et $\{w_1, \ldots, w_n\}$ deux bases de V, $\{\phi_1, \ldots, \phi_n\}$ et $\{\sigma_1, \ldots, \sigma_n\}$ les bases duales correspondantes. Si P est la matrice de changement de base de $\{v_i\}$ à $\{w_i\}$ dans V, alors $(P^{-1})^T$ est la matrice de changement de base de $\{\phi_i\}$ à $\{\sigma_i\}$ dans V^*.

11.4 ESPACE BIDUAL

Nous avons vu que tout espace vectoriel V possède un espace dual V^*, constitué de toutes les formes linéaires sur V. V^* étant lui-même un espace vectoriel, il possède également un espace dual, noté V^{**}, et appelé *espace bidual* de V, qui contient toutes les formes linéaires sur V^*.

Nous allons montrer qu'à tout élément $v \in V$ est associé un élément et un seul $\hat{v} \in V^{**}$. Cet élément est défini, $\forall \phi \in V^*$, par :

$$\hat{v}(\phi) = \phi(v)$$

Établissons à présent que l'application $\hat{v} : V^* \to \mathbb{K}$ est linéaire. $\forall a, b \in \mathbb{K}$, $\forall \phi, \sigma \in V^*$, on a :

$$\begin{aligned}\hat{v}(a\phi + b\sigma) &= (a\phi + b\sigma)(v)\\ &= a\phi(v) + b\sigma(v)\\ &= a\hat{v}(\phi) + b\hat{v}(\sigma)\end{aligned}$$

L'application $\hat{v} \in V^{**}$ définit bien une forme linéaire sur V^*. Nous avons le théorème suivant, démontré au problème 11.7 :

✻ Théorème 11.4 : Si l'espace vectoriel V est de dimension finie, alors l'application $v \mapsto \hat{v}$ est un isomorphisme entre V et V^{**}.

L'application $v \mapsto \hat{v}$ ci-dessus est appelée *application naturelle* de V sur V^{**}. Insistons sur le fait que si V n'est pas de dimension finie, cette application n'est pas surjective. En revanche, puisqu'elle est linéaire, elle est toujours injective.

Plaçons-nous dans le cas où V est de dimension finie. Le théorème 11.4 assure que l'application naturelle est un isomorphisme entre V et son bidual V^{**}. Sauf mention du contraire, nous conviendrons toujours d'identifier, grâce à cette application, V et V^{**} : nous considérons donc que V est l'espace des formes linéaires sur V^*, et nous écrivons $V = V^{**}$. Remarquons que si $\{\phi_i\}$ est la base duale d'une base $\{v_i\}$ de V, alors, inversement, $\{v_i\}$, base de $V^{**} = V$, est la base duale de $\{\phi_i\}$.

11.5 FORMES LINÉAIRES ANNULATRICES

Soit W un sous-ensemble, pas nécessairement un sous-espace, d'un espace vectoriel V. Une forme linéaire $\phi \in V^*$ est appelée *annulatrice* de W si $\forall w \in W$, $\phi(w) = 0$, autrement dit si $\phi(W) = \{0\}$. Nous allons montrer que l'ensemble des formes linéaires annulatrices de W, noté W^0 et appelé *annulateur* de W, est un sous-espace vectoriel de V^*. Notons tout d'abord que la forme linéaire nulle appartient à W^0. Soient $\phi, \sigma \in W^0$; alors, $\forall a, b \in \mathbb{K}$ et $\forall w \in W$:

$$(a\phi + b\sigma)(w) = a\phi(w) + b\sigma(w) = a0 + b0 = 0$$

ce qui prouve que $a\phi + b\sigma \in W^0$, qui est bien un sous-espace de V^*.

Si W est un sous-espace de V, on a la relation suivante entre W et son annulateur W^0, démontrée au problème 11.11 :

> **∗ Théorème 11.5 :** Soit V un espace vectoriel de dimension finie et W l'un de ses sous-espaces ; alors :
>
> (a) $\dim W + \dim W^0 = \dim V$; (b) $W^{00} = W$.

où $W^{00} = \{v \in V \mid \phi(v) = 0, \forall \phi \in W^0\}$. De façon équivalente, $W^{00} = (W^0)^0$, où W^{00} est considéré comme un sous-espace de V grâce à l'identification entre V et V^{**}.

11.6 TRANSPOSÉE D'UNE APPLICATION LINÉAIRE

Soit $T : V \to U$ un homomorphisme arbitraire d'un espace vectoriel V dans un autre espace vectoriel U. Pour toute forme linéaire $\phi \in U^*$, l'application composée $\phi \circ T$ est une forme linéaire sur V :

$$V \xrightarrow{\;T\;} U \xrightarrow{\;\phi\;} \mathbb{K}, \qquad \phi \circ T : V \to \mathbb{K}$$

En d'autres termes, $\phi \circ T \in V^*$. On en déduit que la correspondance :

$$\phi \mapsto \phi \circ T$$

est une application de U^* dans V^* ; on la désigne par T^t et on l'appelle *application transposée* de T. Autrement dit, l'application $T^t : U^* \to V^*$ est définie par :

$$T^t(\phi) = \phi \circ T$$

soit $\big(T^t(\phi)\big)(v) = \phi\big(T(v)\big)$, pour tout $v \in V$.

> **∗ Théorème 11.6 :** L'application transposée T^t définie ci-dessus est linéaire.
>
> ***Démonstration :*** $\forall a, b \in \mathbb{K}, \forall \phi, \sigma \in U^*$:
>
> $$T^t(a\phi + b\sigma) = (a\phi + b\sigma) \circ T = a\phi \circ T + b\sigma \circ T = aT^t(\phi) + bT^t(\sigma)$$
>
> ce qui prouve la linéarité. ■

Insistons sur le fait que si T est une application linéaire de V dans U, T^t est une application linéaire de U^* dans V^*. Le théorème suivant, démontré au problème 11.16, traduit cette propriété pour les matrices :

> *** Théorème 11.7 :** Soit un homomorphisme $T : V \to U$, et soit A sa représentation matricielle sur les bases $\{v_i\}$ de V et $\{u_i\}$ de U. Alors la matrice transposée A^T est la représentation matricielle de $T^t : U^* \to V^*$ sur les bases duales de $\{u_i\}$ et $\{v_i\}$.

? EXERCICES CORRIGÉS

ESPACE DUAL, BASE DUALE

11.1 Déterminer la base duale $\{\phi_1, \phi_2, \phi_3\}$ de la base suivante de $\mathbb{R}^3$:

$$\{v_1 = (1, -1, 3),\ v_2 = (0, 1, -1),\ v_3 = (0, 3, -2)\}$$

Solution : exprimons les trois formes linéaires cherchées à l'aide de coefficients inconnus :

$$\phi_1(x, y, z) = a_1x + a_2y + a_3z, \quad \phi_2(x, y, z) = b_1x + b_2y + b_3z, \quad \phi_3(x, y, z) = c_1x + c_2y + c_3z$$

Par définition d'une base duale, $\phi_i(v_j) = \delta_{ij}$. Nous déterminons ϕ_1 avec les trois conditions $\phi_1(v_1) = 1$, $\phi_1(v_2) = 0$, $\phi_1(v_3) = 0$, soit :

$$\phi_1(1, -1, 3) = a_1 - a_2 + 3a_3 = 1, \quad \phi_1(0, 1, -1) = a_2 - a_3 = 0, \quad \phi_1(0, 3, -2) = 3a_2 - 2a_3 = 0$$

dont la solution est $a_1 = 1$, $a_2 = 0$ et $a_3 = 0$; en définitive, $\phi_1(x, y, z) = x$. Procédons de même pour ϕ_2 en écrivant les trois conditions $\phi_2(v_1) = 0$, $\phi_2(v_2) = 1$, $\phi_2(v_3) = 0$, soit :

$$\phi_2(1, -1, 3) = b_1 - b_2 + 3b_3 = 0, \quad \phi_2(0, 1, -1) = b_2 - b_3 = 1, \quad \phi_2(0, 3, -2) = 3b_2 - 2b_3 = 0$$

La solution est $b_1 = 7$, $b_2 = -2$ et $b_3 = -3$, soit $\phi_2(x, y, z) = 7x - 2y - 3z$. Pour ϕ_3 enfin, écrivons $\phi_3(v_1) = 0$, $\phi_3(v_2) = 0$, $\phi_3(v_3) = 1$, soit :

$$\phi_3(1, -1, 3) = c_1 - c_2 + 3c_3 = 0, \quad \phi_3(0, 1, -1) = c_2 - c_3 = 0, \quad \phi_3(0, 3, -2) = 3c_2 - 2c_3 = 1$$

La solution est $c_1 = -2$, $c_2 = c_3 = 1$, d'où $\phi_3(x, y, z) = -2x + y + z$.

11.2 Soit $V = \{a + bt \mid a, b \in \mathbb{R}\}$ l'espace vectoriel des polynômes réels de degré ≤ 1. Trouver la base $\{v_1, v_2\}$ de V duale de la base $\{\phi_1, \phi_2\}$ de V^* définie par :

$$\phi_1\big(f(t)\big) = \int_0^1 f(t)\,dt \quad \text{et} \quad \phi_2\big(f(t)\big) = \int_0^2 f(t)\,dt$$

Posons $v_1 = a + bt$ et $v_2 = c + dt$. Par définition d'une base duale :

$$\phi_1(v_1) = 1, \quad \phi_1(v_2) = 0, \quad \text{et} \quad \phi_2(v_1) = 0, \quad \phi_2(v_2) = 1$$

d'où :

$$\begin{cases} \phi_1(v_1) = \int_0^1 (a+bt)\,dt = a + \frac{1}{2}b = 1 \\ \phi_2(v_1) = \int_0^2 (a+bt)\,dt = 2a + 2b = 0 \end{cases} \quad \text{et} \quad \begin{cases} \phi_1(v_2) = \int_0^1 (c+dt)\,dt = c + \frac{1}{2}d = 0 \\ \phi_2(v_2) = \int_0^2 (c+dt)\,dt = 2c + 2d = 1 \end{cases}$$

La solution de ces deux systèmes est $a = 2$, $b = -2$, $c = -\frac{1}{2}$ et $d = 1$. La base duale cherchée de $\{\phi_1, \phi_2\}$ est donc $\left\{v_1 = 2 - 2t,\ v_2 = -\frac{1}{2} + t\right\}$.

11.3 Démontrer le théorème 11.1 : *soit* $\{v_1, \ldots, v_n\}$ *une base de* V*, espace vectoriel sur* $\mathbb{K}$*. Définissons les formes linéaires* $\phi_1, \ldots, \phi_n$ *de* V^* *par* $\phi_i(v_j) = \delta_{ij}$*. Alors* $\{\phi_1, \ldots, \phi_n\}$ *est une base de* V^*.

Solution : montrons tout d'abord que $\{\phi_1, \ldots, \phi_n\}$ engendre V^*. Soit $\phi \in V^*$ une forme linéaire quelconque ; posons :

$$\phi(v_1) = k_1, \quad \phi(v_2) = k_2, \quad \ldots, \quad \phi(v_n) = k_n$$

Considérons $\sigma = k_1\phi_1 + \cdots + k_n\phi_n$; alors :

$$\begin{aligned} \sigma(v_1) &= (k_1\phi_1 + \cdots + k_n\phi_n)(v_1) = k_1\phi_1(v_1) + k_2\phi_2(v_1) + \cdots + k_n\phi_n(v_1) \\ &= k_1 \cdot 1 + k_2 \cdot 0 + \cdots + k_n \cdot 0 = k_1 \end{aligned}$$

De même, pour $i = 2, \ldots, n$:

$$\sigma(v_i) = (k_1\phi_1 + \cdots + k_n\phi_n)(v_i) = k_1\phi_1(v_i) + \cdots + k_i\phi_i(v_i) + \cdots + k_n\phi_n(v_i) = k_i$$

On en déduit que, $\forall i = 1, \ldots, n$, $\phi(v_i) = \sigma(v_i)$. Puisque ϕ et σ ont le même effet sur les vecteurs de la base, elles sont égales : $\phi = \sigma = k_1\phi_1 + \cdots + k_n\phi_n$, et par conséquent $\{\phi_1, \ldots, \phi_n\}$ engendre V^*. Pour montrer que $\{\phi_1, \ldots, \phi_n\}$ est libre, construisons une combinaison linéaire nulle :

$$a_1\phi_1 + a_2\phi_2 + \cdots + a_n\phi_n = \mathbf{0}$$

Appliquons les deux membres de cette égalité à v_1 :

$$\begin{aligned} 0 = \mathbf{0}(v_1) &= (a_1\phi_1 + \cdots + a_n\phi_n)(v_1) = a_1\phi_1(v_1) + a_2\phi_2(v_1) + \cdots + a_n\phi_n(v_1) \\ &= a_1 \cdot 1 + a_2 \cdot 0 + \cdots + a_n \cdot 0 = a_1 \end{aligned}$$

De même, pour $i = 2, \ldots, n$:

$$0 = \mathbf{0}(v_i) = (a_1\phi_1 + \cdots + a_n\phi_n)(v_i) = a_1\phi_1(v_i) + \cdots + a_i\phi_i(v_i) + \cdots + a_n\phi_n(v_i) = a_i$$

Autrement dit, $a_1 = a_2 = \cdots = a_n = 0$. On en déduit que $\{\phi_1, \ldots, \phi_n\}$ est libre, et forme donc une base de V^*.

11.4 Démontrer le théorème 11.2 : *soit* $\{v_1, \ldots, v_n\}$ *une base de* V *et soit* $\{\phi_1, \ldots, \phi_n\}$ *sa base duale dans* V^* *; alors,* $\forall u \in V$*, et* $\forall \sigma \in V^*$ *:*

(a) $u = \sum_i \phi_i(u)v_i$; (b) $\sigma = \sum_i \sigma(v_i)\phi_i$.

Solution : posons :

$$u = a_1 v_1 + a_2 v_2 + \cdots + a_n v_n \tag{11.2}$$

Alors :

$$\phi_1(u) = a_1\phi_1(v_1) + a_2\phi_1(v_2) + \cdots + a_n\phi_1(v_n) = a_1 \cdot 1 + a_2 \cdot 0 + \cdots + a_n \cdot 0 = a_1$$

De même, pour $i = 2, \ldots, n$:

$$\phi_i(u) = a_1\phi_i(v_1) + \cdots + a_i\phi_i(v_i) + \cdots + a_n\phi_i(v_n) = a_i$$

Autrement dit, $\phi_1(u) = a_1, \phi_2(u) = a_2, \ldots, \phi_n(u) = a_n$. En remplaçant dans (11.2), on trouve (a). Montrons à présent (b) ; appliquons la forme linéaire σ aux deux membres de (a) :

$$\begin{aligned}\sigma(u) &= \phi_1(u)\sigma(v_1) + \phi_2(u)\sigma(v_2) + \cdots + \phi_n(u)\sigma(v_n)\\ &= \sigma(v_1)\phi_1(u) + \sigma(v_2)\phi_2(u) + \cdots + \sigma(v_n)\phi_n(u)\\ &= (\sigma(v_1)\phi_1 + \sigma(v_2)\phi_2 + \cdots + \sigma(v_n)\phi_n)(u)\end{aligned}$$

Cette égalité étant vraie pour tout vecteur $u \in V$, on a $\sigma = \sigma(v_1)\phi_1 + \sigma(v_2)\phi_2 + \cdots + \sigma(v_n)\phi_n$.

11.5 Démontrer le théorème 11.3 : *soient $\{v_i\}$ et $\{w_i\}$ deux bases de V, $\{\phi_i\}$ et $\{\sigma_i\}$ les bases duales correspondantes. Si P est la matrice de changement de base de $\{v_i\}$ à $\{w_i\}$, alors $(P^{-1})^T$ est la matrice de changement de base de $\{\phi_i\}$ à $\{\sigma_i\}$ dans V^*.*

Solution : posons, pour $i = 1, 2, \ldots, n$:

$$w_i = a_{i1}v_1 + a_{i2}v_2 + \cdots + a_{in}v_n \quad \text{et} \quad \sigma_i = b_{i1}\phi_1 + b_{i2}\phi_2 + \cdots + b_{in}\phi_n$$

Les matrices de changement de base sont $P = (a_{ij})$ et $Q = (b_{ij})$. Nous devons montrer que $Q = (P^{-1})^T$.

Désignons par R_i la i-ème ligne de Q et par C_j la j-ème colonne de P^T :

$$R_i = (b_{i1}, b_{i2}, \ldots, b_{in}) \quad \text{et} \quad C_j = (a_{j1}, a_{j2}, \ldots, a_{jn})^T$$

Par définition de la base duale :

$$\begin{aligned}\sigma_i(w_j) &= (b_{i1}\phi_1 + b_{i2}\phi_2 + \cdots + b_{in}\phi_n)(a_{j1}v_1 + a_{j2}v_2 + \cdots + a_{jn}v_n)\\ &= b_{i1}a_{j1} + b_{i2}a_{j2} + \cdots + b_{in}a_{jn} = R_iC_j = \delta_{ij}\end{aligned}$$

où δ_{ij} est le symbole de Kronecker. Sous forme matricielle, cette équation s'écrit :

$$QP^T = (R_iC_j) = (\delta_{ij}) = I$$

soit $Q = (P^T)^{-1} = (P^{-1})^T$.

11.6 Soit v un vecteur non nul d'un espace vectoriel V de dimension n. Montrer qu'il existe une forme linéaire $\phi \in V^*$ telle que $\phi(v) \neq 0$.

Solution : ajoutons à v des vecteurs pour former une base $\{v, v_2, \ldots, v_n\}$ de V. D'après le théorème 5.2, il existe une application linéaire et une seule $\phi : V \to \mathbb{K}$ telle que $\phi(v) = 1$ et $\phi(v_i) = 0$, pour $i = 2, \ldots, n$.

11.7 Démontrer le théorème 11.4 : *si l'espace vectoriel V est de dimension finie, alors l'application naturelle $v \mapsto \hat{v}$ est un isomorphisme entre V et V^{**}.*

Solution : montrons tout d'abord que l'application $v \mapsto \hat{v}$ est linéaire ; $\forall v, w \in V, \forall a, b \in \mathbb{K}$:

$$\widehat{(av + bw)}(\phi) = \phi(av + bw) = a\phi(v) + b\phi(w) = a\hat{v}(\phi) + b\hat{w}(\phi) = (a\hat{v} + b\hat{w})(\phi)$$

Cette équation étant vraie pour tout $\phi \in V^*$, l'application $v \mapsto \hat{v}$ est linéaire.
Soit $v \in V$ non nul ; d'après le problème 11.6, il existe $\phi \in V^*$ telle que $\phi(v) \neq 0$. Il en résulte que $\hat{v}(\phi) = \phi(v) \neq 0$, et par conséquent $\hat{v} \neq 0$. Puisque $v \neq 0 \Rightarrow \hat{v} \neq 0$, l'application $v \mapsto \hat{v}$ est régulière, et le théorème 5.9 affirme qu'elle définit un isomorphisme.
V étant de dimension finie, on a $\dim V = \dim V^* = \dim V^{**}$, et par conséquent l'application $v \mapsto \hat{v}$ est un isomorphisme entre V et V^{**}.

FORMES LINÉAIRES ANNULATRICES

11.8 Montrer que si $\phi \in V^*$ annule un sous-ensemble $S \subset V$, elle annule le sous-espace Vect S engendré par S, et par conséquent $S^0 = (\text{Vect}\, S)^0$.

Solution : si $v \in \text{Vect}\, S$, on peut trouver des vecteurs $w_1, \ldots, w_r \in S$ tels que $v = a_1w_1 + \cdots + a_rw_r$. Alors :

$$\phi(v) = a_1\phi(w_1) + a_2\phi(w_2) + \cdots + a_r\phi(w_r) = a_1 \cdot 0 + a_2 \cdot 0 + \cdots + a_r \cdot 0 = 0$$

Puisque v est un vecteur quelconque de Vect S, ϕ est une forme annulatrice de Vect S.

11.9 Déterminer une base de l'espace annulateur W^0 du sous-espace W de $\mathbb{R}^4$ engendré par :

$$v_1 = (1, 2, -3, 4) \quad \text{et} \quad v_2 = (0, 1, 4, -1)$$

Solution : d'après le problème 11.8, il suffit de trouver une base de l'ensemble des formes linéaires ϕ telles que $\phi(v_1) = 0$ et $\phi(v_2) = 0$. Posons $\phi(x_1, x_2, x_3, x_4) = ax_1 + bx_2 + cx_3 + dx_4$:

$$\phi(1, 2, -3, 4) = a + 2b - 3c + 4d = 0 \quad \text{et} \quad \phi(0, 1, 4, -1) = b + 4c - d = 0$$

C'est un système homogène sous forme échelon, avec deux variables libres, c et d :
(a) posons $c = 1$ et $d = 0$, d'où $a = 11$, $b = -4$, $c = 1$ et $d = 0$;
(b) posons $c = 0$ et $d = 1$, d'où $a = -6$, $b = 1$, $c = 0$ et $d = 1$.
Les formes linéaires $\phi_1(x_i) = 11x_1 - 4x_2 + x_3$ et $\phi_2(x_i) = -6x_1 + x_2 + x_4$ forment une base de W^0.

11.10 Démontrer les deux propositions suivantes :
(a) pour tout sous-ensemble S de V, $S \subseteq S^{00}$;
(b) $S_1 \subseteq S_2 \Rightarrow S_2^0 \subseteq S_1^0$.

Solution :
(a) Soit $v \in S$; pour toute forme linéaire $\phi \in S^0$, $\hat{v}(\phi) = \phi(v) = 0$, et donc $\hat{v} \in (S^0)^0$. Par conséquent, en vertu de l'identification de V et V^{**}, $v \in S^{00}$, et $S \subseteq S^{00}$.
(b) Soit $\phi \in S_2^0$; alors $\forall v \in S_2$, $\phi(v) = 0$. Puisque $S_1 \subseteq S_2$, ϕ est annulatrice de tout élément de S_1, d'où $\phi \in S_1^0$, par conséquent $S_2^0 \subseteq S_1^0$.

11.11 Démontrer le théorème 11.5 : *soit V un espace vectoriel de dimension finie et W l'un de ses sous-espaces ; alors :*
(a) $\dim W + \dim W^0 = \dim V$; (b) $W^{00} = W$.

Solution :

(a) Soit $\dim V = n$ et $\dim W = r \leq n$; il faut montrer que $\dim W^0 = n - r$. Choisissons une base $\{w_1, \ldots, w_r\}$ de W, et complétons-la pour former une base $\{w_1, \ldots, w_r, v_1, \ldots, v_{n-r}\}$ de V. Considérons sa base duale :

$$\{\phi_1, \ldots, \phi_r, \sigma_1, \ldots, \sigma_{n-r}\}$$

Par construction, chacun des σ_i annule chacun des w_i, et donc $\sigma_1, \ldots, \sigma_{n-r} \in W^0$. Montrons que le système $\{\sigma_i\}$ est une base de W^0. On peut déjà affirmer que le système $\{\sigma_i\}$ est libre, puisqu'il est extrait d'une base de V^*, et il reste à montrer qu'il engendre W^0. Soit $\sigma \in W^0$; d'après le théorème 11.2 :

$$\begin{aligned} \sigma &= \sigma(w_1)\phi_1 + \cdots + \sigma(w_r)\phi_r + \sigma(v_1)\sigma_1 + \cdots + \sigma(v_{n-r})\sigma_{n-r} \\ &= 0\phi_1 + \cdots + 0\phi_r + \sigma(v_1)\sigma_1 + \cdots + \sigma(v_{n-r})\sigma_{n-r} \\ &= \sigma(v_1)\sigma_1 + \cdots + \sigma(v_{n-r})\sigma_{n-r} \end{aligned}$$

$\{\sigma_i\}$ est un système générateur de W^0, et en forme donc une base. On en déduit aussitôt la relation cherchée :

$$\dim W^0 = n - r = \dim V - \dim W$$

(b) Soit $\dim V = n$ et $\dim W = r \leq n$; alors $\dim V^* = n$ et d'après (a), $\dim W^0 = n - r$. Toujours en vertu de (a), $\dim W^{00} = n - (n - r) = r$; par conséquent $\dim W = \dim W^{00}$. Puisque, d'après le problème 11.10, $W \subseteq W^{00}$, on a $W = W^{00}$.

11.12 On considère deux sous-espaces U et W de V. Montrer que $(U + W)^0 = U^0 \cap W^0$.

Solution : soit $\phi \in (U + W)^0$. Alors ϕ annule $U + W$, et annule en particulier U et W. Autrement dit, $\phi \in U^0$ et $\phi \in W^0$, et par conséquent $\phi \in U^0 \cap W^0$, ce qui entraîne $(U + W)^0 \subseteq U^0 \cap W^0$. Soit à présent $\sigma \in U^0 \cap W^0$. Alors σ annule U et σ annule W. Soit $v \in U + W$; il peut s'écrire $v = u + w$, où $u \in U$ et $w \in W$, et par conséquent $\sigma(v) = \sigma(u) + \sigma(w) = 0 + 0 = 0$. σ annule donc $U + W$, soit $\sigma \in (U + W)^0$. On en déduit $U^0 \cap W^0 \subseteq (U + W)^0$. L'inclusion dans les deux sens entraîne l'égalité.

Remarque : aucun argument dimensionnel n'a été nécessaire dans la démonstration ci-dessus ; par conséquent cette propriété reste valable pour des espaces vectoriels de dimension infinie.

TRANSPOSÉE D'UNE APPLICATION LINÉAIRE

11.13 Soit ϕ la forme linéaire de $\mathbb{R}^2$ définie par $\phi(x, y) = x - 2y$. Pour chacun des endomorphismes suivants de $\mathbb{R}^2$, déterminer $\big(T^t(\phi)\big)(x, y)$:

(a) $T(x, y) = (x, 0)$;

(b) $T(x, y) = (y, x + y)$;

(c) $T(x, y) = (2x - 3y, 5x + 2y)$.

Solution : par définition, $T^t(\phi) = \phi \circ T$; autrement dit, $\forall v$, $\big(T^t(\phi)\big)(v) = \phi\big(T(v)\big)$:

(a) $\big(T^t(\phi)\big)(x, y) = \phi\big(T(x, y)\big) = \phi(x, 0) = x$;

(b) $\big(T^t(\phi)\big)(x, y) = \phi\big(T(x, y)\big) = \phi(y, x + y) = y - 2(x + y) = -2x - y$;

(c) $\big(T^t(\phi)\big)(x, y) = \phi\big(T(x, y)\big) = \phi(2x - 3y, 5x + 2y) = 2x - 3y - 2(5x + 2y) = -8x - 7y$.

11.14 Soit un homomorphisme $T : V \to U$ et $T^t : U^* \to V^*$ l'opérateur transposé. Montrer que le noyau de T^t est l'annulateur de l'image de T, soit $\ker T^t = (\operatorname{Im} T)^0$.

Solution : soit $\phi \in \ker T^t$, autrement dit $T^t(\phi) = \phi \circ T = 0$. Si $u \in \operatorname{Im} T$, alors il existe $v \in V$ tel que $u = T(v)$, et :

$$\phi(u) = \phi\big(T(v)\big) = (\phi \circ T)(v) = \mathbf{0}(v) = 0$$

Par conséquent, $\forall u \in \operatorname{Im} T$, on a $\phi(u) = 0$, donc $\phi \in (\operatorname{Im} T)^0$; par conséquent $\ker T^t \subseteq (\operatorname{Im} T)^0$.
D'autre part, si $\sigma \in (\operatorname{Im} T)^0$, $\sigma(\operatorname{Im} T) = \{0\}$ et, $\forall v \in V$:

$$\big(T^t(\sigma)\big)(v) = (\sigma \circ T)(v) = \sigma\big(T(v)\big) = 0 = \mathbf{0}(v)$$

L'égalité étant vraie pour tout $v \in V$, on a $T^t(\sigma) = 0$; par conséquent $\sigma \in \ker T^t$, et donc $(\operatorname{Im} T)^0 \subseteq \ker T^t$. L'inclusion dans les deux sens entraîne l'égalité.

11.15 Soient U et V deux espaces vectoriels de dimension finie et $T : V \to U$ un homomorphisme. Montrer que $\operatorname{rang} T = \operatorname{rang} T^t$.

Solution : posons $\dim V = n$, $\dim U = m$ et $\operatorname{rang} T = r$. D'après le théorème 11.5 :

$$\dim(\operatorname{Im} T)^0 = \dim U - \dim(\operatorname{Im} T) = m - \operatorname{rang} T = m - r$$

D'après le problème 11.14, $\ker T^t = (\operatorname{Im} T)^0$, et donc nullité $T^t = m - r$; on en déduit :

$$\operatorname{rang} T^t = \dim U^* - \text{nullité } T = m - (m - r) = r = \operatorname{rang} T$$

11.16 Démontrer le théorème 11.7 : *soit un homomorphisme $T : V \to U$, et soit A sa représentation matricielle sur les bases $\{v_i\}$ de V et $\{u_i\}$ de U. Alors la matrice transposée A^T est la représentation matricielle de $T^t : U^* \to V^*$ sur les bases duales de $\{u_i\}$et $\{v_i\}$.*

Solution : posons, pour $j = 1, \ldots, m$:

$$T(v_j) = a_{j1}u_1 + a_{j2}u_2 + \cdots + a_{jn}u_n \tag{11.3}$$

Il nous faut démontrer que pour $i = 1, \ldots, n$:

$$T^t(\sigma_i) = a_{1i}\phi_1 + a_{2i}\phi_2 + \cdots + a_{mi}\phi_m \tag{11.4}$$

où $\{\sigma_i\}$ et $\{\phi_j\}$ sont respectivement les bases duales de $\{u_i\}$ et $\{v_j\}$.
Soit $v \in V$, $v = k_1v_1 + k_2v_2 + \cdots + k_mv_m$. D'après (11.3) :

$$\begin{aligned} T(v) &= k_1T(v_1) + k_2T(v_2) + \cdots + k_mT(v_m) \\ &= k_1(a_{11}u_1 + \cdots + a_{1n}u_n) + k_2(a_{21}u_1 + \cdots + a_{2n}u_n) + \cdots + k_m(a_{m1}u_1 + \cdots + a_{mn}u_n) \\ &= (k_1a_{11} + k_2a_{21} + \cdots + k_ma_{m1})u_1 + \cdots + (k_1a_{1n} + k_2a_{2n} + \cdots + k_ma_{mn})u_n \\ &= \sum_{i=1}^{n}(k_1a_{1i} + k_2a_{2i} + \cdots + k_ma_{mi})u_i \end{aligned}$$

Alors, pour $j = 1, \ldots, n$:

$$\begin{aligned} \big(T^t(\sigma_j)\big)(v) = \sigma_j\big(T(v)\big) &= \sigma_j\left(\sum_{i=1}^{n}(k_1a_{1i} + k_2a_{2i} + \cdots + k_ma_{mi})u_i\right) \\ &= k_1a_{1j} + k_2a_{2j} + \cdots + k_ma_{mj} \end{aligned} \tag{11.5}$$

Mais aussi, pour $j = 1, \dots, n$:

$$(a_{1j}\phi_1 + a_{2j}\phi_2 + \cdots + a_{mj}\phi_m)(v) = (a_{1j}\phi_1 + a_{2j}\phi_2 + \cdots + a_{mj}\phi_m)(k_1v_1 + k_2v_2 + \cdots + k_mv_m)$$
$$= k_1a_{1j} + k_2a_{2j} + \cdots + k_ma_{mj} \qquad (11.6)$$

Le vecteur v étant quelconque, (11.5) et (11.6) impliquent :

$$T^t(\sigma_j) = a_{1j}\phi_1 + a_{2j}\phi_2 + \cdots + a_{mj}\phi_m, \quad j = 1, \dots, n$$

autrement dit (11.4), ce qui établit le théorème.

EXERCICES SUPPLÉMENTAIRES

ESPACE DUAL, BASES DUALES

11.17 Soient ϕ et $\sigma : \mathbb{R}^3 \to \mathbb{R}$ définies par :

$$\phi(x, y, z) = 2x - 3y + z \quad \text{et} \quad \sigma(x, y, z) = 4x - 2y + 3z$$

Exprimer :

(a) $\phi + \sigma$; (b) 3ϕ ; (c) $2\phi - 5\sigma$.

11.18 Trouver la base duale des bases suivantes de $\mathbb{R}^3$:

(a) $\{(1, 0, 0), (0, 1, 0), (0, 0, 1)\}$; (b) $\{(1, -2, 3), (1, -1, 1), (2, -4, 7)\}$.

11.19 Soit V l'espace vectoriel des polynômes réels de degré ≤ 2. On définit les formes linéaires ϕ_1, ϕ_2 et ϕ_3 par :

$$\phi_1\big(f(t)\big) = \int_0^1 f(t)\,dt, \quad \phi_2\big(f(t)\big) = f'(1), \quad \phi_3\big(f(t)\big) = f(0)$$

où $f(t)$ est un polynôme quelconque de V et $f'(t)$ sa dérivée. Trouver la base $\{f_1(t), f_2(t), f_3(t)\}$ de V duale de $\{\phi_1, \phi_2, \phi_3\}$.

11.20 Soient deux vecteurs u et v de V tels que, pour toute forme linéaire $\phi \in V^*$, $\phi(u) = 0 \Rightarrow \phi(v) = 0$. Montrer que u et v sont colinéaires.

11.21 Soient deux formes linéaires ϕ et σ de V^* telles que $\forall v \in V$, $\phi(v) = 0 \Rightarrow \sigma(v) = 0$. Montrer que ϕ et σ sont proportionnelles : $\exists k \in \mathbb{K}$ tel que $\sigma = k\phi$.

11.22 Soit V l'espace vectoriel des polynômes sur $\mathbb{K}$. Pour $a \in \mathbb{K}$, on définit $\phi_a : V \to \mathbb{K}$ par $\phi_a\big(f(t)\big) = f(a)$. Montrer que :

(a) ϕ_a est linéaire ; (b) $a \neq b \Rightarrow \phi_a \neq \phi_b$.

11.23 Soit V l'espace vectoriel des polynômes de degré ≤ 2, et soient a, b et $c \in \mathbb{K}$ des scalaires distincts. On définit les formes linéaires ϕ_a, ϕ_b et ϕ_c par $\phi_a\big(f(t)\big) = f(a)$, $\phi_b\big(f(t)\big) = f(b)$ et $\phi_c\big(f(t)\big) = f(c)$. Montrer que l'ensemble $\{\phi_a, \phi_b, \phi_c\}$ est linéairement indépendant, et déterminer sa base duale $\{f_1(t), f_2(t), f_3(t)\}$.

11.24 Soit V l'espace vectoriel des matrices carrées $n \times n$, et $T : V \to \mathbb{K}$ l'application « trace », définie par $T(A) = a_{11} + a_{22} + \cdots + a_{nn}$, où $A = (a_{ij})$. Montrer que T est linéaire.

11.25 On considère un sous-espace W de V. Pour toute forme linéaire ϕ sur W, montrer qu'il existe une forme linéaire σ sur V telle que $\sigma(w) = \phi(w)$ pour tout $w \in W$; en d'autres termes, ϕ est la restriction de σ à W.

11.26 Soit $\{e_1, e_2, \ldots, e_n\}$ la base canonique de $\mathbb{K}^n$. Montrer que sa base duale est $\{\pi_1, \pi_2, \ldots, \pi_n\}$, où π_i est l'opérateur de projection sur e_i, *i.e.* $\pi_i(a_1, \ldots, a_n) = a_i$.

11.27 Soit V un espace vectoriel sur $\mathbb{R}$. On considère deux formes linéaires ϕ_1 et $\phi_2 \in V^*$, et on définit $\sigma \in V^*$ par $\sigma(v) = \phi_1(v)\phi_2(v)$. Montrer qu'alors, soit $\phi_1 = \mathbf{0}$, soit $\phi_2 = \mathbf{0}$.

FORMES LINÉAIRES ANNULATRICES

11.28 Soit W le sous-espace de $\mathbb{R}^4$ engendré par $(1, 2, -3, 4)$, $(1, 3, -2, 6)$ et $(1, 4, -1, 8)$. Trouver une base de l'ensemble des formes linéaires annulatrices de W.

11.29 Soit W le sous-espace de $\mathbb{R}^3$ engendré par $(1, 1, 0)$ et $(0, 1, 1)$. Trouver une base de l'ensemble des formes linéaires annulatrices de W.

11.30 Montrer que, pour tout sous-ensemble S de W, on a $\operatorname{Vect} S = S^{00}$.

11.31 Soient U et W deux sous-espaces d'un espace vectoriel V de dimension finie. Montrer que $(U \cap W)^0 = U^0 + W^0$.

11.32 Montrer que si $V = U \oplus W$, alors $V^0 = U^0 \oplus W^0$.

TRANSPOSÉE D'UNE APPLICATION LINÉAIRE

11.33 Soit ϕ la forme linéaire de $\mathbb{R}^2$ définie par $\phi(x, y) = 3x - 2y$. Pour chacune des applications linéaires $T : \mathbb{R}^3 \to \mathbb{R}^2$ suivantes, déterminer $\big(T^t(\phi)\big)(x, y, z)$:

(a) $T(x, y, z) = (x + y,\ y + z)$; (b) $T(x, y, z) = (x + y + z,\ 2x - y)$.

11.34 Soient deux homomorphismes $T_1 : U \to V$ et $T_2 : V \to W$; montrer que $(T_2 \circ T_1)^t = T_1^t \circ T_2^t$.

11.35 Soit un homomorphisme $T : V \to U$, où V est de dimension finie. Montrer que $\operatorname{Im} T^t = (\ker T)^0$.

11.36 On considère un homomorphisme $T : V \to U$ et un vecteur $u \in U$. Montrer qu'alors, soit $u \in \operatorname{Im} T$, soit il existe une forme linéaire $\phi \in V^*$ telle que $T^t(\phi) = 0$ et $\phi(u) = 1$.

11.37 Soit V un espace vectoriel de dimension finie. Si T est un endomorphisme arbitraire de V, montrer que l'application $T \mapsto T^t$ définit un isomorphisme entre $\mathcal{L}(V, V)$ et $\mathcal{L}(V^*, V^*)$.

PROBLÈMES DIVERS

11.38 Soit V un espace vectoriel sur $\mathbb{R}$. le *segment de droite* $\overline{uv}$ joignant les points u et $v \in V$ est défini par $\overline{uv} = \{tu + (1-t)v \mid 0 \leq t \leq 1\}$. Un sous-ensemble S de V est dit *convexe* si u, $v \in S \Rightarrow \overline{uv} \subseteq S$. Soit $\phi \in V^*$; on définit :

$$W^+ = \{v \in V \mid \phi(v) > 0\}, \quad W = \{v \in V \mid \phi(v) = 0\}, \quad W^- = \{v \in V \mid \phi(v) < 0\}$$

Montrer que W^+, W et W^- sont convexes.

11.39 Soit V un espace vectoriel de dimension finie. Un *hyperplan* H de V peut être défini comme le noyau d'une forme linéaire non nulle ϕ sur V. Montrer que tout sous-espace de V est l'intersection d'un nombre fini d'hyperplans.

¿ SOLUTIONS

11.17 (a) $6x - 5y + 4z$; (b) $6x - 9y + 3z$; (c) $-16x + 4y - 13z$.

11.18 (a) $\phi_1 = x$, $\phi_2 = y$, $\phi_3 = z$;
(b) $\phi_1 = -3x - 5y - 2z$, $\phi_2 = 2x + y$, $\phi_3 = x + 2y + z$.

11.22 (b) Soit $f(t) = t$; alors $\phi_a\big(f(t)\big) = a \neq b = \phi_b\big(f(t)\big)$, et donc $\phi_A \neq \phi_b$.

11.23 $\left\{f_1(t) = \dfrac{t^2 - (b+c)t + bc}{(a-b)(a-c)},\ f_2(t) = \dfrac{t^2 - (a+c)t + ac}{(b-a)(b-c)},\ f_3(t) = \dfrac{t^2 - (a+b)t + ab}{(c-a)(c-b)}\right\}$.

11.28 $\{\phi_1(x, y, z, t) = 5x - y + z,\ \phi_2(x, y, z, t) = 2y - t\}$.

11.29 $\{\phi(x, y, z) = x - y + z\}$.

11.33 (a) $\big(T^t(\phi)\big)(x, y, z) = 3x + y - 2z$; (b) $\big(T^t(\phi)\big)(x, y, z) = -x + 5y + 3z$.

Chapitre 12

Formes bilinéaires, quadratiques et hermitiennes

12.1 INTRODUCTION

Dans ce chapitre, nous généralisons les notions d'application linéaire et de forme linéaire, en introduisant la notion de forme bilinéaire, qui à son tour permettra d'introduire les formes quadratiques et hermitiennes. Bien que les formes quadratiques aient déjà été abordées précédemment (voir chapitre 9, § 9.6.1), elles le sont ici sous un angle plus général.

A priori, le corps de base est arbitraire, mais un certain nombre de résultats sont spécifiques à $\mathbb{K} = \mathbb{R}$ ou $\mathbb{C}$.

12.2 FORMES BILINÉAIRES

◆ **Définition 12.1 :** Soit V un espace vectoriel sur un corps $\mathbb{K}$. On appelle *forme bilinéaire* sur V une application $f : V \times V \to \mathbb{K}$ vérifiant, $\forall a, b \in \mathbb{K}$ et $\forall u_i, v_i \in V$:
(a) $f(au_1 + bu_2, v) = af(u_1, v) + bf(u_2, v)$;
(b) $f(u, av_1 + bv_2v) = af(u, v_1) + bf(u, v_2)$.

La condition (a) exprime la « linéarité par rapport à la première variable », et la condition (b) la « linéarité par rapport à la deuxième variable ».

Exemple 12.1

(a) Soit f le produit scalaire usuel de $\mathbb{R}^n$:

$$f(u, v) = u \cdot v = a_1b_1 + a_2b_2 + \cdots + a_nb_n$$

où $u = (a_i)$ et $v = (b_i)$ sont deux vecteurs de $\mathbb{R}^n$. On vérifie aisément que f définit une forme bilinéaire sur $\mathbb{R}^n$. De façon générale, tout produit scalaire sur un espace vectoriel réel définit une forme bilinéaire.

(a) Soient ϕ et σ deux formes linéaires sur V. Alors, il résulte de la linéarité de ϕ et de σ que l'application $f : V \times V \to \mathbb{K}$ définie par $f(u, v) = \phi(u)\sigma(v)$ est une forme bilinéaire sur V.

(b) Soit $A = (a_{ij})$ une matrice $n \times n$ quelconque sur un corps $\mathbb{K}$. On peut identifier A avec la forme bilinéaire suivante, définie sur $\mathbb{K}^n$:

$$F(X, Y) = X^T AY = \sum_{i,j} a_{ij} x_i y_j = a_{11}x_1y_1 + a_{12}x_1y_2 + \cdots + a_{nn}x_ny_n$$

où $X = (x_i)$ et $Y = (y_j)$ sont des vecteurs colonne de $\mathbb{K}^n$. L'expression ci-dessus est appelé *polynôme bilinéaire* correspondant à la matrice A. L'équation (12.1) ci-après montre qu'en un certain sens, toute forme bilinéaire est de ce type.

12.2.1 Espace des formes bilinéaires

Soit $B(V)$ l'ensemble des formes bilinéaires définies sur un espace vectoriel V. On peut munir cet ensemble d'une structure d'espace vectoriel, en y définissant l'addition vectorielle et la multiplication scalaire par :

$$\forall f, g \in B(V), \forall k \in \mathbb{K}, \quad (f+g)(u, v) = f(u, v) + g(u, v) \quad \text{et} \quad (kf)(u, v) = kf(u, v)$$

On a le théorème suivant, démontré au problème 12.4 :

✻ Théorème 12.1 : Soit V un espace vectoriel de dimension n sur $\mathbb{K}$, et soit $\{\phi_1, \ldots, \phi_n\}$ une base de l'espace dual V^*. Alors $\{f_{ij} \mid i, j = 1, \ldots, n\}$, où f_{ij} est défini par $f_{ij}(u, v) = \phi_i(u)\phi_j(v)$, est une base de $B(V)$. On en déduit $\dim B(V) = n^2$.

12.3 MATRICES ET FORMES BILINÉAIRES

Soit f une forme bilinéaire sur V et soit $S = \{u_1, \ldots, u_n\}$ une base de V. Si u et $v \in V$ sont deux vecteurs quelconques :

$$u = a_1u_1 + a_2u_2 + \cdots + a_nu_n \quad \text{et} \quad v = b_1u_1 + b_2u_2 + \cdots + b_nu_n$$

Alors :

$$f(u, v) = f(a_1u_1 + a_2u_2 + \cdots + a_nu_n,\ b_1u_1 + b_2u_2 + \cdots + b_nu_n) = \sum_{i,j} a_ib_jf(u_i, u_j)$$

La forme bilinéaire f est entièrement déterminée par la donnée des n^2 valeurs $f(u_i, u_j)$.

La matrice $A = (a_{ij})$, avec $a_{ij} = f(u_i, u_j)$, est appelée *représentation matricielle* de f sur la base S, ou plus simplement matrice de f sur S. Cette matrice représente f au sens suivant :

$$\forall u, v \in V, \quad f(u, v) = \sum_{i,j} a_ib_jf(u_i, u_j) = [u]_S^T A[v]_S \tag{12.1}$$

où, rappelons-le, $[u]_S$ est le vecteur colonne des composantes de u sur la base S.

12.3.1 Changement de base, matrices congruentes

Lors d'un changement de base, la matrice représentant une forme bilinéaire se transforme de la manière suivante (démonstration au problème 12.5) :

> ✻ **Théorème 12.2 :** Soient S et S' deux bases de V, et soit P la matrice de changement de base de S à S'. Si une forme bilinéaire f est représentée par une matrice A sur la base S, elle est représentée sur la base S' par la matrice $B = P^T AP$.

L'importance de cette transformation justifie l'introduction de la définition suivante :

> ◆ **Définition 12.2 :** Une matrice B est dite *congruente* à une matrice A, noté $B \simeq A$, s'il existe une matrice régulière P telle que $B = P^T AP$.

En vertu du théorème 12.2, deux matrices représentant la même forme bilinéaire sont congruentes. En remarquant que deux matrices congruentes ont le même rang, puisque les matrices P et P^T sont régulières, cette définition a toujours un sens.

> ◆ **Définition 12.3 :** Le *rang* d'une forme bilinéaire, noté $\operatorname{rang} f$, est le rang d'une représentation matricielle quelconque de f. On dit que f est *non dégénérée* si $\operatorname{rang} f = \dim V$, et que f est *dégénérée* si $\operatorname{rang} f < \dim V$.

12.4 FORMES BILINÉAIRES ALTERNÉES

Soit f une forme bilinéaire sur V. Elle est dite :
(a) *alternée* si $\forall v \in V, f(v, v) = 0$;
(b) *antisymétrique* si $\forall u, v \in V, f(u, v) = -f(v, u)$.

Nous allons montrer l'équivalence de ces deux propriétés[1]. Supposons que (a) soit vraie ; alors, $\forall u$, $v \in V$:

$$0 = f(u+v,\ u+v) = f(u,\ u) + f(u,\ v) + f(v,\ u) + f(v,\ v) = f(u,\ v) + f(v,\ u)$$

et par conséquent f est antisymétrique. Inversement, supposons que (b) soit vraie ; alors f est alternée, puisque $f(v, v) = -f(v, v)$.

Le théorème suivant, démontré au problème 12.23, précise la structure d'une forme bilinéaire alternée :

> ✻ **Théorème 12.3 :** Soit f une forme bilinéaire alternée sur V. Il existe alors une base S sur laquelle f est représentée par une matrice diagonale par blocs de la forme :
>
> $$M = \operatorname{diag}\left(\begin{pmatrix} 0 & 1 \\ -1 & 0 \end{pmatrix}, \begin{pmatrix} 0 & 1 \\ -1 & 0 \end{pmatrix}, \ldots, \begin{pmatrix} 0 & 1 \\ -1 & 0 \end{pmatrix}, (0), (0), \ldots, (0)\right)$$
>
> De plus, le nombre de blocs non nuls est déterminé de façon unique par f : il est égal à $\frac{1}{2} \operatorname{rang} f$.

Une conséquence est que toute forme bilinéaire alternée est nécessairement de rang pair.

1. Attention, ce n'est pas vrai si le corps $\mathbb{K}$ est tel que $1 + 1 = 0$.

12.5 FORMES BILINÉAIRES SYMÉTRIQUES, FORMES QUADRATIQUES

Nous examinons ici les propriétés générales des formes bilinéaires symétriques et des formes quadratiques, ainsi que leur représentation par des matrices symétriques. La seule restriction est que corps $\mathbb{K}$ doit vérifier $1+1 \neq 0$; au prochain paragraphe, nous étudierons de plus près le cas $\mathbb{K} = \mathbb{R}$, donnant lieu à des résultats particuliers importants.

12.5.1 Formes bilinéaires symétriques

Soit f une forme bilinéaire sur V. On dit que f est *symétrique* si :

$$\forall u,\ v \in V, \quad f(u,\ v) = f(v,\ u)$$

On vérifie aisément que f est symétrique si et seulement si toute représentation matricielle A de f est une matrice symétrique.

Le résultat le plus important vérifié par une forme bilinéaire symétrique est le suivant (démonstration au problème 12.10) :

> ✻ **Théorème 12.4 :** Soit f une forme bilinéaire symétrique sur V. Il existe alors une base de V sur laquelle f est représentée par une matrice diagonale.

On peut aussi énoncer ce théorème pour une matrice :

> ✻ **Théorème 12.4′ :** Soit A une matrice symétrique sur $\mathbb{K}$. A est alors congruente à une matrice diagonale : il existe une matrice P régulière telle que $P^T AP$ est diagonale.

12.5.2 Algorithme de diagonalisation

On se souvient qu'une matrice régulière peut s'écrire comme un produit de matrices élémentaires. Il est donc possible d'obtenir la forme diagonale $D = P^T AP$ au moyen d'une suite d'opérations élémentaires sur les lignes, puis sur les colonnes. La même suite, appliquée à la matrice unité I, aboutit à P^T. Voici comment mettre en œuvre ce processus (justification au problème 12.9) :

✻ **Algorithme 12.1 (diagonalisation congruente d'une matrice symétrique) :** En entrée, la matrice $n \times n$ symétrique $A = (a_{ij})$ à diagonaliser.

Étape 1 Construire la matrice $n \times 2n$, $M = (A_1,\ I)$, où $A_1 = A$ constitue la moitié gauche de M, et la matrice unité I la moitié droite.

Étape 2 Examiner l'élément a_{11} ; il y a trois cas possibles :

Cas I $a_{11} \neq 0$; on l'utilise comme pivot pour rendre nuls tous les éléments situés au-dessous et à sa droite.

Pour $i = 1, 2, \ldots, n$:

(a) appliquer l'opération élémentaire sur les lignes $-a_{i1}R_1 + a_{11}R_i \to R_i$;

(b) appliquer l'opération élémentaire sur les colonnes correspondante $-a_{i1}C_1 + a_{11}C_i \to C_i$.

À la fin, M est de la forme (par blocs) :

$$M \sim \begin{pmatrix} a_{11} & 0 & * & * \\ 0 & A_2 & * & * \end{pmatrix} \tag{12.2}$$

Cas II $a_{11} = 0$, mais il existe $k > 1$ tel que $a_{kk} \neq 0$:
(a) appliquer l'opération $R_1 \leftrightarrow R_k$;
(b) appliquer l'opération $C_1 \leftrightarrow C_k$.
Ces deux opérations ramènent a_{kk} à la position 11, et la matrice M a la forme du cas I.

Cas III Tous les éléments diagonaux sont nuls, mais il existe un élément $a_{ij} \neq 0$:
(a) appliquer l'opération $R_j + R_i \to R_i$;
(b) appliquer l'opération $C_j + C_i \to C_i$;
Ces deux opérations ramènent $2a_{ij}$ à la position diagonale ii, et la matrice M a la forme du cas II. En définitive, M est ramenée à la forme (12.2), dans laquelle A_2 est une matrice symétrique de taille inférieure à celle de A.

Étape 3 Répéter l'étape 2 pour A_2, et ainsi de suite pour $A_3, \ldots, A_k, \ldots$ obtenues en laissant de côté la première ligne et la première colonne de la matrice précédente, jusqu'à ce que la matrice A soit entièrement diagonalisée. La matrice M est à présent sous la forme $M' = (D, Q)$, où D est diagonale.

Étape 4 Poser $P = Q^T$, et ainsi $D = P^T AP$.

Deux remarques à propos de cet algorithme :

(a) À l'étape 2, les opérations de ligne modifient les deux côtés de la matrice M, mais les opérations de colonne ne modifient que la moitié gauche.

(b) La condition sur les scalaires de $\mathbb{K}$: $1 + 1 \neq 0$, est nécessaire lors du traitement du cas III, où $a_{ij} \neq 0 \Rightarrow 2a_{ij} \neq 0$.

Exemple 12.2

Appliquons l'algorithme 12.1 à la matrice $A = \begin{pmatrix} 1 & 2 & -3 \\ 2 & 5 & -4 \\ -3 & -4 & 8 \end{pmatrix}$, pour trouver une matrice P régulière telle que $D = P^T AP$ soit diagonale.

Construisons la matrice $M = (A, I)$:

$$M = (A, I) = \left(\begin{array}{ccc|ccc} 1 & 2 & -3 & 1 & 0 & 0 \\ 2 & 5 & -4 & 0 & 1 & 0 \\ -3 & -4 & 8 & 0 & 0 & 1 \end{array}\right)$$

Appliquons les opérations $-2R_1 + R_2 \to R_2$ et $3R_1 + R_3 \to R_3$, puis $-2C_1 + C_2 \to C_2$ et $3C_1 + C_3 \to C_3$:

$$\left(\begin{array}{ccc|ccc} 1 & 2 & -3 & 1 & 0 & 0 \\ 0 & 1 & 2 & -2 & 1 & 0 \\ 0 & 2 & -1 & 3 & 0 & 1 \end{array}\right) \quad \text{puis} \quad \left(\begin{array}{ccc|ccc} 1 & 0 & 0 & 1 & 0 & 0 \\ 0 & 1 & 2 & -2 & 1 & 0 \\ 0 & 2 & -1 & 3 & 0 & 1 \end{array}\right)$$

Appliquons ensuite $-2R_2 + R_3 \to R_3$ puis $-2C_2 + C_3 \to C_3$:

$$\left(\begin{array}{ccc|ccc} 1 & 0 & 0 & 1 & 0 & 0 \\ 0 & 1 & 2 & -2 & 1 & 0 \\ 0 & 0 & -5 & 7 & -2 & 1 \end{array}\right) \quad \text{puis} \quad \left(\begin{array}{ccc|ccc} 1 & 0 & 0 & 1 & 0 & 0 \\ 0 & 1 & 0 & -2 & 1 & 0 \\ 0 & 0 & -5 & 7 & -2 & 1 \end{array}\right)$$

La matrice A est diagonalisée. Extrayons, *sans oublier de la transposer*, la moitié droite :

$$P = \begin{pmatrix} 1 & -2 & 7 \\ 0 & 1 & -2 \\ 0 & 0 & 1 \end{pmatrix} \quad \text{d'où} \quad D = P^T A P = \begin{pmatrix} 1 & 0 & 0 \\ 0 & 1 & 0 \\ 0 & 0 & -5 \end{pmatrix}$$

12.5.3 Formes quadratiques

◆ **Définition 12.4 :** Une application $q : V \to \mathbb{K}$ est appelée *forme quadratique* s'il existe une forme bilinéaire f sur V telle que $\forall v \in V,\ q(v) = f(v, v)$.

Si dans $\mathbb{K}$, $1 + 1 \neq 0$, f s'écrit à partir de q :

$$f(u, v) = \frac{1}{2}\big(q(u + v) - q(u) - q(v)\big)$$

Cette expression est appelée *forme polaire* de la forme bilinéaire f.

Supposons, toujours avec $1 + 1 \neq 0$, que f soit représenté par une matrice symétrique $A = (a_{ij})$. Si $X = (x_i)$ est un vecteur colonne, q peut se mettre sous la forme :

$$q(X) = f(X, X) = X^T A X = \sum_{i,j} a_{ij} x_i x_j = \sum_i a_{ii} x_i^2 + 2 \sum_{i<j} a_{ij} x_i x_j$$

Cette expression est souvent employée pour définir une forme quadratique, d'où la définition suivante, déjà rencontrée au chapitre 9, § 9.6.1 :

◆ **Définition 12.5 :** Une forme quadratique q des variables $x_1, x_2, \ldots, x_n$, est polynôme dont tous les termes sont de degré 2 :

$$q(x_1, x_2, \ldots, x_n) = \sum_i c_i x_i^2 + \sum_{i<j} d_{ij} x_i x_j$$

Avec $1+1 \neq 0$, la définition 12.5 définit une matrice symétrique $A = (a_{ij})$, où $a_{ii} = c_i$ et $a_{ij} = a_{ji} = \frac{1}{2} d_{ij}$ si $i \neq j$: les définitions 12.5 et 12.4 sont équivalentes.

Si la représentation matricielle A de q est diagonale, la forme quadratique s'écrit :

$$q(X) = a_{11} x_1^2 + a_{22} x_2^2 + \cdots + a_{nn} x_n^2$$

En d'autres termes, le polynôme du second degré représentant q ne contient pas de « termes croisés ». De plus, en vertu du théorème 12.4, toute forme quadratique possède une telle représentation (si $1 + 1 \neq 0$).

12.6 FORMES BILINÉAIRES RÉELLES SYMÉTRIQUES

Nous examinons ici le cas des formes bilinéaires symétriques et des formes quadratiques définies sur des espaces vectoriels réels. La nature particulière du corps $\mathbb{R}$ des nombres réels autorise une présentation séparée. Le résultat principal, démontré au problème 12.14, est le suivant :

> ✻ **Théorème 12.5 (d'inertie de Sylvester) :** Soit f une forme bilinéaire symétrique sur un espace vectoriel réel V. Il existe alors une base de V sur laquelle f est représentée par une matrice diagonale. Toute autre représentation diagonale de f possède le même nombre $\mathbf{p}$ d'éléments positifs et le même nombre $\mathbf{n}$ d'éléments négatifs.

Le *rang* et la *signature* de la forme bilinéaire symétrique f sont définis et notés comme suit :

$$\operatorname{rang} f = \mathbf{p} + \mathbf{n} \quad \text{et} \quad \operatorname{sig} f = \mathbf{p} - \mathbf{n}$$

Le théorème 12.5 assure l'unicité de ces quantités.

On dit qu'une forme bilinéaire symétrique réelle f est :

(a) *définie positive*, si $q(v) = f(v, v) > 0$ pour tout $v \neq 0$;

(b) *positive*, ou *semi-définie positive*, si $q(v) = f(v, v) \geq 0$ pour tout v.

Exemple 12.3

Soit f le produit scalaire usuel de $\mathbb{R}^n$. Il définit une forme bilinéaire symétrique sur $\mathbb{R}^n$. C'est aussi une forme définie positive :

$$\forall u = (a_i) \neq 0, \quad f(u, u) = a_1^2 + a_2 + \cdots + a_n^2 > 0$$

Nous avons vu au § 12.5, et nous en reparlerons au chapitre 13, comment diagonaliser une forme quadratique réelle ou, ce qui est équivalent, une matrice réelle symétrique, par une transformation congruente à l'aide d'une matrice de passage P. On peut trouver une transformation telle que la forme diagonale de q n'ait pour éléments que 1 et -1 ; c'est l'objet du corollaire suivant :

> ✻ **Corollaire 12.6 :** Toute forme quadratique réelle q a une représentation et une seule de la forme :
>
> $$q(x_1, x_2, \ldots, x_n) = x_1^2 + x_2^2 + \cdots + x_{\mathbf{p}}^2 - x_{\mathbf{p}+1}^2 - \cdots - x_r^2$$
>
> où $r = \mathbf{p} + \mathbf{n}$ est le rang de q.

Ce corollaire a un énoncé équivalent pour une matrice :

> ✻ **Corollaire 12.6′ :** Toute matrice réelle symétrique est congruente à une matrice et une seule de la forme :
>
> $$D = \operatorname{diag}(I_{\mathbf{p}}, \ -I_{\mathbf{n}}, \ 0)$$
>
> où $r = \mathbf{p} + \mathbf{n}$ est le rang de A.

12.7 FORMES HERMITIENNES

Soit V un espace vectoriel de dimension finie sur le corps $\mathbb{C}$ des nombres complexes. Une *forme hermitienne* sur V est une application $f : V \to \mathbb{C}$ telle que, $\forall a, b \in \mathbb{C}$, et $\forall u_i, v \in V$:
(a) $f(au_1 + bu_2, v) = af(u_1, v) + bf(u_2, v)$;
(b) $f(u, v) = \overline{f(v, u)}$.
où, selon la coutume, $\bar{k}$ désigne le complexe conjugué de k. À l'aide de (a) et de (b), on peut écrire :

$$\begin{aligned} f(u, av_1 + bv_2) &= \overline{f(av_1 + bv_2, u)} = \overline{af(v_1, u) + bf(v_2, u)} \\ &= \overline{af(v_1, u)} + \overline{bf(v_2, u)} = \bar{a}f(u, v_1) + \bar{b}f(u, v_2) \end{aligned}$$

soit :
(c) $f(u, av_1 + bv_2) = \bar{a}f(u, v_1) + \bar{b}f(u, v_2)$.
Comme pour le cas réel, on interprète (a) en disant que f est linéaire par rapport à la première variable ; mais (c) signifie que f est *anti-linéaire* par rapport à la deuxième variable. De plus, il résulte de (b) que $\forall v \in V, f(v, v) = \overline{f(v, v)}$, et par conséquent $f(v, v)$ est une quantité réelle positive. On dit que la forme hermitienne f est *sesqui-linéaire*.

Les résultats établis aux § 12.5 et 12.6 ont leur équivalent pour les formes hermitiennes. Ainsi, l'application $q : V \to \mathbb{R}$ définie par $q(v) = f(v, v)$ est appelée *forme quadratique hermitienne*, ou *forme quadratique complexe* associée à f. La *forme polaire* de f est donnée par :

$$f(u, v) = \frac{1}{4}\big(q(u + v) - q(u - v)\big) + \frac{i}{4}\big(q(u + iv) - q(u - iv)\big)$$

Soit $S = \{u_1, \ldots, u_n\}$ une base de V. La matrice $H = (h_{ij})$, avec $f_{ij} = f(u_i, u_j)$, est appelée *représentation matricielle* de la forme hermitienne f sur la base S. Il résulte de (b) que la matrice H possède la symétrie hermitienne, puisque $f(u_i, u_j) = \overline{f(u_j, u_i)}$. En particulier, ses éléments diagonaux sont réels, et par conséquent toute représentation diagonale de f a tous ses éléments réels.

Le théorème suivant, démontré au problème 12.47, est l'analogue du théorème 12.5 pour les formes bilinéaires symétriques réelles :

> *** Théorème 12.7 :** Soit f une forme hermitienne sur un espace vectoriel complexe V. Il existe alors une base de V sur laquelle f est représentée par une matrice diagonale. Toute autre représentation diagonale a le même nombre **p** d'éléments positifs, et le même nombre **n** d'éléments négatifs.

Le *rang* et la *signature* d'une forme hermitienne f sont définis de manière analogue au cas réel :

$$\operatorname{rang} f = \mathbf{p} + \mathbf{n} \quad \text{et} \quad \operatorname{sig} f = \mathbf{p} - \mathbf{n}$$

Ces deux quantités sont bien définies et uniques, en vertu du théorème 12.7.

Comme dans le cas réel, une forme hermitienne est dite :
(a) *définie positive*, si $q(v) = f(v, v) > 0$ pour tout $v \neq 0$;
(b) *positive*, ou *semi-définie positive*, si $q(v) = f(v, v) \geq 0$ pour tout v.

Exemple 12.4

Soit f le produit scalaire hermitien usuel de $\mathbb{C}^n$; on rappelle qu'il est défini, $\forall u = (z_i)$ et $\forall v = (w_i) \in \mathbb{C}^n$, par :

$$f(u, v) = u \cdot v = z_1\overline{w_1} + z_2\overline{w_2} + \cdots + z_n\overline{w_n}$$

Alors f définit une forme hermitienne sur $\mathbb{C}^n$. Cette forme est de plus définie positive, puisque, $\forall u = (z_i) \neq 0 \in \mathbb{C}^n$:

$$f(u, u) = z_1\overline{z_1} + z_2\overline{z_2} + \cdots + z_n\overline{z_n} = |z_1|^2 + |z_2|^2 + \cdots + |z_n|^2 > 0$$

EXERCICES CORRIGÉS

FORMES BILINÉAIRES

12.1 Soit $u = (x_1, x_2, x_3)$ et $v = (y_1, y_2, y_3)$. Exprimer la forme bilinéaire suivante en notation matricielle :

$$f(u,\ v) = 3x_1y_1 - 2x_1y_3 + 5x_2y_1 + 7x_2y_2 - 8x_2y_3 + 4x_3y_2 - 6x_3y_3$$

Solution : posons $A = (a_{ij})$, où a_{ij} est le coefficient de x_iy_j :

$$f(u, v) = X^TAY = (x_1, x_2, x_3)\begin{pmatrix} 3 & 0 & -2 \\ 5 & 7 & -8 \\ 0 & 4 & -6 \end{pmatrix}\begin{pmatrix} y_1 \\ y_2 \\ y_3 \end{pmatrix}$$

12.2 Soit A une matrice $n \times n$ sur $\mathbb{K}$. Montrer que l'application f définie par $f(X,\ Y) = X^TAY$ est une forme bilinéaire sur $\mathbb{K}^n$.

Solution : $\forall a, b \in \mathbb{K}$ et $\forall X_i,\ Y_i \in \mathbb{K}^n$:

$$\begin{aligned} f(aX_1 + bX_2,\ Y) &= (aX_1 + bX_2)^TAY = (aX_1^T + bX_2^T)AY \\ &= aX_1^TAY + bX_2^TAY = af(X_1,\ Y) + bf(X_2,\ Y) \end{aligned}$$

Par conséquent, f est linéaire par rapport à la première variable. De même :

$$f(X,\ aY_1 + bY_2) = X^TA(aY_1 + bY_2) = aX^TAY_1 + bX^TAY_2 = af(X,\ Y_1) + bf(X,\ Y_2)$$

L'application f est également linéaire par rapport à la deuxième variable, et définit donc une forme bilinéaire sur $\mathbb{K}^n$.

12.3 Soit f la forme bilinéaire définie sur $\mathbb{R}^2$ par :

$$f\big((x_1,\ x_2),\ (y_1,\ y_2)\big) = 2x_1y_1 - 3x_1y_2 + 4x_2y_2$$

(a) Déterminer la matrice A de f sur la base $\{u_1 = (1, 0),\ u_2 = (1, 1)\}$;
(b) déterminer la matrice B de f sur la base $\{v_1 = (2, 1),\ v_2 = (1, -1)\}$;
(c) exprimer la matrice de changement de base P de la base $\{u_i\}$ à la base $\{v_i\}$, et vérifier que $B = P^TAP$.

Solution :

(a) Posons $A = (a_{ij})$, où $a_{ij} = f(u_i,\ u_j)$:

$$a_{11} = f\big((1,\ 0),\ (1,\ 0)\big) = 2 - 0 - 0 = 2 \qquad a_{21} = f\big((1,\ 1),\ (1,\ 0)\big) = 2$$
$$a_{12} = f\big((1,\ 0),\ (1,\ 1)\big) = 2 - 3 - 0 = -1 \qquad a_{22} = f\big((1,\ 1),\ (1,\ 1)\big) = 3$$

Alors $A = \begin{pmatrix} 2 & -1 \\ 2 & 3 \end{pmatrix}$ est la matrice de f sur la base $\{u_1,\ u_2\}$.

(b) Posons $B = (b_{ij})$, où $b_{ij} = f(v_i, v_j)$:

$$b_{11} = f\big((2, 1), (2, 1)\big) = 8 - 6 + 4 = 6 \qquad b_{21} = f\big((1, -1), (2, 1)\big) = -3$$
$$b_{12} = f\big((2, 1), (1, -1)\big) = 4 + 6 - 4 = 6 \qquad b_{22} = f\big((1, -1), (1, -1)\big) = 9$$

Alors $B = \begin{pmatrix} 6 & 6 \\ -3 & 9 \end{pmatrix}$ est la matrice de f sur la base $\{v_1, v_2\}$.

(c) Écrivons v_1 et v_2 en fonction de u_1 et u_2, soit $v_1 = u_1 + u_2$ et $v_2 = 2u_1 - u_2$, d'où :

$$P = \begin{pmatrix} 1 & 2 \\ 1 & -1 \end{pmatrix} \quad \text{et} \quad P^T = \begin{pmatrix} 1 & 1 \\ 2 & -1 \end{pmatrix}$$

Alors :

$$P^TAP = \begin{pmatrix} 1 & 1 \\ 2 & -1 \end{pmatrix}\begin{pmatrix} 2 & -1 \\ 2 & 3 \end{pmatrix}\begin{pmatrix} 1 & 2 \\ 1 & -1 \end{pmatrix} = \begin{pmatrix} 6 & 6 \\ -3 & 9 \end{pmatrix} = B$$

12.4 Démontrer le théorème 12.1 : *soit V un espace vectoriel de dimension n sur $\mathbb{K}$, et soit $\{\phi_1, \dots, \phi_n\}$ une base de l'espace dual V^*. Alors $\{f_{ij} \mid i, j = 1, \dots, n\}$, où f_{ij} est défini par $f_{ij}(u, v) = \phi_i(u)\phi_j(v)$, est une base de $B(V)$. On en déduit* $\dim B(V) = n^2$.

Solution : soit $\{u_1, \dots, u_n\}$ la base de V duale de $\{\phi_i\}$. Montrons tout d'abord que $\{f_{ij}\}$ engendre $B(V)$. Si $f \in B(V)$ et $f(u_i, u_j) = a_{ij}$, pour montrer que $f = \sum_{i,j} a_{ij}f_{ij}$, il suffit d'établir que :

$$f(u_s, u_t) = \left(\sum_{i,j} a_{ij}f_{ij}\right)(u_s, u_t) \quad \text{pour} \quad s, t = 1, \dots, n$$

On a :

$$\left(\sum_{i,j} a_{ij}f_{ij}\right)(u_s, u_t) = \sum_{i,j} a_{ij}f_{ij}(u_s, u_t) = \sum_{i,j} a_{ij}\phi_i(u_s)\phi_j(u_t) = \sum_{i,j} a_{ij}\delta_{is}\delta_{jt} = a_{st} = f(u_s, u_t)$$

Montrons à présent que $\{f_{ij}\}$ est libre, en construisant une combinaison linéaire nulle $\sum a_{ij}f_{ij} = 0$; alors, pour $s, t = 1, \dots, n$:

$$0 = \mathbf{0}(u_s, u_t) = \left(\sum_{i,j} a_{ij}f_{ij}\right)(u_s, u_t) = a_{st}$$

On termine la démonstration comme ci-dessus. En définitive, $\{f_{ij}\}$ est libre et engendre $B(V)$, il en constitue donc une base.

12.5 Démontrer le théorème 12.2 : *soit P la matrice de changement de base d'une base S à une base S' de V. Si une forme bilinéaire f est représentée par une matrice A sur la base S, elle est représentée sur la base S' par la matrice $B = P^TAP$.*

Solution : soient $u, v \in V$; puisque P est la matrice de changement de base de S à S', on a $P[u]_{S'} = [u]_S$ et $P[v]_{S'} = [v]_S$, d'où $[u]_S^T = [u]_{S'}^T P^T$, et :

$$f(u, v) = [u]_S^T A[v]_S = [u]_{S'}^T P^T AP[v]_{S'}$$

Les vecteurs u et v étant arbitraires, la matrice P^TAP représente f sur la base S'.

FORMES BILINÉAIRES SYMÉTRIQUES, FORMES QUADRATIQUES

12.6 Déterminer la matrice symétrique correspondant à chacune des formes quadratiques suivantes :

(a) $q(x,y,z) = 3x^2 + 4xy - y^2 + 8xz - 6yz + z^2$;
(b) $q'(x,y,z) = 3x^2 + xz - 2yz$;
(c) $q''(x,y,z) = 2x^2 - 5y^2 - 7z^2$.

Solution : la matrice symétrique $A = (a_{ij})$ représentant $q(x_1,\dots,x_n)$ a pour élément diagonal a_{ii} le coefficient du terme carré x_i^2, et pour élément non diagonal $a_{ij} = a_{ji}$ la moitié du coefficient du terme croisé $x_i x_j$:

$$\text{(a) } A = \begin{pmatrix} 3 & 2 & 4 \\ 2 & -1 & -3 \\ 4 & -3 & 1 \end{pmatrix}; \qquad \text{(b) } A' = \begin{pmatrix} 3 & 0 & \frac{1}{2} \\ 0 & 0 & -1 \\ \frac{1}{2} & -1 & 0 \end{pmatrix}; \qquad \text{(c) } A'' = \begin{pmatrix} 2 & 0 & 0 \\ 0 & -5 & 0 \\ 0 & 0 & -7 \end{pmatrix};$$

On remarque que la 3e matrice, A'', est diagonale, puisque q'' ne contient aucun terme croisé.

12.7 Déterminer la forme quadratique $q(X)$ correspondant à chacune des des matrices symétriques ci-dessous :

$$\text{(a) } A = \begin{pmatrix} 5 & -3 \\ -3 & 8 \end{pmatrix}; \qquad \text{(b) } B = \begin{pmatrix} 4 & -5 & 7 \\ -5 & -6 & 8 \\ 7 & 8 & -9 \end{pmatrix}; \qquad \text{(c) } C = \begin{pmatrix} 2 & 4 & -1 & 5 \\ 4 & -7 & -6 & 8 \\ -1 & -6 & 3 & 9 \\ 5 & 8 & 9 & 1 \end{pmatrix}.$$

Solution : la forme quadratique $q(X)$ correspondant à une matrice symétrique M est définie par $q(X) = X^T M X$, où X est le vecteur colonne des variables.

(a) Posons le calcul de la manière suivante :

$$q(x,\ y) = X^T A X = (x,\ y) \begin{pmatrix} 5 & -3 \\ -3 & 8 \end{pmatrix} \begin{pmatrix} x \\ y \end{pmatrix} = (5x - 3y,\ -3x + 8y) \begin{pmatrix} x \\ y \end{pmatrix}$$
$$= 5x^2 - 3xy - 3xy + 8y^2 = 5x^2 - 6xy + 8y^2$$

Comme prévu, le coefficient 5 de x^2 et le coefficient 8 de y^2 sont les éléments diagonaux de A, et le coefficient -6 du produit croisé xy est la somme des éléments non diagonaux -3 et -3 de A (ou encore, deux fois l'élément non diagonal -3, puisque A est symétrique).

(b) B étant une matrice 3×3, il y a trois inconnues x, y et z, ou x_1, x_2 et x_3. Alors :

$$q(x,y,z) = 4x^2 - 10xy - 6y^2 + 14xz + 16yz - 9z^2 \quad \text{ou}$$
$$q(x_1,x_2,x_3) = 4x_1^2 - 10x_1x_2 - 6x_2^2 + 14x_1x_3 + 16x_2x_3 - 9x_3^2$$

Les coefficients des termes carrés x^2, y^2 et z^2 (ou x_1^2, x_2^2 et x_3^2) sont respectivement les éléments diagonaux 4, -6 et -9 de B, et le coefficient du terme croisé $x_i x_j$ est la somme des éléments non diagonaux b_{ij} et b_{ji} de B (ou encore, deux fois l'élément non diagonal b_{ij}, puisque $b_{ij} = b_{ji}$).

(c) La matrice C étant de dimension 4, il y a quatre inconnues, d'où :

$$q(x_1,x_2,x_3,x_4) = 2x_1^2 - 7x_2^2 + 3x_3^2 + x_4^2 + 8x_1x_2 - 2x_1x_3$$
$$+ 10x_1x_4 - 12x_2x_3 + 16x_2x_4 + 18x_3x_4$$

12.8 Soit $A = \begin{pmatrix} 1 & -3 & 2 \\ -3 & 7 & -5 \\ 2 & -5 & 8 \end{pmatrix}$. En utilisant l'algorithme 12.1, déterminer une matrice régulière P telle que $D = P^T AP$ soit diagonale, et trouver la signature $\operatorname{sig} A$ de A.

Solution : construisons la matrice $M = (A, I)$:

$$M = (A, I) = \left(\begin{array}{ccc|ccc} 1 & -3 & 2 & 1 & 0 & 0 \\ -3 & 7 & -5 & 0 & 1 & 0 \\ 2 & -5 & 8 & 0 & 0 & 1 \end{array}\right)$$

En utilisant a_{11} comme pivot, appliquons les opérations $3R_1 + R_2 \to R_2$, $-2R_1 + R_3 \to R_3$, puis $3C_1 + C_2 \to C_2$, $-2C_1 + C_3 \to C_3$:

$$\left(\begin{array}{ccc|ccc} 1 & -3 & 2 & 1 & 0 & 0 \\ 0 & -2 & 1 & 3 & 1 & 0 \\ 0 & 1 & 4 & -2 & 0 & 1 \end{array}\right) \quad \text{puis} \quad \left(\begin{array}{ccc|ccc} 1 & 0 & 0 & 1 & 0 & 0 \\ 0 & -2 & 1 & 3 & 1 & 0 \\ 0 & 1 & 4 & -2 & 0 & 1 \end{array}\right)$$

Appliquons $R_2 + 2R_3 \to R_3$ puis $C_2 + 2C_3 \to C_3$:

$$\left(\begin{array}{ccc|ccc} 1 & 0 & 0 & 1 & 0 & 0 \\ 0 & -2 & 1 & 3 & 1 & 0 \\ 0 & 0 & 9 & -1 & 1 & 2 \end{array}\right) \quad \text{puis} \quad \left(\begin{array}{ccc|ccc} 1 & 0 & 0 & 1 & 0 & 0 \\ 0 & -2 & 0 & 3 & 1 & 0 \\ 0 & 0 & 18 & -1 & 1 & 2 \end{array}\right)$$

A est à présent diagonalisée ; extrayons la moitié droite de M, puis transposons-la :

$$P = \begin{pmatrix} 1 & 3 & -1 \\ 0 & 1 & 1 \\ 0 & 0 & 2 \end{pmatrix} \quad \text{d'où} \quad D = P^T AP = \begin{pmatrix} 1 & 0 & 0 \\ 0 & -2 & 0 \\ 0 & 0 & 18 \end{pmatrix}$$

On remarque que D a $\mathbf{p} = 2$ éléments positifs et $\mathbf{n} = 1$ élément négatif ; par conséquent la signature de A est $\operatorname{sig} A = \mathbf{p} - \mathbf{n} = 2 - 1 = 1$.

12.9 Justifier l'algorithme 12.1, qui diagonalise par congruence une matrice A symétrique.

Solution : considérons la matrice par blocs $M = (A, I)$. L'algorithme applique une suite d'opérations élémentaires de ligne, puis les opérations de colonne correspondantes, à la moitié gauche de M, autrement dit la matrice A. Cette suite d'opérations est équivalente à prémultiplier A par une suite de matrices élémentaires, soit $E_1, E_2, \ldots, E_r$, puis à postmultiplier A par les transposées des E_i. À la fin, la matrice diagonale, partie gauche de M, est égale à :

$$D = E_r \ldots E_2 E_1 A E_1^T E_2^T \ldots E_r^T = QAQ^T, \quad \text{où} \quad Q = E_r \ldots E_2 E_1$$

Mais l'algorithme n'applique que les opérations élémentaires de ligne à la matrice unité à la droite de M. À la fin, la matrice à droite de M est égale à :

$$E_r \ldots E_2 E_1 I = E_r \ldots E_2 E_1 = Q$$

En posant $P = Q^T$, on obtient $D = P^T AP$, qui représente une diagonalisation congruente de la matrice A.

12.10 Démontrer le théorème 12.4 : *soit f une forme bilinéaire symétrique sur V. Il existe alors une base de V sur laquelle f est représentée par une matrice diagonale.*

Solution : l'algorithme 12.1montre que toute matrice symétrique sur $\mathbb{K}$ est congruente[1] à une matrice diagonale, ce qui est équivalent à affirmer l'existence d'une représentation diagonale pour f.

12.11 Soit q la forme quadratique associée à la forme bilinéaire symétrique f. Vérifier l'identité donnant la forme polaire de f : $f(u, v) = \frac{1}{2}\big(q(u+v) - q(u) - q(v)\big)$. (On suppose que $1 + 1 \neq 0$.)

Solution : on peut écrire :

$$\begin{aligned} q(u+v) - q(u) - q(v) &= f(u+v,\ u+v) - f(u,\ u) - f(v,\ v) \\ &= f(u,\ u) + f(u,\ v) + f(v,\ u) + f(v,\ v) - f(u,\ u) - f(v,\ v) = 2f(u,\ v) \end{aligned}$$

Si $1 + 1 \neq 0$, on peut diviser par deux pour obtenir l'identité recherchée.

12.12 Soit la forme quadratique $q(x, y) = 3x^2 + 2xy - y^2$ et le changement de variables linéaire :

$$x = s - 3t, \quad y = 2s + t$$

(a) Écrire $q(x, y)$ en notation matricielle, et en déduire la matrice A représentant q ;
(b) écrire le changement de variables en notation matricielle, et en déduire la matrice P du changement de base correspondant ;
(c) trouver $q(s, t)$ par substitution directe ;
(d) trouver $q(s, t)$ par calcul matriciel.

Solution :

(a) On peut écrire $q(x, y) = (x, y)\begin{pmatrix} 3 & 1 \\ 1 & -1 \end{pmatrix}\begin{pmatrix} x \\ y \end{pmatrix}$. Par conséquent $A = \begin{pmatrix} 3 & 1 \\ 1 & -1 \end{pmatrix}$, et $q(x, y) = X^T A X$, où $X = (x, y)^T$.

(b) On a $\begin{pmatrix} x \\ y \end{pmatrix} = \begin{pmatrix} 1 & -3 \\ 2 & 1 \end{pmatrix}\begin{pmatrix} s \\ t \end{pmatrix}$. Par conséquent $P = \begin{pmatrix} 1 & -3 \\ 2 & 1 \end{pmatrix}$; avec $X = \begin{pmatrix} x \\ y \end{pmatrix}$ et $Y = \begin{pmatrix} s \\ t \end{pmatrix}$, on peut écrire $X = PY$.

(c) En remplaçant directement x et y par leur expression en fonction de s et t dans q, on obtient :

$$\begin{aligned} q(s, t) &= 3(s - 3t)^2 + 2(s - 3t)(2s + t) - (2s + t)^2 \\ &= 3(s^2 - 6st + 9t^2) + 2(2s^2 - 5st - 3t^2) - (4s^2 + 4st + t^2) = 3s^2 - 32st + 20t^2 \end{aligned}$$

(d) On a $q(X) = X^T A X$ et $X = PY$, d'où $X^T = Y^T P^T$; par conséquent :

$$\begin{aligned} q(s, t) = q(Y) = Y^T P^T A P Y &= (s, t)\begin{pmatrix} 1 & 2 \\ -3 & 1 \end{pmatrix}\begin{pmatrix} 3 & 1 \\ 1 & -1 \end{pmatrix}\begin{pmatrix} 1 & -3 \\ 2 & 1 \end{pmatrix}\begin{pmatrix} s \\ t \end{pmatrix} \\ &= (s, t)\begin{pmatrix} 3 & -16 \\ -16 & 20 \end{pmatrix}\begin{pmatrix} s \\ t \end{pmatrix} = 3s^2 - 32st + 20t^2 \end{aligned}$$

Le résultat est bien sûr le même.

---

1. Attention , l'hypothèse $1 + 1 \neq 0$ est nécessaire ici.

12.13 Soit une matrice diagonale $A = \mathrm{diag}(a_1, \dots, a_n)$ quelconque sur $\mathbb{K}$. Montrer que, quels que soient les scalaires non nuls $k_1, \dots, k_n \in \mathbb{K}$, la matrice A est congruente à une matrice diagonale D d'éléments $a_1k_1^2, \dots, a_nk_n^2$. Montrer de plus que :

(a) si $\mathbb{K} = \mathbb{C}$, on peut choisir une matrice D dont tous les éléments valent 0 ou 1 ;

(b) si $\mathbb{K} = \mathbb{R}$, on peut choisir une matrice D dont tous les éléments valent 0, -1 ou 1.

Solution : posons $P = \mathrm{diag}(k_1, \dots, k_n)$; alors :

$$D = P^TAP = \mathrm{diag}(k_i)\,\mathrm{diag}(a_i)\,\mathrm{diag}(k_i) = \mathrm{diag}(ak_1^2, \dots, ak_n^2)$$

(a) Posons $P = \mathrm{diag}(b_i)$, où $b_i = \begin{cases} 1/\sqrt{a_i} & \text{si} \quad a_i \neq 0 \\ 1 & \text{si} \quad a_i = 0 \end{cases}$

Les éléments de P^TAP valent 0 ou 1.

(b) Posons $P = \mathrm{diag}(b_i)$, où $b_i = \begin{cases} 1/\sqrt{|a_i|} & \text{si} \quad a_i \neq 0 \\ 1 & \text{si} \quad a_i = 0 \end{cases}$

Les éléments de P^TAP valent -1, 0 ou 1.

Remarque : attention, (b) n'est pas vrai pour la *congruence hermitienne* (voir problème 12.46).

12.14 Démontrer le théorème 12.5 : *soit f une forme bilinéaire symétrique sur un espace vectoriel réel V. Il existe alors une base de V sur laquelle f est représentée par une matrice diagonale. Toute autre représentation diagonale de f possède le même nombre* **p** *d'éléments positifs et le même nombre* **n** *d'éléments négatifs.*

Solution : d'après le théorème 12.4, il existe une base $\{u_1, \dots, u_n\}$ de V sur laquelle f est représentée par une matrice diagonale ; désignons par **p** le nombre d'éléments positifs, et par **n** le nombre d'éléments négatifs. Soit une autre base $\{w_1, \dots, w_n\}$ de V, où f est représentée par une matrice diagonale D' à $\mathbf{p}'$ éléments positifs et $\mathbf{n}'$ éléments négatifs. On peut supposer sans nuire à la généralité que les éléments positifs apparaissent en premier. Puisque $\mathrm{rang} f = \mathbf{p} + \mathbf{n} = \mathbf{p}' + \mathbf{n}'$, il suffit de montrer que $\mathbf{p} = \mathbf{p}'$.

Soit U le sous-espace engendré par $\{u_1, \dots, u_{\mathbf{p}}\}$, et soit W le sous-espace engendré par $\{w_{\mathbf{p}'}, \dots, w_n\}$. Alors, pour tout vecteur v non nul de U, $f(v, v) > 0$, et pour tout vecteur v non nul de $W, f(v, v) \leq 0$; par conséquent, $U \cap W = \{0\}$. De plus, $\dim U = \mathbf{p}$ et $\dim W = n - \mathbf{p}'$, d'où :

$$\dim(U + W) = \dim U + \dim W - \dim(U \cap W) = \mathbf{p} + (n - \mathbf{p}') - 0 = \mathbf{p} - \mathbf{p}' + n$$

Or $\dim(U + W) \leq \dim V = n$, d'où $\mathbf{p} - \mathbf{p}' + n \leq n$ ou $\mathbf{p} \leq \mathbf{p}'$. On montre de même que $\mathbf{p}' \leq \mathbf{p}$ et par conséquent $\mathbf{p} = \mathbf{p}'$.

Remarque : le théorème et sa démonstration dépendent de la notion de « positivité ». Il est donc vrai sur $\mathbb{R}$ et tout sous-corps de $\mathbb{R}$, tel que l'ensemble $\mathbb{Q}$ des nombres rationnels.

FORMES QUADRATIQUES RÉELLES DÉFINIES POSITIVES

12.15 Démontrer l'équivalence des deux définitions suivantes. Une forme quadratique q est définie positive si et seulement si :

(a) les éléments de toute représentation diagonale de q sont tous positifs ;

(b) $\forall Y \in \mathbb{R}^n$, $Y \neq 0$, $q(Y) > 0$.

Solution : posons $q(Y) = a_1y_1^2 + a_2y_2^2 + \cdots + a_ny_n^2$. Si tous les coefficients sont positifs, alors $q(Y) > 0$ et (a) entraîne (b). Inversement, supposons que (a) soit faux ; il existe donc un certain élément $a_k \leq 0$. Soit e_k le vecteur dont toutes les composantes sont nulles sauf la k-ème qui vaut 1, soit $e_k = (0, \ldots, 1, \ldots, 0)$. Alors $q(e_k) = a_k$ n'est pas positif, et (b) est également faux : (b) entraîne (a), et les deux propriétés sont équivalentes.

12.16 Les formes quadratiques suivantes sont-elles définies positives ?

(a) $q(x, y, z) = x^2 + 2y^2 - 4xz - 4yz + 7z^2$;

(b) $q(x, y, z) = x^2 + y^2 + 2xz + 4yz + 3z^2$.

Solution : effectuons une diagonalisation congruente de la matrice A correspondant à q :

(a) Appliquons les opérations $2R_1 + R_3 \to R_3$ et $2C_1 + C_3 \to C_3$, puis $R_2 + R_3 \to R_3$ et $C_2 + C_3 \to C_3$:

$$A = \begin{pmatrix} 1 & 0 & -2 \\ 0 & 2 & -2 \\ -2 & -2 & 7 \end{pmatrix} \simeq \begin{pmatrix} 1 & 0 & 0 \\ 0 & 2 & -2 \\ 0 & -2 & 3 \end{pmatrix} \simeq \begin{pmatrix} 1 & 0 & 0 \\ 0 & 2 & 0 \\ 0 & 0 & 1 \end{pmatrix}$$

Tous les éléments de la représentation diagonale de q sont positifs : q est définie positive.

(b) Appliquons les opérations $R_1 + R_3 \to R_3$ et $C_1 + C_3 \to C_3$, puis $-2R_2 + R_3 \to R_3$ et $-2C_2 + C_3 \to C_3$:

$$A = \begin{pmatrix} 1 & 0 & 1 \\ 0 & 1 & 2 \\ 1 & 2 & 3 \end{pmatrix} \simeq \begin{pmatrix} 1 & 0 & 0 \\ 0 & 1 & 2 \\ 0 & 2 & 2 \end{pmatrix} \simeq \begin{pmatrix} 1 & 0 & 0 \\ 0 & 1 & 0 \\ 0 & 0 & -2 \end{pmatrix}$$

On trouve un élément négatif dans la représentation diagonale de A : q n'est pas définie positive.

12.17 Montrer que $q(x, y) = ax^2 + bxy + cy^2$ est définie positive si et seulement si $a > 0$ et si le discriminant $D = b^2 - 4ac < 0$.

Solution : soit un vecteur $v = (x, y) \neq 0$: au moins l'une des deux composantes est non nulle, soit par exemple $y \neq 0$. Posons $t = x/y$:

$$q(v) = y^2 \left(a \left(\frac{x}{y} \right)^2 + b \left(\frac{x}{y} \right) + c \right) = y^2(at^2 + bt + c)$$

Les trois énoncés suivants sont équivalents :

(a) le trinôme $s = at^2 + bt + c$ est positif pour tout t ;

(b) la parabole $s = at^2 + bt + c$ est entièrement située au-dessus de l'axe t ;

(c) $a > 0$ et $D = b^2 - 4ac < 0$.

La forme quadratique q est donc définie positive si et seulement si $a > 0$ et $D < 0$. On peut remarquer que $D < 0$ est identique à $\det A > 0$, où A est la matrice symétrique correspondant à q.

12.18 Les formes quadratiques suivantes sont-elles définies positives ?

(a) $q(x, y) = x^2 - 4xy + 7y^2$;

(b) $q(x, y) = x^2 + 8xy + 5y^2$;

(c) $q(x, y) = 3x^2 + 2xy + y^2$.

Solution : on calcule le discriminant $D = b^2 - 4ac$, et on utilise les résultats du problème 12.17 :

(a) $D = 16 - 28 = -12$; puisque $a = 1 > 0$ et $D < 0$, q est définie positive.

(b) $D = 64 - 20 = 44$; D étant positif, q n'est pas définie positive.

(c) $D = 4 - 12 = -8$; puisque $a = 3 > 0$ et $D < 0$, q est définie positive.

FORMES HERMITIENNES

12.19 Dire si les matrices suivantes sont hermitiennes :

(a) $\begin{pmatrix} 2 & 2+3i & 4-5i \\ 2-3i & 5 & 6+2i \\ 4+5i & 6-2i & -7 \end{pmatrix}$; (b) $\begin{pmatrix} 3 & 2-i & 4+i \\ 2-i & 6 & i \\ 4+i & i & 7 \end{pmatrix}$; (c) $\begin{pmatrix} 4 & -3 & 5 \\ -3 & 2 & 1 \\ 5 & 1 & -6 \end{pmatrix}$.

Solution : on rappelle qu'une matrice $A = (a_{ij})$ est hermitienne si $A^H = A$, autrement dit si $a_{ij} = \overline{a_{ji}}$:

(a) oui, la matrice est égale à la complexe conjuguée de sa transposée ;

(b) non, la matrice est seulement symétrique ;

(c) oui ; de façon générale, une matrice réelle est hermitienne si et seulement si elle est symétrique.

12.20 Soit A une matrice hermitienne. Montrer qu'une forme bilinéaire f définie par $f(X, Y) = X^T A\overline{Y}$ est hermitienne sur $\mathbb{C}^n$.

Solution : $\forall a, b \in \mathbb{C}, \forall X_1, X_2, Y \in \mathbb{C}^n$:

$$\begin{aligned} f(aX_1 + bX_2,\ Y) &= (aX_1 + bX_2)^T A\overline{Y} \\ &= (aX_1^T + bX_2^T)A\overline{Y} \\ &= aX_1^T A\overline{Y} + bX_2^T A\overline{Y} \\ &= af(X_1,\ Y) + b(X_2,\ Y) \end{aligned}$$

ce qui prouve que f est linéaire par rapport à la première variable. On a aussi :

$$\overline{f(X,\ Y)} = \overline{X^T A\overline{Y}} = \overline{(X^T A\overline{Y})^T} = \overline{\overline{Y}}^T A^T X = Y^T A^H \overline{X} = f(Y,\ X)$$

et donc f est une forme hermitienne sur $\mathbb{C}^n$. On remarque qu'au cours de la démonstration, on a utilisé le fait que la quantité $X^T A\overline{Y}$ était égale à sa transposée, ce qui est toujours vrai pour un scalaire.

12.21 Soit f une forme hermitienne sur V, et soit M la matrice de f sur la base $S = \{u_i\}$ de V. Démontrer les propositions suivantes :

(a) $\forall u, v \in V, f(u, v) = [u]_S^T M\overline{[v]_S}$;

(b) Si P est la matrice de changement de base de S à une nouvelle base S' de V, alors $B = P^T M\bar{P}$ (ou $B = Q^H MQ$, où $Q = \bar{P}$), est la matrice de f sur la nouvelle base S'.

Solution : on remarque que (b) est l'analogue complexe du théorème 12.2.

(a) Soient u et $v \in V$; posons $u = a_1u_1 + \cdots + a_nu_n$ et $v = b_1u_1 + \cdots + b_nu_n$. Alors :

$$\begin{aligned} f(u, v) &= f(a_1u_1 + \cdots + a_nu_n,\ b_1u_1 + \cdots + b_nu_n) \\ &= \sum_{i,j} a_i\overline{b_j} f(u_i, u_j) = (a_1, \ldots, a_n)M(\overline{b_1}, \ldots, \overline{b_n})^T = [u]_S^T M\overline{[v]_S} \end{aligned}$$

(b) P étant la matrice de changement de base $S \to S'$, on a $P[u]_{S'} = [u]_S$ et $P[v]_{S'} = [v]_S$, d'où $\overline{[v]_S} = \bar{P}\,\overline{[v]_{S'}}$. D'après (a) :

$$f(u, v) = [u]_S^T M\overline{[v]_S} = [u]_{S'}^T P^T M \bar{P}\,\overline{[v]_{S'}}$$

Puisque u et v sont arbitraires, $P^T M\bar{P}$ est la matrice de f sur la nouvelle base S'.

12.22 On considère la matrice hermitienne $H = \begin{pmatrix} 1 & 1+i & 2i \\ -2i & 4 & 2-3i \\ -2i & 2+3i & 7 \end{pmatrix}$. Trouver une matrice régulière P telle que $D = P^T H\bar{P}$ soit diagonale, puis déterminer la signature de H.

Solution : nous utilisons ici l'algorithme 12.1, adapté au cas complexe de la manière suivante : les opérations élémentaires sur les lignes sont appliquées de façon identique, mais aux opérations correspondantes sur les colonnes on ajoute le passage au complexe conjugué. Construisons la matrice $M = (H, I)$:

$$M = \left(\begin{array}{ccc|ccc} 1 & 1+i & 2i & 1 & 0 & 0 \\ -2i & 4 & 2-3i & 0 & 1 & 0 \\ -2i & 2+3i & 7 & 0 & 0 & 1 \end{array}\right)$$

Appliquons $(-1+i)R_1 + R_2 \to R_2$ et $2iR_1 + R_3 \to R_3$, puis $(-1-i)C_1 + C_2 \to C_2$ et $-2iC_1 + C_3 \to C_3$:

$$\left(\begin{array}{ccc|ccc} 1 & 1+i & 2i & 1 & 0 & 0 \\ 0 & 2 & -5i & -1+i & 1 & 0 \\ 0 & 5i & 3 & 2i & 0 & 1 \end{array}\right) \quad \text{puis} \quad \left(\begin{array}{ccc|ccc} 1 & 0 & 0 & 1 & 0 & 0 \\ 0 & 2 & -5i & -1+i & 1 & 0 \\ 0 & 5i & 3 & 2i & 0 & 1 \end{array}\right)$$

Appliquons ensuite $-5iR_2 + 2R_3 \to R_3$ puis $5iC_2 + 2C_3 \to C_3$:

$$\left(\begin{array}{ccc|ccc} 1 & 0 & 0 & 1 & 0 & 0 \\ 0 & 2 & -5i & -1+i & 1 & 0 \\ 0 & 0 & -19 & 5+9i & -5i & 2 \end{array}\right) \quad \text{puis} \quad \left(\begin{array}{ccc|ccc} 1 & 0 & 0 & 1 & 0 & 0 \\ 0 & 2 & 0 & -1+i & 1 & 0 \\ 0 & 0 & -38 & 5+9i & -5i & 2 \end{array}\right)$$

La matrice H est diagonalisée, et la matrice P est la transposée de la moitié droite de M :

$$P = \begin{pmatrix} 1 & -1+i & 5+9i \\ 0 & 1 & -5i \\ 0 & 0 & 2 \end{pmatrix} \quad \text{et donc} \quad D = P^T H\bar{P} = \begin{pmatrix} 1 & 0 & 0 \\ 0 & 2 & 0 \\ 0 & 0 & -38 \end{pmatrix}$$

On voit que D a $\mathbf{p} = 2$ éléments positifs et $\mathbf{n} = 1$ élément négatif, d'où $\operatorname{sig} H = 2 - 1 = 1$.

PROBLÈMES DIVERS

12.23 Démontrer le théorème 12.3 : *soit f une forme bilinéaire alternée sur V. Il existe alors une base S sur laquelle f est représentée par une matrice M, diagonale par blocs, dont les blocs sont de la forme* $\begin{pmatrix} 0 & 1 \\ -1 & 0 \end{pmatrix}$ *ou* (0). *De plus, le nombre de blocs non nuls est déterminé de façon unique par f : il est égal à* $\frac{1}{2}$ rang$f$.

Solution : si $f = 0$, le théorème est évidemment vrai. De même, si $\dim V = 1$, alors $f(k_1u, k_2u) = k_1k_2f(u, u) = 0$ et par conséquent $f = 0$. Nous supposons donc dans la suite que $\dim V > 1$ et $f \neq 0$.

Puisque $f \neq 0$, il existe deux vecteurs non nuls u_1 et $u_2 \in V$ tels que $f(u_1, u_2) \neq 0$. En multipliant u_1 par un facteur approprié, on peut toujours supposer que $f(u_1, u_2) = 1$, et par conséquent $f(u_2, u_1) = -1$. Il en résulte que u_1 et u_2 sont linéairement indépendants, puisque si $u_2 = ku_1$, alors $f(u_1, u_2) = f(u_1, ku_1) = kf(u_1, u_1) = 0$. Posons dans ces conditions $U = \text{Vect}(u_1, u_2)$. Alors :

(a) la représentation matricielle de la restriction de f à U sur la base $\{u_1, u_2\}$ est de la forme $\begin{pmatrix} 0 & 1 \\ -1 & 0 \end{pmatrix}$;

(b) si $u \in U$, soit $u = au_1 + bu_2$, alors :

$$f(u, u_1) = f(au_1 + bu_2, u_1) = -b \quad \text{et} \quad f(u, u_2) = f(au_1 + bu_2, u_2) = a$$

Soit W le sous-espace des vecteurs $w \in V$ tels que $f(w, u_1) = 0$ et $f(w, u_2) = 0$. Il s'écrit :

$$W = \{w \in V \mid \forall u \in U, f(w, u) = 0\}$$

Nous allons montrer que $V = U \oplus W$. Il est clair que $U \cap W = \{0\}$, et il ne reste à montrer que $V = U + W$. Si $v \in V$, posons :

$$u = f(v, u_2)u_1 - f(v, u_1)u_2 \quad \text{et} \quad w = v - u \tag{12.3}$$

puisque $u \in U$ est combinaison linéaire de u_1 et de u_2. Montrons que $w \in W$; d'après (12.3) et (b), $f(u, u_1) = f(v, u_1)$, d'où :

$$f(w, u_1) = f(v - u, u_1) = f(v, u_1) - f(u, u_1) = 0$$

De même, $f(u, u_2) = f(v, u_2)$, d'où :

$$f(w, u_2) = f(v - u, u_2) = f(v, u_2) - f(u, u_2) = 0$$

On en déduit que $w \in W$; d'après (12.3), $v = u + w$, où $u \in U$, ce qui établit que $V = U + W$ et donc $V = U \oplus W$.

La restriction de f à W est une forme bilinéaire alternée. Par récurrence, on peut trouver une base $u_3, \ldots, u_n$ de W sur laquelle la restriction de f à W a la forme souhaitée. En définitive, $u_1, u_2, u_3, \ldots, u_n$ est une base de V sur laquelle la matrice de f a la forme indiquée par le théorème.

? EXERCICES SUPPLÉMENTAIRES

FORMES BILINÉAIRES

12.24 On pose $u = (x_1, x_2)$ et $v = (y_1, y_2)$. Parmi les expressions ci-dessous, indiquer celles qui définissent des formes bilinéaires sur $\mathbb{R}^2$:

(a) $f(u, v) = 2x_1y_2 - 3x_2y_1$; (c) $f(u, v) = 3x_2y_2$; (e) $f(u, v) = 1$;
(b) $f(u, v) = x_1 + y_2$; (d) $f(u, v) = x_1x_2 + y_1y_2$; (f) $f(u, v) = 0$.

12.25 Soit f la forme bilinéaire définie sur $\mathbb{R}^2$ par :

$$f\big((x_1\, x_2),\ (y_1, y_2)\big) = 3x_1y_1 - 2x_1y_2 + 4x_2y_1 - x_2y_2$$

(a) Trouver la matrice A de f sur la base $\{u_1 = (1, 1),\ u_2 = (1, 2)\}$.
(b) Trouver la matrice B de f sur la base $\{v_1 = (1, -1),\ v_2 = (3, 1)\}$.
(c) Trouver la matrice de changement de base P de $\{u_i\}$ à $\{v_i\}$, et vérifier que $B = P^TAP$.

12.26 Soit V l'espace vectoriel des matrices 2×2 sur $\mathbb{R}$. On pose $M = \begin{pmatrix} 1 & 2 \\ 3 & 5 \end{pmatrix}$, et on définit f par $f(A, B) = \mathrm{tr}(A^TMB)$, où A et $B \in V$.

(a) Montrer que f est une forme bilinéaire sur V ;
(b) Déterminer la matrice de f sur la base $\left\{\begin{pmatrix} 1 & 0 \\ 0 & 0 \end{pmatrix}, \begin{pmatrix} 0 & 1 \\ 0 & 0 \end{pmatrix}, \begin{pmatrix} 0 & 0 \\ 1 & 0 \end{pmatrix}, \begin{pmatrix} 0 & 0 \\ 0 & 1 \end{pmatrix}\right\}$

12.27 Soit $B(V)$ l'ensemble des formes bilinéaires définies sur V, espace vectoriel sur $\mathbb{K}$. Démontrer les propositions suivantes :

(a) $f, g \in B(V) \Rightarrow \forall k \in \mathbb{K}, f + g$ et $kf \in B(V)$;
(b) si ϕ et σ sont des formes linéaires sur V, alors $f(u, v) = \phi(u)\sigma(v) \in B(V)$.

12.28 Soit $[f]$ la représentation matricielle d'une forme bilinéaire f sur une base $\{u_i\}$ de V. Montrer que l'application $f \mapsto [f]$ établit un isomorphisme entre $B(V)$ et l'espace vectoriel des matrices carrées $n \times n$.

12.29 Soit f une forme bilinéaire sur V. Pour tout sous-ensemble S de V, on pose :

$$S^{\perp} = \{v \in V \mid \forall u \in S,\ f(u, v) = 0\} \quad \text{et} \quad S^{\top} = \{v \in V \mid \forall u \in S,\ f(v, u) = 0\}$$

Montrer que :

(a) $S^{\perp}$ et $S^{\top}$ sont des sous-espaces de V ;
(b) $S_1 \subseteq S_2 \Rightarrow S_2^{\perp} \subseteq S_1^{\perp}$ et $S_2^{\top} \subseteq S_1^{\top}$;
(c) $\{0\}^{\perp} = \{0\}^{\top} = V$.

12.30 Soit f une forme bilinéaire sur V. Démontrer que $\mathrm{rang} f = \dim V - \dim V^{\perp} = \dim V - \dim V^{\top}$, et par conséquent $\dim V^{\perp} = \dim V^{\top}$.

12.31 Soit f une forme bilinéaire sur V. Pour tout vecteur $u \in V$, on définit $\hat{u} : V \to \mathbb{K}$ par $\hat{u}(x) = f(x, u)$ et $\tilde{u} : V \to \mathbb{K}$ par $\tilde{u}(x) = f(u, x)$. Démontrer les propositions suivantes :

(a) $\hat{u}$ et $\tilde{u}$ sont linéaires, et par conséquent $\hat{u}$ et $\tilde{u} \in V^*$;

(b) $u \mapsto \hat{u}$ et $u \mapsto \tilde{u}$ sont des applications linéaires de V dans V^* ;

(c) $\operatorname{rang} f = \operatorname{rang}(u \mapsto \hat{u}) = \operatorname{rang}(u \mapsto \tilde{u})$.

12.32 Montrer que la congruence des matrices (notée $\simeq$) est une relation d'équivalence :

(a) $A \simeq A$;

(b) $A \simeq B \Rightarrow B \simeq A$;

(c) $A \simeq B$ et $B \simeq C \Rightarrow A \simeq C$.

FORMES BILINÉAIRES SYMÉTRIQUES, FORMES QUADRATIQUES

12.33 Déterminer la matrice symétrique correspondant à chacune des formes quadratiques suivantes :

(a) $q(x, y, z) = 2x^2 - 8xy + y^2 - 16xz + 14yz + 5z^2$;

(b) $q(x, y, z) = x^2 - xz + y^2$;

(c) $q(x, y, z) = xy + y^2 + 4xz + z^2$;

(d) $q(x, y, z) = xy + yz$.

12.34 Pour chacune des matrices symétriques A suivantes, déterminer une matrice régulière P telle que $D = P^T AP$ soit diagonale :

(a) $A = \begin{pmatrix} 1 & 0 & 2 \\ 0 & 3 & 6 \\ 2 & 6 & 7 \end{pmatrix}$; (b) $A = \begin{pmatrix} 1 & -2 & 1 \\ -2 & 5 & 3 \\ 1 & 3 & -2 \end{pmatrix}$; (c) $A = \begin{pmatrix} 1 & -1 & 0 & 2 \\ -1 & 2 & 1 & 0 \\ 0 & 1 & 1 & 2 \\ 2 & 0 & 2 & -1 \end{pmatrix}$.

12.35 Soit $q(x, y) = 2x^2 - 6xy - 3y^2$ et le changement de variables $x = s + 2t$, $y = 3s - t$.

(a) Écrire $q(x, y)$ en notation matricielle, et exprimer la matrice A correspondante ;

(b) écrire le changement de variables en notation matricielle, et exprimer la matrice P de changement de base ;

(c) déterminer $q(s, t)$ par substitution directe, puis par le calcul matriciel.

12.36 Pour chacune des formes quadratiques $q(x, y, z)$ suivantes, déterminer une transformation linéaire exprimant les variables x, y et z en fonction de nouvelles variables r, s et t, de sorte que $q(r, s, t)$ soit diagonale.

(a) $q(x, y, z) = x^2 + 6xy + 8y^2 - 4xz + 2yz - 9z^2$;

(b) $q(x, y, z) = 2x^2 - 3xy + 8xz + 12yz + 25z^2$;

(c) $q(x, y, z) = x^2 + 2xy + 3y^2 + 4xz + 8yz + 6z^2$.

Trouver la signature et le rang de chacune d'elles.

12.37 Donner un exemple de forme quadratique $q(x, y)$ telle que $q(u) = 0$, $q(v) = 0$, mais $q(u+v) \neq 0$.

12.38 Soit $S(V)$ l'ensemble des formes bilinéaires symétriques sur V. Montrer que :

(a) $S(V)$ est un sous-espace de $B(V)$;

(b) si $\dim V = n$, alors $\dim S(V) = \dfrac{1}{2}n(n + 1)$.

12.39 Considérons un polynôme quadratique réel $q(x_1, \ldots, x_n) = \sum_{i,j=1}^{n} a_{ij}x_iy_j$, avec $a_{ij} = a_{ji}$.

(a) Si $a_{11} \neq 0$, montrer que la substitution :

$$x_1 = y_1 - \frac{1}{a_{11}}(a_{12}y_2 + \cdots + a_{1n}y_n), \quad x_2 = y_2, \quad \ldots, \quad x_n = y_n$$

aboutit à l'expression $q(x_1, \ldots, x_n) = a_{11}y_1^2 + q'(y_2, \ldots, y_n)$, où q' est un polynôme quadratique.

(b) Si $a_{11} = 0$, mais si par exemple $a_{12} \neq 0$, montrer que la substitution :

$$x_1 = y_1 + y_2, \quad x_2 = y_1 - y_2, \quad x_3 = y_3, \quad \ldots, \quad x_n = y_n$$

aboutit à $q(x_1, \ldots, x_n) = \sum b_{ij}y_iy_j$, où $b_{11} \neq 0$, qui permet de se ramener au cas précédent. Cette méthode de diagonalisation est appelée « méthode par complétion des carrés ».

FORMES QUADRATIQUES DÉFINIES POSITIVES

12.40 Les formes quadratiques suivantes sont-elles définies positives ?

(a) $q(x, y) = 4x^2 + 5xy + 7y^2$;
(b) $q(x, y) = 2x^2 - 3xy - y^2$;
(c) $q(x, y, z) = x^2 + 4xy + 5y^2 + 6xz + 2yz + 4z^2$;
(d) $q(x, y, z) = x^2 + 2xy + 2y^2 + 4xz + 6yz + 7z^2$.

12.41 Déterminer les valeurs de k qui rendent les formes quadratiques suivantes définies positives :

(a) $q(x, y) = 2x^2 - 5xy + ky^2$;
(b) $q(x, y) = 3x^2 - kxy + 12y^2$;
(c) $q(x, y, z) = x^2 + 2xy + 2y^2 + 2xz + 6yz + kz^2$.

12.42 Soit A une matrice réelle symétrique définie positive. Montrer qu'il existe une matrice régulière P telle que $A = P^TP$.

FORMES HERMITIENNES

12.43 Comment modifier l'algorithme 12.1 pour que, étant donnée une matrice H hermitienne, on obtienne une matrice régulière P telle que $D = P^TA\bar{P}$ soit diagonale ?

12.44 Déterminer une matrice régulière P telle que $D = P^TA\bar{P}$ soit diagonale, pour les matrices A suivantes :

(a) $H = \begin{pmatrix} 1 & i \\ -i & 2 \end{pmatrix}$; (b) $H = \begin{pmatrix} 1 & 2+3i \\ 2-3i & -1 \end{pmatrix}$; (c) $H = \begin{pmatrix} 1 & i & 2+i \\ -i & 2 & 1-i \\ 2-i & 1+i & 2 \end{pmatrix}$.

Trouver le rang et la signature de chacune d'elles.

12.45 Soit A une matrice complexe régulière. Montrer que $M = A^HA$ est hermitienne et définie positive.

12.46 On dit qu'une matrice B est *congruente au sens hermitien* à une matrice A s'il existe une matrice régulière P telle que $B = P^T A\bar{P}$ ou, de façon équivalente, s'il existe une matrice régulière Q telle que $B = Q^H AQ$. Montrer que la congruence hermitienne est une relation d'équivalence. (*Remarque* : si $P = \overline{Q}$, $P^T A\bar{P} = Q^H AQ$.)

12.47 Démontrer le théorème 12.7 : *soit f une forme hermitienne sur un espace vectoriel complexe V. Il existe alors une base de V sur laquelle f est représentée par une matrice diagonale. Toute autre représentation diagonale a le même nombre* **p** *d'éléments positifs, et le même nombre* **n** *d'éléments négatifs.*

PROBLÈMES DIVERS

12.48 Soit e une opération élémentaire sur les lignes ; on désigne par f^* l'opération complexe conjuguée correspondante sur les colonnes (tout scalaire k dans e est remplacé par $\bar{k}$ dans f^*). Montrer que la matrice élémentaire correspondant à f^* est obtenue à partir de la matrice élémentaire correspondant à e par transposition et conjugaison complexe.

12.49 Soient V et W deux espaces vectoriels sur un corps $\mathbb{K}$. Une application $f : V \times W \to \mathbb{K}$ est appelée *forme bilinéaire* sur V et W si, $\forall a, b \in \mathbb{K}$, $v_i \in V$ et $w_j \in W$:

(i) $f(av_1 + bv_2, w) = af(v_1, w) + bf(v_2, w)$;

(ii) $f(v, aw_1 + bw_2) = af(v, w_1) + bf(v, w_2)$.

Montrer les deux propriétés suivantes :

(a) l'ensemble $B(V, W)$ des formes bilinéaires sur V et W est un sous-espace de l'espace vectoriel des fonctions de $V \times W$ dans $\mathbb{K}$;

(b) si $\{\phi_1, \ldots, \phi_m\}$ est une base de V^*, et si $\{\sigma_1, \ldots, \sigma_n\}$ est une base de W^*, alors $\{f_{ij} \mid i = 1, \ldots, m,\ j = 1, \ldots, n\}$, où $f_{ij}(v, w) = \phi_i(v)\sigma_j(w)$, est une base de $B(V, W)$. Il en résulte que $\dim B(V, W) = \dim V \cdot \dim W$.

Remarque : si $V = W$, on reconnaît l'espace $B(V)$ étudié dans ce chapitre.

12.50 Soit V un espace vectoriel sur $\mathbb{K}$. Une application $f : \overbrace{V \times V \times \cdots \times V}^{m \text{ facteurs}} \to \mathbb{K}$ est appelée *forme multilinéaire* d'ordre m sur V si elle est linéaire par rapport à chacune des variables, autrement dit si pour $i = 1, \ldots, m$:

$$f(\ldots, \widehat{au + bv}, \ldots) = af(\ldots, \hat{u}, \ldots) + bf(\ldots, \hat{v}, \ldots)$$

où $\hat{}$ indique le i-ème élément, les autres éléments restant inchangés. Une forme multilinéaire est dite *alternée* si $f(v_1, \ldots, v_m) = 0$ lorsque deux éléments sont égaux, soit $v_i = v_j$ pour $i \neq j$. Montrer que :

(a) l'ensemble $B_m(V)$ des formes multilinéaires d'ordre m est un sous-espace de l'espace vectoriel des fonctions de $V \times V \times \cdots \times V$ dans $\mathbb{K}$;

(b) l'ensemble $A_m(V)$ des formes multilinéaires alternées d'ordre m est un sous-espace de $B_m(V)$.

Remarques :

(a) si $m = 2$, on retrouve l'espace $B(V)$ étudié dans ce chapitre ;

(b) si $V = \mathbb{K}^m$, on reconnaît la fonction multilinéaire alternée *déterminant*.

SOLUTIONS

Notation : $M = [R_1;\ \ R_2;\ \ \ldots]$ désigne une matrice de lignes $R_1, R_2, \ldots$

12.24 (a) oui ; (b) non ; (c) oui ; (d) non ; (e) non ; (f) oui.

12.25 (a) $A = [4, 1;\ \ 7, 3]$; (b) $A = [0, -4;\ \ 20, 32]$; (c) $P = [3, 5;\ \ -2, 2]$.

12.26 (b) $[1, 0, 2, 0;\ \ 0, 1, 0, 2;\ \ 3, 0, 5, 0;\ \ 0, 3, 0, 5]$.

12.33 (a) $[2, -4, -8;\ \ -4, 1, 7;\ \ -8, 7, 5]$; (c) $\left[0, \frac{1}{2}, 2;\ \ \frac{1}{2}, 1, 0;\ \ 2, 0, 1\right]$;

(b) $\left[1, 0, -\frac{1}{2};\ \ 0, 1, 0;\ \ -\frac{1}{2}, 0, 0\right]$; (d) $\left[0, \frac{1}{2}, 0;\ \ \frac{1}{2}, 0, \frac{1}{2};\ \ 0, \frac{1}{2}, 0\right]$.

12.34 (a) $P = [1, 0, -2;\ \ 0, 1, -2;\ \ 0, 0, 1]$, $D = \mathrm{diag}(1, 3, -9)$;
(b) $P = [1, 2, -11;\ \ 0, 1, -5;\ \ 0, 0, 1]$, $D = \mathrm{diag}(1, 1, -28)$;
(c) $P = [1, 1, -1, -4;\ \ 0, 1, -1, -2;\ \ 0, 0, 1, 0;\ \ 0, 0, 0, 1]$, $D = \mathrm{diag}(1, 1, 0, -9)$.

12.35 $A = [2, -3;\ \ -3, -3]$, $P = [1, 2;\ \ 3, -1]$, $q(s, t) = -43s^2 - 4st + 17t^2$.

12.36 (a) $x = r - 3s - 19t$, $y = s + 7t$, $z = t$; $q(r, s, t) = r^2 - s^2 + 36t^2$.
(b) $x = r - 2t$, $y = s + 2t$, $z = t$; $q(r, s, t) = 2r^2 - 3s^2 + 29t^2$.

12.37 $q(x, y) = x^2 - y^2$, $u = (1, 1)$, $v = (1, -1)$.

12.40 (a) oui ; (b) non ; (c) non ; (d) oui.

12.41 (a) $k > \frac{25}{8}$; (b) $|k| > 12$; (c) $k > 5$.

12.44 (a) $P = [1, i;\ \ 0, 1]$, $D = I$, $s = 2$.
(b) $P = [1,\ -2 + 3i;\ \ 0, 1]$, $D = \mathrm{diag}(1,\ -14)$, $s = 0$.
(c) $P = [1, i, -3 + i;\ \ 0, 1, i;\ \ 0, 0, 1]$, $D = \mathrm{diag}(1, 1, -4)$, $s = 1$.

Chapitre 13

Opérateurs linéaires sur un espace euclidien

13.1 INTRODUCTION

Dans ce chapitre, nous étudions plus particulièrement l'espace $\mathcal{A}(V)$ des opérateurs linéaires sur un espace euclidien V (voir chapitre 7). Le corps de base est alors $\mathbb{R}$ ou $\mathbb{C}$, et une terminologie différente doit être utilisée selon le cas. Rappelons que le produit scalaire est défini, respectivement, sur l'espace euclidien réel $\mathbb{R}^n$ et sur l'espace euclidien complexe, ou espace hermitien, $\mathbb{C}^n$, par :

$$\langle u, v\rangle = u^T v \quad \text{ou} \quad \langle u, v\rangle = u^T \bar{v}$$

où u et v sont des vecteurs colonne.

Il est conseillé au lecteur de relire le chapitre 7 afin de maîtriser correctement les notions de norme, ou longueur, d'orthogonalité, et de base orthonormée. Au chapitre 7, l'accent était mis sur l'espace euclidien réel, alors qu'ici, c'est de l'espace hermitien général dont il s'agit. Sauf mention contraire, « euclidien » est dans ce chapitre synonyme d'« euclidien complexe », ou « hermitien ».

Précisons la notation : au chapitre 2, la notation A^H a été introduite pour désigner à la fois la transposée et la complexe conjuguée d'une matrice A, soit $A^H = \overline{A^T}$. Nous nous conformons ici, pour tout le chapitre, à une notation plus habituelle, notamment aux ouvrages avancés, qui consiste à écrire[1] $A^* = \overline{A^T}$.

13.2 OPÉRATEUR ADJOINT

◆ **Définition 13.1 :** L'adjoint, s'il existe, d'un opérateur linéaire T est l'opérateur T^* défini[2], $\forall u, v \in V$, par $\langle u, T^*(v)\rangle = \langle T(u), v\rangle$.

1. Attention, comme nous l'avons déjà dit au chapitre 2, à ne pas la confondre avec la notation courante en physique $A^* = \bar{A}$.

2. En physique, et plus particulièrement en mécanique quantique, l'adjoint d'un opérateur T est désigné sous le nom d'*hermitique conjugué*, et noté $T^\dagger$, l'opérateur « T croix ».

Dans le cadre des matrices, l'adjoint s'obtient aisément, comme le montre l'exemple suivant :

Exemple 13.1

(a) Soit A une matrice réelle carrée $n \times n$, considérée comme un opérateur linéaire sur $\mathbb{R}^n$. Alors, $\forall u, v \in \mathbb{R}^n$:

$$\langle Au, v\rangle = (Au)^T v = u^T A^T v = \langle u, A^T v\rangle$$

L'opérateur adjoint d'une matrice A réelle carrée $n \times n$ est la matrice transposée A^T.

(b) Soit B une matrice complexe carrée $n \times n$, considérée comme un opérateur linéaire sur $\mathbb{C}^n$. Alors, $\forall u, v \in \mathbb{C}^n$:

$$\langle Bu, v\rangle = (Bu)^T \bar{v} = u^T B^T \bar{v} = u^T \overline{B^*} \bar{v} = \langle u, B^* v\rangle$$

L'opérateur adjoint d'une matrice B complexe carrée $n \times n$ est la matrice transposée et complexe conjuguée B^*.

Remarque : la même notation B^* désigne soit la transposée complexe conjuguée d'une matrice B, soit l'opérateur adjoint de l'opérateur défini par la matrice B. L'exemple 13.1(b) montre qu'il n'y a aucune ambiguïté, les deux étant identiques.

Le théorème suivant, démontré au problème 13.4, constitue le résultat principal de ce paragraphe :

✻ Théorème 13.1 : Soit un opérateur linéaire T sur un espace euclidien V de dimension finie sur un corps $\mathbb{K}$. Alors :

(a) Il existe un opérateur unique T^* sur V tel que, $\forall u, v \in V$, $\langle T(u), v\rangle = \langle u, T^*(v)\rangle$. En d'autres termes, tout opérateur linéaire possède un adjoint et un seul.

(b) Si A est la représentation matricielle de T sur une base $S = \{u_i\}$ orthonormée de V, la représentation matricielle de T^* sur S est la transposée complexe conjuguée A^* de A (ou simplement la transposée A^T si $\mathbb{K} = \mathbb{R}$).

Il convient de mettre l'accent sur le fait que cette relation simple entre les représentations matricielles de T et de T^* n'existe que si la base est orthonormée : c'est un nouvel exemple de l'avantage qu'il y a à utiliser de telles bases. Insistons aussi sur le fait que le théorème est en défaut pour un espace vectoriel de dimension infinie (problème 13.31).

Le théorème suivant, démontré au problème 13.5, résume quelques-unes des propriétés de l'opérateur adjoint :

✻ Théorème 13.2 : Soient T, T_1, T_2 des opérateurs linéaires sur V et soit $k \in \mathbb{K}$:

(a) $(T_1 + T_2)^* = T_1^* + T_2^*$;

(b) $(kT)^* = \bar{k}T^*$;

(c) $(T_1T_2)^* = T_2^*T_1^*$;

(d) $(T^*)^* = T$.

On constate de grandes similitudes entre ce théorème et le théorème 2.3 sur la transposition des matrices.

13.2.1 Formes linéaires sur un espace euclidien

Nous avons vu au chapitre 11 qu'une forme linéaire ϕ sur un espace vectoriel V était une application linéaire $\phi : V \to \mathbb{K}$. Le théorème énoncé ci-après (théorème 13.3) constitue un résultat important, nécessaire à la démonstration du théorème 13.1.

Soit V un espace euclidien. Tout vecteur $u \in V$ définit une application $\hat{u} : V \to \mathbb{K}$ par :

$$\hat{u}(v) = \langle v, u \rangle$$

Alors, $\forall a, b \in \mathbb{K}, \forall v_1, v_2 \in V$:

$$\hat{u}(av_1 + bv_2) = \langle av_1 + bv_2, u \rangle = a\langle v_1, u \rangle + b\langle v_2, u \rangle = a\hat{u}(v_1) + b\hat{u}(v_2)$$

Autrement dit, $\hat{u}$ est une forme linéaire. La réciproque est vraie pour des espaces euclidiens de dimension finie, c'est l'objet du théorème suivant, démontré au problème 13.3 :

> ✻ **Théorème 13.3 :** Soit ϕ une forme linéaire sur un espace euclidien V de dimension finie. Il existe alors un vecteur et un seul $u \in V$ tel que, pour tout $v \in V$, $\phi(v) = \langle v, u \rangle$.

Répétons-le : ce théorème n'est pas valable pour des espaces de dimension infinie (problème 13.24).

13.3 ANALOGIE ENTRE $\mathcal{A}(V)$ ET $\mathbb{C}$; OPÉRATEURS LINÉAIRES PARTICULIERS

Considérons l'algèbre $\mathcal{A}(V)$ des opérateurs linéaires sur un espace euclidien V de dimension finie. L'application $T \mapsto T^*$ qui à un élément de $\mathcal{A}(V)$ fait correspondre son adjoint est très semblable à l'application $z \mapsto \bar{z}$ qui à un nombre complexe fait correspondre son complexe conjugué. Pour illustrer cette analogie, nous dressons dans le tableau 13.1, une liste de familles d'opérateurs et le comportement correspondant de sous-ensembles de $\mathbb{C}$.

Tableau 13.1 Analogies entre $\mathcal{A}(V)$ et $\mathbb{C}$.

Partie de $\mathbb{C}$	Complexe conjugué	Opérateur de $\mathcal{A}(V)$	Adjoint
Cercle unité ($\lvert z\rvert = 1$)	$\bar{z} = \frac{1}{z}$	– orthogonal (réel) – unitaire (complexe)	$T^* = T^{-1}$
Axe réel	$\bar{z} = z$	– symétrique (réel) – hermitien (complexe)	$T^* = T$
Axe imaginaire	$\bar{z} = -z$	– antisymétrique (réel) – antihermitien (complexe)	$T^* = -T$
Axe réel positif	$z = \bar{w}w, w \neq 0$	défini positif	$T = S^*S$, S régulière

Le théorème suivant précise ces analogies :

> ✻ **Théorème 13.4 :** Soit λ une valeur propre d'un opérateur linéaire.
> (a) $T^* = T^{-1} \Leftrightarrow \lvert\lambda\rvert = 1$: T est orthogonal ou unitaire ;
> (b) $T^* = T \Leftrightarrow \lambda \in \mathbb{R}$: T est auto-adjoint (hermitien) ;

(c) $T^* = -T \Leftrightarrow \lambda \in i\mathbb{R}$ (λ est imaginaire pure) : T est antihermitien ;
(d) $T = S^*S$, S régulière, $\Leftrightarrow \lambda \in \mathbb{R}^+$: T est défini positif.

Démonstration : Désignons par v un vecteur propre non nul de T pour la valeur propre λ : $T(v) = \lambda v$, $v \neq 0$, et par conséquent $\langle v, v\rangle > 0$.

(a) Montrons que $\lambda\bar{\lambda}\langle v, v\rangle = \langle v, v\rangle$:

$$\lambda\bar{\lambda}\langle v, v\rangle = \langle \lambda v, \lambda v\rangle = \langle T(v), T(v)\rangle = \langle v, T^*T(v)\rangle = \langle v, I(v)\rangle = \langle v, v\rangle$$

Puisque $\langle v, v\rangle > 0$, on déduit $\lambda\bar{\lambda} = 1$, d'où $|\lambda| = 1$.

(b) Montrons que $\lambda\langle v, v\rangle = \bar{\lambda}\langle v, v\rangle$:

$$\lambda\langle v, v\rangle = \langle \lambda v, v\rangle = \langle T(v), v\rangle = \langle v, T^*(v)\rangle = \langle v, T(v)\rangle = \langle v, \lambda v\rangle = \bar{\lambda}\langle v, v\rangle$$

Puisque $\langle v, v\rangle > 0$, on déduit $\lambda = \bar{\lambda}$: la valeur propre λ est réelle.

(c) Montrons que $\lambda\langle v, v\rangle = -\bar{\lambda}\langle v, v\rangle$:

$$\lambda\langle v, v\rangle = \langle \lambda v, v\rangle = \langle T(v), v\rangle = \langle v, T^*(v)\rangle = \langle v, -T(v)\rangle = \langle v, -\lambda v\rangle = -\bar{\lambda}\langle v, v\rangle$$

Puisque $\langle v, v\rangle > 0$, on déduit $\lambda = -\bar{\lambda}$: la valeur propre λ est imaginaire pure.

(d) S étant régulière et $v \neq 0$, on a $S(v) \neq 0$, par conséquent $\langle S(v), S(v)\rangle > 0$; montrons que $\lambda\langle v, v\rangle = \langle S(v), S(v)\rangle$:

$$\lambda\langle v, v\rangle = \langle \lambda v, v\rangle = \langle T(v), v\rangle = \langle S^*S(v), v\rangle = \langle S(v), S(v)\rangle$$

Puisque $\langle v, v\rangle > 0$ et $\langle S(v), S(v)\rangle > 0$, on déduit $\lambda > 0$. ■

Remarque : chacun des opérateurs ci-dessus commute avec son adjoint : $TT^* = T^*T$. Un opérateur linéaire vérifiant cette propriété est dit *normal*.

13.4 OPÉRATEURS AUTO-ADJOINTS

Soit T un opérateur auto-adjoint sur un espace euclidien V ; il vérifie donc :

$$T^* = T$$

Notons que si T est défini par une matrice A, alors A est symétrique (cas réel) ou hermitienne (cas complexe). D'après le théorème 13.4, les valeurs propres de T sont réelles. On a dans ce cas le résultat suivant :

*** Théorème 13.5 :** Soit T un opérateur auto-adjoint sur V. Considérons deux vecteurs propres u et v de T correspondant à deux valeurs propres distinctes. Alors u et v sont orthogonaux, *i.e.* $\langle u, v\rangle = 0$.

Démonstration : Posons $T(u) = \lambda_1 u$ et $T(v) = \lambda_2 v$, avec $\lambda_1 \neq \lambda_2$. Montrons que $\lambda_1\langle u, v\rangle = \lambda_2\langle u, v\rangle$:

$$\begin{aligned}\lambda_1\langle u, v\rangle &= \langle \lambda_1 u, v\rangle = \langle T(u), v\rangle = \langle u, T^*(v)\rangle = \langle u, T(v)\rangle \\ &= \langle u, \lambda_2 v\rangle = \overline{\lambda_2}\langle u, v\rangle = \lambda_2\langle u, v\rangle\end{aligned}$$

Comme on le voit, la démonstration utilise $T^* = T$ et λ_i réelle. Puisque $\lambda_1 \neq \lambda_2$, on déduit $\langle u, v\rangle = 0$. ■

13.5 OPÉRATEURS ORTHOGONAUX ET UNITAIRES

Soit U un opérateur linéaire sur un espace euclidien V de dimension finie. On suppose :

$$U^* = U^{-1} \quad \text{ou, de façon équivalente} \quad UU^* = U^*U = I$$

Rappelons que U est dit unitaire ou orthogonal selon que le corps de base est $\mathbb{C}$ ou $\mathbb{R}$. Le théorème suivant, démontré au problème 13.10, donne d'autres caractérisations de tels opérateurs :

*** Théorème 13.6 :** Soit U un opérateur linéaire ; les trois propriétés suivantes sont équivalentes :
(a) $U^* = U^{-1}$, ou $UU^* = U^*U = I$; U est unitaire (resp. orthogonal) ;
(b) U conserve le produit scalaire, *i.e.* $\forall v, w \in V$, $\langle U(v), U(w)\rangle = \langle v, w\rangle$;
(c) U conserve la norme, *i.e.* $\forall v \in V$, $\|U(v)\| = \|v\|$.

Exemple 13.2

(a) Soit $T : R^3 \to \mathbb{R}^3$ l'opérateur de rotation d'un angle fixé θ autour de l'axe z (figure 10.1, page 417). T est défini par :

$$T(x, y, z) = (x\cos\theta - y\sin\theta,\ x\sin\theta + y\cos\theta,\ z)$$

On remarque que les longueurs (distances à l'origine) sont conservées par T : T est un opérateur orthogonal.

(b) On considère l'espace l_2 de Hilbert défini au § 7.3.4. Soit $T : l_2 \to l_2$ l'endomorphisme défini par :

$$T(a_1, a_2, a_3, \dots) = (0, a_1, a_2, a_3, \dots)$$

T conserve manifestement le produit scalaire et la norme. Mais T n'est pas surjectif : la suite $(1, 0, 0, \dots)$, par exemple, n'appartient pas à $\operatorname{Im} T$. Il en résulte que T n'est pas inversible. Par conséquent, le théorème 13.6 n'est pas valable pour un espace de dimension infinie.

On rappelle qu'un isomorphisme entre deux espaces vectoriels est une application bijective qui conserve les deux opérations fondamentales, l'addition vectorielle et la multiplication scalaire. Une application orthogonale ou unitaire sur V peut donc être considérée comme un isomorphisme de V sur lui-même, autrement dit un *automorphisme*. Mais de plus, une application orthogonale ou unitaire conserve le produit scalaire et la norme :

$$\|U(v) - U(w)\| = \|U(v - w)\| = \|v - w\|$$

Un automorphisme qui conserve la norme est appelé *isométrie*.

13.6 MATRICES ORTHOGONALES ET UNITAIRES

Soit U un opérateur linéaire sur un espace euclidien V. Le théorème 13.1 a pour corollaires les résultats suivants :

*** Théorème 13.7 :**
(a) Une matrice complexe A représente un opérateur unitaire U sur une base orthonormée si et seulement si $A^* = A^{-1}$.
(b) Une matrice réelle A représente un opérateur orthogonal U sur une base orthonormée si et seulement si $A^T = A^{-1}$.

On est ainsi amené à introduire les définitions suivantes, déjà rencontrées aux § 2.10.2 et 2.11.1 :

◆ **Définition 13.2 :**
(a) Une matrice complexe vérifiant $A^* = A^{-1}$ est appelée *matrice unitaire*.
(b) Une matrice réelle vérifiant $A^T = A^{-1}$ est appelée *matrice orthogonale*.

On peut reformuler ainsi le théorème 2.6 :

✻ **Théorème 13.8 :** Soit A une matrice carrée ; les propriétés suivantes sont équivalentes :
(a) A est unitaire (resp. orthogonale) ;
(b) les lignes de A forment un système orthonormé ;
(c) les colonnes de A forment un système orthonormé.

13.7 CHANGEMENT DE BASE ORTHONORMÉ

Les bases orthonormées jouent un rôle central dans la théorie des espaces euclidiens. La question du changement de base orthonormé se pose donc naturellement, et l'on a le théorème suivant, démontré au problème 13.12 :

✻ **Théorème 13.9 :** Soit $\{u_1, u_2, \ldots, u_n\}$ une base orthonormée d'un espace euclidien V. Alors la matrice de changement de base de $\{u_i\}$ à une autre base orthonormée est une matrice unitaire (resp. orthogonale). Réciproquement, si $P = (a_{ij})$ est une matrice unitaire (resp. orthogonale), alors le système de vecteurs suivant est une base orthonormée :

$$\{u'_i = a_{1i}u_1 + a_{2i}u_2 + \cdots + a_{ni}u_n \mid i = 1, \ldots, n\}$$

On sait que deux matrices A et B représentant le même opérateur linéaire T sur un espace vectoriel V sont semblables, c'est-à-dire qu'il existe une matrice P régulière de changement de base telle que $B = P^{-1}AP$. Si de plus V est euclidien, le cas particulier où P est unitaire, soit $P^* = P^{-1}$ (resp. orthogonale, soit $P^T = P^{-1}$), revêt une importance particulière. On est amené à poser les définitions suivantes :

◆ **Définition 13.3 :**
(a) Deux matrices complexes A et B sont dites *unitairement semblables* s'il existe une matrice unitaire P telle que $B = P^*AP$.
(b) Deux matrices réelles A et B sont dites *orthogonalement semblables* s'il existe une matrice orthogonale P telle que $B = P^TAP$.

On remarque que deux matrices orthogonalement semblables sont congruentes.

13.8 OPÉRATEURS POSITIFS ET DÉFINIS POSITIFS

◆ **Définition 13.4 :** Soit T un opérateur linéaire sur un espace euclidien V. On dit que :
(a) T est *défini positif* s'il existe un opérateur *régulier* S tel que $T = S^*S$.
(b) T est *positif*, ou *semi-défini positif*, s'il existe un opérateur S tel que $T = S^*S$.

Les théorèmes suivants proposent d'autres façons de caractériser de tels opérateurs :

✻ **Théorème 13.10 :** Les propriétés suivantes d'un opérateur P sont équivalentes :
(a) il existe un opérateur T auto-adjoint régulier tel que $P = T^2$;
(b) P est défini positif ;
(c) P est auto-adjoint et $\forall u \in V$, $u \neq 0$, $\langle P(u), u\rangle > 0$.

On a un énoncé analogue pour un opérateur positif (démonstration au problème 13.21) :

✻ **Théorème 13.10′ :** Les propriétés suivantes d'un opérateur P sont équivalentes :
(a) il existe un opérateur T auto-adjoint tel que $P = T^2$;
(b) P est positif, soit $P = S^*S$;
(c) P est auto-adjoint et $\forall u \in V$, $u \neq 0$, $\langle P(u), u\rangle \geq 0$.

13.9 DIAGONALISATION ET FORMES CANONIQUES DANS UN ESPACE EUCLIDIEN

Soit T un opérateur linéaire sur un espace vectoriel V de dimension finie sur un corps $\mathbb{K}$. La représentation de T par une matrice diagonale dépend des vecteurs propres et valeurs propres de T, c'est-à-dire des racines du polynôme caractéristique $\Delta(t)$ de T. Sur le corps $\mathbb{C}$ des nombres complexes, $\Delta(t)$ est toujours scindé[1], mais ce n'est pas nécessairement le cas sur $\mathbb{R}$. Par conséquent, la situation des espaces euclidiens réels et complexes (espaces hermitiens) est intrinsèquement différente, et il convient de les traiter séparément.

13.9.1 Espaces euclidiens réels ; opérateurs symétriques et orthogonaux

On a le résultat suivant, démontré au problème 13.14 :

✻ **Théorème 13.11 :** Soit T un opérateur symétrique (et donc auto-adjoint) sur un espace euclidien V de dimension finie. Il existe alors une base orthonormée constituée de vecteurs propres de T. En d'autres termes, il existe une base orthonormée sur laquelle T peut être représenté par une matrice diagonale.

1. On rappelle qu'un polynôme est dit *scindé* s'il se factorise en produits de polynômes du premier degré.

Ce théorème peut être énoncé de la façon suivante pour une matrice :

∗ Théorème 13.11′ : Soit A une matrice réelle symétrique. Il existe alors une matrice orthogonale P telle que la matrice $B = P^{-1}AP = P^TAP$ soit diagonale.

On peut choisir pour colonnes de la matrice P les composantes de vecteurs propres normés de A ; les éléments (diagonaux) de B sont alors les valeurs propres correspondantes.

Mais il n'est pas nécessaire pour un opérateur orthogonal d'être symétrique ; un tel opérateur ne peut pas être représenté par une matrice diagonale sur une base orthonormée. Il existe néanmoins une forme canonique simple pour sa représentation matricielle, comme le précise le théorème suivant, démontré au problème 13.16 :

∗ Théorème 13.12 : Soit T un opérateur orthogonal sur un espace euclidien réel V. Il existe alors une base orthonormée sur laquelle T est représenté par une matrice M diagonale par blocs de la forme :

$$M = \operatorname{diag}\left(I_s,\ -I_t,\ \begin{pmatrix} \cos\theta_1 & -\sin\theta_1 \\ \sin\theta_1 & \cos\theta_1 \end{pmatrix}, \ldots, \begin{pmatrix} \cos\theta_r & -\sin\theta_r \\ \sin\theta_r & \cos\theta_r \end{pmatrix}\right)$$

On reconnaît dans chacune des matrices 2×2 une rotation dans un sous-espace bidimensionnel. Chaque élément diagonal « -1 » représente une réflexion dans le sous-espace unidimensionnel correspondant.

13.9.2 Espaces hermitiens ; opérateurs normaux et triangulaires

Un opérateur linéaire T est dit *normal* s'il commute avec son adjoint, soit $TT^* = T^*T$. En particulier, un opérateur unitaire ou un opérateur auto-adjoint sont normaux.

De même, une matrice complexe est dite *normale* si elle commue avec son adjointe, soit $AA^* = A^*A$.

Exemple 13.3

Soit $A = \begin{pmatrix} 1 & 1 \\ i & 3+2i \end{pmatrix}$; alors $A^* = \begin{pmatrix} 1 & -i \\ 1 & 3-2i \end{pmatrix}$. On vérifie que :

$$AA^* = \begin{pmatrix} 2 & 3-3i \\ 3+3i & 14 \end{pmatrix} = A^*A$$

et par conséquent la matrice A est normale.

On a le théorème suivant, démontré au problème 13.19 :

∗ Théorème 13.13 : Soit T un opérateur normal sur un espace hermitien V de dimension finie. Il existe alors une base orthonormée de V constituée de vecteurs propres de T. Autrement dit, on peut trouver une base orthonormée sur laquelle T est représenté par une matrice diagonale.

Pour une matrice, le théorème s'énonce ainsi :

> ✻ **Théorème 13.13′ :** Soit A une matrice normale. Il existe alors une matrice unitaire P telle que la matrice $B = P^{-1}AP = P^*AP$ soit diagonale.

On montre (problème 13.20) que sur un espace hermitien, même un opérateur non normal possède une représentation matricielle simple :

> ✻ **Théorème 13.14 :** Soit T un opérateur quelconque sur un espace hermitien V de dimension finie. Alors il existe une base orthonormée sur laquelle T est représenté par une matrice triangulaire.

Autrement dit, tout opérateur linéaire sur un espace hermitien est trigonalisable, ou triangulisable. Pour une matrice :

> ✻ **Théorème 13.14′ :** Soit A une matrice complexe quelconque. Il existe une matrice unitaire P telle que $B = P^{-1}AP = P^*AP$ soit triangulaire.

13.10 THÉORÈME SPECTRAL

Le théorème spectral exprime, sous un angle différent, les théorèmes de diagonalisation 13.11 et 13.13 :

> ✻ **Théorème 13.15 (théorème spectral) :** Soit T un opérateur normal sur un espace euclidien, réel ou complexe, V de dimension finie. Il existe alors des opérateurs linéaires $E_1, \dots, E_r$ sur V, et des scalaires $\lambda_1, \dots, \lambda_r$ tels que :
>
> (a) $T = \lambda_1 E_1 + \lambda_2 E_2 + \cdots + \lambda_r E_r$;
>
> (b) $E_1 + E_2 + \cdots + E_r = I$;
>
> (c) $E_1^2 = E_1, E_2^2 = E_2, \dots, E_r^2 = E_r$;
>
> (d) $E_iE_j = \mathbf{0}$ pour $i \neq j$.

On reconnaît dans les opérateurs E_i des opérateurs de projections (propriété (c)). Mais ce sont de plus des *projecteurs orthogonaux*, puisqu'ils vérifient (d).

Dans l'exemple suivant, nous mettons en évidence les relations entre la représentation matricielle diagonale et les projections orthogonales correspondantes :

Exemple 13.4

Soient les matrices diagonales A, E_1, E_2 et E_3 suivantes :

$$A = \begin{pmatrix} 2 & & & \\ & 3 & & \\ & & 3 & \\ & & & 5 \end{pmatrix}, \quad E_1 = \begin{pmatrix} 1 & & & \\ & 0 & & \\ & & 0 & \\ & & & 0 \end{pmatrix}, \quad E_2 = \begin{pmatrix} 0 & & & \\ & 1 & & \\ & & 1 & \\ & & & 0 \end{pmatrix}, \quad E_3 = \begin{pmatrix} 0 & & & \\ & 0 & & \\ & & 0 & \\ & & & 1 \end{pmatrix}$$

On vérifie que :

(a) $A = 2E_1 + 3E_2 + 5E_3$;

(b) $E_1 + E_2 + E_3 = I$;

(c) $\forall i, E_i^2 = E_i$;

(d) $\forall i \neq j, E_iE_j = \mathbf{0}$.

? EXERCICES CORRIGÉS

OPÉRATEURS ADJOINTS

13.1 Trouver l'adjoint de $F : \mathbb{R}^3 \to \mathbb{R}^3$ défini par :

$$F(x, y, z) = (3x + 4y - 5z,\ 2x - 6y + 7z,\ 5x - 9y + z)$$

Solution : la matrice A représentant F sur la base canonique de $\mathbb{R}^3$ a pour lignes les coefficients de x, y et z. Écrivons A, puis A^T :

$$A = \begin{pmatrix} 3 & 4 & -5 \\ 2 & -6 & 7 \\ 5 & -9 & 1 \end{pmatrix} \quad \text{d'où} \quad A^T = \begin{pmatrix} 3 & 2 & 5 \\ 4 & -6 & -9 \\ -5 & 7 & 1 \end{pmatrix}$$

L'adjoint F^* de F est représenté sur la base canonique de $\mathbb{R}^3$ par A^T :

$$F^*(x, y, z) = (3x + 2y + 5z,\ 4x - 6y - 9z,\ -5x + 7y + z)$$

13.2 Trouver l'adjoint de $G : \mathbb{C}^3 \to \mathbb{C}^3$ défini par :

$$G(x, y, z) = \big(2x + (1 - i)y,\ (3 + 2i)x - 4iz,\ 2ix + (4 - 3i)y - 3z\big)$$

Solution : la matrice B représentant G sur la base canonique de $\mathbb{C}^3$ a pour lignes les coefficients de x, y et z. Écrivons B, puis B^* :

$$B = \begin{pmatrix} 2 & 1 - i & 0 \\ 3 + 2i & 0 & -4i \\ 2i & 4 - 3i & -3 \end{pmatrix} \quad \text{d'où} \quad B^* = \begin{pmatrix} 2 & 3 - 2i & -2i \\ 1 + i & 0 & 4 + 3i \\ 0 & 4i & -3 \end{pmatrix}$$

L'adjoint G^* de G est représenté sur la base canonique de $\mathbb{C}^3$ par B^*, soit :

$$G^*(x, y, z) = \big(2x + (3 - 2i)y - 2iz,\ (1 + i)x + (4 + 3i)z,\ 4iy - 3z\big)$$

13.3 Démontrer le théorème 13.3 : *soit ϕ une forme linéaire sur un espace euclidien V de dimension finie n. Il existe alors un vecteur $u \in V$ et un seul tel que, pour tout $v \in V$, $\phi(v) = \langle v, u\rangle$.*

Solution : soit $\{w_1, \ldots, w_n\}$ une base orthonormée de V. Posons :

$$u = \overline{\phi(w_1)}w_1 + \overline{\phi(w_2)}w_2 + \cdots + \overline{\phi(w_n)}w_n$$

Soit $\hat{u}$ la forme linéaire de V définie par $\hat{u}(v) = \langle v, u\rangle$, pour tout $v \in V$. Alors, pour $i = 1, 2, \ldots, n$:

$$\hat{u}(w_i) = \langle w_i, u\rangle = \langle w_i, \overline{\phi(w_1)}w_1 + \cdots + \overline{\phi(w_n)}w_n\rangle = \phi(w_i)$$

On a montré que l'effet de $\hat{u}$ et de ϕ est identique sur chacun des vecteurs de la base, et donc $\hat{u} = \phi$.

Supposons qu'il existe un autre vecteur $u' \in V$ tel que $\phi(v) = \langle v, u'\rangle$, $\forall v \in V$. Alors $\langle v, u\rangle = \langle v, u'\rangle$, ou $\langle v, u - u'\rangle = 0$. Cette égalité est en particulier vraie pour $v = u - u'$, d'où $\langle u - u', u - u'\rangle = 0$, et donc $u - u' = 0$, soit $u = u'$: le vecteur u est unique.

13.4 Démontrer le théorème 13.1 : *soit T un opérateur linéaire sur un espace euclidien V de dimension finie n. Alors :*

(a) *Il existe un opérateur unique T^* sur V tel que :*

$$\forall u,\ v \in V, \quad \langle T(u),\ v\rangle = \langle u,\ T^*(v)\rangle$$

(b) *Si A est la représentation matricielle de T sur une base $\{u_i\}$ orthonormée de V, la représentation matricielle de T^* sur S est l'adjointe A^* de A.*

Solution :

(a) Il nous faut tout d'abord définir T^* : soit $v \in V$ arbitraire fixé. L'application $u \mapsto \langle T(u),\ v\rangle$ définit une forme linéaire sur V. D'après le théorème 13.3, il existe un élément et un seul $v' \in V$ tel que $\langle T(u),\ v\rangle = \langle u,\ v'\rangle$, quel que soit $u \in V$. Nous définissons alors $T^* : V \to V$ par $T^*(v) = v'$, et par conséquent, quels que soient u et $v \in V$, $\langle T(u),\ v\rangle = \langle u,\ T^*(v)\rangle$. Montrons à présent que T^* est linéaire. $\forall u,\ v_i \in V$, $\forall a, b \in \mathbb{K}$:

$$\begin{aligned}\langle u,\ T^*(av_1 + bv_2)\rangle &= \langle T(u),\ av_1 + bv_2\rangle = \bar{a}\langle T(u),\ v_1\rangle + \bar{b}\langle T(u),\ v_2\rangle \\ &= \bar{a}\langle u,\ T^*(v_1)\rangle + \bar{b}\langle u,\ T^*(v_2)\rangle = \langle u,\ aT^*(v_1) + bT^*(v_2)\rangle\end{aligned}$$

Cette égalité étant vraie $\forall u \in V$, on déduit $T^*(av_1 + bv_2) = aT^*(v_1) + bT^*(v_2)$, et par conséquent T^* est linéaire.

(b) Les matrices $A = (a_{ij})$ et $B = (b_{ij})$ qui représentent respectivement T et T^* sur la base orthonormée S sont données par $a_{ij} = \langle T(u_j),\ u_i\rangle$ et $b_{ij} = \langle T^*(u_j),\ u_i\rangle$ (voir problème 13.67). Par conséquent :

$$b_{ij} = \langle T^*(u_j),\ u_i\rangle = \overline{\langle u_i,\ T^*(u_j)\rangle} = \overline{\langle T(u_i),\ u_j\rangle} = \overline{a_{ji}}$$

On a bien $B = A^*$.

13.5 Démontrer le théorème 13.2 :

(a) $(T_1 + T_2)^* = T_1^* + T_2^*$;

(b) $(kT)^* = \bar{k}T^*$;

(c) $(T_1T_2)^* = T_2^*T_1^*$;

(d) $(T^*)^* = T$.

Solution :

(a) On peut écrire, $\forall u,\ v \in V$:

$$\begin{aligned}\langle (T_1 + T_2)(u),\ v\rangle &= \langle T_1(u) + T_2(u),\ v\rangle = \langle T_1(u),\ v\rangle + \langle T_2(u),\ v\rangle \\ &= \langle u,\ T_1^*(v)\rangle + \langle u,\ T_2^*(v)\rangle = \langle u,\ T_1^*(v) + T_2^*(v)\rangle = \langle u,\ (T_1^* + T_2^*)(v)\rangle\end{aligned}$$

Les adjoints étant uniques, $(T_1 + T_2)^* = T_1^* + T_2^*$.

(b) $\forall u,\ v \in V$:

$$\langle (kT)(u),\ v\rangle = \langle kT(u),\ v\rangle = k\langle T(u),\ v\rangle = k\langle u,\ T^*(v)\rangle = \langle u,\ \bar{k}T^*(v)\rangle = \langle u,\ (\bar{k}T^*)(v)\rangle$$

L'adjoint étant unique, $(kT)^* = \bar{k}T^*$.

(c) $\forall u,\ v \in V$:

$$\begin{aligned}\langle (T_1T_2)(u),\ v\rangle &= \langle (T_1\big(T_2)(u)\big),\ v\rangle = \langle T_2(u),\ T_1^*(v)\rangle \\ &= \langle u,\ T_2^*\big(T_1^*(v)\big)\rangle = \langle u,\ (T_2^*T_1^*)(v)\rangle\end{aligned}$$

L'unicité de l'adjoint entraîne $(T_1T_2)^* = T_2^*T_1^*$.

(d) $\forall u,\ v \in V$:

$$\langle T^*(u),\ v\rangle = \overline{\langle v,\ T^*(u)\rangle} = \overline{\langle T(v),\ u\rangle} = \langle u,\ T(v)\rangle$$

Du fait de l'unicité de l'adjoint, $(T^*)^* = T$.

13.6 Montrer que :

(a) $I^* = I$; (b) $\mathbf{0}^* = \mathbf{0}$.

Solution :

(a) $\forall u, v \in V$, $\langle I(u),\ v\rangle = \langle u,\ v\rangle = \langle u,\ I(v)\rangle$, d'où $I^* = I$.

(b) $\forall u, v \in V$, $\langle \mathbf{0}(u),\ v\rangle = \langle 0,\ v\rangle = 0 = \langle u,\ 0\rangle = \langle u,\ \mathbf{0}(v)\rangle$, d'où $\mathbf{0}^* = \mathbf{0}$.

13.7 Soit T inversible. Montrer que $(T^{-1})^* = (T^*)^{-1}$.

Solution : $I = I^* = (TT^{-1})^* = (T^{-1})^*T^*$, d'où $(T^{-1})^* = (T^*)^{-1}$.

13.8 On considère un opérateur linéaire T sur V, et soit W un sous-espace de V stable par T. Montrer que $W^\perp$ est stable par T^*.

Solution : soit $u \in W^\perp$. Si $w \in W$, alors $T(w) \in W$ et donc $\langle w,\ T^*(u)\rangle = \langle T(w),\ u\rangle = 0$. Par conséquent $T^*(u) \in W^\perp$ puisqu'il est orthogonal à tout vecteur de W. On en déduit que $W^\perp$ est stable par T^*.

13.9 Soit T un opérateur linéaire sur V. Montrer que chacune des conditions suivantes entraîne $T = 0$:

(a) $\forall u, v \in V$, $\langle T(u),\ v\rangle = 0$;

(b) V est hermitien, et $\langle T(u),\ u\rangle = 0$ pour tout $u \in V$;

(c) T est auto-adjoint et $\langle T(u),\ u\rangle = 0$ pour tout $u \in V$.

Donner un exemple d'opérateur sur un espace euclidien réel tel que $\langle T(u),\ u\rangle = 0$ pour tout $u \in V$, mais $T \neq \mathbf{0}$. Par conséquent, la propriété (b) n'est pas vérifiée pour un espace euclidien réel.

Solution :

(a) Posons $v = T(u)$; alors $\langle T(u),\ T(u)\rangle = 0$, et donc pour tout $u \in V$, $T(u) = 0$. Par conséquent $T = \mathbf{0}$.

(b) Par hypothèse, $\langle T(v + w),\ v + w\rangle = 0$ quels que soient v et $w \in V$. En développant, et en utilisant $\langle T(v),\ v\rangle = 0$ et $\langle T(w),\ w\rangle = 0$, on trouve :

$$\langle T(v),\ w\rangle + \langle T(w),\ v\rangle = 0 \tag{13.1}$$

L'équation (13.1) est vraie pour tout w. Remplaçons w par iw ; alors $\langle T(v),\ iw\rangle = \bar{i}\langle T(v),\ w\rangle = -i\langle T(v),\ w\rangle$. De même, $\langle T(iw),\ v\rangle = \langle iT(w),\ v\rangle = i\langle T(w),\ v\rangle$. Substituons ces résultats dans (13.1) :

$$-i\langle T(v),\ w\rangle + i\langle T(w),\ v\rangle = 0 \tag{13.2}$$

Divisons (13.2) par i et ajoutons à (13.1) ; il vient $\langle T(w),\ v\rangle = 0\ \forall v, w \in V$. En vertu de (a), $T = \mathbf{0}$.

(c) D'après (b), le résultat est vrai dans un espace complexe, il suffit donc de le montrer dans le cas réel. En développant $\langle T(v + w),\ v + w\rangle = 0$, on trouve à nouveau l'équation (13.1). T étant auto-adjoint sur un espace euclidien réel, on a $\langle T(w),\ v\rangle = \langle w,\ T(v)\rangle = \langle T(v),\ w\rangle$. En remplaçant dans (13.1), on obtient $\langle T(v),\ w\rangle = 0\ \forall v, w \in V$. Alors (a) implique $T = \mathbf{0}$.

Comme exemple, on peut considérer l'endomorphisme de $\mathbb{R}^2$ défini par $T(x, y) = (y, -x)$. On a $\langle T(u),\ u\rangle = 0$ pour tout u, bien que T ne soit pas nul.

MATRICES, OPÉRATEURS ORTHOGONAUX ET UNITAIRES

13.10 Démontrer le théorème 13.6 : *soit U un opérateur linéaire ; les trois propriétés suivantes sont équivalentes :*

(a) $U^* = U^{-1}$; (b) $\langle U(v),\, U(w)\rangle = \langle v,\, w\rangle$; (c) $\|U(v)\| = \|v\|$.

Solution : si la propriété (a) est vraie, on peut écrire, $\forall v,\, w \in V$:

$$\langle U(v),\, U(w)\rangle = \langle v,\, U^*U(w)\rangle = \langle v,\, I(w)\rangle = \langle v,\, w\rangle$$

et donc (a) implique (b). Si (b) est vraie :

$$\|U(v)\| = \sqrt{\langle U(v),\, U(v)\rangle} = \sqrt{\langle v,\, v\rangle} = \|v\|$$

et donc (b) implique (c). Supposons enfin que (c) soit vraie :

$$\langle U^*U(v),\, v\rangle = \langle U(v),\, U(v)\rangle = \langle v,\, v\rangle = \langle I(v),\, v\rangle$$

On en déduit $\langle (U^*U - I)(v),\, v\rangle = 0$ pour tout v. Mais l'opérateur $U^*U - I$ est auto-adjoint (à démontrer en exercice) et par conséquent, d'après le problème 13.9, $U^*U - I = 0$. En définitive, $U^*U = I$ et $U^* = U^{-1}$: (c) implique (a).

13.11 Soit U un opérateur unitaire (resp. orthogonal) sur V, et soit W un sous-espace de V invariant par U. Montrer que $W^\perp$ est aussi invariant par U.

Solution : U étant régulier, $U(W) = W$. Par conséquent, pour tout $w \in W$, on peut trouver $w' \in W$ tel que $U(w') = w$. Soit alors $v \in W^\perp$; $\forall w \in W$:

$$\langle U(v),\, w\rangle = \langle U(v),\, U(w')\rangle = \langle v,\, w'\rangle = 0$$

On en déduit que $U(v) \in W^\perp$, et donc $W^\perp$ est invariant par U.

13.12 Démontrer le théorème 13.9 : *la matrice de changement de base d'une base orthonormée $\{u_1, u_2, \ldots, u_n\}$ à une autre base orthonormée est une matrice unitaire (resp. orthogonale). Réciproquement, si $P = (a_{ij})$ est une matrice unitaire (resp. orthogonale), alors les vecteurs $u'_i = \sum_j a_{ji}u_j$ forment une base orthonormée.*

Solution : Soit $\{v_i\}$ une deuxième base orthonormée ; posons :

$$v_i = b_{i1}u_1 + b_{i2}u_2 + \cdots + b_{in}u_n, \quad i = 1, \ldots, n \tag{13.3}$$

$\{v_i\}$ étant orthonormée :

$$\delta_{ij} = \langle v_i,\, v_j\rangle = b_{i1}\overline{b_{j1}} + b_{i2}\overline{b_{j2}} + \cdots + b_{in}\overline{b_{jn}} \tag{13.4}$$

Désignons par $B = (b_{ij})$ la matrice des coefficients de (13.3) (B^T n'est autre que la matrice de changement de base de $\{u_i\}$ à $\{v_i\}$). Alors $BB^* = (c_{ij})$, avec $c_{ij} = b_{i1}\overline{b_{j1}} + b_{i2}\overline{b_{j2}} + \cdots + b_{in}\overline{b_{jn}}$. D'après (13.4), $c_{ij} = \delta_{ij}$ et donc $BB^* = I$: la matrice B et sa transposée B^T sont unitaires.
Il reste à prouver que le système $\{u'_i\}$ est orthonormé. Comme on le verra au problème 13.67 :

$$\langle u'_i,\, u'_j\rangle = a_{1i}\overline{a_{1j}} + a_{2i}\overline{a_{2j}} + \cdots + a_{ni}\overline{a_{nj}} = \langle C_i,\, C_j\rangle$$

où C_i désigne la i-ème colonne de la matrice $P = (a_{ij})$. Celle-ci étant unitaire, ses colonnes forment un système orthonormé, et par conséquent $\langle u'_i,\, u'_j\rangle = \langle C_i,\, C_j\rangle = \delta_{ij}$: le système $\{u'_i\}$ est orthonormé.

OPÉRATEURS SYMÉTRIQUES ET FORMES CANONIQUES (CAS RÉEL)

13.13 Soit T un opérateur symétrique. Montrer que :

(a) le polynôme caractéristique $\Delta(t)$ de T est est un produit de polynômes linéaires (sur $\mathbb{R}$) ;

(b) T possède au moins un vecteur propre non nul.

Solution :

(a) Soit A la matrice représentant T sur une base orthonormée de V. Elle vérifie $A = A^T$; soit $\Delta(t)$ son polynôme caractéristique. Si l'on considère A comme un opérateur complexe auto-adjoint, alors le théorème 13.4 assure que les valeurs propres sont toutes réelles. Par conséquent :

$$\Delta(t) = (t - \lambda_1)(t - \lambda_2) \cdots (t - \lambda_n)$$

où tous les λ_i sont réels : le polynôme $\Delta(t)$ se factorise en polynômes linéaires sur $\mathbb{R}$.

(b) D'après (a), T a au moins une valeur propre réelle, et donc au moins un vecteur propre non nul.

13.14 Démontrer le théorème 13.11 : *soit T un opérateur symétrique sur un espace euclidien V de dimension n. Il existe alors une base orthonormée constituée de vecteurs propres de T, et T peut donc être représenté par une matrice diagonale sur une base orthonormée.*

Solution : la démonstration s'effectue par récurrence sur la dimension de V. Si $\dim V = 1$, le théorème est évident ; supposons donc $\dim V = n > 1$. D'après le problème 13.13, il existe un vecteur propre non nul v_1 de T. Soit W le sous-espace unidimensionnel engendré par v_1, et soit u_1 le vecteur unitaire $v_1/\|v_1\|$ de W correspondant.

Le vecteur v_1 étant vecteur propre de T, le sous-espace W engendré est T-invariant. Le problème 13.8 nous a montré que $W^\perp$ était invariant par $T^* = T$. Par conséquent la restriction $\hat{T}$ de T à $W^\perp$ est un opérateur symétrique. Le théorème 7.4 assure que $V = W \oplus W^\perp$, et donc $\dim W^\perp = n - 1$, puisque $\dim W = 1$. Par récurrence, on peut construire une base $\{u_2, \ldots, u_n\}$ de $W^\perp$ constituée de vecteurs propres de $\hat{T}$, et donc de T. Mais $\langle u_1, u_i \rangle = 0$ pour $i = 2, \ldots, n$ puisque $u_i \in W^\perp$. On a donc trouvé un ensemble orthonormé $\{u_1, u_2, \ldots, u_n\}$ de vecteurs propres de T, ce qui établit le théorème.

13.15 Soit $q(x, y) = 3x^2 - 6xy + 11y^2$. Trouver un changement de variables orthonormé qui diagonalise la forme quadratique q.

Solution : écrivons la matrice symétrique A qui représente q sur la base canonique de $\mathbb{R}^2$, et déterminons son polynôme caractéristique :

$$A = \begin{pmatrix} 3 & -3 \\ -3 & 11 \end{pmatrix} \quad \text{et} \quad \Delta(t) = t^2 - \operatorname{tr} A\, t + |A| = t^2 - 14t + 24 = (t-2)(t-12)$$

Les valeurs propres sont $\lambda_1 = 2$ et $\lambda_2 = 12$. En appelant s et t les nouvelles variables, la forme diagonale de q est :

$$q(s, t) = 2s^2 + 12t^2$$

Pour déterminer la matrice P de changement de base orthonormé correspondant, il faut trouver un système orthonormé de vecteurs propres de A. Construisons la matrice $M = A - \lambda_1 I = A - 2I$, et résolvons le système homogène $MX = 0$ correspondant :

$$M = \begin{pmatrix} 1 & -3 \\ -3 & 9 \end{pmatrix} \quad \text{et} \quad \begin{aligned} x - 3y &= 0 \\ -3x + 9y &= 0 \end{aligned} \quad \text{ou} \quad x - 3y = 0$$

Une solution non nulle est $u_1 = (3,\ 1)$. Opérons de même avec la valeur propre λ_2 :

$$M = \begin{pmatrix} -9 & -3 \\ -3 & -1 \end{pmatrix} \quad \text{et} \quad \begin{aligned} -9x - 3y &= 0 \\ -3x - \ \ y &= 0 \end{aligned} \quad \text{ou} \quad 3x + y = 0$$

dont une solution non nulle est $u_2 = (-1,\ 3)$. Comme prévu, u_1 et u_2 sont orthogonaux ; normalisons-les :

$$\hat{u}_1 = \left(\frac{3}{\sqrt{10}}, \frac{1}{\sqrt{10}}\right), \quad \hat{u}_2 = \left(-\frac{1}{\sqrt{10}}, \frac{3}{\sqrt{10}}\right)$$

La matrice P de changement de base a pour colonnes les composantes de $\hat{u}_1$ et $\hat{u}_2$:

$$P = \begin{pmatrix} \frac{3}{\sqrt{10}} & -\frac{1}{\sqrt{10}} \\ \frac{1}{\sqrt{10}} & \frac{3}{\sqrt{10}} \end{pmatrix} \quad \text{et} \quad D = P^{-1}AP = \begin{pmatrix} 2 & 0 \\ 0 & 12 \end{pmatrix}$$

Le changement de variables orthonormé est donné par :

$$\begin{pmatrix} x \\ y \end{pmatrix} = P \begin{pmatrix} s \\ s \end{pmatrix} \quad \text{soit} \quad x = \frac{3s - t}{\sqrt{10}}, \quad y = \frac{s + 3t}{\sqrt{10}}$$

Inversement, on peut exprimer s et t en fonction de x et y, grâce à $P^{-1} = P^T$:

$$s = \frac{3x + y}{\sqrt{10}}, \quad t = \frac{-x + 3y}{\sqrt{10}}$$

13.16 Démontrer le théorème 13.12 : *soit T un opérateur orthogonal sur un espace euclidien réel V. Il existe alors une base orthonormée sur laquelle T est représenté par une matrice M diagonale par blocs de la forme :*

$$M = \operatorname{diag}\left(1, \ldots, 1, -1, \ldots, -1, \begin{pmatrix} \cos\theta_1 & -\sin\theta_1 \\ \sin\theta_1 & \cos\theta_1 \end{pmatrix}, \ldots, \begin{pmatrix} \cos\theta_r & -\sin\theta_r \\ \sin\theta_r & \cos\theta_r \end{pmatrix}\right)$$

Solution : posons $S = T + T^{-1} = T + T^*$, d'où $S^* = (T + T^*)^* = T^* + T = S$: S est un opérateur symétrique, et d'après le théorème 13.11, il existe une base orthonormée de V constituée de vecteurs propres de S. Désignons par $\lambda_1, \ldots, \lambda_m$ les valeurs propres distinctes de S ; V peut être écrit comme somme directe $V = V_1 \oplus V_2 \oplus \cdots \oplus V_m$, où V_i est l'espace propre de S correspondant à λ_i. Montrons que les V_i sont stables par T : soit $v \in V_i$; alors $S(v) = \lambda_i v$ et :

$$S\big(T(v)\big) = (T + T^{-1})T(v) = T(T + T^{-1})(v) = TS(v) = T(\lambda_i v) = \lambda_i T(v)$$

Par conséquent, $T(v) \in V_i$ et V_i est invariant par T. Les V_i étant tous orthogonaux deux à deux, il suffit d'examiner l'action de T sur chacun des V_i.

Sur un V_i donné, $(T + T^{-1})(v) = S(v) = \lambda_i v$; multiplions par T :

$$(T^2 - \lambda_i T + I)(v) = 0$$

Il convient de distinguer les cas $\lambda_i = \pm 2$ et $\lambda_i \neq \pm 2$. Si $\lambda_i = \pm 2$, $(T \pm I)^2(v) = 0$, qui conduit à $T(v) = \pm v$: la restriction de T à V_i est égale à I ou à $-I$.
Si $\lambda_i \neq \pm 2$, T ne possède pas de vecteurs propres dans V_i, puisque d'après le théorème 13.4, les valeurs propres de T ne peuvent être que $+1$ ou -1. Il en résulte que si $v \neq 0$, v et $T(v)$ sont linéairement indépendants. Soit W le sous-espace engendré par v et $T(v)$; il est T-invariant, puisque :

$$T\big(T(v)\big) = T^2(v) = \lambda_i T(v) - v$$

D'après le théorème 7.4, $V_i = W \oplus W^{\perp}$. De plus, le problème 13.8 nous assure que $W^{\perp}$ est également invariant par T : nous pouvons donc décomposer V_i en somme directe de sous-espaces bidimensionnels orthogonaux invariants W_j, et il suffit d'étudier l'effet de T sur chacun des W_j.
Puisque $T^2 - \lambda_i T + I = 0$, le polynôme caractéristique $\Delta(t)$ de T, restreint à W_j, est $\Delta(t) = t^2 - \lambda_i t + 1$. On en déduit que le déterminant de T, égal au terme constant, vaut 1. D'après le théorème 2.7, la matrice A représentant la restriction de T à W_j est nécessairement de la forme :

$$\begin{pmatrix} \cos\theta & -\sin\theta \\ \sin\theta & \cos\theta \end{pmatrix}$$

La réunion des bases des W_j donne une base orthonormée de V_i, et la réunion des bases des V_i donne une base orthonormée de V, sur laquelle T est représenté par une matrice ayant la forme requise.

OPÉRATEURS NORMAUX ET FORMES CANONIQUES (CAS COMPLEXE)

13.17 Parmi les matrices suivantes, déterminer celles qui sont normales :

(a) $A = \begin{pmatrix} 1 & i \\ 0 & 1 \end{pmatrix}$; (b) $B = \begin{pmatrix} 1 & i \\ 1 & 2+i \end{pmatrix}$.

Solution :

(a) $AA^* = \begin{pmatrix} 1 & i \\ 0 & 1 \end{pmatrix}\begin{pmatrix} 1 & 0 \\ -i & 1 \end{pmatrix} = \begin{pmatrix} 2 & i \\ -i & 1 \end{pmatrix}$,

$A^*A = \begin{pmatrix} 1 & 0 \\ -i & 1 \end{pmatrix}\begin{pmatrix} 1 & i \\ 0 & 1 \end{pmatrix} = \begin{pmatrix} 1 & i \\ -i & 2 \end{pmatrix}$.

$AA^* \neq A^*A$, et donc la matrice A n'est pas normale.

(b) $BB^* = \begin{pmatrix} 1 & i \\ 1 & 2+i \end{pmatrix}\begin{pmatrix} 1 & 1 \\ -i & 2-i \end{pmatrix} = \begin{pmatrix} 2 & 2+2i \\ 2-2i & 6 \end{pmatrix}$

$= \begin{pmatrix} 1 & 1 \\ -i & 2-i \end{pmatrix}\begin{pmatrix} 1 & i \\ 1 & 2+i \end{pmatrix} = B^*B$.

$BB^* = B^*B$: la matrice B est normale.

13.18 Soit T un opérateur normal. Démontrer les propriétés suivantes :

(a) $T(v) = 0$ si et seulement si $T^*(v) = 0$;

(b) $T - \lambda I$ est normal ;

(c) $T(v) = \lambda v \Rightarrow T^*(v) = \bar{\lambda} v$; par conséquent tout vecteur propre de T est vecteur propre de T^* ;

(d) si $T(v) = \lambda_1 v$ et $T(w) = \lambda_2 w$, avec $\lambda_1 \neq \lambda_2$, alors $\langle v, w \rangle = 0$; en d'autres termes, des vecteurs propres correspondant à des valeurs propres différentes sont orthogonaux.

Solution :

(a) Montrons que $\langle T(v), T(v) \rangle = \langle T^*(v), T^*(v) \rangle$:

$$\langle T(v), T(v) \rangle = \langle v, T^*T(v) \rangle = \langle v, TT^*(v) \rangle = \langle T^*(v), T^*(v) \rangle$$

Par définition du produit scalaire (axiome $[I_3]$ de la définition 7.1), on déduit que $T(v) = 0$ si et seulement si $T^*(v) = 0$.

(b) Montrons que $T - \lambda I$ commute avec son adjoint :

$$\begin{aligned}(T - \lambda I)(T - \lambda I)^* &= (T - \lambda I)(T^* - \bar{\lambda} I) = TT^* - \lambda T^* - \bar{\lambda} T + \lambda\bar{\lambda} I \\ &= T^*T - \bar{\lambda} T - \lambda T^* + \bar{\lambda}\lambda I = (T^* - \bar{\lambda} I)(T - \lambda I) \\ &= (T - \lambda I)^*(T - \lambda I)\end{aligned}$$

$T - \lambda I$ est un opérateur normal.

(c) $T(v) = \lambda v \Rightarrow (T - \lambda I)v = 0$. D'après (b), $T - \lambda I$ est normal, et donc, d'après (a), $(T - \lambda I)^*(v) = 0$. Alors $(T^* - \bar{\lambda} I)(v) = 0$ et $T^*(v) = \bar{\lambda} v$.

(d) Montrons que $\lambda_1 \langle v, w \rangle = \lambda_2 \langle v, w \rangle$:

$$\lambda_1 \langle v, w \rangle = \langle \lambda_1 v, w \rangle = \langle T(v), w \rangle = \langle v, T^*(w) \rangle = \langle v, \overline{\lambda_2} w \rangle = \lambda_2 \langle v, w \rangle$$

Mais $\lambda_1 \neq \lambda_2$, et par conséquent $\langle v, w \rangle = 0$.

13.19 Démontrer le théorème 13.13 : *soit T un opérateur normal sur un espace hermitien V de dimension finie. Il existe alors une base orthonormée de V constituée de vecteurs propres de T. Autrement dit, on peut trouver une base orthonormée sur laquelle T est représenté par une matrice diagonale.*

Solution : on raisonne par récurrence sur la dimension de V. Si $\dim V = 1$, le théorème est évident. Posons alors $\dim V = n > 1$. V étant un espace hermitien, T a au moins une valeur propre, et donc au moins un vecteur propre v non nul. Soit W le sous-espace propre engendré par v, et soit u_1 un vecteur unitaire de W.

Puisque v est vecteur propre de T, le sous-espace W est T-invariant. De plus, le problème 13.18 nous apprend que v est aussi vecteur propre de T^*, et par conséquent W est invariant par T^*. D'après le problème 13.8, $W^\perp$ est invariant par $T^{**} = T$. On achève la démonstration comme pour le théorème 13.11 (problème 13.14).

13.20 Démontrer le théorème 13.14 : *soit T un opérateur quelconque sur un espace hermitien V de dimension finie. Alors il existe une base orthonormée sur laquelle T est représenté par une matrice triangulaire.*

Solution : on raisonne encore par récurrence sur la dimension de V. Si $\dim V = 1$, le résultat est évident, et l'on supposera $\dim V = n > 1$. V étant un espace hermitien, T a au moins une valeur propre, et donc au moins un vecteur propre v non nul. Soit W le sous-espace propre engendré par v, et soit u_1 un vecteur unitaire de W. u_1 est alors vecteur propre de T ; on peut poser $T(u_1) = a_{11}u_1$. D'après le théorème 7.4, $v = W \oplus W^{\perp}$. Appelons E le projecteur orthogonal sur $W^{\perp}$. $W^{\perp}$ est manifestement invariant par ET. De proche en proche, on peut trouver des vecteurs $u_2, \ldots, u_n$ formant une base orthonormée de $W^{\perp}$, tels que, pour $i = 2, \ldots, n$:

$$ET(u_i) = a_{i2}u_2 + a_{i3}u_3 + \cdots + a_{ii}u_i$$

Le système $\{u_1, u_2, \ldots, u_n\}$ forme une base orthonormée de V. Puisque E est un projecteur orthogonal de V sur $W^{\perp}$, on a nécessairement :

$$T(u_i) = a_{i1}u_1 + a_{i2}u_2 + \cdots + a_{ii}u_i$$

pour $i = 2, \ldots, n$. En combinaison avec $T(u_1) = a_{11}u_1$, on obtient le résultat cherché.

PROBLÈMES DIVERS

13.21 Démontrer le théorème 13.10′ : *les propriétés suivantes d'un opérateur P sont équivalentes :*

(a) *il existe un opérateur T auto-adjoint tel que $P = T^2$;*

(b) *P est positif : $\exists S$ tel que $P = S^*S$;*

(c) *P est auto-adjoint et $\forall u \in V,\ u \neq 0,\ \langle P(u), u\rangle \geq 0$.*

Solution : supposons (a) vérifiée. On a donc $P = T^2$, avec $T = T^*$; alors $P = TT = T^*T$ et (a) entraîne (b). Supposons ensuite (b) vérifiée. Alors $P^* = (S^*S)^* = S^*S^{**} = S^*S = P$, ce qui implique que P est auto-adjoint. De plus :

$$\langle P(u), u\rangle = \langle S^*S(u), u\rangle = \langle S(u), S(u)\rangle \geq 0$$

Par conséquent (b) entraîne (c). Supposons enfin que (c) soit vérifiée. P étant auto-adjoint, il existe une base orthonormée $\{u_1, u_2, \ldots, u_n\}$ de V constituée de vecteurs propres de P, soit $Pu_i = \lambda_i u_i$. Le théorème 13.4 affirme que tous les λ_i sont réels. Montrons que (c) implique que les λ_i sont non négatifs ; pour tout i, on a :

$$0 \leq \langle P(u_i), u_i\rangle = \langle \lambda_i u_i, u_i\rangle = \lambda_i\langle u_i, u_i\rangle$$

$\langle u_i, u_i\rangle \geq 0$ entraîne $\lambda_i \geq 0$, comme annoncé, et donc $\sqrt{\lambda_i}$ est un nombre réel. Soit T l'opérateur linéaire défini par :

$$T(u_i) = \sqrt{\lambda_i}\,u_i \quad \text{pour} \quad i = 1, \ldots, n$$

T étant par construction représenté par une matrice diagonale réelle sur une base orthonormée, il est auto-adjoint. De plus, pour chaque i :

$$T^2(u_i) = T(\sqrt{\lambda_i}\,u_i) = \sqrt{\lambda_i}T(u_i) = \sqrt{\lambda_i}\,\sqrt{\lambda_i}\,u_i = \lambda_i u_i = P(u_i)$$

L'action de T^2 et de P sur les vecteurs d'une base de V est la même, il sont donc égaux : $P = T^2$, ce qui achève la démonstration.

Remarque : l'opérateur T défini ci-dessus est le seul opérateur positif vérifiant $P = T^2$; il est appelé *racine carrée positive* de P.

13.22 Montrer que tout opérateur linéaire T est la somme d'un opérateur hermitien et d'un opérateur antihermitien.

Solution : posons $S = \frac{1}{2}(T + T^*)$ et $U = \frac{1}{2}(T - T^*)$. Alors $T = S + U$, avec :

$$S^* = \left(\frac{1}{2}(T + T^*)\right)^* = \frac{1}{2}(T^* + T^{**}) = \frac{1}{2}(T^* + T) = S$$

$$U^* = \left(\frac{1}{2}(T - T^*)\right)^* = \frac{1}{2}(T^* - T^{**}) = \frac{1}{2}(T^* - T) = -U$$

S est hermitien et U antihermitien.

13.23 Démontrer le résultat suivant : soit T un opérateur linéaire quelconque sur un espace euclidien V de dimension finie. Alors T peut être écrit comme produit d'un opérateur unitaire (resp. orthogonal) U par un opérateur positif P unique ; autrement dit, $T = UP$. De plus, si T est inversible, alors U est également unique.

Solution : d'après le théorème 13.10, T^*T est un opérateur positif ; il existe alors un opérateur P et un seul tel que $P^2 = T^*T$ (voir problème 13.43). On peut écrire :

$$\|P(v)\|^2 = \langle P(v), P(v)\rangle = \langle P^2(v), v\rangle = \langle T^*T(v), v\rangle = \langle T(v), T(v)\rangle = \|T(v)\|^2 \qquad (13.5)$$

Examinons séparément les cas T inversible et T non inversible.
Si T est inversible, on peut poser $\hat{u} = PT^{-1}$. Montrons que $\hat{u}$ est unitaire :

$$\hat{u}^* = (PT^{-1})^* = T^{-1*}P^* = (T^*)^{-1}P \quad \text{et} \quad \hat{u}^*\hat{u} = (T^*)^{-1}PPT^{-1} = (T^*)^{-1}T^*TT^{-1} = I$$

Posons $U = \hat{u}^{-1}$; alors U est également unitaire, et $T = UP$.
Montrons à présent l'unicité. Supposons $T = U_0P_0$, avec U_0 unitaire et P_0 positif. Alors :

$$T^*T = P_0^*U_0^*U_0P_0 = P_0IP = P_0^2$$

Sachant que la racine carrée positive de T^*T est unique (problème 13.43), on a $P_0 = P$ (remarquer que l'inversibilité de T n'a pas été nécessaire pour montrer l'unicité de P). Si T est inversible, (13.5) entraîne l'inversibilité de P ; en postmultipliant $U_0P = UP$ par P^{-1}, on obtient $U_0 = U$: U est unique si T est inversible.
Supposons maintenant que T ne soit pas inversible. Soit W l'image de T : $W = \operatorname{Im} P$. Définissons l'application $U_1 : W \to V$ par :

$$U_1(w) = T(v) \quad \text{où} \quad P(v) = w \qquad (13.6)$$

Il faut montrer que U_1 est bien défini, c'est-à-dire que $P(v) = P(v') \Rightarrow T(v) = T(v')$. Cela résulte du fait que $P(v - v') = 0$ est équivalent à $\|P(v - v')\| = 0$, qui entraîne $\|T(v - v')\| = 0$ d'après (13.5), et U_1 est bien défini. Définissons à présent $U_2 : W^\perp \to V$. Remarquons tout d'abord que, en vertu de (13.5), P et T ont le même noyau ; les images de P et de T ont par conséquent les mêmes dimensions, soit $\dim(\operatorname{Im} P) = \dim W = \dim(\operatorname{Im} T)$. Il en résulte que $W^\perp$ et $(\operatorname{Im} T)^\perp$ ont aussi la même dimension. U_2 peut donc être n'importe quel isomorphisme entre $W^\perp$ et $(\operatorname{Im} T)^\perp$.
Posons $U = U_1 \oplus U_2$. U est donc défini comme suit : si $v \in V$, $v = w + w'$, avec $w \in W$ et $w' \in W^\perp$, alors $U(v) = U_1(w) + U_2(w')$. L'opérateur U est linéaire (problème 13.69) et, si $v \in V$ vérifie $P(v) = w$, (13.6) permet d'écrire :

$$T(v) = U_1(w) = U(w) = UP(v)$$

On a bien $T = UP$.

Il reste à montrer que U est unitaire ; tout vecteur $x \in V$ peut s'écrire $x = P(v) + w'$, où $w' \in W^{\perp}$. Alors $U(x) = UP(v) + U_2(w') = T(v) + U_2(w')$, avec $\langle T(v), U_2(w')\rangle = 0$, par définition de U_2. De même, d'après (13.5), $\langle T(v), T(v)\rangle = \langle P(v), P(v)\rangle$. Alors :

$$\begin{aligned}\langle U(x), U(x)\rangle &= \langle T(v) + U_2(w'), T(v) + U_2(w')\rangle = \langle T(v), T(v)\rangle + \langle U_2(w'), U_2(w')\rangle \\ &= \langle P(v), P(v)\rangle + \langle w', w'\rangle = \langle P(v) + w', P(v) + w'\rangle = \langle x, x\rangle\end{aligned}$$

On a aussi utilisé le fait que $\langle P(w), w'\rangle = 0$. U est unitaire, ce qui achève la démonstration.

13.24 On considère l'espace V des polynômes sur $\mathbb{R}$, muni du produit scalaire :

$$\langle f, g\rangle = \int_0^1 f(t)g(t)\,dt$$

Donner un exemple de forme linéaire ϕ sur V telle que le théorème 13.3 soit en défaut : il n'existe pas de polynôme $h(t)$ tel que $\forall f \in V, \phi(f) = \langle f, h\rangle$.

Solution : soit $\phi : V \to \mathbb{R}$ définie par $\phi(f) = f(0)$. L'action de ϕ sur f est de calculer la valeur de $f(t)$ pour $t = 0$: ϕ fait donc correspondre à tout polynôme son terme constant. Supposons qu'il existe un polynôme $h(t)$ tel que :

$$\phi(f) = f(0) = \int_0^1 f(t)h(t)\,dt \tag{13.7}$$

pour tout polynôme $f(t)$. En remarquant que ϕ applique le polynôme $tf(t)$ sur 0, on tire de (13.7) :

$$\int_0^1 tf(t)h(t)\,dt = 0 \tag{13.8}$$

pour tout polynôme $f(t)$. En particulier, l'équation (13.8) doit être vérifiée par le polynôme $f(t) = th(t)$:

$$\int_0^1 t^2 h^2(t)\,dt = 0$$

Mais on a alors nécessairement $h(t) = 0$, le polynôme nul. Par conséquent, $\forall f(t) \in V$, $\phi(f) = \langle f, h\rangle = \langle f, \mathbf{0}\rangle = 0$, en contradiction avec l'hypothèse selon laquelle ϕ n'est pas la forme linéaire nulle : le polynôme $h(t)$ ne peut pas exister.

EXERCICES SUPPLÉMENTAIRES

OPÉRATEUR ADJOINT

13.25 Déterminer l'adjoint de :

(a) $A = \begin{pmatrix} 5-2i & 3+7i \\ 4-6i & 8+3i \end{pmatrix}$; (b) $B = \begin{pmatrix} 3 & 5i \\ i & -2i \end{pmatrix}$; (c) $C = \begin{pmatrix} 1 & 1 \\ 2 & 3 \end{pmatrix}$.

13.26 Soit $T : \mathbb{R}^3 \to \mathbb{R}^3$ l'opérateur défini par $T(x, y, z) = (x + 2y,\ 3x - 4z,\ y)$. Déterminer $T^*(x, y, z)$.

13.27 Soit $T : \mathbb{C}^3 \to \mathbb{C}^3$ l'opérateur défini par $T(x, y, z) = \big(ix + (2+3i)y,\ 3x + (3-i)z,\ (2-5i)y + iz\big)$. Déterminer $T^*(x, y, z)$.

13.28 Pour chacune des formes linéaires suivantes ϕ sur V, trouver $u \in V$ tel que $\forall v \in V$, $\phi(v) = \langle v,\ u\rangle$:

(a) $\phi : \mathbb{R}^3 \to \mathbb{R}$, définie par $\phi(x, y, z) = x + 2y - 3z$;
(b) $\phi : \mathbb{C}^3 \to \mathbb{C}$, définie par $\phi(x, y, z) = ix + (2 + 3i)y + (1 - 2i)z$;
(c) $\phi : V \to \mathbb{R}$, définie par $\phi(f) = f(1)$, où V est l'espace vectoriel du problème 13.24.

13.29 On suppose que V est de dimension finie. Montrer que l'image de T^* est le supplémentaire orthogonal du noyau de T : $\operatorname{Im} T^* = (\ker T)^{\perp}$. En déduire que $\operatorname{rang} T = \operatorname{rang} T^*$.

13.30 Montrer que $T^*T = \mathbf{0} \Rightarrow T = \mathbf{0}$.

13.31 On considère V l'espace vectoriel des polynômes sur $\mathbb{R}$, muni du produit scalaire $\langle f,\ g\rangle = \displaystyle\int_0^1 f(t)g(t)\,dt$. Soit $\mathbf{D}$ l'opérateur de dérivation sur V, défini par $\mathbf{D}(f) = df/dt$. Montrer qu'il n'existe pas d'opérateur $\mathbf{D}^*$ sur V tel que $\langle \mathbf{D}(f),\ g\rangle = \langle f,\ \mathbf{D}^*(g)\rangle$, quels que soient f et $g \in V$. En d'autres termes, $\mathbf{D}$ n'a pas d'adjoint.

MATRICES, OPÉRATEURS UNITAIRES ET ORTHOGONAUX

13.32 Trouver la matrice unitaire dont la première ligne est :

(a) $\left(\dfrac{2}{\sqrt{13}},\ \dfrac{3}{\sqrt{13}}\right)$; (b) multiple de $(1,\ 1 - i)$; (c) $\left(\dfrac{1}{2},\ \dfrac{1}{2}i,\ \dfrac{1}{2} - \dfrac{1}{2}i\right)$.

13.33 Montrer que les produits et les inverses de matrices orthogonales sont des matrices orthogonales. En déduire que les matrices orthogonales forment un groupe multiplicatif (appelé *groupe orthogonal*).

13.34 Montrer que les produits et les inverses de matrices unitaires sont des matrices unitaires. En déduire que les matrices unitaires forment un groupe multiplicatif (appelé *groupe unitaire*).

13.35 Montrer que si une matrice orthogonale (resp. unitaire) est triangulaire, alors elle est diagonale.

13.36 On rappelle que deux matrices A et B sont dites *unitairement équivalentes* s'il existe une matrice unitaire P telle que $B = P^*AP$. Montrer que cette relation est une relation d'équivalence.

13.37 On rappelle que deux matrices A et B sont dites *orthogonalement équivalentes* s'il existe une matrice orthogonale P telle que $B = P^TAP$. Montrer que cette relation est une relation d'équivalence.

13.38 Soit W un sous-espace de V. $\forall v \in V$, on pose $v = w + w'$, où $w \in W$ et $w' \in W^{\perp}$ (on sait qu'une telle somme est unique puisque $V = W \oplus W^{\perp}$). Soit $T : V \to V$ défini par $T(v) = w - w'$. Montrer que T est un opérateur unitaire auto-adjoint sur V.

13.39 Soit V un espace euclidien, et soit une application, non supposée linéaire, $U : V \to V$ qui soit surjective et conserve le produit scalaire : $\forall v, w \in V$, $\langle U(v),\ U(w)\rangle = \langle v,\ w\rangle$. Montrer que U est linéaire, et par conséquent unitaire.

OPÉRATEURS POSITIFS ET DÉFINIS POSITIFS

13.40 Montrer que la somme de deux opérateurs positifs (resp. définis positifs) est un opérateur positif (resp. défini positif).

13.41 Soit T un opérateur linéaire sur V et soit $f : V \times V \to \mathbb{K}$ définie par $f(u, v) = \langle T(u), v \rangle$. Montrer que f définit un produit scalaire sur V si et seulement si T est défini positif.

13.42 Soit E un projecteur orthogonal sur un sous-espace quelconque W de V. Montrer que $kI + E$ est positif (resp. défini positif) si $k \geq 0$ (resp. $k > 0$).

13.43 Considérons l'opérateur T, défini par $T(u_i) = \sqrt{\lambda_i}\, u_i$, $i = 1, \ldots, n$, introduit lors de la démonstration du théorème 13.10 (problème 13.21). Montrer que T est positif, et qu'il est le seul opérateur positif vérifiant $T^2 = P$.

13.44 Considérons un opérateur P à la fois positif et unitaire. Montrer que $P = I$.

13.45 Déterminer parmi les matrices suivantes celles qui sont positives, ou définies positives :

(a) $\begin{pmatrix} 1 & 1 \\ 1 & 1 \end{pmatrix}$; (c) $\begin{pmatrix} 0 & 1 \\ -1 & 0 \end{pmatrix}$; (e) $\begin{pmatrix} 2 & 1 \\ 1 & 2 \end{pmatrix}$;

(b) $\begin{pmatrix} 0 & i \\ -i & 0 \end{pmatrix}$; (d) $\begin{pmatrix} 1 & 1 \\ 0 & 1 \end{pmatrix}$; (f) $\begin{pmatrix} 1 & 2 \\ 2 & 1 \end{pmatrix}$.

13.46 Démontrer qu'une matrice complexe 2×2, $A = \begin{pmatrix} a & b \\ c & d \end{pmatrix}$ est positive si et seulement si :

(a) $A = A^*$; (b) $a, d, ad - bc \geq 0$.

13.47 Démontrer qu'une matrice diagonale A est positive (resp. définie positive) si et seulement si chaque élément est non négatif (resp. positif).

MATRICES SYMÉTRIQUES ET AUTO-ADJOINTES

13.48 Quel que soit l'opérateur T, montrer que $T + T^*$ est hermitien et $T - T^*$ est antihermitien.

13.49 Considérons un opérateur T auto-adjoint. Montrer que $T^2(v) = 0 \Rightarrow T(v) = 0$. En déduire que pour tout $n > 0$, $T^n(v) = 0 \Rightarrow T(v) = 0$.

13.50 Soit V un espace hermitien. Montrer que si $\forall v \in V$, $\langle T(v), v \rangle$ est réel, alors T est auto-adjoint.

13.51 Soient deux opérateurs T_1 et T_2 auto-adjoints. Montrer que T_1T_2 est auto-adjoint si et seulement si T_1 et T_2 commutent, *i.e.* $T_1T_2 = T_2T_1$.

13.52 Pour chacune des matrices symétriques A suivantes, déterminer une matrice orthogonale P telle que P^TAP soit diagonale :

(a) $A = \begin{pmatrix} 1 & 2 \\ 2 & -2 \end{pmatrix}$; (b) $A = \begin{pmatrix} 5 & 4 \\ 4 & -1 \end{pmatrix}$; (c) $A = \begin{pmatrix} 7 & 3 \\ 3 & -1 \end{pmatrix}$.

13.53 Trouver un changement de variables orthonormé qui diagonalise chacune des formes quadratiques suivantes :

(a) $q(x, y) = 2x^2 - 6xy + 10y^2$;

(b) $q(x, y) = x^2 + 8xy - 5y^2$;

(c) $q(x, y, z) = 2x^2 - 4xy + 5y^2 + 2xz - 4yz + 2z^2$.

OPÉRATEURS ET MATRICES NORMAUX

13.54 Soit $A = \begin{pmatrix} 2 & i \\ i & 2 \end{pmatrix}$. Vérifier que A est normale ; déterminer une matrice unitaire P telle que P^*AP soit diagonale, et calculer P^*AP.

13.55 Montrer qu'une matrice triangulaire est normale si et seulement si elle est diagonale.

13.56 Montrer que si T est normal, alors $\forall v \in V$, $\|T(v)\| = \|T^*(v)\|$. Démontrer que la réciproque est vraie si V est hermitien.

13.57 Montrer que tout opérateur hermitien, antihermitien ou unitaire (resp. orthogonal) est normal.

13.58 Soit un opérateur T normal. Montrer que :

(a) T est auto-adjoint si et seulement si ses valeurs propres sont réelles ;

(b) T est unitaire si et seulement si ses valeurs propres sont de module 1 ;

(c) T est positif si et seulement si ses valeurs propres sont réelles et non négatives.

13.59 Montrer que si T est normal, T et T^* ont même noyau et même image.

13.60 Considérons deux opérateurs normaux T_1 et T_2 tels que $T_1T_2 = T_2T_1$. Montrer que $T_1 + T_2$ et T_1T_2 sont normaux.

13.61 Soit T_1 un opérateur normal qui commute avec T_2. Montrer qu'il commute aussi avec T_2^*.

13.62 Démontrer la proposition suivante : soient T_1 et T_2 deux opérateurs normaux sur un espace hermitien V de dimension finie. Il existe alors une base orthonormée de V composée de vecteurs propres communs à T_1 et T_2. En d'autres termes, T_1 et T_2 peuvent être diagonalisés simultanément.

ISOMORPHISMES D'ESPACES EUCLIDIENS

13.63 Soit $S = \{u_1, \ldots, u_n\}$ une base orthonormée d'un espace euclidien V sur un corps $\mathbb{K}$. Montrer que l'application $v \mapsto [v]_S$ est un isomorphisme (au sens des espaces euclidiens) entre V et $\mathbb{K}^n$. (On rappelle que $[v]_S$ désigne le vecteur des composantes de v sur la base S.)

13.64 Montrer que deux espaces euclidiens V et W sur un même corps $\mathbb{K}$ sont isomorphes si et seulement si ils ont la même dimension.

13.65 Soient $\{u_1, \ldots, u_n\}$ et $\{u'_1, \ldots, u'_n\}$ des bases orthonormées, respectivement, de V et W. On considère l'application $T : V \to W$ définie par $T(u_i) = u'_i$, pour tout i. Montrer que T est un isomorphisme.

13.66 Soit V un espace euclidien. On rappelle que tout vecteur $u \in V$ définit une forme linéaire $\hat{u}$ de l'espace dual V^* par $\hat{u}(v) = \langle v, u\rangle$ pout tout $v \in V$ (voir § 13.2.1). Montrer que l'application $u \mapsto \hat{u}$ est linéaire et régulière, et définit un isomorphisme entre V et V^*.

PROBLÈMES DIVERS

13.67 Soit $S = \{u_1, \dots, u_n\}$ une base orthonormée de V. Démontrer les propriétés suivantes :
(a) $\langle a_1u_1 + a_2u_2 + \cdots + a_nu_n,\ b_1u_1 + b_2u_2 + \cdots + b_nu_n\rangle = a_1\overline{b_1} + a_2\overline{b_2} + \cdots + a_n\overline{b_n}$;
(b) soit $A = (a_{ij})$ la matrice représentant $T : V \to V$ sur la base $\{u_i\}$. Alors $a_{ij} = \langle T(u_i), u_j\rangle$.

13.68 Montrer qu'il existe une base orthonormée $\{u_1, \dots, u_n\}$ de V constituée de vecteurs propres de T si et seulement si il existe des projecteurs orthogonaux $E_1, \dots, E_r$, et des scalaires $\lambda_1, \dots, \lambda_r$ tels que :

(a) $T = \lambda_1E_1 + \cdots + \lambda_rE_r$; (b) $E_1 + \cdots + E_r = I$; (c) $E_iE_j = 0$ si $i \neq j$.

13.69 Supposons que $V = U \oplus W$, et soient $T_1 : U \to V$ et $T_2 : W \to V$ deux applications linéaires. Montrer que $T = T_1 \oplus T_2$ est aussi linéaire. On rappelle que T est défini, si $v \in V$, $v = u + w$, avec $u \in U$ et $w \in W$, par :

$$T(v) = T_1(u) + T_2(w)$$

¿ SOLUTIONS

Notation : $[R_1;\ R_2;\ \dots;\ R_n]$ désigne une matrice dont les lignes sont $R_1, R_2, \dots, \mathbb{R}_n$.

13.25 (a) $[5+2i,\ 4+6i;\ \ 3-7i,\ 8-3i]$; (c) $[1, 2;\ \ 1, 3]$.
(b) $[3, -1;\ \ -5i, 2i]$;

13.26 $T^*(x, y, z) = (x + 3y,\ 2x + z,\ -4y)$.

13.27 $T^*(x, y, z) = \big(-ix + 3y,\ (2 - 3i)x + (2 + 5i)z,\ (3 + i)y - iz\big)$.

13.28 (a) $u = (1, 2, -3)$; (b) $u = (-i,\ 2 - 3i,\ 1 + 2i)$; (c) $u = \dfrac{1}{15}(18t^2 - 8t + 13)$.

13.32 (a) $\dfrac{1}{\sqrt{13}}[2, 3;\ \ 3, -2]$; (b) $\dfrac{1}{\sqrt{3}}[1,\ 1-i;\ \ 1+i,\ -1]$;

(c) $\dfrac{1}{2}[1,\ i,\ 1-i;\ \ \sqrt{2}\,i,\ -\sqrt{2},\ 0;\ \ 1,\ -i,\ -1+i]$.

13.45 Seules (a) et (e) sont des matrices positives ; seule (e) est définie positive.

13.52 (a) $P = \dfrac{1}{\sqrt{5}}[2, -1;\ \ -1, 2]$; (b) idem ; (c) $P = \dfrac{1}{\sqrt{10}}[3, -1;\ \ -1, 3]$.

13.53 (a) $x = \dfrac{3x' - y'}{\sqrt{10}},\ y = \dfrac{x' + 3y'}{\sqrt{10}}$; (b) $x = \dfrac{2x' - y'}{\sqrt{5}},\ y = \dfrac{x' + 2y'}{\sqrt{5}}$;

(c) $x = \dfrac{x'}{\sqrt{3}} + \dfrac{y'}{\sqrt{2}} + \dfrac{z'}{\sqrt{6}},\ y = \dfrac{x'}{\sqrt{3}} - 2\dfrac{z'}{\sqrt{6}},\ z = \dfrac{x'}{\sqrt{3}} - \dfrac{y'}{\sqrt{2}} + \dfrac{z'}{\sqrt{6}}$.

13.54 $P = \dfrac{1}{\sqrt{2}}[1, -1;\ \ 1, 1]$; $P^*AP = \operatorname{diag}(2 + i,\ 2 - i)$.

Produits multilinéaires

A.1 INTRODUCTION

L'objet de cet appendice est un peu plus théorique que ce qui a précédé, et indique quelques pistes pour des généralisations possibles. Nous le justifions par l'observation suivante : soit une base S d'un espace vectoriel V ; nous pouvons reformuler ainsi le théorème 5.2 :

> ✻ **Théorème 5.2 :** Soit $g : S \to V$ l'application inclusive de S dans V. Alors, pour tout espace vectoriel U, et pour toute application $f : S \to U$, il existe une application unique $f^* : V \to U$ telle que $f = f^* \circ g$.

Une autre manière de l'exprimer consiste à dire que le diagramme de la figure A.1(a) commute.

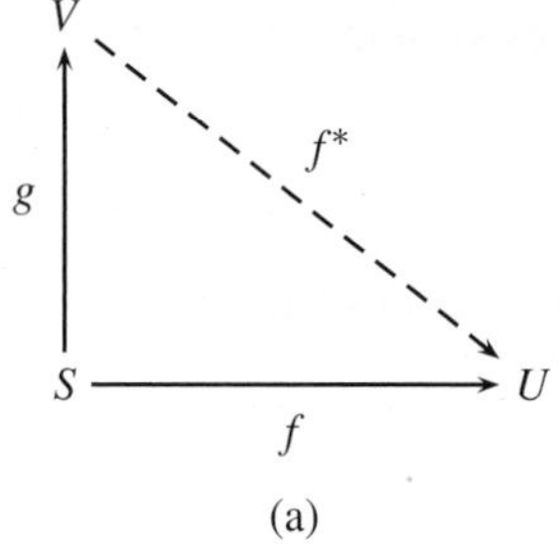

(a)

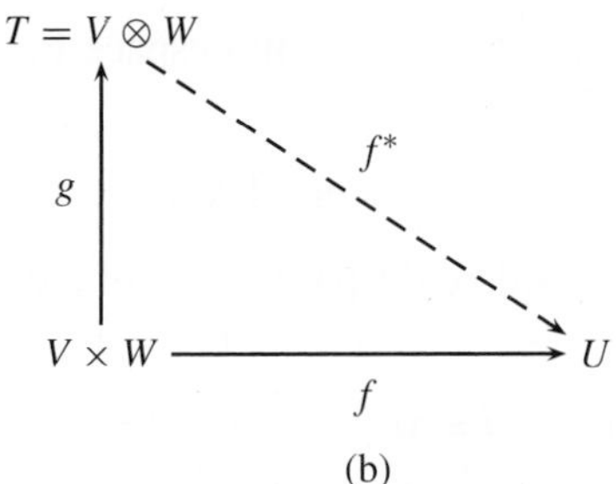

(b)

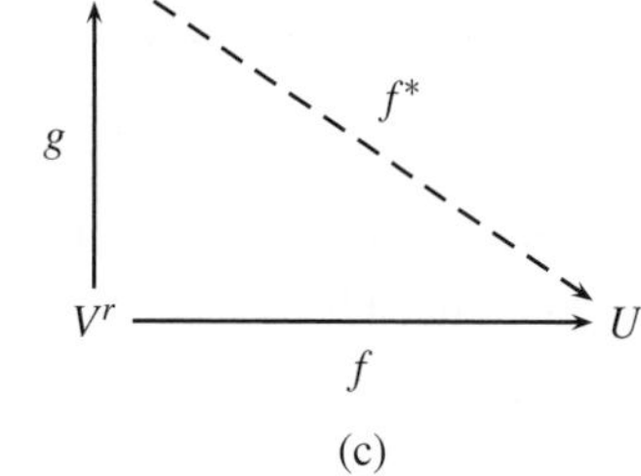

(c)

Figure A.1 Diagrammes.

A.2 APPLICATIONS BILINÉAIRES ET PRODUIT TENSORIEL

Soient U, V et W des espaces vectoriels sur un corps $\mathbb{K}$. Une application :

$$f : V \times W \to U$$

est dite *bilinéaire* si $\forall v \in V$, l'application $f_v : W \to U$ définie par $f_v(w) = f(v, w)$ est linéaire, et si $\forall w \in W$, l'application $f_w : V \to U$ définie par $f_w(v) = f(v, w)$ est également linéaire. En d'autres termes, f est linéaire par rapport à chacune des deux variables. On peut remarquer la similitude avec les formes bilinéaires étudiées au chapitre 12, la différence étant que les images appartiennent à un espace vectoriel quelconque U, dont le corps des scalaires $\mathbb{K}$ est simplement un cas particulier.

◆ **Définition A.1 :** Soient V et W deux espaces vectoriels sur un corps $\mathbb{K}$. Le *produit tensoriel* T de V et W est un espace vectoriel sur $\mathbb{K}$ associé à une application bilinéaire $g : V \times W \to T$, notée $g(v, w) = v \otimes w$, vérifiant la propriété suivante :

$$\forall U, \text{ espace vectoriel sur } \mathbb{K}, \text{ et } \forall g : V \times W \to U \text{ bilinéaire, il existe une application linéaire et une seule } f^* : T \to U \text{ telle que } f^* \circ g = f. \tag{A.1}$$

Le produit tensoriel T de V et W est noté $V \otimes W$, et l'élément $v \otimes w \in T$ est appelé *tenseur* de v et w. L'unicité dans (A.1) entraîne que l'image de g engendre T, soit $\text{Vect}(\{v \otimes w\}) = T$. On a le résultat suivant :

✻ **Théorème A.1 :** Le produit tensoriel $T = V \otimes W$ existe et est unique, à un isomorphisme près. Si $\{v_1, \dots, v_n\}$ est une base de V, et si $\{w_1, \dots, w_n\}$ est une base de W, alors :

$$v_i \otimes w_j, \quad i = 1, \dots, n \text{ et } j = 1, \dots, m$$

forme une base de T. Il en résulte que $\dim T = \dim V \cdot \dim W$.

Une autre façon d'exprimer la condition (A.1) est de dire que le diagramme de la figure A.1(b) commute. Le fait qu'une telle application existe est connu sous le nom de « principe de l'application universelle ». On peut remarquer en particulier qu'une base d'un espace vectoriel V possède cette propriété universelle. La condition (A.1) montre aussi que l'application $f : V \times W \to U$ « factorise » le produit tensoriel $T = V \otimes W$.

Voici un exemple concret :

Exemple A.1

Soit V l'espace vectoriel de polynômes $\mathbf{P}_{r-1}(x)$, et W l'espace $\mathbf{P}_{s-1}(y)$. Les systèmes suivants sont des bases, respectivement, de V et W :

$$1, x, x^2, \dots, x^{r-1} \quad \text{et} \quad 1, y, y^2, \dots, y^{r-1}$$

On a $\dim V = r$ et $\dim W = s$. On considère l'espace vectoriel T des polynômes des variables x et y, muni de la base :

$$\{x^i y^j\}, \quad \text{avec} \quad i = 0, \dots, r-1,\ j = 0, \dots, s-1$$

T n'est autre que le produit tensoriel $V \otimes W$.

Le théorème suivant précise la propriété d'associativité du produit tensoriel :

*** Théorème A.2 :** Soient U, V et W des espaces vectoriels sur un corps $\mathbb{K}$. Il existe un isomorphisme et un seul :

$$(U \otimes V) \otimes W \to U \otimes (V \otimes W)$$

tel que, $\forall u \in U$, $v \in V$ et $w \in W$:

$$(u \otimes v) \otimes w \mapsto u \otimes (v \otimes w)$$

A.3 APPLICATIONS MULTILINÉAIRES ALTERNÉES ET PRODUIT EXTÉRIEUR

Soit une application $f : V^r \to U$, où U et V sont des espaces vectoriels[1] sur $\mathbb{K}$.

◆ Définition A.2 :

(a) L'application f est dite *multilinéaire* si $f(v_1, \ldots, v_r)$ est linéaire par rapport à chacune des variables v_j, les autres étant fixées :

$$f(\ldots, v_j + v_{j'}, \ldots) = f(\ldots, v_j, \ldots) + f(\ldots, v_{j'}, \ldots)$$
$$f(\ldots, kv_j, \ldots) = kf(\ldots, v_j, \ldots)$$

pour toutes les valeurs de j.

(b) L'application f est dite *alternée* si :

$$f(v_1, \ldots, v_r) = 0 \quad \text{si} \quad v_i = v_j,\ i \neq j$$

On montre facilement (le faire en exercice) qu'une application multilinéaire alternée sur V^r vérifie :

$$f(\ldots, v_i, \ldots, v_j, \ldots) = -f(\ldots, v_j, \ldots, v_i, \ldots)$$

Si l'on échange deux vecteurs, le signe change.

Exemple A.2

La fonction déterminant $D : M \to \mathbb{K}$ définie sur l'espace vectoriel des matrices carrées $n \times n$ peut être considérée comme une fonction de n variables :

$$D(A) = D(R_1, R_2, \ldots, R_n)$$

où les R_i sont les lignes de la matrice A. On se souvient (voir chapitre 8) que D est une fonction multilinéaire alternée.

Introduisons la notation suivante : soit $K = (k_1, \ldots, k_r)$ un multiplet à r composantes prises dans l'ensemble $I_n = \{1, 2, \ldots, n\}$ des n premiers entiers naturels. Nous notons respectivement :

$$v_K = (v_{k_1}, v_{k_2}, \ldots, v_{k_r}) \quad \text{et} \quad a_K = a_{1k_1} a_{2k_2} \cdots a_{rk_r}$$

une liste de r vecteurs indexés par K, et un produit de r scalaires a_{ik_i}, également indexés par K.

1. On rappelle que $V^r = V \times V \times \cdots \times V$ est le produit de V r fois par lui-même.

Supposons que tous les éléments de K soient distincts. K se réduit alors à une permutation σ_K d'un multiplet $J = (i_1, i_2, \ldots, i_r)$ sous forme standard, c'est-à-dire où les entiers sont rangés dans l'ordre naturel $i_1 < i_2 < \cdots < i_r$. Le nombre de telles listes à r composantes, sous forme standard, que l'on peut former à partir de I_n est le coefficient du binôme :

$$C_n^r = \frac{n!}{r!(n-r)!}$$

On se souvient que le signe $\operatorname{sgn} \sigma_K$ de la permutation σ_K est donné par $(-1)^{m_k}$, où m_k est le nombre d'échanges nécessaires pour ramener K à la forme standard J.

Considérons une matrice $A = (a_{ij})$ rectangulaire $r \times n$. Pour une liste ordonnée J à r composantes, on définit :

$$D_J(A) = \begin{vmatrix} a_{1i_1} & a_{1i_2} & \cdots & a_{1i_r} \\ a_{2i_1} & a_{2i_2} & \cdots & a_{2i_r} \\ \vdots & \vdots & \ddots & \vdots \\ a_{ri_1} & a_{ri_2} & \cdots & a_{ri_r} \end{vmatrix}$$

$D_J(A)$ est le déterminant de la sous-matrice $r \times r$ de A dont les indices de colonnes forment l'ensemble J. Le théorème principal énoncé plus loin nécessite le lemme suivant :

✻ Lemme A.3 : On considère deux espaces vectoriels U et V sur $\mathbb{K}$, et une application $f : V^r \to U$ multilinéaire (d'ordre r) alternée. Soient $v_1, v_2, \ldots, v_n$ des vecteurs de V et $A = (a_{ij})$ une matrice $r \times n$ sur $\mathbb{K}$, avec $r \leq n$. On pose, pour $i = 1, 2, \ldots, r$:

$$u_i = a_{i1}v_1 + a_{i2}v_2 + \cdots + a_{in}v_n$$

Alors :

$$f(u_1, \ldots, u_r) = \sum_J D_J(A) f(v_{i_1}, v_{i_2}, \ldots, v_{i_r})$$

où la sommation s'effectue sur toutes les listes $J = \{i_1, i_2, \ldots, i_r\}$ sous forme standard.

Démonstration : La preuve est laborieuse mais sans difficulté. La linéarité de f donne :

$$f(u_1, \ldots, u_r) = \sum_K a_K f(v_K)$$

où la somme est étendue à toutes les listes K à r éléments de I_n. f étant alternée, $f(v_K) = 0$ si K contient des entiers identiques. Il convient de permuter les v_j de manière à ramener les indices dans l'ordre standard :

$$f(v_K) = f(v_{k_1}, v_{k_2}, \ldots, v_{k_r}) \quad \longrightarrow \quad f(v_J) = f(v_{i_1}, v_{i_2}, \ldots, v_{i_r})$$

où $i_1 < i_2 < \cdots < i_r$. Le signe de a_K est alors multiplié par la signature de la permutation σ_K, et l'on retrouve les propriétés du déterminant. Nous laissons les détails aux soins du lecteur. ∎

Exemple A.3

Illustrons le lemme par l'exemple suivant, avec $r = 2$ et $n = 3$: soit $f : V^2 \to U$ une application multilinéaire alternée. Considérons trois vecteurs v_1, v_2 et v_3 de V, et soient u et $w \in V$ s'exprimant comme combinaison linéaire de v_1, v_2 et v_3 :

$$u = a_1v_1 + a_2v_2 + a_3v_3 \quad \text{et} \quad v = b_1v_1 + b_2v_2 + b_3v_3$$

Alors :

$$f(u, w) = f(a_1v_1 + a_2v_2 + a_3v_3,\ b_1v_1 + b_2v_2 + b_3v_3)$$

La multilinéarité permet un développement en neuf termes :

$$\begin{aligned} f(u, w) = {} & a_1b_1f(v_1, v_1) + a_1b_2f(v_1, v_2) + a_1b_3f(v_1, v_3) \\ & + a_2b_1f(v_2, v_1) + a_2b_2f(v_2, v_2) + a_2b_3f(v_2, v_3) \\ & + a_3b_1f(v_3, v_1) + a_3b_2f(v_3, v_2) + a_3b_3f(v_3, v_3) \end{aligned}$$

À partir de $I = \{1, 2, 3\}$, on peut construire trois listes standards de deux éléments, $J = (1, 2)$, $J' = (1, 3)$ et $J'' = (2, 3)$. D'autre part, puisque f est alternée, tous les $f(v_i, v_i)$ sont nuls, et $f(v_i, v_j) = -f(v_j, v_i)$. La somme ci-dessus, en rangeant les indices dans l'ordre standard, se met sous la forme :

$$\begin{aligned} f(u, w) &= (a_1b_2 - a_2b_1)f(v_1, v_2) + (a_1b_3 - a_3b_1)f(v_1, v_3) + (a_2b_3 - a_3b_2)f(v_2, v_3) \\ &= \begin{vmatrix} a_1 & a_2 \\ b_1 & b_2 \end{vmatrix} f(v_1, v_2) + \begin{vmatrix} a_1 & a_3 \\ b_1 & b_3 \end{vmatrix} f(v_1, v_3) + \begin{vmatrix} a_2 & a_3 \\ b_2 & b_3 \end{vmatrix} f(v_2, v_3) \end{aligned}$$

qui est exactement l'expression du lemme.

◆ **Définition A.3 :** Soit V un espace vectoriel de dimension n sur un corps $\mathbb{K}$, et soit r un entier tel que $1 \leq r \leq n$. Le *produit extérieur* E est un espace vectoriel sur $\mathbb{K}$ associé à application multilinéaire alternée d'ordre r $g : V^r \to E$, notée $g(v_1, \ldots, v_r) = v_1 \wedge v_2 \ldots \wedge v_r$ vérifiant la propriété suivante :

$$\forall U, \text{ espace vectoriel sur } \mathbb{K}, \text{ et } \forall g : V \times W \to U \text{ multilinéaire alternée d'ordre } r, \text{ il existe une application linéaire et une seule } f^* : E \to U \text{ telle que } f^* \circ g = f. \tag{A.2}$$

Le produit extérieur d'ordre r est noté $E = \bigwedge^r V$. Comme pour le produit tensoriel, l'unicité dans (A.2) entraîne que l'image de g engendre E, soit $\mathrm{Vect}\{v_1 \wedge v_2 \ldots \wedge v_r\} = E$. On a le théorème suivant :

✻ **Théorème A.4 :** Soit V un espace vectoriel de dimension n sur un corps $\mathbb{K}$. Le produit extérieur $E = \bigwedge^r V$ existe et est unique, à un isomorphisme près. Si $r > n$, alors $E = \{0\}$; si $r \leq n$, $\dim E = C_n^r$. De plus, si $\{v_1, \ldots, v_n\}$ est une base de V, les vecteurs :

$$v_{i1} \wedge v_{i2} \cdots \wedge v_{ir}$$

avec $1 \leq i_1 < i_2 < \cdots < i_r \leq n$, forment une base de E.

On peut encore exprimer la propriété (A.2) en disant que le diagramme de la figure A.1(c) est commutatif. Elle montre aussi que toute application multilinéaire alternée $f : V^r \to U$ factorise le produit extérieur $E = \bigwedge^r V$. Voici un exemple :

Exemple A.4

Soit $V = \mathbb{R}^3$, muni de sa base canonique $\{\mathbf{i}, \mathbf{j}, \mathbf{k}\}$. Considérons l'espace extérieur second $E = \bigwedge^2 V$. Puisque $\dim V = 3$, on a $\dim E = C_3^2 = 3$, et les vecteurs $\mathbf{i} \wedge \mathbf{j}$, $\mathbf{i} \wedge \mathbf{k}$ et $\mathbf{j} \wedge \mathbf{k}$ forment une base de E. On peut identifier E et $\mathbb{R}^3$ par la correspondance :

$$\mathbf{i} = \mathbf{j} \wedge \mathbf{k}, \quad \mathbf{j} = \mathbf{k} \wedge \mathbf{i} = -\mathbf{i} \wedge \mathbf{k}, \quad \mathbf{k} = \mathbf{i} \wedge \mathbf{j}$$

Soient u et v deux vecteurs quelconques de V :

$$u = (a_1, a_2, a_3) = a_1\mathbf{i} + a_2\mathbf{j} + a_3\mathbf{k} \quad \text{et} \quad w = (b_1, b_2, b_3) = b_1\mathbf{i} + b_2\mathbf{j} + b_3\mathbf{k}$$

Comme dans l'exemple A.3 :

$$u \wedge w = (a_1b_2 - a_2b_1)\mathbf{i} \wedge \mathbf{j} + (a_1b_3 - a_3b_1)\mathbf{i} \wedge \mathbf{k} + (a_2b_3 - a_3b_2)\mathbf{j} \wedge \mathbf{k}$$

Avec l'identification ci-dessus, on obtient :

$$\begin{aligned} u \wedge w &= (a_2b_3 - a_3b_2)\mathbf{i} - (a_1b_3 - a_3b_1)\mathbf{j} + (a_1b_2 - a_2b_1)\mathbf{k} \\ &= \begin{vmatrix} a_2 & a_3 \\ b_2 & b_3 \end{vmatrix} \mathbf{i} - \begin{vmatrix} a_1 & a_3 \\ b_1 & b_3 \end{vmatrix} \mathbf{j} + \begin{vmatrix} a_1 & a_2 \\ b_1 & b_2 \end{vmatrix} \mathbf{k} \end{aligned}$$

On reconnaît dans cette expression le *produit vectoriel* de la géométrie élémentaire.

Le dernier théorème montre que l'on peut « multiplier » les produits extérieurs et former ainsi une *algèbre extérieure* :

*** Théorème A.5 :** Soit V un espace vectoriel sur un corps $\mathbb{K}$, et soient r et s deux entiers positifs. Il existe une application bilinéaire unique $\bigwedge^r V \times \bigwedge^s V \to \bigwedge^{r+s} V$ telle que, quels que soient les vecteurs $u_i, w_j \in V$:

$$(u_1 \wedge \ldots \wedge u_r) \times (w_1 \wedge \ldots \wedge w_s) \mapsto u_1 \wedge \ldots \wedge u_r \wedge w_1 \wedge \ldots \wedge w_s$$

Exemple A.5

Construisons une algèbre extérieure A sur un corps $\mathbb{K}$ à partir de variables x, y et z non commutatives. Dans une algèbre extérieure, les variables doivent vérifier :

$$x \wedge x = y \wedge y = z \wedge z = 0 \quad \text{et} \quad y \wedge x = -x \wedge y,\ z \wedge x = -x \wedge z,\ z \wedge y = -y \wedge z$$

Tout élément de A est combinaison linéaire des huit éléments :

$$1,\ x,\ y,\ z,\ x \wedge y,\ x \wedge z,\ y \wedge z,\ x \wedge y \wedge z$$

On multiplie deux « polynômes » de A avec la loi distributive habituelle, mais on doit tenir compte des contraintes ci-dessus ; par exemple :

$$(3 + 4y - 5x \wedge y + 6y \wedge z) \wedge (5x - 2y) = 15x - 6y - 20x \wedge y + 12x \wedge y \wedge z$$

Voici les détails de quelques-uns des calculs :

$$(4x) \wedge (5y) = 20y \wedge x = -20x \wedge y \quad \text{et} \quad (6x \wedge z) \wedge (-2y) = -12x \wedge z \wedge y = 12x \wedge y \wedge z$$

Index

A

B

C

D

E

F

G

H

I

J

K

L

M

T

V

046983 - (I) - (3) - CSB 70° - SCR - RBN
Imprimé en France par I.F.C. 18390 Saint-Germain-du-Puy
Dépôt légal : août 2003 - N° d'impression : 03/637